collection Adonis

Titre 100

grands dictionnaires bilingues

COLLECTION "JUPITER"

DICTIONNAIRE MODERNE
français-allemand, allemand-français
par Pierre Grappin, doyen honoraire de l'université de Paris-X, président de l'Association des germanistes de l'enseignement supérieur.

L'ouvrage fait bénéficier le lecteur d'une information méthodique et actuelle, tout en conservant à la langue littéraire la place qui lui revient. De très nombreuses innovations et des illustrations modernes facilitent au maximum les recherches. 1 744 pages.

DICTIONNAIRE MODERNE
français-anglais, anglais-français
par M.-M. Dubois, professeur à la Sorbonne.

De même conception et de même présentation que le volume précédent : vocabulaire riche et vivant, américanismes, prononciation en alphabet phonétique international, illustrations, etc. 1 552 pages.

DICTIONNAIRE MODERNE
français-espagnol, espagnol-français
par Ramón García-Pelayo et Jean Testas.

Le plus riche et le plus récent des grands dictionnaires bilingues pour les études hispaniques, avec à la fois néologismes et vocabulaire classique ainsi que de nombreuses expressions employées en Amérique hispanique. 1 800 pages.

Chaque volume relié pleine toile (14,5 x 20 cm), sous jaquette.

ENGLISH-FRENCH

dictionary

by

Louis Chaffurin

Agrégé de l'Université,
Professeur au Lycée Condorcet
et à l'École des Hautes Études commerciales

revised and brought up to date by

Jean Mergault

Agrégé de l'Université

LIBRAIRIE LAROUSSE

17, rue du Montparnasse, et boul. Raspail, 114 - Paris 6e

Le présent volume appartient à la dernière édition (revue et corrigée) de cet ouvrage. La date du copyright mentionnée ci-dessous ne concerne que le dépôt à Washington de la *première* édition.

ISBN 2-03-020402-1

DICTIONNAIRE
FRANÇAIS-ANGLAIS

A

a (à). V. AVOIR*.

à (à) At [situation] : *je suis à la maison,* I am at home. To (tou) [direction] : *va* à Paris,* go* to Paris. From [origine] : *je viens* de Londres,* I come* from London. In [dans] : *au lit,* in bed. Into (ìntou) [pénétration] : *tomber à la mer,* to fall* into the sea. For [pour] : *appeler au secours,* to call for help. With [avec] : *se battre à l'épée,* to fight* with swords. On [sur] : *à pied,* on foot. And [et] : *bifteck aux pommes,* steak and chips. OBSERV. On tourne souvent par un mot composé : *salle à manger,* dining-room, ou bien par un possessif : *c'est à vous,* it is yours; *c'est à ton père,* it is your father's.

abaissement (ma^{n}) Lowering [lo^{oue}ring). Humiliation.

abaisser (àbèsé) To lower (lo^{ouer}). To reduce (dyous) [réduire]. To bring* down. **S' -** To subside [terre]. To stoop [se pencher].

abajoue *f* (jû) Cheekpouch.

abalourdir To make* dull.

abandon *m* ($a^{n}do^{n}$) Surrender ($s^{e}rènd^{er}$). Cession (sèsh^{e}n). Neglect [négligence].

abandonné, ée Forsaken (sé^{i}).

abandonnement *m* (àba^{n}dònma^{n}) Abandonment (àndònm^{e}nt'). Neglect [négligence]. Cession (sèsh^{e}n).

abandonner (àba^{n}) To surrender [propriété]. To give* up [projet]. To forsake* [pers.]. **S' -** To give* oneself up. To indulge.

abasourdir (àbàzûrdir) To dumbfound (dœmfa^{ou}nd).

abasourdissement *m* Stupefaction (styoupifaksh^{e}n).

abat *m* (àbà) Killing. *Abats* [*pl.*] *Offal* [bouch.]. *Giblets* [de volaille].

abâtardir To debase (é^{i}s).

abâtardissement *m* Degeneracy (didjên^{e}r^{e}ssi).

abat-jour *m* (àjûr) Lampshade (làmpshé^{i}d).

abattage *m* (àj) Felling [arbres]. Killing [animaux]. Scolding [réprimande].

abattement *m* Dejection.
abattis *m* (tî) Giblets (dji).
abattoir *m* Slaughterhouse.
abattre (àtr) To pull down. To kill [tuer]. To fell [arbre]. To dishearten [courage]. **S'** - To fall* (faul) [*abats, abats, abat, abattons, etc.].
abattu, ue (tü) Cast down.
abbaye *f* (àbéî) Abbey (bi).
abbé (àbé) Priest (îst) [prêtre]. Abbot (àbet) [couvent].
abbesse *f* (àbès) Abbess (àbis).
abcès *m* (àbsè) Abcess (is').
abdication *f* Abdication.
abdiquer (ké) To abdicate.
abdomen (ò) Abdomen (oou).
abécédaire *m* Spelling-book.
abeille *f* (àbèy) Bee (bî).
aberration *f* Aberration.
abêtir (ètir) To make* stupid.
abêtissement *m* Dullness.
abhorrer To loathe (loouzh).
abîme *m* (îm) Abyss (abis').
abîmer To sink* [jeter]. To damage (dàmidj) [gâter]. **S'** - To sink*. To get spoiled.
abject (àbjekt) Base (béis).
abjection *f* (jeksyon) Abasement (ebéisment). Abjection.
abjurer (ü) To abjure (ouer).
ablation *f* (blà) Ablation.
ablette *f* (èt) Bleak (blîk).
ablution *f* (ü) Ablution (ou).
abnégation *f* Selflessness.
aboi, aboiement *m* (àbwà) Bark. *Aux abois*, at bay.
abolir (ir) To abolish.
abolition *f* Abolition.
abominable (àbl) Abominable.
abomination *f* Horror.
abondamment Abundantly.
abondance *f* (ondans) Plenty.
abondant, e Abundant (œn).
abonder (dé) To abound (aou).
abonné, ée Subscriber (ai).
abonnement *m* (ònman). Subscription [journal]. Season-ticket [train].
abonner To make*... a subscriber. **S'** - To subscribe.
abord *m* (àbòr) Access; *pl* approaches; *d'abord*, at first.
abordable (àbl) Accessible.
abordage *m* (àj) Collision (kelijen). Boarding [attaque].
aborder (dé) To accost. To collide (laid) with. To board [attaquer]. To enter upon [sujet]. **S'** - To meet*.
aborigène (jèn) Native (néi).
abortif, ive (if, iv) Abortive.
aboucher (ûshé) To bring* together. **S'** - To meet*.
aboutir (ûtir) To end; *faire* aboutir*, to bring* through.
aboutissement *m* (man). End.
aboyer (wàyé) Bark [*aboie].
abracadabrant Amazing.
abrégé *m* (jé) Abridgment.
abréger (bréjé) To shorten [*abrège, -geai].
abreuver (œvé) To water [animal]. To drench [terre]. To heap on [outrages].
abreuvoir *m* (abrœvwàr) Watering-place (wotring).
abréviation *f* Abbreviation.
abri *m* (àbrî) Shelter.
abricot *m* (ko) Apricot (éi-ot).
abricotier *m* Apricot-tree.
abriter (ìté) To shelter. **S'** - To take* shelter.
abrogation *f* (gàsyon) Repeal.
abroger (jé) To repeal (pîl) [*abrogeai, -geons].
abrupt, te (üpt) Steep [pente]. Abrupt (œpt) [brusque].
abrutir (ütir) To stupefy

A FEW COMMERCIAL ABBREVIATIONS

B. P. F.	bon pour fr/.	value in francs.	
c. à d..	c'est-à-dire.	that is to say.	i. e.
C. A. F.	coût, assurance, fret.	cost, insurance, freight.	C. I. F.
C^{e}	Caisse.	cash or box.	
Cie ...	Compagnie.	Company.	Co.
C^{t}	courant.	instant, present.	inst.
dz.	douzaine.	dozen.	doz.
d^{o}.	dito.	ditto.	do
esc^{te} ..	escompte.	discount.	dis^{ct}
f^{re}	facture.	invoice.	inv.
fr.	franc.	franc.	fr.
F. A. B.	franco à bord.	free on board.	F. O. B.
g.	gramme.	gramme.	
id.	idem.	ditto.	do
J^{e}	jeune.	junior.	Jr.
Kg. ...	kilogramme.	kilogramme.	kilo.
M.	Monsieur.	(Mister).	Mr.
m/	mon.	my.	
M^{d}	marchand.	tradesman.	
m.	mètre.	metre.	m.
Mlle. ..	Mademoiselle.	Miss, Madam.	
Mme ..	Madame.	Mrs., Madam.	
M^{ses} ..	marchandises.	goods.	
n/	notre.	our.	
n/s^{r} ...	notre sieur.	(our Mister).	our Mr.
n/v ...	notre ville.	this town.	
neg^{t} ...	négociant.	merchant.	mt
n^{o}	numéro.	number.	no
o/	ordre.	order.	
p^{ain} ...	prochain.	next.	prox.
q^{al}, qx..	quintal, quintaux.	hundredweight.	cwt.
S^{r}	Sieur.	Mr. (Mister).	
S.E.ouO.	sauf erreurs ou omissions.	errors and omissions excepted.	E.&O.E
t^{te}	traite.	draft, bill.	drft. B/E
v/	votre.	your.	yr.
val.	valeur.	value.	val.
V^{e} or Vve.	veuve.	widow.	

ABRÉVIATIONS — ABBREVIATIONS

a.	adjectif.	adjective.
ad.	adverbe.	adverb.
Am.	américain.	American.
arch.	architecture.	architecture.
aux.	auxiliaire.	auxiliary.
bot.	botanique.	botany.
ch. f.	chemin de fer.	railway.
chir.	chirurgie.	surgery.
com.	commerce.	commerce.
d.	démonstratif.	demonstrative.
dr.	droit.	law.
f.	féminin [nom].	feminine [noun].
fam.	familier.	familiar.
fig.	figuré.	figurative.
int.	interjection.	interjection.
m.	masculin [nom]	masculine [noun].
mar.	marine.	naval; shipping.
mec.	mécanique.	mechanics.
med.	médecine.	medicine.
met.	métallurgie.	metallurgy.
mot.	automobile.	motor.
mus.	musique.	music.
n.	nom; neutre.	noun; neuter.
n. pr.	nom propre.	proper noun.
part.	participe.	participle.
pas.	passé.	past.
pers.	personne.	person.
pl.	pluriel.	plural.
prep.	préposition.	preposition.
pop.	populaire.	vulgar.
pron.	pronom.	pronoun.
rail.	chemin de fer.	railway.
rel.	religion.	religion.
techn.	technique.	technical.
theat.	théâtre.	theatre.
V.	voir.	see.
vi.	verbe intransitif.	intransitive v.
vr.	verbe réfléchi.	reflexive v.
vt.	verbe transitif.	transitive verb.

Italique : accent tonique. **Gras** : pron. spéciale, v. page verte. ✻Verbe irrég., v. fin du volume.

achat *m* (àshà) Purchase (pë^{r}tsh^{e}ss).
acheminement *m* Forwarding.
acheminer (àsh^{e}) To put* on the way. **S'** - To set* out.
achetable (àsh) Purchasable.
acheter (àsh) To buy* (ba^{i}). [**achète*].
acheteur, se (œr, ëz) Buyer (ba^{ier}), purchaser.
achèvement *m* (àshèvma^{n}) Completion (plîsh^{e}n). End.
achever (àshvé) To complete (k^{e}mplît), finish [**achève*].
achoppement (àshòpma^{n}) : *pierre d'* -, stumbling-block.
acide (àsîd) Acid.
acidité *f* (té) Acidity (ti).
acier *m* (às^{y}é) Steel (stîl).
aciérer To steel [**acière*].
aciérie *f* (rî) Steel-works.
acolyte *m* (lît) Acolyte (a^{i}t).
acompte *m* (o^{n}t) Instalment; payment on account.
aconit *m* (it) Aconite (a^{i}t).
acoquiner (kìné) To bewitch. **S'** - To cotton [*avec:* on].
à-coup *m* (akû) Jerk (ë).
acoustique (kû) Acoustic.
acquéreur, euse (àké) Buyer.
acquérir* (àké) To buy (ba^{i}). [***acquiers, -ert, èrent;*** *acquérais*, etc.; *acquis*, etc.; *acquerrai*, etc.; *acquière*, etc.; *acquérant; acquis*].
acquêts (kè) Joint property [acquired by man and wife].
acquiescer (àk^{y}è) To agree. [**acquiesçai, -ça, -çons*].
acquis *m* (kì) Experience (pî).
acquisition *f* Purchase.
acquit *m* (àkì) Receipt (sît).
acquittement *m* (àkitma^{n}). Discharge [dette]. Acquittal.
acquitter (àkìté) To pay* off [dette]. To receipt [facture]. To acquit [prévenu].
âcre (âkr) Acrid sour.
âcreté *f* (âkr^{e}té) Acridity.
acrimonie *f* (nî) Bitterness.
acrobate (àt) Acrobat (àt).
acrobatie *f* (sî) Acrobatics.
acrobatique (ik). Acrobatic.
acte *m* (àkt) Action (sh^{e}n). Deed [loi]. Act [théât.].
acteur (œr) Actor (àkt^{e}r).
actif, ive Active, brisk.
actif *m* (àktif) Assets (à-sits'). Credit (krèdit').
action *f* (àks^{y}o^{n}) Action (àksh^{e}n). Share [société].
actionnaire Shareholder.
activer To hurry, to stir.
activité *f* Activity, dispatch.
actrice *f* (îs) Actress (is).
actualité (tüà) Current events. *pl* Newsreel [cin.].
actuel, elle (üèl) Present.
actuellement (üèlma^{n}) Now.
acuité *f* (àküìté) Sharpness.
adage *m* (àdàj) Saying, adage.
adaptation *f* Adaptation.
adapter (àdàpté) To adapt.
addition *f* (s^{y}o^{n}) Addition (^{e}dish^{e}n). Bill ([note].
additionner To add up.
adepte (èpt) Adept.
adéquat, ate (kwà, àt) Adequate (àdikwit).
adhérence *f* Adherence (hi^{e}).
adhérent, te Adherent (hi^{e}).
adhérer (àdéré) To adhere (^{e}dhi^{er}), to cling*.
adhésion *f* (z^{y}o^{n}) Adhesion.
adieu (àd^{y}ë) Good-bye (a^{i}).
adjacent, te (sa^{n}) Adjacent.
adjectif *m* Adjective.
adjoindre* (wi^{n}dr) To adjoin. [*V. JOINDRE].
adjoint (àdjwi^{n}) Assistant.

adjudant (üdan) Company sergeant-major.
adjudicataire Contractor.
adjudication *f* Contract. *Par voie d'-*, by tender.
adjuger (àdjüjé) To award [**adjugea, -geons*].
adjurer (àdjüré) To adjure.
admettre* (àdmètr) To admit. To let* in. [V. METTRE].
administrateur *m* Director. **-tratif** Administrative. **-tration** *f* (àsyon) Administration; civil service. *Conseil d' -*, board of directors.
administrer To manage (idj).
admirable (àbl) Admirable.
admirateur, trice Admirer.
admiratif, ive Admiring (ai).
admiration *f* Admiration.
admirer (ìré) To admire (edmaier), to wonder at.
admissible (ibl) Admissible.
admission *f* (yon) Admission.
admonester To admonish.
adolescence *f* Adolescence.
adolescent, te Adolescent.
adonné, ée (òné) Addicted.
adonner (s') To addict oneself. To apply oneself.
adopter To adopt (edòpt). To pass [loi] : *faire -*, to carry.
adoption *f* (syon) Adoption (opshen). Passing [loi].
adorable (àbl) Adorable.
adorateur, trice Adorer (*au*).
adoration Adoration.
adorer (àdòré) To adore (edauer), to worship.
adosser (òsé) To prop.
adouber (ûbé) To repair.
adoucir (ûsîr) To soften [attendrir]. To sweeten [sucrer]. To soothe [calmer]. To smooth [polir]. **S' -** To grow* mild.
adoucissement *m* Softening.
adresse *f* (ès) Address, direction. Skill [habileté].
adresser To direct (dai). **S' -** To apply (eplai).
adroit, te (wà, àt) Skilful.
adulateur, trice Flatterer.
adulation *f* Adulation.
aduler (ülé) To fawn upon.
adulte (ü) Adult, grown up.
adultère (ültèr) *a* Adulterous. *m* Adultery [crime]. Adulterer [homme]. *f* Adulteress (edœlteres).
advenir* (venir) To happen. [*V. VENIR].
adverbe *m* (èrb) Adverb (**e**).
adversaire *m* Adversary.
adversité *f* Adversity.
aération *f* (àé) Ventilation.
aérer Ventilate. [**aère*].
aérien, enne (àéryin, èn) Aerial (eîryel). *Ligne -*, air-line. Airy (èeri) [léger].
aérodrome *m* Airfield.
aérodynamique Stream-lined.
aérolithe *m* (ìt) Aerolite.
aéronaute *m* Aeronaut.
aéroplane *m* (àn) Airplane.
aéroport *m* (pòr) Air-port.
aérostat *m* Air-balloon
affabilité *f* Affability.
affable (àbl) Affable (eb'l).
affadir To make* insipid.
affaiblir (àfè) To weaken (wîken). **S' -** To grow* weak.
affaiblissement *m* Weakening.
affaire *f* (àfèr) Business (biz). Affair. Lawsuit (**lau**syout') [procès]. *Avoir* - à*, to deal* with; *cela fera l' -*, it will do. *Homme d' -*, business-man, agent. *pl* Business [sing]; *chiffre d' -*, turnover.
affairé, ée (àféré) Busy (bi).

affaissement *m* (èsma^n) Collapse (k^elàps). Depression.
affaisser (s') To subside.
affaler (àlé) To haul down. **S'** - To fail*, to drop.
affamer (àmé) To starve (â).
affectation *f* (àsy*o*^n) Affectation (é^ishe^n). Destination.
affecter To affect [feindre]. To detail [ditéil] [envoyer]. To move (moûv). To concern. **S'** - To grieve.
affection *f* (sy*o*^n) Affection.
affectionné, ée Affectionate.
affectueux, euse (tüë, ëz) Fond (fònd'), loving.
afférent, te Relating (é^i).
affermer To lease (îs).
affermir To strengthen.
affermissement (àfèrmisma^n) *m* Strengthning.
afféterie *f* (t^erî) Affectation.
affichage *m* (àj) Bill-sticking.
affiche *f* (ìsh) Bill, poster.
afficher (ìshé) To post up. To show* off [parade].
afficheur *m* Bill-sticker.
affidé, ée (ìdé) *a* Trusty (trœs). *n* Secret agent.
affilage *m* (ìlàj) Sharpening.
affilé, ée (ìlé) *a* Sharp.
affiler To whet, to sharpen.
affilier (afily*é*) To affiliate. **S'** - *à* To join.
affinage *m* (ìnàj) Refining.
affiner (fì) To refine (a^in).
affirmatif, ive *a* Affirmative.
affirmation *f* Assertion (ë^r).
affleurement *m* Levelling (lèv'ling), outcrop.
affleurer (œré) To level [murs]. To crop out [géol.].
affliction *f* Affliction.
affligeant, te Distressing.
affliger (ìjé) To afflict. **S'** - To grieve [*-gea, -geons].
affluence *f* (üa^ns) Multitude.
affluent *m* (üa^n) Tributary.
affluer (üé) To flow; to crowd.
affolement *m* (òlma^n) Distraction (àkshe^n). Panic.
affoler (òlé) To madden, to bewilder. **S'** - To grow* mad.
affranchir (a^nshir) To free [libérer]. To stamp [lettre].
affranchissement *m* (a^nshìsma^n) Deliverance. Postage.
affres *fpl* (àfr) Agony.
affrètement *m* Chartering.
affréter Charter [*affrète].
affréteur Charterer (tshâ^r).
affreux, euse (àfrë) Horrible.
affront *m* (o^n) Affront (œnt).
affronter To face, to meet*.
affubler (üblé) To rig out.
affût *m* (àfü) Gun-carriage. *A l'* -, in wait, on the watch.
affûter To sharpen.
afin (i^n) In order (au^r): - *de*, in order to; - *que:* that.
africain (i^n), **aine** African.
Afrique *f* (ik) Africa (ik^e).
agacement *m* Irritation.
agacer To irritate, to provoke. To set* on edge [dent] [*agaça, -çons].
agape *f* (àp) Love-feast.
agate *f* (àt) Agate (àg^et).
âge *m* (âj) Age (é^idj). *Quel âge as-tu?* How old are you?
âgé, ée (âjé) Old (o^ould).
agence *f* (àja^ns) Agency.
agencement *m* Disposition.
agencer (àja^nsé) To fit up [*agença, -çons].
agenda *m* (àji^ndà) Note-book.
agenouiller (s') To kneel*.
agent *m* (àja^n) Agent (é^idj); - *de change*, stock-broker.
agglomérer To agglomerate.

aggravation *f* Aggravation.
aggraver (àvé) To aggravate, to make* worse.
agile Quick (kwik), nimble.
agilité *f* Agility, nimbleness.
agio *m* (àjyo) Agio (éidj).
agioter To speculate.
agioteur Speculator, jobber.
agir (àjir). To act, to behave [conduite]. *De quoi s'agit-il?* what is the matter?
agissant, ante (an) Active.
agissements (isman) Doings.
agitateur (àj-tœr) Agitator.
agitation *f* (syon) Agitation.
agiter (àjìté) To agitate (dj). To shake*. To discuss.
agneau *m* (àñò) Lamb (làm).
agonie *f* (nî) Death-throes.
agonir To abuse (ebyous').
agoniser (ìzé) To be dying.
agrafe *f* (àf) Clasp (klâsp).
agrafer To clasp. To fasten.
agraire (èr) Agrarian.
agrandir (andir) To enlarge.
-dissement *m* Enlargement.
agréable (éàbl) Pleasant (è).
agréé *m* (éé) Attorney (tër).
agréer (éé) To approve of (eproûv). To please [plaire].
agrégation *f* Fellowship.
agrégé, ée *mf* (jé) Fellow.
agrément *m* Approval. Charm.
agrémenter To embellish.
agrès *mpl* (è) Tackle, rigging.
agresseur (èsœr) Agressor.
agressif, ive Agressive.
agression *f* Agression.
agreste (èst) Rustic (rœs).
agricole (kòl) Farming (â).
agriculteur (külteœr) Farmer.
agriculture *f* Agriculture.
agripper To snatch.
agronome (nòm) Agronomist.
agronomie *f* (mî) Agronomy.
aguerri, ie (geri) Seasoned.
aguerrir To harden, inure.
aguets *pl* (àgè) Watching.
aguicher (àgìshé) To allure.
ahuri, ie (àürì) Bewildered.
ahurir (aürir) To bewilder.
ahurissement *m* (man) Bewilderment, stupefaction.
aide *f* (èd) Help, assistance.
aider (èdé) To help assist.
aïeul (àyœl) Grandfather.
aïeule (àyœl) Grandmother.
aïeux (yë) Forbears (èerz).
aigle *m* (ègl) Eagle (îg'l).
aiglon (èglon) Eaglet (î).
aigre (ègr) Sour (saouer).
aigre-doux, ouce Sourish.
aigrefin m (ègrefin) Sharper.
aigrelet (ègrelè) Sourish.
aigrette *f* Aigrette [plume]. Egret (î) [oiseau].
aigreur *f* (ègrœr) Sourness. Acidity [méd.]. Bitterness.
aigrir (ègrir) To sour.
aigu, uë (égü) Sharp, acute.
aiguière *f* (ègyèr) Ewer.
aiguille *f* (guîy) Needle (nî). Hand [cadran]. Points [rail].
aiguillage *m* (éguiyàj) Shunting (shœnting).
aiguiller To shunt, switch.
aiguillette *f* (yèt) Tag, knot.
aiguilleur Pointsman.
aiguillon *m* Goad. *fig* Sting.
aiguillonner (yò) To goad.
aiguiser (ègüi) To sharpen.
aiguiseur Knife-grinder.
ail *m* (ai) Garlic (gârlik).
aile *f* (èl) Wing (oiseau, maison]. Pinion [aileron]. Blade (éid) [hélice].
ailé, ée (èlé) Winged.
aileron *m* (èlron) Pinion. Fin [nageoire]. Wing-flap [avion]. Fin-keel [s-marin].

ailette *f* (èlèt) Small wing.
ailleurs (à^{y}œr) Elsewhere; *d'ailleurs*, besides (a^{i}dz).
aimable (èmàbl) Kind (a^{i}nd).
aimant *m* (a^{n}) Magnet (mag).
aimant, ante *a* Loving (lœ).
aimanter To magnetize.
aimer (èmé) To love (lœv) [amour]. To be fond of [penchant]. To like [goût].
aine *f* (èn) Groin (gro^{i}n).
aîné, ée (èné) Eldest [de plusieurs]. Elder [de deux].
aînesse *f* (ènès) Seniority; primogeniture. Birth-right.
ainsi (i^{n}si) Thus (**zh**œs); *ainsi que*, like, as well as.
air *m* (èr) Air (è^{e}r). Wind (wìnd') [vent]. Tune (tyoun) [mus.]. Look, expression; *avoir l' - triste*, to look sad.
airain *m* (èri^{n}) Bronze, brass.
aire *f* (èr) Area (è^{e}ri^{e}) [espace]. Threshing-floor [blé]. Eyrie (è^{e}ri) [aigle].
aisance *f* (èza^{n}s) Ease (îz). Affluence [richesse].
aise *f* (èz) Ease (îz), comfort; *à votre -*, as you like. *a* Pleased (plîzd), glad.
aisé, ée (èzé) Easy (îzi) [facile]. Well-off [riche].
aisselle *f* (èssèl) Arm-pit.
aîtres *mpl* Ins and outs.
ajonc *m* (àjo^{n}) Furze (fë^{r}z).
ajouré, ée (àjûré). Pierced, perforated. Openwork.
ajouter (àjûté) To add, to join; *- foi*, to give* credit.
ajustage *m* (àjüs) Fitting.
ajuster (àjüsté) To fit, adjust; aim [coup]. To settle.
ajusteur *m* (tœr). Fitter.
ajutage *m* (àjütàj) Nozzle.
alambic *m* (àla^{n}bìk) Still.
alambiquer (ké) To refine.
alanguir (a^{n}gir) To make* languid. **S' -** To grow* languid (làng-gwid).
alanguissement *m* Languor.
alarme *f* (à làr) Alarm (â^{r}).
alarmer (àrmé) To alarm.
albâtre *m* (âtr) Alabaster.
albatros *m* (òs) Albatros.
albinos *m* (òs Albino (ino^{ou}).
album *m* (bœm) Album (b^{e}m).
albumen *m* (ü) Albumen.
albumine *f* (mîn) Albumin.
albuminurie *f* Albuminuria.
alcali *m* (î) Alcali (la^{i}).
alcalin, ine Alcaline (a^{i}n).
alchimie *f* (sh) Alchemy (k^{e}).
alchimiste Alchemist.
alcool *m* (kòl) Alcohol (**h**ol).
alcoolique (kò) Alcoholic.
alcooliser (kò) To alcoholize. **S' -** To drink* much.
alcoolisme *m* Alcoholism.
alcôve *f* (ôv) Recess (risès).
alcyon *m* (syo^{n}) Halcyon.
aléa *m* Risk, hazard.
aléatoire (wàr) Uncertain.
alène *f* (àlèn) Awl (**aul**).
alentour (a^{n}tûr) Around.
alentours *mpl* Neighbourhood.
alerte (èrt) Watchful, alert. *f* Alarm (^{e}lâ^{r}m), warning.
alerter (èrté) To give* the alarm to, to warn (**waurn**).
alésage *m* (zàj). Boring.
aléser (zé) To bore (**au^{e}r**). [*alèse*].
aléseuse *f* (àlézœz) Boring machine (m^{e}shîn).
alésoir *m* (zwàr) Bore.
alexandrin Alexandrine.
alezan Chestnut, sorrel.
alfa *m* Esparto-grass.
algarade *f* (àd) Scolding.
algèbre *f* (àljèbr) Algebra.

Algérie *f* (jérî) Algeria.
algue *f* (àlg) Sea-weed.
alibi *m* (bî) Alibi (bai).
aliénable Transferable.
aliénation *f* (àlyénàsyon) Alienation (éilyenéishen). - *mentale,* lunacy (lounesi).
aliéné, ée (àlyéné) Lunatic.
aliéner To alienate (éilyenéit). [**aliène*].
aliéniste (àlyó) Alienist.
alignement *m* (man) Line.
aligner (ñé) To aline (ain).
aliment *m* (àliman) Food.
alimentation *f* Alimentation.
alimenter (anté) To feed*.
alinea *m* (ìnéà) Paragraph.
aliquote (kòt) Aliquot (kwot).
alisé, alizé *m* Trade wind.
alité, ée Laid up; in bed.
aliter (s') (àlìté) To take* to one's bed.
allaitement *m* Lactation.
allaiter (èté) To suckle.
allécher (shé) To entice (ai). [**allèche*].
allée *f* (àlé) Walk.
allégation *f* Assertion.
allège *f* (èj) Lighter (laiter).
allégement *m* Alleviation.
alléger (jé) To lighten (ai). [**allège, -geai, -geons*].
allégorie *f* (rî) Allegory.
allégorique Allegorical.
allègre (ègr) Sprightly (ai).
allégresse (ès) Joy (djoi).
alléguer (gé) To allege (èdj). [**allègue*].
alléluia (lüyà) Hallelujah.
Allemagne *f* (àlmàñ) Germany (djërmeni).
allemand (man), **de** German.
aller* (àlé) To go*; - *à pied,* to walk; - *à cheval,* to ride*; - *en voiture,* to drive*. To lead* [mener]. To fit [vêtement]. *Comment allez-vous?* How do you do? *Allons!* come. *S'en aller,* to go* away, to leave. (**vais, vas, va, vont; irai, iras,* etc.; *va, vas-y; aille, allions*).
aller *m* (àlé). Going. *Billet d'aller,* single ticket.
alliage *m* (àlyàj) Alloy (oi).
alliance *f* (àlyans) Alliance (elaiens). Wedding-ring.
allié, ée (àlyé) Ally (elai).
allier (àlyé) To ally (elai).
allô (àlô) Hullo (hœloou).
allocation *f* (syon) Allowance.
allocution *f* (üsyon) Address.
allongement *m* Lengthening.
allonger (àlonjé) To lengthen (lèngthen). To stretch out [**allongeai, -geons*].
allouer (ûé) To allow (aou).
allumer (àlümé) To kindle (kind'l). To light (lait).
allumette *f* (ümèt) Match.
allumeur, euse Lighter.
allumoir *m* (ümwàr) Igniter.
allure *f* (ür) Gait. Aspect.
allusion *f* (àlüzyon) Allusion (eloujen). Hint.
alluvion *f* (üvyon) Alluvion.
almanach *m* (ànà) Almanac.
aloès *m* (àlòès) Aloe (aloou).
aloi *m* (àlwà) Standard (ànderd); *de bon aloi,* sterling.
alors (àlor) Then; *alors que,* when, whereas.
alouette *f* (àlwèt) Lark (â).
alourdir To make* heavy.
aloyau *m* (àlwayô) Sirloin.
alpaga *m* (gà) Alpaca (âke).
Alpes *fpl* (àlp) Alps (àlps).
alphabet *m* (àbè) Alphabet.
alphabétique Alphabetic.
alpin, ine (in, în) Alpine (ai).

alpinisme *m* Mountaineering.
alpiniste (ist) Alpinist.
alsacien, enne Alsatian (sé^{1}).
altération *f* Adulteration.
altercation *f* (kà) Quarrel.
altéré *a* Thirsty.
altérer (éré) To injure [santé]. To twist [vérité]. **S' -** To deteriorate [**altère*].
alternatif, ive Alternative.
alterner (èrné) To alternate.
altesse *f* (ès) Highness (**ha**^{1}).
altier, ière (yé, èr) Haughty.
altitude *f* (tüd) Altitude.
altruisme *m* (üism) Altruism.
alumine *f* Alumina (^{e}lyou).
aluminium *m* Aluminium.
alun *m* (àlu^{n}) Alum (àl^{e}m).
alvéole *m* Cell. Socket [dent].
amabilité *f* Kindness (ka^{1}).
amadou *m* Tinder, touchwood.
amadouer (wé) To coax (o^{ou}).
amaigrir (ègrir) To make* thin. **S' -** To grow* thin (**th**).
amaigrissant, te Reducing. **-issement** *m* Growing thin.
amalgame *m* (àm) Amalgam.
amalgamer To amalgamate.
amande *f* (a^{n}d) Almond (â).
amant, ante Lover ; *f* mistress.
amarrage *m* (àj) Mooring.
amarre *f* Rope. Mooring.
amarrer (àré) To moor (mou^{e}r). To make* fast [attacher].
amas *m* (àmà) Heap (**hîp**).
amasser To heap up. To hoard.
amateur (œ) Amateur; lover.
amazone *f* (òn) Amazon (àm^{e}-z^{e}n) ; [lady's] riding-habit.
ambages (àj) *Sans -*, plainly.
ambassade *f* (àd) Embassy.
ambassadeur Ambassador.
ambassadrice Ambassadress.
ambiance *f* Atmosphere.
ambiant, ante Surrounding.
ambigu, uë (ü) Ambiguous. (gyou).
ambiguïté *f* (güì) Ambiguity.
ambitieux, euse (a^{n}bisyë, ëz) Ambitious (^{e}mbish^{e}s).
ambition *f* (sy*o*^{n}) Ambition.
ambitionner To aspire.
amble *m* (a^{n}bl) Amble (àmb'l).
ambre *m* (a^{n}br) Amber (àm).
ambrer (a^{n}bré) To amber.
ambroisie *f* (wàzî) Ambrosia.
ambulance *f* (üia^{n}s) Ambulance. **-ulant** Travelling.
âme *f* (âm) Soul (so^{ou}l). Bore [machine].
amélioration *f* Improvement.
améliorer To improve (ouv).
amen *m* (âmèn) Amen (âmèn).
aménagement *m* Arrangement.
aménager (jé) To arrange (é^{1}). [**aménageai, -geons*].
amende *f* (àma^{n}d) Fine (fa^{1}n).
amendement *m* (a^{n}d^{e}ma^{n}). Improvement. Amendment.
amender To improve, amend.
amène (èn) Pleasing (plîz).
amener (àm^{e}né) To bring*. To haul down [voile]. To strike*. [**amène*].
aménité *f* Charm, amenity.
amenuiser (àm^{e}nüìzé) To thin down.
amer, ère (àmèr) Bitter (t^{e}r). *mpl* Bearings [mar.].
américain, aine (ki^{n}, kèn) American (^{e}mèrik^{e}n).
Amérique *f* (érìk) America (^{e}mèrik^{e}).
amerrir To alight (^{e}la^{1}t).
amertume *f* (üm) Bitterness.
améthiste *f* (tist) Amethist.
ameublement *m* Furniture (ë).
ameuter To rouse. To riot.
ami, ie (àmî) Friend (frènd); *a* Friendly

amiable (àmyàbl) Friendly; *à l'* -, amicably, by private contract, private.
amiante *m* (àmyant) Asbestos.
amical, ale (kàl) Friendly.
amidon *m* (ìdon) Starch (â).
amidonner (òné) To starch.
amincir (insîr) To thin (**th**).
amincissement *m* Thinning.
amiral (ìràl) Admiral (irel).
amirauté *f* (ôté) Admiralty.
amitié *f* (ìtyé) Friendship, affection. Kindness [bonté].
ammoniac *m*, **ammoniaque** *f* (ònyàk) Ammonia (oounye).
amnésie *f* (zî) Amnesia (îzye).
amnistie *f* (tî) Amnesty.
amnistier (tyé) To pardon.
amoindrir (àmwin) To lessen.
amoindrissement Lessening.
amollir (òlìr) To soften.
amollissement *m* Softening.
amonceler (onslé) To heap up. [**amoncelle*].
amoncellement *m* Heap, pile.
amont *m* (on); *en* -, upstream; *en - de*, above (ebœv).
amorce *f* (òrs) Bait [appât]. Priming (ai) [arme, pompe].
amorcer (sé) To bait [piège]. To prime [arme]. To initiate. [**amorçai. -çons*].
amorphe Shapeless (shéi).
amortir (òrtìr) To deaden [son]. To weaken [affaiblir]. To redeem (ridîm) [dette].
amortissement *m* (an) Deadening. Redemption [dette]. *Caisse d'* -, sinking fund.
amortisseur *m* (sœr) Shock-absorber.
amour *m* [*pl. : f*] (àmûr) Love (lœv). *Eros*, Cupid.
amourette *f* (amûrèt) Flirtation (flërtéishen).
amoureux, euse *a* Loving. *m* Lover. *f* Sweetheart.
amour-propre *m* Self-respect.
amphibie (anfìbî). Amphibious. *m* Amphibian.
amphigouri *m* Gibberish (gi).
amphithéâtre *m* (anfìtéâtr) Amphitheatre (àmfithieter).
amphitryon Amphitryon, host.
amphore *f* (anfòr) Amphora.
ample (anpl) Ample, wide.
ampleur *f* Width (waidth).
ampliation *f* Amplification.
amplifier (anpl) To enlarge.
ampoule *f* (anpûl) Ampulla. Blister [peau]. Bulb [élec.].
ampoulé, ée Highflown.
amputation *f* Amputation.
amputer (anpü) To cut* off.
amulette *f* (ü) Amulet (you).
amure *f* (àmür) Tack.
amusement *m* (üzman) Amusement (emyouzment).
amuser (üzé) To amuse (youz). **S'** - To amuse oneself, to play.
amygdale *f* (àl) Tonsil (tòn).
an *m* (an) Year (yër). *Jour de l'an*, New Year's Day.
anabaptiste Anabaptist (àpt).
anachorète (k) Anchorite (ait).
anachronique Anachronic.
anachronisme Anachronism.
anal, ale (ànàl) Anal (éin'l).
analogie *f* (jî) Analogy (dji).
analogique (jìk) Analogical.
analogue (òg) Analogous (es).
analyse *f* (îz) Analysis (sis).
analyser (ìzé) Analyse (lai).
analytique Analytic (itik).
ananas *m* (nà) Pine-apple.
anarchie *f* (shî) Anarchy (ki).
anarchique Anarchical (ki).
anarchiste (sh) Anarchist (k).
anathème *m* (tèm) Anathema.

anatomie *f* (mî) Anatomy.

anatomique Anatomical.

ancestral, ale (àl) Ancestral.

ancêtre (a^{n}) *A*ncestor (ànsi).

anchois (shwà) *m* Anchovy.

ancien, enne *a* (a^{n}s^{y}i^{n}, y*è*n) Old (o^{ou}ld). *n* *A*ncient (*é*^{i}).

ancienneté *f* Seniority (si).

ancre *f* (a^{n}kr) Anchor (**àng**-k^{er}). **-crer** To *a*nchor.

andalou, ouse Andal*u*sian.

Andalousie *f* Andal*u*sia.

andouille *f* Ch*i*tterlings.

andouiller *m* (ûy*é*) *A*ntler (*à*).

âne *m* (ân) Ass, donkey (**ong**).

anéantir (éa^{n}) To ann*i*hilate.

anéantissement Annihil*a*tion.

anecdote *f* (*ò*t) *A*necdote.

anémie *f* Anæmia (^{e}nîmy^{e}).

anémier To render an*œ*mic.

anémique (*i*k) An*œ*mic (^{e}**nî**).

anémone *f* (*ò*n) An*e*mone.

ânerie *f* (ân^{e}rî) Stup*i*dity.

anéroïde (*ò*ïd) *A*neroid (o^{i}d).

ânesse *f* (ânès) She-ass.

anesthésie *f* (**tézî**). Anæsthesia (^{e}nis**thî**zy^{e}).

anesthésier To an*œ*sthetize.

anesthésique Anæsth*e*tic (**th**).

anévrisme *m* *A*neurism (y*ou*).

anfractuosité *f* Anfract*u*osity.

ange *m* (a^{n}j) *A*ngel (é^{i}ndj^{e}l).

angélique *a* (a^{n}**jélik**) Angelic (àndj*è*lik). *f* Ang*e*lica.

angelus *m* (a^{n}**jélüs**) *A*ngelus.

angine *f* (a^{n}**jîn**) Angina (àndj*a*^{i}n^{e}) ; *angine de poitrine*, ang*i*na pectoris.

anglais, aise (a^{n}glè, èz) *E*nglish (**ing**-glish).

angle *m* (a^{n}gl) Angle (**àng**).

Angleterre *f* (a^{n}gl^{e}t*è*r) England (**ing**-gl^{e}nd).

anglican, ane *A*nglican.

anglicanisme *m* *A*nglicanism.

anglicisme *m* (*i*sm) *A*nglicism.

anglomanie *f* Anglom*a*nia.

anglophobie *f* Anglophobia.

anglo-saxon, ne *A*nglo-s*a*xon.

angoisse *f* (a^{n}gwàs) *A*nguish.

angoisser (a^{n}gwàs*é*) To distress.

anguille *f* (a^{n}gî^{y}) Eel (il).

angulaire (a^{n}gü) *A*ngular.

anguleux *A*ngular, sharp.

anhydre (ànîdr) Anhydrous (anh*a*^{i}dr^{e}s).

anicroche *f* (*ò*sh) Hitch.

ânier, ère Donkey-dr*i*ver.

aniline *f* (în) *A*niline (a^{i}n).

animal *m* (*à*l) *A*nimal (m^{e}l).

animateur, trice *A*nimator.

animation *f* Anim*a*tion.

animer (m*é*) To enl*i*ven (l*a*^{i}).

animosité *f* (zìt*é*) Spite (a^{i}t).

anis *m* (àn*î*) An*i*seed (s*î*d).

anisette *f* (zèt) Anis*e*tte.

ankylose *f* (*ô*z) St*i*ffness.

ankyloser (z*é*) To st*i*ffen.

annal, ale (àn*à*l) Y*e*arly.

annales *fpl* (*à*l) *A*nnals.

anneau *m* (àn*ô*) Ring [cercle]. Link [chaînon]. Coil [câble].

année *f* (àn*é*) Year (yë^{r}).

annexe *f* (àn*è*ks) *A*nnex (*à*-neks). *a* Appended, relevant.

annexer (èks*é*) To ann*e*x.

annexion *f* (èks^{y}o^{n}) Annex*a*tion (*é*^{i}sh^{e}n).

annihiler (nìì) Ann*i*hilate.

anniversaire *m* (èrsèr) Anniv*e*rsary. B*i*rthday.

annonce *f* (àno^{n}s) Notific*a*tion. Advertisement [publicité]. Banns [mariage].

annoncer (o^{n}s*é*) To ann*o*unce (^{e}n*a*^{ou}ns). To *a*dvertize (a^{i}z). To foretell* [prédire]. [**annonçai, -çons*].

Annonciation *f* Lady-day.
annoncier Advertizing agent.
annotation *f* Annotation.
annoter (òté) To annotate.
annuaire *m* (ànüèr). Year-book (yërbouk).
annuel, elle (ànüèl) *Yearly*.
annuité *f* (üì) Annuity (you).
annulaire *a* (ülèr) Ring-shaped. *m* Ring-finger.
annulation *f* Cancelling.
annuler (ü) To cancel (kàn). To annul (œl), make* void.
anoblir (ò) To ennoble (oou).
anomalie *f* (àlî) Anomaly.
ânon *m* (âno^n) Ass's foal.
ânonner To hem and haw.
anonymat *m* (ìmà) Anonymity.
anonyme (îm) Anonymous. *Société* -, joint-stock company.
anormal, ale (àl) Abnormal.
anse *f* (a^ns) Handle (hànd'l) [poignée]. Creek (îk) [baie].
antagonisme *m* Antagonism.
antagoniste (ist) Antagonist.
antan *m* (a^nta^n) Yore (yauer).
antarctique (ik) Antarctic.
antécédent, ente *a* Foregoing, former. *m* Precedent, past.
antéchrist (krist) Antichrist.
antenne *f* (a^ntèn) Feeler (fî) [insecte]. Lateen-yard [mar]. Aerial (èiryel) [radio].
antépénultième Last but two.
antérieur, eure Former, previous; fore- [préfixe].
antériorité *f* Priority (aiò).
anthologie *f* (a^ntòlòjî) Anthology (ànthol^edji).
anthracite *f* (a^ntràsît) Stone coal, anthracite (ànthr^esait).
anthrax *m* Anthrax (th).
anthropoïde (îd) Anthropoid.
-opologie *f* Anthropology.
-opométrie *f* Anthropometry.
-opophage (fàj) Cannibal.
-opophagie *f* Cannibalism.
antichambre (a^ntìsha^nbr) *f* Anteroom (àntiroum), hall.
anticipation *f* Anticipation.
anticipé, ée Advanced, early.
anticiper (a^n-pé) To anticipate (péit). To encroach.
antidater (a^n) To antedate.
antidérapant Non-skidding.
antidote *m* (òt) Antidote.
antigel *m* Anti-freeze.
antienne *f* (yèn) Anthem (th).
Antilles *fpl* (a^ntìy) West Indies, Antilles (àntilîz).
antilope *f* (òp) Antelope (oou).
antimoine *m* (a^ntìmwàn) Antimony (àntim^eni).
antinomie *f* (a^n) Antinomy.
antinomique Contradictory.
antipathie *f* (tî) Dislike.
antipathique Unlikable.
antipodes *mpl* (a^ntipòd) Antipodes (àntip^ediz).
antipyrine *f* (a^ntìpìrîn) Antipyrin (àntipaierìn).
antiquaille *f* (a^ntìkây) Old rubbish. Old fogey [pers.].
antiquaire (kèr) Antiquary.
antique (a^ntìk) Ancient (éinsh^ent). *m* Antique.
antiquité *f* (kìté) Antiquity (kwi). Old curiosity.
antiseptique Antiseptic.
antithèse *f* (tèz) Antithesis.
Antoine (a^ntwàn) Anthony (ànt^eni).
antre *m* (a^ntr) Den (dèn).
anus *m* (ànüs) Anus (éin^es).
Anvers (a^nvèr) Antwerp.
anxiété *f* (anks^yété) Anxiety (àngzaiti).
anxieux, euse (a^nks^yë, ëz) Anxious (àngksh^es), uneasy.

aorte *f* (àòrt) Aorta (é^{i}o^{r}t).
août *m* (û) August (*au*g^{e}st).
apache (àsh) Hooligan (**h**ou).
apaisement *m* Calm (kâm).
apaiser (èzé) To calm, to quiet. To quench [soif].
apanage *m* (àj) Appanage, lot (lot').
aparté *m* Aside (^{e}sa^{i}d).
apathie *f* (tî) Apathy (**th**i).
apathique Apathetic (**th**è).
apatride (îd) Stateless.
apercevoir (èrs^{e}vwàr) To perceive [idée]. To catch sight of. **S'** - To be aware (^{e}wè^{e}r) [remarquer]. To be visible.
apéritif *a* Aperient (^{e}pi^{e}). *m* Appetizer (apita^{i}z^{e}r).
aphone (àfòn) Voiceless (vo^{i}).
aphonie *f* (ònî) Aphony (àf^{e}).
aphorisme *m* (ism) Aphorism.
aphrodisiaque *m* Aphrodisiac.
aphteux, euse (àftë, ëz) Aphthous; *fièvre aphteuse*, foot-and-mouth disease.
apiculteur (ül) Bee-keeper.
apiculture *f* (ür) Bee-keeping.
apitoiement *m* (twàma^{n}) Pity.
apitoyer (twayé). To move with pity. **S'** - To feel* pity. [**apitoie*].
aplanir To level, to smooth.
aplatir To flatten. To humble.
aplatissement *m* Flattening.
aplomb *m* (àplo^{n}) Equilibrium, plumb [mur]. Cheek [toupet].
apocalypse *m* Apocalypse (po).
apocalyptique Apocalyptic.
apocryphe (if) Spurious.
apogée *f* (jé) Apogee; height.
apologétique (jé) *f* Apologetic.
apologie *f* (jî) Praise (é^{i}z).
apologue *m* (òg) Apologue (à).
apophyse *f* (fîz) Apophysis.
apoplectique Apoplectic (po).
apoplexie *f* (èksî) Apoplexy.
apostasie *f* (zî) Apostasy.
apostat *m* (tà) Apostate (it').
aposter (òsté) To post, set.
apostille *f* Marginal note.
apostiller (ìyé) To annotate, to endorse.
apostolat *m* (là) Apostolate.
apostolique *a* Apostolic.
apostrophe *f* (òf) Apostrophe.
apostropher (fé) To upbraid.
apothéose f (téôz) Apotheosis.
apothicaire (tìkèr) Chemist.
apôtre (ôtr) Apostle (^{e}pos'l).
apparaître (ètr) To appear. [**apparais, -raissons*, etc.; *-raissais*, etc.; *rus,*, etc.; *raisse*, etc.; *raissant, ru*].
apparat *m* (rà) State, pomp.
appareil *m* (àrèy) Apparatus (àp^{e}ré^{i}t^{e}s). Dressing [med.]. Apparel [vêtement]. Set [radio]. Camera (kà) [phot.].
appareiller (èyé) To weigh.
apparence *f* (a^{n}s) Appearance.
apparent, ente Visible (viz).
apparier (àryé) To match.
appariteur *m* Usher, beadle.
apparition *f* (ìsyo^{n}) Apparition, vision. Short visit.
appartement *m* (àrt^{e}ma^{n}) Flat; suite (swît) of rooms.
appartenir* (àpàrt^{e}nir) To belong (*à* : to). To concern. [**appartiens, -tenons*, etc.; *-tenais*, etc.; *tins*, etc.; *tiendrai*, etc.; *-tienne*, etc.; *-tenant, -tenu*].
appât *m* (àpâ) Bait (bé^{i}t).
appâter (té) To bait.
appauvrir (ôvrir) To impoverish. **S'** - To grow* poorer.
-issement Impoverishment.
appeau *m* (àpô) Bird-call.

appel *m* (àpel) Call (**kaul**). Summons (sœmenz) [citation]. Appeal (epîl) [justice].
appeler (àpelé) To call (**kaul**). To appeal [jugement]. To summon [citation]. **S'** - To be named: *je m'appelle Jean,* my name is John.
appellation *f* (syon) Name.
appendice *m* (in) Appendix.
appendicite *f* Appendicitis.
appentis *m* (antî) Penthouse.
appesantir (zantîr) To make* heavy. **S'** - To get* heavy.
appétence *f* (ans) Appetency.
appétissant, ante Appetizing.
appétit *m* (tî) Appetite (aït).
applaudir (ôdir) To applaud. **S'** - To congratulate oneself.
applaudissement *m* Applause.
applicable (kàbl) Applicable.
application *f* (àsyon) Application. Attention.
applique *f* (àplìk) Ornament. Bracket [de lampe].
appliquer (iké) To apply (aï). To adapt. **S'** - To apply [oneself].
appoint *m* (àpwin) Balance.
appointements *mpl* Salary.
appointer (àpwinté) To settle (sèt'l). To pay [with a fixed salary].
appontement *m* (àpontemar) [timber] Wharf.
apport *m* (àpòr) Contribution.
apporter (òrté) To bring*.
apposer (zé) To affix (efiks).
apposition *f* (syon) Affixing.
appréciable Perceptible.
appréciateur, trice Expert.
appréciation *f* (syàsyon) Valuation, appraisement.
apprécier (syé) To value (you).
appréhender (éandé) To arrest [arrêter]. To fear [craindre].
appréhension *f* (éan) Fear.
apprendre (àprandr) To learn (lërn) [leçon]. To inform. To teach* (tîtch) [enseigner]. [*apprends, -prenons,* etc. ; *prenais,* etc. ; *pris,* etc. ; *-prenne,* etc. ; *-prenant, -pris*].
apprenti, e (antî) Apprentice.
-issage *m* Apprenticeship.
apprêt *m* (àprè) Preparation (éïshen). Dressing [étoffe].
apprêtage *m* (ètàj) Dressing.
apprêter To prepare. To cook [cuire]. To dress [étoffe].
apprêteur, euse Dresser.
apprivoisement *m* Taming.
apprivoiser (vwàzé) To tame. **S'** - To grow* tame (téïm).
approbateur, trice Approving. *mf* Approver (eprouver).
approbation *f* (òbàsyon) Approval (oû), approbation.
approchant, ante (òshan). Approximate, approaching.
approche *f* (àprosh) Approach (ooush), advance.
approcher *vt* (òshé) To bring* near. *vi* To draw* near. **S'** - To draw* [come*] near.
approfondir (on) To deepen. To fathom (fâzhem) [sonder].
-ondissement *m* Deepening.
appropriation *f* Appropriation. Adaptation.
approprier (òprìé) To appropriate. To adapt. To clean.
approuver (ûvé) To approve of; to agree to.
approvisionnement *m* (zyònman) Victualling (vitling).
-isionner To victual (vit'l).
approximatif Approximate.
-mation *f* Approximation.

appui *m* (àpüî) Support (s^{e}pau^{r}t). Bearing [mec].
appuyer (àpü^{y}é) To support. To lean* [pencher]. To insist. **S' -** To rely [compter]. To lean* [*appuie].
âpre (âpr) Rough (rœf) [rude]. Sour [amer]. Eager (ig$^{e r}$) [avide].
après (àprè) After (âft$^{e r}$). Behind (biha^{i}nd) [derrière]; *ci-après*, below. *ad* Afterwards [ensuite].
après-demain (àprèd^{e}mi^{n}) The day after to-morrow.
après-dîner *m* After dinner.
après-midi *m* Afternoon (ou).
âpreté *f* (âpr^{e}té) Roughness. Harshness. Greediness. [V. ÂPRE.]
apte (àpt) Apt, fit (fit').
aptitude *f* (üd) Aptitude (tyoud), capacity, fitness.
apurement *m* (ürma^{n}) Audit.
aquafortiste (àkwà) Etcher.
aquarium *m* Aquarium.
aquarelle (kwàrèl) *f* Watercolour (waut$^{e r}$kol$^{e r}$).
aquatique (ìk) Aquatic (kwà).
aqueduc *m* (àkdük) Aqueduct (àkwidœkt).
aqueux, euse (kë) Watery.
aquilin, ine (àkìli^{n}). Roman [nez]. Aquiline (àkwila^{i}n).
aquilon *m* (o^{n}) North wind.
arabe (àb) Arabian (ré^{i}).
arabe (àb) Arabian (ré^{i}). Arabic [langue]. *m* Arab.
Arabie *f* (bî) Arabia (eré^{i}by^{e}).
arable (àràbl) Tillable.
arachide *f* (shîd) Groundnut.
araignée *f* (èñé) Spider (a^{i}).
aratoire (twàr) Farming (fâ).
araucaria *m* Monkey-puzzle.
arbalète *f* (èt) Crossbow.
arbitrage *m* (àj) Arbitration.
arbitraire (èr) Arbitrary.
arbitre *m* (îtr) Arbitrator. Umpire (a$^{ie r}$). Referee [boxe]. *Libre -*, free will.
arborer To set up. To hoist.
arbre *m* (àrbr) Tree (trî). Shaft [mec.].
arbrisseau *m* (sô) Sapling.
arbuste *m* Shrub (œ).
arc *m* (àrk) Arch (â^{r}tsh) [mur]. Bow [arme]. Arc [géom.].
arcade *f* (àd) Arcade (é^{i}d).
arc-boutant Flying buttress.
arceau *m* (sô) Small arch.
arc-en-ciel *m* (àrka^{n}s^{y}èl) Rainbow (ré^{i}nbo^{ou}).
archaïque (kàìk) Archaic.
archaïsme *m* (àism) Archaism.
archange *m* (ka^{n}j) Archangel.
arche *f* (àrsh) Arch (â^{r}tsh). *- de Noé*, Noah's ark.
archet *m* Bow (bo^{ou}).
archéologie (k) *f* Archæology.
archéologue Archæologist.
archevêché *m* (àrsh^{e}vèshé) Archbishopric. Archbishop's palace.
archevêque *m* (àrsh^{e}vèk) Archbishop (â^{r}tshbish^{e}p).
archidiacre *m* Archdeacon.
archiduc *m* (shìdük) Archduke (â^{r}tshd^{y}ouk).
archiduchesse *f* Archduchess.
archipel *m* (sh) Archipelago.
architecte (sh) Architect (k).
architecture *f* (àrshitektür) Architecture (â^{r}kitektsh$^{e r}$).
archives *fpl* (shîv) Archives (â^{r}ka^{i}vz). Records (rèk$^{e r}$dz).
archiviste (shi) Archivist.
arçon *m* (so^{n}) Saddle-bow.
arctique (àrktìk) Arctic (â^{r}).
ardent, ente (àrda^{n}) Burning

(bë^{r}). Eager (îg^{er}) [avide].
ardeur *f* (àrdœr) Heat (**hît**). *E*agerness. Sp*i*rit [fougue].
ardoise *f* (dwàz) Sl*a*te (*é*^{i}).
ardois*iè*re *f* Sl*a*te-qu*a*rry.
ardu, ue (d*ü*) *A*rduous hard.
are *m* (àr) 4 poles [about].
arène *f* (àrèn) Ar*e*na (în^{e}).
arête *f* (àrèt) Fish-bone. R*i*dge [crête].
argent *m* (àrj***a***^{n}) S*i*lver [métal]. Money (mœni). Wealth [fortune].
argenter (**ja**^{n}**t*é***) To s*i*lver.
argenter*ie* *f* S*i*lver-pl*a*te.
argentier (a^{n}ty*é*) Tr*ea*surer.
argentin, ine (**a**^{n}**t*i***^{n}) S*i*lvery; *République Argentine, A*rgentina (*â*^{r}dj^{e}nta^{i}n^{e}).
argile *f* (ârj*î*l) Clay (**é**^{i}).
argileux, euse (*ë*, *ë*z) Cl*a*yish.
argon *m* (***o***^{n}) Argon (*â*^{r}gòn).
argonaute (nôt) *A*rgonaut.
argot m (àrg*ô*) Slang.
arguer (**g**^{u}***é***) To ded*u*ce (*you*).
argument *m* (àrg**ü**m***a***^{n}) *A*rgument (*a*rgyoum^{e}nt).
argument*er* (àrg**ü**) To argue (*â*^{r}gyou).
argutie *f* (**ü**s*î*) Quibble (**kw*i***).
aride (àr*ì*d) *A*rid, dry (a^{i}).
aridité *f* (t*é*) Aridity (^{e}r*i*).
aristocr*a*te *m* Ar*i*stocrat.
aristocratie *f* Arist*o*cracy.
aristocrat*i*que Aristocr*a*tic.
arithmét*i*que *f* (rìt) Ar*i*thmetic (***ith***).
arlequin (k*i*^{n}) H*a*rlequin.
armateur (àtœr) Shipowner.
armature *f* (t*ü*r) Fr*a*me (*é*^{i}).
arme *f* (àrm) Arm (â^{r}m), wea*-*pon; - *blanche,* cold steel.
armée *f* (àrm*é*) Army (*â*^{r}mi).
armem*e*nt *m* *A*rmament.
Arménie *f* (nî) Armenia (mî).
armer (àrm*é*) To arm. To cock [fusil]. To fit *o*ut [mar.].
armistice *m* (tîs) *A*rmistice.
armoire *f* (àrmwàr) Press.
armoiries *fpl* (mwàrî) Arms.
armoise *f* (wàz) Wormwood.
armorier (^{y}*é*) To bl*a*zon (*é*^{i}).
armure *f* (*ü*r) Armour (â^{r}m^{er}).
armurier *m* (**ür**^{y}***é***) G*u*nsmith.
arnica *m* (kà) *A*rnica (*â*^{r}).
aromatique (àt*i*k) Arom*a*tic.
arôme *m* (ôm) Ar*o*ma (*o*^{ou}).
arpège *m* (*è*j) Arp*e*ggio (èdj).
arpent *m* (àrp*a*^{n}) Acre (é^{i}k^{er}).
arpent*e*r To measure (mèj^{er}). To str*i*de* al*o*ng [marcher].
arpenteur *m* Land-surv*e*yor.
arquer (àrk*é*) To bend*.
arracher (àsh*é*) To t*ea*r* off. To pull out [dent]. To ext*o*rt.
arraisonner (èzòn*é*) To h*a*il. To inspect [documents].
arrangement *m* (àra^{n}jm***a***^{n}) Arrangement (^{e}r*é*^{i}ndj^{e}m^{e}nt). Settlement (sètl^{e}m^{e}nt) [règlement]. Compos*i*tion [compromis]. Special terms [hôtel].
arranger (àra^{n}j*é*) To arrange (r*é*^{i}ndj). To settle. To fit up [ajuster]. To suit [plaire]. **S' -** To c*o*me* to terms. To m*a*nage [*pour:* to]. [**arrangeai, -geons*].
arrérages *mpl* (*à*j) Arr*e*ars.
arrestation *f* (s^{y}***o***^{n}) Arr*e*st.
arrêt *m* (àrè) Stop. S*e*ntence [juge]. Aw*a*rd [arbitre]. *Maison d' -,* pr*i*son.
arrêt*é* *m* Bye-law (ba^{i}l***au***) [municipal]. *O*rder [ministre]. Dec*i*sion.
arrêter (àrèt*é*) To stop. To dec*i*de on [plan]. To arrest [police]. To settle [compte]: *arrêté au,* up to. **S' -** To stop.

(styoupifa^i) To besot (sot'].
abrutissement *m* Sottishness.
absence *f* (a^{n}s) Absence.
absent, ente Absent (àpsent).
absenter (s') To absent oneself, to go* away.
abside *f* (îd) Apse (àps).
absinthe *f* (i^{n}t) Wormwood.
absolu, ue (*ü*) Absolute (out).
absolution *f* (üs) Absolution.
***absolv...** V. ABSOUDRE.
absorbant, ante Absorptive. Engrossing [intérêt].
absorber To absorb (^{e}bsau^{r}b).
absorption *f* Absorption.
absoudre* (sûdr) To absolve. [**absolvons, -vez, -vent; absolvais*, etc.; *absolve*, etc.; *absolvant; absous, oute*].
abstenir* (s') To abstain. [*V. TENIR].
abstention *f* Abstention.
abstinence *f* (a^{n}s) Abstinence.
abstinent, te (a^n) Abstinent.
abstraction *f* Abstraction.
abstraire* (èr) To abstract. [*V. TRAIRE].
abstrus, use (*ü*) Abstruse (oû).
absurde (*ü*rd) Absurd (ë^{r}d).
absurdité *f* (ürdité) Nonsense.
abus *m* (àbü) Abuse (^{e}byous).
abuser (üzé) To misuse (syouz). To deceive (sîv).
abusif, ive (zif, iv) Improper.
acabit *m* (àbi) Quality, kind.
acacia *m* (s^{y}a) Acacia (é^{i}sh^e).
académicien Academician.
académie *f* (mî) Academy.
académique Academical (dè).
acajou *m* (àkàjû) Mahogany (m^{e}hog^{e}ni).
acanthe *f* (a^{n}t) Acanthus (th).
acariâtre (^{y}âtr) Quarrelsome.
accablement *m* Dejection.
accabler (àblé) To overwhelm.
accalmie *f* (àlmî) Lull (lœl).
accaparement *m* Cornering.
accaparer (pàré) To corner, to monopolize (op^{e}la^{i}z).
accapareur, euse Monopolist.
accéder (àksédé) To have access. To comply with [désir]. [**accède*].
accélérateur *m* Accelerator.
accélération Acceleration.
accélérer (ré) To accelerate. [**accélère*].
accent *m* (sa^n) Accent (s^{e}nt).
accentuation *f* Accentuation.
accentuer (àksa^{n}tüé) To accent (aksènt). To stress.
acceptable (àbl) Acceptable.
acceptation *f* Acceptance.
accepter (té) To accept.
acception *f* (syo^n) Meaning.
accès *m* (àksè) Access (àksès). Fit [attaque].
accessible (ibl) Accessible.
accession *f* (s^{y}o^n) Accession.
accessoire *m* (swàr) Accessory.
accident *m* (da^n) Accident.
accidenté, ée (a^{n}té) Hilly.
accidentel, elle (a^{n}tèl) Accidental (ènt^{e}l). Occasional.
accise *f* (àksîz) Excise (a^{i}z).
acclamation *f* Acclamation.
acclamer (àmé) To acclaim.
acclimatation *f* (ìmàtas^{y}o^n). Acclimatization (a^{i}zé^{i}sh^{e}n).
acclimater (ìmaté) To acclimatize (a^{i}m^{e}ta^{i}z).
accointance *f* Intimacy.
accolade *f* (àd) Embrace (è^{i}s); hug. Brace [signe].
accoler (lé) To join (djo^{i}n).
accommodant Conciliating.
accommodement *m* Arrangement.
accommoder (òdé) To fit [adapter]. To conciliate (si).

To cook, to dress [plat].
accompagnateur, trice (o^{n}-pàñà) Accompanist (^{e}kœm).
accompagnement *m* (pàñma^{n}) Accompaniment (^{e}kœmpà).
accompagner (àko^{n}pàñé) To accompany (^{e}kœmp^{e}ni).
accompli, ie Accomplished.
accomplir (àko^{n}plir) To carry out, to fulfil (foul).
accomplissement Fulfilment.
accord *m* (àko^{r}) Agreement (^{e}grîm^{e}nt); accord (au^{r}d). Chord (k) [music]. *Etre [se mettre] d' -*, to agree; *mettre d' -*, to reconcile.
accordage *m* Tuning (tyou).
accordailles (dà^{y}) Betrothal.
accordéon *m* (déo^{n}). Accordion (^{e}kau^{r}dy^{e}n.
accorder (dé) To reconcile [amis]. To admit [admettre]. To allow [rabais]. To tune [mus.] **S' -** To agree.
accordeur *m* Tuner (tyoun^{e}^{r}).
accort, te (or, ort) Affable.
accoster (osté). To accost. To draw* alongside [mar.].
accotement *m* (a^{n}) Side-way.
accoter To prop. **S' -** To lean.
accotoir *m* (twàr) Prop.
accouchement *m* (àkûshma^{n}). Delivery (diliv^{e}ri).
accoucher (ûshé) *vt* To deliver. *vi* To be delivered.
accoucheur *m* Obstetrician.
accoucheuse *f* Midwife.
accouder (s') To lean on one's elbows.
accouplement *m* Coupling.
accoupler (àkûplé) To couple (kœp'l). **S' -** To couple.
accourir* (ûrir) To run* up. [*V. COURIR.]
accoutrement *m* (a^{n}) Garb.
accoutrer (ûtré) To rig out.
accoutumance *f* (a^{n}s) Habit.
accoutumer (ü) To accustom.
accréditer (té) To accredit.
accroc *m* (àkro) Rent. Hitch.
accrocher (oshé) To hang* up.
accroire *vt* To believe (lî).
accroissement *m* (àkrwas) Increase (îs). Growth.
accroître* (àkrwàtr) To increase (îs)' **S' -** To grow*. [*V. CROÎTRE].
accroupir (s') To squat.
accueil *m* (àkœ^{y}) Welcome. Reception. *Faire* bon - à une traite*, to honour a bill.
accueillir (àkœ^{y}ir) To welcome, to receive [*V. CUEILLIR].
accu *m* (àkü) Storage battery.
acculer (ülé) To drive* to the wall; to bring* to bay.
accumulateur *m* Accumulator.
accumuler (kümü) Accumulate (^{e}kyoumyoulé^{i}t).
accusateur, trice Accuser (^{e}kyouz^{e}^{r}). *a* Accusatory.
accusation *f* Accusation.
accusé, ée (àküzé) Prisoner. *a* Accused (^{e}kyouzd).
accuser (àküzé) To accuse (^{e}kyoûz). To charge. *Accuser réception*, to acknowledge receipt (sît'). **S' -** To accuse oneself, to confess.
acerbe (àsèrb) Bitter, sour.
acétique (tik) Acetic (si).
acétylène *m* (èn) Acetylene.
achalandage *m* Custom (kœst^{e}m), good-will.
achalandé Having customers.
achalander To draw* trade.
acharné, ée Fierce (fi^{e}rs).
acharnement *m* Doggedness.
acharner (àshàr) To set*.

arrhes *fpl* Earnest money.
arrière *ad* (àryèr) Behind (bihaind). Backward (wérd) Aft [mar.]. *m* Back part. Stern [mar.].
arriéré *m* Arrears (erierz).
arrière-garde *f* Rear-guard.
arrière-goût *m* After-taste.
arrière-grand-père *m* Great grandfather.
arrière-pensée *f* (pansé) Mental reservation.
arrière-plan *m* Background.
arrimer (ìmé) To stow (oou).
arrivage *m* (ìvàj) Arrival.
arrivée *f* Arrival (eraiv'l).
arriver (ìvé) To come*. To arrive (aiv). To happen, to occur [fait]. To succeed.
arriviste Pushing fellow.
arrogance *f* (gans) Arrogance.
arrogant, ante Arrogant (àregent), supercilious.
arroger (s') (jé). To assume [**arrogeai, -geons*].
arrondir (ondir) To make* round. **S'** - To grow* round.
arrondissement *m* (man) District. Ward [quartier].
arroser (àròzé) To water.
arroseuse *f* Water-sprayer.
arrosoir *m* Watering-pot.
arsenal *m* (àrsenàl) Arsenal.
arsenic *m* (nik) Arsenic (nik).
arsouille (sûy) Blackguard.
art *m* (àr) Art (ârt).
artère *f* (àrtèr) Artery (ârteri). Thoroughfare [rue].
artériel, elle (yèl) Arterial.
artériosclérose *f* (érôz) Arteriosclerosis (iroousis).
artésien, enne Artesian (tî).
arthrite *f* (trît) Arthritis.
arthritique (ik) Arthritic.
artichaut *m* (shô) Artichoke.
article *m* (àrtikl) Article.
articulaire (èr) Articular.
articulation *f* Joint (djoint).
articuler (kü) To articulate.
artifice *m* (fîs) Artifice; *feu d'* -, fireworks.
artificiel, elle Artificial.
artillerie *f* (àrtiyerî) Artillery (ârtileri).
artilleur (yœr) Gunner (gœ).
artimon *m* (on) Mizen-mast.
artisan (zan) Craftsman.
artiste (àr) Artist (âr).
artistique (ik) Artistic.
as *m* (âs) Ace (éis). Star.
ascendance *f* (àsan) Ancestry.
ascendant *m* (àsandan) Ascendency; *les -s,* ancestors. *a* Ascendant, increasing.
ascenseur *m* (àsansœr) Lift. Elevator (èlivéiter) [Am.].
ascensionniste (àsansyònist) Climber (klaimer).
ascète *m* (àsèt), **ascétique** *a* Ascetic (esètik).
asepsie *f* (sî) Asepsis (esè).
aseptique (ik) Aseptic (sèp).
aseptiser (zé) To asepticize.
asiatique Asiatic (éish).
Asie *f* (àzî) Asia (éishe).
asile *m* (àzil) Asylum (sai).
aspect *m* (pè) Aspect (pèkt).
asperge *f* (èrj) Asparagus.
asperger (èrjé) To sprinkle [**aspergeai, -geons*].
aspérité *f* (té) Asperity.
aspersion *f* Sprinkling.
asphalte *m* (fàlt) Asphalt.
asphodèle *f* (dèl) Asphodel.
asphyxie *f* (iksî) Asphyxia.
asphyxier To asphyxiate; *obus asphyxiant,* gas-shell.
aspic *m* (pik) Aspic.
aspirant, ante (an) Candidate.
aspirateur *m* Suction cleaner.

aspiration *f* Aspiration.
aspirer (ìré) To inhale (hé^{i}l). Aspire (a^{ier}) [désir].
assagir (jîr) To make* wise.
assaillant *m* (àsàya^{n}) Aggressor. Attacking party.
assaillir (à^{y}îr) To attack. [**assaille*, etc.].
assainir To make* healthier.
assaisonnement *m* Seasoning.
assaisonner (èzò) To season.
assassin, ine (si^{n}) Murderer; *f* Murderess. *a* Murderous.
assassinat *m* (nà) Murder (ë).
assassiner To murder (më^{r}).
assaut *m* (àsô) Assault, storming. Fencing match [épée].
asséchement *m* Draining.
assécher (séshé) To dry up [**assèche*].
assemblage *m* (a^{n}) Gathering.
assemblée *f* (sa^{n}) Gathering.
assembler (blé) To gather, to collect. **S'** - To meet*.
assener (àsené) To strike* [**assène*].
assentiment *m* (ma^{n}) Assent.
asseoir* (swàr) To seat (sît). To assess (^{e}sès) [impôt]. **S'** - To sit* down. [* *assieds, asseyons, -eyez, -eyent; asseyais*, etc., *assis*, etc.; *assiérai*, etc.; *asseye*, etc.].
assermenter To swear* in.
assertion *f* Assertion.
asservir (sèr) To enslave.
asservissement *m* Slavery (é^{i}).
assez (àsè) Enough (inœf) [suffis.]. Rather [plutôt].
assidu, due (dü) Diligent.
assiduité *f* (d^{u}ì) Assiduity.
assiéger (às^{y}éjé) To besiege (bisîdj) [**assiège, assiégeai, -geons*].
assiette *f* (às^{y}èt) Plate (é^{i}). Seat [lieu]. Assessment [taxe]. - *creuse*, soup plate.
assignation *f* (ìñàs$^{y}o^{n}$) Summons (sœ). Assignment.
assigner (àsìñé) To assign (^{e}sa^{i}n). To summon.
assimilation *f* Assimilation.
assimiler To assimilate.
assis, ise. V. ASSEOIR.
assise *f* (îz) Assize (a^{i}z).
assistance *f* Audience [public]. Assistance [aide, présence].
assister To attend [présence]. To help, to assist [aider].
association *f* (òs^{y}às$^{y}o^{n}$) Association. Partnership [com.].
associé, ée (s^{y}é) Partner (pâ).
associer (òs^{y}é) To associate. To take* into partnership.
assoiffé (àswàfé) Thirsty.
assombrir (o^{n}brîr) To darken.
assommer (òmé) To beat* to death. To tire to death.
assommoir *m* (omwàr) Bludgeon (blœdj^{e}n). Tavern.
assomption *f* Assumption.
assortiment *m* Assortment.
assortir (ortîr) To match.
assoupir (ûpîr) To make* sleepy. **S'** - To doze off.
assoupissement Drowsiness.
assouplir (sû) To make* soft.
assourdir (sûr) To deafen.
assouvir (ûvîr) To satiate.
assujettir (üjètîr) To subdue.
assujettissement Subjection.
assurance *f* (süra^{n}s) Assurance (^{e}shour^{e}ns); - *incendie*, fire insurance.
assurer (àsüré) To assure (^{e}shou^{er}) [fait, vie]. To insure [risque]. To ensure [résultat]. **S'** - To make* sure; to ascertain. To take* out an insurance.

assureur *m* (sürœr) Insurer (sh*ou*). Underwr*i*ter [mar.].
Assyrie *f* (àsirì) Ass*y*ria.
astérie *f* (rî) St*a*r-fish.
astérisque *m* *A*sterisk.
asthmatique (smà) Asthm*a*tic.
asthme *m* (àsm) *A*sthma.
asticot (kò) *m* Worm (wë).
astigmate (àt) Astigm*a*tic.
astiquage *m* (kàj) Polishing.
astiquer (ké) To polish.
astrakan (*a*ⁿ) Astrakh*a*n (àn).
astral, ale (àl) *A*stral (ᵉl).
astre *m* (àstr) Star (stâʳ).
astreindre* (iⁿdr) To bind* [**astreins, -treignons; astreignis*, etc.; *astreigne*, etc.; *astreignant; astreint*].
astringent (jaⁿ) Astr*i*ngent.
astrologie *f* (jî) Astr*o*logy.
astronomie (òmî) Astr*o*nomy.
astronomique Astron*o*mical.
astuce *f* (àstüs) Craft (â).
astucieux, euse Crafty (krâ).
asymétrie *f* As*y*mmetry.
atavique (ik) Atav*i*stic.
atavisme *m* (ism) *A*tavism.
ataxie *f* Ataxy (ᵉtàksi).
atelier *m* (àtᵉlyé) Workshop. St*u*dio (sty*ou*) [artiste].
atermoiement *m* Del*a*y; respite (respit').
atermoyer (mwàyé) To put off [**atermoie*].
athée (àté) *m* *A*theist (éⁱ-thiⁱst). *a* Godless.
athéisme m (té) Atheism (th*i*).
athlète (tlèt) Athlete (thlit).
athlétique (ik) Athl*e*tic (th).
athlétisme *m* *A*thletism (th).
Atlantique *m* (aⁿ) Atl*a*ntic.
atlas *m* (àtlàs) *A*tlas (àtlᵉs).
atmosphère *f* (òsfèr) *A*tmosphere (àtmᵉsfiᵉʳ).
atmosphérique Atmosph*e*ric.
atoll *m* (òl) *A*toll (ol).
atome *m* (àtòm) Atom (àtᵉm).
atone (àtòn) At*o*nic (ᵉtonik).
atours *mpl* (àtûr) F*i*nery.
atout *m* (àtû) Trumps (œ) *pl.*
âtre *m* (âtr) Hearth (hâʳth).
atroce (òs) Atrocious (*o*ᵒᵘsh).
atrocité *f* Atrocity (*o*siti).
atrophie *f* (ofî) *A*trophy.
atrophier (fyé) To w*i*ther.
atropine *f* (în) *A*tropine.
attabler (s') To sit* down to t*a*ble; *attablé*, s*i*tting.
attache *f* (àtàsh) Bond, tie.
attachement *m* Att*a*chment.
attacher (àtàshé) To tie (taⁱ), to bind* (baⁱnd).
attaque *f* (àtàk) Att*a*ck.
attaquer (ké) To attack (ᵉtàk) **S'** - *à*, to gr*a*pple.
attardé, ée Bel*a*ted (éⁱ).
attarder (àrdé) To del*a*y. **S'** - To l*i*nger (lìng-gᵉr).
atteignant (èñ*a*ⁿ). V. ATTEINDRE*.
atteindre* (àtiⁿdr) To reach (rîtsh). To overt*a*ke*. [**atteins, atteignons*, etc.; *-eignais*, etc.; *-eignis*, etc.; *-eigne*, etc.; *-eignant; -eint*].
atteinte *f* (int) Reach. Blow [coup]. Att*a*ck. *I*njury.
attelage *m* (àtlàj) Team.
atteler (àtlé) To h*a*rness. To put* [horses] to [**attelle*].
attenant, ante Adj*o*ining.
attendant (àtaⁿd*a*ⁿ) *En* -, meanwh*i*le; *en* - *que*, till.
attendre (àtaⁿdr) To w*a*it for. To expect. To aw*a*it. *Faire* -, to keep* w*a*iting. **S'** - *à*, to expect.
attendrir (aⁿdrir) To s*o*ften, to m*o*ve. **S'** - To melt.
attendrissement Comp*a*ssion.

attendu *pr* (a^{n}dü) Considering. *m* Ground (gra^{ou}nd).
attentat *m* (a^{n}tà) Attempt.
attente *f* (àta^{n}t) Waiting. Expectation [espoir].
attenter (àta^{n}té) To make* an attempt (*à :* on, against).
attentif, ive (a^{n}) Attentive.
attention *f* (s^{y}o^{n}) Attention.
attentionné, ée Considerate.
atténuer (n^{u}é) To extenuate.
atterrer (èré) To dismay.
atterrir (èrîr) To land.
atterrissage *m* Landing.
attestation *f* Attestation.
attester (èsté) To certify.
attiédir (àt^{y}édîr) To cool.
attifer (ìfé) To rig out.
attirail *m* (iràỳ) Outfit.
attirance *f* (a^{n}s) Attraction.
attirer (àtìré) To draw* (**au**). To attract. To lure [piège].
attiser (ìzé) To stir up.
attitude *f* (ü) Attitude (you).
attouchement (ûsh) Touch.
attraction *f* Attraction.
attrait *m* (è) Charm, attraction.
attrape *f* (àp) Trick, trap. - *nigaud*, booby-trap.
attraper (àpé) To catch*.
attrayant, ante Attractive.
attribuer (^{u}é) To attribute.
attribution *f* Attribution.
attrister To grieve (grîv).
attroupement *m* Gathering.
attrouper (ûpé) To gather.
au [contr. de *à le*], **aux** (ô) [contr. de *a les*].
aubaine *f* (ôbèn) Windfall.
aube *f* (ôb) Dawn (daun). Paddle-board. Alb [vêt.].
aubépine *f* (în) Hawthorn.
auberge *f* (ôbèrj) Inn.
aubergine *f* (în) Egg-plant.
aubergiste (èrj) Inn-keeper.
aucun, une *a* (oku^{n}, ün). Any. *Ne... aucun*, not any, no. (*pron.* not any, none).
aucunement By no means.
audace *f* (ôdàs) Daring (dè^{e}).
audacieux, euse Daring.
au-dedans (d^{e}da^{n}) Inside.
au-dehors (d^{e}or) Outside.
au-delà (d^{e}là) Beyond (bi).
au-dessous (d^{e}sû) Below.
au-dessus (d^{e}sü) Above.
au-devant (d^{e}va^{n}) Towards (to^{ouer}dz) ; *aller - de*, to meet*.
audience *f* (ôd^{y}a^{n}s) Sitting.
auditeur, trice *mf* Hearer.
auditif, ive Auditory (**au**).
audition *f* (s^{y}o^{n}) Hearing.
auditoire *m* (twàr) Audience.
auge *f* (ôj) Trough (trœf).
augmentation *f* (ôgma^{n}) Increase. Rise (ra^{i}z) [salaire].
augmenter (ôgma^{n}) To increase. To raise [salaire].
augure *m* (ôgür) Augur (**au**-g^{er}) [devin]. Omen (o^{ou}) [présage].
augurer Augur, forecast*.
aujourd'hui (ôjûrdüi) Today.
aulne *m* (ôn) Alder-tree (**au**).
aumône *f* (ômôn) Alms (âmz).
aumônier (ômon^{y}é) Chaplain.
aumônière *f* Almspurse.
aunaie *f* (ônè) Alder grove.
aune *f* (ôn) Ell [mesure]. *m* Alder-tree [arbre].
auner (ôné) To measure (mèj).
auparavant (va^{n}) Before.
auprès (ôprè) Near (ni^{er}).
auquel (ôkèl) To whom, to which [contr. de *à lequel*].
auréole *f* (ôréòl) Halo (**hé**^{i}).
auréoler To halo (**hé**^{i}lo^{ou}).
auriculaire (külèr) Auricu-

lar; *témoin* -, ear-witness; *doigt* -, the little finger.
aurifère (fèr) Auriferous; *terrain* -, gold field.
aurifier To stop with gold.
auriste (ôrist) *Aurist* (*au*).
aurochs *m* (ôròks) *Aurochs*.
aurore *f* (ôròr) Dawn (**dau**n); - *boréale*, Northern lights.
ausculter (ôskültè) To auscultate (keltéit), to sound.
auspice *m* (ôspîs) *Auspice*.
aussi *ad* (ôsì) Also (*au*lsoou). - *que*, as ...as; *pas* - *que*, not so ... as.
aussière *f* Hawser (**hauz**er).
aussitôt (ôsìtô) At once (et wœns); - *que*, as soon as.
austère (ôstèr) Austere (**aus**tier), stern (stërn).
austral, ale (ôstràl) *Austral*.
Australie *f* (àlî) Australia (austréilye).
australien, enne Australian.
autan *m* (ôtan) South gale.
autant (ôtan) As much [sing.], as many [pluriel]. *Pas* -, not so much, not so many; *d'* - *que*, since.
autarchie *f* Self-government.
autarcie *f* Self-sufficiency.
autel *m* (ôtèl) Altar (*au*lter).
auteur (ôtœr) Author (*au*ther); *droits d'* -, royalties.
authenticité *f* Authenticity.
authentifier To authenticate.
authentique (ôtantik) Authentic (**th**è), genuine (djényouìn). Under seal [acte].
autobus *m* (ôtobüs) Motorbus.
autocar *m* (kàr) Motor-coach.
autochtone *a* Autochtonous.
autoclave *m* (âv) Sterilizer.
autocuiseur *m* Pressure-cooker.
autodidacte (àkt) Self-taught.
autodrome *m* Motor-racing track.
autogène (jèn) Autogenous.
autogire *m* (jîr) Autogyro.
autographe *a* (àf) Autographic. *m* *A*utograph.
autographier To *au*tograph.
automate *m* (àt) Automaton.
automatique Automatic.
automatisme *m* Automatism.
automne *m* (tòn) *A*utum (tem).
automobile (bîl) *a* Self-propelling. *f* Motor-car (moou-terkâr); automobile [Am.].
automobilisme *m* Motoring.
automobiliste Motorist.
automoteur, trice *a* Self-propelling. *f* Train-coach.
autonome *a* (òm) Autonomous.
autopsie *f* (opsî) *Au*topsy. Post mortem examination.
autorail *m* (ây) Rail-car.
autorisation *f* (ìzàsyon) Authority, permit, licence.
autoriser (ìzé) To authorize (**auth**eraiz). To allow (*a*ou).
autoritaire *a* Tyrannical.
autorité Authority (**th**).
autoroute *f* Motor-way.
auto-stop *m* Hitch-hiking.
autour (ôtûr) Around (era-ound), about.
autre (ôtr) Other (œ**zh**er). Le pronom pluriel est *others*. *Quelqu'un d'* -, some one else. *L'un ou l'* -, either; *ni l'un ni l'* -, neither.
autrefois (fwà) Formerly.
autrement (man) Otherwise.
Autriche *f* (îsh) *Au*stria.
autrichien, enne *Au*strian.
autruche *f* (üsh) *O*strich.
autrui (ôtrui) *O*thers.
auvent *m* (ôvan) Penthouse.

aux (ô) contr. de *à les*.
auxiliaire *a* (ôksì^{l}yèr). Auxiliary (**aug**zilye$^{}$ri). *m* Assistant. *Bureau* -, sub-office.
aval *m* Down stream [eau] Endorsement [traite].
avalanche *f* (a^{n}) Avalanche.
avaler (àlé) To swallow (swo-lo^{ou}). To pocket [affront].
avaliser (ìzé) To endorse.
avance *f* (a^{n}s) Advance (^{e}dvàns); *d'* -, beforehand; *en* -, before time, early.
avancer (àva^{n}sé) To advance (^{e}dvàns) [heure, allumage]. To bring* forward [amener]. *vi* To advance, to move forward; *ma montre - d'une heure*, my watch is one hour fast. [*avançai, -çons*].
avanie *f* (ànî) Affront (œnt).
avant (àva^{n}) Before (fau^{er}). In front of. *ad* Before, previously. *En* -, forward. *m* Front. Bow (ba^{ou}) [bateau]. Forward [football].
avantage *m* (a^{n}tàj) Advantage (^{e}dvàntidj).
avantager (àjé) To favour. [*avantageai, -geons*].
avantageux, euse (àva^{n}tàjë, ëz) Advantageous (té^{i}dj^{e}s).
avant-bras *m* (brà) Fore-arm.
avant-coureur *m* Harbinger.
avant-dernier, ière (dèrn^{y}é, n^{y}èr) Last but one.
avant-garde *f* Vanguard.
avant-goût *m* (gû) Foretaste.
avant-hier (àva^{n}t^{y}èr) The day before yesterday.
avant-poste *m* (òst) Outpost.
avant-projet *m* Rough draft.
avant-propos *m* Introduction.
avant-scène *f* Proscenium.
avant-toit *m* (twà) Eaves *pl.*
avant-train *m* Limber (ìn).
avant-veille *f* Two days before.
avare (àr) *a* Avaricious (ish^{e}s). *mf* Miser (ma^{i}z^{er}).
avarice *f* (àvàrîs) Avarice.
avaricieux, euse Stingy (dji).
avarie *f* (àrî) Damage (idj). - *simple*, particular average; - *grosse*, common average.
avarier (r^{y}é) To damage (idj).
avatar *m* (tàr) Vicissitude.
à vau-l'eau (lô) Down stream.
avec (àvèk) With (with).
aveline *f* (àvlîn) Filbert.
avenant, ante Prepossessing. *m* Rider (a^{i}); *à l'* -, accordingly.
avènement *m* Accession.
avenir *m* (àvnîr) Future (fyoutsh^{er}). Prospects [espoir].
aventure *f* (àva^{n}tür) Adventure (vèn). Experience.
aventurer (a^{n}türé) To risk. **S'** - To venture (vèntsh^{er}).
aventureux, euse Reckless.
aventurier, ière (tür^{y}é, èr) Adventurer; adventuress.
avenue *f* (àvnü) Avenue (you).
avérer (éré) To confirm.
avers *m* (èr) Obverse (ë^{r}s).
averse *f* (èrs) Shower (sha^{ou}).
aversion *f* (èrs^{y}o^{n}) Aversion.
avertir (èrtîr) To warn (au).
avertissement *m* (èrtisma^{n}) Warning, notification.
avertisseur *m* (ìsœr) Warner (wau^{r}n^{er}). Signal. Hooter.
aveu *m* (àvë) Avowal (a^{ou}).
aveugle (àvœgl) Blind (a^{i}).
aveuglement *m* Blindness.
aveuglément Blindly.
aveugler (vœ) To blind (a^{i}). To dazzle [éblouir].
aveuglette (à l') Gropingly.

aveulir (œlîr) To enervate.
aviateur, trice (àvyàtœr) Pilot; airman, airwoman.
aviation *f* (àvyàsyon) Aviation (éivyéishen).
aviculteur Poultry-farmer.
avide (àvîd) Greedy (grîdi).
avidité *f* Greediness, avidity.
avilir To debase, to degrade.
avilissement *m* Degradation.
avion *m* (àvyon) *Airplane*; - *à réaction*, jet plane.
aviron *m* (ìron) Oar (auer).
avis *m* (àvî) Notice (nooutis). Opinion; *à mon -*, to my mind.
avisé, ée (ìzé) Wary, prudent.
aviser To inform. To advise (aiz) [traite]. *vi* To see*.
aviso *m* (zò) Dispatch-boat.
aviver (ìvé) To quicken (kwi). To sharpen. To revive.
avocassier, ière Pettifogging.
avocat *m* (kà) Lawyer (lauyer) [juriste]. Counsel (kaouns'l] Barrister. Advocate.
avoine *f* (wàn) Oats (ooûts).
avoir *m* (àvwàr) Property. Credit. Assets [actif].
avoir* *vt* To have (hàv). *Avoir* chaud, froid, raison*, to be warm, cold, right *Il y a*, there is [*pl* there are]. V. Y. *Qu'est-ce qu'il y a?* What is the matter? *Qu'est-ce qu'elle a?* what is the matter with her? [**ai, as, a, avons, avez, ont; eus, eus, eut, eûmes, eûtes, eurent; aurai*, etc.; *aie, aies, ait, ayons, ayez, aient; eusse, eusses, eût, eussions, eussiez, eussent; aie, ayons, ayez; ayant; eu*].
avoisinant Neighbouring
avoisiner (vwàzì) To be near.
avortement *m* Miscarriage [spontané]. Abortion (ebaurshen) [provoqué].
avorter To miscarry. *Faire -*, to procure abortion.
avorton *m* (on) Abortion; puny monster.
avouable (ûàbl) Avowable.
avoué (àvûé) Solicitor.
avouer (àvûé) To avow (evoou), to own (ooun).
avril *m* (à) April (éiprel).
axe *m* (àks) Ax'e (àks'l) [roue]. Axis [géom.].
axiome *m* (yôm) Axiom (em).
axonge *f* (àksonj) Lard (â).
ayant, ayez. V. AVOIR.
ayant cause Assign (esain).
ayant droit Rightful owner.
azalée *f* (àlé) Azalea (zéi).
azimut *m* (üt) Azimuth (eth)
azotate *m* (àt) Nitrate (nai).
azote *f* (ot) Nitrogen (ai).
azoteux (të) Nitrous (nai).
azotique Nitric (naitrik)).
azur *m* (àzür) Azure (àjer); *la Côte d'Azur*, the French Riviera.
azurer (àzüré) To blue (û).
azyme (îm) Azymous (mes).

B

baba *m* (bàbà) Sponge-cake. *Être* -, to be dumbfounded.
babel *f* (bàbèl) Babel (béi).
babeurre *m* (bœr) Buttermilk.
babil *m* (bàbîl), **babillage** *m* (yàj), **babillement** *m* (ìyman) Prattle, chatter.
babillard, arde (yàr, yàrd) *a* Prattling. *mf* Chatterer.
babiller (bàbìyé) To prattle.
babine *f* (în) Lip. Chop (tsh).
babiole *f* (yòl) Bauble (b'l). Toy (toi) [jouet].
bâbord *m* (òr) Port, larboard.
babouche *f* Turkish slipper.
babouin *m* (bwin) Baboon.
bac *m* (bàk) Ferry-boat [bateau]. Bucket, vat [seau].
baccalauréat *m* Baccalaureate.
baccara *m* Baccarat.
bacchanale *f* (kànàl) Revel.
bacchante (kant) Mænad (mî).
bâche *f* (bâsh) Tilt.
bachelier, ière *mf* (bàshelyé, yèr) Bachelor [degree].
bâcher To cover with a tilt.
bachique (shîk) Bacchic (kik).
bachot *m* (bàshô) Punt [bateau]. B. A. 's degree.
bacille *m* (sîl) Bacillus.
bâcler (bâ) To bungle. To bar.
bactérie *f* Bacterium [*pl.* : bacteria].
bactériologie *f* Bacteriology.
badaud (dô) Booby (bou) [sot]. Idler (aidler), lounger.
baderne *f* (bàdèrn) Fender; *vieille* -, old fogey.
badiane *f* (yàn) Anise tree.
badigeon (jon), **-geonnage** (jònàj) *m* Whitewash. **-geonner** To whitewash. To paint.
-geonneur Whitewasher.
badin, ine (bàdin, ìn) Waggish (wàgish), sportive.
badinage *m* Banter.
badine *f* (bàdîn) Switch.
badiner To trifle, joke.
badinerie *f* Jest, banter.
bafouer (fwé) To flout (àou).
bafouillage *m* (ûyàj) Rigmarole (rigmeroooul).
bafouiller (fûyé) To stammer [bégayer]. To splutter.
bâfrée *f* (bâfré) Blow-out.
bâfrer To guzzle (gœz'l).
bâfreur, euse Glutton (glœ).
bagage *m* (gàj) Luggage (lœgidj). Baggage [Am.].
bagarre *f* (gàr) Scuffle (skœ).
bagasse *f* (gàs) Cane-trash.
bagatelle *f* Trifle (aif'l).
bagnard *m* (bàñàr) Convict.
bagne *m* (bàñ) Convict-prison.
bagnole *f* (ñòl) Carriage, old crock.
bagou *f* (gû) Glibness.
bague *f* (bàg) Ring (rîng).
baguenauder (bagenôdé) To trifle (traifl).
baguer (bàgé) To baste [couture]. To ring [pigeon].
baguette *f* (gèt) Stick, wand.
bah (bâ) Pooh (pou).
bahut *m* (bàü) Chest (tshèst) [meuble]. School [slang].
bai, baie (bè) Bay [horse].
baie *f* (bè) Bay [golfe]. Berry [fruit]. Bay [fenêtre].
baignade *f* (bèñàd) Bathing.
baigner (bèñé) To wash. **Se** - To bathe [mer, lac, etc.]. To

bath [baignoire]. **-gneur, euse** (bèñœr, ëz) Bather.
baignoire *f* (bèñwàr) Bath (bâth). Tub. Box [théât.].
bail *m* (bày) *pl* **baux** Lease.
bâillement *m* (bâymaⁿ) Yawning (yauning).
bâiller (bâyé) To yawn.
bailler (bâyé) To give* (giv).
bailleur, eresse Giver (giver). Lessor (lèser) [bail].
bailli *m* (bàyî) Bailiff (béil).
bailliage *m* (bàyàj) Bailiwick.
bâillon *m* (bàyoⁿ) Gag.
bâillonner (yòné) To gag.
bain *m* (biⁿ) Bath (bâth).
bain-marie *m* Water-bath.
baïonnette *f* (bàyò) Bayonet.
baiser *v* (bèzé) To kiss. *m* Kiss.
baisse *f* (bès) Fall (faul).
baisser (bèsé) To lower (loou). To let* down. To bend* [tête]. **Se** - To stoop, bend.
baissier (bèsyé) Bear (bèer).
bajoue *f* (bàjû) Jowl (djaoul)
bal *m* (bàl) Ball (baul).
balade *f* (àd) Stroll (ooul).
balader (àdé) To walk, stroll. **Se** - To ramble (ràmb'l).
baladeur, euse Sliding (slaï).
baladeuse *f* (dëz) Trailer [remorque]. Portable lamp
baladin (àdiⁿ) Mountebank.
balafre *f* (àfr) Gash, scar.
balai *m* (bàlè) Broom (broum).
balance *f* (aⁿs) Scales *pl*, weighing machine [peser]. Balance [compte].
balancement *m* (aⁿsmaⁿ) Rocking, swinging. Swaying.
balancer (bàlaⁿsé) To balance (bàlens) [compte]. To poise [équilibrer]. To rock [bercer]. *vi* To hesitate. **Se** - To swing*. To sway [arbre]. [**balançai, -çons*].
balancier *m* (aⁿsyé) Pole [de danseur]. Pendulum [tige]. Beam [machine].
balançoire *f* (swàr) Swing.
balandre *f* Canal barge.
balayage *m* (lèyàj) Sweeping.
balayer (bàlèyé) To sweep* [**balaie* or *balaye*].
balayette *f* (yèt) Small broom.
balayeur, euse *mf* Sweeper. *Balayeuse*, sweeping-machine.
balayures *fpl* Sweepings.
balbutiement *m* (bàlbüsìmaⁿ) Stammering.
balbutier (syé) To stammer.
balcon *m* (bàlkoⁿ) Balcony. Dress-circle [théât.].
baldaquin *m* (kiⁿ) Canopy.
baleine *f* (bàlèn) Whale (hwéil). Whalebone [tige].
baleiner (èné) To stiffen.
baleinière *f* Whaleboat.
balise *f* (îz) Beacon (bîken).
balisier *m* (ìzyé) Canna.
balistique *a* (tik) Ballistic. *f* Ballistics [*pl*].
baliveau *m* (ìvô) Staddle.
baliverne *f* (èrn) Nonsense.
Balkans *mpl* Balkans.
ballade *f* (àd) Ballad.
ballast *m* (àst) Ballast (est).
balle *f* (bàl) Ball (baul) [jeu]. Bullet (boulit') [fusil]. Bale (béil) [ballot].
ballerine *f* (în) Ballet-girl.
ballet *m* (lè) Ballet (bàlit').
ballon *m* (bàloⁿ) Balloon (oûn) [aérostat]. Ball (baul) [jeu]. - *dirigeable*, *airship*.
ballonnet *m* Small balloon.
ballot *m* (lô) Small pack.
ballottage *m* Second ballot.
ballottement *m* Tossing about.

ballotter (òté) To toss about.
balnéaire (néèr) Watering.
balourd (bàlûr) Awkward.
balourdise *f* Awkwardness.
balsamier *m* Balsamtree.
balustrade *f* (lü) Balustrade.
balustre *m* (üstr) Baluster.
bambin, ine (ba^{n}) Brat (àt).
bambou *m* (ba^{n}) Bamboo.
ban *m* (ba^{n}) Bann [mariage]. Cheer (tshi^{er}) [applaudir].
banal, ale Commonplace.
banalité *f* Commonplace.
banane *f* (àn) Banana (b^{e}).
bananier *m* (^{y}é) Banana-tree.
banc *m* (ba^{n}) Bench (è). Form [classe]. Pew (pyou) [église]. Box [témoin]. Dock [accusé]. Reef [rocher]. Bank [sable]. Shoal (sho^{ou}l) [poisson].
bancal, ale Bandy-legged.
bandage *m* (ba^{n}dàj) Bandage (bàndidj). Truss (œ) [hernie]. Tyre (ta^{ier}) [roue].
bandagiste (jîst) Truss-maker.
bande *f* (ba^{n}d) Band (bànd). Belt [zone]. Strip [ruban]. Wrapper [imprimés]. Cushion [billard]. Troop, gang.
bandé, ée Bandaged. Taut (au) [tendu].
bandeau *m* (ô) Band, bandage.
bander To bandage, to tighten (ta^{i}t'n) [serrer].
banderille *f* (ri^{y}) Streamer.
bandière *f* (d^{y}èr) Banner.
bandit *m* (ba^{n}dî) Brigand.
banditisme *m* Brigandage.
bandoulière *f* Shoulder-belt.
banian *m* (bàn^{y}a^{n}) Banyan.
banlieue *f* (l^{y}ë) Suburbs *pl.*
banne *f* (bàn) Coal-cart. Hamper [panier] Awning [bâche].
bannière *f* (^{y}èr) Banner (^{er}).
bannir (nîr) To banish (bà).
bannissement *m* Banishment.
banque *f* (ba^{n}k) Bank (bàngk). **-queroute** *f* (ût) Bankruptcy [with offences].
banqueroutier Bankrupt.
banquet *m* (kè) Feast (fîst).
banqueter (k^{e}té) To feast [*banquette].
banquette *f* (kèt) Bench (è).
banquier (bank^{y}é) Banker.
banquise *f* (kîz) Ice-floe.
baptême *m* (bàtèm) Baptism (bàptiz'm); christening.
baptiser (bàtizé) To baptize (bàpta^{i}z), to christen (kris'n). To name [nommer].
baptismal, ale Baptismal.
baptiste (bàtist) Baptist (pt).
baquet *m* (bàkè) Tub (tœb).
bar *m* (bàr) Bar (bâ^{r}) [café]. Bass (bàs') [poisson].
baragouin *m* (gwi^{n}) Gibberish. **-gouiner** To jabber.
baraque *f* (ràk) Hut (hœt).
baraquement *m* Hutment.
baraterie *f* (àtrî) Barratry.
baratte *f* (àt) Churn (tshë^{r}n).
barbare (bàrbàr) *a* Barbarous (bâ^{r}b^{e}r^{e}s). *mf* Barbarian.
barbarie *f* (àrî) Barbarity.
barbarisme *m* Barbarism.
barbe *f* (bàrb) Beard (bi^{er}d) [poil]. Barb (bâ^{r}b) [flèche].
barbeau *m* (bàrbô) Barbel.
Barbe-Bleue *m* (blë) Bluebeard.
barbelé, ée Barbed (bâ^{r}bd).
barbet *m* (bàrbè) Barbet (it).
barbiche *f* (bîsh). Goatee.
barbier (bàrb^{y}é) Barber (âr).
barbifier (ìf^{y}é) To shave [raser]. To bore [lasser].
barbon *m* (bo^{n}) Greybeard.

barboter (òté) To dabble about. To filch [chiper].
barboteuse *f* (tëz) Crawlers.
barbouiller (ûé) To daub.
barbu, ue (bàrbü) Bearded.
barbue *f* (bü) Brill (bril).
bardane *f* (dàn) Burdock (bë).
barde *m* (bàrd) Bard (bâ^{r}d).
barde *f* Slice (a^{i}) [bacon].
bardeau *m* (dô) Shingle (g'l).
barder (bàrdé) To bard [fer]. To cover with bacon, to lard.
barême *m* (èm) Ready-reckoner. Price-list; schedule.
barge *f* (bàrj) Godwit [oiseau]. Barge (dj) [bateau].
barguigner (gìñé) To demur.
baril *m* (bàril) Barrel (r^{e}l).
barillet *m* (ìyè) Smal barrel.
bariolé, ée (yòlé) Motley.
baromètre *m* (ètr) Barometer.
barométrique Barometric.
baron *m* (bàro^{n}) Baron (^{e}n).
baronne *f* (òn) Baroness.
baronnet *m* (ònè) Baronet.
baroque (òk) Baroque (o^{ou}).
barque *f* (bàrk) Boat (bo^{out}).
barrage *m* (ràj) Barrier (bàri^{er}). Dam (dàm) [rivière]. *Tir de -*, curtain fire.
barre *f* (bàr) Bar [fer]. Helm [gouvernail]. Strike [trait]. Bore [lame].
barreau *m* (bàrô) Round [chaise]. Bar (bâ^{r}) [fenêtre, tribunal].
barrement *m* (a^{n}) Crossing.
barrer (bàré) To bar (bâ^{r}). To strike* out [ligne]. To cross [chèque]. To close (klo^{ou}z) [route].
barrette *f* (èt) Pin [broche]. Biretta (èt^{e}) [coiffure].
barricade *f* (àd) Barricade.
barrière *f* (yèr) Barrier (bà).
barrique *f* (ìk) Hogshead.
baryton *m* (ìto^{n}) Baritone.
baryum *m* Barium.
bas, basse *a* (bâ, bâs) Low (lo^{ou}). Base (bé^{i}s) [vil]. *ad* Low. *m* The lower part. Foot [page]. Stocking [vêt.].
basalte *m* (zà) Basalt (sau).
basane *f* (zàn) Sheepskin.
basané Swarthy (swau^{r}zhi).
bas-bleu *m* (blë) Blue-stocking.
bascule *f* (kül) Weighing-machine. *Pont à -*, weigh-bridge.
basculer To fall* over.
base *f* (bâz) Base (bé^{i}s).
baser (zé) To base, to ground.
Se - To rely (la^{i}), to reckon.
bas-fond *m* (bâfo^{n}) Hollow [terrain]. Shallows *pl* [eau].
basilic *m* (ik) Basil (zil).
basilique *f* (ik) Basilica.
basique (bàzik) Basic (bé^{i}s).
basoche (bàzòsh) *f* The legal fraternity.
basque (bask) *a* Basque (bask). *f* Skirt (skë^{r}t), tail.
bas-relief *m* (yèf) Low-relief.
basse *f* (bâs) Bass (bé^{i}s).
basse-cour *f* Poultry-yard.
basse-fosse *f* (fòs) Dungeon.
bassesse *f* (sès) Meanness.
basset *m* (sè) Basset-hound.
basse-taille *f* (ày) Bass.
bassin *m* (bàsi^{n}) Basin (bé^{i}sin) [cuvette]. Dock [port]. Pelvis [os].
bassine *f* (bàsîn) Pan (pàn).
bassiner To bathe. To warm. To bore [lasser].
bassinet *m* (nè) Small pan.
bassinoire *f* Warming pan.
basson *m* (àso^{n}) Bassoon.
bastille *f* (tìy) Castle (kas'l).
bastingage *m* Netting. Rails.

bastion *m* (tyo^{n}) Bastion.
bastonnade *f* Bastinado (né^{i}).
bas-ventre *m* (bàva^{n}tr) Lower abdomen.
bât *m* (bâ) Pack-saddle.
bataille *f* (tày) Battle (bàt'l).
batailler (tàyé) To fight*.
batailleur, euse Quarrelsome.
bataillon *m* (àyo^{n}) Battalion.
bâtard (àr), **arde** Bastard.
batardeau *m* (dô) Cofferdam.
bâtardise *f* (îz) Bastardy.
bateau *m* (bàtô) Boat (bo^{ou}t).
bateleur (tlœr) Mountebank.
batelier, ière (t^{e}lyé, lyèr) Boatman, boatwoman.
batellerie *f* (èlrî) *I*nland water carriage. Small craft.
bâter To saddle with a pack. *Un âne bâté*, a perfect ass.
bâti *m* Frame (éim). Basting.
bâtiment *m* (ma^{n}) Building (bil). Vessel [vaisseau].
bâtir (bâtîr) To build* (bild).
bâtisse *f* (îs) Building.
bâtisseur *m* (sœr) Builder.
batiste *f* Cambric (ké^{i}).
bâton *m* (bâto^{n}) Staff, stick. Truncheon (œn) [police].
bâtonner To cudgel (kœ).
bâtonnet *m* (ònè) Small stick.
bâtonnier *m* (ònyé) Chairman [of order of barristers].
batracien (àsyi^{n}) Batrachian.
battage *m* Threshing.
battant, ante *a* (bàta^{n}, a^{n}t) Pelting [pluie]. Beating. *n* Beater. Clapper [cloche]. Leaf (lîf) [porte, table].
batte *f* (bàt) Bat (bàt').
batterie *f* (bàtrî) Scuffle (skœf'l) [lutte]. Battery [canon, élec.]. Lock [fusil].
batteur *m* Beater (bît^{er}). Thresher [blé].
batteuse *f* (ëz) Thresher, threshing-machine.
battoir *m* (twàr) Beater (bî).
battre* (bàtr) To beat* (bît). To shuffle (shœf'l) [cartes]. To thresh [blé]. To coin [monnaie]. To batter [murs]. To churn [beurre]. *vi* To throb [cœur]. To clap [mains]. To flag [drapeau]. **Se -** To fight* (fa^{i}t). [**bats, bats, bat, battons*, etc.].
baudet *m* (dè) Donkey (ong).
baudrier *m* (bô) Baldrick.
baudruche *f* (bôdrüsh) Gold-beater's skin.
bauge *f* (bôj) Lair (lè^{er}).
baume *m* (bôm) Balm (bâm), balsam (bauls^{e}m).
bavard, arde *a* (vàr) Talkative (tauk^{e}tiv). *mf* Babbler.
bavardage *m* (dàj) Prattling. Gossip [commérage].
bavarder (àrdé) To chatter. To gossip ([commérage].
bavarois, oise Bavarian.
bave *f* (bàv) Slaver (slàv^{er}).
baver To slaver, to drivel.
bavette *f* Bib. Gossip [talk].
Bavière *f* (yèr) Bavaria (vè^{e}).
bavoir *m* (bàvwàr) Bib.
bavure *f* (ür) Fin [métal]. Smudge [encre].
bayer (bàyé) To gape (gé^{i}p).
bazar *m* (bà) Bazaar (b^{e}zâ^{r}).
bazarder (àrdé) To sell* off.
béant, ante *a* Gaping (é^{i}).
béat, ate (béà) Sanctimonious. Blissful [heureux].
béatitude *f* (béàtìtüd) Bliss.
beau, belle (bô, bèl) Beautiful (byoutifoul), fair. Handsome [élégant, généreux]. Fine [temps]. [**bel** before a vowel or asp. *h*].

beau *m* Beautiful. Dandy [pers]. *Le beau fixe,* set fair.
beaucoup *adv* (bôkû) Much [sing.], many [plur]. *De -,* by far.
beau-fils Son-in-law; stepson. V. BEAU-PÈRE.
beau-frère Brother-in-law; step-brother. V. BEAU-PÈRE.
beaux-parents Parents-in-law. In-laws.
beau-père Father-in-law [père du conjoint]; step-father [nouveau mari de la mère].
beaupré *m* (bô) Bowsprit.
beauté *f* (bô) Beauty (byou).
bébé *m* (bébé) Baby (béibi).
bec *m* (bèk) Beak (bîk) [pointu]. Bill [rond]. Nib [plume]. Burner [gaz].
bécane *f* (kàn) Bike (baik).
becarre *m* (kàr) Natural (nà).
bécasse *f* (kàs) Woodcock.
bécassine *f* (sîn) Snipe (ai).
bec-de-cane *m* (kàn) Handle.
bec-de-lièvre *m* Harelip.
becfigue *m* (fîg) Beccaficco.
bêche *f* (bèsh) Spade (spéid).
bêcher *f* (béshé) To dig*. To run* down [médire].
bécot *m* (béko) Kiss, peck.
becquée *f* (bèké) Billfull.
becqueter (bèkté) To peck. [*becquète].
bedaine *f* (bedèn) Paunch.
bedeau (bedô) Beadle, sexton.
bedon *m* (bedon) Tummy (œ).
bedonner (òné) To get* stout.
bée *a, f* (bé) Gaping.
béer (béé) To gape (géip).
beffroi *m* (bèfrwà) Belfry.
bégaiement *m* (bégèman) Stammering.
bégayer (bégèyé) To stammer.
bègue *mf* (bèg) Stammerer.
bégueule (bégël) Squeamish.
béguin *m* (gin) Hood [nonne]. Bonnet [bébé]. *Avoir le - pour,* to have a fancy for.
beige (bèj) Undyed, natural.
beignet *m.* (bèñè) Fritter.
bel. V. BEAU.
bêlement *m* (an) Bleating.
bêler (bè) To bleat (ît).
belette *f* Weasel (wîz'l).
belge (bèlj) Belgian (djen).
Belgique *f* (j) Belgium (dj).
bélier *m* (bélyé) Ram (ràm).
belladone *f* Belladonna.
bellâtre *m* (âtr) Coxcomb.
belle-fille Daughter-in-law. Step-daughter. V. BEAU-PÈRE.
belle-mère Mother-in-law. Step-mother. V. BEAU-PÈRE.
belle-sœur Sister-in-law; step-sister. V. BEAU-PÈRE.
belligérant, ante (jéran) Belligerent (djerent).
belliqueux, euse Combative.
belluaire Beast-fighter.
belvédère *m* (èr) Belvedere.
bémol *m* (bémòl) Flat (àt).
bénédicité *m* (sìté) Grace.
bénédictin, ine (tin, tîn) Benedictine (tain).
bénédiction *f* Blessing.
bénéfice *m* (fîs) Profit (profit'). Benefit [avantage]. Benefice [église].
bénéficiaire (syèr) Payee [mandat, etc.]. Recipient.
bénéficier (syé) To profit.
benêt (benè) Silly, foolish. *m* Simpleton (sìmp'lt'n).
bénévole (òl) Voluntary.
Bengale *m* (bingàl) Bengal (bèng-gaul); *feu de Bengale,* Bengal lights.
béni, ie (béni) Blessed.

bénignité *f* (ñi) Kindness.
bénin, igne (i^{n}, îñ) Mild (a^{i}).
bénir To bless; *eau bénite*, holy water [**béni; bénit, te* (religious meaning)].
bénitier *m* Holy water spout.
benjoin *m* (jwi^{n}) Benzoin.
benne *f* (bèn) Hamper (hàm).
benzine *f* (bi^{n}zîn) Benzine.
benzol *m* (zòl) Benzol.
béquille *f* (ki^{y}) Crutch.
berbère (bèrbèr) Berber.
bercail *m* (kà^{y}) Sheepfold.
berceau *m* (bersô) Cradle (é^{i}). *- de verdure*, bower.
bercelonnette *f* Cradle.
bercer (sé) To rock; lull. [**berçais, -çons*].
berceuse *f* (ëz) Cradle-rocker. Lullaby [chant].
béret *m* (rè) Beret, cap. *écossais*, tam-o'-Shanter.
berge *f* (èrj) Bank (àngk).
berger *m* (bèrjé) Shepherd (shèp^{er}d).
bergère *f* (jèr) Shepherdess. Easy-chair [siège].
bergerette *f* Shepherdess. Wagtail [oiseau].
bergerie *f* (j^{e}) Sheepfold.
bergeronnette *f* Wagtail.
berline *f* (în) Limousine.
berlingot *m* (i^{n}go) Candy.
berlue *f* (lü) *Avoir la -*, to be dazzled.
berne [en]· (bèrn) At half-mast. Furled and craped.
berner To fool [duper]. To toss in a blanket.
bernique (nîk) All in vain.
béryl *m* (îl) Beryl (bè).
besace *f* (b^{e}zàs) Wallet (au).
besicles *fpl* Spectacles.
besogne *f* (b^{e}zòñ) Work.
besogneux, se (òñë) Needy.
besoin *m* (b^{e}zwi^{n}) Need (nîd). *Avoir* - de*, to need, to want.
bestial, ale (t^{y}àl) Bestial.
bestialité *f* Bestiality.
bestiaux *mpl*. V. BÉTAIL.
bestiole *f* Tiny animal.
bêta, bêtasse *mf* Simpleton.
bétail *m* (tà^{y}) Cattle. Livestock.
bête *f* (bèt) Beast (bîst), animal (ànim^{e}l). *a* Silly.
bétel *m* (bé) Betel (bît^{e}l).
bêtise *f* (îz) Silliness. Blunder (œnd^{er}) [bévue]. Trifle (a^{i}) [bagatelle].
béton *m* (béto^{n}) Concrete.
bétonner (né) To build* with concrete.
bette *f* (bèt) Beet (bît').
betterave *f* (àv) Beetroot.
beugler (bëglé) To bellow.
beurre *m* (œr) Butter (œ).
beurrer To butter; *pain beurré*, bread and butter.
beurrier *m* (^{y}é) Butter-dish.
bévue *f* (vü) Blunder (œn).
biais, aise (b^{y}è) Slanting. *m* Skew. Bias (ba^{ie}s).
biaiser To cut* aslant.
bibelot *m* (biblò) Knick-knack, curio (kyou^{e}ryo^{ou}).
biberon *m* (bibro^{n}) Feeding--bottle. Tippler [ivrogne].
bible *f* (îbl) Bible (a^{i}b'l).
bibliographie *f* Bibliography. **-phile** (fîl) Book-lover. **-thécaire** (tékèr) Librarian (la^{i}brè^{e}ry^{e}n). **-thèque** *f* (tèk) Library (la^{i}). Reading-room. Book-case.
biblique (ik) Biblical.
bicarbonate *m* Bicarbonate.
biceps *m* (bì) Biceps (ba^{i}).
biche *f* (îsh) Hind (ha^{i}nd).
bichon *m* (bisho^{n}) Lap-dog.

bichonner (sho) To titivate.
bicoque *f* (bìkòk). Shanty.
bicorne *m* Cocked hat.
bicyclette *f* (bìsìklèt). Bicycle (baisikel). Push-bike.
bidet *m* (bìdè) Nag [horse]. Bidet [bain].
bidon *m* (bìdon) Can (kàn).
bief (byèf), **biez** (byé) *m* Mill-race. Reach [écluse].
bielle *f* (byèl) Rod; - *motrice*, connecting-rod.
bien *m* (byin) Good (goud). Wealth [richesse]. Property. *ad* Well. Rightly. *Bien que*, though (zhoou). *Bien de*, much [sing.], many [plur.].
bien-aimé, ée Beloved.
bien-être *m* (byinnètr) Wellbeing, welfare.
bienfaisance *f* (fezans) Beneficence. *Bureau de* -, relief committee.
bienfaisant, ante (byinfezan) Beneficent (bine).
bienfait *m* (fè) Kindness.
bien-fondé *m* Merits (its').
bien-fonds *m* (byinfon) Real estate (riel estéit).
bienheureux, euse Blessed.
bienséance *f* (séans) Propriety (ai).
bienséant, te Becoming.
bientôt *ad* (byintô) Soon.
bienveillance *f* (vèyans) Benevolence, kindness (ai).
bienveillant, te Benevolent (binèvelent). Well-wishing.
bienvenir To welcome. **-venue** *f* (byinvenü) Welcome.
bière *f* (byèr) Beer (bier) [liq.]. Coffin [cercueil].
biez *m*. V. BIEF.
biffer (fé) To strike* out.
bifteck *m* Steak (stéik).
bifurcation *f* Bifurcation.
bifurquer (ürké) To fork; branch off; bifurcate (bai).
bigame *a* (àm) Bigamous (bigemes). *mf* Bigamist.
bigamie *f* (mî) Bigamy.
bigarreau *m* (bìgàrô) White heart cherry.
bigarré, ée Variegated.
bigle (bigl) Squint-eyed.
bigorneau *m* Periwinkle.
bigot, ote (gô, òt) Bigot.
bigoterie *f* (trî) Bigotry.
bigoudi *m* (gû) Hair-curler.
bijou *m* (jû) Jewel (djou).
bijouterie *f* (jûtrî) Jewellery. Jeweller's shop.
bijoutier, ière Jeweller.
bilan *m* (an) Balance-sheet.
bilatéral, ale Bilateral.
bilboquet *m* Cup-and-ball.
bile *f* (îl) Bile (ai), gall.
biliaire (lyèr) Biliary.
bilieux, euse Bilious.
billard *m* (yàr) Billiards.
bille *f* (biy) Ball (baul). Marble (âr) [jeu]. Log.
billet *m* (yè) Note (noout) [lettre]. Bill [traite]. Ticket (it'). Banknote. - *d'aller*, single ticket; - *d'aller et retour*, return ticket; - *d'entrée*, admission card.
billevesées *fpl* Nonsense.
billion *m* (lyon) One thousand millions.
billon *m* Copper [money].
bimbeloterie *f* Toy trade.
bimensuel, lle Fortnightly.
binaire (bìnèr) Binary.
binette *f* Hoe (hoou) [agric.]. Mug [face].
biniou *m* (bìnyû) Bagpipe.
binocle *m* (òkl) Glasses.
binôme *m* (ôm) Binomial.

biographe *m* (b^{y}ògràf) Biographer (ba^{i}ogr^{e}f^{er}).
biographie *f* Biography.
biologie *f* Biology (dj).
bipède (bì) Biped (a^{i}).
biplan *m* (bìpla^{n}) Biplane.
bique *f* (bîk) Nanny-goat.
biquet, ette (kè, èt) Kid.
bis, ise (bî, bîz) Brown; *pain -*, wholemeal bread.
bis (bîs) Twice. Encore.
bisaïeul Great-grandfather.
bisbille *f* (bisbî^{y}) Tiff.
biscornu Two-horned. Uncouth.
biscotin *m* Biscuit (kit).
biscotte *f* (kòt) Rusk (œ).
biscuit *m* (k^{u}î) Biscuit (kit).
-terie *f* Biscuit-bakery.
bise *f* (bîz) North wind.
biseau *m* (bìzô) Bevel (bè).
biseauter (zoté) To bevel (bèv'l). To mark [cartes].
bismuth *m* (üt) Bismuth (th).
bison *m* (bìzo^{n}) Bison (ba^{i}).
bissac *m* Wallet (waulit).
bissectrice *f* Bisector (ba^{i}).
bisser (bisé) To encore.
bissextile [*année*] Leap-year.
bistouri *m* (ûrî) Lancet.
bistré (tré) Brown, swarthy.
bistro (trô) Publican (pœ).
bitte *f* (bit') Bit; bollard.
bitume *m* (üm) Bitumen (you).
bitumer To asphalt, to tar.
bivouac *m* (bivwàk) Bivouac.
-vouaquer (ké) To bivouac.
bizarre (àr) Odd, strange.
bizarrerie *f* (erî) Oddity.
blackbouler To blackball.
blafard, arde (àr, àrd) Wan.
blague *f* (àg) Pouch (pa^{ou}) [tabac]. Fib [mensonge].
blaguer (gé) To chaff (tsh).
blaireau *m* (blèrô) Badger [animal]. Shaving-brush.

blâme *m* (âm) Blame (é^{i}m). *Vote de -*, vote of censure.
blâmer To blame, to censure.
blanc, anche (a^{n}, a^{n}sh) White (hwa^{i}t). Clean (klîn) [propre]. Blank (àngk) [vide]. Sleepless [nuit]. *m* White. Blank [vide].
blanc-bec (bla^{n}bèk) Greenhorn.
blanchaille *m* White-bait.
blanchâtre (âtr) Whitish.
blanche *f* Minim [mus.].
blancheur *f* (sh) Whiteness.
blanchir (bla^{n}shîr) To whiten (hwa^{i}t'n). To clean [nettoyer]. To wash. To bleach (îtsh) [tissu]. *vi* To whiten.
blanchissage *m* (àj) Washing.
blanchisserie *f* Laundry.
blanchisseur, euse (sœr, sëz). Laundryman, laundress.
blanc-seing *m* (bla^{n}si^{n}) Blank signature.
blaser (blâzé) To blunt, to cloy. To sophisticate.
blason *m* (zo^{n}) Coat-of-arms.
blasphémateur, trice Blasphemer (blasfîm^{er}).
blasphème *m* Blasphemy.
blasphémer To blaspheme (î).
blatte *f* (blàt) Cockroach.
blé *m* Wheat (hwît). *- noir*, buckwheat.
bled *m* (èd) Inland (inlànd).
blême (blèm) Wan (wòn).
blêmir (mîr) To turn pale.
bléser (zé) To lisp.
blesser To wound. To injure (indj^{er}) [accident]. **Se -** To be injured. To hurt* oneself. To take* offence [vexé].
blessure *f* (sür) Wound. Injury (indj^{e}ri) [accident].
blet, ette (è, èt) Over-ripe.

bleu, eue *a* (blë) Blue (ou). *m* Blue. Washing-blue [lessive]. Tyro (ta^{I}ro^{ou}) [soldat]. *Couvert de bleus,* all black and blue.
bleuâtre (ëâtr) Bluish (*ou*).
bleuet. V. BLUET.
bleuir, bleuter (ë) To blue.
blindage *m* Armour-plate.
blinder (i^{n}dé) To armour.
bloc *m* Block; *en -,* in the lump. Prison, quod.
blocus *m* (üs) Blockade (é^{I}d).
blond, onde (o^{n}, o^{n}d) Fair (fèe^{r}); fair-haired.
blondir (o^{n}dir) To yellow.
bloquer (ké) To block up. To blockade [blocus]. To freeze [salaires]. To jam in [frein]. To lock [roue]. **Se -** To jam.
blottir (se) To huddle (œ).
blouse *f* (ûz) Blouse (à^{ou}z) [corsage]. Smock-frock [de paysan]. Overalls [usine].
bluet (üè), **bleuet** *m* (ëè) Corn-flower (fla^{ouer}).
bluette *f* (üèt) Spark (ârk).
bluff *m* (blœf) Bluff.
bluffer (œfé) To bluff.
bluter (üté) To bolt, to sift.
-toir, -teau *m* Bolter.
boa *m* (boà) Boa (bo^{oue}).
bobard *m* (àr) Tall story.
bobèche *f* Socket-ring.
bobine *f* (în) Spool, reel (rîl). Mug (œ) [face].
bobiner To spool, to wind*.
bobo *m* (bô) Sore.
bocage *m* (àj) Grove (o^{ou}).
bocal *m* Glass jar (dj).
bocard *m* (kàr) Stamper.
bocarder (àrdé) To stamp.
boche *a, m* German.
bock *m* (bok) Glass of beer.
bœuf (bœf) [*pl* bœufs (bë)] Ox [*pl* oxen]. Beef [viande].
boggie, bogie Bogie (bo^{ou}).
Bohême *f* (boèm) Bohemia.
bohémien, ienne (boémy*i*^{n}, èn) Bohemian. Gipsy.
boire* (bwàr) To drink*. [**bois, bois, boit, buvons, buvez, boivent; buvais,* etc.; *bus, bus, but, bûmes, bûtes, burent; boirai,* etc.; *boive, boives, boive, buvions, buviez, boivent; busse,* etc.; *buvant; bu*].
bois *m* (bwà) Wood (woud). Timber [charpente]. Firewood [chauffage]. Bedstead [lit]. Horns [cerf]. *Table de* [*en*] *-,* wooden table.
boiser (bwàzé) To afforest. To timber [mine].
boiserie *f* (zrî) Wainscot.
boisseau *m* (sò) Bushel (*ou*).
boisson *f* (bwàso^{n}) Drink.
boîte *f* (bwàt') Box, case. - *aux lettres,* letter-box.
boiter (bwàté) To halt (**au**), to limp, to be lame (lé^{I}m).
boiteux, se (bwàtë, ëz) Lame.
boîtier *m* (tyé) Case (ké^{I}s).
boitiller (ìyé) To hobble.
bol *m* (bòl) Bowl (bo^{oul}).
bolchevik *m* Bolchevist.
bolchevisme *m* Bolchevism.
bolide *m* (îd) Bolide (a^{I}d).
bombance *f* (a^{n}s) Junketing.
bombardement *m* (ma^{n}) Shelling, bombing (boming).
bombarder (bo^{n}) To shell.
bombardier *m* (bo^{n}bàrdyé) Bomber (bòme^{r}) [avion].
bombe *f* (bo^{n}b) Bomb (bòm), bombshell. Depth-charge. Feast (îst), spree [fête].
bomber (bo^{n}bé) To bulge.
bon, bonne (bo^{n}, bòn) Good.

Kind (a^{i}) [aimable]. Right (ra^{i}t) [exact]. Clever [habile]. *m* Good. Bond [billet]. - *du Trésor*, Treasury bill. *adv* Well; *pour de -, tout de -*, in earnest.

bonace *f* (bònàs) Calm (âm).

bonasse *a* (às) Meek (mîk).

bonbon *m* (bo^{n}) Sweetmeat.

bonbonne *f* (bòn) Demi-john.

bonbonnière *f* Sweetmeat box. Snug little place.

bond *m* (bo^{n}) Jump (djœmp).

bonde *f* (bo^{n}d) Bung. Plug.

bonder (bo^{n}dé) To cram (àm).

bondir To jump, to bound.

bonheur *m* (nœr) Happiness.

bonhomie *f* (mî) Meekness.

bonhomme *m* (nòm) Man. Good soul. *Faux -*, humbug.

boni *m* (nî) Bonus (bo^{ou}n^{e}s).

bonifier (^{y}é) To improve (*ou*).

boniment *m* (*a*^{n}) Blarney (â).

bonjour *m* (bo^{n}jûr) Good day; good morning [matin]; good afternoon [après-midi]; good evening [soir].

bonne. V. BON. *f* Maid (mé^{i}d).

bonnet *m* (bònè) Cap (kàp).

bonneterie *f* (bòntrî) Hosiery.

-tier, ière *mf* (bònt^{y}é, ^{y}èr) Hosier (ho^{ou}j^{e}r).

bonsoir *m* Good-evening.

bonté *f* (bo^{n}) Kindness (a^{i}); *ayez la - de*, be so good as.

borate *m* (àt) Borate (é^{i}t).

borax *m* Borax (bauràks).

bord *m* (bòr) Border (bau^{r}). Shore [mer]. Bank [fleuve]. Brim [chapeau, verre]. *A - du...*, on board the...

bordeaux *m* (dô) Claret.

bordée *f* Broadside (*au*). Spree [fête]. *Courir des bordées*, to tack about.

border (dé) To border (bau^{r}d^{e}r). To tuck in [lit].

bordereau *m* Memorandum.

bordure *f* (*ü*) Edge, border.

bore *m* (bòr) Boron (b*au*).

boréal, le (*é*) Northern.

borgne (ñ) One-eyed (wœn a^{i}d). Shady, fishy [louche].

borique (ìk) Boracic.

borne *f* (bòrn) Landmark. Bound (ba^{ou}nd). Milestone [route]. *Sans -*, boundless.

borner To limit, to bound. **Se -** To confine oneself.

Bosphore *m* (fòr) Bosphorus.

bosquet *m* (kè) Grove (o^{ou}).

bosse *f* (bòs) Hump [dos]. Bump [enflure] Boss [art]. Stopper [cable]. Painter.

bosseler (slé) To batter.

bossoir *m* (swàr) Davit (*à*).

bossu, ue (s*ü*) Hunch-backed.

bot, bote *a* (o, òt) Club [foot].

botanique *f* (àn*i*k) Botany. **-iste** Botanist (bot^{e}nist).

botte *f* (bòt) Boot (bout). Truss (œ) [foin]. Sheaf (shîf) [gerbe]. Bunch [légumes]. Thrust [escrime].

botteler To truss (œ).

botter To shoe (shou) [botte]. To kick [coup]. To suit.

bottier (t^{y}é) Boot-maker.

bottine *f* (ìn) Boot [short].

bouc *m* (bûk) He-goat; billy-goat. Goatee [barbe].

boucan *m* (bûk*a*^{n}) Row (ra^{ou}).

boucaner (*né*) To smoke-dry.

boucharde *f* Bush-hammer.

bouche *f* (bûsh) Mouth (*a*).

bouchée *f* (shé) Mouthful.

boucher *v* To stop. To shut up. To cork [liège].

boucher, ère *mf* (bûshé, èr) Butcher (*ou*), -'s wife.

boucherie *f* (rî) Butcher's shop. Butchery, slaughter.
bouchon *m* (bûsh*o*ⁿ) Stopper. Cap. Cork [liège]. Float [pêche]. Tavern, inn.
bouchonner To rub down.
boucle *f* (bûkl) Buckle (bœ) [métal]. Curl, lock [cheveu]. Ring [anneau]. Loop.
boucler To curl. To buckle. To loop. Shut up [fermer].
bouclette *f* (èt) Ringlet.
bouclier *m* (klié) Shield.
bouddhisme *m* Buddhism.
bouder (dé) To sulk (sœlk).
boudeur, deuse Sullen (sœ).
boudin *m* (d*i*ⁿ) Black pudding. Spring [ressort].
boudiner To rove, to slub.
boudoir *m* (dwàr) Bower.
boue *f* (bû) Mud (œ). Slush.
bouée *f* (bûé) Buoy (boⁱ). - *de sauvetage*, life-buoy.
bouffée *f* (bûfé) Puff (œ).
bouffer To puff. *Fam.* To eat*.
bouffi, ie (bûfî) Swollen.
bouffon *m* (bûf*o*ⁿ) Jester.
bouffonnerie *f* Jesting.
bouge *m* (bûj) Hovel (hovᵉl).
bougeoir *m* (jwàr) Candlestick; taper-stand.
bouger (jé) To stir (stëʳ). [**bougeais, -geons*].
bougie *f* (jî) Candle (àn). Sparking-plug [moteur].
bougon, onne *mf* Grumbler. *a* Grumpy. **-onner** Grumble.
bougran *m* (gr*a*ⁿ) Buckram.
bougre *m* Chap. Hang it!
bougrement (maⁿ) Awfully.
bouillabaisse *f* Fish-soup.
bouilli *m* (yî) Boiled beef.
bouillie *f* Pap [soupe]. Pulp.
bouillir* (bûyîr) To boil. [**bous, bous, bout, bouillons, bouillez, bouillent; bouillais; bouille* (subj.); *bouillant*].
bouilloire *f* (ywàr) Kettle.
bouillon *m* (y*o*ⁿ) Broth (th). Restaurant. Puff [étoffe].
bouillonner (yò) To bubble.
bouillotte *f* Hot-water bottle.
boulanger *m* (aⁿjé) Baker.
boulangère *f* Baker's wife.
boulangerie *f* (aⁿjrî) Baker's shop. Bakery.
boule *f* (bûl) Ball (baul).
bouleau *m* (lô) Birch (ë).
bouledogue *m* (dog) Bulldog.
boulet *m* (lè) Cannon-ball.
boulette (èt) Ball [meat, fish, etc.]. Blunder [bévue].
boulevard *m* (bûlvàr) Bulwark. Boulevard [rue].
bouleversement *m* Overthrow.
bouleverser (bûl) To upset*.
bouline *f* (bûlin) Bowline.
boulon *m* (*o*ⁿ) Bolt.
bouquet *m* (bûkè) Bunch (œ). Cluster [arbres]. Aroma.
bouquetière *f* Flower-girl.
bouquetin *m* Wild goat.
bouquin *m* (k*i*ⁿ). Old book. **-quiner** To read*. **-quiniste** Second-hand bookseller.
bourbe *f* (bûrb) Mud (mœd).
bourbeux, euse Muddy, miry.
bourbier *m* (byé) Slough.
bourbillon *m* (ìy*o*ⁿ) Core.
bourdaine *f* (èn) Buckthorn.
bourde *f* (bûrd) Fib, humbug.
bourdon *m* (*o*ⁿ) Great bell. Staff [bâton]. Drone, humble-bee [insecte]. Omission.
bourdonner To hum. To buzz.
bourg *m* (bûr) Borough. Market-town. **-gade** *f* Village.
bourgeois, oise (bûrjwà, àz). Burgess, burgher. Commoner Middle-class person. *En*

bourgeois, in plain clothes.
bourgeoisement *ad* For private purposes.
bourgeoisie *f* (jwàzî) Middle-class. Citizenship.
bourgeon *m* (bûrjo^n^) Bud.
bourgeonner (jòné) To bud.
bourgeron *m* (ro^n^) Overalls.
bourgmestre *m* Burgomaster.
Bourgogne *f* (gòñ) Burgundy (bë^r^g^e^ndi). **-guignon, onne** Burgundian (gœndy^e^n).
bourrache *f* (àsh) Borage.
bourrade *f* (bûràd) Blow.
bourrage *m* (àj) Stuffing.
bourrasque *f* Squall (**aul**).
bourre *f* Flock. Wad [fusil].
bourreau *m* (bûrô) Executioner (kyoush^e^). Hangman.
bourreler Torture [*-*èle*].
bourrelier *m* (r^e^l^y^é). Harness-maker. Saddler.
bourrer (bûré) To stuff (œ).
bourriche *f* (rîsh) Hamper.
bourrique *f* She-ass. Fool.
bourru, ue Blunt. Churlish.
bourse *f* (ûrs) Purse (ë^r^s) [sac]. Exchange (tshé^i^nj) : - *des valeurs,* Stock Exchange.
boursier, ière *mf* Speculator. Foundation scholar [élève].
boursouflé, ée Bloated [enflé]. Bombastic [style].
boursouflure *f* Turgidness.
bousculade *f* (ü) Jostling.
bousculer To jostle (dj).
bouse *f* Dung. Cow-dung.
bousier *m* Dung-beetle.
bousiller (ì^y^é) To build* with mud. To bungle (œ) [gâcher].
boussole *f* (sòl) Compass.
boustifaille *f* (fà^y^) Grub.
bout *m* (bû) End (ènd). Tip [pointe]. Bit [morceau]. *Venir* à - de,* to overcome*.
boutade *f* (àd) Whim, sally.
bout-dehors *m* Boom.
boute-en-train *m C'est un -,* he is full of fun.
bouteille *f* (tè^y^) Bottle.
bouter To put*, to drive*.
boute-selle *m* (butsel) Boot-and-saddle
boutique *f* (bûtik) Shop.
boutiquier, ère Shop-keeper.
boutoir *m* (twàr) Snout (a^ou^).
bouton *m* (to^n^) Bud (bœd) [fleur]. Pimple [peau]. Button (bœ) [vêtem.]. Stud [manchette]. Knob [porte]. -- *d'or,* buttercup.
boutonner (bû) To button.
boutonnière *f* Button-hole.
bouture *f* (bûtür) Slip.
bouvier *m* (bûv^y^é) Herdsman.
bouvreuil *m* (œ^y^) Bullfinch.
boxe *f* Boxing. **-xer** To box.
boxeur (boksœr) Boxer.
boyau *m* (bwà^y^ô) Bowel (a^ou^). Hose [tuyau]. Connecting trench. Inner tube [pneu].
boycotter (kòté) To boycot.
bracelet *m* (àslè) Bracelet.
braconnage *m* (nàj) Poaching. **-conner** To poach (o^ou^).
braconnier (òn^y^é) Poacher.
braderie *f* Jumble sale.
brahmane (àn) Brahmin (ìn).
brai (brè) *m* Pitch, tar.
braillard *m* (à^y^àr) Brawler.
brailler (^y^é) To bawl (**au**).
braire* (brèr) To bray (é^i^). [**brait, brayait, brairait*].
braise *f* (èz) Wood embers; live charcoal.
braiser (èzé) To braise (é^i^).
bramer (bramé) To bell.
bran *m* (bra^n^) Bran (àn).
brancard *m* (a^n^kàr) Stretcher

[lit]. Hand-barrow [brouette]. Shaft [voiture]. **-cardier** Stretcher-bearer.
branchage *m* Boughs (a^{ouz}).
branche *f* (bra^{n}sh) Branch (bràntsh). Division, line.
brancher (a^{n}shé) To connect. To perch [percher].
brandebourg *m* (ûr) Braid.
brandir (a^n) To brandish.
brandon *m* (o^n) Fire-brand.
branle *m* (a^{n}l) Swing. *Mettre* en -*, to set* going.
branle-bas *m* Commotion. - *de combat*, clearing for action.
branler (bra^{n}lé) To shake*. To be loose [mal serré].
braque *m* (àk) Brach (tsh).
braquer (àké) To level (lè) [fusil]. To fix [yeux]. To deflect [roue].
bras *m* (brà) Arm ($\hat{a}^r$m). Handle (hànd'l) [manche]. Hands [ouvriers].
brasero, brasier *m* (àz^{y}é) Brasier (bré^{i}zy^{e}r).
brasiller (àzì^{y}é) To broil.
brassard *m* (sàr) Armlet.
brasse *f* (às) Fathom (**zh**). Breast-stroke [nage].
brassee *f* (àsé) Armful.
brasser (é) To brew (brou) [bière]. To shuffle [carte]. To handle [affaire]. To brace (bré^{i}s) [vergue].
brasserie *f* (àsrî) Brewry (ouri). Beer-house [café].
brasseur (œr) Brewer (ou).
brassière *f* Child's corset.
bravade *f* (àd) Bravado (â).
brave (àv) Brave (é^{i}v) [courageux]. Honest (hœnist).
braver (à) To dare* (dè^{e}r). To defy. To face [danger].
bravo *m* (vô) Bravo. Hear!
bravoure *f* (ûr) Bravery.
brebis *f* (br^{e}bî) Ewe (you).
brèche *f* (sh) Breach (îtsh).
bredouille *f* (^{e}dû^y) Gammon. *a* Disappointed.
bredouiller To stammer.
bref, ève (èf, èv) Brief (îf), short. *ad* In short. *m* Brief.
breloque *f* (ok) Trinket.
brême *f* (èm) Bream (îm).
Brésil *m* (ézîl) Brazil (^{e}zil).
brésilien, enne Brazilian.
brésiller (^{y}é) To crumble.
Bretagne *f* (^{e}tàñ) Brittany. *Grande--*, Great Britain.
bretelle *f* (èl) Braces [pantalon]. Strap [courroie].
breuvage *m* (ëvàj) Drink.
brève (èv) Short. Brief (îf).
brevet *m* (^{e}vè) Diploma [école]. Patent (pé^i) [invent.].
breveter (^{e}vté) To patent.
bréviaire *m* (v^{y}èr) Breviary.
bribe *f* (îb) Bit, scrap.
bric-à-brac (brikàbràk) Old furniture. Coriosity shop.
brick *m* Brig.
bricole *f* Strap. Odd job.
bricoler (brìkòlé) To do* odd jobs. To tinker.
bride *f* (îd) Bridle (a^{i}d'l). String. Tie [métal].
brider To bridle. To check.
brièvement (ièv) Briefly.
brièveté *f* (ièvté) Brevity.
brigade *f* (à) Brigade (é^i).
brigadier Corporal. Brigadier [général]. Sergeant [police].
brigand *m* (a^n) Brigand (^{e}nd).
brigandage *m* Brigandage.
brigantin *m* Brigantine (a^{i}n). **-tine** *f* (în) Spanker.
briguer (gé) To plot for.
brillant, ante (^{y}a^n) Bright (a^{i}t) *m* Brilliant (ily^{e}nt).

briller (yé) To shine* (a^{i}).
brimade *f*. Ragging, bullying.
brimer To rag, to bully.
brin *m* (i^{n}) Staple [laine]. Shoot [arbre]. Ply [corde].
brindille *f* (ìy) Sprig, twig.
brioche *f* (iòsh) Bun (bœn).
brique *f* (îk) Brick.
briquet *m* (kè) Tinder-box. Lighter (la^{i}t^{er}) [essence].
briqueterie *f* Brick-yard.
briquetier Brick-maker.
bris *m* (brî) Breaking (é^{i}).
brisants *mpl* (a^{n}) Breakers.
brise *f* (îz) Breeze (îz).
brisées *fpl* (ìzé) Broken boughs. Track.
brise-lame *m* Breakwater.
briser (izé) To break*.
brisure *f* (zür) Break (é^{i}k).
britannique (ànik) British.
broc *m* (bro) Jug, pitcher.
brocanteur *m* (ka^{n}tœr) Second-hand dealer (dîl^{er}).
brocard *m* (àr) Gibe (dja^{i}b).
brocart *m* (àr) Brocade (é^{i}).
broche *f* (òsh) Spit [rôtir]. Spindle [tisser]. Gudgeon [serr.]. Brooch [bijou].
broché, ée Brocaded [tissu]. In paper covers [livre].
brocher (sh) To stitch [livre]. To emboss [étoffe].
brochet *m* (shè) Pike (a^{i}k).
brochette *f* (shèt) Skewer.
brochure *f* (shür) Pamphlet [livre]. Stitching [techn.].
brodequin *m* (dki^{n}) Ankle-boot. Half-boot [femme].
broder (òdé) To embroider.
broderie *f* (rî) Embroidery.
brodeur, euse Embroiderer.
brome *m* (ôm) Bromine (o^{ou}).
bromure *m* (ü) Bromide (a^{i}d).
broncher (o^{n}sh) To stumble.
bronches *fpl* (sh) Bronchiæ.
bronchite *f* (bro^{n}shît) Bronchitis (br^{e}nka^{i}tis).
bronze *m* (o^{n}) Bronze (òn).
brosse *f* (òs) Brush (œsh).
brosser (òsé) To brush.
brosserie *f* (òsrî) Brushtrade; brush-factory.
brouette *f* Wheel-barrow.
brouhaha (ûàà) Hubbub (œ).
brouillard *m* (brû^{y}àr) Fog.
brouillasser To drizzle.
brouille *f* (ûy) Quarrel (ò).
brouiller (û^{y}é) To mix up [mélanger]. To shuffle [cartes]. To scramble [œuf]. To jam [radio]. To set* at variance [amis]. **Se** - To fall* out. To get dim [vue].
brouillerie *f* Quarrel (ò).
brouillon *m* Rough copy.
brouillon, onne Blundering.
broussailles *fpl* Brushwood.
broussailleux, euse Shaggy.
brousse *f* (ûs) Bush (boush).
brouter To browse (a^{ou}z).
broyer (brwà^{y}é) To pound (pa^{ou}nd). [**broie*].
bru *f* (ü) Daughter-in-law.
bruine *f* (^{u}în) Drizzle.
bruissement *m* (^{u}is) Rustling.
bruit *m* (br^{u}î) Noise (o^{i}z).
brûlage *m* Singeing (sìndj).
brûle-pourpoint [**à**] (pûrpwi^{n}) Point-blank (àngk).
brûler (ülé) To burn* (ë^{r}n). To scorch [roussir]. To singe [cheveu]. To run* past [étape]. To spot [espion]. *vi* To yearn (yë^{r}n) [désir].
brûleur *m* (ülœr) Burner.
brûloir *m* Coffee-roaster.
brûlot *m* (lô) Fire-ship.
brûlure *f* (ür) Burn. Scald.
brume *f* (üm) Mist.

brumeux, euse (ümë) Misty.
brun, une (uⁿ, ün) Brown (aouⁿ). Dark [cheveu].
brune *f* Dusk [pénombre]. Brunette [pers.].
brunir To brown. To burnish.
brusque (üsk) Blunt (œnt). Rough (œf) [rude]. Sudden.
brusquer To hustle [personne]. To hurry [chose].
brusquerie *f* (üskᵉ) Bluntness. Brusqueness (brous).
brut, ute (üt, üt) Raw (rau). Rough (rœf) [rude]. Gross (groous) [bénéfice, poids].
brutal, ale (brütàl) Brutal (brout'l). Brutish.
brutaliser (ütàlìzé) To bully. To handle roughly.
brutalité *f* Brutality.
brute *f* (üt) Brute (out').
Bruxelles *f* (brüsèl) Brussels.
bruyant, ante (üyaⁿ) Noisy.
bruyère *f* (üyèr) Heather (**hè-zh**er) [plante]. Heath (**hith**) [terrain]. Brier [pipe].
bu (bü). V. BOIRE*.
buanderie *f* Wash-house.
buccal, ale (bü) Buccal (œ).
bûche *f* (büsh) Log, billet.
bûcher *m* (büsh) Wood-house. Pyre [feu]. Stake [supplice].
bûcher To rough-hew (rœf-**h**you). To grind* [travail].
bûcheron *m* (roⁿ) Woodcutter.
budget *m* (büdjè) Budget (œdjit'). **-étaire** Budgetary.
buée *f* (büé) Vapour (véi).
buffet *m* (büfè) Sideboard. Refreshment-table [salon]. Refreshment-room [gare].
buffle *m* (ü) Buffalo (bœ).
bugle *m* (ü) Bugle (byou).
buis *m* (huî) Boxwood.
buisson *m* (buissoⁿ) Bush (ou). Hedge. **-nière** *Faire* l'école buissonnière*, to play truant.
bulbe *m* (ü) Bulb (œ).
bulgare (bülgàr) Bulgarian.
Bulgarie *f* Bulgaria (gè).
bulle *f* (ül) Bubble (œb'l). Blister [cloque]. Bull (boul) [papale]. Seal [sceau].
bulletin *m* (bültiⁿ) Bulletin (bouletìn). Voting paper. Ticket, check [bagage].
buraliste Tobacconist.
bure *f* (ü) Drugget (œgit).
bureau *m* (ürô) Desk [table]. Office, board. Study.
bureaucratie *f* Bureaucracy.
burette *f* Cruet. Oil-can.
buriner (bü) To engrave.
burlesque (bür) Burlesque.
busc *m* (büsk) Busk (bœsk).
buse *f* (büz) Buzzard (œ).
busquer (ké) To busk. *Nez busqué*, Roman nose.
buste *m* (üst) Bust (œst).
but m (bü) Goal (oou). Purpose (përpes) [dessein].
butée *f* (ü) Abutment (œ).
buter To abut (ebœt'). To trip [choc].
butin *m* (ütiⁿ) Booty (bou).
butiner To plunder. To gather honey [abeille].
butoir *m* (ütwàr) Buffer (œ).
butor *m* (bü) Bittern [oiseau]. Lout (laout') [pers.].
butte *f* (büt) Mound (aou); *être en -*, to be exposed.
buvable (bü) Drinkable.
buvard *m* Blotting-paper.
buvette *f* (èt) Tap-room. Refreshment-bar [gare]. Pump-room [ville d'eau].
buveur, euse (büvœr, ëz) Drinker. Toper [ivrogne].
byzantin, ine Byzantine.

C

c', ç'. V. CE.
ça (sà) That (**zhàt'**), this.
çà *ad* (sà) Here (**hi**er).
cabale *f* (kàbàl) Cabbala [science]. Cabal (kebàl).
cabalistique Cabalistic.
caban *m* (an) Pilot's coat [de marin]. Hooded cloak.
cabane *f* (bàn) Hut (**hœt**), shanty. Hutch [lapin].
cabanon *m* Small hut. Dark cell. Padded cell [fou].
cabaret *m* (àrè) Tavern.
cabaretier (rtyé) Publican.
cabas *m* (bà) Basket, hamper.
cabestan *m* (èstan) Capstan.
cabillaud *m* (ìyô) Fresh cod.
cabillot *m* (yô) Toggle, pin.
cabine *f* Cabin (kà), berth.
cabinet *m* (nè) Closet (oou). Office [bureau]. Study [de travail]. Government, cabinet. *- de lecture,* reading-room. *- de toilette,* dressing-room. *pl* Lavatory, toilet.
câble *m* (âbl) Cable (éi).
câbler To twist [fil]. To cable [message].
câblogramme *m* (blogràm) Cablegram (kéib'l).
caboche *f* (sh) Pate [tête]. Hobnail [clou].
cabosser To bump, to batter.
cabot *m* (kàbô) Bull-head [poisson]. Cur (kër) [chien]. Corporal [mil.].
cabotage *m* (àj) Coasting. Coastwise traffic.
caboter To coast (oou).
caboteur *m* Coaster (koous).
cabotin *m* (kàbotin) Bad actor. Barn-stormer.
cabotinage *m* (ìnàj) Self-advertizing. Barn-storming.
caboulot *m* (ûlò) Pot-house.
cabrer (se) To rear.
cabri *m* (kàbrî) Kid.
cabriole *f* (ìòl) Caper (éi).
cabrioler (ìòlé) To caper.
cabriolet *m* (ìòlè) Cab [voiture]. Hand-cuff [menottes].
caca *m* Excrement, dirt.
cacahouète *f* (àwèt) Peanut.
cacao *m* (kàkàô) Cacao (kekâou) [arbre, fruit]. Cocoa (kooukoou) [boisson].
cacaotier *m* Cacao-tree.
cacaouette *f* V. CACAHOUÈTE.
cacaoyer (yé). V. CACAOTIER.
cacatoès *m* (oès) Cockatoo.
cacatois *m* (wà) Royal, royal sail. Cockatoo [oiseau].
cachalot *m* (lo) Sperm-whale.
cache *f* (sh) Hiding-place.
cache-corset *m* Underbodice.
-nez *m* (shné) Comforter.
cacher (sh) To hide* (**haid**).
cachet *m* (shè) Seal (sîl). Wafer [méd.]. Price [leçon].
cacheter (àsh) Seal [*-ette*].
cachette *f* (shèt) Hiding-place. *En -,* by stealth.
cachot *m* (ô) Dungeon (dœ).
cachottier Secretive, sneak.
cachou *m* (û) Cachou (shou).
cacophonie *f* Cacophony (fe).
cactus *m* (üs) Cactus (tes).
cadastre *m* Cadastral survey.
cadavéreux, se Corpse-like.
cadavérique Cadaveric.
cadavre *m* (àvr) Corpse (**au**).
cadeau *m* (dô) Gift (**gift**).

cadenas *m* (kàdnà) Padlock.

cadence *f* (kàda^{n}s) Cadence.

cadet, ette *a* (kàdè, èt) Junior, younger. *m* Younger son [frère]. Cadet (èt) [mil.]. *f* Younger daughter [sœur].

cadran *m* (a^{n}) Dial (da^{i}el).

cadre *m* (à) Frame (é^{i}). Scenery [décor]. Staff [mil.].

cadrer To tally, to agree.

caduc, uque (ük) Decrepit. Null and void [acte].

caducité *f* (üsì) Caducity.

cæcum *m* (sè) Cæcum (sî).

cafard *m* (àr) Cockroach.

cafard, arde *a* Sneak (îk). Canting. *mf* Sneak, humbug.

cafarder To sneak, peach.

café *m* (kà) Coffee (kofî). Coffee-house [maison].

caféine *f* (éin) Caffeine.

cafetier, ière Coffee-house keeper. *f* Coffee-pot [vase].

cage *f* (kàj) Cage (ké^{i}dj). Coop [poulet]. Shaft [mine, ascenseur]. Frame.

cagna *f* (ñà) Dugout.

cagneux, euse Knock-kneed.

cagnotte *f* (ñòt) Pool (oû).

cagot, ote (ô, òt) Bigot (bì).

cagoule *f* (ûl) Cowl (ka^{ou}l).

cahier *m* (kà^{y}è) Book.

cahin-caha (kài^{n}kàà) So-so.

cahot *m* (kàô) Jolt (djo^{ou}).

cahoter (kàòté) To jolt.

cahoteux, euse Jolty, bumpy.

cahute *f* (kàüt) Hut, cabin.

caille *f* (kà^{y}) Quail (é^{i}l).

caillé *m* (^{y}é) Curds *pl* (ë^{r}).

cailler (kà^{y}é) To curdle [lait]. To clot, to cake [sang].

cailleter (kà^{y}^{e}té) To gossip. To flirt. [*caillette].

caillette *f* (kà^{y}èt) Rennet [estomac]. Fast woman.

caillot *m* (kà^{y}ô) Clot (òt').

caillou *m* (kà^{y}û) Pebble.

caillouter To metal, to pebble. **-teux** Stony, pebbly.

caïman *m* (kà^{i}ma^{n}) Cayman.

Caire [Le] (kèr) Cairo (à).

caisse *f* (kès) Case (ké^{i}s), box. Till [tiroir]. Cash [argent]. - *d'amortissement,* sinking fund. Drum [tambour]. - *à eau,* water tank.

caissier, ière (kès^{y}é, èr) Cashier. Teller [payeur].

caisson *m* (kèsso^{n}) Ammunition waggon. Caisson (é^{i}).

cajoler (j). To coax (o^{ou}).

cal *m* (kàl) Callosity.

calamine *f* (mîn) Calamine. Carbon deposit [mot.].

calamité *f* (té) Calamity.

calandre *f* (a^{n}dr) Calender [papier]. Mangle [linge]. Weevil [insecte].

calcaire *a* (kèr) Calcareous. *m* Limestone (la^{i}m).

calciner To burn*, to char.

calcium *m* (^{y}òm) Calcium.

calcul *m* (ül) Calculation, reckoning. Calculus [méd.].

calculer (külé) To calculate, to reckon (rèk^{e}n).

cale *f* (kàl) Wedge, prop. Hold [navire]. - *de construction,* stocks; - *sèche,* dry dock; - *à eau,* water-tank.

calebasse *f* (às) Calabash.

calèche *f* (èsh) Barouche.

caleçon *m* (kàlso^{n}) Pants.

Calédonie *f* Caledonia.

calembour *m* (a^{n}bûr) Pun (œ).

calembredaine *f* Nonsense.

calendrier m (a^{n}) Calendar.

calepin *m* (pi^{n}) Note-book.

caler (lé) To wedge [coin]. To prop [étayer]. To lower

[voile]. To draw [tirant d'eau]. To stall [moteur]. To funk [peur].
calfat *m* (fà) Caulker.
calfater To caulker (kau).
calfeutrer To stop up chinks. **Se** - To shut* oneself up.
calibre *m* (î) Bore, calibre.
calibrer To gauge (géidj).
calice *m* (îs) Chalice (tsha) [rel.]. Calyx (éi) [fleur].
calicot *m* (ô) Calico (oou).
califat *m* (fà) Caliphate.
calife *m* (kà) Caliph (kéi).
Californie *f* California.
califourchon [**à**] Astride.
câlin, ine Wheedling, coaxing.
câliner To coax (koouks).
câlinerie *f* (ìnrî) Coaxing.
calleux, se (lë, ëz) Callous.
calligraphie *f* Penmanship.
callosité *f* (zì) Callosity.
calmant *m* (man) Sedative.
calme *m* (kàlm) Calm (kâm).
calmer To quiet [pacifier]. To soothe (ouzh) [douleur].
calomel *m* (èl) Calomel.
calomniateur, trice Slanderer (derer), calumniator.
calomnie *f* (lomnî) Slander.
calomnier To slander (slâ).
calorie *f* (rî) Calory (le). **-rifère** *m* Heating-apparatus. **-rique** *a* Heating. *m* Heat.
calot *m* (kàlô) Cap.
calotin Shaveling, bigot.
calotte *f* (lòt) Skull-cap [bonnet]. Cuff [gifle].
calotter To cuff (kœf).
calque *m* (àlk) Tracing (éi).
calquer (ké) To trace (éis). To copy. *Toile à* -, tracing-cloth.
calvados *m* Apple-brandy.
calvaire *m* (vèr) Calvary.
calvinisme *m* Calvinism.
calvitie *f* (sî) Baldness (au).
camail *m* (mày) Cape (kéip).
camarade *mf* (ràd) Comrade.
camaraderie *f* Comradeship.
camard, arde Snub-nosed. *La Camarde*, Death.
Cambodge *m* (kan) Cambodia.
cambouis *m* (wî) Cart-grease.
cambrer To camber, to arch.
cambriolage *m* (òlàj) Burglary. **-ler** To burgle. **-leur** *m* Burglar (bër).
cambrure *f* (ür) Curve (ërv).
cambuse *f* (üz) Store-room.
came *f* (kàm) Cam (kàm).
camée *m* (mé) Cameo (mioou).
caméléon *m* (éon) Chameleon.
camélia *m* (lyà) Camellia.
camelot *m* (ò) Camelet [tissu]. Hawker (hau) [pers.].
camelote *f* (kàmlot) Trash.
camérier *m* Chamberlain.
camérière, -riste *f* Chambermaid, lady's maid.
camion *m* (kàmyon) Lorry.
camionnage *m* Carting (âr).
-nner To cart. **-nnette** *f* Delivery van. **-nneur** Carman.
camisole *f* Dressing-jacket. Strait-jacket [fou].
camomille *f* (îy) Camomile.
comouflage *m* Camouflage.
-fler To camouflage, fake.
camouflet *m* (ûflè) Affront, snub. Countermine [génie].
camp *m* (kan) Camp (kàmp') Side (said) [jeu].
campagnard, arde *a* Rustic. *mf* Peasant (pèz'nt).
campagne *f* (kanpàñ) Country (kœn). Campaign [war].
campagnol *m* (ñ) Fieldmouse.
campanile *m* Campanile.
campanule *f* (ül) Campanula.

campement *m* Camping.
camper (kaⁿ) To encamp (*à*). To fix. To leave* [laisser].
camphre *m* (kaⁿfr) Camphor.
camphré, ée Camphorated.
camus, use (ü) Flat-nosed.
Canada *m* (nà) Canada (nᵉ).
-dien, ienne Canadian (*é*ⁱ).
canaille *f* (*à*ʸ) Rabble [populace]. Rascal [coquin].
canaillerie *f* Villainy.
canal *m* (kà) Canal (kᵉnàl). Channel (tshà) [naturel].
canaliser To canalize.
canapé *m* Sofa (soᵒufa).
canard *m* (àr) Duck. - *mâle*, drake. Hoax [nouvelle]. Broadsheet [journal].
canarder To snipe (aⁱ).
canari *m* (rî) Canary bird.
Canaries Canary Islands.
cancan *m* Gossip [bavardage]. Cancan [danse].
cancaner (kaⁿ) To gossip.
cancanier Scandalmonger.
cancer *m* (kaⁿsèr) Cancer (kàn). **-céreux** Cancerous.
cancre *m* Crab. Dunce [sot].
cancrelat *m* (là) Cockroach.
candélabre *m* Candelabrum.
candeur *f* (œ) Artlessness.
candi *a* (kaⁿdî) Candied (*à*). Sucre -, sugar candy.
candidat, ate (*à*, àt) Candidate. **-ture** *f* Candidature.
candide (kaⁿdîd) Artless.
cane *f* (kàn) Duck [female].
caneton *m* (kàntoⁿ) Duckling.
canevas *m* (kànvà) Canvas [toile]. Sketch, outline.
caniche *m* (îsh) Poodle.
canicule *f* (kül) Dog-days.
canif *m* (kànìf) Pen-knife.
canin, ine (iⁿ) Canine (aⁱn).
caniveau *m* (ìvô) Gutter (œ).
cannage *m* (nàj) Cane-work.
canne *f* (kàn) Cane (kéⁱn).
canneler To flute, groove.
cannelle *f* (nèl) Cinnamon.
canner (kà) To cane (kéⁱn).
cannibale (àl) Cannibal.
canon *m* (noⁿ) Cannon, gun (gœn). Barrel [fusil]. Canon (kànᵉn) [règle]. *Canon-mitrailleuse*, pom-pom.
canonnade *f* (àd) Cannonade.
canonner To cannonade (éⁱd).
canonnier *m* (ònʸé) Gunner.
canonnière *f* Gun-boat.
canot *m* (ànô) Canoe (ᵉnou). - *de sauvetage*, life-boat. - *automobile*, motor-boat.
canotage *m* (òtàj) Boating.
canoter (nò) To row (roᵒᵘ).
canotier *m* (kànòtʸé) Rower (roᵒᵘᵉʳ) [rameur]. Sailor-hat [chapeau].
cantate *f* (kaⁿtàt) Cantata.
cantatrice *f* (trîs) Singer.
cantharide *f* Spanish fly.
cantine *f* Canteen. Kit-case.
cantinier, ière *mf* Sutler.
cantique *m* (kaⁿ) Canticle.
canton *m* (kaⁿtoⁿ) Canton.
cantonnement *m* Cantonment.
cantonner (kaⁿ) To canton (kàntᵉn). To quarter [mil.]. To confine, to limit.
cantonnier *m* (kaⁿtonʸé) Roadmender. Scavenger.
canule *f* (kànül) Nozzle.
canut, use *mf* Silk-weaver.
caoutchouc *m* (tshû) Rubber.
cap *m* Cape (é·p). Head. *Le Cap* Capetown, Cape Colony.
capable (àbl) Able (éⁱb'l).
capacité *f* Capacity.
caparaçonner To caparison.
cape *f* (àp) Cloak. Bowler.
capeline *f* (plîn) Tippet.

capillaire (ìlèr) Capillary.

capilotade *f* Mincemeat.

capitaine (èn) Captain (^{e}n).

capital, ale *a* (tàl) Capital (kàpit'l). Essential. Deadly [péché]. *m* Capital. Principal. *f* Capital city.

capitalisme *m* Capitalism.

capitaliste *mf* Capitalist.

capiteux, euse (ë, ëz) Heady.

capitonner To pad.

capitulation *f* Capitulation. **-tuler** (tülé) To capitulate.

capon *m* (o^{n}) Coward (ka^{ou}).

caponner (kàpòné) To funk.

caporal (kàpòràl) Corporal (kau^{r}pr^{e}l). Shag [tabac].

capot *m* (kàpò) Hood (**h**oud). Bonnet [auto]. Companion [mar.]. *Etre* -, to lose* all the tricks.

capote *f* (òt) Great-coat.

capoter To capsize, overturn.

câpre *m* (âpr) Caper (é^{i}).

caprice *m* (kà) Caprice (k^{e}), whim. Fancy [amour].

capricieux, euse Capricious.

capsule *f* (ü) Capsule (you).

capter To inveigle (vîg'l) [argent]. To catch* [eau]. To intercept [message].

captif, ive *a, mf* (îf, îv) Captive (iv). **-iver** To captivate. **-ivité** *f* Captivity.

capture *f* (ü) Capture (tsh).

capturer (üré) To capture.

capuchon *m* (üsho^{n}) Hood. Cowl [moine]. Cap [stylo].

capucin *m* (üsi^{n}) Capucin (outshìn) friar, -cine *f* (ü sîn) Nasturtium (ë^{r}sh^{e}m).

caquet *m* (kè) Cackle (àk'l).

caqueter (k^{e}té) To cackle. [*caquette].

car *conj* (kàr) For, because.

car *m* Coach (ko^{ou}tsh), motor-coach.

carabin *m* (àbi^{n}) Sawbones.

carabine *f* (în) Carbine.

carabinier Carabineer.

caraco *m* (kàràko) Jacket.

caracoler To caracole.

caractère *m* (àktèr) Letter. Nature. Temper. Character (kar^{e}kt^{er}) [force d'âme].

caractériser Characterize.

caractéristique *a* Characteristic. *f* Feature (fîtsh^{er}).

carafe *f* (àf) Decanter.

carambolage *m* (àj) Cannon.

caramel *m* Caramel.

carapace *f* (às) Carapace.

carat *m* (rà) Carat (kàr^{e}t).

caravane *f* (àvàn) Caravan.

caravansérail *m* Serai.

carbonate *m* (àt) Carbonate.

carbone *m* (kàrbòn) Carbon.

carbonique (ìk) Carbonic.

carboniser (ìzé) To char.

carburant *m* (üra^{n}) Motor-fuel (fyou^{e}l).

carburateur *m* Carburettor.

carbure *m* (ü) Carbide (a^{i}d).

carcan *m* (ka^{n}) Iron collar.

carcasse *f* (às) Frame (é^{i}).

carde *f* (kàrd) Card. Chard.

carder To card, comb (o^{ou}m).

cardeur, euse *mf* Carder (kâ^{r}). *f* Carding-machine.

cardiaque *a* (d^{y}àk) Cardiac.

cardinal (kàrdìnàl) Cardinal.

cardon *m* (o^{n}) Cardoon (oûn).

carême *m* (rèm) Lent (lènt).

carence *f* (kàra^{n}s) Default. Insolvency.

carène *f* Bottom, hull.

caréner To careen [*carène].

caresse *f* (kàrès) Caress.

caresser To caress, to stroke.

cargaison *f* (gèzo^{n}) Cargo.

carguer (gé) To brail up.
carl *m* (kàrî) Curry (kœri).
caricature *f* (ür) Caricature (tyouer). **-rer** (türé) To caricature. **-riste** Caricaturist.
carie *f* (rî) Caries (kee).
carier (se) To decay (kéi).
carillon *m* (iyon) Chime (tshaim). Peal [volée].
carillonner To chime. To ring* the changes.
carlin *m* (lin) Pug (pœg).
carlingue *f* (ling) Keelson [bateau]. Cockpit [avion].
carme *m* (à) Carmelite friar.
carmélite Carmelite nun.
carmin *m* (in) Carmine (ai).
carnage *m* (àj) Slaughter.
carnassier, ière *a* Carnivorous. *f* Game-bag [sac].
carnation *f* Flesh tint.
carnaval *m* (àvàl) Carnival.
carnet *m* (nè) Note-book.
carnier *m* (nyé) Game-bag.
carnivore Carnivorous.
carotide *f* (îd) Carotid.
carotte *f* (òt) Carrot. Plug [tabac]. Fake [frime].
carotter To cheat (ît). **-eur, ier** [*f* **euse, ière**] Trickster [filou]. Shirker.
caroubier *m* (rû) Carobtree.
Carpates *mpl* Carpathians.
carpe *f* (kàrp) Carp (kârp).
carpette *f* (kàr) Rug (œ).
carquois *m* (kwà) Quiver.
carré, ée Square (skwèer). *m* Square. Mess-room [salle].
carreau *m* (rô) Small square. Tile (tail) [carrelage]. Pane (péin) [vitre]. Check [dessin]. Bolt [flèche]. Diamonds [cartes]. Floor, ground.
carrefour *m* Crossroads.
carrelage *m* Tile-flooring.
carreler (kàrlé) To tile.
carrelet *m* (lè) Flounder [poisson]. Awl (aul) [aiguille]. Square net.
carrer (kàré) To square.
carrière *f* (kàryèr) Career [voie]. Quarry (kwo) [mine].
carriole *f* (ryòl). Light cart.
carrossable Carriageable.
carrosse *m* State-coach.
carrosserie *f* (òsrî) Coachbuilding. Body [auto].
carrossier Coach-maker.
carrousel *m* (ûzèl) Tournament. Roundabout [foire].
carrure *f* (kàrür) Breadth of shoulders.
cartable (kàrtàbl) Satchel.
carte *f* (kàrt) Cart (kârt). Map [géog.]. Chart (tshârt) [mar.]. *-postale,* postcard; *- grise,* car license; *- blanche,* free hand.
cartel *m* Challenge [défi]. Trust [com.]. Clock [horl.].
carter *m* (tèr) Gear-case.
cartilage *m* (àj) Cartilage (lidj), gristle (gris'l).
cartographe Cartographer.
cartomancien, ienne *mf* (ansyin) Fortune-teller.
carton *m* (ton) Cardboard. Carboard box [boîte]. Card [carte]. Cartoon [dessin].
cartonner To bind* in boards.
cartonnier Cardboard maker. File-case [classeur].
cartouche *f* (ûsh) Cartridge [fusil]. Scroll [titre]. **-chière** *f* Cartridge-pouch.
carvi *m* (kàrvî) Caraway.
cas *m* (kà) Case. *Faire* - de,* to value; *en - de,* in case of.
casanier, iere Stay-at-home.
casaque *f* (zàk) Coat (koout).

cascade *f* (àd) Waterfall.
case *f* (kâz) Cabin. Pigeon-hole [casier]. Square.
caséine *f* (kà) Casein (ké[i]).
casemate *f* (màt) Casemate.
caser (zé) To accommodate.
caserne *f* (zèrn) Barracks.
caserner (né) To quarter.
casier *m* (kàzyé) Rack. Set of pigeon-holes. Canterbury [musique]. - *judiciaire*, police records.
casino *m* (zino) Casino.
casque *m* (kàsk) Helmet.
casquer (ké) To helmet. To fork out [payer].
casquette *f* (kàskèt) Cap.
cassant, ante Brittle [fragile]. Curt, short [rude].
cassation *f* (syo^n^) Cassation. *Cour de* -, Supreme Court of Appeal.
casse *f* (kàs) Breakage.
cassement [de tête] Worry.
casse-noisette (nwàzèt) *m* Nut-crackers.
casser To break*. To degrade [mil.]. Quash [jur.].
casserole *f* (kàsròl) Pan, stew-pan. Spy, nark [police].
casse-tête *m* Club [massue]. Puzzle (pœz'l) [énigme].
cassette *f* (èt) Casket.
cassis *m* (sî) Open gutter [across a road].
cassis *m* (sìs) Black-currant [fruit]. Black-currant brandy.
cassolette *f* Perfume pan.
cassonade *f* Brown sugar.
cassure *f* (ür) Break (é[i]).
castagnette *f* (ñ) Castanet.
caste *f* (àst) Caste (âst).
castel *m* Castle (kâs'l).
Castille *f* (îy) Castile.
castor *m* Beaver (bîv).
casuel, elle (z[u]èl) Casual.
cataclysme *m* (i) Disaster.
catacombe *f* Catacomb.
catadioptre *m* Cat's eye.
catalepsie *f* Catalepsy.
catalan, e Catalonian.
catalogue *m* Catalogue.
cataplasme *m* Poultice.
catapulte *f* Catapult.
cataracte *f* (àkt) Waterfall [eau]. Cataract [yeux].
catarrhe *m* (kà) Catarrh.
catastrophe *f* (kàtàstrof) Catastrophe (k[e]tàstr[e]fi).
catéchiser (shìzé) To catechize (kàtika[i]z).
catéchisme *m* (shism) Catechism. **-chiste** Catechist.
catéchumène Catechumen.
catégorie *f* (ri) Category.
catégorique (ìk) Categoric.
cathédrale *f* (kàtédràl) Cathedral (k[e]**th**îdr[e]l).
catholicisme *m* (tò) [Roman] catholicism (**th**). **-que** (kàtòlîk) [Roman] catholic.
Caucase *m* (kàz) Caucasus.
cauchemar *m* (kôshmàr) Nightmare (na[i]tmèe[r]).
cause *f* (ôz) Cause (**auz**). Case, trial [procès]. Reason (rîz'n) ; *à - de*, because of.
causer *vt* (kôzé) To cause (**au**). *vi* To talk [parler].
causerie *f* (kôz) Chat (tsh).
causeur, euse Talker (**tauk**).
caustique (ìk) Caustic.
cauteleux, euse Crafty (â).
cautère *m* (kôtèr) Cautery.
cautériser To sear (si[e]r).
caution *f* (kôsyo^n^) **-tionnement** *m* (syonma^n^) Security. *Sujet à* -, unreliable.
cautionner To guarantee.
cavalcade *f* (àd) Cavalcade.

cavale *f* (vàl) Mare (mé^{er}).
cavalerie *f* (rî) Cavalry.
cavalier, ière *a* Off-hand. *mf* Rider (ra^{i}). Partner [danse]. Knight (na^{i}t) [échec].
cave *a* Hollow. *f* Cellar.
caverne *f* Cave (ké^{i}v), cavern (kà); den [tanière]. **-neux** Hollow, cavernous.
caviar *m* (vyàr) Caviare.
cavité *f* Cavity, hollow.
ce, cette, ces (s^{e}, sèt, sé) It. *C'est vrai*, it is true. This (**zh**is) [pl *these* (**zh**îz)]; that (**zh**àt) [pl *those* (**zh**o^{ou}z)]. *Ce qui* [*ce que*], what, which.
céans (séa^{n}) This house.
ceci (s^{e}sî) This (**zh**is).
cécité *f* (sés) Blindness.
céder To give* up [abandonner]. To grant [donner]. To yield [lâcher]; to give way [laisser passer]. [**cède*].
cédrat *m* (drà) Citron (^{e}n).
cèdre *m* (èdr) Cedar (îd^{er}).
cégétiste Trade-unionist.
ceindre (i^{n}dr) To gird* (ë). [**ceins, ceignons; ceignais*, etc.; *ceignis*, etc.; *ceigne*, etc.; *ceignant, ceint*].
ceinture *f* (si^{n}tür) Girdle (gë^{r}), belt. Waist (wé^{i}st) [taille]. Circle, enclosure.
ceinturer (türé) To girdle.
ceinturon *m* (üro^{n}) Belt.
cela (s^{e}là) That (**zh**àt).
célébration *f* Celebration.
·célèbre (èbr) Famous.
célébrer To celebrate (li).
célébrité *f* (ìté) Celebrity.
celer (s^{e}) To hide* (ha^{i}d).
céleri *m* (sèlrî) Celery.
célérité *f* Celerity, speed.
céleste (èst) Heavenly (**h**è).
célibataire (tèr) Bachelor *m*. Spinster *f*.
celle, celles. V. CELUI.
cellier *m* (sèlyé) Cellar.
cellule *f* (sèlül) Cell.
Celluloïd *m* Celluloid.
cellulose *f* (ü) Cellulose.
Celte (sèlt) Celt, Kelt.
celui, celle, ceux, celles (s^{e}l^{ü}î, sèl, së, sèl) He [m sing], she [f sing], they [pl]. *Au complément* him, her, them. **celui-ci, celle-ci, ceux-ci** This [one], these [plur]. **celui-là, celle-là, ceux-là** That [one], those [plur]. **celui-ci, celui-là** The latter, the former.
cendre *f* (sa^{n}dr) Ashes *pl.*
cendrier *m* (sa^{n}) Ash-tray.
cendrillon (yo^{n}) Cinderella.
cène *f* The Lord's supper.
cens *m* (sa^{n}s) Census (s^{e}s).
censé, ée (sa^{n}sé) Supposed.
censeur *m* (sa^{n}sœr) Censor (sèns^{er}). Vice-principal.
censure *f* (sa^{n}sür) Censure (sènsh^{er}). Censorship.
censurer (süré) To censure.
cent *m* (sa^{n}) One hundred.
centaine *f* (tèn) A hundred.
centaure *m* (a^{n}tòr) Centaur.
centaurée *f* Centaury.
centenaire *a* A hundred years old. *mf* Centenarian [pers.]. Centenary (sènti) [fête].
centième (yèm) Hundredth.
centigrade (àd) Centigrade.
centime *m* (sa^{n}tîm) Centime.
centimètre *m* Centimeter.
central, ale (sa^{n}) Central. *m* Exchange [téléphone].
centraliser To centralize.
centre *m* (sa^{n}tr) Centre.
centrer (sa^{n}) To center.

centrifuge (*üj*) Centrifugal.
centuple *m* (*ü*) Hundredfold.
centurie *f* (ürî) Century.
centurion *m* Centurion.
cep *m* (sèp) Stock [vine].
cépage *m* Vine-plant. Vine.
cèpe *m* (sèp) Flap mushroom.
cependant *ad* (sepandan) Yet, however. Meanwhile [durée].
céramique *a* Ceramic. *f* -ics.
cerbère *m* (bèr) Cerberus.
cerceau *m* (sèrsô) Hoop.
cercle *m* (è) Circle (ë). Hoop (**h**oup) [tonneau].
cercler To hoop (**h**oup).
cercueil *m* (kœy) Coffin.
céréale *f* (àl) Cereal.
cérébral Cerebral, brain.
cérémonie *f* Ceremony (ime).
cérémonieux (onyë) Formal.
cerf *m* (sèrf, pl sèr) Stag. *-volant*, kite [jeu]. Stag-beetle.
cerfeuil *m* (fœy) Chervil.
cerise *f* (serîz) Cherry (tsh). **-isier** *m* Cherry-tree.
cerne *m* (sèrn) Ring, circle.
cerner To hem in [armée]. To invest. To ring [œil].
certain, aine (sèrtin, èn) Certain (sërtin), some.
certes (sèrt) Indeed (dîd).
certificat *m* Certificate.
certifier (fyé) To certify (sërtifai). To witness.
certitude *f* (üd) Certainty.
céruse *f* (üz) White-lead.
cerveau *m* (vô) Brain (éi).
cervelas *m* (velà) Saveloy.
cervelle *f* (vèl) Brains.
ces (sè). V. CE.
César (sézàr) Cæsar (sî).
cessation *f* Cessation.
cesser (sè) To cease, to stop.
cessible (ibl) Transferable.
cession *f* (syon) Transfer.
cessionnaire Assignee (nî).
césure *f* (zür) Cæsura (j).
cet, cette (sèt). V. CE.
ceux (së). V. CELUI.
Ceylan *m* (sèlan) Ceylon (sî).
chabot *m* (shàbô) Bull-head.
chacal *m* (shàkàl) Jackal.
chacun, une (shàkun, ün) Each, each one. Every one, everybody.
chafouin, ine Weasel-faced.
chagrin, ine *a* Sorry. Gloomy. Sullen (sœl'n) [maussade]. *m* Sorrow, grief (grîf). Shagreen [cuir].
chagriner (shà) To grieve.
chahut *m* (shàü) Row (raou). **-huter** To kick up a row.
chai *m* (shè) Wine store.
chaîne *f* (shèn) Chain. Warp [tissu]. Range [montagne]; *- de montage*, assembly line.
chaînette *f* Small chain.
chaînon *m* (shènon) Link.
chair *f* (shèr) Flesh.
chaire *f* (shèr) Pulpit (*ou*) [église]. Chair, professorship [université].
chaise *f* (shèz) Chair (tshèer). Seat. Chaise [voit.].
chaland *m* (shàlan) Barge.
chaland, ande *mf* Customer.
châle *m* (shâl) Shawl (**au**).
chaleur *f* (shàlœr) Warmth (**waurmth**), heat (**hît**).
chaleureux, euse (ë) Warm.
châlit *m* (lî) Bedstead.
chaloupe *f* Boat (boout).
chalumeau *m* (shàlümô) Straw (**au**) [paille]. Pipe [tuyau]. Blow-pipe [métall.].
chalut *m* (lü) Trawl (**au**), drag-net. **-utier** Trawler.
chamade *f* Parley. Drum.
chamailler (se) To quarrel.

chamarrer To bedizen (a^{1}).
chamarrure *f* Bedizenment.
chambard *m* (sha^{n}bàr) Row.
chambardement *m* Overthrow.
chambarder To upset*, smash.
chambellan *m* Chamberlain.
chambranle *m* Frame, casing.
chambre *f* (sha^{n}br) Room (ou). Chamber [techn]. *-noire*, camera obscura; *femme de -*, chamber-maid.
chambrer To lock up. To take* the chill off [vin].
chambrière *f* Chamber-maid. Whip [fouet].
chameau *m* (shàmô) Camel.
chamelier *m* Camel-driver.
chamelle *f* (èl) She-camel.
chamois *m* (mwà) Chamois; *peau de -*, wash-leather.
champ *m* (sha^{n}) Field (fîld). Scope [vue]. Space. Edge [bord]. *Sur-le--*, on the spot.
Champagne *f* (sha^{n}pàñ) Champagne; *fine -*, brandy. *m* Champagne (shàmpé^{i}n).
champêtre (êtr) Rustic (œ).
champignon *m* (ìño^{n}) Fungus (fœng-g^{e}s). *-comestible*, mushroom. Peg [patère].
champion, onne (sha^{n}p^{y}o^{n}, òn) Champion (tshàmp^{y}^{e}n).
-pionnat *m* Championship.
chance *f* (sha^{n}s) Luck (œ).
chanceler (sha^{n}slé) To reel. To totter. Waver [hésiter]. [**chancelle*].
chancelier (sl^{y}é) Chancellor.
chancelière *f* Chancellor's wife. Footmuff [sac fourré].
chancellerie *f* (sèlrî) Chancellery, *grande -*, Chancellery of the Legion d'Honneur.
chanceux, euse Lucky [heureux]. Hazardous.
chancre *m* (sha^{n}kr) Canker [végétal]. Ulcer (œls^{e}^{r}).
chandail *m* (dà^{y}) Sweater.
chandeleur *f* Candlemas.
chandelier *m* Candlestick.
-delle *f* (sha^{n}dèl) Candle.
chanfrein *m* (i^{n}) Chamfer.
change *m* (sha^{n}j) Change (tshé^{i}ndj). Exchange [com.]. *Lettre de -*, bill of exchange; *agent de -*, stock-broker.
changeant, e Variable (vè^{e}).
changement *m* (sha^{n}jma^{n}) Alteration. Change (é^{i}ndj).
changer To alter (ault^{e}^{r}). To change. To exchange. **Se -** To change (vêtement). To twin. [**changeai, -geons*].
changeur, se Money changer.
chanoine (shànwà^{n}), **oinesse** *mf* Canon (kàn^{e}n), canoness.
chanson *f* (sha^{n}so^{n}) Song.
chansonner (né) To lampoon.
chansonnette *f* (sha^{n}sònèt) Comic song. Little song.
chansonnier *m* Song-writer.
chant *m* (sha^{n}) Song, singing. Canto [de poème]. *Plain -*, plain-song.
chantage *m* Blackmailing.
chanteau *m* (sha^{n}tô) Hunch.
chanter (sha^{n}) To sing*. To crow [coq]. Chirp [grillon]. *Faire -*, blackmail.
chanterelle *f* E string [violon]. Mushroom [girolle].
chanteur, euse *a* (sha^{n}tœr, ëz) Singing. *mf* Singer.
chantier *m* (sha^{n}t^{y}é) Yard; *- maritime*, ship-yard.
chantonner To hum (hœm).
chantourner Jig-saw. *Scie à -*, whip-saw, jig saw

chantre *m* Singer. Cantor.
chanvre *m* (sha^{n}vr) Hemp (**h**).
chaos *m* (kàô) Chaos (ké^{i}es).
-otique (kà) Chaotic (k^{e}).
chaparder To scrounge, filch.
chape *f* (shàp) Cape (ké^{i}p). Cope [église]. Strap [courroie]. Cover, coping.
chapeau *m* (shàpô) Hat (**h**). Cap [techn.]. Primage [mar.].
chapelain (pli^{n}) Chaplain.
chapelet *m* (shàplè) Beads *pl* (bîdz) ; string [série].
chapelier, ière Hatter.
chapelle *f* (shàpèl) Chapel.
chapellerie *f* (èlrî) Hat-shop.
chapelure *f* Bread crumbs.
chaperon *m* (o^{n}) Hood (**h**oud). Chaperon [dame].
chapiteau *m* (tô) Capital.
chapitre *m* (îtr) Chapter. Chapter-house [maison].
chapitrer To scold, lecture.
chapon *m* (o^{n}) Capon (ké^{i}).
chaque (shàk) Each (îtsh) [séparé]. Every [tous].
char *m* (shàr) Car (kâ^{r}).
charabia *m* Gibberish (**gi**).
charade *f* (à) Charade (â).
charançon *m* (so^{n}) Weevil.
charbon *m* (shàrbo^{n}) Coal (ko^{ou}l). Carbon [chimie]. Black rust [mal. végét.]. Carbuncle [mal. anim.]. - *de bois*, charcoal.
charbonnage *m* Colliery.
charbonnier Coal-merchant. *m* Coal-hole [place].
charbonnière Coal-seller. *f* Tit-mouse [oiseau]. Charcoalkiln [lieu].
charcuter (küté) To mangle.
charcuterie *f* (shàrkütrî) Pork-butcher's shop, - trade. Pig-meat.
charcutier (üt^{y}é) Pork-butcher (boutsh^{er}). **-tière** Pork-butcher's wife.
chardon *m* (do^{n}) Thistle.
chardonneret *m* Goldfinch.
charge *f* (shàrj) Burden (bë^{r}d^{e}n), load (o^{ou}). Cost (o) [frais]. Office [fonction]. Charge [caval.]. Caricature.
chargé, ée Loaded [arme, navire]. Burdened [accablé]. Registered [lettre]. Overcast [ciel]. Busy [journée]. - *de*, in charge of.
chargement *m* (jma^{n}) Loading [action]. Cargo [cargaison]. Registration [poste].
charger (shàrjé) To load, to lade* (navire). To register [poste]. To charge [armée]. **Se -** To deal with, to see to. [*chargeai, -geons].
chargeur *m* Loader. Shipper [expédit.]. Cassette [phot.].
chariot *m* (r^{y}o) Wagon (wà).
charitable Charitable.
charité *f* (sh) Charity.
charivari *m* Tin-kettle music.
charlatan (làta^{n}) Quack (kwàk). **-tanisme** *m* Quackery.
charmant, e Charming (tshâ).
charme *m* (shàrm) Charm (tshâ^{r}m). Hornbeam [arbre].
charmer (shàr) To charm.
charmeur Charmer (tshâ^{r}). **-euse, eresse** Enchantress.
charnel, elle Carnal (kâ^{r}).
charnier *m* Charnel-house.
charnière *f* (n^{y}èr) Hinge.
charnu, ue (shàrnü) Fleshy.
charogne *f* (oñ) Carrion.
charpente *f* (shàrpa^{n}t) Framework. Timber-work. *Bois de -*, timber (tìmb^{er}).

charpenter To frame (é¹m).
charpentier Carpenter (âʳ).
charpie *f* (shàrpî) Lint.
charretier Carter, driver.
charrette *f* (shàrèt) Cart.
charrier To cart, to carry.
charroi *m* Waggon traffic.
charron (roⁿ) Cartwright. **-nerie** *f* Wheelwright's trade; -' s workshop [atelier].
charrue *f* (rü) Plough (aᵒᵘ).
charte *f* (sh) Charter (tsh); - *partie*, charter-party.
chartreux Carthusian friar.
chartreuse *f* Carthusian nun. Carthusian convent.
chas *m* (shâ) Eye (a¹).
chasse *f* (shàs) Hunt, chase. - *à courre*, hunting; - *au fusil*, shooting. *Terrain de -*, hunting [shooting] ground.
châsse (shâs) Shrine (a¹n).
chasse-neige *m* Snow-plough.
chasse-pierre *m* Cow-catcher.
chasser (shàsé) To hunt [à courre]. To chase [poursuivre]. To drive* away [repousser]. To dismiss [renvoyer]. *vi* To go-hunting, -shooting.
chasseur, eresse Hunter, huntress. Sportsman, -woman. Page-boy [d'hôtel]. - *à pied*, light infantry soldier; - *à cheval*, light cavalry man. - *de sous-marins*, chaser.
chassieux (yë) Blear (iᵉʳ).
châssis *m* (sî) Chassis. Undercarriage.
chaste (sh) Chaste (tshé¹).
chasteté *f* (tᵉté) Chastity.
chasuble *f* (zü) Chasuble.
chat, atte *mf* (shà, àt) Cat.
châtaigne *f* (èñ) Chestnut. **-gnier** *m* Chestnut-tree.

châtain, aine (iⁿ, èn) Auburn.
château *m* (shâtô) Castle (kâs'l) [fort]. Mansion, country-house [de plaisance].
chateaubriand Grilled steak.
châtelain, aine (tliⁿ, èn) Lord, Lady; Squire (wa¹ᵉʳ).
chat-huant *m* (shàüaⁿ) Screech-owl (skrîtsh aᵒᵘl).
châtier Chastise, punish.
châtiment *m* Punishment.
chaton *m* (toⁿ) Kitten. Catkin [fleur]. Bezel [bijou].
chatouiller (ûyé) To tickle. **-lleux, euse** Ticklish.
chatoyer (wàyé) To shimmer [*chatoie].
châtrer To castrate, geld.
chaud, aude (shô, ôd) Warm (wauʳm), hot. Ardent [fig]. *m* Heat, warmth [chaleur].
chaudière *f* (shô) Boiler.
chaudron *m* Caldron (kaul).
chaudronnier Coppersmith.
chauffage *m* (shô) Heating.
chauffard (àr) Road-hog.
chauffe-bain *m* Geyser (gé¹).
chauffer (shôfé) To warm. To heat. To bream [mar.].
chaufferette *f* Foot-warmer.
chauffeur (shôfœr) Stoker [train]. Fireman [mar.]. Driver (dra¹) [taxi]. Chauffeur [auto de maître].
chauler (shô) To lime (a¹).
chaume *m* (shôm) Stubble (œ) [champ]. Thatch (**th**) [toit].
chaumière *f* (shômyèr) Thatched cottage.
chausse *f* (shôs) Filter. *pl* Hose, breeches.
chaussée *f* Causeway. Road.
chausse-pied *m* Shoe-horn.
chausser *vt* (shô) To put* on [soulier]. To shoe* [pied].

Se - To put* on one's boots.
chaussette (shôsèt) *f* Sock.
chausson *m* List-slipper. - *de boxe*, shoe; - *aux pommes*, apple turnover.
chaussure *f* (sür) Foot-wear.
chauve (shôv) Bald (bauld).
-souris *f* (sûrî) Bat (bàt').
chauvin (shôvin) Jingo (dj).
chaux *f* (shô) Lime (laim); *pierre à* -, limestone.
chavirer To capsize (aiz); *faire** -, to upset*.
chef (shèf) Chief (tshîf), head, master. Leader [polit.]. *m* Count [accusation].
chef-d'œuvre *m* (shèdëvr) Masterpiece (pîs).
chef-lieu *m* (yë) Chief town.
chelem *m* (shlèm) Slam (àm).
chemin *m* (shemin) Way, road (rooud). Path (pâth). [sentier]. - *de fer*, railway; *à moitié* -, half-way.
chemineau *m* (inô) Tramp.
cheminée *f* (shemi) Chimney (tshimni). Funnel [nav.].
cheminer To walk along.
cheminot *m* Railwayman.
chemise *f* (shemîz) Shirt (ë) [homme]. Chemise [femme]. Jacket (djà) [méc.]. Wrapper (ràper) [papier]. - *de nuit*, nightshirt [homme], nightdress [femme].
chemisier, ère Shirtmaker.
chenal *m* (shenàl) Channel.
chenapan *m* (àpan) Scamp.
chêne *m* (shèn) Oak (oouk).
chêneau *m* (shènô) Gutter.
chenet *m* (shenè) Fire-dog.
chènevis *m* (vî) Hempseed.
chenil *m* (ni) Dog-kennel.
chenille *f* (îy) Caterpillar.
cheptel *m* (shetèl) Live-stock.
chèque *m* (shèk) Cheque (tshèk), check [Am.]; - *non barré*, open cheque. **chéquier** *m* (kyé) Cheque-book.
cher, ère (shèr) Dear (dier).
chercher (shèrshé) To seek*. To look for [- à voir]. To try (trai) [essayer]. *Aller* -, to fetch, to go* for; *envoyer* -, to send* for.
chercheur *m* Searcher (sër).
chère *f* Fare [repas]. Welcome [accueil].
chéri, ie Darling (ârling).
chérir To cherish (tshè).
cherté *f* (shèr) High cost.
chérubin *m* (übin) Cherub.
chétif, ive Puny (pyouni).
cheval *m* (shevàl) [*pl* **-vaux**] Horse; - *entier*, stallion; *-vapeur*, horse-power; *à cheval*, on horseback, astride, particular [pointilleux].
chevaleresque Chivalrous.
chevalerie *f* Chivalry (sh). Knighthood [ordre].
chevalet *m* (shevàlè) Easel (îz'l) [peintre]. Bridge [violon]. Prop [support].
chevalier *m* (shevàlyé) Knight (nait); - *d'industrie*, sharper; *faire* -, to knight.
chevalière *f* Signet-ring.
chevalin, ine *a* Of horse.
chevauchée *f* (ôshé) Ride.
chevaucher To ride*. To overlap [dépasser].
chevelu, ue (shevelü) Hairy.
-lure *f* (ür) Head of hair.
chevet *m* (shevè) Bed-head; *table de* -, bedside table.
cheveu *m* (shevë) Hair (hèer). *Se faire* couper les cheveux*, to have one's hair cut.
cheville *f* (shevîy) Peg, pin.

Ankle (àngk'l) [jambe].
cheviller (ìyé) To peg, to pin.
cheviotte *f* Cheviot tweed.
chèvre *f* (èvr) Goat (oout), she-goat. Crab, gin [méc.].
chevreau *m* (shevrô) Kid.
chèvrefeuille *m* Honeysuckle.
chevrette *f* (shevrèt) Kid.
chevreuil *m* (œy) Doe (oou).
chevrier, ière Goat-herd (hërd), *f* goat-girl.
chevron *m* (shevron) Rafter [poutre]. Stripe [galon]. Chevron [blason].
chevroter (she) To quiver.
chevrotine *f* (în) Buckshot.
chez *pr* (shé) At ...'s [situation] : *je suis chez mon père,* I am at my father's. To ...'s [direction] ; *je vais chez mes amis,* I go* to my friends'. From ..'s [provenance] : *je viens de chez Tom,* I come from Tom's. Suivi d'un pronom personnel « chez » se traduit par *house: je suis chez vous,* I am at your house; *je vais chez lui,* I go* to his house; *il vient de chez moi,* he comes* from my house. *Home* indique la maison du sujet : I am at home, you go* home, he comes* from home.
chic *a* (shîk) Stylish (ai). *m* Skrill, knack (nàk).
chicane *f* Pettyfogging, quarrel. **-aner** To quibble, to cavil. **-anier, ère** *mf* Pettyfogger, caviller.
chiche *a* Mean. Chick [pois].
chicorée *f* (shìkòré) Endive [salade]. Chicory [poudre].
chicot *m* (shìkô) Stump (œ).
chien, ienne (shyin, èn) Dog.
Hound (haound) [courant]. Cock [fusil].
chiendent *m* Couch-grass.
chiffe *f*, **chiffon** *m* Rag.
chiffonner To crumple.
chiffonnier, ère Rag-picker. Chiffonnier [meuble].
chiffre *m* (shîfr) Figure (figer). Total. Monogram.
chignon *m* (shiñon) Chignon.
chimère *f* (shìmèr) Chimera (kaimiere), fancy. **-érique** Visionary, chimerical.
chimie *f* (shìmî) Chemistry (kè). **-ique** Chemical (kè).
chimiste Chemist (kèm).
chimpanzé *m* Chimpanzee.
Chine *f* (sh) China (tshai).
chiné, ée Figured (figerd).
chinois, oise (wà) Chinese.
chiper To prig, scrounge.
chipie (shipî) Cat [woman].
chique *f* (îk) Quid [tabac]. Jigger (djig) [insecte].
chiquenaude *f* (kn) Fillip.
chiquer To chew tobacco.
chiromancie *f* (ki) Palmistry. **-cien, enne** Palmist.
chirurgical, ale (shìrürjìkàl), Surgical (sërdj).
chirurgie *f* Surgery (sërdj).
-urgien (ürjyin) Surgeon.
chlore *m* (klòr) Chlorine.
chlorhydrique Hydrochloric.
-roforme *m* Chloroform.
-rose *f* Chlorosis; green sickness. **-rure** *m* Chloride.
choc *m* (sh) Shock, impact.
chocolat *m* (shòkòlà) Chocolate (tshokelit). **-latier, ère** Chocolate-maker, -seller.
chœur *m* (kœr) Choir (kwaier) [égl.]. Chorus (kaures).
choir* (shwàr) To fall* [*p. p.: *chu*].

choisir (shwàzir) To choose* (tshouz). To select.
choix *m* (shwà) Choice (tsh).
choléra *m* Cholera (ere).
cholérine *f* Cholerine (ain).
chômage *m* (shômàj) Unemployment. Rest [repos].
chômer To stand* idle. To be unemployed.
chômeur, euse Unemployed man [woman]. Idle workman.
chope *f* (shop) Tankard (à).
chopine *f* (în) Pint bottle.
choquer (shòké) To offend (*fig.*). To knock [cogner].
choral, ale (àl) Choral (rel).
choriste (ko) Chorister [égl.]. Chorus-singer [opéra].
chorus [**faire**] To chime in.
chose *f* (shôz) Thing (th).
chou *m* (shû) Cabbage (idj). - *de Bruxelles*, Brussels sprouts. - *à la crème*, cream bun. Bow (boou) [ruban].
choucroute *f* Sauerkraut.
chouette *f* (shwèt) Owl.
chou-fleur *m* Cauliflower.
choyer (shwàyé) To fondle. [*choie].
chrême *m* (èm) Chrism (iz'm).
chrétien, enne (krétyin, èn). Christian (kristyen).
chrétienté *f* Christendom.
Christ (îst) Christ (aist).
christianisme Christianity.
chrome *m* (ôm) Chromium.
chronique (krònik) *a* Chronic. *f* Chronicle (k'l).
chronologie *f* Chronology.
chronomètre *m* Chronometer.
chrysalide *f* Pupa (pyou). **-anthème** *m* Chrysanthemum.
chuchoter (shü) To whisper.
chut (shüt) Hush (hœsh).
chute *f* (shüt) Fall (faul).
Chypre *f* (îpr) Cyprus (ai).
ci *ad* (sî) Here (hier).
cible *f* (îbl) Target (git').
ciboire *m* Pyx, ciborium.
ciboule *f* (bûl) Welsh onion.
ciboulette *f* (ûlèt) Chives.
cicatrice *f* (àtrîs) Scar. **-triser** (izé) To heal up.
cidre *m* (îdr) Cider (ai).
ciel *m* (cyèl) [*pl* **cieux** (syë)] Heaven (hèv'n) [paradis]. Sky (skai) [firmament].
cierge *m* (èrj) Taper (éi).
cigale *f* (àl) Cicada (éi).
cigare *m* (àr) Cigar (âr). **-rette** *f* (èt) Cigarette.
cigarière *f* Cigar-maker.
ci-gît (sijî) Here lies.
cigogne *f* (goñ) Stork.
ciguë *f* (gü) Hemlock (hèm).
ci-inclus (klü) Enclosed.
ci-joint (jwin) Herewith.
cil *m* (sîl) Lash, eye-lash.
cilice *m* (lîs) Hair-cloth.
cimaise *f* (èz) Ogee (ooudjî).
cime *f* (sîm) Top, summit.
ciment *m* (an) Cement (si).
cimeterre *m* (tèr) Scimitar.
cimetière *m* (tyèr) Cemetery [de ville]. Churchyard.
cinéma *m* (à) Cinema (eme).
cingler (singlé) To lash.
cinq (sink) Five (faiv).
cinquantaine *f* About fifty.
cinquante (sinkant) Fifty.
cinquantième (yèm) Fiftieth.
cinquième (sinkyèm) Fifth.
cintre *m* (intr) Curve (ër) [arche]. Coat-hanger [habit]. **-trer** *vt* To bend*, curve.
Cipaye (ày) Sepoy (sipoi).
cirage *m* (siràj) Blacking.
circoncire (îr) Circumcise. **-cision** *f* Circumcision. **-férence** *f* Circumference.

-scription *f* Circumscription.

circonspect Wary (wè^{e}ri). **-spection** *f* Caution (*au*sh). **-stance** *f* (a^{n}s) Circumstance (së^{r}kœmst^{e}ns). **-stancié** Detailed. **-convenir*** To get* round, to circumvent.

circuit *m* (sìrk^{u}î) Circuit (së^{r}kit'), circumference.

circulaire (sîrkülèr) *a, f* Circular (së^{r}kyoul^{er}).

circulation *f* Traffic.

circuler (sîrkülé) To circulate, to move round. To move on [avancer]. *Faire** -, to hand round, to pass round.

cire *f* (sîr) Wax (wàks).

cirer To wax. To black [cirage]. **-reur, euse** Polisher. Shoeblack [de bottes].

cirque *m* (sîrk) Circus (ë^{r}).

cisailles *fpl* (sisà^{y}) Shears.

cisailler (à^{y}é) To clip.

ciseau *m* (sìzô) Chisel (tshiz) [à froid]. *pl* Scissors (z^{er}z).

ciseler (siz^{e}lé) To chisel (tshiz^{e}l) [*cisèle].

citadelle *f* (àdèl) Citadel.

citadin, ine Citizen.

citation *f* Quotation (kwo) [texte]. Summons [just.].

cité *f* (sîté) City (siti).

citer To quote (kwo^{ou}t) [auteur]. To summon [appeler].

citerne *f* (èrn) Tank (à).

citoyen, enne (sìtwà^{y}i^{n}, èn) Citizen (sitiz'n).

citrate *m* (àt) Citrate.

citron *m* (o^{n}) Lemon (lèm'n). **-onnade** *f* (ònàd) Lemonade. **-onnier** *m* Lemon-tree.

citrouille *f* (trû^{y}) Pumpkin.

civet *m* (sìvè) Jugged hare [de lièvre]. Jugged rabbit.

civette *f* Civet-cat. Chive.

civière (^{y}er) *f* Hand-barrow [brouette]. Stretcher [blessé]. Bier (bi^{er}) [mort].

civil, ile *a* Civil. Polite (a^{i}t) [poli]. *m* Layman.

civilisation *f* Civilisation. **-iser** (ìzé) To civilize (a^{i}z). **-ité** *f* Civility.

claie *f* (klè) Hurdle (hë^{r}).

clair, aire (èr) Clear (i^{er}). Bright (a^{i}t) [brillant]. Obvious, plain [évident].

claire-voie *f* (vwà) Lattice. Sky-light [mar.].

clairon *m* (klèro^{n}) Bugle.

clairvoyant, te Clear-sighted.

clamer (klàmé) To cry out.

clameur *f* Outcry. Clamour.

clan *m* (kla^{n}) Clan (àn).

clandestin, ine Underhand.

clapet *m* (àpè) Valve (vàlv).

clapier *m* (p^{y}é) Burrow [trou]. Hutch [cabane].

clapoter To plash, ripple.

claque *f* (klàk) Slap. Galosh [soulier]. Hired clappers [théât.]. *m* Opera-hat.

claquement *m* Clapping [main]. Chattering [dent].

claquemurer (ü) To coop up.

claquer (klàké) To clap, snap. To chatter [dents].

clarifier (f^{y}é) To clarify.

clarinette *f* Clarinet (*et'*).

clarté *f* Light [lumière]. Brightness. Clearness.

classe *f* (âs) Class. Classroom [salle]. Form [élèves].

classement *m* Classification.

classer To class, sort, file.

classeur *m* Rack [cases]. File (a^{i}). Filing-cabinet.

classifier To classify (fa^{i}).

classique Classic. Standard.

claudication *f* Lameness.

clause *f* (ôz) Clause (**auz**).
clavecin *m* (i^{n}) Harpsichord.
clavette *f* Pin (ìn), cotter.
clavicule *f* (*ül*) Collar-bone.
clavier *m* (v^{y}*é*) Keyboard.
clayon *m* ($è^{y}o^{n}$) Wattle (wo).
clé, clef *f* (klé) Key (kî).
clématite *f* (*it*) Clematis.
clémence *f* (a^{n}s) Clemency.
clément, te Clement (klè).
clerc *m* (èr) Clerk ($â^{r}$k). Scholar ($skol^{er}$) [savant].
clergé *m* (klèrjé) Clergy.
clérical, ale (àl) Clerical.
cliché *m* (klìshé) Plate [typo]. Negative [photo]. Tag [mot].
clicher To take* electros of.
client, ente ($ìa^{n}$, a^{n}t) Customer, patron. Patient [malade]. Client [d'avocat]. **-tele** *f* Custom. Practice.
cligner (klìñé) To wink.
clignoter To blink (ì**ngk**).
climat *m* (klìmà) Climate (kla^{i}mit).
clin *m* (kli^{n}) Wink (**wingk**).
clinique *a* (ìk) Clinical (klinik'l). *f* Nursing-home.
clinquant *m* ($i^{n}ka^{n}$) Tinsel.
clique *f* Set, clique. Band.
cliquet *m* (ikè) Catch.
cliqueter To clank, jingle. **-quetis** *m* Clanking, rattle.
clisser (*é*) To wicker.
cliver (ìvé) To cleave (îv).
cloaque *m* (òàk) Cess-pool.
clochard *m* (òshàr) Tramp.
cloche *f* (osh) Bell. Bell-glass. Dish-cover. Blister [cloque].
cloche-pied (à) Hopping.
clocher *m* (kloshé) Steeple (î); bell-tower. *v* To limp.
clocheton *m* (to^{n}) Pinnacle.
clochette *f* Small bell; handbell. Bell-flower.

cloison *f* ($klwàzo^{n}$) Partition. Bulk-head [mar].
cloître *m* (klwàtr) Cloister. **-trer** To confine, to cloister.
clopin-clopant ($klòpi^{n}$ $klòpa^{n}$) *adv* Limpingly.
clopiner (né) To halt (**au**).
cloporte *m* (òrt) Wood-louse.
cloque *f* (òk) Blister.
clore* To close ($klo^{ou}z$), shut*. To end [finir]. To fence in [**clos, clos, clot; close*, etc.; *clos*].
clos, ose (klô, ôz) Closed. Ended. *m* Enclosure (j^{er}).
clôture *f* (tür) Enclosure. Closing [fermeture]. Closure [Parl.]. **-urer** To close.
clou *m* (û) Nail ($é^{i}$). Boil [méd.]. Pawnshop [prêt]. Jail [prison]. Star-turn.
clouer (klûé) To nail.
clouter (ûté) To stud (œd).
clouterie *f* Nail trade.
cloutier *m* ($ût^{y}é$) Nail-maker.
clovisse *f* Cockle (kok'l).
club *m* (klœb) Club (œb).
coaguler (koàgü) To curdle.
coaliser (kòà) To league (îg). **-lition** *f* Coalition.
coasser (koàssé) To croak.
cobaye *m* ($bà^{y}$) Guinea-pig.
cocagne *f* (kàñ) Plenty.
cocaïne *f* (à) Cocaine (*é*).
cocarde *f* (àrd) Cockade.
cocasse (kàs) Droll, odd.
coccinelle *f* Lady-bird.
coche (sh) *m* Coach. *f* Notch.
cochenille *f* (i^{y}) Cochineal.
cocher *vt* (koshé) To notch.
cocher (shé) Driver ($a^{i}v^{er}$).
cochon *m* (sho^{n}) Pig, hog. Pork [viande].
cochonner To bungle [bâcler].
cochonnerie Nastiness.

cochonnet *m* (kòshònè) Jack.
coco *m* (kòkò) Coco.
cocon *m* (o^{n}) Cocoon (oun).
cocotte *f* (kòt) Chicken. Stew-pan. Loose woman.
code *m* (kòd) Code (ko^{ou}d).
codex *m* Pharmacopœia.
coefficient *m* Coefficient.
coercition *f* Coercition.
cœur *m* (œr) Heart (ha^{r}t). Core [centre]. Hearts [cartes]. *A contre-cœur*, reluctantly; *à vous de -*, yours cordially.
coffre *m* (òfr) Chest (tsh); *- -fort*, safe, strong box.
coffrer To lock up, arrest.
coffret (kòfrè) Casket.
cognassier *m* Quince-tree.
cognée *f* (ñé) Axe, hatchet.
cogner To strike*, knock.
cohérence *f* (koéra^{n}s) Coherence (ko^{ou}hi^{e}re^{n}s). **-rent, te** Coherent (hi).
cohéritier, ière (t^{y}é, èr) Coheir, co-heiress.
cohésion *f* (z^{y}o^{n}) Cohesion.
cohue *f* (kòü) Mob, crush.
coi, coite (kwà, àt) Quiet.
coiffe *f* (kwàf) Cap. Lining [doublure]. Caul [bébé].
coiffer (kwàfé) To cover (kœ) [tête]. To dress [cheveux]. To back [voile]. **Se -** To put* on one's hat [cap]. To do* one's hair.
coiffeur, se Hair-dresser.
coiffure *f* Hat. Head-dress [ornement]. Hair-do [cheveux].
coin *m* (kwi^{n}) Corner (kau^{r}). Spot [tourisme]. Wedge [levier]. Stamp [poinçon].
coincer (kwi^{n}sé) To wedge. To jam. To pinch [pincer] [**coinçai, -çons*].
coïncidence *f* Coincidence.
coïncider (i^{n}) To coincide.
coing *m* (wi^{n}) Quince (kwi).
coke *m* (kòk) Coke (ko^{ou}k).
col *m* (kòl) Neck [cou]. Collar (l^{er}) [vêtement].
colchique *m* Meadow-saffron.
coléoptère *m* Beetle (bît'l).
colère *f* (èr) Anger (àng-g^{e}r); *en -*, angry at, with.
coléreux, ique Irascible.
colibri *m* Humming-bird.
colifichet *m* (shè) Trinket.
colimaçon *m* (màso^{n}) Snail.
colin-maillard *m* Blindman's buff [jeu].
colique *f* Stomach-ache.
colis *m* (kòlî) Parcel (â^{r}).
collaborateur, trice Collaborator. **-ation** Collaboration.
collaborer (kòlàbòré) To collaborate, to work together. To contribute [journal].
collage *m* Pasting. Clearing.
collation *f* Collation.
collationner To collate [comparer]. To lunch.
colle *f* (òl) Paste (é^{i}st), glue (glou), size (sa^{i}z).
collecte *f* (èkt) Collection.
collection *f* (èks^{y}o^{n}) Collection (èksh^{e}n). **-ionner** To collect. **-ionneur, euse** Collector (k^{e}lèkt^{e}r). **-ivité** *f* Collectivity.
collège *m* (lèj) School (sk). Grammar-school. *- électoral*, constituency.
collégien (j^{y}i^{n}) Schoolboy. **-enne** (j^{y}èn) Schoolgirl.
collègue (èg) Colleague (ig).
coller To paste, to stick*. To pluck [exam.]. To fine [vin].
collerette *f* (lrèt) Collar.
collet *m* (lè) Collar (l^{er}).

Neck [cou]. Snare, net.
colleur *m* Paster. Bill-sticker [affiche]. Examiner.
collier *m* (l^{y}é) Necklace.
colline *f* (lîn) Hill.
collision (z^{y}o^{n}) Collision.
colloque *m* Talk (**tauk**).
collyre *m* (lîr) Eye-salve.
colmater To warp. To clog.
colombe *f* (o^{n}) Dove (œv).
colombier *m* Pigeon-house.
colon *m* Settler, colonist.
côlon *m* (ôlo^{n}) Colon (o^{ou}).
colonel *m* (kòlònèl) Colonel (kë^{r}). **-elle** Colonel's wif^{e}.
colonial (on^{y}àl) Colonial.
colonie *f* (ònî) Colony.
coloniser (nì) To colonize.
colonnade *f* (àd) Colonnade.
colonne *f* (òn) Pillar (pil^{er}).
colophane *f* (àn) Colophony.
colorer (òré) To colour. To dye. **-ris** *m* Colour.
colossal, ale Colossal (os'l).
colosse *m* (òs) Colossus (^{e}s).
colporter To hawk, spread*.
colporteur Hawker (**hauk**^{er}).
colza *m* (zà) Colza, rape.
coma *m* (kòmà) Coma (ko^{ou}).
combat *m* (ko^{n}bà) Fight (fa^{i}t), battle, struggle.
combattant, ante *a* (ta^{n}) Fighting (fa^{i}). *mf* Fighter.
combattre* To fight* (a^{i}t). [*-bats, -bat, -battons, etc.].
combien (ko^{n}b^{y}i^{n}) How (**ha**-^{ou}). - *de.* How much [*sing*], how many [*pl*].
combinaison *f* (èzo^{n}) Combination (é^{i}sh'n). Scheme (skîm). Overalls [d'ouvrier]. Combinations [de dame].
combiner (ko^{n}) To combine.
comble *m* (ko^{n}bl) Heaping [mesure]. Height (**ha**^{i}t) [sommet]. Roofing [toit].
combler To fill up. To load [charger]. To make* good.
combustible *a* (ko^{n}bü) Combustible. *m* Fuel (fyou^{e}l).
combustion *f* Combustion.
comédie *f* (édî) Comedy.
-dien, enne Comedian (mî).
comestible *a* Edible (îd). *pl* Victuals (vit'lz).
comète *f* (èt) Comet (it).
comique *a* Comic, funny (œ).
comité *m* (kò) Committee.
commandant *m* (a^{n}da^{n}) Commanding officer. Major [armée]. Captain [mar.].
commande *f* (a^{n}d) Order (**au**) [comm.]. Lever (lî) [levier]. Control (o^{ou}l) [techn.].
commandement *m* Command (ànd'), control [direction]. Order [ordre]. **-der** To order, command. **Se -** To control oneself.
commandeur *m* Commander.
commanditaire (èr) Sleeping partner. **-dite** *f* Limited partnership. **-diter** To finance.
comme *ad* (kòm) How. *prep* Like [pareil à]. *conj* As [de la même façon]. - *si,* as if.
commémorer To commemorate.
commençant, ante (a^{n}sa^{n}, a^{n}t) *a* Beginning. *m* Beginner. **-cement** *m* Beginning.
-cer To begin (bigin), start [*commençai, -çons].
comment (koma^{n}) How (**ha**^{ou}).
commentaire *m* Commentary.
commenter To comment.
commérage *m* (àj) Gossip.
commerçant, ante *mf* (a^{n}) Trader (é^{i}). Tradesman.
commerce *m* (èrs) Trade (é^{i}).
-ercer To trade [*commer-

çai, -çons]. **-ercial** (s^{y}àl) Commercial (sh'l).
commère *f* (kòmèr) Gossip.
commettant (*a*^{n}) Principal.
commettre* (ètr) To commit [*-mets, -met, -mettons*, etc.; *mis*, etc.; *mette*, etc.; *mis*].
commis. V. COMMETTRE. *m* Clerk (â^{r}k); - *voyageur*, commercial traveller.
commisération *f* Compassion.
commissaire *m* (sèr) Commissary [mil.]. Commissioner. Steward [fête]. Superintendent [police]. - *priseur* (ìzœr), auctioneer (auksh).
commissariat *m* (àr^{y}à) Office. Police station.
commission *f* (s^{y}*o*^{n}) Commission (ish'n). Committee [Parl.]. Errand, message.
commissionnaire Messenger. Commission-agent [com.].
commode *a* (òd) Convenient (vî). *f* Chest of drawers.
commodité *f* Convenience.
commotion *f* (os) Commotion.
commuer (müé) To commute.
commun, une (m*u*^{n}, *ün*) Common (kom'n). *pl* Offices.
communal, ale (ünàl) Common, Parochial. *Les communaux*, the common [land]. **-nauté** *f* Community.
commune *f* (kòmün) Parish (pà). *La Chambre des -*, the House of Commons.
communiant, te Communicant. **-nication** *f* Communication. **-nier** To communicate [égl.]. To be in communion. **-nion** *f* Communion. **-niquer** To communicate.
communisme *m* (ünism) Communism. **-iste** Communist.
commutateur *m* Switch.
compact, te (ko^{n}) Compact.
compagne (ko^{n}pàñ) Companion (àn^{y}òn) Wife, partner.
compagnie *f* (àñî) Company (kœmp^{e}). Party [groupe].
compagnon (àñ*o*^{n}) Companion (àn^{ye}n). Fellow, partner. **-onnage** *m* Trade-guild.
comparaison *f* (èz*o*^{n}) Comparison (àriz'n). **-ratif, ive** Comparative (àr^{e}tiv).
comparaître, -roir To appear (^{e}pi^{e}r). [*V. PARAÎTRE].
comparer (ko^{n}pàré) To compare (k^{e}mpè^{e}r).
comparse Super [théât.]. Confederate [complice].
compartiment Compartment.
comparution *f* (rüs^{y}*o*^{n}) Appearance (pi^{e}r).
compas *m* (pà) Compasses *pl.*
compassé, ée (àssé) Stiff.
compassion *f* Compassion.
compatible (îbl) Compatible.
compatir To sympathize. To feel* [for]. **-tissant, ante** Tender, compassionate.
compatriote Fellow-countryman, -countrywoman.
compensation Compensation.
compenser To compensate, to make* up for.
compère Fellow-sponsor [parrain, marraine]. Crony [camarade]. - *-loriot*, stye (sta^{i}).
compétence *f* (*a*^{n}s) Competence. **-tent, ente** Competent.
-titeur, trice Competitor.
-tition *f* Competition (sh).
complainte *f* (*i*^{n}t) Ballad.
complaire (èr) To please. **Se -** To delight (*a*^{i}t) [in] [*complais, -plaît, -plaisons*, etc.; *-plaisais*, etc., *-plus*,

etc.; *-plaise*, etc.; *-plaisant; -plu*].
complaisance *f* Obligingness.
complaisant, ante Obliging.
complément *m* Complement. Object [gram.]. **-taire** Complementary, further.
complet, ète Complete (plît). Full, full up. *m* Completeness. Suit of clothes.
compléter To fill up, to complete. To make* up [*-ète*].
complexe (koⁿplèks) Complex. **-xion** *f* Constitution. **-xité** *f* Complexity (plè).
complication Complication.
complice (îs) Privy (pri). Accomplice (ᵉkòmplis).
complicité *f* Complicity.
compliment *m* Compliment. **-menter** To compliment.
compliquer To complicate.
complot *m* (plô) Plot (ot').
comploter (koⁿ) To plot.
comporter To involve, to imply. **Se** - To behave.
composant *m* (aⁿ) Component.
composer To compose (oᵒᵘz). To compound [transiger]; *se - de*, to consist of. **-siteur, trice** Composer.
compote *f* (òt) Compote.
compotier *m* Compote-dish. Fruit-dish.
compréhensif Comprehensive. **-hension** *f* Understanding.
comprendre* To understand*. To realize [**comprends, -prenons, -prenez, -prennent; -prenais*, etc.; *-pris*, etc.; *-prenne*, etc.; *-prenant; -pris*].
compresse *f* (ès) Compress.
compression *f* Compression.
comprimé *m* (ìmé) Tablet.
comprimer To compress.
compromettre* To compromise (aⁱz) [**-mets, -mettons*, etc.; *-mettais; -mis*, etc.; *-mette*; *-mettant*; *-mis*].
compromis *m* (koⁿpromî) Compromise (kòmprᵉmaⁱz).
comptabilité *f* (koⁿtà) Book-keeping. **-table** Accountant, book-keeper.
comptant (koⁿtaⁿ) Ready, cash. *m* Cash; *au* -, for cash.
compte *m* (koⁿt) Reckoning, account; - *rendu*, statement, review; *relevé de* -, statement of account; *pour solde de tout* -, in full settlement. *Tenir - de*, take into account.
compte-gouttes *m* Dropper.
compter (koⁿté) To reckon, to count (kaᵒᵘnt). To rely (rilaⁱ) [se fier].
compteur *m* (koⁿtœr) Meter (mî), recorder, register.
comptoir *m* (koⁿtwàr) Counter (kaᵒᵘn). Counting-house [bureau]. Factory [colonie]. Bar [café].
compulser (ül) To examine, to go* through, inspect.
comte (oⁿt) Count (aᵒᵘnt).
comté *m* (koⁿ) County (kaᵒᵘ).
comtesse *f* (tès) Countess.
concasser To break* up, to crush.
concave (àv) Concave (éⁱv). **-vité** *f* Concavity, hollow.
concéder To allow (aᵒᵘ). [**concède*].
concentration *f* (koⁿsaⁿ) Concentration. **-trer** To concentrate. **-trique** Concentric.
concept *m* (èpt) Concept (ò). **-ption** *f* Conception.
concerner (sèr) To concern.

concert *m* (koⁿsèr) Concert.
concerter To concert, plan. **Se -** To plan together.
concession *f* (syoⁿ) Concession (shen). **-ionnaire** Grantee. Patentee [brevet].
concevoir (koⁿsvwàr) To conceive (sîv), imagine.
concierge (koⁿsyèrj) Doorkeeper. Porter [*f* portress]. Janitor [Am.].
concile *m* Council (kaou).
conciliable Reconcilable. **-liabule** *m* (ül) Conventicle. Secret meeting. **-liant, te** Conciliating. **-liateur, trice** Reconciler.
concilier (koⁿsìlyé) To reconcile (a1), conciliate.
concis, ise (sî, îz) Concise.
concision *f* Conciseness.
concitoyen *m* Fellow-citizen.
conclave *m* (àv) Conclave.
conclure* (ü) To conclude (oud). To infer [déduire] [**conclus, -uons,* etc.; *-uais,* etc.; *-clus, -clûmes,* etc.; *-clue,* etc.; *-clusse,* etc.; *-cluant; -clu*].
conclusion *f* (üzyoⁿ) Conclusion (ouj'n). Issue, end. Findings [jury].
concombre *m* Cucumber.
concordance *f* Agreement.
concordat *m* (dà) Concordat [égl.]. Composition. Certificate [failli]. **-dataire** Certificated bankrupt.
concorde *f* (òrd) Agreement.
concorder To agree (egrî).
concourir* To compete (ît). Concur [tendre] [*V. COURIR].
concours *m* (kûr) Competition [examen]. Concourse [réunion]. Help [aide].
concret (è), **ète** Concrete.
concubinage *m* Concubinage.
concurremment *ad* (kürà-maⁿ) Jointly. Equally.
concurrence *f* (koⁿküraⁿs) Competition. **-encer** To compete with [**-ça, -çons*]. **-ent, te** Competing. Competitor.
condamnation *f* (dànàsyoⁿ) Sentence (sèntens) Blame.
condamné, ée Convict.
condamner (dà) To sentence. To condemn (èmn). To doom.
condensateur *m* Condenser.
-ation *f* Condensation. **-er** To condense. **-eur** Condenser.
condescendance *f* (èsaⁿdaⁿs) Condescension. **-descendre** To condescend. To comply.
condiment *m* (aⁿ) Condiment.
condisciple Schoolfellow.
condition *f* (koⁿdìsyoⁿ) Condition (kendishen). **-ionnel, elle** Conditional. **-ionner** To condition. To season.
condoléance *f* Condolence.
conducteur, trice Leader. Guard [receveur]. Driver [voiture]. *a* Conducting.
conduire* (koⁿduîr) To lead* (îd). To direct [diriger]. To drive* [voiture]. **Se -** To behave oneself To find* one's way [**-duis, -duit, -duisons,* etc.; *-duisais,* etc.; *-duisis,* etc.; *-duise,* etc.; *-duisant; -duit*].
conduit *m* (duì) Pipe (a1p). Conduit (kòndit').
conduite *f* (uit) Direction. Pipe [tuyau]. Behaviour [tenue]. Escort.
cône *m* (kôn) Cone (koun).
confection *f* (èksyoⁿ) Making

up. Completion [achèvement]. *Vêtements de -,* ready-made clothes.
confectionner To make* up.
confectionneur (œr) Maker.
confédération *f* Confederacy.
confédéré, ée Confederate.
conférence *f* (éra^{n}s) Conference [entretien]. Lecture (tsh^{er}) [discours].
conférer Confer (ë) [*-ère*].
confesser To confess (ès).
confesseur (œr) Confessor.
confession *f* (ès) Confession.
-sionnal *m* Confessional.
-sionnel Denominational.
confetti *m* (î) Confetti (èti).
confiance *f* Trust (trœst), confidence.
confiant, te Trusting (œ).
confidence *f* (da^{n}s) Secret.
confidentiel Confidential.
confier To entrust, trust, to tell.
configurer (gü) To outline.
confiner (ì) To confine (a^{i}).
confins *mpl* (fi^{n}) Limits.
confire* To preserve (zë^{r}v). [*-fis, -fit, -fisons,* etc.; *-fisais,* etc.; *-fis,* etc.; *-fise,* etc.; *-fisant, fit*].
confirmation *f* Confirmation.
confirmer (i) To confirm (ë).
confiscation *f* Confiscation.
confiserie *f* (izrî) Confectioner's shop. Preserves. **-fiseur** (zœr) Confectioner.
confisquer To confiscate.
confiture *f* Jam, preserve.
conflit *m* (flî) Conflict (kt).
confondre To confound [vaincre, étonner]. To confuse (k^{e}nfyouz) [mélanger].
conforme Conformable; *pour copie -,* a true copy.
conformément *ad* According.
conformer To form, conform. **Se -** To conform, to comply.
conformité *f* Conformity.
confort *m* (ko^{n}fòr) Comfort (kœmf^{e}rt).
confortable Comfortable.
confrère *m* Fellow-member.
confrérie *f* Brotherhood.
confronter (o^{n}) To confront.
confus, use (fü, üz) Vague (vé^{i}g). Confused (fyouzd).
confusion *f* (üz) Confusion.
congé *m* (o^{n}jé) Leave (îv). Dismissal [renvoi]. Permit [douane]. Clearance [mar.].
congédier (jé) To dismiss.
congeler To freeze*, congeal.
congestion *f* Congestion.
congestionner To congest.
congre *m* (ko^{n}gr) Conger.
congrégation Congregation.
congrès *m* (grè) Congress.
congru (ü) Proper, suitable.
conifère *m* Conifer (ko^{ou}).
conique (ìk) Conical (k'l).
conjecture *f* (jèktür) Conjecture (djèktsh^{er}).
conjecturer To conjecture.
conjoint, te (ko^{n}jwi^{n}) Wedded. *mf* Husband and wife.
conjonction *f* Conjunction.
conjoncture *f* (ü) Juncture.
conjugaison *f* Conjugation.
conjugal (ko^{n}jü) Conjugal.
conjuguer (jügé) Conjugate.
conjuration *f* (jü) Conspiracy. Entreaty (trî) [prière].
conjuré, ée (jü) Conspirator.
conjurer (ko^{n}jü) To conspire. To beseech*, to entreat [supplier]. To exorcise.
connaissance *f* (èsa^{n}s) Knowledge (nolidj). Acquaintance (^{e}kwé^{i}) [personne].
connaissement *m* (kònèsma^{n})

Bill of lading. **-aisseur** *m* Connoisseur, expert.

connaître* (kònètr) To know* (no[ou]). To understand* [comprendre]. To experience [éprouver]. To be acquainted with [relation]. **Se -** To be acquainted; know* each other; know* oneself [*-*nais, -naissons,* etc.; *-naissais,* etc.; *-nus,* etc.; *-naisse,* etc.; *-naissant; -nu*].

connétable High constable.

connexe Connected. **-exion, -exité** *f* Connection.

connivence *f* Connivance.

connu, ue (*ü*) Known (no[ou]n).

conquérant, te *a* (ko[n]kéra[n]) Conquering. *mf* Conqueror.

conquérir (ké) To conquer [*-*quiers, -quérons,* etc.; *-quérais,* etc.; *-quis,* etc.; *-querrai,* etc.; *-quière,* etc.; *-quérant; -quis*].

conquête *f* (kèt) Conquest (kwest). **-quis, ise** Won.

consacrer To devote (vo[ou]t).

conscience *f* (s[y]a[n]s) Conscience (sh[e]ns). Consciousness [perception]. Conscientiousness [soin]. **-cieux, euse** Conscientious.

conscient, ente Conscious.

conscrit (skrî) Conscript.

consécration *f* Consecration.

consécutif, ive Consecutive.

conseil *m* (ko[n]sè[y]) Advice. Counsel [avocat]. - *d'administration,* Board of Directors. *Avocat- -,* legal adviser.

conseiller To advise.

conseiller, ère (è[y]é) Counsellor. Councillor [municipal]. Adviser [conseilleur].

consentant, ante Willing.

consentement *m* Consent.

consentir Agree [*V. SENTIR].

conséquemment (kàma[n]) Consequently. **-quence** *f* (ka[n]s) Consequence (ikw[e]ns), result. **-quent, ente** Consistent; *par -,* therefore.

conservateur, trice Conservative (*ë*) [polit.]. Keeper, warden. Curator [musée].

conservation *f* Preservation.

conservatoire *m* Academy.

conserve *f* (sèrv) Preserve (zë[r]v). - *au vinaigre,* pickles. *De -,* together. **-ver** Preserve.

considérable Considerable.

considération Consideration.

considérer Consider [*-*ère*].

consignataire Consignee.

consignateur Consigner.

consignation *f* Consignment.

consigne *f* Consignment. Order. Cloak-room (klo[ou]kroum) [gare].

consistance *f* Consistency.

consistant, ante Consistent.

consister To consist.

consistoire *m* Consistory.

consolateur, trice *a* Consoling, comforting. *mf* Consoler, comforter.

consolation *f* Consolation.

console *f* (ò) Console (o[ou]).

consoler (sò) To console.

consolider (ko[n]) To consolidate. To fund [dette].

consommateur, trice Consumer (*you*). Guest (gè) [café].

consommation *f* Consumption. Drinks [boisson].

consommé, ée *a* Consummate. *m* Stock, broth, clear soup.

consommer To consume (youm) [user]. To complete [finir].

consomption *f* Consumption.

consonne *f* (ko^{n}) Consonant.
consort *a* (òr) Consort (kòn-sau^{r}t). *mpl* Associates.
conspirateur, trice (ko^{n}spì) Conspirer (k^{e}nspa^{i}r^{er}).
conspiration *f* Conspiracy.
conspirer (ìré) To conspire (pa^{ier}), to plot (ot').
conspuer (püé) To hoot (ou).
constamment Constantly.
constance *f* (a^{n}s) Constancy.
constant, ante *a* Steadfast.
constatation Ascertainment.
constater (àté) To verify, ascertain. To certify. To find*.
constellation *f* Constellation.
consternation *f* Dismay.
consterner (stèr) To dismay.
constipation *f* Constipation.
constiper To constipate.
constituer (t^{u}é) To settle, to constitute (ityout').
constitution *f* Constitution.
constructeur (ük) Builder.
construction Building (bi).
construire* (ko^{n}str^{u}ir) To build* (bild). [*-*truis*, etc.; -*truisais*, etc.; -*truisis*, etc.; -*truise*, etc.; -*truisant*; -*truit*].
consul (ko^{n}sül) Consul (s'l).
consulaire Consular (syou).
consulat *m* (là) Consulate.
consultatif, ive Consultative.
consultation *f* Consultation.
consulter (ü) To consult (œ).
consumer (ü) To consume.
contact *m* (àkt) Contact.
contagieux, euse Contagious.
contagion *f* (àj) Contagion.
contaminer To contaminate.
conte *m* (ko^{n}t) Tale (té^{i}l).
contemplatif Contemplative.
-plation *f* Contemplation.
contempler (a^{n}) To gaze on. To contemplate. To survey.
contemporain, aine (a^{n}pòri^{n}, èn) Contemporary.
contenance *f* (ko^{n}t^{e}na^{n}s) Capacity (k^{e}). Area [surface]. Countenance [air].
contenant (a^{n}) Containing. *m* Container (k^{e}nté^{i}n^{er}).
contenir* To contain (é^{i}n). To hild*. To restrain. **Se** - To control oneself [*V. TENIR].
content, ente (ko^{n}ta^{n}, a^{n}t) Content (k^{e}ntènt), glad.
contentement *m* (tma^{n}) Contentment, satisfaction.
contenter *vt* To please.
contentieux, euse (a^{n}s^{y}ë) Litigious; *bureau du* -, disputed claims office.
contention *f* (s^{y}o^{n}) Strife.
contenu *m* (t^{e}nü) Contents.
conter To tell*, relate.
contestable Questionable.
contestation *f* Dispute. **-teste** [sans] Undisputably.
contester (ko^{n}) To dispute (pyout'), to contest.
conteur, euse Story-teller.
contexte *m* Context.
contigu, uë (gü) Contiguous.
contiguïté *f* (ü) Contiguity.
continence *f* (a^{n}s) Continence. **-nent** Continent.
continental, le Continental.
contingence *f* Contingency.
contingent, te Contingent. *m* Contingent, quota (kw).
contingenter To fix quotas.
continu, ue (ü) Continuous.
continuation *f* Continuation.
continuel, elle Continual.
continuer (ko^{n}tin^{u}é) To go* on, to keep on. To continue.
continuité *f* Continuity.
contorsion *f* Contortion.
contour *m* (o^{n}tûr) Outline.

contourner To outline [tracé]. To go* round.
contracter To contract.
contraction *f* Contraction.
contracture *f* Contracture.
contradiction *f* Contradiction. **-toire** Contradictory.
contraindre* To compel. To restrain [**-trains, -traignons,* etc. ; *-traignais,* etc. ; *-traignis,* etc. ; *-traigne,* etc. ; *-traignant* ; *-traint*].
contrainte *f* (ko^{n}tri^{n}t) Constraint (é^{i}nt) *Sans -,* freely. *- par corps,* arrest.
contraire *a* and *m* (èr) Contrary, opposite ; *au -,* on the contrary ; *au - de,* unlike.
contrarier (r^{y}é) To thwart (**thwau**^{r}t), cross. To vex.
contrariété *f* Vexation.
contraste *m* (àst) Contrast.
contraster To contrast (*â*).
contrat *m* (ko^{n}trà) Contract (kòntràkt), deed. *- collectif,* collective bargaining.
contravention *f* Infraction. Offence, misdemeanour.
contre (ko^{n}tr) Against (é^{i}).
contrebalancer To offset*.
contrebande *f* Smuggling. *Passer en -,* to smuggle (smœ). **-bandier** Smuggler.
contrebas [en] Lower, below.
contrebasse *f* Double-bass.
contrecarrer To thwart (**au**).
contrecoup *m* Repercussion.
contredire* To gainsay, to contradict. *Sans contredit,* incontestably [*V. DIRE, but pr. ind. : *contredisez*].
contrée *f* (ko^{n}tré) Country.
contrefaçon *f* Counterfeit, forgery. Counterfeiting.
contrefaire* To counterfeit. To forge [document]. To ape [singer].
contrefort *m* (òr) Buttress [mur]. Stiffening [talon].
contremaître Foreman. Petty officer ; boatswain's mate.
contremaîtresse Forewoman.
contremander To cancel (s'l).
contrepartie *f* Counterpart. Opposite [contraire]. *En -,* per contra.
contrepoids Counterweight.
contrepoint Counterpoint.
contrepoison *m* Antidote.
contresens *m* (sa^{n}s) Misconstruction. Wrong way.
contresigner To countersign.
contretemps *m* (a^{n}) Mishap. *A -,* syncopated, rag-time.
contre-torpilleur *m* (pi^{y}œr) Destroyer (destroye^{r}).
contrevenant, ante Offender. Trespasser.
contrevenir* To trespass [*V. VENIR].
contrevent *m* Shutter (œ).
contribuable *mf* (büàbl) Taxpayer.
contribuer (^{u}é) Contribute.
contribution *f* Contribution.
contrister To sadden, grieve.
contrit, ite (î, ît) Contrite.
contrition *f* Contrition.
contrôle *m* (ko^{n}trôl) Roll [liste]. Hall-mark [or]. Control [direction].
contrôler To check. To audit [compte]. To hall-mark [or]. To control [diriger]. To supervise.
contrôleur, euse Controller. Check-taker [théât.]. Ticket-collector [rail.].
controverse *f* Controversy.
contumace *f* Contumacy ; *con-*

damner par -, to sentence by default. *mf* Defaulter.
contusion *f* (ü) Contusion.
convaincant, e Convincing.
convaincre (vi^{n}kr) To convince. *Convaincu*, convinced [*V. VAINCRE].
convalescence *f* (èsa^{n}s) Convalescence **-lescent, ente** Convalescent (kònvàlès^{e}nt).
convenable (v'nàbl) Proper.
convenance *f* (v'na^{n}s) Propriety, suitability.
convenir* (ko^{n}v^{e}nîr) To admit, to agree. To suit [plaire]. To match [assortir]. **Se** - To please each other [*V. VENIR].
convention *f* (a^{n}s^{y}o^{n}) Convention (ènsh^{e}n), agreement.
conventionnel Conventional.
conventuel, elle Monastic.
converger (èrjé) To converge.
convers, erse Lay brother.
conversation (èrsàs) Talk.
converser To talk [together].
conversion *f* Conversion (vë^{r}).
convertir (èr) To convert.
convertisseur *m* Converter.
convexe (èks) Convex (kòn).
convexité *f* Convexity.
conviction *f* Conviction.
convier (^{y}é) To invite (a^{i}).
convive (îv) Guest (gést).
convocation *f* Summons (sœ).
convoi *m* (ko^{n}vwà) Funeral procession. Convoy [mar.]. Train [rail].
convoiter (vwà) To covet.
convoitise *f* Covetousness.
convoler To marry again.
convolvulus *m* Bindweed.
convoquer (ké) To call together. To summon (sœm^{e}n).
convoyer (vwà^{y}é) To convoy.
convulser (ü) To convulse.
convulsif, ive Convulsive. (vœl). **-sion** *f* Convulsion.
coopératif, ive (kò-òpé) Co-operative (ko^{ou}òp^{e}ré^{i}tiv); *f* Co-operative stores *pl.*
coopérer Co-operate [*-*ère*].
coordonner (kò-òr) To co-ordinate (ko^{ou}o^{r}diné^{i}t).
copahu *m* (àü) Copaiba (é^{i}).
copain *m* (i^{n}) Chum (œm).
copal *m* (kò) Copal (ko^{ou}).
copeau *m* (pô) Chip (tship); shaving [de rabot].
copie *f* (pî) Copy (kopi).
copier (kòp^{y}é) To copy.
copieux, euse (^{y}ë) Plentiful.
copiste *mf* Copier, copyist.
copropriétaire Joint-owner.
coq *m* Cock. Cook [mar.]. Bantam [boxe].
coque *f* (kòk) Shell. Hull (hœl) [mar.]. Kink [nœud].
coquelicot *m* (klìkò) Poppy.
coqueluche *f* (kòklüsh) Whooping-cough (kœf). Craze [favori].
coquet, ette Spruce, smart. Coquette, flirt.
coqueter (kòk) Flirt [**ette*].
coquetier *m* (kòkt^{y}é) Egg-merchant, eggman. Poulterer. Egg-cup [récipient].
coquetterie *f* (kètrî) Smartness [élégance]. Coquetry.
coquillage *m* (ki^{y}àj) Shell, shell-fish.
coquille *f* (kòkî^{y}) Shell. Misprint [imprimerie].
coquin, ine (ki^{n}, în) Roguish (ro^{ou}gish). *mf* Rogue. **-nerie** *f* (kînrî) Knavery.
cor *m* Horn. Corn [pied].
corail *m* (kòra^{y}) Coral.
corbeau *m* (bô) Crow, raven

(réiv'n). Corbel [arch.].
corbeille *f* (bèy) Basket.
corbillard *m* (ìyàr) Hearse.
cordage *m* Rope. Rigging.
corde *f* (òrd) Rope (o^ou^p). Line. String [violon]. Hanging [pendre]. Chord [géom.].
cordelette *f* (^e^lèt) String.
cordelière *f* (yèr) Girdle.
corder To twist. To cord.
corderie *f* Rope-yard.
cordial, ale (kòrdyal) Hearty. *m* Cordial.
cordialité *f* Heartiness.
cordier, ière Rope-maker.
cordon *m* (o^n^) Cord. String [soulier]. - *de sonnette,* bell-pull.
cordonnerie *f* Shoe-maker's shop. Shoe-maker's trade.
cordonnier (yé) Shoe-maker.
coriace (òryàs) Tough (œf).
coricide *m* (sîd) Corn cure.
Corinthe *f* (i^n^t) Corinth (th); *raisins de -,* currants.
cormoran *m* (a^n^) Cormorant.
cornac *m* Mahout (ha^out^).
corne *f* (òrn) Horn (hau^r^n).
corné, ée Horny, callous. *f* Cornea. - *opaque,* sclera.
corneille *f* (èy) Rook (ou).
cornement *m* (^e^ma^n^) Buzzing.
cornemuse *f* Bag-pipe.
corner To hoot. Dog's ear [page].
cornet (nè) *m* Horn [mus.]. Bag [papier]. Dice box [dés]. -*acoustique,* ear-trumpet.
cornette *f* (èt) Cornet [religieuse]. Mob-cap [bonnet].
corniche *f* (îsh) Cornice (is).
cornichon *m* (sho^n^) Gherkin.
Cornouailles *f* (kòrnwày) Cornwall (kau^r^nw^e^l).
cornouiller *m* Cornel-tree.
cornu, ue (nü) Horned (nd).
cornue *f* (ü) Retort (au^r^t).
corollaire *m* (èr) Corollary.
corolle *f* (ròl) Corolla.
corozo *m* (zô) Corozo-nut.
corporation *f* Corporation.
corporel, elle Corporal (r^e^l).
corps *m* (kòr) Body (bodi). Corpse [cadavre]. Corps [armée]. Corporation. - *mort,* buoy, anchor-buoy.
corpulence *f* (a^n^s) Stoutness.
-lent, te (ü) Stout (a^out^).
corpuscule *m* (ül) Corpuscle.
correct, te (kò) Correct (k^e^).
correcteur, trice Corrector.
correction *f* (èksyo^n^) Correction. Correctness [état]. Punishment (pœ).
correctionnel, elle Minor [offence]; *tribunal -,* Court of summary jurisdiction.
correspondance *f* (o^n^da^n^s) Correspondence. Connection.
correspondant, ante Corresponding. *mf* Correspondent.
correspondre To correspond.
corridor *m* Corridor, passage.
corriger (kòrìjé) To correct [**corrigeai, -geons*].
corroborer To corroborate.
corroder To corrode (o^ou^).
corrompre* To corrupt (k^e^rœpt). To bribe [acheter] [**il corrompt*].
corrosif, ive (z) Corrosive.
corroyer To curry [cuir]. To weld [fer]. To trim [bois].
corroyeur (yœr) Currier.
corrupteur, trice *a* Corrupting. *mf* Corrupter, briber.
corruption *f* (ü) Corruption.
corsage *m* (sàj) Bodice.
corsaire *m* (èr) Privateer.
corsé, ee Stiff Strong [vin].

corser To stiffen, strengthen. **Se** - To get* stiff, to thicken.
corset (sè) *m* Corset (et').
cortège *m* (tèj) Procession.
corvée *f* Forced labour. Drudgery. Fatigue, duty [mil.].
corvette *f* Corvette.
coryza *m* Cold in the head.
cosaque *m* (zàk) Cossack.
cosmétique (òsm) Cosmetic.
cosmographie *f* Cosmography.
-polite *a* (lît) Cosmopolitan.
cosse *f* Pod, husk (hœsk).
cossu, ue Rich, substantial.
costume *m* (tüm) Costume.
costumer (tü) To dress.
cote *f* (kòt) Quota, share. Stock-list. Quotation [prix]. Height (hait) [altitude].
côte *f* (kôt) Rib [os]. Slope, hill. Shore, coast [rivage].
côté *m* Side (aid). Quarter.
coteau *m* (tô) Hill, hillock.
côtelé, ée (kôtlé) Ribbed.
côtelette *f* Cutlet [veau]. Chop (tsh) [porc, mouton].
coter To quote (kwoout).
coterie *f* Set, coterie.
cothurne *m* (türn) Buskin.
côtier, ière Coasting (koous).
cotillon *m* (iyon) Petticoat.
cotisation *f* (ìzàsyon) Subscription; fee, share.
cotiser (se) To subscribe.
coton *m* (ton) Cotton (ten).
cotonnade *f* Cotton fabric.
cotonnier, ière *a* Cotton. *m* Cotton-plant.
coton-poudre *m* Gun-cotton.
côtoyer (twàyé) To coast along. Border on [*-toie].
cotre *m* (kòtr) Cutter (œ).
cottage *m* (àj) [Small] villa.
cou *m* (kû) Neck.
couac *m* (kwàk) Goose [note].
couard *m* (kwàr) Coward.
-dise *f* Cowardice (kaouard).
couchant *m* (kûshan) Sunset.
couche *f* (kûsh) Bed. Layer [étendue]. Class. *pl* Childbed; *en* -, in labour.
coucher (kûshé) To put* to bed. To lay* down [étendre]. To write* down. **Se** - To go* to bed, to lie* down. *m* Going to bed; *l'heure du* -, bedtime; *- du soleil*, sunset.
couchette *f* Small bed. Bunk [mar.]. Berth [rail].
couci-couça (kûssà) So so.
coucou *m* Cuckoo. Cuckoo clock. Cowslip [fleur].
coude *m* (kûd) Elbow (boou). Angle, turning [route].
coudée *f* (kû) Cubit (kyou).
cou-de-pied *m* (pyé) Instep.
couder To bend*, to crank.
coudoyer *vt* To jostle (djosel).
coudre* To sew* (soou). [**cousons*, etc.; *-sais*, etc.; *-sis*, etc.; *couse*, etc.; *-sant*; *-su*].
coudrier *m* (drìé) Hazel-tree.
couenne *f* (kwàn) Pork rind.
couette *f* (wèt) Feather-bed.
couffe *f*, **couffin** *m* Hamper.
coulage *m* (kûlàj) Pouring. Casting [fonte]. Leakage [fuite]. Sinking [bateau].
coulant, ante Flowing. Fluent [parole]. Easy [aisé].
coulée *f* Tapping. Flow.
couler (kûlé) To flow. To leak (î) [perdre]. To sink* [bateau]. To glide [glisser]. *vt* To sink [bateau]. To cast* [fonte]. **Se** - To creep*.
couleur *f* (kûlœr) Colour (kœler). Dye (dai). Suit (syout) [cartes]. Pretence.

couleuvre *f* (lœvr) Snake.
coulis *m* (lî) Jelly, *sauce*.
coulisse *f* (lîs) Groove [rainure]. Slide [glissière]. String [cordon]. Wing [théât.]. Outside brokers [Bourse].
coulissier Outside broker.
couloir *m* (lwàr) Passage (idj). Strainer [passoire].
coup *m* (kû) Blow (o^{ou}) [marteau, poing]. Stroke (o^{ou}k) [cloche, piston, plume]. Wound [blessure]. Knock (nok) [poing]. Stab [poignard]. Shot [fusil]. Move [jeu]; - *d'œil*, glance.
coupable (kûpàbl) *a* Guilty (*gi*). *mf* Culprit (kœl).
coupage *m* (*à*j) Cutting (kœ). Blending [vin].
coupant, te *a* Cutting, sharp. *m* Edge.
coupe *f* (kûp) Cup (kœp); glass [champagne]. Cut, cutting [cheveu]. Felling [arbre]. Cut end [bout]. Section [dessin]. Stroke [nage].
coupée *f* Gangway (gàng).
coupe-file *m* Police pass.
-gorge *m* Cut-throat place.
-jarret Cut-throat, ruffian.
coupelle *f* (èl) Cupel (*you*).
coupe-papier *m* Paper-knife.
couper (ûpé) To cut* (œt). To cut* off [enlever]. To intercept. To blend [mélanger]. To water [vin]. *vi* To cut*. **Se -** To contradict oneself. To cross each other.
couperet *m* (p^{e}rè) Chopper.
couperose *f* Copperas [sulfate]. Red spots.
couperosé, Blotchy.
coupeur, euse Cutter (kœ)
couple *m* (kûpl) Couple (kœp'l). Brace [gibier]. Yoke [bœufs]. Leash [laisse].
coupler To couple (œp'l).
couplet *m* (plè) Verse (vë^{r}s).
coupole *f* (òl) Cupola (k^{y}*ou*).
coupon *m* (*o*^{n}) Remnant [tissu]. Ticket. Coupon [titre].
coupure *f* (*ü*r) Cut (kœt). Currency note [monnaie]. Clipping [journal].
cour *f* (kûr) Court (kau^{r}t).
courage *m* (kûr*à*j) Courage (kœridj); heart.
courageux, euse Courageous.
courant, ante *a* Running. Current [monnaie]. Present [date]. Common [opinion].
courant *m* (kûr*a*^{n}) Stream (îm) [eau]. Current (kœr^{e}nt) [électricité]. - *d'air*, draught; *au courant de*, aware of, conversant with.
courbature *f* (*ü*) Stiffness.
courbe *a* (kûrb) Curved. *f* Curve (kë^{r}v), bend. Knee.
courbette *f* Curvet [cheval]. Cringing [salut].
courbure *f* Curve (kë^{r}v).
coureur (kûrœr) Runner (rœ).
courge *f* (kûrj) Pumpkin.
courir* (kûrîr) To run* (œ). To hunt [chasser]. To circulate [rumeur] [**cours*, -rons*, etc.; *-rais*, etc.; *-rus; coure*, etc.; *-rant; -ru*].
couru, ue *a* Popular.
courlis, courlieu *m* Curlew.
couronne *f* (kûròn) Crown (a^{ou}n). Wreath (rîth) [fleurs].
couronnement *m* (ònm*a*^{n}) Coronation (né^{i}); crowning.
couronner To crown. To wreathe [guirlande] (rîzh). **Se -** To break* its knees.
courrier *m* (riyé) Messenger

Mail (mé^{i}l) [poste]. *Par retour du -*, by return.
courroie *f* (rwà) Strap.
courroucer (ûsé) To anger. **Se -** To get* angry [*-*çai*].
courroux *m* (kûrû) Wrath.
cours *m* (ûr) Course (au^{r}s). Stream (î) [eau]. Rate [change]. Course of lectures, lessons; *au-de*, in the course of.
course *f* (kûrs) Race (ré^{i}s). Run. Stroke [piston]. Errand, shopping [commission]. *- de taureaux*, bull-fight; *- de chevaux*, horse race.
coursier *m* Steed, charger.
court, te (kûr) Short, brief.
courtage *m* (tàj) Brokerage.
courtepointe *f* Counterpane.
courtier *m* (t^{y}é) Broker.
courtisan *m* (ìza^{n}) Courtier.
courtisane *f* Courtesan.
courtiser To court, woo.
courtois, se (twà) Courteous.
courtoisie *f* Courtesy.
cousin, ine (kûzi^{n}, în) Cousin (œz'n): *- germain*, first -.
coussin *m* (kûssi^{n}) Cushion.
coussinet *m* (nè) Bearing.
coût *m* (kû) Cost, expenses.
couteau *m* (tô) Knife (na^{i}f).
coutelas *m* (tlà) Cutlass.
coutelier *m* (t^{e}l^{y}é) Cutler.
coutellerie *f* Cutlery (kœ).
coûter (kûté) To cost*.
couteux, euse Expensive.
coutil *m* (tî) Duck. Ticking.
coutume *f* (üm) Custom (œ).
couture *f* (tür) Seam (sîm). Needle-work.
couturier, ière Dressmaker.
couvée *f* (kûvé) Brood (ou).
couvent *m* (va^{n}) Convent.
couver *vt* To sit* on. To brood. To smoulder [feu].
couvercle *m* (èrkl) Lid. Cap. Cover (kœv^{e}^{r}).
couvert *m* (èr) Fork and spoon. Lodging. Cover, shelter [abri].
couvert, erte. V. COUVRIR.
couverture *f* (èrtür) Cover (kœv^{e}^{r}), covering. Blanket [lit]. Margin [Bourse].
couveuse *f* (vëz) Brood-hen. *-artificielle*, incubator.
couvre-chef *m* (shèf) Hat, head-dress, head-gear. **-feu** *m* Curfew (kë^{r}fyou). **-nuque** *m* (nük) Sun-curtain, pugaree. **-pied** *m* Counterpane. **-plat** *m* (plà) Dish-cover.
couvreur *m* Tiler, slater.
couvrir* To cover (kœv^{e}^{r}). To wrap up [envelopper]. To roof [toit]. To protect. **Se -** To cover oneself. To protect oneself. To become* overcast [ciel] [**couvre*, etc.; *couvrais*, etc.; *couvre*, etc.; *couvrant*; *couvert*].
coxalgie *f* (jî) Hip-disease.
crabe *m* (kràb) Crab.
crachat *m* (àshà) Spittle.
crachement *m* Spitting.
cracher (kràshé) To spit*.
crachoir *m* (wàr) Spittoon.
craie *f* (krè) Chalk (auk).
craindre* (i^{n}dr) To fear (fi^{e}^{r}), to be afraid of [**crains*, *craint*, *craignons*, etc.; *-gnais*, etc.; *-gnis*, etc.; *craigne*, etc.; *craignant*; *craint*].
crainte *f* (i^{n}t) Fear (fi^{e}^{r}). *De - de*, for fear of; *de - que*, lest, for fear that.
craintif, ive Timid, fearful.
cramoisi (wàzì) Crimson (z)
crampe *f* (a^{n}p) Cramp (àmp).

crampon *m* Cramp. Climbing-iron. Calk [cheval]. Bore [fâcheux], buttonholer.
cramponner To cramp. To bore [fâcheux], to button-hole. **Se** - To cling*, hold* on.
cran *m* (kra^{n}) Notch. Cog [roue]. Pluck [audace].
crâne *a* (ân) Gallant, bold.
crâne *m* Skull (skœl).
crânerie *f* (ân) Gallantry.
crapaud *m* (pô) Toad (o^{ou}d). Baby-grand [piano].
crapouillot *m* Trench-mortar.
crapule *f* (pül) Blackguard. Low debauchery.
crapuleux, euse Crapulent.
craqueler (k^{e}) To crackle [*craquelle].
craquement *m* Cracking.
craquer (kràké) To crack, creak. To snap [se briser].
crasse *f* (kràs) Dirt (ë^{r}t). Stinginess [avare]. Dirty trick. *a* Gross, crass. **-eux, euse** (ë, ëz) Filthy, dirty.
cratère *m* (àtèr) Crater (é^{i}).
cravache *f* (àsh) Horsewhip.
cravate *f* (àvàt) Neck-tie, tie (ta^{i}), cravat.
crayeux, euse (è^{y}ë) Chalky.
crayon *m* (è^{y}o^{n}) Pencil.
crayonner To pencil, sketch.
créance *f* (kréa^{n}s) Belief (foi). Debt (dèt) [outstanding].
créancier, ière Creditor.
créateur *n* (kréàtœr) Creator (krié^{i}te^{r}). **-teur, trice** *a* Creative. **-tion** *f* Creation (krié^{i}). **-ture** *f* (tür). Creature (krîtsh^{er}).
crécelle *f* (sèl) Rattle.
crèche *f* (sh) Manger, cradle.
crédit *m* (dî) Credit (it').
créditer To credit (krèdit').
créditeur, trice *a* Credit. *mf* Creditor (krèdit^{er}).
credo *m* (édô) Creed (îd).
crédule (dül) Credulous.
crédulité *f* Credulity (you).
créer (éé) To create (é^{i}).
crémaillère *f* (krémà^{y}èr) Pot-hanger. Rack [méc.].
crémation *f* (à) Cremation.
crématoire *a* Crematory.
crème *f* (èm) Cream (îm).
crémer To cream [*crème].
crémerie *f* Dairy, milk-shop.
crémier Milkman, dairyman. **-ière** Milkmaid, dairymaid.
créneau *m* (énô) Battlement.
créneler (n^{e}) To embattle.
créole (éòl) Creole (io^{ou}l).
créosote *f* (zòt) Creosote.
crêpe *m* Crape (é^{i}) [tissu]. *f* Pancake. **-per** To crape.
crépi *m* Roughcast.
crépine Fringe. Strainer [filtre]. Caul [membrane].
crépir To roughcast (rœf).
crépiter (ìté) To crackle.
crépon *m* Crepon.
crépu, ue Crisp, frizzy.
crépuscule *m* (ül) Twilight.
cresson *m* (krè) Watercress.
crétacé, ée Cretaceous.
crête *f* Crest [coq]. Ridge [montagne]. Summit, top.
crétin, ine Idiotic. *n* Idiot.
cretonne *f* Cretonne (^{e}tòn).
creuser (ëzé) To dig* to hollow. To go* deeply into.
creuset *m* (ëzè) Crucible.
creux *m* (krë) Hollow. Pit.
creux, euse *a* Hollow. Empty.
crevaison *f* (èzo^{n}) Puncture.
crevasse *f* Chink, crevice. Chap [main]. **-vasser** To crack [roc]. To chap.
crever (kr^{e}vé) To split* [é-

clater], to burst*. To break* open. To put* out [œil]. To puncture [pneu]. *vi* To burst*. To die [mourir] [*crève].
crevette *f* (kr^{e}vèt) Shrimp [grise]. Prawn (**au**) [rose].
cri *m* (î) Cry (a^{i}). Shout (a^{out}). Scream (î) [aigu].
criailler (ìà^{y}é) To brawl.
criant, te Glaring, shocking.
criard, arde Loud, shrill.
crible *m* Sieve (siv), riddle. Screen[charbon]. **-bler** To sift, to riddle. To screen [gravier].
cric *m* Jack, screw-jack.
cricri *m* Cricket.
criée *f* (é) Public auction.
crier To shout (a^{out}), to scream. To call. To scold.
crime *m* (îm) Crime (a^{i}m).
criminel, elle Criminal (n'l). Guilty [coupable].
crin *m* (kri^{n}) Horsehair.
crincrin *m* Fiddle (fid'l).
crinière *f* (^{y}èr) Mane (é^{i}).
crinoline *f* Crinoline [tissu]. Hoop-skirt [jupe].
crique *f* (îk) Creek, cove.
criquet *m* (ìkè) Locust.
crise *f* (îz) Crisis (a^{i}sis). Fit [attaque].
crispation *f* Contraction.
crisper To contract, to shrivel. To clench [main].
crisser To grate, squeak.
cristal *m* Crystal (ist'l). Cut glass [verre taillé].
cristallerie *f* Glass-works.
cristallin, ine *a* Crystalline (a^{i}n) *m* Eye lens.
cristalliser To crystallize.
critique *a* (tîk) Critical (kritik'l). *m* Critic. *f* Criticism. Review [article].
critiquer (ké) To criticize.
croasser (òà) To croak [corbeau]; caw [corneille].
croc *m* (ô) Hook [crochet]. Tooth [dent]. Fang [loup]. Tusk [sanglier].
croc-en-jambe *m* Trip up.
croche *f* (sh) Quaver (kwé).
crochet *m* (shè) Hook (**h**). Picklock [serrurier]. Deviation, dodge [détour].
crocheter (shté) To pick [*crochète].
crocheteur *m* Street-porter.
crochu, ue Hooked; crooked.
crocodile *m* (îl) Crocodile.
croire* (krwàr) To believe (lîv), to think*, to deem.
croisade *f* (krwàzàd) Crusade (kroussé^{i}d).
croisé *m* (wàzé) Crusader.
croisé, ée Crossed. Twilled [tissu]. Double-breasted [vêtement]. Folded [bras].
croisée *f* Crossing [chemin]. Casement [fenêtre].
croisement *m* (a^{n}) Crossing.
croiser (krwàzé) To cross. To come* across [rencontrer]. To cruise (krouz) [mar.].
croiseur *m* (zœr) Cruiser.
croisière *f* Cruise (krouz).
croissance *f* Growth (o^{ou}**th**).
croissant *m* Crescent [lune]. Bill-hook [serpe]. Milkroll [pâtisserie].
croître* (krwàtr) To grow* [*crois, croît, croissons, etc.; croissais, etc.; crûs, crûs, crût, crûmes, crûtes, crurent; croisse, etc.; crusse, etc.; croissant; crû].
croix *f* (krwà) Cross.
croquemitaine *m* Bugbear.
croque-mort (kròkmòr) Mute.

croquer (kròké) To crunch. To sketch [dessin].
croquet *m* (kè) Croquet (ki).
croquette *f* (èt) Croquette.
croquis *m* (kî) Rough sketch.
crosse *f* Crozier [évêque]. Butt-end [fusil]. Stick.
crotale *m* (àl) Rattlesnake.
crotte *f* Dung, dropping.
crotter To dirty, bespatter.
crottin *m* (in) Horse-dung.
crouler (ûlé) To collapse. To crumble.
croup *m* (krûp) Croup.
croupe *f* (krûp) Croup.
croupier *m* (ûpyé) Croupier.
croupière *f* Crupper (œper). Stern cable [mar.].
croupion *m* (ûpyon) Rump.
croupir (ûpîr) To stagnate.
croustade *f* (ûstàd) Pie (ai).
croustillant (ìyan) Crisp.
croûte *f* (krût) Crust (œ). Rind [fromage]. Scab [peau]. Daub [tableau].
croûton *m* Sippet [frit].
croyable (wày) Believable.
croyance *f* (wàyans) Belief.
croyant, ante Believer (lî).
cru *m* (ü) Growth, vineyard.
cru, ue (ü) Raw (rau). Crude (oud) [grossier].
cru. V. CROIRE.
crû. V. CROÎTRE.
cruauté *f* (uôté) Cruelty.
cruche *f* (krüsh) Pitcher.
cruchon *m* Small jug. Hot-water bottle [stone].
crucifix *m* (krü-fî) Crucifix.
crudité *f* Rawness, crudity.
cruel, elle (ü) Cruel (ouel).
crustacé *m* (ü) Crustacean.
crypte *f* Crypt.
cryptogame *a* Cryptogamous. *f* Cryptogam.
cube *a* (küb) Cubic (kyoubik). *m* Cube (kyoub).
cuber (kü) To cube (kyoub).
cueillette *f* (œyèt) Gathering.
cueillir* To gather [**cueille*, etc.; *cueillais*, etc.; *cueillis*, etc.; *cueillerai*, etc.; *cueille*, etc.; *cueillant*].
cuiller, ère *f* (kuièr). Spoon.
cuillerée *f* Spoonful.
cuir *m* (kuir) Leather (**èzh**).
cuirasse *f* (kuiràs) Cuirass (kwi), breast-plate.
cuirassé *m* (kui) Ironclad.
cuirasser To ironplate. To harden [endurcir].
cuirassier (kui) Cuirassier.
cuire* (kuir) To cook (ou). To bake [four]. To boil [bouillir]. To stew [étouffée]. To burn [soleil]. *vi* To smart [douleur]. - *à petit feu*, to simmer [**cuis*, *cuit*, *cuisons*, etc.; *cuisais*, etc.; *cuisis*, etc.; *cuirai*, etc.; *cuise*, etc.; *cuisant*; *cuit*].
cuisant, e *a* Smarting.
cuisine *f* (kuizîn) Kitchen [salle]. Galley [mar.]. Cookery [art]. Cooking, food.
cuisiner (kuiziné) To cook.
cuisinier *m* (é) Cook, chef.
-nière *f* (yèr) Cook. Cooking stove, range [fourneau].
cuisse *f* (kuis) Thigh (**thai**).
cuisseau *m* (sô) Leg.
cuisson *f* Cooking. Smart.
cuissot *m* (so) Haunch.
cuistot *m* (kuistò) Cook.
cuistre *m* Fag, prig, cad.
cuit. V. CUIRE.
cuivre *m* (kuivr) Copper.
cuivrer To copper, bronze.
cul *m* (kü) Backside. Stern

[bateau]. *-de-jatte m* Legless cripple.
culasse *f* (külàs) Breech.
culbute *f* (büt) Somersault. **-ter** To throw* over. **-teur** *m* Tumbler [jouet]. Rocker [auto].
culée *f* (külé) Abutment.
culinaire (èr) Culinary.
culminant *a* (kül) Highest.
culot *m* (lô) Bottom. Cheek [toupet].
culotte *f* (külôt) Breeches *pl* (britshiz). Rump [bœuf].
culotter (külοté) To breech. To season [pipe]. **-ottier, ière** Breeches-maker.
culpabilité *f* (kül) Guilt.
culte *m* (ült) Worship (wëʳ).
cultivateur, trice Farmer, cultivator. *f* Farmer's wife.
cultiver (kültìvé) To till [sol]. To grow* [plantes]. To cultivate [fig.]. **-ture** *f* (ür) Culture (kœltshᵉʳ).
cumin *m* (kümiⁿ) Cumin.
cumul *m* (ül) Pluralism.
cumuler To cumulate. To be a pluralist.
cumulus *m* (üs) Cumulus.
cupide *a* (küpîd) Greedy (î).
cupidité *f* Greed, cupidity.
Cupidon *m* (ü) Cupid (*you*).
cuprifère *a* Cupriferous.
curable (ü) Curable (*you*).
curatelle *f* Guardianship.
curateur, trice Trustee (tî).
curatif, ive (kürà) Curative.
cure *f* (kür) Cure (kyouᵉʳ), treatment [med.]. Care [souci]. Living [bénéfice]. Parsonage [presbytère].
curé *m* (küré) Parish priest.
cure-dent *m* (aⁿ) Toothpick.
curée *f* Quarry (kwori).
curer To pick [dent]. To clean out [port]. To dredge.
curetage *m* (aj) Cleansing.
curieux, euse (kürʸë, ëz) Inquisitive. Curious [drôle]. *mf* Spectator, looker-on.
curiosité *f* (zì) Curiosity.
curseur *m* Slide, traveller.
cursif, ive (kür) Cursive.
cuscute *f* (küt) Dodder.
custode *f* Altar curtain. Pyxcloth. Custodial.
cutané, ée Cutaneous; *affection* -, skin disease.
cuve *f* (küv) Vat, tub.
cuveau *m* Small vat.
cuvée *f* Vatful.
cuver To ferment, to work.
cuvette *f* (küvèt) Basin (éⁱ).
cuvier *m* (vʸé) Wash-tub.
cyanhydrique (sʸà) Prussic.
cyanose *f* (sʸà) Cyanosis.
cyanure *m* Cyanide (saⁱᵉ).
cyclamen *m* Cyclamen.
cycle *m* (ikl) Cycle (aⁱ).
cyclisme *m* Cyclism.
cycliste (sìk) Cyclist.
cyclone *m* (ôn) Cyclone.
cyclope (sìklòp) Cyclops.
cygne *m* (sîñ) Swan (swòn).
cylindre *m* (sìliⁿdr) Cylinder. Roller. Drum. **-drer** To roll [route]. To mangle [linge].
cylindrique Cylindrical.
cymbale *f* (siⁿbàl) Cymbal.
cynique (sìnîk) Cynic.
cynisme *m* Cynicism.
cyprès *m* (sìprè) Cypress (aⁱ).
cystite *f* Cystitis (aⁱtis).
cystolithe *m* (lît) Cystolith.
Cythère *f* (sitèr) Cythera.
cytise *m* (sìtîz) Laburnum (ërnᵉm), cytisus (sitisᵉs).
czar *m* (kzàr) Czar (zâʳ).

D

d (dé). D (di).
d'. V. DE.
dà *adv* Indeed : oui-dà, yes, indeed.
dactyle *m* (tîl) Dactyl.
dactylo *mf* (ìlò), **dactylographe** *mf* (àf) Typist (*a*ⁱ).
dactylographie *f* (ògràfî) Typewriting (taⁱpraⁱting). **-phier** (fyé) To type (aⁱ).
dada *m* (à) Gee-gee (djî). Hobby (hobi) [manie].
dadais *m* (dàdè) Booby (bou).
dague *f* (dàg) Dagger (gᵉʳ).
dahlia *m* (dà) Dahlia (déⁱ).
daigner (dèñé) To deign.
daim *m* (dinⁿ) Deer (dieʳ).
dais *m* (dè) Canopy (kànᵉ).
dallage *m* (dàlàj) Flagging.
dalle *f* (dàl) Flag. Slab.
daller To pave, to flag.
dalmatique *f* (ìk) Dalmatic.
daltonien Colour-blind.
dam *m* (daⁿ) Injury; cost.
damas *f* (dàmâ) Damascus (dᵉmâskᵉs). *m* Damask.
damasquiner (kî) Damaskeen.
damasser (âsé) To damask.
dame *f* (dàm) Married lady, lady (léⁱ). Queen [carte, échecs]. King [dames].
dame-jeanne *f* Demi-john.
damier *m* (dàmyé) Draught-board. Checker-board [Am.]. Check pattern [dessin].
damnation *f* Damnation.
damner (àné) To damn (àm) [*passé* damned (dàmnd)].
damoiseau *m* (dàmwàzô) Fop.
dandin *m* (daⁿdiⁿ) Ninny.
dandiner (se) To waddle.
Danemark *m* (dàn) Denmark.
danger *m* (aⁿjé) Danger (éⁱndjeʳ), jeopardy (djèp).
dangereux, euse Dangerous.
danois, se (dànwà) Danish (déⁱnish). *mf* Dane (déⁱn).
dans *prep* (daⁿ) In [quand on est dedans]. Into (ìntou) [quand on entre].
dansant, te (aⁿsaⁿ) Dancing.
danse *f* (daⁿs) Dance. **-ser** To dance. **-seur, euse** Dancer.
dard *m* (dàr) Dart, sting.
darder To dart, shoot* forth.
dare-dare (dàr) In a trice.
darse *f* (dàrs) Harbour, dock.
dartre *f* (dàrtr) Tetter.
date *f* (dàt) Date (déⁱt).
dater (dà) To date (déⁱt).
datif (dà) Dative (déⁱtiv).
datte *f* (dàt) Date (déⁱt).
dattier *m* (tyé) Date-tree.
daube *f* (dôb) Stew (styou).
dauber To thrash [battre]. To scoff at [médire].
dauphin *m* (dôfiⁿ) Dolphin.
daurade *f* (dô) Gilt-head (g).
davantage *ad* (aⁿtàj) More.
davier *m* (dàvyé) Forceps.
de *prep* (dᵉ) Of [possession] : *le nom de la banque*, the name of the bank; [origine] *mourir de faim*, to die of hunger. From [provenance] : *je viens* de Lyon*, I come* from Lyons. [cause] *blanc de peur*, white with fear. Cas possessif [génitif] : *le livre de Robert*, Bob's book. Mot composé : *des gants de chevreau*, kid-glo-

ves. *De* becomes *d'* before a vowel or mute h : *un quart d'heure*.
dé *m* Thimble [à coudre]. Die (da[i]) [jeu], *plur* Dice.
débâcle *f* (âkl) Breaking-up [glace]. Rout [armée]. Collapse [effondrement].
déballer (àlé) To unpack.
débandade *f* Stampede.
débaptiser (àtì) To rename.
débarbouiller (ûyé) To wash.
débarcadère *m* Landing-stage.
débardeur Stevedore, docker.
débarquement *m* Landing.
débarquer (àrké) To land (à).
débarras *m* (àrà) Riddance [action]. Lumber-room.
débarrasser (àsé) To rid*. **Se** - To get* rid [*de* : **of**].
débat *m* (bà) Discussion.
débattre (àtr) To discuss.
débauche *f* (ôsh) Debauch.
débauché, ée Profligate.
débaucher (ôshé) To debauch (dibautsh). To entice away [from work]. **Se** - To go* astray. To leave* work.
débile *a* (îl) Weak (wîk).
débilité *f* Weakness, debility.
débiliter To weaken (wî).
débit *m* (bî) Sale (sé[i]l). Retail-shop. Delivery [livraison]. Debit (dèbit') [dette].
débitant, te Retailer. Tobacconist. Publican [café].
débiter To sell* [vendre]. To retail [détail]. To cut* up [bois]. To recite (a[i]). **-teur, trice** Debtor (dèt[er]).
déblai *m* (blè) Cutting. *Route en* -, sunk road.
déblayer (èyé) Clear away.
déboire *m* Disappointment.
déboiser (bwà) To deforest.
déboîter (wà) To dislocate.
débonnaire (èr) Meek (mîk).
débordement *m* (òrd[e]ma[n]) Overflowing. Outflanking [mil.]. Debauchery, excess.
déborder To overflow [eau]. To outflank [mil.]. To jut.
débotter To unboot; *au débotté*, upon one's arrival.
débouché *m* (ûshé) Outlet.
déboucher To open. To uncork [bouchon]. *vi* To emerge. To flow out [rivière].
déboucler To unbuckle.
déboulonner To unrivet.
débourber To pull out of the mire. To clear of mud.
débours *m* (ûr) Outlay (a[ou]t).
débourser (ûr) To lay* out.
debout *ad* (d[e]bû) Standing, up, upright. Ahead [vent].
débouter To dismiss.
déboutonner To unbutton.
débraillé (àyé) Untidy (a[i]).
débrayage *m* Declutching.
débrayer (èyé) To declutch (diklœtsh), to disconnect.
débrider (ìdé) To unbridle.
débris *m* (brî) Wreck (rèk) ; rubbish (rœ), debris.
débrouillard Resourceful.
débrouiller (ûyé) To unravel. **Se** - To shift for oneself.
débusquer (üské) To oust.
début *m* (bü) Beginning.
débuter (üté) To begin* (**g**).
deçà (d[e]sà) On this side.
décacheter (kàshté) To open. Unseal (sîl) [**décachette*].
décade *f* (àd) Decade (k[e]d).
décadence *f* (a[n]s) Decline.
décadent, ente Decadent.
décalaminer To decarbonize.
décaler To unwedge [débloquer]. To shift [changer].

décalogue *m* (òg) Decalogue.
décalque *m* (kàlk) Transfer.
décalquer (ké) To transfer.
décamper (kaⁿpé) To decamp, to run* away, make* off.
décanter (kaⁿté) To decant.
décaper (pé) To scour, to scrape [métal]. To pickle.
décapitation *f* Beheading.
décapiter (ìté) To behead.
décatir (kàtìr) To sponge.
decauville *m* Narrow-gauge railway.
décaver (kàvé) To beggar.
décédé, ée Deceased, dead.
décéder (sédé) To die (da[1]).
déceler To reveal [*décèle].
décembre *m* (aⁿ) December.
décence *f* (saⁿs) Decency.
décennal, ale Decennial.
décent, ente (saⁿ, aⁿt) Decent (dîsent), proper.
décentraliser (saⁿtràlizé) To decentralize (sè-la[i]z).
déception *f* Disappointment.
décerner (sèrné) To award.
décès *m* (sè) Decease, death.
décevoir To disappoint.
déchaîner (déshèné) To let* loose, to unbridle (a[1]).
déchanter To sing* small.
décharge *f* (shàrj) Unlading. Relief (lîf) [soulager]. Rebate [réduction]. Discharge [purge, élec.]. Volley [tir].
déchargement *m* Unloading.
décharger (shàrjé) To unload, to unlade*. To relieve [soulager]. To fire [tirer]. To dismiss [renvoyer]. To exculpate [*déchargeai, -geons].
décharné, ée Fleshless, lean.
décharner (sh) To emaciate.
déchaussé, ée Barefooted.
déchausser (shosé) To bare. To take* off the shoes.
dèche *f* [pop.] Beggary.
déchéance *f* (shéaⁿs) Forfeiture (fîtsher). Fall.
déchet *m* (shè) Waste (é[1]).
déchiffrer To decipher (disa[i]). To read* at sight.
déchiqueter (sh) To tear* [*déchiquette].
déchirant, te Heart-rending.
déchirement *m* Tearing.
déchirer (shî) To tear*, to rend*. To slander [médire].
déchirure *f* Rent, cleft.
déchoir* (shwàr) To fall*, to decline. To forfeit [droit] [*déchois, -choyons, -choient; -choyais, etc.; -cherrai, etc.; -choie, etc.; chu].
déchu, ue (shü) Fallen (au).
décidé Determined, resolute.
décider (sì) To decide (a[i]d), to settle. To persuade. **Se -** To make* up one's mind.
décigramme *m* Decigram.
décimer (sìmé) To decimate.
décimètre *m* Decimetre.
décisif (ìzìf) Decisive (a[i]).
décision *f* (zʸoⁿ) Decision.
déclamation *f* Declamation.
déclamatoire (wàr) Ranting.
déclamer (àmé) To declaim, to recite. To rant [péj.].
déclaration *f* Declaration.
déclarer (àré) To make* ... known, to declare. **Se -** To declare oneself. To break* out.
déclassé, ée Fallen (au).
déclasser To move from one class to another. To strike* off the list. To disrate.
déclencher (aⁿ) To ungear, start. To launch [attaque].
déclic *m* (ik) Catch, click.
déclin *m* (iⁿ) Decline (a[i]).

Wane [lune]. Ebb [marée].
déclinaison *f* (èzo^{n}) Declination [boussole]. Declension [grammaire].
décliner (ì) To decline (*a*^{1}). To state [nom, qualités].
déclivité *f* Slope, declivity.
déclouer (klûé) To unnail.
décocher (koshé) To dart.
décoction *f* Decoction.
décoiffer To take* off the hat. To undo* the hair.
décollation *f* Beheading.
décoller To behead [tête] (bihèd). To unglue, to part. To take* off [avion].
décolleter To bare the neck [**décollette*].
décolorer To discolour (kœ).
décombres *mpl* Rubbish (rœbish), debris.
décommander Countermand.
décomposer (ko^{n}pozé) To decompose. **Se -** To decay (ké^{1}).
décomposition *f* Decay (*é*^{1}).
décompte *m* (ko^{n}t) Deduction. Detailed account.
déconcerter To put* out.
déconfire (o^{n}) To discomfit.
déconseiller To dissuade.
déconsidération *f* Discredit.
-dérer To discredit.
décontenancer To abash [**décontenançai, -çons*].
déconvenue *f* Disappointment.
décor *m* (òr) Scenery (sîn).
décoratif, ive Decorative.
décoration *f* Decoration. Medal, star, badge [insigne].
décorer (òré) To decorate (dèk^{e}réit). To bestow on.
décortiquer (ìké) To decorticate. To husk, hull, shell.
décorum m (òròm) Decorum.
découcher (kû) To sleep* out.
découdre To unsew*, unstitch [*V COUDRE].
découler To trickle, flow. To proceed [venir].
découper (kû) To cut* out. To carve [viande]. To punch.
découplé, ée (û) Strapping.
-pler To unleash, uncouple.
découpure *f* Cutting out.
découragement Despondency.
-rager (ûràjé) To discourage.
Se - To lose* heart [**décourageai, -geons*].
découronner To discrown.
décousu, ue (ûzü) Unstitched. Disconnected.
découvert, erte (ûvèr, èrt) Uncovered, bare. *m* Overdraft.
découverte *f* Discovery.
découvrir* To discover, to find out. To uncover. To detect [*V. OUVRIR].
décrasser To clean, scour.
décrépit, ite Decrepit (it').
décrépitude *f* Decrepitude.
décret *m* (krè) Decree (*î*).
décréter To decree, enact [**décrète*].
décrier (ìé) To decry (*a*^{1}).
décrocher (òshé) To unhook.
décroiser (wà) To uncross.
décroissance *f* Decrease (îs).
décroître* (wàtr) To decrease (ìs), diminish [*V. CROÎTRE].
décrotter To clean, to polish.
-otteur Shoe-black (shou).
décrottoir *m* (wàr) Scraper.
décrue *f* (krü) Fall (faul).
déçu, ue (sü) Disappointed.
décuple (küpl) Tenfold. **-pler** To multiply tenfold.
dédaigner (èñé) To scorn.
dédaigneux (ñë) Scornful.
dédain *m* (i^{n}) Scorn, disdain.
dédale *m* (dàl) Maze (mé^{i}z).

dedans (d^{e}da^{n}) Inside (a^{i}d).
dédicace *f* (às) Dedication.
dédicacer (kà) To dedicate [* *dédicaçai, -çons*].
dédier (d^{y}é) To dedicate.
dédire* To retract, unsay* [*V. DIRE].
dédit *m* (dédî) Retractation. Breach [of contract]. Forfeit (fau$^{e r}$fit').
dédommager (àjé) To indemnify (fa^{i}). To make* good [**dédommageai, -geons*].
dédorer (dò) To ungild (g).
dédoubler To divide into two. To unline [vêtement].
déduction *f* (üks^{y}o^{n}) Deduction (didœksh^{e}n). Rebate.
déduire* (d^{u}îr) To deduce [idée]. To deluct [calcul] [**déduis*, etc.; *-sais*, etc.; *-sis*, etc.; *-rai*, etc.; *déduise*, etc.; *-sant; déduit*].
déesse *f* (déès) Goddess.
défaillance *f* (à^{y}a^{n}s) Failing, fainting. Failure [échec]. Default [manquement].
défaillant, ante *a* Defaulting. *mf* Defaulter.
défaillir (à^{y}îr) To faint. To fail [échec]. To default.
défaire* To undo*. To unpack. **Se -** To come* undone; *se - do*, to get* rid of [*V. FAIRE].
défaite *f* (èt) Defeat (difît). Evasion (j^{e}n), shift [ruse].
défalquer (àlké) To deduct.
défaufiler To unbaste.
défausser To straighten. **Se -** To get* rid, throw* out.
défaut *m* (fô) Defect. Default [manquement]. Lack [manque]. Flaw (flau) [paille].
défaveur *f* Discredit (it').
défavorable Unfavourable.
défection *f* Defection.
défectueux (tüë) Faulty.
défectuosité *f* (üò) Defect.
défendable (a^{n}) Defensible.
défendre (a^{n}dr) To defend. To forbid*, prohibit. **Se -** To defend oneself. *Se - de rire*, to forbear* laughing.
défense *f* Defence, protection. Prohibition. Tusk [dent]. *Légitime -*, self-defence.
défenseur (a^{n}sœr) Defender. Counsel [avocat].
défensif, ive Defensive (èn).
déférence *f* (a^{n}) Deference.
déférer To refer [jugement]. To inform against [prévenu]. *vi* To comply [*à* : with] [**défère*].
déferler (fèr) To unfurl [voile]. To break [vague].
déferrer (fèré) To unshoe*.
défets *mpl* Waste sheets.
défeuiller (œ^{y}é) To strip of leaves. **Se -** To shed* leaves.
défi *m* (î) Challenge (tshà).
défiance *f* (y$^{}$a^{n}s) Distrust.
défiant, ante Distrustful.
déficeler (fislé) To untie [**déficelle*].
déficit *m* (sît) Shortage.
défier To challenge, to dare. **Se -** To beware, distrust.
défigurer To disfigure.
défilé *m* (fì) Defile (a^{i}l) [gorge]. March past [mil.].
défiler (fì) To march past [mil.]. To unthread [perles]. **Se -** To take* cover. To come* unstrung.
défini, ie Definite (nit').
définir (nìr) To define (a^{i}n).
définitif, ive Definitive. Final.
définition *f* Definition.

déflagration *f* Deflagration.
déflation *f* Deflation.
défleurir (œrir) To take* off the blossoms. **Se** - To lose* its blossoms.
défoncer To stave in [fût]. To break* up [terrain] [**défonçai, -çons*].
déformation *f* Deformation.
déformer To put* out of shape. To distort. **Se** - To get* out of shape. To warp.
défraîchi, ie Shop-soiled.
défrayer To defray, amuse.
défricher To clear (klî^{er}), to break* up.
défriser (ìzé) To uncurl.
défroque *f* Cast-off clothing.
-quer To unfrock. **Se** - To give* up the frock.
défunt, te (*u*^{n}) Deceased.
dégagé (**jé**) Unconstrained.
dégager To redeem [racheter]. To rescue [délivrer]. To emit [lancer]. To release [relâcher]. **Se** - To free oneself. To issue [sortir].
dégaine *f* (gèn) Gait (gé^{i}t).
dégainer To unsheathe.
dégarnir To strip, unrig.
dégât *m* (gâ) Damage (idj).
dégel *m* (jèl) Thaw (**thau**).
dégeler To thaw [**dégèle*].
dégénérer (**jé**) Degenerate.
dégingandé (**ji**^{n}**ga**^{n}) Gawky.
déglutition *f* Swallowing.
dégommer To ungum. To oust.
dégonfler To deflate, empty.
dégorger (**jé**) To disgorge [**dégorgeai, -geons*].
dégourdi (ûr) Smart, sharp.
dégourdir To take* the chill off [eau]. To sharpen the wits of [pers.]. **Se** - To revive. To get* smarter.
dégoût *m* (*û*) Disgust (gœ).
dégoûter (gû) To disgust.
dégoutter (gûté) To drip.
dégradation *f* Degradation. Reduction to the ranks.
dégrader (àdé) To degrade. To reduce to the ranks. To shade off [ton], to vignette.
dégrafer To unclasp, unhook.
dégraisser (èsé) To take* the fat off. To thin [bouillon]. To clean [étoffe].
dégraisseur Dry-cleaner.
degré *m* Degree (grî). Step [escalier]. Stage [étape].
dégrèvement *m* Reduction.
dégrever (^{e}vé) To reduce. [**dégrève*].
dégringoler To tumble down.
dégriser (ì) To sober (o^{ou}).
dégrossir To rough-hew [pierre], rough down [bois].
déguenillé (g^{e}nì^{y}é) Ragged.
déguerpir (gèr) To make* off.
déguisement *m* Disguise (ga^{i}z). **-ser** To disguise.
déguster (ü) To taste (é^{i}).
déhanchement *m* Waddling gait. **-cher (se)** To waddle.
déharnacher To unharness.
dehors *ad* (d^{e}òr) *O*utside.
déjà (jà) Already. Yet.
déjeter (se) Warp [**déjette*].
déjeuner *m* (jœ) Breakfast (brèkf^{e}st). Lunch [midi]. *vi* To breakfast, lunch.
déjouer (jwé) To baffle.
delà (d^{e}là) Beyond (biyònd).
délabrement *m* (àbr^{e}ma^{n}) Ruin (rou^{i}n), decay.
délabrer To ruin, dilapidate.
delacer (àsé) To unlace [**délaçais, -çons*].
délai *m* (lè) Time allowed.
délaissement *m* Abandonment.

délaisser (èsé) To abandon. To forsake*; desert (ë).
délassement *m* Relaxation.
délasser (àsé) To relax.
délateur, trice Informer.
délation *f* Delation.
délaver Wash out [colour].
délayer (èyé) To dilute.
délectable (àbl) Delicious.
délecter (lèk) To delight. **Se -** To delight (dilaᶦt).
délégation *f* Delegation.
délégué, ée (gé) Delegate.
déléguer To delegate (éᶦt).
délester To unballast.
délétère Noxious (nokshᵉs).
délibération *f* Deliberation.
délibérer To deliberate [**délibère*].
délicat, ate (à, àt) Delicate. Fastidious [exigeant]. Embarrassing, ticklish.
délicatesse *f* Delicacy. *pl* Niceties [du langage].
délice *m* [*f* in plur.] (lîs) Delight (dilaᶦt).
délicieux, euse Delightful. Delicious [goût, parfum].
délictueux (tüë) Unlawful; acte -, offence.
délié, ée Slim, thin. Glib [langue].
délier To unbind*. Absolve.
délimiter To delimit, define.
délinquant, ante (iⁿkaⁿ, aⁿt) Trespasser, offender.
délirant, ante (ì) Frantic.
délire *m* Raving, frenzy.
délirer (îré) To rave (éᶦv).
délit *m* (lî) Offence (èns).
délivrance *f* (aⁿs) Delivery.
délivrer (ìvré) To set free.
déloger (ojé) To turn out [**délogeai, -geons*].
déloyal (lwà) Unfair, foul.
déloyauté *f* Disloyalty.
delta *m* (tà) Delta (dèltᵉ).
déluge *m* (üj) Deluge (youdj).
déluré, ée Wide-awake, smart.
délustrer (lü) To take* the gloss [the lustre] off.
démagogie *f* (jî) Demagogy (gi). **-gique** (jìk) Demagogic (gik) **-gogue** Demagogue.
démailloter To unswathe.
demain (dᵉmiⁿ) To-morrow (tᵉmoroᵒᵘ); *après-demain*, the day after to-morrow.
démancher (aⁿshé) To take* the handle off.
demande *f* (dᵉmaⁿd) Question. Request (kw). Application form. Proposal [mariage].
demander (aⁿdé) To ask for; - *qqch. à qqn*, to ask somebody something. To apply for [s'adresser]. **Se -** To ask oneself, wonder.
démangeaison *f* (jèzoⁿ) Itch.
démanger (aⁿjé) To itch [*démangea*].
démanteler To dismantle.
démarcation *f* Demarcation.
démarche *f* (àrsh) Step.
démarcheur (œr) Canvasser.
démarquer (ké) To mark down.
démarrer (mà) To unmoor, to unfasten. *vi* To start. **-rrage** *m* Starting. **-rreur** *m* Starter.
démasquer (ké) To unmask.
démâter To unmast, dismast.
démêlé *m* Difference, contest.
démêler To unravel (ràvᵉl). **-loir** *m* Large-toothed comb.
démembrement Dismemberment. **-brer** To dismember.
déménagement Removal (ou). **-nager** (nàjé) To move out [**déménageai, -geons*]. **-nageur** Furniture remover.

démence *f* (a^ns) Insanity.
démener (se) To struggle [**démène*].
dément, ente Insane (ìnséin).
démenti *m* (a^n) Denial (a^i).
démentir To deny (dina^i^) [*V. MENTIR].
démériter To lose* favour.
démesuré (zü) Inordinate.
démettre* To dislocate, to put* out of joint. To dismiss [renvoi]. **Se -** To resign [*V. METTRE].
demeure *f* (demœr) Dwelling, home. Delay [retard].
demeurer To live, stay.
demi, ie (demî) Half (**hâf**).
demi-cercle *m* Semi-circle. **- -jour** *m* Twilight. **- -mot** *m* Hint. **- -solde** *f* Half-pay. **- -soupir** *m* Quaver-rest.
démission *f* Resignation (g-n). **-ionner** To resign (zain).
demi-tour *m* Half-turn (ër) ; *faire -*, to turn about.
démobilisation *f* Demobilisation. **-liser** To demobilize.
démocrate *a* (krât) Democratic. *mf* Democrat.
démocratie *f* (sî) Democracy.
démodé (odé) Old-fashioned.
démoder (se) To go* out of fashion (fàshen).
demoiselle *f* (mwàzèl) Young lady (yœng léidi) ; spinster [célibataire]. Dragon-fly [insecte]. Paving-beetle.
démolir To pull down.
démolisseur (œ) Demolisher. House-breaker ; ship-breaker.
démolition *f* Pulling down. Rubbish (rœ) [débris].
démon *m* (o^n) Devil (dè).
démonétiser To withdraw*.
démonstratif Demonstrative. **-tration** *f* Demonstration.
démonter To take* to pieces. To undo*. To unhorse [cavalier]. To upset* [troubler].
démontrer To demonstrate.
démoraliser To demoralize.
démordre (démòrdr) To let* go, give* up.
démultiplication *f* Gear ratio.
démunir (mü) To leave* unprovided. **Se -** To part with.
démuseler (üz) To unmuzzle [**démuselle*].
dénaturé (tü) Unnatural. *Alcool -*, methylated spirit.
dénaturer (nà) To denature (néi). To distort [nouvelle].
dénégation *f*, **déni** *m* (nî) Denial (dinaiel).
déniaiser To sharpen the wits of. To sophisticate.
dénicher (ìshé) To take* out of the nest. To find* out.
denier *m* (denyé) Farthing. *- à Dieu*, earnest money.
dénier (dényé) To deny (a^i).
dénigrement Disparagement.
dénigrer To disparage.
dénombrement *m* Counting. Census (sènses) [popul.].
dénominateur Denominator.
dénommer To name (néim).
dénoncer (ò^n^sé) To denounce [**dénonçai, -çons*]. **-ciateur** Informer. **-ciation** *f* Denunciation. Notice.
dénoter To denote (ooout).
dénouement *m* (ûma^n^) Issue.
dénouer (wé) To untie (a^i). To unravel [débrouiller].
denrée *f* (da^n^ré) Commodity.
dense (da^n^s) Thick, dense.
densité *f* (a^n) Density (èn).
dent *f* (da^n^) Tooth (tou**th**) [*pl* teeth]. Prong [four-

che]. Notch [encoche]. Cog [roue].
dentaire, dental Dental.
denté, ée (daⁿ) Cogged.
denteler (daⁿtᵉ) To indent. To notch [*dentelle].
dentelle *f* (daⁿtèl) Lace.
dentelure *f* (ür) Indentation.
dentier Set of teeth.
dentifrice *m* Dentifrice. *Pâte -*, tooth-paste (éⁱ).
dentiste (aⁿ) Dentist (èn).
dentition *f* Cutting of teeth, teething. Dentition; teeth.
denture *f* (ü) Set of teeth.
dénuder (nü) To lay* bare.
dénuement *m* Destitution.
dénué, ée (nᵘé) Destitute.
dépanner (àné) To repair.
dépaqueter (àk) To unpack [*dépaquette].
dépareillé, ée (rèʸé) Odd.
déparer To undress. To mar.
déparier (rʸé) To unmatch.
départ *m* (àr) Departure.
départager (àjé) To decide [*départageai, -geons].
département *m* (àrtᵉmaⁿ) Department, line. County.
départir To distribute. **Se -** To part with [*V. PARTIR].
dépasser To go* beyond. To run* past. To exceed.
dépaver (pà) To unpave (éⁱ).
dépayser (pèìzé) To place in new surroundings, to exile.
dépecer (dépᵉsé) To cut* up [*dépèce].
dépêche *f* (èsh) Dispatch. *- télégraphique*, telegram.
dépêcher To dispatch. **Se -** To hurry (up), to hasten.
dépeindre* (iⁿdr) To depict [*V. PEINDRE].
dépenaillé (pᵉnàʸé) Ragged.
dépendance *f* (aⁿdaⁿs) Dependence. Outbuilding.
dépendant, ante Dependent.
dépendre To dépend [*de:* on]. To hinge. To take* down.
dépens *m* (paⁿ) Cost.
dépense *f* (aⁿs) Outlay (éⁱ). Expenditure. Pantry [office].
dépenser (aⁿsé) To spend*.
dépensier, ière *a* Extravagant. *mf* Spendthrift.
déperdition *f* (pèr) Loss.
dépérir To decline, pine.
dépétrer To extricate (éⁱt).
dépeupler To depopulate.
dépilatoire Depilatory.
dépiler To remove the hair.
dépister To track down [trouver]. To baffle [déjouer].
dépit *m* (pî) Spite (spaⁱt).
dépiter (pìté) To vex.
déplacé, ée Improper (prò).
déplacement *m* (àsmaⁿ) Removal. Transfer. *Frais de -*, travelling expenses.
déplacer (plàsé). To remove (ri), shift [*déplaçai, -çons].
déplaire* (èr) To displease.
-aisant, ante Unpleasant (èz). **-aisir** *m* (èz) Displeasure (èj) [*V. PLAIRE].
dépliant *m* (plìaⁿ) Folder.
déplier To unfold (oᵒᵘld).
déplisser To unpleat (ît).
déploiement *m* (wà) Display.
déplomber To unstop [dent]. To take* the seals off.
déplorer (ò) To lament.
déployer (plwàʸé) To unfold. To unfurl [voile, drapeau]. To spread* out [aile]. To deploy [mil.] [*déploie].
déplu*. V. DÉPLAIRE*.
déplumer (ü) To pluck. **Se -** To moult. To grow* bald.

dépolir To take* the polish.
dépopulation *f* Depopulation.
déport *m* (ôr) Backwardation. **-tation** *f* Transportation. **-ter** To deport [étranger].
déposant, ante Witness [témoin]. Depositor [banque].
déposer (ôzé) To put* down. To deposit [fonds]. To give* evidence [témoin].
dépositaire (tèr) Bailee.
déposition *f* (òzìsyon) Deposition. Evidence (ens).
déposséder (sédé) To dispossess (zès) [*dépossède].
dépôt *m* (pô) Deposit [fonds]. Warehouse [magasin]. Depot [mil.]. Sediment [matière].
dépotoir *m* (twar) Sump.
dépouille *f* (pûy) Skin. Booty. spoil [butin]. Remains.
dépouillement *m* Despoiling. Counting [vote]. Scrutiny.
dépouiller (ûyé) To skin [dépecer]. To strip [habit]. To cast* off [rejeter]. To go* through [documents].
dépourvu (ûrvü) Destitute.
dépravation *f* Depravity.
dépraver (àvé) To corrupt.
dépréciation *f* Depreciation.
déprécier To depreciate.
déprédation *f* Depredation.
dépression *f* Depression.
déprimer (ìmé) To depress.
depuis (pui) Since (sìns), from. *Depuis que,* since.
dépuratif, ive Depurative.
dépurer (pü) To purify.
députation *f* Deputation.
député (üté) Deputy; M. P.
déraciner (àsì) To root up.
déraillement *m* Derailment.
dérailler (âyé) To run* off the metals; *faire -,* derail.
déraison *f* (èzon) Folly.
déraisonnable Unreasonable.
déraisonner (èzo) To rave.
dérangement (anj) Trouble.
déranger (anjé) To trouble [*dérangeai, -geons*].
déraper (âpé) To skid.
derechef (shèf) Over again.
dérèglement *m* Disorder (*au*).
dérégler To disorder, put* out of order. To unsettle. **Se -** To get* out of order [*dérègle*].
dérider To smoothe, cheer.
dérision *f* (zyon) Derision.
dérisoire (zwàr) Laughable.
dérive *f* (rîv) Drift.
dériver (rî) To derive (ai). *vt* To drift; to swerve.
derme *m* (dèrm) Derm (dërm).
dernier, ère (dèrnyé) Last.
dernièrement Lately (léi).
dérober (obé) To steal* (îl). To hide* [cacher]. **Se -** To hide*, steal off. To swerve.
dérogation *f* Derogation.
déroger (ojé) To derogate.
dérouiller To take* the rust off. To brush up [langage].
dérouler To unroll, unfold.
déroute *f* (ût) Rout (aout).
dérouter (ûté) To baffle.
derrière (èryèr) Behind (bihaind). *m* Rear. Stern.
derviche (ish) Dervish (ë).
des Contract. of *de les.*
dès *prep* (dè) From, since.
désabuser (ü) To undeceive.
désaccord *m* Disagreement.
désaccoutumer Disaccustom.
désaffecter To turn to another use. To secularize.
désagréable (éà) Unpleasant.
désagréger To disaggregate [*désagrège*].

désagrément *m* Annoyance.
désaltérer To quench the thirst of. **Se** - To drink* [*désaltère].
désamorcer (zà) To unprime.
désappointement *m* Disappointment **-ointer** (pwinté) To disappoint.
désapprobation Disapproval.
désapprouver (zà) To blame.
désarçonner (sò) To unhorse.
désarmement *m* Disarmament.
désarmer (dézàr) To disarm (dizârm). To uncock [fusil]. To lay* up [vaisseau].
désarroi *m* (rwà) Confusion.
désarticuler To disjoint.
désassortir To unmatch.
désastre *m* (àstr) Disaster.
désastreux, euse Disastrous.
désavantage *m* Disadvantage. **-tager** To handicap. **-tageux, euse** Disadvantageous.
désaveu *m* (zàvë) Disowning.
désavouer (àvwé) To disown.
desceller (sè) To unseal (îl) [lettre]. To unloose [fer].
descendance *f* (andans) Descent (disènt). Posterity.
descendant, te *a* Descending. *mf* Descendant, offspring.
descendre (désandr) To descend (disènd), to go* down; to come* down [venir]. To alight (ait) [se poser]. To put* up [hôtel]. *vt* To take* down; to bring* down.
descente *f* (dèsant) Descent (disènt). Raid [attaque]. Down grade, hill [pente]. Rupture [hernie].
descriptif, ive Descriptive.
description *f* Description.
désemparer (zanpàré) To disable (zéib'l); *sans désemparer*, without stopping.
désenchanter (anshan) To disenchant (dizèntshânt).
désencombrer (an) To clear.
désennuyer (nuìyé) To amuse.
désensorceler (ansorselé) To free from a spell.
désentraver To untrammel.
déséquilibré Unbalanced.
désert *m* (èr) Desert (ert).
désert, te Desert, lonely.
déserter (zèrté) To desert (dizërt). **-erteur** Deserter.
désertion *f* Desertion.
désespérance *f* Despair.
désespéré Desperate.
désespérer To despair. *vt* To dishearten [*désespère].
désespoir *m* (zèspwàr) Despair (dispèer).
déshabiller To undress.
déshabituer Disaccustom.
déshériter (zé) Disinherit.
déshonnête (zò) Dishonest (zo). **-êteté** *f* Dishonesty.
déshonneur *m* (zònœr) Dishonour (dizoner).
déshonorant, te Disgraceful.
déshonorer To disgrace (éi).
désigner (zìñé) To appoint. To point out [indiquer].
désillusion *f* Disillusion. **-nner** (zyo) To undeceive.
désinence *f* (ìnans) Ending.
désinfecter To disinfect.
désinfection *f* Disinfection.
désintéressé Disinterested. **-ressement** *m* Selflessness. **-resser** To buy* out, indemnify. **Se** - To have no concern.
désinvolte *a* (zin) Off-hand. **-volture** *f* Off-handedness.
désir *m* (zîr) Wish, desire.
désirer (ziré) To desire (dizaier), to wish. To want.

désireux, se Desirous (za[i]).
désistement *m* Withdrawal.
désister (se) To desist (zi).
désobéir (zo) To disobey (s).
désobéissance *f* Disobedience.
désobéissant, te Disobedient.
désobligeant, te Disobliging.
-bliger To disoblige (a[i]dj).
désœuvré, ée (ëvré) Idle.
désœuvrement *m* Idleness.
désolation *f* (zò) Desolation.
désolé, ée Sorry. Dreary.
désoler To distress [sentiment]. Lay* waste [ruiner].
désopilant Side-splitting.
désordonné Disorderly.
désordre *m* (zòrdr) Disorder.
désorganiser To disorganize.
désorienter (yan) Bewilder.
désormais (mè) Henceforth.
désosser (zòsé) To bone.
despote (dèspòt) Despot.
despotique (îk) Despotic.
despotisme *m* Despotism.
desquels for *de lesquels*.
dessaisir (èzîr) To dispossess. **Se** - To give* up.
dessaisissement Abandonment.
dessécher (séshé) To dry up. **Se** - To wither (**zh**) [plante] [*dessèche].
dessein *m* (dèsin) Design (diza[i]n), purpose (pë[r]p[e]s).
desseller (sèlé) To unsaddle.
desserrer (sèré) To loosen.
dessert *m* (sèr) Dessert (dizë[r]t). **-erte** *f* Broken victuals [restes]. Side-table.
desservant Curate (kyou).
desservir To clear [table]. To serve [gare]. To harm, [nuire] [*V. SERVIR].
dessiller (sîyé) To open.
dessin *m* (dèssin) Design (diza[i]n). Pattern [modèle].
dessinateur, trice Draughtsman [-woman]. Designer.
dessiner To draw*; to design. **Se** - To stand* out.
dessouder (sû) To unsolder.
dessous *ad* (d[e]sû) Under, below. m Underpart. Bottom.
dessus *ad* (d[e]sü) On, over, above ([e]bœv). *De dessus*, from, off. *Ci-dessus*, above. *m* Upper part. Lid [couvercle].
destin *m* (tin) Fate (fé[i]t).
destinataire Addressee (sî) [lettre]. Consignee [colis].
destination *f* Destination.
destinée *f* Destiny, fate. **-iner** To intend, to destine.
destituer To discharge.
destitution *f* Dismissal.
destructeur, trice *a* Destructive. *mf* Destroyer (oy[e]r).
destruction *f* Destruction.
désuet, ète (z[u]è) Obsolete.
désuétude *f* (tüd) Disuse.
désunion *f* (zü) Disunion.
désunir To divide, disunite.
détaché, ée Unconcerned.
détachement *m* Unconcern, indifference. Detachment.
détacher (àshé) To unfasten (fâs'n). To separate. To detail [mil.]. To clean [nettoyer]. **Se** - To get* loose [se délier]. To part. To stand* out [relief].
détail *m* (ày) Detail (é[i]l). Retail [vente].
détaillant, ante Retailer. **-ller** To detail. To retail.
détaler To pack up, scamper.
déteignant. V. DÉTEINDRE*.
déteindre (tindr) To discolour. *vi* To fade, lose* colour [*V. TEINDRE].

dételer (elé) To unharness [*dételle].
détendre To relax, slacken.
détenir* To detain, to hold* [*V. TENIR].
détente *f* Relaxation. Cut off [machine]. Expansion [vapeur]. Trigger [fusil].
détenteur (antœr) Holder.
détention *f* Detention (di).
détenu, ue (enü) Prisoner.
détériorer To make* worse.
détermination Determination.
déterminer (èrmì) To determine (tërmìn); to settle. To ascertain [préciser]. To bring* about [causer]. **Se** - To make* up one's mind.
déterrer (èré) To unearth.
détester To detest, hate.
détonateur *m* Detonator (néi).
détonation *f* (nàsyon) Detonation (oneishen), report.
détoner (òné) To explode.
détonner To jar (djâr).
détordre, détortiller Untwist.
détour *m* (ûr) Turning (tër). Roundabout way. Shift, dodge [ruse]. *Sans* -, straight.
détourner (ûrné) To turn away. To avert (vërt) [écarter]. To embezzle [voler].
détournement Embezzlement.
détracteur, trice Detractor.
détraquer Put* out of order.
detrempe *f* (anp) Distemper.
détremper To dilute, drench.
détresse *f* (ès) Distress.
détriment *m* (an) Detriment.
détritus *m* (ìtüs') Refuse.
détroit *m* (trwà) Straight.
détromper (on) To undeceive.
détrôner To dethrone (**th**).
détrousser To rob [voler]. To untuck, let* down [pli].
détruire* (uir) To destroy [*détruis, etc.; -sais, etc.; -sis, etc.; -rai, etc.; détruise, etc.; -sant; détruit].
dette *f* (dèt) Debt (dèt) [owing]. Obligation.
deuil *m* (dœy) Mourning (**au**).
deux (dë) Two (tou); *tous les* -, both; - *fois*, twice.
deuxième (zyèm) Second (è).
dévaler (và) To run* down.
dévaliser (àlìzé) To rob.
devancer (ansé) To precede (issîd), to forestall (**aul**) [*devançai, -çons].
devancier ière Predecessor.
devant (devan) In front of [en face]. Before [en avant]; ahead. *m* Front; *aller* au-devant de*, to go* and meet*.
devanture *f* (antür) Front.
dévastateur, trice *a* Devastating. *mf* Ravager (aidjer).
dévastation *f* Devastation.
dévaster To lay* waste.
déveine *f* (vèn) Ill-luck.
développement *m* Development. Gear ratio [bicyc.].
développer (ve) To develop (divèlep). To spread* out [carte]. **Se** - To expand.
devenir* (devnîr) To become* : *que devint-il?* What became of him? [*V. VENIR]. *m* Growth, evolution.
dévergondage *m* Profligacy.
dévergondé Shameless.
devers prép. (devèr) Towards.
déverser (vèrsé) To slope. To warp [voiler]. To pour [verser]. **Se** - To flow.
dévêtir (vè) To undress.
déviation *f* Deviation.
dévider (vì) To wind* off.
dévidoir *m* Reel, winder.

dévier (v^{y}é) To deviate.
devin, ineresse (d^{e}vi^{n}, ìnrès) Sooth-sayer. Fortune-teller.
deviner (ìné) To guess (gès).
devinette *f* (ìnèt) Riddle.
devis *m* (vî) Chat. Estimate.
dévisager (jé) To stare at [**dévisageai, -geons*].
devise *f* (îz) Device (a^{i}s), motto. Currency [monnaie].
deviser (ìzé) To chat, talk.
dévisser To unscrew (skrou).
dévoiler (vwà) To unveil.
devoir* (d^{e}vwàr) To owe [dette]. Duty [moral]. Task [école]. [**dois*, etc.; *devais*, etc.; *dus*, etc.; *devrai*, etc.; *doive*, etc.; *devant*, *dû*].
dévolu *m* (ü) Choice, claim.
dévolution *f* (ü) Devolution.
dévorer To devour (va^{ouer}), to eat* up. To swallow.
dévot, ote (vô, vòt) Devout (diva^{ou}t). Devout person.
dévotion *f* (s^{y}o^{n}) Devotion.
dévouement *m* (vû) Devotedness; self-devotion.
dévouer (vwé) To devote (divo^{ou}t). **Se -** Devote oneself.
dévoyer (vwà^{y}é) To lead* astray. Warp [fausser] [**dévoie*].
devrai. V. DEVOIR*.
dextérité *f* Dexterity, skill.
diabète *m* (d^{y}àbèt) Diabetes (da^{ie}bîtîz). **-bétique** (tik) Diabetic (bî).
diable *m* (d^{y}àbl) Devil (dè).
diablerie *f* (bl^{e}rî) Devilry.
diablesse *f* She-devil.
diablotin *m* (òti^{n}) Imp (ìmp).
diabolique (d^{y}à) Devilish.
diaconat *m* (nà) Deaconship.
diaconesse Deaconess (dîk).
diacre (d^{y}àkr) Deacon (dî).
diadème *m* (^{y}à) Diadem (a^{ie}).
diagnostic *m* Diagnosis. **-ostiquer** (ké) To diagnose.
diagonal, ale (d^{y}à) Diagonal.
dialecte *m* (d^{y}à) Dialect (dà^{ie}). **-tique** *f* Dialectics.
dialogue *m* (d^{y}à) Dialogue.
diamant *m* (d^{y}àma^{n}) Diamond (da^{ie}m^{e}nd).
diamantaire Diamond-dealer.
diamètre *m* (d^{y}à) Diameter.
Diane *f* (d^{y}àn) Diana (a^{ie}). Reveille (rivèli) [réveil].
diantre (d^{y}a^{n}tr) The deuce!
diapason *m* (d^{y}àpàzo^{n}) Pitch, diapason (da^{ie}pé^{is}e^{n}).
diaphane (d^{y}à) Transparent.
diaphragme *m* (àgm) Midriff.
diaprer (d^{y}à) To variegate. **-prure** *f* (ü) Variegation.
diarrhée *f* (d^{y}à) Diarrhœa.
diatribe *f* (îb) Diatribe.
dictame *m* (tàm) Dittany.
dictateur (tà) Dictator (é^{i}).
dictature *f* Dictatorship.
dictée *f* (té) Dictation.
dicter To dictate (té^{i}t).
diction *f* (ks^{y}o^{n}) Diction.
dictionnaire *m* (diks^{y}ònèr) Dictionary (diksh^{e}neri).
dicton *m* (o^{n}) Saying.
didactique (îk) Didactic.
dièse *m* (d^{y}èz) Sharp (shâ^{r}p).
diète *f* (d^{y}èt) Diet (da^{i}t).
Dieu *m* (d^{y}ë) God.
diffamateur, trice Defamer.
diffamation *f* Libel (la^{i}).
diffamer (fàmé) To libel, slander, defame (difé^{i}m).
différé, ée Differed.
différence *f* (a^{n}s) Difference.
différencier Differentiate.
différend *m* (a^{n}) Difference.
différent, e Different (from).
différentiel *m* Differential.

différer To differ (dif^er), to be different. To defer, to put* off [retard.] [*-fère].
difficile (sîl) Difficult.
difficulté *f* Difficulty. Trouble.
difforme Deformed, misshapen. **-mité** *f* Deformity (*au*).
diffus, use (*fü, üz*) Diffuse.
diffuser (*üzé*) To diffuse (*you*z); broadcast* [T.S.F.].
diffusion *f* (*ü*) Diffusion (fy*ou*j^en). Broadcasting.
digérer (j) Digest (a^idjèst). Assimilate [science], swallow [affront] [*digère].
digestif, ive Digestive (dj).
digestion *f* (dì) Digestion.
digital, ale Digital; *empreinte digitale*, finger-print.
digitale *f* (jì) Fox-glove.
digne (ñ) Worthy. Dignified.
dignitaire (ñì) Dignitary.
dignité (ñ) Dignity (g-n).
digression *f* Digression (da^i).
digue *f* (dîg) Dike (da^ik).
dilapider To squander (skwond^er), waste, dilapidate.
dilatation *f* Dilatation (*té*^i).
dilater (dilàté) To dilate (da^ilé^it), to expand.
dilatoire (twàr) Dilatory.
dilemme *m* (èm) Dilemma.
dilettante (*a*^n) Dilettante.
diligence *f* (*ja*^ns) *I*ndustry, diligence. Stage-coach.
diligent, te Diligent (dj).
diluer (l^u*é*) To dilute (*you*).
dilution *f* (*ü*) Dilution (*you*).
diluvien, enne Deluvial.
dimanche *m* (*a*^nsh) Sunday.
dîme *f* (dîm) Tithe (ta^i**zh**).
dimension *f* (a^n) Size (a^i).
diminuer (ìn^u*é*) To diminish, to reduce, decrease.
diminutif, ive Diminutive.
diminution (ü) Diminution.
dinanderie *f* Copper wares.
dinde *f* **dindon** *m* Turkey; *f* turkey-hen, *m* -cock.
dîner *m* (*né*) Dinner (in^er).
dîneur (dìnœr) Diner (da^i).
diocèse *m* (d^yo) Diocese.
dioptrie *f* (d^yo) Dioptric.
diphtérie *f* Diphtheria.
diphtongue *f* (*o*^n) Diphthong.
diplomate (àt) Diplomat.
-matie *f* (màsî) Diplomacy.
-matique (tik) Diplomatic.
diplôme *m* (ôm) Degree.
diplômé, ée Certificated.
dire* (dîr) To say* (sé^i) [mot]. To tell* [conter]. *m* Speech, saying [**dis*, etc.; *disais*, etc.; *dis*, etc.; *dirai*, etc.; *dise*, etc.; *disant; dit*].
direct, ecte (dirèkt) Direct (da^irèkt), straight (stré^it); through [train].
directeur, trice *a* Controlling, managing. *mf* Director (da^i) [*f* directress], manager. Headmaster, -mistress [école].
direction *f* (dirèks^y*o*^n) Direction (da^irèksh^en), management. Control [méc.].
dirigeable *m* (jàbl) Dirigible.
dirigeant, ante *a* (dìrì*ja*^n) Leading. *m* Leader (lîd^er).
diriger (ìjé) To direct (da^i); to lead* [mener]; to plan [économie]. **Se -** To go*, to behave [**dirigeai, -geons*].
discernement *m* Discrimination; discernment.
discerner (sèr) To discern (dizë^rn), to discriminate. Perceive [voir], descry.
disciple (îpl) Disciple (a^i).
disciplinaire *a* (inèr) Disciplinary. *m* Disciplinarian.

discipline *f* Disciplin.
discipliner To discipline.
discontinuer Discontinue.
disconvenir* To disagree.
discordance *f* Discordance.
discorde *f* Discord, strife.
discorder To jar; to clash.
discourir* (diskû) To talk [*V. COURIR].
discours *m* (kûr) Speech.
discourtois (twà) Uncivil. **-toisie** *f* (twàzî) Rudeness.
discrédit *m* (dî) Discredit. **-éditer** To discredit (it').
discret, ète (è, èt) Discreet (krît); secret (sîkrit).
discrétion *f* Discretion.
disculper (skül) To excuse (kyouz), to exculpate.
discussion *f* (sküsyon) Discussion (kœshen), dispute.
discuter (kü) To discuss.
disert (èr) Éloquent (kwent).
disette *f* (zèt) Dearth (ërth).
diseur, euse Teller, reciter.
disgrâce *f* (âs) Disfavour.
disjoindre* (jwin) Disjoin [*V. JOINDRE].
disjoncteur *m* (jon) Switch.
disjonction *f* Disjunction.
dislocation *f* (kàsyon) Dislocation, breaking up.
disloquer (ké) To dislocate. To put* out of joint [membre]. To break* up [armée].
dispache *f* Average adjustment. **-acheur** Adjuster.
disparaître* To disappear [*V. PARAÎTRE].
disparition *f* Disappearance.
dispendieux, euse Expensive.
dispensaire *m* Dispensary; surgery
dispense *f* (ans) Exemption.
dispenser (an) To dispense.
disperser (pèr) To disperse.
dispersion *f* Dispersion (pë).
disponibilité *f* Availability; *pl* Liquid assets.
disponible Available (véi).
dispos (pô) Alert (elërt).
disposer (ôzé) To have, to use. **-sitif** *m* Device, appliance.
disposition *f* Disposition. Disposal (oouz'l) [service].
disproportion Disproportion.
dispute *f* (ü) Dispute (you).
disputer (üté) To contest. **Se -** To quarrel (kworel).
disqualifier (kà) Rule out.
disque *m* Disk. Record.
dissection *f* Dissection.
dissemblable Dissimilar.
disséminer (sé) To scatter.
dissension *f* Dissention.
dissentiment Disagreement.
disséquer (éké) To dissect [**dissèque*].
dissertation *f* Dissertation, discourse. Essay [classe].
disserter To discourse.
dissident, ente *a* Dissenting. *mf* Dissenter (sènter).
dissimulation *f* (ülà) Dissembling (zè); concealment.
dissimuler (ü) To dissemble. To conceal. **Se -** To hide*.
dissipation *f* Dissipation.
dissiper To dissipate. To dispel [chasser]. **Se -** To disappear. To get* dissipated.
dissocier (syé) To dissociate.
dissolu, ue (òlü) Dissolute.
dissolution *f* (ü) Dissolution. Solution (ou) [liquide].
dissolvant Dissolvent.
dissonance *f* Dissonance. Discord. **-onant** *a* Jarring.
dissoudre* (sûdr) To dissolve (zolv). To melt [**dissous,*

-solvons, etc. ; *-solvais*, etc. ; *-soudrai*, etc. ; *-solve*, etc. ; *-solvant*, *dissous*].
dissuader (sùà) To dissuade.
distance *f* (ans) Distance.
distancer To outrun* (œn) [**distançai*, *-çons*].
distant, ante (an) Distant.
distendre (an) To distend.
distillateur (tœr) Distiller.
-ation *f* Distilling.
distiller (ìlé) To distil.
distillerie *f* Distillery. Still-house [salle].
distinct, incte (tin, inkt) Distinct (tingkt).
distinctif, ive Distinctive.
distinction *f* Distinction.
distinguer (ingé) To distinguish. To honour. **Se -** To be seen. To distinguish oneself.
distraction *f* Absence of mind. Amusement (emyouz).
distraire* To divert (daì) [**distrais*, *-trayons*, *-traient* ; *-trayais*, etc. ; (no past t.) ì *-traie*, etc. ; *-trayant* ; *-trait*].
distrait, e Absent-minded.
-trayant (èy) Entertaining.
distribuer (bué) To distribute ; to deliver [lettres].
distribution *f* (ü) Distribution ; arrangement. Delivery.
district *m* (ikt) District.
dit, dite. V. DIRE*.
diurétique (dyü) Diuretic.
diurne (dyürn) Daily, day-.
divagation *f* Divagation.
divaguer (àgé) To wander.
divan *m* (an) Divan (vàn).
divergence *f* Divergence.
-gent, ente Divergent (daì).
diverger (dìvèrjé) Diverge [**divergeai*, *-geons*].
divers, erse (dìvèr, èrs) Varying. Various. Different. Miscellaneous [mêlé].
diversion *f* Diversion (ër).
diversité *f* Diversity.
divertir To divert, entertain. **Se -** To amuse oneself. **-tissement** *m* Entertainment.
dividende *m* (and) Dividend.
divin, ine (vin, în) Divine (vaìn), holy (hoouli).
divination *f* Divination.
diviniser (ìzé) To deify.
divinité *f* Divinity, deity.
diviser (vì) To divide (aì).
diviseur *m* (vì) Diviser (aì).
division *f* (vì) Division.
divorce *m* (dìvòrs) Divorce.
divorcer To divorce (vaurs) [**divorçai*, *-çons*].
divulgation *f* Divulgation.
divulguer (ülgé) Divulge.
dix *a* (dîs) [(di) before a consonant] Ten (tèn). *Dix-sept*, seventeen. *Dix-huit*, eighteen. *Dix-neuf*, nineteen.
dix-huitième Eighteenth.
dixième (zyèm) Tenth (tènth).
dix-neuvième Nineteenth.
dix-septième Seventeenth.
dizaine *f* (èn) Half a score.
do *m* (dô) C (si), do.
docile (sîl) Docile (saìl).
docilité *f* Docility (si).
dock *m* Dock, warehouse.
docte (dòkt) Learned (lër).
docteur (œr) Doctor (ter).
doctorat *m* Doctor's degree.
doctoresse Woman doctor.
doctrine *f* (în) Doctrine.
document *m* (üman) Document (kyoument).
dodo *m* Sleep ; bed ; bye-bye.
dodu, ue (dü) Plump (œmp).
doge *m* (dòj) Doge (dooudj).
dogme *m* (ògm) Dogma (ogme).

dogue *m* (dog) Mastiff.
doigt *m* (dwà) Finger (fingg^{er}). Toe (to^{ou}) [orteil].
doigté *m* (dwàté) Fingering. Tact. **-tier** *m* Finger-stall.
dol *m* Fraud (**fraud**).
doléance *f* (a^{n}s) Complaint.
dolman *m* (a^{n}) Jacket.
dolmen *m* (èn) Dolmen.
domaine *m* Estate, domain.
dôme *m* (dôm) Dome (do^{ou}m).
domesticité *f* Domesticity. Domestics *pl*, servants.
domestique *a* Domestic. *mf* Servant (sē^{r}v^{e}nt).
domestiquer To domesticate.
domicile *m* (sîl) Residence.
domicilier To domicile.
dominant, ante Dominant. **-nateur, trice** Overbearing.
domination *f* Domination.
dominer To rule (roûl), to master. To overlook [vue].
dominicain (ki^{n}) Dominican. **-ical** Dominical : *oraison dominicale,* the Lord's prayer.
domino *m* (ô) Domino (o^{ou}).
dommage *m* (àj) Damage; *quel dommage!* what a pity!
dompter (do^{n}) To tame (é^{i}).
dompteur, euse Tamer (té^{i}).
don *m* (do^{n}) Gift (**gift**).
donateur, trice Giver (**gi**).
donation *f* Donation, grant.
donc (o^{n}k) Then, therefore.
donjon *m* (o^{n}jo^{n}) Keep (îp).
donne *f* (dòn) Deal (dîl).
donnée *f* Datum [*pl* data].
donner (dò) To give (**giv**). To deal* [carte]. To strike* [coup]. To look [vue].
donneur, euse Giver (**gi**).
dont *pr* (do^{n}) Whose, of whom, to whom [personnes]. Of which, to which [choses].

dorénavant (a^{n}) Henceforth.
dorer (dòré) To gild* (**g**).
doreur, euse Gilder (**g**ild^{er}).
dorloter (oté) To coddle.
dormeur, euse Sleeper (sli).
dormir To sleep* (slîp) [**dors, dors, dort, dormons, -mez, -ment ; dormais,* etc. ; *dorme,* etc. ; *dormant*].
dorsal, ale (sàl) Dorsal (s'l).
dortoir *m* (twàr) Dormitory.
dorure *f* (ür) Gilding (**gi**).
dos *m* (dô) Back.
dose *f* (dôz) Dose (do^{ou}s).
doser (ôzé) To dose (do^{ou}s).
dossier *m* Back [chaise]. Record [notes]. Brief [avocat].
dot *f* (dòt) Dowry (da^{ou}).
dotation *f* Endowment (a^{ou}).
doter To endow, portion.
douaire *m* (dwèr) Dower (da^{ouer}). **-rière** Dowager.
douane *f* (dwàn) Customs (kœs). Custom-house. Duty. **-nier** Custom-house officer. **-ier, ière** *a* Custom-house.
double (dûbl) Double (dœ). *m* Duplicate (dœplikit).
doublé *m* Gold-plated metal.
doubler (dûblé) To double. To line [tissu]. To plate [métal]. To clear [cap]. To overtake* [auto].
doublure *f* (ür) Lining (la^{i}). Understudy [théât.].
douce. V. DOUX.
douce-amère *f* Bitter-sweet.
doucereux, euse Sweetish. Mawkish (mau) [fade].
douceur *f* (sœr) Sweetness, softness, mildness. V. DOUX. *pl* Sweet things, sweets.
douche *f* Shower-bath (a^{ou}).
doué, ée (dwé) Gifted (**g**).
douelle *f* (dwèl) Stave (é^{i}).

douer To endow (èndaou).
douille *f* (dûy) Socket. Case.
douillet, ette Soft. Cosy.
douleur *f* (dûlœr) Pain (péin); ache (éik). Sorrow [peine].
douloureux, euse Painful.
doute *m* (dût) Doubt (daout).
douter To doubt. **Se -** Suspect. Mistrust [se méfier].
douteux (dûtë) Doubtful.
douve *f* Stave [fût]. Moat [fossé]. Spearwort [plante].
doux, ouce (dû, dûs) Sweet [sucré]. Soft [tendre]. Mild [clément]. Smooth [lisse]. Gentle (djènt'l) [aimable]. Fresh [water]. *ad* Gently.
douzaine *f* (èn) Dozen.
douze (dûz) Twelve (twèlv).
douzième (zyèm) Twelfth.
doyen (dwàyin) Dean (dîn).
draconien (ko) Draconian.
dragage *m* (gàj) Dredging.
dragée *f* (jé) Sugar almond.
dragon *m* (àgon) Dragon [animal]. Dragoon [mil.].
drague *f* (dràg) Dredge.
draguer (gé) To dredge. **-eur** *m* Dredger. Mine-sweeper.
drain *m* (in) Drain (éin).
drainer (drèné) To drain.
dramatique (ìk) Dramatic.
dramaturge (ürj) Playwright.
drame *m* (àm) Drama (âme).
drap *m* (drà) Cloth [laine]. Sheet [lit].
drapeau *m* (pô) Flag.
draper (àpé) To drape (éi).
draperie *f* (drà) Drapery.
drapier Draper, clothier.
dressage *m* (àj) Training.
dresser (èsé) To train (éi) [éduquer]. To set* up, to raise [lever]. To lay* [table]. To draw* [plan]. **Se -** To rise* (raiz), to stand* up.
dressoir *m* (swàr) Sideboard.
drille *m* Fellow. Drill [méc.].
drisse *f* Halyard (haulyerd).
drogue *f* (drog) Drug (œ).
droguer (gé) To physic, dope.
droguerie *f* Drysaltery (au).
droguet *m* (gè) Drugget (œ).
droguiste (gist) Drysalter.
droit, oite (wà, àt) Straight (éit) [ligne]. Right (rait) [main, côté]. Upright, vertical. Righteous [juste].
droit *m* (drwà) Right (rait). Duty [taxe]. Law [science].
droitier *a* Right-handed.
droiture *f* (tür) Rectitude.
drôle *a* (ôl) Droll, funny. Queer (kwier) [bizarre]. *m* [*f* Drôlesse] Rogue (roougr).
drôlerie (drôlrî) Drollery.
dromadaire *m* Dromedary.
dru, ue (drü) Thick. Sturdy.
druide (uîd) Druid (ouid).
du (dü) Some [aff.]. Any [interr.].
dû (dü). V. DEVOIR*. Due (to).
dubitatif, ive Dubitative.
duc *m* (dük) Duke (dyouk). Horned owl [oiseau].
ducat *m* (dükà) Ducat (dœ).
duché *m* (shé) Dukedom (em).
duchesse *f* (sh) Duchess.
ducroire *m* Del credere.
ductile (düktîl) Ductile.
duègne *f* (duèñ) Duenna.
duel *m* (duèl) Duel (dyouel).
duelliste Duellist (dyouè).
dûment (dümân) Duly (dyou).
dune *f* (ü) Dune (you), down.
dunette *f* dü) Poop (poup).
duo *m* (düô) Duet (dyouit).
dupe *f* (düp) Dupe (dyoup).
duper To dupe.
duperie *f* (düperî). Dupery.

duplicata *m* (dü) Duplicate.
duplicité *f* Double-dealing.
duquel (kèl) Whose, of whom [pers.]. Of which [choses].
dur, dure (dür) Hard. Tough (tœf) [coriace]. Unfeeling [cruel]. Harsh [âpre]. Difficult. Hardboiled [œuf].
durable (düràbl) Lasting.
durant (üraⁿ) During (*you*).
durcir (dürsîr) To harden.
durée *f* (düré) Duration.
durer (düré) To last (â). To wear* well [tissu].
dureté *f* (dürté) Hardness; harshness. V. DUR.
durillon *m* (ìʸoⁿ) Corn.
duvet *m* (üvè) Down (aᵒᵘn).
duveté, duveteux Downy.
dynamique *a* (dinàmîk) Dynamic (daⁱnà). *f* Dynamics.
dynamisme *m* Dynamism.
dynamite *f* (di) Dynamite.
dynamo *f* (di) Dynamo (daⁱ).
dynastie *f* Dynasty (daⁱ).
dynastique Dynastic.
dysenterie *f* Dysentery.
dyspepsie *f* (sî) Dyspepsia.

E

eau *f* (ô) Water (wotᵉʳ). Rain (réⁱn) [pluie]. - *potable*, drinking water; *ville d'eaux*, watering place.
eau-de-vie *f* (ôdvî) Brandy.
eau-forte *f* (fòrt) Etching.
ébahir (àîr) To amaze (éⁱ).
ébarber (àr) To trim, pare; edge. To scrape [râcler].
ébats *mpl* (ébà) Frolic (frò).
ébattre* **(s')** To sport, to frolic; to frisk about [*ébats... ébattons, etc.].
ébaubir (ô) To flabbergast.
ébauche *f* (ôsh) Sketch.
ébaucher (shé) To sketch.
ébène *f* (èn) Ebony (èbᵉni).
ébéniste Cabinet-maker.
éberluer (ᵘé) To daze (éⁱ).
éblouir (éblûîr) To dazzle.
éblouissement *m* Dazzling. Dizziness [vertige].
ébonite *f* (î) Ebonite (aⁱt).
éborgner (ñ) To put* out one eye; to blind in one eye.
ébouillanter (ûʸaⁿ) Scald.
éboulement *m* (ûlmaⁿ) Fall, collapse. Landslip [terre].
ébouler (s') To fall*, to slip.
-lis *m* (ûlî) Fallen earth; fallen rocks. Rubbish.
ébouriffer To ruffle [plume]. To tousle [cheveu] (aᵒᵘz).
ébrancher To lop [branches].
ébranlement *m* Commotion.
ébranler (aⁿlé) To shake*. To set* going. **S'** - To start.
ébrécher To notch, impair [*ébrèche].
ébriété *f* (ìé) Drunkenness.
ébrouer (s') (ûé) To snort [cheval]. To paddle [oiseau]. To bran [laine].
ébruiter (brᵘité) To noise abroad. **S'** - To take* wind.
ébullition *f* (bül) Boiling.
écaille *f* (ékàʸ) Scale (skéⁱl) [poisson]. Shell [huître]. Splinter [bois].
écailler To peel off, chip.

écaillère (ékàɣèr) Oyster-seller. Oyster-woman.
écale *f* (àl) Shell. Husk.
écaler (àlé) To shell.
écarlate (àt) Scarlet (âr).
écarquiller (kiɣé) To open wide. - *les yeux*, to stare.
écart *m* (ékàr) Difference. Deviation. Swerve [cheval].
écarté, ée Secluded, lonely. *m* Ecarté [cartes].
écarteler Quarter [*-*tèle*].
écartement *m* Separation. Space. Gauge (géidj) [rail].
écarter To set* aside, to separate. To avert [danger]. To ward off [coup]. To discard [projet]. **S'** - To move aside. To make* way.
ecchymose *f* (èkì) Bruise.
ecclésiastique (zɣàstik) *a* Clerical. *m* Priest (prîst).
écervelé (ésèrvlé) Mad-cap.
échafaud *m* (éshàfô) Scaffold.
-dage *m* (dàj) Scaffolding.
-der To pile up, build* up
échalas m (àlà) Vine-prop.
échalier, -lis *m* Stile (ai).
échalote *f* (àlòt) Shallot.
échancrer (shan) To indent.
-crure *f* (ür) Opening.
échange m (éshanj) Exchange.
-anger To exchange (éindj) [*échangeai, -geons*].
échanson (shan) Cup-bearer.
échantillon *m* (éshantìɣon) Sample (sàmp'l) [morceau]. Pattern (pàtern) [modèle].
échantillonner To sample.
échappatoire *f* Shift, evasion.
échappée *f* Snatch. Vista.
échappement *m* (man) Escape (éi). Exhaust (igzaust).
échapper (ésh) To escape. **S'**- To escape.

écharde *f* (shàrd) Splinter.
écharpe *f* (éshàrp) Scarf (â). Sling [bras]. *En* -, aslant.
écharper To hack, slash.
échasse *f* (éshàs) Stilt (i).
échassier *m* Stilt-walker [pers.]. Wader (éi) [oiseau].
échaudé *m* (shô) Cracknel.
échauder To scald (skauld).
échauffer To heat, to warm. To incense [irriter]. **S'** - To grow* warm. To chafe [s'irriter].
échauffourée *f* Scuffle (œ).
échéance *f* (éshéans) Date (déit) [of maturity].
échéant (éshéan) Happening.
échec *m* (éshèk) Failure (féilyer) Defeat (difît). - *et mat*, checkmate. Pl. Chess.
échelle *f* (éshèl) Ladder. Scale (skéil) [mesure].
échelon *m* (éshlon) Rung (rœng), round (raound).
échelonner To spread* out.
écheniller (éshnîɣé) To rid* of caterpillars.
écheveau *m* (éshvô) Skein.
écheveler (éshevlé) Dishevel [**échevelle*].
échevin *m* (evin) Alderman.
échine *f* (éshîn) Backbone.
échiner To break* the back. **S'** - To toil. To fag.
échiquier *m* Chess-board.
écho *m* (ékô) Echo (èkou)
échoir* (éshwàr) To fall* due. To fall*, befall* [**échoit ; échéait ; échus*, etc. ; *écherrai*, etc. ; *échéant ; échu*].
échoppe *f* (sh) Booth, stall.
échopper To rout (raout).
échotier (ko) Gossip-writer.
échouage *m* (éshwàj), **échouement** *m* (ûman) Stranding.

échouer (éshwé) To run* ashore [navire]. To fail [échec].
éclabousser (bû) To splash.
éclaboussure *f* (ür) Splash.
éclair *m* (èr) Flash; *des éclairs,* lightning (laˈt).
éclairage *m* (àj) Lighting.
éclaircie *f* (sî) Clearing [bois]. Bright period [air].
éclaircir (èrsîr) To clear up. **S'** - To brighten. To thin (**th**)
éclaircissement *m* Enlightenment. Explanation.
éclairer (éklèré) To enlighten (ènlaˈtᵉn) [esprit]. To light [chemin]. To reconnoitre (oˈtᵉʳ) [mil.]. **S'** - To light up, to brighten.
éclaireur (èrœr) Scout.
éclat *m* (éklà) Burst (ë) [éclatement]. Splinter [fragment]. Crash [tonnerre]. Lustre. Renown. Scandal.
éclatement *m* Bursting (ë).
éclater (àté) To burst* (ë). To break* out [fléau].
éclectique (tîk) Eclectic.
éclipse *f* (îps) Eclipse.
éclipser To eclipse, outshine.
éclisse *f* Splinter. Fish-plate [rail]. Cheese-vat. **-isser** To splinter up. To fish [rail].
écloper (òpé) To lame (éˈ).
éclore* (òr) To be hatched [œuf]. To blow* [fleur]. [**éclot ; éclosent ; éclose,* etc., *éclos*].
éclosion *f* Hatching. Opening. Birth (**th**) [naissance].
écluse *f* (üz) Lock. **-ser** To lock. To pass [bateau].
éclusier (zʸé) Lock-keeper.
écœurement *m* Disgust.
écœurer (œré) To sicken.
école *f* (òl) School (skoul).
écolier, ère (òlʸé, èr) Schoolboy. School-girl.
éconduire (ᵘi) To dismiss. [**éconduis,* etc. ; *-duisais,* etc. ; *-duisis,* etc. ; *-duirai,* etc. ; *-duise ; -duisant ; -duit*].
économat *m* (mà) Stewardship. Bursar's office.
économe *a* (ònòm) Thrifty. *mf* Bursar (bëʳ), treasurer.
économie *f* Thrift (**th**), economy. *pl* Savings (séˈ).
économique Cheap (tshîp), economical. Economic [loi].
économiser (mìzé) To save.
économiste Economist.
écope *f* (òp) Scoop (skoup).
écoper To bale out. To cop.
écorce *f* (òrs) Bark (bâʳk).
écorcher (òrshé) To skin, to flay [dépecer] To scratch [égratigner]. To fleece (î) [voler]. To grate on [son]. To murder [langue].
écorcheur Flayer. Fleecer.
écorchure *f* (shür) Scratch.
écorner To break* the horns of. To dog's ear [livre]. To curtail (këʳtéˈl) [capital].
écornifleur Sponger, cadger.
écossais, aise (sè) Scottish. *mf* Scot; Scotchman, -woman.
Écosse *f* (òs) Scotland.
écosser To shell, to husk.
écot *m* (ô) Share; reckoning.
écoulement *m* (ékûlmaⁿ) Flow [eau]. Sale [vente].
écouler To sell*. **S'** - To flow away. To lapse [temps].
écourter (kûr) To shorten.
écoute *f* Listening-place
écouter (ûté) To listen to (sᵉn). **S'** - Coddle oneself.
écouteur Listener (lisᵉnᵉʳ). Receiver (sîv) [téléph.].

écoutille *f* (tîy) Hatchway.
écran *m* (ékran) Screen (în).
écrasement *m* Crushing.
écraser (âzé) To crush (œ). To run* over [auto]. To overwhelm. **S'** - To collapse.
écrémer To skim [*écrème].
écrémeuse *f* Separator.
écrémoir *m* Skimmer.
écrevisse *f* (evîs) Cray-fish.
écrier (s') To cry (ai) out.
écrin *m* (in) Case (kéis).
écrire* To write (rait). To write* down [noter] [*écris, écrivons, etc.; écrivais, etc.; écrivis, etc.; écrirai, etc.; écrive, etc.; écrivant; écrit].
écrit *m* (ékrî) Writing (ai).
écriteau *m* (tô) Bill, poster.
écritoire *m* (wàr) Inkstand.
écriture *f* (tür) Writing. Scripture [sainte]. Account.
écrivain *m* (in) Writer (ai).
écrou *m* Nut (œ). Jail-entry.
écrouelles *fpl* (ûèl) Scrofula.
écrouer (ûé) To imprison.
écrouir To cold-hammer.
écroulement *m* Collapse.
écrouler (s') To fall* in, to collapse. To crumble.
écru, ue (ü) Unbleached, raw.
écu *m* (ü) Shield (îld) [bouclier]. Crown [monnaie].
écueil *m* (ékœy) Reef (rîf).
écuelle *f* (ékuèl) Porringer.
éculer (ékülé) To wear* down at the heel.
écume *f* (éküm) Foam (fooum). Froth [mousse]. Dross [métal]. Scum [crasse].
écumer (ékümé) To foam. To skim [pot]. To scour [mer].
écumeux (më) Foamy, frothy.
écumoire *f* (ümwàr) Skimmer.
écureuil *m* (ürœy) Squirrel.
écurie *f* (éküri) Stable (éi).
écusson *m* (üson) Escutcheon.
écuyer (ékuié) Squire (skwaier) [noble]. Rider (raider) [cavalier]. Riding-master.
écuyère *f* (ièr) Horse-woman.
eczéma *m* (ègzéma) Eczema.
édenté, ée (anté) Toothless.
édicter (kté) To enact (indkt).
édicule *m* (ül) Small building.
édification *f* Edification.
édifice *m* (fîs) Building.
édifier (fyé) To build* (bild). To edify [vertu]. To inform.
édile *m* (îl) City magistrate.
Édimbourg (édinbûr) Edinburgh (èdinbere).
édit *m* (édî) Edict (îdikt).
éditer (ité) To publish (pœ).
éditeur, trice Publisher.
édition *f* (édisyon) Edition (idishen), publication.
Édouard (wàr) Edward (ed).
édredon *m* (edon) Eider-down
éducateur, trice Educator.
éducation *f* (ükàsyon) Education (youkéishen), breeding.
éduquer (üké) To bring* up. To educate (èdyou), to train.
effacer (àsé) To rub out, to efface. **S'** - To disappear. To fade [*effaçai, -çons].
effarer (àré) To scare (èer).
effaroucher (ûshé) To startle.
effectif, ive Actual (tyouel), effective. *m* Total strength.
effectuer (tué) To carry out.
efféminer (né) To effeminate.
effervescent Effervescent.
effet *m* (èfè) Effect (ifèkt). Purpose [but]. Impression. Bill [traite]. *En* -, indeed.
effeuiller (œyé) To pluck the leaves [petals] of. **S'** - To shed* leaves.

efficace (kàs) *a* Efficient (ishent), efficacious. *f* Effect. **-cacité** *f* Efficacy.
effigie *f* (jî) Effigy (dji).
effilé (ilé) Slender, slim. Sharp, pointed. *m* Fringe.
effiler To fray [tissu].
effilocher (shé) To fray.
efflanqué (ankè) Lean, lank.
effleurer (œré) To graze.
effluve *m* (üv) Emanation.
effondrement *m* Trenching. Subsidence. Collapse.
effondrer (ondré) To trench. **S'** - To fall* in. To collapse.
efforcer (s') To strive* [*efforçai, -çons*].
effort *m* (òr) Effort (èfert).
effraction *f* (syon) Breaking.
effraie *f* (èfrè) Owl (aoul).
effrayant, e *a* Dreadful.
effrayer (èyé) To frighten. To scare. **S'** - To take* fright.
effréné Unbridled (aideld).
effriter (ité) To crumble.
effroi *m* (èfrwà) Fright (ait).
effronté (onté) Bold, saucy.
effronterie *f* Impudence.
effroyable (frwà) Horrible.
effusion *f* (füz) Effusion.
égal, ale (àl) Equal; *cela m'est* -, I don't mind, - care.
égaler (àlé) To equal, match.
égaliser (àlizé) To equalize. To level (lèvel) [niveler].
égalité *f* Equality (ikwo).
égard *m* (àr) Regard (rigârd).
égaré, ée Stray, lost, misled.
égarement *m* Aberration.
égarer (àré) To mislead (lîd). To lose* [perdre]. **S'** - To lose* one's way, go* astray.
égayer (égèyé) To cheer up.
égide *f* (jìd) Ægis, defense.
églantier *m* [bush], **églantine** *f* [flower] Dog-rose. Sweetbriar [odorante].
église *f* (îz) Church (tshërtsh).
égoïsme *m* (ism) Egoism (ìz'm).
égoïste (òist) Selfish.
égorger (gòrjé) To cut* the throat of. Slaughter (slauter) [**égorgeai, -geons*].
égosiller (s') To shout oneself hoarse.
égout *m* (égû) Sewer (syouer).
égoutier *m* (ûtyé) Sewerman.
égoutter To drain, to dry. **-toir** *m* Drainer. Plate-rack.
égratigner (ñé) To scratch.
égratignure *f* (ñür) Scratch.
égrener To shell. To pick. To gin [coton]. **S'** - To scatter [**égrène*].
égrillard, arde Naughty.
Égypte *f* (éj) Egypt (îdj).
égyptien, enne Egyptian.
eh! *int* Well! Hullo!
éhonté, ée (éonté) Shameless.
élaborer (ré) To work out
élaguer (gé) To prune (oûn).
élan *m* (an) Spring. Impetus. Transport. Elk [animal].
élancé, ée (ansé) Slender.
élancement *m* (ansman) Transport. Twinge [douleur].
élancer To dart. To twitch [**élançai, -çons*].
élargir (jir) To widen, enlarge. To release [libérer].
élargissement *m* Widening. Discharge [prisonnier].
élastique (ik) Elastic.
électeur, trice Voter, elector. **-tion** *f* (syon) Election.
électricien Electrician.
électricité *f* Electricity.
électrique (ik) Electric.
électriser To electrify.
électrocuter Electrocute.

élégance *f* (aⁿs) Elegance.
élégant, te Elegant.
élégie *f* (jî) Elegy (dji).
élément *m* (maⁿ) Element. **-entaire** (tèr) Elementary.
éléphant *m* (faⁿ) Elephant.
élevage *m* (ᵉvàj) Breeding.
élévateur *m* (œr) Elevator.
élévation *f* Elevation, rise.
élève (èv) Pupil (pyou).
élevé, ée (èlvé) Raised. Lofty. *Bien* -, wellbred. **élever** (vé) To bring* up. To raise (réⁱz). **S'** - To rise* (raⁱz), get* up.
éleveur (vœr) Stock-breeder.
élimé (ìmé) Threadbare.
éliminer (ìné) To eliminate.
élingue *f* (éliⁿg) Sling.
élire* (élîr) To elect (il) [**élis, élisons*, etc.; *élisais*, etc.; *élus*, etc.; *élirai*, etc.; *élise*, etc.; *élisant*; *élu*].
élite *f* (ît) Elite, choice.
élixir *m* (îr) Elixir (ksᵉʳ).
elle (èl) She [sujet]. Her [compl.]. **elles** (èl) They [sujet]. Them [compl.].
ellipse *f* Ellipse (il).
éloge *m* (òj) Praise (éⁱz).
élogieux, se (jyë) Flattering.
éloigné (élwàñé) Distant.
éloignement *m* (ñᵉmaⁿ) Distance. Removal. Dislike.
éloigner (élwàñé) To remove. To put* away. To alienate [ami]. **S'** - To go* away.
éloquence *f* (kaⁿs) Eloquence (kwᵉns). **-quent** Eloquent.
élu, ue (élü) Elected.
élucider (ü) To clear up.
élucubration *f* Lucubration
éluder (ü) To evade, elude.
Élysée *m* (izé) Elysium (yᵉm). *a* Elysian (zìᵉn).
élytre *m* (ìtr) Wing-sheath.
émail *m* (émàʸ) Enamel (ìn).
émailler (àʸé) To enamel.
émanciper To emancipate.
émaner (àné) To emanate.
émarger (jé) To write* in the margin of. To receipt [**émargeai, -geons*].
emballage *m* (làj) Packing.
emballé Runaway [horse].
emballer (bàlé) To pack up. **S'** - To run* away; to bolt.
emballeur (aⁿbalœr) Packer.
embarcadère *m* Landing-stage. **-cation** *f* Craft, boat.
embardée *f* (aⁿ) Yaw, lurch.
embargo *m* (aⁿ) Embargo (èm)
embarquement *m* Shipment.
embarquer (ké) To embark, to take* on board. To ship. **S'** - *To* embark, go* on board.
embarras *m* (aⁿbàrà) Obstruction. Embarrassment. Trouble. **-assant** Cumbersome. Awkward (aukwᵉrd). **-assé** Hampered. Awkward.
embarrasser (aⁿbàràsé) To embarrass (èm). To puzzle.
embaucher (shé) To engage, to hire [hands]. To entice.
embauchoir *m* Boot-tree.
embaumer (ômé) To embalm.
embellie *f* Bright interval.
embellir (aⁿbèlir) To beautify (byoutifaⁱ), embellish.
embellissement Beautifying.
embêter To bore, annoy
emblaver To sow* with corn.
emblée (d') [aⁿblé) At once.
emblème *m* (aⁿblèm) Emblem.
emboîter (bwàté) To encase.
embolie *f* (aⁿ) Embolism.
embonpoint *m* Stoutness.
embouchure *f* (aⁿbûshür) Mouth. Mouth-piece [mus.].
embourber (ûr) To bog, mire.

embouteiller (èy*é*) To bottle [liquide]. To jam (dj) [rue].
emboutir To stamp, to press.
embranchement *m* Junction.
embrancher (shé) To join up.
embrasement Conflagration.
embraser (anbràz*é*) To set* ablaze. **S'** - To blaze up.
embrasse *f* Curtain-loop.
embrassement *m* Embrace.
embrasser (anbràs*é*) To hug. To embrace. **S'** - To kiss.
embrasure *f* Embrasure, door-way, window-recess.
embrayage *m* (èyàj) Clutch.
embrayer To couple (kœ).
embrigader (gà) To enlist.
embrocher (òshé) To spit.
embrouiller (ûy*é*) Entangle.
embrun *m* (anbrun) Spray.
embryon *m* (ion) *E*mbryo.
embûche *f* (anbüsh) *A*mbush.
embuscade *f* (kàd) *A*mbush.
embusquer (üsk*é*) To place in ambush. **S'** - To take* cover. *Un embusqué*, a shirker.
émeraude *f* (ôd) *E*merald.
émerger (èrj*é*) To emerge [**émergeai, -geons*].
émeri *m* (èm) Emery (èm).
émerillon *m* (iyon) Merlin.
émérite (érît) *E*minent.
émerveillement *m* (vèyman) Wonder (wœnder). **-veiller** To amaze. **S'** - To wonder at.
émettre (mètr) To utter [**émets; émis*, etc.; *émis*].
émeute *f* (ët) Riot (raiet). **-tier, ière** Rioter (raie).
émietter (émyè) To crumble.
émigrant, te (an) *E*migrant.
émigration *f* Emigration.
émigré, ée Refugee, exile.
émigrer To emigrate (éit)
éminence *f* (nans) *E*minence.
éminent (an) *E*minent (ent).
émissaire (sèr) *E*missary.
émission *f* (syon) Emission. Broadcast (braud) [T.S.F.].
emmagasiner (anm) To store.
emmailloter (àyò) Swaddle.
emmancher (anman) To haft. **-chure** *f* (shür) Arm-hole.
emmêler (anmè) To entangle.
emménager (jé) To move in [**emménageai, -geons*].
emmener (anm) To take* (away) to.
emmitoufler To muffle up.
émoi *m* (émwà) Emotion.
émolument *m* (üman) Salary.
émonder To prune (oû), lop.
émotion *f* (osyon) Emotion.
émoulu (ûlü) Sharp, fresh.
émousser (mû) To blunt (œ).
émoustiller (iy*é*) To rouse.
émouvoir (ûvwàr) To move (oû), touch (œ). To stir (ë) [**émeus, émouvons; émus*, etc.; *émeuve*, etc.; *ému*].
empailler (ày*é*) To stuff [oiseau]. To straw-bottom.
empan *m* (anpan) Span (àn).
empaqueter (àk) To pack up.
emparer (s') To seize (sîz).
empâter To paste. To fatten.
empattement Footing, base.
empatter To foot. To join.
empêchement *m* Impediment.
empêcher To prevent from.
empeigne *f* (anpèñ) Vamp.
empereur (anprœr) *E*mperor.
empeser (ez*é*) To starch (â) [**empèse*].
empester (èst*é*) To infect.
empêtrer To trammel, hobble.
emphase *f* (anfâz) Bombast.
emphatique (tìk) Bombastic.
emphysème *m* Emphysema.
empierrer To stone; to metal.

empiétement Encroachment.
empiéter To encroach (o^{ou}) [**empiète*].
empiffrer (a^npi) To stuff.
empiler (pì) To pile up.
empire *m* (a^npîr) Empire (èmpa[ier]). Control, power.
empirer (pì) To grow* worse.
empirique *a* Empiric (èmpi).
empirisme *m* Empiricism.
emplacement Site, location.
emplâtre *m* (a^n) Plaster.
emplette *f* (a^n) Purchase.
emplir (a^nplîr) To fill.
emploi *m* (plwà) Employment.
employé, ée (wàyé) Employee.
employer To employ, to use. **S'** - To endeavour [**emploie*].
employeur, euse Employer.
emplumer (ümé) To feather.
empocher (oshé) To pocket.
empoigner (a^npwàñé) To grip.
empois *m* (a^npwà) Starch.
empoisonnement Poisoning. **-sonner** To poison (z^en). **-sonneur, se** Poisoner (po[i]).
emporté Hot-headed. Runaway [cheval]. **-tement** *m* Transport, outburst.
emporte-pièce *m* Puncher.
emporter (a^nporté) To carry away. To transport. *L' - sur,* to get* the better of, surpass. **S'** - To fire up [pers.]. To run* away [cheval].
empourprer (ûr) To redden.
empreindre* (pri^ndr) To impress [**empreins, -eignons,* etc.; *-eignais,* etc.; *-eignis,* etc.; *-eindrai,* etc.; *-eigne,* etc.; *-eignant; -eint*].
empreinte *f* (i^nt) Impression: *-digitale,* finger-print.
empressé (èsé) Eager (îg).
empressement *m* Eagerness.
empresser (s') To hasten (hé[i]s^en), to busy oneself.
emprise *f* (îz) Hold (ho^{ou}).
emprisonnement *m* ($onma^n$) Imprisonment. **-onner** To imprison (ìmpriz^{e}n).
emprunt *m* (u^n) Loan (lo^{ou}n). **-unté** *Awkward* [gauche].
emprunter To borrow (ro^{ou}).
empuantir ($üa^n$) To infect.
ému, ue (émü) Moved (moûvd)
émulation *f* (mü) Emulation.
émule *mf* (ül) Rival (ra[i]).
émulsion *f* (ü) Emulsion (œ).
en *prep* (a^n) In (ìn) [à l'intérieur]: *en été,* in Summer. Into (ìntou) [pénétration, transformation]. Of [matière]. Like [comme]. At, to. *pron* Of him [her, it, them] *Donne m'en,* give* me some.
encablure *f* Cable's length.
encadrement Frame, framing.
encadrer (a^nkà) To frame (é[i]m). To officer [mil.]
encaisse *f* Cash-in-hand.
encaissé, ée (a^nkèsé) Deep [vallée]. Sunk [route].
encaissement m Collection.
encaisser To collect [argent]. To pack into cases.
encan *m* (a^n) Public auction.
en-cas *m* Emergency article. Small umbrella. Snack.
encastrer (a^n) To fix in.
encaustique *a, f* (a^nkoctik) Encaustic (ènkaustik).
enceinte ($a^n si^n$t) Pregnant (g-n). *f* Enclosure (j^{er}).
encens *m* ($a^n sa^n$) Incense.
encenser To incense (èns).
encensoir *m* (swàr) Censer.
encéphale *m* (séfàl) Brain.
encercler To encircle.
enchaînement *m* Train (é[i]).

enchaîner (shè) To chain up.
enchantement *m* Enchantment
enchanter (a^{n}sha^{nt}é) To enchant, to delight (dila^{i}t).
-anteur, anteresse Charmer. Enchanter, enchantress.
enchâsser To enshrine [relique]. To set* [diamant].
enchère *f* (a^{n}shèr) Bid.
enchérir To rise*. To bid*.
enchérisseur *m* Bidder.
enchevêtrer To entangle.
enclave *f* (àv) Enclave.
enclaver Enclose, enclave.
enclin, ine (kli^{n}, în) Prone.
enclore Enclose, fence in [*enclos, enclot; enclose*].
enclos *m* (a^{n}klô) Enclosure.
enclume *f* (üm) Anvil (àn).
encoche *f* (a^{n}kòsh) Notch.
encoignure *f* (oñür) Corner.
encolure (a^{n}kòlür) *f* Neck. Neck-opening.
encombrement *m* Obstruction. Traffic jam.
encombrer (o^{n}) To obstruct, encumber. To glut [marché].
encontre (à l') Against. Unlike [au contraire].
encorbellement *m* Corbelling.
encore Still [continuation]. Again (^{e}gé^{i}n) [de nouveau]. More [en plus]. *Pas -*, not yet.
encourager (a^{n}kûràjé) To encourage (ìnkœridj), cheer [*encourageai, -geons*].
encourir (ûrîr) To incur.
encrasser To dirty, clog.
encre *f* (a^{n}kr) Ink (ìngk).
encrer To ink.
encrier *m* Ink-pot.
encyclique *f* Encyclical.
encyclopédie *f* (a^{n}sìklòpédî) Encyclopœdia (sa^{i}kl^{e}pîd^{y}e).
endetter To get* into debt. (dèt). **S' -** To run* into debt.
endeuiller (dœ^{y}é). To sadden.
endiablé Possessed, wild.
endiguer (igé) To dam up.
endimanché (a^{n}dìma^{n}shé) In Sunday clothes.
endive *f* (a^{n}) Endive (èn).
endolori Aching, sore.
endommager (àjé) To damage [*endommageai, -geons*].
endormi (a^{n}dormi) Asleep.
endormir To put* to sleep. **S' -** To go* to sleep.
endos *m* (dô), **endossement** *m* Endorsement (èn).
endossataire (èr) Endorsee.
-osser To endorse [traite]. To put* on [veste]. **-osseur** Endorser (èndau^{r}s^{er}).
endroit *m* (a^{n}drwà) Place. Right side [face].
enduire (d^{u}îr) To coat, plaster, lay* over [*enduis*, etc.; *enduisais*, etc.; *enduisis*, etc.; *enduirai*, etc.; *enduise*, etc.; *enduisant, enduit*].
enduit (a^{n}d^{u}ì) *m* Coat (ko^{ou}t).
endurance *f* (ü) Endurance.
endurcir (dür) To harden.
endurer To endure (d^{y}ou^{e}).
énergie *f* (jî) Energy (dji).
énergique Energetic (djè).
énergumène A mad fellow.
énervement *m* Nervousness.
énerver (vé) To irritate, to get on one's nerves.
enfance *f* (a^{n}s) Childhood.
enfant *mf* Child (tsha^{i}ld). *pl* Children (tshildr^{e}n).
enfantement *m* Childbirth.
enfanter To bring* forth.
enfantillage *m* Childishness.
enfantin, e Childish (a^{i}).
enfer *m* (a^{n}fèr) Hell (**h**èl).
enfermer (èrmé) To shut* in.

enfiler To thread [aiguille]. To string* [perle]. To run* through [percer].
enfin (a^n^fi^n^) At last.
enflammer (àmé) To set* on fire. To inflame (eim). **S'** - To take* fire, flare up.
enfler (a^n^) To swell*. **S'** - To swell*. **-ure** *f* Swelling.
enfoncement *m* Sinking [action]. Recess (ri) [lieu].
enfoncer (a^n^fo^n^) To break* open [porte]. To drive* in [clou]. **S'** - To sink* [**enfonçai, -çons*].
enfouir (wîr) To bury (bè).
enfouissement *m* Burying.
enfourcher To bestride* [enjamber], pitch [fourche].
enfourner To put in an oven.
enfreindre* (i^n^) To break* [**enfreins, -eignons,* etc.; *-eignais; -eignis; -eigne,* etc.; *-eignant; enfreint*].
enfuir (s') To run* away [*V. FUIR].
enfumer To smoke [out].
engagement *m* (àjma^n^) Engagement (géidj). Fight.
engager (a^n^gàjé) To engage (ìngéidj). To urge [pousser]. To pawn [gage]. **S'** - To agree to, to promise. To enlist [mil.]. [**engageai, -geons*].
engeance *f* (a^n^ja^n^s) Brood.
engelure *f* (jlür) Chilblain.
engendrer (a^n^ja^n^) To beget*.
engin *m* (a^n^ji^n^) Tool. Snare.
englober (òbé) To include.
engloutir (glû) To swallow.
engorger (jé) To obstruct [**engorgeai, -geons*].
engouement *m* Obstruction. Craze (éi) [vogue].
engouer (gûé) To obstruct. **S'** - *de,* take* a fancy for.
engouffrer (a^n^gû) To engulf.
engourdir (gûr) To benumb (œm). **-issement** Numbness.
engrais *m* (a^n^grè) Manure (m^e^nyou^e^). Fattening food.
engraisser (èsé) To fatten.
engranger (a^n^jé) To garner [**engrangeai, -geons*].
engrenage *m* (àj) Gear (gi^er^).
enhardir (a^n^àr) To make* bold. **S'** - To get* bold.
énigme *f* Riddle (d^e^l).
enivrement (a^n^) *m* Rapture.
enivrer (a^n^nîvré) To intoxicate. **S'** - To get* drunk.
enjambée *f* (ja^n^) Stride (ai).
enjamber To stride* over.
enjeu *m* (a^n^jë) Stake (éik).
enjoindre* (jwi^n^) To enjoin [*V. JOINDRE].
enjôler To coax, wheedle.
enjoliver (jò) To beautify.
enjoué (a^n^jwé) Playful, lively. **-ment** *m* Playfulness.
enlacer (a^n^làsé) To entwine [choses], embrace [pers.] [**enlaçai, -çons*].
enlaidir *vt* (lè) To uglify. *vi* To grow* ugly (œgli).
enlèvement *m* Carrying off.
enlever (a^n^) To carry off, remove. Kidnap [**enlève*].
enliser (a^n^lizé) To sink* in the sands [or mud].
enluminer (ü) To illuminate.
ennemi, ie (ènmi) Hostile (ail). *mf* Enemy (èn^e^mi).
ennui *m* (a^n^n^u^î) Boredom. *pl* Trouble(s).
ennuyer (a^n^n^u^iyé) To bother. **S'** - To feel dull, to be bored.
ennuyeux Boring, dull.
énoncé *m* (o^n^sé) Statement.

énoncer To state (é^{i}t).
enorgueillir (s') (a^{n}nòrgœ^{y}ir) To be proud.
énorme (òrm) Huge (hyoudj).
énormité *f* Enormity (inau^{r}).
enquérir (s') To inquire [*enquiers, enquérons, etc.; enquérais, etc.; enquis, etc.; enquerrai, etc.; enquière, etc.; enquérant, enquis*].
enquête *f* (kèt) Inquiry.
enraciner To root.
enragé (ràjé) Mad, rabid.
enrager To go* mad. *Faire -*, to madden; to aggravate [*enrageai, -geons*].
enrayer (rè^{y}é) To skid. **S' -** To jam [roue]. To abate.
enrégimenter (jì) To enrol.
enregistrement *m* Record. **-istrer** To record, enter.
enrhumer (s') (a^{n}rümé) To catch* cold.
enrichir (a^{n}rish) To enrich. **S' -** To grow* rich.
enrober (ò) To wrap, coat.
enrôlement *m* Enlisting.
enrôler (a^{n}rô) To enlist, enrol. **S' -** To enlist.
enrouement *m* (a^{n}rû) Hoarseness. **-rouer** To make* hoarse. **S' -** To get* hoarse.
enrouler To roll up; coil.
ensabler To cover with sand.
ensanglanter (a^{n}sa^{n}gla^{n}) To stain with blood (œd).
enseigne *f* (èñ) Sign (a^{i}). Standard [mil.]. *m* Ensign.
enseignement *m* Teaching.
enseigner (sèñé) To teach*.
ensemble (a^{n}bl) Together (gèzh^{er}). *m* Whole (ho^{ou}l).
ensemencer (a^{n}sma^{n}) To sow* [*ensemençai, -çons*].
enserrer (sèré) To lock up.
ensevelir (a^{n}s^{e}v) To bury.
ensoleillé (òlè^{y}é) Sunny (œ).
ensorceler (a^{n}sòrslé) To bewitch [*ensorcelle*].
ensuite (s^{u}ît) Next, after.
ensuivre (s') To follow [*ensuit, ensuivi*].
entacher (àshé) To stain [salir, vitiate (shyé^{i}t).
entaille *f* (à^{y}) Notch [encoche]. Gash [blessure].
entailler To notch, gash.
entamer (à) To break* open; to make* the first cut in.
entasser (a^{n}tà) To pile up.
entendement Understanding.
entendre (a^{n}ta^{n}dr) To hear*. *- dire,* to hear that. To understand*. *S' - avec (qqn)*, to get along with...
entente *f* Understanding.
enter (a^{n}té) To graft (âft).
entérite *f* Enteritis (a^{i}).
enterrement *m* (a^{n}tèrma^{n}) Burial (bè^{e}ry^{e}l), funeral.
enterrer (ré) To bury (bè).
en-tête *m* (a^{n}tèt) Heading.
entêté Headstrong (hè).
entêtement *m* Obstinacy.
entêter To give* a headache. **S' -** To be stubbornly bent.
enthousiasme *m* (a^{n}tûzyàsm). Enthusiasm (ènthouzyàz^{e}m).
enthousiasmer To thrill (th). **S' -** To become* enthusiastic. **-siaste** *a* Enthusiastic. *mf* Enthusiast (ènthouzyàst).
enticher (shé) To infatuate.
entier, ière (a^{n}t^{y}é, èr) Whole (ho^{ou}l), entire (a^{ier}). *Nombre -,* integer (tidj^{er}).
entité *f* (a^{n}) Entity (èn).
entomologie *f* Entomology.
entonner (òné) To barrel. To strike* up [mus.].

entonnoir *m* (ònwàr) Funnel.
entorse *f* (a^{n}tòrs) Sprain.
entortiller (ti^y*é*) To wrap up (ràp), entangle [fil].
entourage (*à*j) Environment (*a*^{ie}) [lieu]. Set [groupe].
entourer (a^{n}tûr*é*) To surround by. To hem in [mil.].
entournure *f* (*ür*) Arm-hole.
entracte *m* (*à*kt) *I*nterval.
entraider To help one another.
entrailles *fpl* (*à*^{y}) Bowels.
entrain *m* (*i*^{n}) High spirits.
entraînement *m* Drive (a^{i}v). [poussée]. Allurement (*you*) [attrait]. Training [sport].
entraîner (a^{n}trèn*é*) To carry away. To allure (^{e}lyou^{er}). To train (tré^{i}n) [sport]. To involve [conséquence].
entraîneur Trainer. Pacer.
entrave *f* Shackle, fetter.
entraver To shackle, fetter.
entre (a^{n}tr) Between (twîn) [au milieu]. Among [parmi].
entrebâiller To half-open.
entrecouper To intersect. To break* [voix], interrupt.
entrecroiser (krwàz*é*) To interlace, interlock; cross.
entrée *f* (a^{n}tr*é*) *E*ntering [action]. *E*ntrance. Inlet [ouverture]. Admission [droit]. First course [plat]. *I*mport.
entrefaites *fpl* Meantime.
entregent *m* Social tact.
entrelacer To interlace, to intertwine [**entrelaçai, -çons*].
entremêler To intermingle.
entremets *m* (mè) Sweet (ît).
entremetteur, se Go-between.
-mettre* (s') To intervene.
entremise *f* (îz) Mediation; *par l'- de*, through (**th**rou).
entrepont *m* Between-decks.
entreposer To warehouse.
-sitaire Bonder [douane].
entrepôt *m* (a^{n}tr^{e}p*ô*) Store. Bonded warehouse [douane].
entreprenant Enterprising.
entreprendre* To undertake*. Attempt [*V. PRENDRE].
entrepreneur (^{e}nœr) Contractor. - *de maçonnerie*, master-mason; - *de pompes funèbres*, undertaker.
entreprise *f* Undertaking.
entrer (a^n) To enter (*è*n). To come* in [venir]. To go* in [aller dedans]. *vt* To get* in.
entresol *m* Mezzanine (mèdz^e).
entre-temps *m* (*a*^{n}) Meantime.
entretenir* To keep* up. To provide for [pourvoir]. To talk to. **S'** - To converse [*V. TENIR].
entretien *m* (^{e}ty*i*^{n}) Upkeep. Talk, conversation. Speech.
entrevoir* Catch* a glimpse of. To see* dimly [*V. VOIR].
entrevue *f* (^{e}v*ü*) Interview.
entrouvert, e (a^{n}trùvèr) Half-open. Ajar [porte].
entrouvrir* To half-open [**entrouvre*, etc.; *-ouvrais*, etc.; *-ouvrant*; *-ouvert*].
énumérer To enumerate.
envahir (a^{n}vàîr) To invade.
envahisseur (vài) Invader.
enveloppe *f* (a^{n}vlòp) Cover, wrapper (rà) Envelope (ènv^{e}lo^{ou}p). Jacket [méc.].
envelopper (lò) To wrap up (ràp). To envelop (vè).
envenimer (a^{n}vnim*é*) To poison (po^{i}z^{e}n). **S'** - To fester.
envergure *f* (g*ü*r) Spread.
enverrai. V. ENVOYER.
envers *m* (a^{n}ver) Wrong side. Back. *prép* Towards (**tau**).

envi (à l') With emulation.
envie *f* (a^{n}vî) Envy (ènvi) ; *avoir* -, to feel like -ing.
envier (v^{y}é) To envy, covet.
envieux Envious, covetous.
environ *ad* (a^{n}viro^n) About.
environner (rò) To surround.
environs *mpl* Neighbourhood.
envisager (jé) To consider [**envisageai, -geons*].
envoi *m* (a^{n}vwà) Sending [action]. Parcel (pâ^{r}s^{e}l) [colis]. Consignment, shipment. - *de fonds*, remittance.
envolée *f* (vò) Flight (a^{i}t).
envoler (s') To fly* away.
envoûtement *m* (vût) Spell.
envoûter To bind* by a spell.
envoyé Messenger. Envoy
envoyer (a^{n}vwà^{y}é) To send*; [**envoie; enverrai*]. **-yeur** Sender. Remitter [fonds].
épagneul *m* (ñœl) Spaniel.
épais (épè), **sse** Thick (**th**).
épaisseur *f* (èsœr) Thickness. **-ssir** *v* To thicken. **-ssissement** *m* Thickening.
épanchement *m* (a^{n}sh) Pouring out (pau^e). Effusion.
épancher (épa^{n}shé) To pour out. To shed*. To open [cœur]. **S' -** To flow out. To unbosom oneself [secret].
épandre* (a^{n}dr) To spread* (sprèd). **S' -** To spread*.
épanoui, ie (ànwî) Blown [fleur]. Beaming [visage].
épanouir (s') (épànwîr) To blow* (o^{ou}), to open.
épargne *f* (àrñ) Thrift [vertu]. Saving [argent]. *Caisse d'-*, savings bank.
épargner (àrñé) To save [argent]. To spare [ennemi].
éparpiller (^{y}é) To scatter.
épars, arse (épàr, àrs) Scattered (ska). Straggling.
épatant, te (épà) Stunning.
épaté Amazed. Flat [nez].
épater To flatten [aplatir]. To stun (stœn) [étonner].
épaule *f* (ôl) Shoulder.
épauler To back [ami]. To level (lèv^{e}l) [arme].
épaulette *f* (pô) Shoulder-strap. Epaulette [uniforme].
épave *f* (épàv) Wreck (rèk).
épée *f* (épé) Sword (sau^{er}d).
épeler To spell* [**épelle*].
éperdu (èrdü) Wild (wa^{i}ld).
éperlan *m* (èrla^n) Sparling.
éperon *m* (ép^{e}ro^n) Spur (ë^r).
éperonner (òné) To spur (ë).
épervier *m* Hawk (**hau**k).
éphèbe *m* (éfèb) Youth (**th**).
éphémère *a* (éfémèr) Short-lived. *m* Day-fly (fla^i).
épi *m* (épî) Ear [blé]. Cob [maïs]. Cluster [fleur].
épice *f* (épîs) Spice (a^{i}s).
épicé, ée Spicy (a^{i}si), hot.
épicer To spice. To make* hot [**épiçai, -çons*].
épicier, ière (s^{y}é, èr) Grocer.
épicurien, enne Epicurian.
épidémie *f*, **épidémique** *a* Epidemic (dèmik).
épiderme *m* (dèrm) Cuticle (kyoutik^{e}l). Skin (skìn).
épier (ép^{y}é) To watch, spy.
épieu *m* (ép^{y}ë) Spear (i^{er}).
épigastre *m* Epigastrium.
épiglotte *f* Epiglottis.
épigramme *f* (am) Epigram.
épilatoire (wàr) Depilatory.
épilepsie *f* Epilepsy.
épiler (ilé) To depilate.
épilogue *m* (log) Epilogue.
épinard *m* (àr) Spinach (idj).
épine *f* (în) Thorn (**thau**^{r}n),

— *dorsale*, backbone, spine.
épingle *f* (iⁿgl) Pin (pìn).
épingler (iⁿglé) To pin.
épinière (nyèr) Spinal (*a*ⁱ).
épinoche *f* Stickleback.
Épiphanie *f* Epiphany.
épique (épik) Epic.
épiscopal (pàl) Episcopal.
épiscopat (pà) *m* Episcopate.
épisode *m* (zòd) Episode (oᵒud). **-dique** Episodic (so).
épisser (sé) To splice.
épissure *f* (sür) Splice.
épistolaire Epistolary. **-olier, ère** Letter-writer.
épitaphe *f* (àf) Epitaph.
épithète *f* (tèt) Epithet.
épître *f* (ître) Epistle (is'l).
épizootie *f* (zotî) Murrain.
éploré, ée (òré) Tearful.
éployé, ée (wàyé) Outspread.
éplucher (üshé) To pick.
épluchure *f* Paring; orts.
épointer (épwiⁿté) To blunt.
éponge *f* (oⁿj) Sponge (dj).
épopée *f* (òpé) Epic (èpik).
époque *f* (òk) Epoch (îpok).
époumoner (épûmòné) To make breathless.
épouse *f* (épûz) Wife (waⁱf).
épousée *f* (zé) Bride (aⁱd).
épouser (ûzé) To marry. To join [parti]. To fit.
épousseter (ûsté) To dust [*époussète].
épouvantable Appalling. **-vantail** *m* (tày) Scarecrow.
épouvante *f* (vaⁿt) Terror. **-vanter** To appal (ᵉpaul).
époux *m* (épû) Husband (hœzbᵉnd). *pl* Husband and wife.
éprendre* **(s')** Fall* in love [*de* : with] [*V. PRENDRE].
épreuve *f* (œv) Trial (*a*ⁱ). Test. Proof [impr.].
épris, ise (éprî, îz) Fond.
éprouver *vt* (ûvé) To try (aⁱ), test. *vi* To feel* (fîl).
éprouvette *f* Test-tube.
épuisement *m* (épᵘizmaⁿ) Exhaustion (igzaustshᵉn).
épuiser (pᵘi) To exhaust (igzaust). To drain [liquide]. **S' -** To become* exhausted. To dry up [source].
épuisette Landing-net [filet]. Scoop [écope].
épurer (ü) To purify, clean.
équarrir (kà) To square (èᵉr).
équarrisseur Knacker.
équateur (ékwatœr) Equator (kwéⁱ). **-tion** *f* Equation.
équatorial (wà) Equatorial.
équerre *f* (kèr) Square.
équestre (ékè) Equestrian.
équilatéral Equilateral.
équilibre *m* (ékìlibr) Equilibrium (ikwili), balance.
équilibrer To balance (lᵉns). **-briste** Equilibrist (ikwi).
équinoxe *f* (ki) Equinox.
équipage *m* (ékipàj) Retinue [suite]. Carriage. Equipment (ikwi). Crew (krou) [mar.].
équipe *f* (ékîp) Team (tîm).
équipement *m* (ékîpmaⁿ) Equipment (kwi); outfit, kit.
équiper (ékipé) To fit out; to equip (ikwip).
équitable (ki) Equitable.
équitation *f* Horsemanship.
équité *f* (ki) Equity (kwi).
équivalent (ékivàlaⁿ) Equivalent (ikwi), tantamount.
équivaloir (wàr) To be equivalent to [*V. VALOIR].
équivoque *a* (kì) Equivocal. *f* Misunderstanding.
érable *m* (àbl) Maple (méⁱ).
érafler *v*, **éraflure** *f* Graze.

éraillé (yé) Frayed. Hoarse.
ère *f* (èr) Era (iere).
éreinter (érinté) To break* the back of. To knock up [lasser]. To slate [critiquer].
ergot *m* (èrgô) Spur [coq].
ergoter (èrgoté) To cavil.
ériger (érijé) To erect [**éri-geai, -geons*].
ermitage *m* (àj) Hermitage.
ermite (èrmit) Hermit.
érosion *f* (òz) Erosion (jen).
errer (èré) To wander (wonder), to stray.
erreur *f* (èrœr) Error. Mistake.
erroné Erroneous, wrong.
éructer (ükté) To belch.
érudit (üdî), **ite** Learned (lër). *mf* Scholar (skoler).
érudition *f* Erudition, science.
éruption *f* (üp) Eruption.
érysipèle *m* Erysipelas.
escabeau *m* (èskàbô) Stool.
escadre *f* (àdr) Squadron. (skwodren). **-drille** *f* (iy) Flotilla [mar.]. Squadron [air]. **-dron** *m* Squadron.
escalade *f* (làd) Scaling. **-ader** To climb over (klaim); to scale (skéil).
escale *f* (àl) Port of call; *faire - à*, to call at.
escalier *m* (èskàlyé) Stairs.
escalope *f* (èskàlòp) Collop.
escamoter (òté) To juggle away (djœgel), to palm off.
escamoteur (èskà) Juggler.
escapade *f* (èskàpàd) Prank.
escarbille *f* Half-burnt cinder.
escarboucle *f* (bû) Carbuncle.
escarcelle *f* Money-bag, scrip.
escargot *m* (èskàrgô) Snail.
escarmouche *f* Skirmish.
escarpe *f* Scarp. *m* Cut-throat.
escarpé, ée Steep (stîp).
escarpement *m* Steep slope.
escarpin *m* (pin) Pump, shoe.
escarpolette *f* (èt) Swing.
escarre *f* (àr) Scab (skàb).
escient *m* (yan) Knowledge.
esclandre *m* (andr) Scandal.
esclavage *m* (àvàj) Slavery.
esclave *mf* (àv) Slave (éiv).
escompte *m* (ont) Discount.
escompter To discount.
escopette *f* (èt) Blunderbus.
escorte *f* (èskòrt) Escort.
escorter To escort (aurt).
escouade *f* (wàd) Squad (od).
escrime *f* (îm) Fencing.
escrimer (ìmé) To fence. **S' -** To fence, strive* (aiv).
escroc *m* (èskrò) Swindle.
escroquer (ké) To swindle.
escroquerie *f* Swindling.
espace *m* (às) Space (éis).
espacer Set* apart, space [**espaçai, -çons*].
espadrille *f* Canvas sandal.
Espagne *f* (àñ) Spain (éin). **-gnol, ole** *a* Spanish (spà). *m* Spaniard. **-gnolette** *f* Hasp.
espèce *f* (ès) Kind (kaind), *pl* Specie (spishi), cash.
espérance *f* (érans) Hope.
espérer (ré) To hope (*que*, that); *- qqch.*, to hope for sth.
espiègle (pyègl) *a* Roguish (roougish). *mf* Rogue.
espièglerie *f* Roguishness.
espion, ne (yon) Spy (ai).
espionnage *m* (yònàj) Spying. **-ner** To spy. *vt* To spy on.
espoir *m* (wàr) Hope (hooup).
esprit *m* (èsprî) Spirit. Soul [âme]. Mind [pensée]. Wit [finesse]. Meaning [sens].
esquif *m* (èskif) Skiff.
esquille *f* (kiy) Splinter.
esquimau (mô) Eskimo (moou).

esquisse *f* (èskîs) Sketch.
esquisser (ìsé) To sketch.
esquiver (kìvé) To dodge.
essai *m* (ésè) Trial (a[i]el). Attempt [effort]. *E*ssay [écrit].
essaim *m* (*i*n) Swarm (**au**rm).
essaimer (èmé) To swarm.
essayage *m* (èyàj) Testing, trying on [vêtement].
essayer (ésèyé) To try (a[i]). To test [éprouver]. To try on [vêtement] [*essaie].
essayiste *E*ssay-writer.
essence *f* (èsans) *E*ssence. Petrol [auto]].
essentiel (syèl) Essential.
essieu *m* (èsyë) *A*xle-tree.
essor *m* Soaring (sauer); flight (a[i]t). Progress.
essorer (òré) To dry (dra[i]).
essoufflé (sû) Breathless.
essoufflement *m* Panting.
essuie-glace *m* Screenwiper. **-main** *m* (ui) Towel (taou).
essuyer (uiyé) Wipe (wa[i]p) [*essuie].
est *m* (èst) East (îst).
estacade *f* (kàd) Breakwater.
estafette *f* (àfèt) Courier.
estafilade *f* Cut (œt'), gash.
estaminet *m* Public house.
estampe *f* (anp) Print [gravure]. Stamp (àmp) [outil].
estamper To stamp, fleece.
estampille *f* (anpiy) Stamp.
esthétique *a* (té) Æsthetic (isthètik). *f* Æsthetics.
estimation *f* (yon) *E*stimate.
estime *f* (îm) Esteem (îm).
estimer To esteem [morale]. To estimate [calcul].
estomac *m* (òmà) Stomach (œ).
estomper (on) To stump (œ).
estrade *f* Platform.
estragon *m* (àgon) Tarragon.
estropié (òpyé) Crippled. *mf* Cripple. **-pier** To cripple.
estuaire *m* (tuèr) Estuary.
esturgeon *m* (jon) Sturgeon.
et *conj* (è) And (ànd).
étable *f* (àbl) Cattle-shed. Sheep-house. Pig-sty (a[i]).
établi *m* (étàblî) Bench.
établir To establish. To set*, settle. To make* out [compte]. **S' -** To settle (sètel).
établissement *m* (isman) Establishment. Concern [firme]. Settlement [colonie].
étage *m* (àj) Story, floor (**au**).
étagère *f* (jèr) Shelf.
étai *m* (étè) Prop, shore.
étain *m* (étin) Tin (tìn). Pewter (pyou) [alliage].
étal *m* (étàl) Stall (st**au**l).
étalage *m* (àlàj) Display.
étale (étàl) Slack [marée].
étaler (àlé) To display, to show* off. **S' -** To sprawl.
étalon *m* (étàlon) Stallion (àlyen) [cheval]. Standard [mesure] **-onner** To gauge.
étambot *m* (bô) Stern-post.
étamer To tin (tìn') [étain]. To silver [mercure].
étameur (àmœr) Tinner. Tinker [ambulant]. Silverer.
étamine *f* (în) Stamen [bot.]. Bunting [tissu]. Strainer.
étanche (ansh) Tight (a[i]t).
étançon *m* (on) Prop, shore.
étang *m* (étan) Pond, pool.
étape Stage (é[i]dj), march.
état *m* (étà) State (sté[i]t). Status (es) [civil]. Calling [métier]. Statement [liste].
état-major (étàmàjor) Staff.
États-Unis (étàzünî) United States (youna[i]tid sté[i]ts).
étau *m* (étô) Vice (va[i]s).

étayer (èyé) Prop [*étaie].
etc., et cetera Et cetera.
été *m* (été) Summer (sœmer).
éteignoir *m* (étèñwàr) Extinguisher (tìngwìsher).
éteindre* (étindr) To put* out, extinguish. To quench [soif]. To exterminate. To redeem [dette]. **S -** To go* out, To die out [mourir] [**éteins, éteignons,* etc.; *-gnais; -gnis; -gnant, éteint*].
étendard *m* (andàr) Standard.
étendre (andr) To stretch. **S' -** To stretch, spread*.
étendu, ue (andü) Outspread. Extensive (ènsiv) [savoir]. *f* Extent (ènt), extension.
éternel, elle (nèl) Eternal.
éternité *f* Eternity (itër).
éternuer (èrnué) To sneeze.
éther *m* (étèr) Ether (îth).
éthéré (té) Ethereal (thî).
éthique (tik) Ethic (èthik), ethical. *f* Ethics.
ethnique (èt) Ethnic (èth).
éthyle *m* (étîl) Ethyl (th).
étiage *m* (étyaj) Low water.
Étienne (étyèn) Stephen (îv).
étinceler (inslé) To sparkle (spârkel) [**étincelle*].
étincelle *f* (èl) Spark (â).
étioler (s') To etiolate.
étique (étik) Consumptive.
étiqueter (étikté) To label (lébel) [**étiquette*].
étiquette *f* (kèt) Label (éi). Etiquette, ceremonial.
étirer (tì) To stretch out.
étoffe *f* (tof) Stuff (œf), material (ieryel), fabric.
étoffer To stuff; to fill.
étoile *f* (étwàl) Star (âr).
étoilé Starry [nuit]. Starshaped. Cracked [fêlé].
étole *f* (étòl) Stole (ooul).
étonnant (onan) Surprising. Amazing. Wonderful.
étonnement *m* (man) Wonder.
étonner To surprise. To amaze. **S' -** To wonder.
étouffement *m* (étûfman) Suffocation, stifling. **-ouffer** To suffocate, stifle (ai).
étouffoir *m* (ûfwàr) Damper.
étoupe *f* (ûp) Tow, oakum.
étoupille *f* Match, fuse.
étourderie *f* (ûrderî) Thoughtlessness, blunder [erreur].
étourdi Absent-minded. Giddy.
étourdir (étûrdîr) To daze (déiz), to make* dizzy. **S' -** To forget*. **-issant** Stunning. **-issement** *m* Giddiness.
étourneau *m* (nô) Starling.
étrange (anj) Strange (éi).
étranger, ère (jé, èr) Strange. Foreign (forìn). *mf* Foreigner [d'une autre nation]. Stranger (éindjer) [inconnu].
étrangeté *f* Strangeness.
étrangler (an) To strangle.
étrave *f* (étràv) Stem.
être* (ètr) To be*. *Est-ce que?* ne se traduit pas en anglais. Ex.: *Est-ce que tu sais?* Do you know [sais-tu?] *N'est-ce pas?* se traduit par un auxiliaire suivi de *not* si la proposition précédente est affirmative. Ex.: *Tu peux, n'est-ce pas?* You can, can you not? [**suis, es, est, sommes, êtes, sont; étais,* etc.; *fus, fus, fut, fûmes, fûtes, furent; serai,* etc.; *sois, sois, soit, soyons, soyez, soient; étant; été*].
être *m* Being (bi-ing); *l'Être Suprême,* God.

étreindre* (*i*ndr) To grasp [*étreins, -eignons, etc.; -gnais, etc.; -gnis, etc.; étreigne; -gnant; étreint*].
étreinte *f* (*i*nt) Grasp; hug.
étrenne *f* (èn) Gift. Christmas box. **-enner** To handsel.
étrier *m* (ié) Stirrup (ep).
étrille *f* (iy) Curry-comb. **-iller** (ìyé) To curry.
étriper (ìpé) To gut (œt).
étriqué Skimpy, tight.
étrivière *f* Stirrup-leather.
étroit, te (étrwà) Narrow, tight. **-oitesse** *f* Narrowness.
étrusque (*ü*) Etruscan (œ).
étude *f* (*ü*d) Study (œdi). Office [bureau]. Essay.
étudiant, ante (üdy*a*n, *a*nt) Student, undergraduate.
étudier (étüdyé) To study (œ). **S' -** To watch oneself.
étui *m* (étui) Case, cover.
étuve *f* (*ü*) Sweating-room. Drying-room; dry stew.
étuver To dry; disinfect.
étymologie *f* Etymology.
eucalyptus *m* Eucalyptus.
eucharistie *f* (ëkàristî). Eucharist (youkerist). **-istique** (ik) Eucharistic.
eunuque (ënük) Eunuch.
euphémisme *m* Euphemism.
Europe *f* (ëròp) Europe (yourep). **-opéen, enne** (péin, èn) European (pîen).
eux *mpl* (ë) Them (**zh**èm).
évacuation *f* Evacuation.
évacuer (kué) To evacuate.
évader (s') (àdé) Escape.
évaluation *f* Valuation. **-luer** (àlué) To value, estimate.
évangélique Evangelical.
évangéliser (évanjélizé) To evangelize (ivàndjelaiz).
évangile *m* (anjîl) Gospel.
évanouir (s') (ànwîr) To vanish [partir]. To faint, swoon [défaillir]. **-ouissement** *m* Fainting. Vanishing.
évaporer (pò) To evaporate (ivaperéit). **S' -** Evaporate.
évasé Bell-mouthed.
évasement *m* (*a*n) Widening.
évaser To widen the opening of. To splay; to flare [jupe].
évasion *f* (àz) Escape (éi).
évêché *m* (shé) Bishopric [dignité]. Bishop's palace.
éveil *m* (évèy) Awakening.
éveillé (èyé) Awake (éik).
éveiller To wake up, to rouse. **S' -** To wake* up.
événement *m* (ènm*a*n) Event.
éventail *m* (antày) Fan (à).
éventaire *m* (antèr) Stall.
éventé Flat, stale [fade].
éventer (évanté) To fan, to air [aérer]. To find* out [trouver]. To let* out [révéler]. **S' -** To get* flat.
éventrer To gut, rip open.
éventualité *f* (antuàlité) Contingency, occurrence.
éventuel (tuèl) Possible.
évêque (évèk) Bishop.
évertuer (s') To strive*.
évidence *f* (d*a*ns) Evidence.
évident, ente Obvious (yes).
évider To hollow, scoop out.
évier *m* (évyé) Sink (si**ngk**).
évincer (*i*n) To oust [*évinçai, -çons*].
éviter (vì) Avoid (evoid).
évocation *f* (kà) Evocation.
évoluer (ølué) To evolve. To manœuvre (menouver).
évolution *f* (üsy*o*n) Evolution (oushen). Turn (ë).
évoquer (òké) To call up.

exact (ègzà), **acte** Exact. Accurate (àkyou) [précis].
exactitude ÷ (tüd) Exactitude (tyou), accuracy.
exagérer (jé) To exaggerate. [*exagère].
exaltation f Exaltation.
exalter (àlté) To exalt (ault). To rouse, excite.
examen m (ègzàmin) Examination (igzàminéishen).
examinateur, trice Examiner.
examiner (ègzà) To examine.
exaspérer To exasperate, to madden [*exaspère].
exaucer (ègzôsé) To grant, to hear [prière].
excavation f Excavation.
excavatrice f Steam shovel.
excédent m (èksédan) Surplus (sërples), excess.
excéder To exceed (îd). To tire out, overtax [*excède].
excellence f (ans) Excellence. Excellency [titre].
excellent (èlan) Excellent (èkselent). Delicious.
exceller (sèlé) To excel.
excentricité f (èksan) Eccentricity (èksen). **-trique** a m Eccentric (èn).
excepté (èksèpté) Except.
excepter To except (iksèpt).
exception f Exception.
exceptionnel Exceptional.
excès m (sè) Excess (ès).
excessif, ive Excessive.
excitation f Excitation.
exciter (ìté) To excite.
exclamation f Exclamation.
exclamer (s') To cry out.
exclure (klür) To exclude (kloûd). **-usif** (üzif), **ive** Exclusive (ousiv). **-usion** f Exclusion (oujen) [*exclus, -ut, -uons, etc.; uais, etc.; exclus; exclue; -uant; exclu].
excommunier (ünyé) Excommunicate (you). **-nication** Excommunication (myou).
excrément m (an) Excrement.
excroissance f Excrescence.
excursion f (ürsyon) Trip.
excuse f (üz) Excuse (yous).
excuser (küzé) To excuse (youz). **S'** - To apologize.
exécrable (à) Detestable.
exécrer To detest [*exècre].
exécutant (kü) Performer.
exécuter (ègzéküté) To perform, execute. To carry out [mission]. To put* to death. **S'** - To comply [obéir].
exécuteur, trice Executor.
-utif, ive Executive. **-ution** f Execution, performance.
exemplaire a (ègzanplèr) Exemplary. m Copy [livre].
exemple m (gzanpl) Example; instance [cas]. *Par* -, for instance.
exempt, te (ègzan) Exempt.
exempter (anté) To exempt.
-ption (psyon) Exemption.
exercer (ègzèrsé) To exercise. To drill [mil.]. To practise [méd.]. To carry on [métier]. To exert [force]. **S'** - To practise [*-çai, -çons].
exercice m (sîs) Exercise. Drill. Practice. *-financier*, financial year.
exhalaison f (ègzàlèzon) Exhalation (èkseléishen).
exhaler (zàlé) To exhale (èks-héil), to emit.
exhausser (ôsé) To raise.
exhiber (ègzìbé) To show*.
exhibition f Showing [off].
exhortation f Exhortation.

exhorter (ègzòr) To exhort.
exhumer (ègzü) To exhume.
exigence *f* (ègzijans) Exigence. Exaction (àkshen).
exiger (j) To exact, require [*exigeai, -geons].
exil, exiler Exile (eksail).
existence *f* (tans) Existence.
exister To exist (igzist).
exonérer To discharge.
exorbitant, te Exorbitant.
exorciser (sì) To exorcise.
-cisme *m* (sîsm) Exorcism.
exorde *m* Exordium (yem).
exotique (ik) Exotic (gzo).
expansif, ive (an) Expansive.
expansion *f* Expansion.
expatrier (ié) To exile (ail).
expectative *f* Expectancy.
expectorer To expectorate.
expédient, ente *a m* (édyan) Expédient (îdyent).
expédier To forward (fauerwerd). To draw* up [acte].
expéditeur, trice *a* Sending. Shipping [par mer]. *mf* Sender, consigner. Shipper.
expédition *f* (isyon) Expedition (ishen). Forwarding, consignment. Shipment. Copy [acte]. **-ionnaire** Sender, consigner. Shipper. Copying-clerk [commis].
expérience *f* (éryans) Expirience. Experiment [essai]. **-rimenter** To experiment.
expert *a* (pèr) Expert (ërt). *mf* Expert (èkspert).
expertise *f* (îz) Valuation.
expertiser To value (you).
expiation *f* Expiation.
expier To expiate, atone.
expiration *f* Expiration.
expirer (pì) To expire (ai).
explicable (à) Explicable.
explication *f* Explanation.
expliquer (ké) To explain.
exploit *m* (wà) Feat (fît').
exploitation *f* Working. Estate [terrain].
exploiter (èksplwàté) To exploit (oit). To work [mine]. To cultivate. To turn into account. To sweat [ouvrier].
explorateur, trice Explorer. **-ation** *f* (às) Exploration.
explorer (òré) To explore.
exploser (ôzé) To explode.
explosif *a m* Explosive.
explosion *f* (ôz) Explosion.
exportateur, trice *a* Exporting. *mf* Exporter. **-ation** *f* Exportation. Export.
exporter To export (auert).
exposé *m* (osé) Statement.
exposer To show*, exhibit. To set* forth [plan]. To expose (poouz) [vie, phot.].
exposition *f* (syon) Show, exhibition. Exposure [phot.].
exprès, esse (prè, ès) Express. *adv* On purpose.
express *m* Express train.
expressif, ive Expressive.
expression *f* Expression.
exprimer (ìmé) To express. To squeeze out (skwîz) [suc].
expropriation *f* Purchase under compulsion. **-oprier** To expropriate, to purchase under compulsion.
expulser (ülsé) To eject, turn out. **-ulsion** *f* (ülsyon) Expulsion, ejection.
expurger (jé) To expurgate [*expurgeai, -geons].
exquis, ise (kì) Exquisite.
exsangue (ang) Bloodless.
extase *f* (àz) Ecstasy.
extasier (s') To go* into

raptures. To be ravished.
extension *f* (aⁿ) Extension.
exténuer (nüé) To exhaust.
extérieur, eure Exterior.
extermination *f* Extermination. **-iner** To exterminate.
externat *m* (nà) Day-school.
externe *a* (èrn) Exterior, outside *m* Day-boy [élève].
extincteur *m* (iⁿktœr) Fire-extinguisher.
extinction *f* (iⁿksyoⁿ) Extinction. Liquidation [dette]. - *des feux,* blackout. - *de voix,* aphony.
extirper To extirpate.
extorquer (ké) To extort. **-sion** *f* (syoⁿ) Extortion.
extra (trà) Extra. First rate.
extraction (yoⁿ) *f* Extraction.
extradition *f* Extradition.
extraire (extrèr) To extract [**extrais, -ait, -ayons,* etc.; *-ayais,* etc.; *-aie,* etc.; *-ayant; extrait*].
extrait *m* (trè) Extract.
extraordinaire (àòrdìnèr) Extraordinary (aurdinᵉri).
extravagant (aⁿ) Absurd.
extrême (èm) Extreme (îm).
extrémité *f* Extremity.
extrinsèque (èk) Extrinsic.
exubérant (ègzü) Exuberant.
exulter (ègzülté) To exult.
exutoire *m* (twàr) Outlet.
ex-voto *m* Votive offering.

F

f (èf) F (èf).
fa *m* (fà) Fa (fâ), F (èf).
fable *f* (fàbl) Fable (éⁱ).
fabricant (aⁿ) Manufacturer.
fabrication *f* (kà) Making, manufacture (nyou-tshᵉʳ).
fabrique *f* (fàbrîk) Manufactory (àktᵉri), works. Make [façon]. *Marque de -,* trademark. **-iquer** (ìké) To make*.
fabuleux, euse (fàbülë, ëz) Fabulous (fàbyoulᵉs).
façade *f* (fâsàd) Front (œnt).
face *f* (fàs) Face (féⁱs). *En - de,* in front of, opposite; *faire* -, to meet*, to face.
facétie *f* (sî) Joke (djoᵒᵘ).
facette (sèt) *f* Facet (it').
fâcher (shé) To make* angry. **Se** - To get* angry, quarrel.
fâcheux, se Annoying. *m* Bore.
facile (fàsîl) Easy (îzi).
facilité *f* (ìté) Ease (îz).
faciliter To make* easy.
façon *f* (soⁿ) Fashion (shᵉn). Make [travail]. Manner, way. *Des façons,* ceremony.
façonner (fàsòné) To make*, to shape. To form train.
fac-similé *m* Facsimile (li).
factage *m* (àj) Carriage.
facteur, trice (œr) Postman, postwoman. Factor [math.].
faction *f* Faction. Watch [garde]. *En -,* on duty.
factum *m* (tòm) Factum (tᵉm), pamphlet (pànflit).
facture *f* (fàktür) Invoice [note]. Make, workmanship.
facturer (türé) To invoice.
facultatif, ive Optional.
faculté *f* (külté) Faculty (fà-

kelti). Option [Bourse].
fadaise *f* (dèz) Nonsense.
fade (àd) Insipid, tasteless.
fadeur *f* (œr) Insipidity.
fagot *m* Bundle of sticks.
fagoter To bind* [lier]. To dress ridiculously.
faible (fèbl) Weak (wîk). Slight (ait) [léger]. Faint [voix]. *m* Foible [penchant].
faiblesse *f* (ès) Weakness. Slightness. Faintness.
faiblir (fèblîr) To weaken.
faïence *f* (fàyans) Earthenware (ërthenwèer).
failli *m* (fàyî) Bankrupt.
faillible (fày) Fallible (fà).
faillir* (fàyîr) To fail. *Il a failli me tuer*, he nearly killed me [*faux, faut, faillons; faillais*, etc.; *faillant*].
faillite *f* (fàyît) Failure (féilyer), bankruptcy.
faim *f* (fin) Hunger (hœnger): *j'ai -*, I am hungry.
faîne *f* (èn) Beechnut, mast.
fainéant (fènéan) Idle, lazy. *m* Sluggard, idler (ai).
fainéantise *f* Idleness.
faire* (fèr) To make* [fabriquer]. To do* [accomplir]. *Il fait* froid*, it is cold. *Qu'est-ce que ça fait?* What does it matter? **Se -** To be done*; *il peut se faire* que*, it may happen that [**fais, fait, faisons, faites, font; faisais*. etc.; *fis*, etc.; *ferai; fasse*, etc.; *faisant; fait*].
faisable (fezàbl) Feasible (î).
faisan (fezan), **ane** Pheasant (fèzent). Hen-pheasant *f*.
faisander To make* gamy.
faisceau *m* (fèsô) Bundle. Stack [fusils]. Pencil [lumière]. Fasces [licteur].
faiseur, euse (fezœr, ëz) Maker, doer. Bluffer [péj.].
fait *m* (fè) Fact (fàkt), deed (dîd). *Sur le -*, in the act.
fait, te (fè, fèt) Made, done (dœn). Accustomed. Gamy [gibier]. *C'est bien fait* pour toi*, serve you right. *C'en est - de moi*, it's all over with me.
faîte *m* (fèt) Top, ridge.
faix *m* (fè) Burden (bërden).
fakir (kîr) Fakir (kier).
fallacieux, euse Fallacious.
falloir* (fàlwàr) To be necessary; *il faut qu'elle parte*, she must go* [impers. **faut; fallait; fallut; faudra; faille; fallu*].
falot *m* (fàlô) Lantern.
falot, ote Odd, droll. Weak.
falsification *f* Falsification.
falsifier (fàlsìfyé) To falsify (faul), corrupt (œ).
famé, ée (fà) Famed (féimd).
famélique (lik) Starving.
fameux, euse (fàmë, ëz) Famous (féimes), celebrated.
familial, ale Homely (hoou).
familiarité *f* Familiarity.
familier, ère Familiar with.
famille *f* (mìy) Family.
famine *f* (mîn) Famine.
fanal *m* Beacon (bîken).
fanatique *a* Fanatical. *mf* Fanatic. **-tiser** Fanaticize.
fanatisme *m* Fanaticism.
faner (fà) To cause to fade. To make* hay. **Se -** To fade.
faneur, euse Hay-maker (héi).
fanfare *f* (fàr) Brass band [groupe]. Flourish [air].
fanfaron, onne *a* (àron, òn) Bragging. *mf* Braggart.

fanfaronnade *f* (àd) Bluster.
fanfreluche *f* (üsh) Bauble.
fange *f* (fanj) Mire (maier).
fangeux, euse Muddy (mœdi).
fanion *m* (fànyon) Pennon.
fanon *m* Pennon (pè). Dewlap [bœuf]. Fetlock [cheval]. Whalebone [baleine].
fantaisie *f* (èzî) Fancy (à).
fantaisiste Whimsical (zi).
fantasque (àsk) Queer (kwi).
fantassin (in) Foot-soldier.
fantastique (fan) Fantastic.
fantoche *m* (òsh) Puppet (œ).
fantôme *m* Ghost (gooust).
faon *m* (fan) Fawn (faun).
faquin (kin) Knave (néiv).
farce *f* (àrs) Farce (ârs). [comédie]. Practical joke, trick. Stuffing [cuis.].
farceur *m* (sœr) Wag (à).
farcir (farsîr) To stuff (œ).
fard *m* (fàr) Paint (péint).
fardeau *m* (dô) Burden (ë).
farder To paint, make up.
farfadet *m* (dè) Goblin.
farfouiller (ûyé) Rummage.
farine *f* (în) Meal (mîl), flour. **-neux, euse** Mealy.
farouche (ûsh) Wild (waild), violent. Shy (shai), timid.
fascicule *m* (sìkül) Bunch. Instalment ('aulment) [imp.].
fascine *f* (fàsin) Faggot.
fasciner (sì) To fascinate.
fascisme *m* (shism) Fascism (shizem). **-iste** Fascist.
faste *m* (fàst) Pomp (pòmp).
fastidieux (ìdyë) Irksome.
fastueux (tuë) Sumptuous.
fat *a* (fàt) Foppish. *m* Fop.
fatal (fatàl) Fatal (féit'l).
fatalisme *m* Fatalism.
fataliste *a, mf* Fatalist.
fatalité *f* (ìté) Fatality.
fatidique Fatidical, fateful.
fatigant, e Tiresome, tiring.
fatigue *f* (îg) Fatigue (fe).
fatiguer (gé) To tire (ai). **Se -** To tire, to get* tired.
fatras *m* (trà) Jumble (djœ).
fatuité *f* (ui) Self-conceit.
faubourg *m* (ûr) Suburb (œ).
faucher (fôshé) To mow (oou), to reap [moissonner].
faucheur Mower, reaper. **-euse** *f* Mowing-machine.
faucheux *m* Daddy-long-legs.
faucille *f* (siy) Sickle.
faucon *m* Hawk, falcon (au).
faudra*. V. FALLOIR*.
faufiler (ìlé) To tack, to baste. **Se -** To sneak in, out.
faune *f* Fauna. *m* Faun.
faussaire (èr) Forger (dj).
fausse. V. FAUX, FAUSSE.
fausser To falsify [vérité]. Warp [tordre]. strain [forcer].
fausseté Falsehood, untruth.
faute *f* (fôt) Fault (fault). Mistake. - *de*, for want of. *Sans* -, without fail.
fauter To go* wrong, to sin.
fauteuil *m* (œy) Arm-chair. Chair (tshèer) [président].
fauteur, trice Abettor.
fautif, ve Faulty, wrong.
fauve *a* Tawny. *m* Wild beast.
fauvette *f* Warbler (aur).
faux, ausse *a* (ô, ôs) False (fauls). Forged [document]. Out of tune [voix].
faux *f* (fô) Scythe (saizh).
faux *m* Forgery (faurdjeri). Falsehood. Imitation.
faux col *m* Collar.
faux-fuyant *m* (fuian) Evasion.
faveur *f* (fà) Favour (féi).
favorable (àbl) Favourable.
favori, ite *a, mf* Favourite.

favoriser (ìzé) To favour.
fébrile (îl) Feverish (fîv).
fécond, onde Fruitful (frou).
fécondation *f* Fecundation.
féconder (on) To fecundate.
fécondité *f* Fertility.
fécule *f* (kül) Starch (âr).
féculent (ülan) Starchy.
fédéral, ale Federal (fèderel). **-ration** *f* Federation.
fédéré Federate, confederate.
fée *f* (fé) Fairy (fèeri).
féerie *f* (rî) Fairy scene.
féerique Fairy, enchanting.
feindre* (findr) To pretend [*feins, feignons*, etc.; *-gnais*, etc.; *-gnis*, etc.; *feigne*, etc.; *feignant; feint*].
feinte *f* (fint) Pretence.
fêler (fèlé) To crack (àk).
félicitation *f* Congratulation. **-cité** *f* Bliss. **-citer** To congratulate (kengràtyouléit).
félin, ine (in) Feline (ain).
félon, onne Treacherous. *mf* Traitor. **-onie** *f* Treachery.
félure *f* (lür) Crack, split.
femelle (femèl) Female (fî).
féminin, ine (nin, în) Feminine (nìn), womanly; female.
féminisme *m* Feminism.
femme *f* (fàm) Woman (woumen) [*pl* women (wimin)]. Wife (waif) [épouse].
femmelette Weakling.
fémur *m* (ür) Femur (fîmer).
fenaison *f* (nè) Hay-making.
fendiller (dìyé) To crack.
fendre To cleave, to split*. **Se -** To split, to break*.
fenêtre *f* (fenètr) Window.
fenouil *m* (fenûy) Fennel.
fente *f* (fant) Cleft, slit.
féodal (féò) Feudal (fyou).
féodalité *f* Feudalism.
fer *m* (fèr) Iron (aiern). Shoe [cheval]. Flat-iron [repasser]. Curling-iron [à friser]. *pl* Fetters. **- -blanc** *m* Tin. **-blanterie** *f* Tin wares; tin-shop.
ferblantier (antyé) Tinman.
férié [jour] *m* Holiday.
férir* To strike* [**féru*].
fermage *m* (fèrmàj) Rent (è).
ferme *a* (fèrm) Firm (fërm), fast. *ad* Fast. *f* Farm (â).
ferment *m* (fèrman) Ferment (fërment). **-entation** *f* Fermentation. **-enter** (anté) To ferment (fermènt).
fermer (mé) To shut* (œ), to close (kloouz).
fermeté *f* (me) Firmness (ë).
fermeture *f* (tür) Closing. Fastening (fâsening).
fermier, ière *mf* Farmer (fârmer), *f* Farmer's wife.
fermoir *m* Clasp, fastening.
féroce (òs) Ferocious (oou).
férocité *f* Fierceness (fier).
ferraille *f* (ay) Old iron.
ferrer (fèré) To fit with iron. To shoe [cheval]. To nail [soulier]. *Voie ferrée*, railroad, permanent way.
ferronnerie *f* Iron works [usine]. Iron work [article].
ferrugineux Ferruginous.
ferrure *f* (ür) Iron fitting. Bracket [applique]. Shoe.
fertile (fèrtîl) Fertile (fërtail). **-iliser** To fertilize. **-ilité** *f* Fertility.
féru, ue (férü) Smitten.
férule *f* (ül) Cane, rod.
fervent (fèrvan) Fervent (ë).
ferveur *f* Fervour (fërver).
fesse *f* Buttock (bœtek).
fessée *f* (fèsé) Spanking.
fesser To spank (spàngk).

festin *m* (i^{n}) Feast (fîst).
feston *m* (o^{n}) Festoon (oûn).
festoyer (wàyé) To feast (fîst) [*festoie].
fête *f* Festival, holìday. Birthday [anniversaire].
fête-Dieu *f* Corpus Christi.
fêter To keep [fête]. To entertain (té^{i}n) [hôte].
fétiche *m* (ìsh) Fetish (fî).
fétide (îd) Fetid, rank.
fétu *m* (tü) Straw, wisp.
feu *m* (fë) Fire (fa^{ier}).
feu, feue (fë) Late (lé^{i}t).
feuillage *m* (àj) Foliage.
feuille *f* (fœ^{y}) Leaf (lîf). Sheet [papier]. **feuillet** *m* (fœ^{y}é) Leaf. **-ter** To skim through. **-ton** *m* Feuilleton, serial.
feuillette *f* Quarter-cask.
feutre *m* (fœtr) Felt.
fève *f* (fèv) Bean (bîn).
février (ìé) February.
fi (fî) Fie (fa^{i}).
fiacre *m* (f^{y}àkr) Hackney carriage; cab, four-wheeler.
fiançailles *fpl* Betrothal.
fiancer (f^{y}a^{n}sé) To betroth. **Se -** To become engaged to [*fiançai, -çons].
fibre *f* (fîbr) Fibre.
fibrome *m* (ôm) Fibroma.
ficeler To tie (ta^{i}), pack up [*ficelle].
fiche *f* (fîsh) Peg [cheville]. Slip [papier]; index card.
ficher To drive* in. To put*. *- le camp,* to decamp. *Je m'en fiche,* I don't care.
fichtre *int.* Well! Hang it!
fictif, ive Fictitious.
fiction *f* (ks^{y}o^{n}) Fiction.
fidèle (fidèl) Faithful.
fidélité *f* Faithfulness.
fiduciaire (^{y}èr) Fiduciary.
fief *m* (f^{y}èf) Feoff (fèf).
fieffé (f^{y}èfé) Arrant.
fielleux, euse (lë) Bitter.
fiel *m* (f^{y}èl) Gall (gaul).
fiente *f* (f^{y}a^{n}t) Dung (œ).
fier (se) (f^{y}é) To trust.
fier, ère (f^{y}èr) Proud (a^{ou}).
fierté *f* Pride (pra^{i}d).
fièvre *f* (f^{y}èvr) Fever (î).
fiévreux Feverish, hectic.
fifre *m* (fîfr) Fife. Fifer.
figer (jé) To congeal (djîl) [*figeai, -geons].
fignoler (ñolé) To finick.
figue *f* (fîg) Fig.
figuier (fìg^{y}é) Fig-tree.
figurant, ante Super (syou).
figure *f* (ür) Face [visage]. Personage. Figure [géom.]. Court card [carte].
figuré (güré) Figurative.
figurer To figure. To appear. **Se -** To imagine.
fil *m* (fîl) Thread (thrèd). Wire (wa^{ier}) [métal]. Edge [lame]. Clue (klou) [guide].
filament *m* Thread, filament.
filandreux (drë) Stringy.
filant, ante (fila^{n}) Flowing. *Étoile -e,* shooting star.
filasse *f* (às) Tow (to^{ou}).
filateur (fìlàtœr) Spinner.
filature *f* (ür) Spinning-mill. Shadowing [police].
file *f* (fîl) File (fa^{i}l).
filer To spin*. To wiredraw* [métal]. To pay* out [câble]. To shadow [suivre]. To sneak off [fuir].
filet *m* (filè) Thread. Fillet (filit) [arch., vis]. Net [pêche]. Snare [chasse]. Chine [bœuf]. Loin [mouton]. Fillet [sole].

fileur, euse Spinner (ner).
filial, ale (yàl) Filial.
filiale *f* Branch-house.
filière *f* Draw-plate. Screw-plate. Regular channel [fig.].
filigrane *m* (àn) Filigree, watermark.
filin *m* (lin) Rope (roоup).
fille *f* (fîy) Girl (gërl). Daughter (dau) [parenté].
fillette *f* (yèt) Young girl.
filleul (fìyœl) Godson.
filleule God-daughter.
film *m* Film. **-mer** To film.
filon *m* (fìlon) Vein, lode.
filou *m* (fìlû) Sharper (âr).
filouter To swindle (ìnd'l).
filouterie *f* (trî) Swindle.
fils *m* (fîs) Son (sœn).
filtre *m* (filtr) Filter.
filtrer To strain, filter.
fin *f* (fin) End (ènd).
fin, fine (fin, în) Fine (ai). Thin (th) [mince]. Slender. Refined [raffiné]. Sly [rusé]. Quick [oreille]. Small. Precious [métal, pierre].
final, ale (fìnàl) Final (ai).
finale *m* Finale (âli).
finance *f* (ans) Finance (à).
financer (ansé) To finance [**financai, -çons*].
financier, ière *a* Financial. (finànshel). *m* Financier.
finasser (àsé) To finesse.
finaud, aude (ô, ôd) Sly (ai).
finesse *f* (fìnès) Fineness, thinness. V. FIN, FINE.
fini, ie Ended. Perfect (për). *m* Finish.
finir (fì) To finish, end. To leave* off [cesser].
Finlande *f* (finland) Finland (fìnlend). **-andais** (andè) *a* Finnish. *mf* Finn.

fiole *f* (fyol) Phial (faiel).
fioriture *f* (ür) Flourish.
firmament *m* (an) Firmament.
firme *f* (fîrm) Firm (fërm).
fisc *m* (fisk) Fisc. **fiscal** Fiscal. **-alité** *f* Fiscality.
fissure *f* Crack, crevice.
fistule *f* (tül) Fistula.
fixation *f* (asyon) Fixation (éishen), settlement.
fixe (fîx) Fixed (fixt).
fixer To fix, to set, to fasten. To stare at [dévisager].
flacon *m* (on) Bottle [small].
flagellation *f* Flagellation. **-eller** (jèlé) To scourge.
flageoler (jòlé) To shake*.
flageolet *m* (jòlè) Kidney bean. Flageolet [mus.].
flagorner To fawn (au) upon.
flagrant (flàgran) Flagrant; *en - délit*, in the very act.
flair *m* (èr) Scent (sènt).
flairer To scent. To nose.
flamand, ande *a* (àman) Flemish (èmish). *mf* Fleming.
flamant *m* (an) Flamingo.
flambeau *m* (anbô) Torch.
flambée *f* Blaze (éi).
flamber (anbé) To blaze, to flame. *vt* To singe (sìndj).
flamberge *f* (èrj) Sword.
flamboiement *m* (anbwàman) Blaze. **-boyant** (yan) Blazing. Flamboyant [arch.].
flamboyer (bwàyé) To blaze [**flamboie*].
flamme *f* (flàm) Flame (éim).
flammèche *f* (èsh) Spark (â).
flan *m* (an) Custard (tart).
flanc *m* (an) Side (said), flank. Womb (woum) [sein].
flancher (anshé) To flinch.
Flandres *fpl* (an) Flanders.
flanelle *f* (èl) Flannel.

flâner To lounge (la^{ou}ndj).
flânerie *f* (ânrî) Lounging.
flâneur Lounger, loafer.
flanquer (ké) To flank. To chuck (tshœk) [jeter].
flaque *f* (àk) Puddle (pœ).
flasque *a* (àsk) Limp, flabby.
flatter To flatter. **-erie** *f* Flattery. **-eur, euse** *mf* Flatterer (flàt^{er}er).
flatulence *f* Flatulence.
fléau *m* (éô) Flail (é^{i}l) [blé]. Scourge (skë^{r}dj) [fig.]. Beam (bîm) [balance].
flèche *f* (èsh) *Arrow* (o^{ou}). Spire (spa^{ier}) [clocher].
fléchir (éshîr) To bend*.
fléchissement *m* Bending.
flegmatique Cool (koûl).
flegme *m* (ègm) Coolness.
flème, flemme *f* Laziness.
flétrir To wither [fleur]. To brand [condamner]. **Se -** To fade [pâlir]. To wither.
flétrissure *f* Fading, withering. Blame, branding.
fleur *f* (œr) Flower (a^{ou}). Blossom (blos^{e}m) [d'arbre]. *A - de*, level with.
fleurer (œré) To smell*.
fleuret *m* (œrè) Foil.
fleurir *vi* To blossom, to flower. *vt* To adorn with flowers [**florissais, -sant*].
fleuriste *mf* Florist.
fleuron *m* (o^{n}) Jewel (djou^{e}l).
fleuve *m* (flœv) River (ri).
flexible Flexible, pliant.
flexion *f* Bending, flexion.
flibustier Buccaneer, pirate.
flic *m* Cop, bobby.
flirt *m* (œrt) Flirt (ë^{r}t).
flirter To flirt.
flocon *m* (òko^{n}) Flock [soie]. Flake (é^{i}k) [neige].
floraison *f* (èzo^{n}) Bloom.
flore *f* (òr) Flora (aur^{e}).
florilège *m* (èj) Anthology.
florin *m* (i^{n}) Florin (ìn).
florissant Thriving (thra^{i}).
flot *m* (flô) Wave (é^{i}) [vague]. Tide [marée]. Crowd.
flotte *f* (òt) Fleet (ît).
flotter To float (o^{ou}). To drift [dériver]. To waver [hésiter]. To wave [drapeau].
flotteur *m* Float. Buoy (bo^{i}).
flottille *f* (î^{y}) Flotilla (l^{e}).
flou *a* (flû) Blurred (blë^{r}d).
fluet, ette (fl^{u}è) Slender.
fluide *m, a* (fl^{u}îd) Fluid (floûid). **-dité** *f* Fluidity.
fluor *m* (fl^{u}or) Fluorine.
flûte *f* (flüt) Flute (oût). Long thin roll. Tall glass.
flûté Fluted [cannelé]. Soft, flute-like [son].
flutiste Flutist, flute-player.
fluvial (ü) Fluvial (ou).
flux *m* (flü) Flow (flo^{ou}).
fluxion *f* (ü) Fluxion (œ).
foc *m* (fòk) Jib (djib).
fœtus *m* (fétüs) Fœtus.
foi *f* (fwà) Faith (fé^{i}th).
foie *m* (fwà) Liver (liv^{er}).
foin *m* (fwi^{n}) Hay (hé^{i}).
foire *f* (fwàr) Fair (fè^{er}).
fois *f* (fwà) Time (ta^{i}m); *une -*, once; *deux -*, twice (a^{i}s).
foison *f* (fwàzo^{n}) Plenty.
foisonner (zòné) To abound.
fol, folle. V. FOU.
folâtre (âtr) Wanton (wòn).
folichon, ne (ìsho^{n}) Jolly.
folie *f* (lî) Madness, distraction.
folio *m* (lyô) Folio (o^{ou}).
follet (lè) : *poil -*, down; *feu -*, will o'the wisp.
follicule *m* (ül) Follicle.
fomenter (a^{n}té) To foment.

foncé, ée (fonsé) Dark (â).
foncer To sink* [puits]. To deepen [couleur]. *vi* To rush (rœsh) [**fonçai, -çons*].
foncier, ière (fonsyé) Landed [bien]. Thorough [complet]. *Impôt -*, land tax.
foncièrement Thoroughly.
fonction *f* (fon) Function.
fonctionnaire *mf* (syonèr) Civil servant, official.
fonctionnement *m* Working.
fonctionner (syò) To work.
fond *m* (fon) Bottom (tem). Ground [tableau]. Basis (éi). Back-scene. V. FONDS.
fondamental Fundamental.
fondant, te (ondan) Melting.
fondateur, trice Founder.
fondation *f* Foundation. Endowment (éndaou) [don].
fondé de pouvoir Attorney.
fondement Foundation, base.
fonder (fondé) To found (faound), establish. To ground.
fonderie *f* (fonderî) Foundry (faoundri). Smelting-works.
fondeur Founder, smelter.
fondre (fondr) To melt. To smelt [fer]. To thaw [ice]. *vi* To melt [s'attendrir]. To pounce, swoop [se jeter].
fondrière *f* (ièr) Quagmire.
fonds *m* (fon) Estate [terre]. Stock-in-trade, business. *mpl* Cash, funds [*pl*].
fontaine *f* (fontèn) Spring.
fonte *f* Melting, smelting [fusion]. Cast-iron [métal]. Holster [selle].
fonts *mpl* (on) Font (ònt).
for intérieur *m* Inward self.
forage *m* (fòràj) Boring.
forain, aine Alien (éilyen); travelling.
forban (ban) Pirate (paie).
forçat (fòrsà) Convict.
force *f* (fòrs) Strength (**th**). Might, power. *pl* Forces. *A - de*, by dint of.
forcément *ad* Necessarily.
forcené Frantic. *m* Madman.
forceps *m* (sèps) Forceps.
forcer To compel, to force. To break* open [porte]. To strain [surmener]. To pick [serrure]. *- à la course*, to run* down [**forçai, -çons*].
forclore (òr) To foreclose [**forclos*].
forclusion *f* Foreclosure.
forer (fò) To bore, drill.
forestier *a* (èstyé) Forest. *Garde -*, ranger.
foret *m* (rè) Drill, bit.
forêt *f* (rè) Forest (ist).
forfaire (fèr) To be false [**forfais, -faisons, -faites, font; forfait*].
forfait *m* (fè) Crime (aim). Contract. Forfeit [sport].
-ture *f* (ètür) Forfeiture.
forfanterie *f* Bragging.
forge *f* (fòrj) Forge (dj) [foyer]. Smithy (**zh**) [atelier]. Iron-works [usine].
forger (jé) To forge (dj) [**forgeai, -geons*].
forgeron (forjron) Smith (**th**).
formaliser (se) To take* offence. **-isme** Formalism. **-iste** Formalist. **-ité** *f* Formality.
format *m* (mà) Size (saiz).
formation *f* Formation.
forme *f* (fòrm) Shape (éip), form. Pattern [modèle]. Etiquette. Dock [bassin].
formel, elle Formal (faur).
former To shape [façonner]. To form [éduquer]. To make*

up [constituer]. To train.
formidable (à) Tremendous.
formulaire (lèr) Formulary.
formule *f* (ül) Formula, prescription. Form [imprimé].
formuler To state, express.
forniquer (ké) To fornicate.
fors (fòr) Except, save.
fort, orte (fòr, òrt) Strong. Loud [voix]. *m* Fortress.
forteresse *f* Fortress.
fortifiant Bracing, tonic.
-fication *f* Fortification.
-fier (f^{y}é) To strengthen.
fortin *m* (t^{in}) Small fort.
fortuit, te (t^{ui}) Casual (kà).
fortune *f* (tün) Luck, fortune (fau^{r}tsh^{e}n). Wealth (wèlth).
fortuné Lucky. Wealthy.
fosse *f* (fòs) Pit. Grave.
fossé *m* (sé) Ditch.
fossette *f* (sèt) Dimple.
fossile *a, m* (sîl) Fossil.
fossoyeur Grave-digger.
fou [**fol** before a vowel], **folle** (fû, fòl) Mad. Insane [aliéné]. Wild [affolé]. Silly [sot]. *mf* Lunatic (loun^{e}tik). Madman, woman. Bishop [échecs].
fouailler (fwà^{y}é) To lash.
foudre *f* (fûdr) Thunderbolt. *m* Tun [fût]. **-droyer** (wà^{y}é) To blast. To strike* down. To crush [*foudroie*]...
fouet *m* (fwè) Whip. Lash.
fouetter (fwèté) To whip, to lash. To whisk [œufs].
fougère *f* (jèr) Fern (fë^{r}n).
fougue *f* Mettle, spirit.
fougueux Mettlesome [horse].
fouille *f* (fû^{y}) Digging.
fouiller (fû^{y}é) To dig* [sol]. To search (së^{r}tsh) [police].
fouillis *m* (fû^{y}î) Jumble.
fouine *f* (fwîn) Marten.
foulard *m* (àr) Neckerchief.
foule *f* (fûl) Crowd (a^{ou}d).
fouler To tread* (trèd). To crush, trample. To sprain [muscle]. To full [drap].
foulon *m* (fûlo^{n}) Fuller.
foulque *f* (fûlk) Coot (kout').
foulure *f* (lür) Sprain.
four *m* (fûr) Oven (œv^{e}n) [cuisine]. Failure [théât.]. *Petit* -, tea-cake.
fourbe (fûrb) *a* False (au). *m* Cheat (tshît), deceiver.
fourberie *f* Deceit, cheating.
fourbir (fûr) To furbish (ë).
fourbu Foundered. Dead beat.
fourche *f* (fûrsh) Fork (au).
fourchette *f* (shèt) Fork.
-chu (shü) Forked, cloven.
fourgon *m* (o^{n}) Waggon, van.
fourmi *f* (fûrmî) Ant (ànt). **-milier** *m* Ant-eater. **-milière** *f* Ant-hill. **-miller** (mì^{y}é) To swarm (swau^{r}m).
fournaise *f* (nèz) Furnace.
fourneau *m* (furnô) Stove (o^{ou}). Chamber [mine]. Bowl [pipe]. *Haut* -, blast furnace.
-née *f* (né) Batch, ovenful.
fournil *m* (nî) Bake-house.
fourniment *m* Equipment.
fournir (fûrnîr) Supply with.
fournisseur (œr) Purveyor.
fourniture *f* (ìtür) Supply.
fourrage *m* (fûràj) Fodder.
-ager (àjé) To forage (idj).
-agère (ajèr) *f* Shoulder braid. **-ageur** (jœr) Forager.
fourré *m* (fûré) Thicket (th).
fourreau *m* (rô) Sheath.
fourrer To fur (fë^{r}) [fourrure]. To stuff [emplir].
fourreur, euse Furrier (ë).
fourrier *m* (r^{y}é) Harbinger.
fourrière *f* Pound (pa^{ou}nd).

fourrure *f* (fûrür) Fur (ë).
fourvoyer (vwàyé) To lead* astray. **Se** - To go* astray [*fourvoie].
foyer *m* (fwàyé) Hearth (â). Home. Fire-box [méc.]. Focus [géom.]. Green-room [théât.].
frac *m* (fràk) Dress-coat.
fracas *m* (àkà) Crash. din.
fracasser (àsé) To shatter.
fraction *f* (syon) Fraction.
fracture *f* (ür) Breaking.
fracturer (üré) To break*.
fragile (j) Brittle. **-ilité** *f* Frailty, brittleness.
fragment *m* (man) Fragment.
frai *m* (frè) Spawn (spaun).
fraîche. V. FRAIS.
fraîcheur (œr) Freshness, coolness. **-chir** To freshen.
frais, aîche (frè, èsh) Fresh [nouveau]. Cool [froid]. New-laid [œuf]. *m* Cool.
frais *mpl* (frè) Cost, expenses *pl* (ènsiz). Charges.
fraise *f* (frèz) Strawberry [fruit]. Ruff (œ) [col].
fraiser To ruffle [tissu]. To mill [métal].
fraisier *m* Strawberry-plant.
framboise *f* (wà) Raspberry.
franc *m* (an) Franc (ànk).
franc, anche (an, ansh) Free [libre, exempt]. True (ou), [sincère]. Fair [jeu].
franc, anque (an, ank) Frank. *a* Frankish (ànkish).
français, aise (fransè, sèz) *a* French (ènsh). *m* Frenchman. *f* French woman [lady].
France *f* (ans) France (à).
franchement Frankly.
franchir (shîr) To go* over. To clear, jump over.
franchise *f* (shîz) Exemption. Freedom [liberté]. Frankness [vérité]. *En* -. duty-free.
franciscain, ne Franciscan.
franc-maçon (son) Freemason. **-çonnerie** *f* Freemasonry.
franco (an) Free of charge.
franc-parler *m* Candour.
franc-tenancier Freeholder. **-tireur** Sniper. Free lance.
frange *f* (anj) Fringe (dj).
frappe *f* Stamp, striking.
frapper To strike*. To hit. To knock. To coin [monnaie].
fraternel Brotherly.
fraternité *f* Brotherhood.
fraude *f* (ôd) Fraud (aud).
frauder To defraud. **-deur, deuse** *mf* Cheat, defrauder.
frauduleux, euse Fraudulent.
frayer (frèyé) To open out [chemin]. To associate. To spawn [poisson].
frayeur *f* (èyœr) Fright (ai).
fredaine *f* (èn) Prank, lark.
fredonner To hum (hœm).
frégate *f* (à) Frigate (éit).
frein *m* (in) Curb (ë), bit [cheval]. Brake [roue].
freiner (èné) To brake (éi).
frelater (elà) Adulterate.
frêle (frèl) Frail (fréil).
frelon *m* (frelon) Hornet.
frémir To shudder, quiver.
frêne *m* (frèn) Ash-tree.
frénésie *f* (zî) Frenzy (è).
frénétique (ik) Frantic (à).
fréquemment (kàman) Often
fréquence *f* (frèkans) Frequency (frikwènsi). **-quent** (kan) Frequent (i). **-quentation** *f* Frequentation.
-quenter To frequent (kwè).
frère (èr) Brother (œzher). Friar (fraier) [moine].
fresque *f* (èsk) Fresco (oou).

frêt *m* (frè) Freight (éit).
frêter To charter (tshâr).
fréteur (ètœr) Charterer.
frétiller (ìyé) To wriggle. (rig'l) [poisson]. To wag.
freux *m* (frë) Rook (rouk).
friable Friable (aieb'l).
friand, ande Dainty. Fond.
friandise *f* (dîz) Dainty.
friche *f* (sh) Fallow land.
friction *f* Friction. Rub.
frictionner (syò) To rub.
frigorifier To freeze* (îz). **-rifique** *a* Refrigerating.
frileux, euse (ìlë) Chilly.
frimas *m* (ìmà) Frost, rime.
frime *f* (frîm) Sham (àm).
frimousse *f* (ûs) Phiz (fiz).
fringale *f* Fit of hunger.
fringant Dapper. Frisky.
fripe *f* (îp) Rag. **-per** To crumple. **-pier** Ragman.
fripon (ìpon) Rogue, knave. **-onnerie** *f* Knavery (néiv).
frire *vt* (frir) To fry (frai) [**fris, fris, frit* [no pl.]; *frirai; fris* [no pl]; *frit*].
frise *f* (îz) Frieze (îz).
friser (frìzé) To curl (ë). To be near to, to graze.
frisson *m* (ìson) Shudder. **-onner** To shudder, shiver.
frisure *f* (zür) Curling.
frit, ite (i, it) Fried (aid).
friture (frìtür) *f* Frying, fry.
frivole (òl) Frivolous (veles).
frivolité *f* Frivolity.
froc *m* (frok) Cowl (kaoul).
froid, oide (frwà, àd) Cold.
froideur *f* Coldness (oou).
froisser (wàsé) To crumple [papier]. To bruise (oûz) [muscle]. To offend [pers.]. **Se -** To take* offence.
frôler To graze, brush past.
fromage *m* (àj) Cheese (îz).
froment *m* (an) Wheat (wît).
fronce *f* Gather, pucker.
froncement *m* Frown (aoun).
froncer To pucker (pœ), gather [tissu]. To knit* (nit) [front]. *- le sourcil*, frown [**fronçai, çons*].
frondaison *f* (èzon) Boughs.
fronde *f* (ond) Sling. **-der** To sling*. **-deur** Slinger. *a.* Scoffer, grouser.
front *m* (fron) Front (œ). Forehead (forid) [crâne]. Boldness [hardiesse].
frontière *f* (tyèr) Frontier.
frontispice *m* Frontispiece.
fronton *m* (ton) Pediment.
frottement *m* (an) Rubbing.
frotter To rub. To strike*.
froussard (ûsàr) Funky (œ).
frousse *f* (ûs) Funk (œngk).
fructifier To bear* fruit.
fructueux (üktuë) Fruitful.
frugal, ale (ü) Frugal (ou).
frugalité *f* Frugality.
fruit *m* (ui) Fruit (out').
fruitier, ière Fruiterer; *arbre -*, fruit-tree.
fruste (üst) Rough (rœf).
frustrer Frustrate, baulk.
fugace (fügàs) Transient.
fugitif, ive *a, mf* (füj) Fugitive (fyoudj), runaway.
fugue *f* (üg) Fugue (fyoug) [mus.]. Prank [escapade].
fuir* (fuir) To fly* (flai), run* away. To leak [fût]. *vt* To fly* from, to shun [**fuis, fuyons*, etc.; *fuyais; fuie, fuyons; fuyant; fui*].
fuite *f* (fuit) Flight (ait). Escape. Leakage [fût].
fulgurant, ante Flashing.
fulmicoton *m* (fü) Guncotton.

fulminer (ü) To fulminate (œ), to thunder (**thœn**).
fumée *f* (fümé) Smoke (o^{ou}k).
fumer To smoke. To manure (m^{e}nyou^{e}) [champ].
fumet *m* (fümè) Scent, smell.
fumeur, euse (œr, ëz) Smoker.
fumeux, euse (fümë, ëz) Smoky. Cloudy [idée].
fumier *m* (ü) Dung, manure.
fumiste Stove-setter. Wag.
fumisterie *f* Stove-setting. Chimney-building. Humbug.
fumoir *m* Smoking-room.
funambule (füna^{n}bül) Rope-dancer. **-esque** Grotesque.
funèbre (fünèbr) Funeral (fyou). Dismall (dizm^{e}l).
funérailles *f* (ày) Funeral.
funéraire (rèr) Funereal.
funeste (fü) Fatal (fe^{i}).
funiculaire *m* Cable-railway.
fur (ü) *Au - et à mesure*, as.
furet *m* (ürè) Ferret (èrit).
fureur *f* (fürœr) Fury (fyouri), rage (ré^{i}dj). Passion.
furibond (bo^{n}) Furious.
furie *f* (fürî) Fury (fyou).
furieux, euse Mad, furious.
furoncle *m* (o^{n}kl) Boil.
furtif, ive Furtive, stealthy.
fus, fusse. V. ÊTRE.
fusain *m* (füzi^{n}) Spindle-tree [arbuste]. Charcoal.
fusant, ante (füz) Fusing.
fuseau *m* (füzô) Spindle (ì).
fusée *f* (zé) Rocket [artif.]. Fuse (fyouz) [obus].
fuselage *m* (fü) Fuselage.
fuselé (zlé) Spindle-shaped, slender. Tapering [doigt].
fuser (üz) To spurt, fuse.
fusible *a, m* Fusible (fyou).
fusil *m* (füzî) Rifle (ra^{i}f^{e}l).
fusilier *m* (l^{y}é) Fusilier; - *marin*, marine.
fusillade *f* (^{y}àd) Shooting.
fusiller (füzi^{y}é) To shoot*.
fusion *f* (füz^{y}o^{n}) Melting. Blending [mélange]. Amalgamation [com.]. **-ionner** (füz^{y}òné) To amalgamate, merge. To blend.
fût *m* (fü) Cask [baril]. Stock [fusil]. Shaft [pilier].
futaie *f* (fütè) Timber.
futaille *f* (ày) Cask.
futé, ée (füté) Sly, crafty.
futile (fü) Futile (fyou).
futilité *f* Trifle (tra^{i}f'l).
futur, ure (fütür) *a, m* Future (fyoutsh^{e}r).
fuyant, ante. V. FUIR.
fuyard, arde Runaway.

G

G (jé) G (djî).
gabare *f* (ar) Lighter (a^{i}).
gabarit *m* (àrì) Mould [moule]. Templet [modèle]. Gauge (gé^{i}dj) [mesure, jauge].
gabegie *f* (jî) Fraud; waste.
gabelle *f* (bèl) Salt-tax.
gabelou (gàb^{e}lû) Exciseman.
gabier (gàb^{y}é) Topman.
gabion *m* (gàb^{y}o^{n}) Gabion.
gâche *f* (gâsh) Staple (é^{i}).
gâcher To mix [mortier]. To bungle (bœng) [travail].

gâchette *f* (shèt) Trigger [fusil]. Catch [serrure].
gâchis *m* (shî) Wet mortar. Mess [désordre].
gadoue *f* (dû) Night-soil.
gaélique (gàélik) Gaelic.
gaffe *f* Boat-hook. Blunder.
gaffer To blunder.
gaffeur, euse Blunderer.
gage *m* (gàj) Pledge. Pawn [chose gagée]. Stake [enjeu]. Token [preuve]. *pl* Wages.
gager (jé) To wager, hire [**gageai, -geons*].
gageure *f* (jür) Wager (éi).
gagnant (gàñaⁿ) Winner.
gagner (gàñé) To gain (géin). To win* [victoire]. To earn [salaire]. To reach [but].
gai, e (gè) Merry, cheerful.
gaieté, gaîté Mirth (ërth).
gaillard, arde *a* (gàyàr) Jolly (djo) [gai]. Bold [hardi]. Free [libre]. *m* Jolly fellow. **-ardise** *f* Jollity.
gain *m* (giⁿ) Gain (géin). Profit. Earnings [salaire].
gaine *f* (gèn) Sheath (îth).
galant, ante (aⁿ) Gallant (lànt). *m* Lover (lœver).
galanterie *f* Courtesy (kër).
gale *f* (gàl) Mange (méindj).
galère *f* (èr) Galley (li).
galerie *f* (gàlrî) Gallery.
galérien Convict.
galet *m* (lè) Pebble, shingle.
galetas *m* (gàltà) Garret.
galette *f* (èt) Cake. Chink.
galeux, euse Mangy. Scabby.
galimatias *m* (yà) Gibberish.
galle *f* (gàl) Gall (gaul).
Galles *fpl* Wales (wéilz).
gallois, se (lwà, àz) Welsh.
galoche *f* (gàlosh) Clog.
galon *m* (gàloⁿ) Lace (léis). Stripe (aip) [mil.].
galonner (òné) To lace (éi).
galop *m* (gàlô) Gallop (lep).
galoper (òpé) To gallop.
galopin (iⁿ) Boy, urchin (ë).
galvaniser (ìzé) Galvanize.
galvauder To bungle, waste.
gambade *f* (gaⁿbàd) Gambol (gàmbel). **-ader** To skip.
gamelle *f* (èl) Porringer. Mess-plate (pléit).
gamin, ine *a* (gàmiⁿ, în) Roguish. *m* Street-boy, urchin. *f* Street-girl, hussy.
gaminerie *f* Childish prank.
gamme *f* (àm) Gamut (gàmet).
ganglion *m* (gaⁿ) Ganglion.
gangrène *f* (èn) Mortification. **-ener** (ené) Mortify.
gangue *f* (aⁿ) Gangue (àng).
ganse *f* (aⁿs) Braid. Loop.
gant *m* (gaⁿ) Glove (glœv).
gantelet *m* (telè) Gauntlet.
ganter To glove. To fit.
gantier, ière Glover.
garage *m* (àj) Siding (said) [rail]. Garage (âj) [auto].
garagiste (j) Garage owner.
garance *f* (gàraⁿs) Madder.
garant, te Warranter (wor), surety [pers.]. Security.
garantie *f* (aⁿtî) Warranty (waurenti). Security (you).
garantir (aⁿ) To warrant, guarantee (gà), protect.
garçon (soⁿ) Boy. Bachelor (bàtsheler) [célibataire]. Waiter (wéi) [café, hôtel]. **-onnière** *f* Bachelor's flat.
garde *f* (gàrd) Watch [guet, troupe]. The Guards [mil.]. Nurse. Care [soin]. Protection. Hilt [épée]. Fly-leaf [livre]. *m* Warder, keeper;

- *champêtre,* rural policeman; *-forestier,* ranger.
garde-barrière Gate-keeper. - **-boue** *m* Mud-guard. - **-chiourme** *m* Warder. - **-côte** *m* Guardship. - **-fou** *m* Railing. - **-malade** *f* Nurse. - **-manger** *m* Larder. - **-meuble** *m* (mœbl) Repository.
garder (gàrdé) To keep* (kîp). To watch [surveiller]. To protect. **Se** - To forbear*, to keep* from. To keep* [fruit].
garderie *f* Kindergarten.
garde-robe *f* Wardrobe.
gardeur, euse Keeper, herd.
gardien, ienne (gàrdyin, èn) *a, mf* Guardian (gârdyen). - *de la paix* policeman.
gardon *m* (don) Roach (oou).
gare *f* (gàr) Station (stéishen). *int* Beware (wèer).
garenne *f* (rèn) Warren (wo); *lapin de -,* wild rabbit.
garer (gàré) To shunt [rail], park [auto], dock [mar.]. **Se** - To get* out of the way.
gargariser (àrìzé) To gargle.
-arisme *m* Gargle (ârg'l).
gargote *f* (gòt) Cook-shop.
gargouille *f* (gûy) Gargoyle, spout. **-ouiller** To rumble.
gargousse *f* Cartridge [gun].
garnement (neman) Scamp.
garni, ie (gàrnî) Furnished [meublé]. Trimmed [orné]. *m* Furnished apartments.
garnir (gàr) To furnish (fer) [meuble]. To trim [orner]. To fill. To line [doubler].
garnison *f* (ìzon) Garrison.
garniture *f* (ür) Trimming, Lining. Set [cheminée],
garrot *m* (gàrò) Withers.
garrotter To pinion (pi).
gars, gas (gâ) Lad, boy.
Gascogne *f* (oñ) Gascony.
gas-oil *m* Fuel-oil.
gaspillage *m* (iyàj) Waste.
gaspiller (piyé) To waste.
gastrite *f* (ît) Gastritis (ai).
gastronomie *f* Gastronomy.
gâteau *m* (gâtô) Cake. - *de miel,* honeycomb (kooum).
gâter (gâté) To damage (damidj) [denrée]. To spoil [enfant]. **Se** - To go* bad.
gâterie *f* Spoiling. Treat.
gâteux *a* (të) Soft-headed.
gauche (gôsh) Left. Awkward (aukwerd) [maladroit]. *f* Left hand, left side; *tenir* sa -,* to keep* to the left.
gaucher, ère Left-handed.
gaucherie *f* (gôshrî) Clumsiness, awkwardness.
gauchir To become* warped.
gaudriole *f* Broad joke.
gaufre *f* (gôfr) Waffle (o).
gaufrer To goffer.
gaufrette *f* Wafer biscuit.
gaule *f* Stick. Fishing-rod. Gaul (gaul) [nation].
gauler (gô) To knock down.
gaulois, oise (lwà, àz) *a* Gallic (gàlik). *mf* Gaul (aul).
gaver (gàvé) To cram (àm).
gavroche (sh) Gutter-snipe.
gaz *m* (gaz) Gas (gàss).
gaze *f* (gàz) Gauze (gauz).
gazé, ée Gassed (gàst).
gazelle *f* (gàzel) Gazelle.
gazette *f* (gà) Gazette (ge).
gazeux, euse Gaseous (géizyes). Sparkling [boisson].
gazier (gàzyé) Gas-fitter.
gazomètre *m* Gas-holder.
gazon *m* (gàzon) Grass.
gazouiller (ûyé) To warble, twitter. To prattle [bébé].

geal *m* (jè) Jay (djé^{i}).
géant, ante *a* (jéa^{n}, a^{n}t) Gigantic. *mf* Giant (dja^{i}), giantess.
geindre* (ji^{n}dr) To moan [**geins, geint, geignons; -gnais; -gnis; -gne; -gnant; geint*].
gel *m* (jèl) Frost (frost).
gélatine *f* (jé) Gelatine (dj). **-tineux, se** Gelatinous.
gelée *f* (j^{e}lé) Frost. Jelly [mets]. **geler** To freeze*.
gémir (jémîr) Groan (o^{ou}).
gémissement *m* Groan, moan.
gemme *f* (jèm) Gem (djèm).
gênant, ante (jéna^{n}, a^{n}t) Awkward, troublesome.
gencive *f* (ja^{n}sîv) Gum (œ).
gendarme *m* (ja^{n}dàrm) Constable. **-armer (se)** To flare up. To resist. **-armerie** *f* (àrm^{e}rî) Constabulary (àbyou).
gendre (ja^{n}dr) Son-in-law.
gêne *f* (jèn) Rack, torture. Discomfort, uneasiness. Difficulty. *Dans la -*, hard up.
généalogie *f* Genealogy (dji).
gêner (jèné) To cramp. To embarrass. To trouble [déranger]. To straiten [argent]. **Se -** To put* oneself out.
général, ale *a* (jénéràl) General (djèn^{e}r^{e}l). *m* General: *en general*, generally; *- de brigade*, brigadier; *- de division*, major general, *- de corps d'armée*, lieutenant general. *f* General's wife. Alarm beat.
généraliser (ìzé) Generalize. **-alité** *f* Generality. **-ateur, trice** *a* Generating. *f* Generator [élec.]. Generant [math.]. **-ation** *f* Generation.
généreux, euse Generous.
générosité *f* Generosity.
Gênes *f* (jèn) Genoa (djè).
genèse *f* (j^{e}nèz) Genesis.
genêt *m* (j^{e}nè) Broom (oûm).
Genève *f* (j^{e}nèv) Geneva (î).
genévrier *m* Juniper-tree.
génial, e (jén^{y}àl) Inspired.
génie *m* (jénî) Genius (djî): *soldat du -*, engineer.
genièvre *m* (j^{e}n^{y}èvr) Juniper berry. Gin (djìn) [liqueur].
génisse *f* (jénîs) Heifer.
génitif, ive (jé) Genitive.
genou *m* (j^{e}nû) Knee (nî).
genre *m* (ja^{n}r) Gender (dj). [gram.]. Kind. Fashion.
gens *pl* (ja^{n}) People (pî).
gent *f* (ja^{n}) Tribe, race.
gentiane *f* (s^{y}àn) Gentian.
gentil, ille (ja^{n}tî, î^{y}) Gentle (djènt^{e}l). Noble.
gentilhomme (ì^{y}om) Gentleman (djènt'lm^{e}n). **-tillesse** *f* (ì^{y}ès) Kindness (a^{i}).
génuflexion *f* Kneeling.
géographe (jéogràf) Geographer (djio). **-aphie** *f* Geography. **-aphique** Geographic.
geôle *f* (jôl) Jail (djé^{i}l).
geôlier (l^{y}é) Jailor (djé^{i}).
géologie *f* (jéolojî) Geology (djiol^{e}dji). **-logue** Geologist. **-mètre** Geometrician; *- -arpenteur*, surveyor.
géométrie *f* Geometry (omè).
-métrique Geometrical (mè).
Georges (jòrj) George (dj).
gérance *f* (jé) Management.
gérant, te Manager. Trustee.
gerbe *f* (jèrb) Sheaf. Bunch.
gercer (jèrsé) To chap [**gerçai, -çons*]. **-çure** *f* Chap.
gérer (jé) Manage [**gère*].
germain, aine (jèrmi^{n}, èn)

German (dj). First [cousin].
Germanie *f* (jèrmànî) Germany. **-manique** Germanic.
germe *m* (jèrm) Germ (djërm).
germer To sprout, germinate.
gésier *m* (jéz) Gizzard (gi).
gestation *f* (j) Gestation.
geste *m* (jèst) Gesture (dj).
gesticuler (kü) Gesticulate.
gestion *f* (yon) Management.
gibecière *f* (ji) Game-bag.
giberne *f* Cartridge-box.
gibet *m* (jìbè) Gibbet (dj).
gibier *m* (jìbyé) Game.
giboulée *f* [April] shower.
giboyeux (yë) Full of game.
gicler (jìklé) To squirt.
gicleur *m* (œr) Jet (djèt).
gifle *f* (jîfl) Box on the ear. **-fler** To slap the face of.
gigantesque Gigantic (djai).
gigogne *f* (jìgoñ) *Table -*, nest of tables; *mère -*, a prolific mother.
gigot *m* (gô) Leg of mutton.
gilet *m* (jìlè) Waistcoat (wèskit'), vest.
gingembre *m* (janbr) Ginger.
girafe *f* (jìràf) Giraffe.
giratoire (àtwàr) Gyratory.
girofle *f* (òfl) Clove (oou).
giroflée *f* Gilliflower (dj).
giron *m* Bosom. Lap [genou].
girouette *f* (jì) Weathercock.
gisement *m* (jìzman) Bed.
gît (jî) *Ci-gît*, here lies.
gitane *mf* (jìtàn) Gipsy (dj).
gîte *m* (jît) Home. Lair [animal]. Form [lièvre]. Heeling [mar.]. **gîter** To lodge.
givre *m* (jîvr) Hoar-frost, rime. **givrer** To rime (ai).
glabre Hairless. Shaven.
glaçage *m* (àsàj) Glazing.
glace *f* (glàs) Ice (ais). *Ice*-cream (îm) [dessert]. Glass [verre]; mirror.
glacé, ée *I*ced [boisson]. *Icy* [air]. Glazed [tissu].
glacer To chill [froid]. To glaze [lustre] [*-*çai, -çons*].
glacial, ale *I*cy, glacial.
glacier *m* (syé) *I*ce-maker. Glacier (syer) [géogr.].
glacière *f* (syèr) *I*ce-room.
glaçon *m* (son) *I*cicle (ai).
glaïeul *m* (yœl) Corn-flag.
glaire *f* Glair.
glaise *f* (èz) Clay (éi).
glaive *m* (èv) Sword (aurd).
gland *m* (an) Acorn (éi) [chêne]. Tassel [pompon].
glande *f* (and) Gland (ànd).
glaner (àné) To glean (în).
glapir To yelp. To screech.
glas *m* (glà) Knell (nèl).
glauque (ôk) Sea-green.
glèbe *f* (èb) Clod, sod.
glissade *f* Sliding, slip.
glissant, ante Slippery.
glissement *m* (an) Sliding.
glisser To glide (ai), slide. To slip [faux pas]. *vt* To slip. **Se -** To slip. To steal* (îl).
glissière *f* (yèr) Slide (ai).
global (òbàl) Global. Lump.
globe *m* (òb) Globe (ooub).
gloire *f* (wàr) Glory (*au*).
glorieux Glorious. Vain.
glorifier To glorify (fai).
gloriole *f* (yòl) Vainglory
glotte *f* (òt) Glottis.
glouglou *m* (glû) Gurgle (ë).
glousser (ûsé) To cluck (œ).
glouton, onne *a* (ûton) Gluttonous (œ). *mf* Glutton.
gloutonnerie *f* Gluttony.
glu *f* (ü) Glue (ou).
gluant, ante (uan) Sticky.
glucose *f* (glü) Glucose (*ou*).

gluten *m* (ütèn) Gluten (*ou*).
glycérine *f* (în) Glycerin.
glycine *f* (sîn) Wistaria.
gobelet *m* (gòblè) Mug (œ).
gober To swallow, gobble.
gobeur, euse Gulper. Gull.
goder To crease [pli], bag.
godet *m* (dè) Cup (kœp).
godiche Silly. *m* Simpleton.
godille *f* (iy) **-ller** Scull.
goéland *m* (la^{n}) Gull (œl).
goélette *f* Schooner (sk).
gogo *m* Gull [dupe].
goguenard (gnàr) Scoffing.
goguette *f* (gèt) Jollity.
goinfre (gwi^{n}fr) Glutton.
goitre *m* (wàtr) Goitre (o^{i}).
golfe *m* (gòlf) Gulf (gœlf).
gomme *f* (gòm) Gum (gœm).
gommer Gum. **-ier** Gum-tree.
gond *m* (go^{n}) Hinge (hìndj).
gondole *f* (òl) Gondola (ò).
gondoler To warp [bois], buckle [métal]. To blister.
gonfler *vi* To swell*. To puff up [voile]. *vt* To inflate.
gorge *f* (gòrj) Throat (thro^{ou}t). Narrow pass. Groove [tech.].
gorgée *f* (gorjé) Draught (âft).
gorger To gorge, cram [**gorgeai, -geons*].
gorille *m* (iy) Gorilla (il^{e}).
gosier *m* (yé) Gullet, throat.
gosse *mf* (gòs) Brat, kid.
gothique (tik) Gothic (**th**); *écriture* -, black letter.
gouailler (gwàyé) To chaff.
goudron *m* (gûdro^{n}) Tar (â).
goudronnage *m* Tarspraying.
gouffre *m* (ûfr) Gulf, abyss. Whirlpool [tourbillon].
goujat (jà) Hodman. Cad.
goujon *m* (gûjo^{n}) Gudgeon.
goulet *m* (lè) Neck. Gully.
goulot *m* (gûlô) Neck.
goulu, ue (gûlü) Greedy (îdi).
goupille *f* (piy) Peg, pin.
goupillon *m* Aspergillum.
gourd (gûr), **de** Benumbed.
gourde *f* (ûrd) Gourd (gou^{e}rd).
gourdin *m* (gûrdi^{n}) Cudgel.
gourgandine *f* Strumpet.
gourmand, ande *a* Greedy. *mf* Glutton, epicure.
gourmander (a^{n}dé) To chide*.
gourmandise *f* (dîz) Gluttony. Dainty (de^{i}nti) [douceur].
gourme *f* (gûrm) Rash [enfant]. Strangles [cheval].
gourmé, ée Stuck-up, stiff.
gourmet *m* (mè) Gourmet.
gourmette *f* (èt) Curb (kë^{r}b).
gousse *f* Pod, shell. Clove.
gousset *m* (gûsè) Armpit. Gusset [chemise]. Fob [poche].
goût *m* (gû) Taste (é^{i}), flavour. Smell [odeur]. Style.
goûter *m* (gûté) Lunch, snack. *v* To taste (té^{i}st). To appreciate, relish. *vi* To have tea.
goutte *f* (gût) Drop. Dram [liqueur]. Gout (ga^{ou}t) [méd.].
goutteux (gûtë) Gouty (ga^{ou}).
gouttière *f* Gutter. Cradle.
gouvernail *m* (èrnày) Rudder.
gouvernant, ante *m* Ruler *f* Governess, housekeeper.
gouvernement *m* Government.
gouverner (gûvèrné) To rule (roul), to govern. **-erneur** Governor, manager. Tutor.
grabat *m* (àbà) Pallet (pàlit).
grâce *f* (âs) Grace (é^{i}s). Favour. Pity. *Rendre -s,* to give* thanks. - *à,* owing to.
gracier (àsyé) To pardon (pâ).
gracieuseté (yëzté) Kindness.
gracieux, euse (àsyë, ëz) Graceful. Gracious. Gratuitous.

gradation *f* (às) Gradation.
grade *m* (àd) Grade. Rank.
gradin *m* (àdi^{n}) Step, tier.
graduel, elle (d^{u}èl) Gradual.
graduer (d^{u}é) To graduate.
grain *m* (i^{n}) Grain (é^{i}n), seed. Bead (bîd) [chapelet]. Squall (skwaul) [averse].
graine *f* (èn) Seed (sîd).
grainetier (t^{y}é) Seedsman.
graissage (grèsàj) *m* Oiling, greasing. **-sser** To lubricate, oil. **-sseur** Oiler, lubricator. **-sseux** (èsë) Greasy (î).
graisse *f* (ès) Grease, fat.
grammaire *f* (èr) Grammar. **-airien** Grammarian (è^{e}r). **-atical** (al) Grammatical.
gramme *m* Gramme.
grand, de (gra^{n}, a^{n}d) Great (é^{i}t), large. Big. Tall (taul) [haut]. Wide [large]. Grown-up [adulte].
Grande-Bretagne (br^{e}tàñ) Great Britain (gré^{i}t brit^{e}n).
grandeur *f* (a^{n}dœr) Size (a^{i}), dimension. Height (ha^{i}t) [hauteur]. Greatness, importance. Highness [titre].
grandiose (^{y}ôz) Grand (à).
grandir To enlarge, increase.
grand-mère Grandmother.
grand-père Grandfather.
grange *f* (a^{n}j) Barn (bâ^{r}n).
granit *m* (ànit) Granite.
granule *m* (ànül) Granule.
graphique *a* (fik) Graphic. *m* Diagram (da^{ie}gràm). **-phite** *m* (fit) Graphite (a^{i}t).
grappe *f* (à) Bunch (bœnsh).
grappin *m* (i^{n}) Grapnel, hook.
gras, asse (grâ, âs) Fat [animal]. Stout (a^{ou}) [pers.]. Greasy [graisseux]. Slippery [glissant]. Broad [indécent]. *Mardi gras*, Shrove Tuesday. *Faire** -, to eat* meat.
grassouillet, ette Plump.
gratification *f* Gratuity.
gratifier Favour [*de:* with].
gratin *m* Burnt part. Upper crust. **-tiner** To brown.
gratis (à) Gratis (é^{i}).
gratitude *f* (ü) Gratitude.
gratte-ciel *m* Sky-scraper.
gratter To scratch, scrape.
grattoir *m* (twàr) Scraper.
gratuit, ite (^{u}i) Gratuitous.
gratuité *f* Gratuity (you).
grave (àv) Grave (é^{i}). Heavy [lourd]. Serious. Low [bas].
gravelle *f* (èl) Gravel.
graver (à) To engrave (é^{i}), imprint. **-veur** Engraver.
gravier *m* Grit, gravel.
gravir (à) To climb (a^{i}m).
gravité *f* Gravity (à).
gravure *f* (àvür) Engraving, (é^{i}), print (înt). Etching.
gré *m* Wish, will; *contre mon -*, unwillingly. *Savoir - de*, to be thankful for; *bon - mal -*, willy nilly.
grec, ecque (grèk) Grecian (îsh^{e}n). *mf* Greek (grîk).
gredin, ine *mf* Scoundrel.
gréement *m* (éma^{n}) Rigging.
greffe *f* Graft. *m* Record-office. Registrar's office. **-effer** Graft. **-effier** Registrar; clerk of the court.
grège (j) Raw (au) [silk].
grégeois (jwà) Greek [fire].
grêle *a* (èl) Slender, thin.
grêle *f* (èl) Hail (hé^{i}l).
grêler To hail.
grêlon *m* (èlo^{n}) Hail-stone.
grelot *m* (gr^{e}lò) Bell.
grelotter To shiver (iv^{er}).
grenade *f* (gr^{e}nàd) Pomegra-

nate [fruit]. Grenade (é^{i}d).
grenadier *m* Pomegranate-tree. Grenadier [mil.].
grenaille *f* (gr^{e}nà^{y}) Small grains. Small shot [plomb].
grenier *m* (gr^{e}n^{y}é) Granary (grà) [blé]. Hay-loft [foin]. Garret, attic [mansarde].
grenouille *f* (^{e}nû^{y}) Frog.
grès *m* (grè) Sandstone (à).
grésil *m* (ézil) Sleet (ît).
grésiller To sleet, patter.
grève *f* (èv) Strand [rivage]. Strike (a^{i}k) [repos].
grever To burden [*grève].
gréviste (évist) Striker.
gribouille *m* (bû^{y}) Noodle.
gribouiller (u^{y}é) To scrawl, scribble. Daub [peinture].
grief *m* (ièf) Grievance.
grièvement (ièv) Severely.
griffe *f* (if) Claw (klau). Signature (sig-n^{e}); stamp.
griffer (ìfé) To scratch.
griffon *m* (o^{n}) Griffin [Fable]. Griffon [chien].
griffonner To scribble.
grignoter (ñò) To nibble.
gril *m* Gridiron (a^{ie}rn).
grillade *f* (ì^{y}àd) Grilling. Grilled meat, grill, steak.
grillage *m* (i^{y}àj) Grilling [cuisson]. Grating [grille].
grille *f* (i^{y}) Grate (é^{i}t).
griller To rail in [clore] To broil, grill [viande]. To roast [café], toast [pain].
grillon *m* (i^{y}o^{n}) Cricket.
grimace *f* (às) Grimace (é^{i}).
grimacer To make* faces, to make* a wry (ra^{i}) face [*grimaçai, -çons*]. **-acier, ère** Grimacing; affected. *mf* Grimacer. Humbug.
grimer (ìmé) To make* up.
grimoire *m* (ìmwàr) Book of magic. Scrawl [illisible].
grimpant, ante Creeping; *plante -*, creeper.
grimper (i^{n}pé) To climb (a^{i}m); to creep* up. **-impeur, euse** Climber (m^{er}).
grincement *m* (a^{n}) Gnashing.
grincer (i^{n}) Gnash (nàsh) [dents]. To creak [porte] [*grinçai, -çons*].
grincheux, se *a* (i^{n}shë, ëz) Testy, surly. *mf* Grumbler.
gringalet lè) Weakling.
grippe *f* (îp) Influenza (èn); *prendre* la -*, to catch the flu; *prendre* en -*, dislike.
gripper (se) To jam, stick*.
gris, ise (î, îz) Grey (é^{i}).
griser (ìzé) To intoxicate.
griserie *f* Intoxication.
grisonner To turn grey.
grisou *m* (grizû) Fire-damp.
grive *f* (îv) Thrush (œsh).
grivèlerie *f* Pilfering.
grivois, oise Broad, loose.
grog *m* Grog.
grognard, arde Grumbler (œ).
grogner (oñé) To grumble.
grognon, onne Grumbling.
groin *m* (grwi^{n}) Snout.
grommeler (òmlé) To growl (a^{ou}l) [*grommelle*].
grondement *m* Rumbling.
gronder (grondé) To rumble [tonnerre]. To roar [lion]. To growl (a^{ou}l) [grogner]. To scold (o^{ou}) [blâmer].
gronderie *f* Scolding, rating.
gros, osse (ô, ôs) Big, large. Stout [gras]. Thick [épais]. Coarse [grossier]. Foul (fa^{ou}l) [temps]. Heavy [mer].
gros *m* (grô) Bulk, main part. Wholesale [trade].

groseille *f* (òzè^{y}) Currant (kœr^{e}nt) [grappe]. Gooseberry (gouz) [maquereau].
grosse V. GROS. Gross [144]. Copy. Bottomry [assurance].
grossesse *f* Pregnancy (g-n).
grosseur *f* (œr) Size (a^{i}), bulk. Growth [tumeur].
grossier, ière Coarse (**au**).
grossièreté *f* Coarseness.
grossir (ôsir) To increase. To make* larger, to magnify (màg-n). *vi* To grow* larger.
grossissant Magnifying.
grotesque (gro) Grotesque.
grotte *f* (ot) Grotto (oto^{ou}).
grouiller (û^{y}é) To swarm.
groupe (grûp), **-pement** *m* Group (oup). **-per** To group.
gruau *m* (**üô**) Groats. Gruel.
grue *f* (**grü**) Crane (kré^{i}n).
gruger (**üjé**) To crunch, devour. To fleece [**-geai, -geons*].
grume *f* (**ü**) Bark (â). Log.
grumeau *m* (**ümô**) Clot, lump.
gruyère *m* (grü^{y}èr) Swiss cheese (tshîz).
gué *m* (**gé**) Ford.
guenille *f* (g^{e}nî^{y}) Rag.
guenon *f* (g^{e}no^{n}) She-monkey.
guêpe *f* (gèp) Wasp (wosp).
guêpier *m* Wasps' nest.
guère *ad* (gèr) Little: *ne... guère*, not much, not very.
guéret *m* Ploughed land.
guéridon *m* (o^{n}) Loo-table.
guérir *vi* (gérir) To recover. To heal [blessure]. *vt* To cure.
guérison *f* (ìzo^{n}) Recovery.
guérite *f* (gé) Sentry-box.
guerre *f* (gèr) War (**au**^{er}).
guerrier, ière *a* Warlike. *m* Warrior (**wau**). *f* Amazon.
guerroyer To war [**guerroie*].
guet *m* (gè) Watch. **- -apens** *m* (gètàpa^{n}) Ambush, snare.
guêtre *f* (gètr) Gaiter (gé).
guetter (gèté) To watch (o).
guetteur Look-out, watchman.
gueule *f* (gœl) Mouth. Jaw.
gueuler (gœlé) To bawl (**au**).
gueux, euse *a* (gë, ëz) Beggarly. *mf* Beggar (bèg^{er}).
gui *m* (gi) Mistletoe (mis^{e}l).
guichet *m* (gishè) Wicket, window. **-chetier** Turnkey.
guide *m* (gîd) Guide (ga^{i}d). Guide-book. *f* Rein (ré^{i}n).
guider (gìdé) Guide (ga^{i}d).
guidon *m* (do^{n}) Handle-bar [bicycl.]. Sight, foresight (sa^{i}t') [fusil].
guigne *f* (giñ) Black cherry [fruit]. Ill-luck [malchance].
guigner (gìné) To peep [regarder]. To covet [envier].
guignol *m* (gìñol) Puppet.
guignon *m* (gìño^{n}) Ill-luck.
Guillaume (gì^{y}ôm) William.
guillemets *mpl* (gi^{y}mè) Inverted commas, quotation marks.
guilleret, ette Lively.
guillotine *f* Guillotine.
guimauve *f* Marsh-mallow.
guimbarde *f* (gi^{n}bàrd) Jew's harp [mus.]. Old carriage.
guimpe *f* (gi^{n}p) Wimple, tucker.
guindé (gi^{n}) Stiff, stilted.
guinder To hoist. To strain.
guinée *f* (giné) Guinea (ni).
guingois (gwà) *De -*, awry.
guinguette *f* Small inn.
guipure *f* (pür) Point-lace.
guirlande *f* Wreath (rîth).
guise *f* (gîz) Way, manner.

guitare *f* (àr) Guitar (âr).
gutta-percha *f* (gütàpèrkà) Gutta-percha (gœtepërtshe).
guttural (gütü) Guttural.
gymnase *m* (jimnàs) Gymnasium (djimnéizyem). **-aste** *mf* Gymnast. **-astique** *a* Gymnastic. *f* Gymnastics *pl.*
gypse *m* (jips) Gypsum (dj).
gyroscope *m* Gyroscope.

H

NOTE : no liaison should be made when the transcription is preceded by ', like ('àsh).
h (àsh) H (éitsh).
habile (àbîl) Skilful [adroit]. Clever [subtil]. **-bileté** *f* Ability, skill. Cleverness.
habiliter (bì) To qualify.
habillement (an) Clothing.
habiller (àbìyé) To dress.
habit *m* (àbî) Dress. Dress-coat [soirée]. *pl* Clothes.
habitant, ante (àbìtan) Inhabitant (inhàbitent).
habitation *f* (tà) Dwelling.
habiter To inhabit (ìnhà), to live in. *vi* To live (liv).
habitude *f* (àbìtüd) Habit.
habituel (uèl) Usual (youj).
habituer (àbìtué) To accustom (kœ) ; inure (youer) [durcir]. **S'** - To get used.
hâbleur ('âblœr) Boaster.
hache *f* ('àsh) Hatchet, axe.
hacher ('ashé) Hew* (hyou), hack. To hash (h) [viande].
hachette *f* ('àshèt) Hatchet.
hachis *m* ('âshî) Hash (h).
hachoir *m* ('ashwàr) Chopper.
hachure *f* ('âshür) Hatching.
hagard, arde ('agàr) Wild.
haie *f* ('è) Hedge (hèdj).
haillon *m* ('âyon) Rag, tatter.
haine *f* ('èn) Hate (héit), hatred. **-neux, se** Spiteful.
haïr* ('âîr) To hate (héit) [**hais, hait, haïssons,* etc.; *haïmes, haïtes, haït*].
haïssable ('àîsàbl) Hateful.
hâle ('âl) *m* Sunburn.
haleine *f* (àlèn) Breath (èth).
haler ('àlé) To tow (toou).
hâler ('a) *vt* To burn*, to tan.
haleter ('àlté) To pant (à) [**halète*].
halle *f* ('àl) Market-house.
hallebarde *f* ('àl) Halberd.
hallier *m* ('àlyé) Thicket.
halluciner (ü) Hallucinate.
halo *m* ('àlô) Halo (héiloou).
halte *f* ('àlt) Halt (hault).
haltère *f* (tèr) Dumb-bell.
hamac *m* ('àmàk) Hammock.
hameau *m* ('àmô) Hamlet.
hameçon *m* ('àmson) Hook.
hampe *f* ('anp) Staff, pole.
hanche *f* ('ansh) Hip (hip).
handicap *m* ('andì) Handicap (hà). **-per** To handicap.
hangar *m* ('angàr) Shed.
hanneton *m* ('àn) May-bug.
hanter ('anté) To haunt (h).
hantise *f* ('an) Obsession.
happer ('àpé) To snatch.
haquenée *f* ('àkné) Nag.
haquet *m* ('àkè) Dray. Cart.
harangue *f* ('àrang) Address.
haras *m* ('àrà) Stud (stœd).

harasser ('àrà) To harass.
harceler ('arselé) To worry, harass [**harcèle*].
hardes *fpl* ('àrd) Clothes.
hardi, ie ('àr) Bold (oou).
hardiesse *f* (yès) Boldness.
hareng *m* ('àran) Herring.
hargneux ('arñë) Surly (ër).
haricot *m* ('àrìko) Bean.
harmonie *f* (àr) Harmony.
harmonieux (àr) Harmonious.
harmonium *m* Harmonium.
harnachement (') *m* Harness.
harnacher ('àrnàshé) To harness. To rig out.
harnais ('arnè), **harnois** *m* Harness. Trappings *pl.*
haro *m* ('àro) Hue and cry.
harpagon ('àr) Miser (ai).
harpe *f* ('arp) Harp (hârp).
harpin *m* (pin) Boat-hook.
harpiste *mf* ('àr) Harpist.
harpon *m* ('àrpon) Harpoon.
hasard *m* ('àzàr) Chance (tsh). Risk. **-arder** To venture, to risk. **-ardeux** Perilous.
hâte *f* ('ât) Haste (héist); *en -*, in a hurry (œ).
hâter ('âté) Hasten (héisen), to hurry. **Se -** To hurry (œ).
hâtif, ive ('âtif) Hasty (hé). Early (ër) [précoce].
hauban *m* ('ôban) Shroud.
hausse *f* ('ôs) Lift. Rise (raiz), advance. Backsight [fusil].
hausser ('ô) To lift, to raise. To shrug [épaules].
haussier ('ôsyé) Bull (ou).
haussière *f* ('ôsyèr) Hawser.
haut, te ('ô, 'ôt) High (hai). Tall (taul) [taille]. Upper [supérieur]. Haughty [fier]. Loud (laoud) [voix].
haut *m* ('ô) Top, summit, upper part. *Deux pieds de -*, two feet high.
hautain, ne ('ôtin) Haughty.
hautbois *m* ('ôbwà) Oboe.
hauteur *f* ('ôtœr) Height (hait). Hill [colline]. Pitch [ton]. Haughtiness.
haut-fond *m* ('ôfon) Shoal.
haut-le-cœur *m* Retching.
haut-le-corps *m* Start (ârt).
haut-le-pied Light [engine].
haut-parleur *m* Loud-speaker.
Havane [La] *f* ('àvàn) Havana (h) *m* Havana cigar.
Havre [Le] *m* ('âvr) Havre (hâver). Harbour, haven.
havresac *m* ('â) Knapsack.
Haye [La] *f* (è) The Hague.
heaume *m* ('ôm) Helmet (hèl).
hebdomadaire (dèr) Weekly.
héberger (ébèrjé) To lodge [**hébergeai, -geons*].
hébéter To stultify [**-ète*].
hébétude *f* (üd) Stupidity.
hébreu (ébrë) Hebrew (hî).
hécatombe *f* (é) Slaughter.
hecto (èktô) One hundred.
hégémonie *f* (éj) Hegemony.
hein ('in) What?
hélas (élâs) Alas (elâs).
héler ('élé) To hail [**hèle*].
hélice *f* (élîs) Propeller.
héliotrope *f* Heliotrope.
hématite *f* (émà) Hematite.
hémisphère *m* (émisfèr) Hemisphere (hèmisfier).
hémorragie *f* (émoràjî) Hæmorrhage (hèmoridj).
hémorroïde *f* Pile (pail).
henné *m* ('èné) Henna (hène).
hennir ('è) To neigh (néi).
Henri ('anri) Henry (hèn).
héraut *m* ('érô) Herald (h).
herbage *m* (èrbàj) Pasture.
herbe *f* (èrb) Herb (hërb)

[plante]. Grass [gazon]. Weed [algue, mauvaise herbe]. *En* -, in the blade.
herbeux, euse (bë) Grassy.
herbier *m* (yé) Herbarium.
herbivore Herbivorous.
herboriser To herborize.
herboriste (èr) Herbalist.
Hercule (èrkül) Hercules.
hère *m* ('èr) Wretch (rètsh).
héréditaire (tèr) Hereditary.
hérédité *f* (éré) Heredity.
hérésie *f* (érézî) Heresy.
hérétique (ìk) Heretic (**h**).
hérissé ('érisé) Bristling.
hérisser ('é) To bristle (isel). **Se -** To bristle up. To stand* on end [cheveu].
hérisson *m* ('èrìson) Hedgehog. Urchin (ër) [mer].
héritage *m* (tàj) Heirloom.
hériter (érìté) To inherit (inhèrit). **-itier, ière** *m* Heir (èer), *f* Heiress.
hermétique Hermetic (**h**).
hermine *f* (èrmîn) Stoat [animal]. Ermine (ër) [peau].
hernie *f* ('èrnî) Rupture.
héroïne *f* (éròîn) Heroin (**h**).
héroïque (éroîk) Heroic.
héroïsme *m* Heroism (**h**).
héron *m* ('éron) Hern, heron.
héros ('érô) Hero (**hie**).
herse *f* ('èrs) Harrow.
hésitation *f* Hesitation.
hésiter (ézìté) To hesitate (**h**èzitéit), to waver.
hétéroclite Odd, irregular.
hêtre *m* ('êtr) Beech (bîtsh).
heur *m* (œr) Luck (lœk).
heure *f* (œr) Hour, time. *Il est deux heures*, it is two o'clock; une *demi-heure*, half an hour; *un quart d'heure*, a quarter of an hour; *de bonne heure*, early; *tout à l'* -, presently.
heureux, euse (œrë, ëz) Happy (**h**àpi). Lucky, fortunate. *- de vous voir*, glad to see* you.
heurt *m* ('œr) Blow. Knock.
heurter To knock against. To strike*. To wound [blesser]. **Se -** To hit*. To clash.
heurtoir *m* ('œrtwàr) Buffer [rail]. Knocker [porte].
hexagone *m* (gòn) Hexagon.
hiberner (ìbèrné) Hibernate.
hibou *m* ('ìbû) Owl (aoul).
hic *m* ('îk) Rub, difficulty
hideux, se ('ìdë) Hideous.
hier *m* (yèr) Yesterday (déi); *avant-hier* (tyèr), the day before yesterday.
hiérarchie *f* ('yéràrshî) Hierarchy (**h**aierârki).
hiéroglyphe *m* Hieroglyph.
hilarant (ran) Exhilarating.
hilarité *f* Mirth (mërth).
hindou, e (indû) Hindu (**h**ì).
hippique (ìpik) About horses; *concours* -, horse-show.
hippodrome *m* Race-course.
hippopotame Hippopotamus.
hirondelle *f* (ìron) Swallow.
hirsute (üt) Shaggy. Rough.
hisser ('i) To hoist, lift.
histoire *f* (istwàr) History (**h**isteri) [science]. Story (stori) [conte], tale (téil).
historien (yin) Historian.
historique Historic, -orical.
hiver *m* (ìvèr) Winter (wìnter). **-ernal, ale** Wintry. **-erner** (né) To winter.
hochement *m* ('oshman) Wagging. Nod [tête]. **-cher** To wag [queue]. To nod [tête].
hochet *m* ('oshè) Rattle, toy.

Hollande *f* ('òlan͏d) Holland.
hollandais, se Dutch (œ).
holocauste *m* (òlò) Holocaust.
homard *m* ('òmàr) Lobster.
homéopathie *f* Homœopathy.
homicide *m* (òmìsîd) Homicide, manslaughter. Murder (ë) [meurtre]. a Murderous.
hommage *m* (òmàj) Homage.
homme *m* (òm) Man (màn) [*pl men* (mèn)] : - *d'affaires*, businessman; - *d'État*, statesman; - *-grenouille m* Frog man.
homonyme *m* Name-sake.
Hongrie *f* ('ongrî) Hungary.
-grois, oise Hungarian.
honnête (ònèt) Honest. Polite (ait). Fair [prix].
honnêteté *f* (teté) Honesty.
honneur *m* (ònœr) Honour.
honnir ('ònîr) To disgrace.
honorabilité *f* Respectability.
-rable (ònò) Honourable.
honoraire (rèr) Honorary (ònereri). *mpl* Fees (fîz).
honorer (ònòré) To honour (œ). **S'** - To pride oneself.
honte *f* ('ont) Shame (éi) : *avoir* -, to be ashamed of.
honteux, euse ('on) Ashamed [pers.]. Shameful [acte].
hôpital *m* (òpìtàl) Hospital.
hoquet *m* ('òkè) Hiccup (h).
horaire *m* (èr) Time-table.
horde *f* ('ord) Horde (au).
horion *m* ('oryon) Blow (oou).
horizon *m* (òrìzon) Horizon (horaizen). **-zontal, ale** Horizontal (izòntel).
horloge *f* (orloj) Clock.
horloger (jé) Clock-maker, watch-maker. **-ogerie** *f* (jrî) Clock-making. Clock-maker's shop. Clock and watch trade.
hormis ('ormî) Except, save.
horoscope *m* Horoscope.
horreur *f* (òrœr) Horror (h).
horrible (òribl) Horrible (h).
horripiler To provoke, bore.
hors *ad* ('òr) Out, out of.
hors-d'œuvre *m* ('òrdœvr) Hors-d'œuvre. Digression.
hortensia *m* (òrtansya) Hydrangea (haidréindjye).
horticulteur (kült) Gardener.
-culture *f* Horticulture.
hospice *m* (òspîs) Asylum (esailem) Almshouse. Hospital.
hospitalier Hospitable. **-aliser** To admit [in a hospital]. **-alité** *f* Hospitality.
hostie *f* (òstî) Host (oou).
hostile (tîl) Hostile (hostail). **-ilité** *f* Hostility.
hôte, hôtesse (ôt, ôtès) Host (hooust), hostess (tis). *Hôtesse de l'air, air* hostess.
hôte (ôt) Host. Guest, visitor; - *payant*, paying guest.
hôtel *m* (òtèl) Hotel (hoou). Town residence [particulier]. - *de ville*, Town Hall.
hôtelier, ière Inn-keeper; landlord [*f* landlady].
hotte *f* ('òt) Basket (it).
houblon *m* ('ûblon) Hop.
houe *f* ('û) Hoe (hoou).
houille *f* ('ûy) Coal (ooul). - *blanche*, water-power. **-llère** *f* ('ûyèr) Coal-mine.
houle *f* ('ûl) Surge, swell.
houlette *f* ('ûlèt) Crook (ou).
houleux ('û) Rough (rœf).
houppe *f* ('ûp) Tuft (tœft).
houppelande *f* ('ûp) Cloak.
houppette *f* ('ûpèt) Puff (œ).
hourra *m* ('ûrâ) Hurrah.
houspiller ('ûs) To hustle.
housse *f* ('ûs) Cover (kœ).

houx *m* ('û) Holly (**ho**li).
hoyau *m* ('oyô) Mattock.
hublot *m* ('üblò) Porthole.
hue ('ü) Gee (djî).
huée *f* ('ué) Hoot, hooting.
huer *vi* To hoot. *vt* Hoot at.
huguenot, ote ('ügnô, òt) Huguenot (**hyou**genoou).
huile *f* (uîl) Oil (oil).
huiler To oil, to lubricate.
huilerie *f* Oil-works; -store.
huilier *m* (uilyé) Cruet-stand.
huissier *m* (uisyé) Bailiff.
huit ('uît) [(ui) before a consonant] Eight (éit).
huitaine *f* ('uitèn) Week.
huitième (yèm) Eighth (**th**).
huître *f* (uîtr) Oyster.
humain, aine (ümin, èn) Human (**hyou**men) [de l'homme]. Humane (hyouméin) [bon].
humaniser (ìzé) Humanize.
-nitaire Humanitarian. **-nité** *f* (ümà) Humanity (**hyou**mà).
humble (unbl) Humble (**hœm**).
humecter (ümèkté) To wet.
humer ('ümé) To breathe.
humérus *m* (ümé) Humerus.
humeur *f* (ümœr) Mood. Temper (good *or* bad).
humide (ümîd) Wet, damp (à).
humidité Dampness, moisture.
humilier (ümilyé) To humble.
-lité *f* Humility (**hyou**mi).
humoriste (ümò) Humorist.
humour *m* (ümûr) Humour.
humiliation *f* Humiliation.
humus *m* (ümüs) Mould (oou).
hune *f* ('ün) Top.
hunier *m* ('ünyé) Top-sail.
huppe *f* ('üp) Tuft, crest. Hoope [oiseau]. **huppé, ée** Crested. Well-off [riche].
hure *f* ('ür) Head [boar].
hurlement *m* ('ürleman) Howl (haoul). **-ler** To howl.
hurluberlu *m* (ü) Giddy pate.
hussard ('üsàr) Hussar.
hutte *f* ('üt) Hut (hœt).
hyacinthe *f* (yàsint) Hyacinth (**ha**iesìnth).
hybride (ìbrîd) Hybrid (ai).
hydrate *m* (ìdràt) Hydrate (haidréit). **-aulique** (òlik) Hydraulic (haidraulik). *Force* -, water-power.
hydravion *m* (ìdrà) Seaplane.
hydre *f* (îdr) Hydra (**ha**i).
hydrogène *m* (jèn) Hydrogen.
hydrophile (îl) Absorbent.
hydropisie *f* (ìzî) Dropsy.
hydroplane *m* Sea-plane.
hyène *f* (yèn) Hyena (haiî).
hygiène *f* (ijyèn) Hygien (**ha**idjìn) **-iénique** (nik) Hygienic, sanitary, healthy.
hygromètre *m* Hygrometer.
hymen *m* (ìmèn), **hyménée** *f* (ìméné) Hymen (haimèn).
hymne *m* (îmn) Ode. *f* Hymn.
hyperbole *f* (ìpèrbòl) Hyperbole. Hyperbola [math.].
hypertrophie *f* Hypertrophy.
hypnotique (ipnòtik) Hypnotic. **-otiser** To hypnotize.
-otisme *m* Hypnotism (**hip**).
hypocrisie *f* (ìpòkrìzî) Hypocrisy. **-crite** *a* Sneaking. *mf* Hypocrit (**hì**).
hypothèque *f* (ìpòtèk) Mortgage (maurgidj); *créancier hypothécaire*, mortgagee.
hypothèse *f* (ìpòtèz) Hypothesis (haipothisis).
hystérie *f* (istérî) Hysteria (histierye); histerics (tè).
-rique Hysterical (**his**tè).

I

I (ì) I (ai) : *mettre* les points sur les i,* to dot one's I's (aiz).
Ici *ad* (ìsî) Here (hier) ; *jusqu'ici,* hitherto.
Ictère *m* (èr) Jaundice (dj).
Idéal, le (ìdéal) Ideal (aidîel). **-aliser** Idealize (aiz).
Idéalisme *m* Idealism (ai).
Idéaliste (ìdéalist) Idealistic. *mf* Idealist (aidi).
Idée *f* (ìdé) Idea (aidie).
Identifier (ìdantìfyé) To identify (aidèntifai). **-tique** Identical. **-tité** *f* Identity.
Idiome *m* (ìdyòm) Language.
Idiot, ote (ìdyò, òt) Idiotic (ìdyotik). *mf* Idiot (idyet).
Idiotie *f* (sî) Idiocy (id).
Idiotisme *m* Idiom (idyem).
Idoine (ìdwàn) Fit, proper.
Idolâtre (ìdòlâtr) *a* Idolatrous (aido). *mf* Idolater.
Idolâtrer To idolize (aide).
Idolâtrie *f* (ìdò) Idolatry.
Idole *f* (ìdòl) Idol (aidel).
Idylle *f* (ìdîl) Idyl (aidil).
If *m* Yew-tree (youtrî).
Ignare (iñar) Ignorant (g-n).
Ignition *f* (ign) Ignition.
Ignoble (ñ) Ignoble (g-n).
Ignominie *f* (ìñòmìnî) Ignominy (ig-no). **-inieux, se** (mìnyë) Ignominious (ig-no).
Ignorance *f* (iñòrans) Ignorance (ig-norens). **-orant, ante** (ñòran) Ignorant.
Ignorer (ìñòré) To be ignorant of ; not to know*.
Il (îl) He (hî) ; *neutre* it.
Ile *f* (îl) Isle (ail), island.
Illégal (àl) Illegal (îgel).
Illégalité *f* Illegality.
Illégitime (jìtîm) Unlawful.
Illettré (ètré) Illiterate.
Illicite (ît) Illicit (it').
Illimité Boundless (baound).
Illisible (zibl) Illegible.
Illumination *f* Illumination. **-miné** Lighted up. Visionary. **-miner** (ilü) To light up.
Illusion *f* (üzyon) Illusion (oujen). **-ionner** (yòné) To delude (lyoud). **-oire** (zwàr) Delusive (dilyousiv).
Illustration *f* (ilüstràsyon) Illustration. Celebrity.
Illustrer (lü) Illustrate.
Ilot *m* (ìlô) Islet (ailit).
Image *f* (ìmàj) Image (idj). Picture (tsher). Likeness.
Imaginable (jì) Imaginable. **-inaire** Imaginary. **-inatif, ive** Imaginative. **-ination** *f* (àsyon) Imagination, fancy.
Imaginer (ìmàjìné) To imagine (imàdjìn). **S'**- To fancy.
Imbécile *a* (inbésîl) Foolish (fou), silly. *mf* Fool.
Imbécillité *f* Foolishness.
Imberbe (inbèrb) Beardless.
Imbiber (inbìbè) To soak.
Imbu, e (inbü) Imbued (youd).
Imbuvable (in) Undrinkable.
Imitateur, trice Imitator.
Imitation *f* Imitation.
Imiter To imitate (éit).
Immaculé, ée (kü) Spotless.
Immangeable (inmanjàbl) Uneatable (œnîtebel).
Immatériel Incorporeal.
Immatriculer Matriculate.
Immédiat, te Immediate (î).
Immense (ans) Boundless.
Immensité *f* Immensity (èn).

immérité Undeserved (zër).
immersion *f* Immersion (ër).
immeuble (œbl) *a* Immovable (*mou*), real. *m* House.
immigrer To immigrate (éit).
imminent (*a*n) Imminent.
immiscer (s') To meddle.
immixtion *f* (tyon) Meddling.
immobile (òbîl) Motionless.
immobilier, ière Real (rîel).
-biliser To immobilize; to lock up [argent]. **-bilité** *f* Immobility; fixity.
immodéré Immoderate (erit).
immoler (òlé) To immolate.
immonde (ond) Unclean, foul.
immondice *f* Filth, refuse.
immoral, ale (imoral) Immoral. **-alité** *f* Immorality.
immortaliser Immortalize.
-talité *f* Immortality.
immortel, elle (òrtèl) Immortal (*au*r), everlasting.
immuable (uàbl) Immutable.
immunité *f* (ü) Immunity.
impair, aire (inpèr) Odd.
imparfait (fè) Imperfect.
impartial (syàl) Impartial.
-tialité *f* Impartiality.
impasse *f* (in) Blind alley.
impassible (ibl) Impassible.
impatience *f* (àsyans) Impatience (impéishens). **-tient** (syan) Impatient (éishent).
impatienter To put* out of patience. **S' -** To lose* patience.
impératif, ive Imperative.
impératrice (inpé) Empress.
imperfection *f* Imperfection.
impérial (éryàl) Imperial (î).
impérialisme *m* Imperialism.
impérieux, euse Imperious.
imperméable (inpèrméàbl) Impervious. Tight (ait).
impersonnel Impersonal (ë).
impertinence *f* (inpèrtinans) Impertinence (ìmpërtinens).
-tinent, te Impertinent.
impétueux (tuë) Impetuous.
impie (inpî) *I*mpious (pyes).
impiété *f* (pyé) Impiety (ai).
impitoyable (twày) Pitiless.
implacable (kà) Implacable.
implicite (sit) Implicit.
implorer Implore, beseech*.
impoli, ie (inpò) Rude (ou).
impolitesse *f* Rudeness.
importance *f* (inportans) Importance (ìmpaurtens).
important, ante Important.
-tateur, trice *a* Importing. *mf* Importer (ìmpaurter).
-tation *f* Import (ìmpauert).
importer (in) To import (ìm).
importun, e (un, ün) Importunate. *mf* Intruder (*ou*).
importuner (üné) To bother.
imposant, te Imposing (oou).
imposer (inpôzé) To impose, tax. **S' -** To assert oneself.
imposition *f* Imposition.
impossible (in) Impossible.
imposteur (inpòs) Impostor.
imposture *f* (ür) Imposture.
impôt *m* (inpô) Tax, duty.
impotent (òtan) *I*mpotent.
impraticable Impracticable; impossible; impassable.
imprégner (ñé) Impregnate.
imprenable Impregnable (g-n).
impression *f* Impression.
impressionnant Impressive.
-ionner *vt* To impress.
imprévoyance *f* Improvidence.
-voyant (vwàyan) Improvident. **-vu** (évü) Unforeseen.
imprimé *m* (in) Printed matter. Form [à remplir].
imprimer To print. To impart [mouvement]. **-imerie** *f* (rî)

Printing works. Press.
imprimeur (ìmœr) Printer.
improbable (prò) Unlikely.
impromptu *m* Offhand.
improviser (òvìzé) To improvize; to speak* extempore.
improviste [**à l'**] Unawares.
imprudence *f* (ü) Imprudence (*ou*). **-dent, ente** Imprudent.
impudence *f* (pü) Impudence (ìmpyou). **-dent** Impudent.
-deur *f* Shamelessness (éi).
-dique (dîk) Immodest, lewd.
impuissance *f* (uî) *I*mpotence.
-ssant, ante Powerless.
impulsion *f* *I*mpulse (œls).
impunément With impunity.
impunité *f* (pü) Impunity.
impur, e (ü) Impure (pyou).
impureté *f* Impurity (pyou).
imputer (inpüté) To charge.
inabordable Inaccessible.
inaccoutumé Unusual (youj).
inactif, ive Idle (aidel).
inaction *f* Inaction.
inadvertance *f* *O*versight.
inanimé, ée Lifeless (lai).
inanition *f* Starvation.
inaperçu, e (sü) Unnoticed.
inappréciable Unvaluable [précieux]. Imperceptible.
inapte (inàpt) Unfit (œn).
inattaquable Unassailable.
inattendu (dü) Unexpected.
inattentif, ive Inattentive.
inattention *f* Inattention.
inaugurer To inaugurate, open.
inavouable (wà) Shameless.
incandescent Incandescent.
incapable Unable, incapable.
incarcérer To imprison.
incarnat *a* (nà) Rosy, flesh-coloured. *m* Carnation.
incarnation Embodiment.
incarner Embody, incarnate.
incassable Unbreakable.
incartade *f* Prank, freak.
incendiaire Incendiary.
incendie *m* (insandî) Fire.
incendier To set* on fire.
incertain (tin) Uncertain.
incertitude *f* Uncertainty.
incessamment (èsàman) Incessantly. Shortly [bientôt].
incessant Unceasing (sî).
incessible Untransferable.
inceste *m* (insèst) Incest [crime]. Incestuous person.
incidemment Incidentally.
incidence *f* (ans) *I*ncidence.
-dent *m* (dan) *I*ncident (ent).
-dent, ente Incidental (èn).
incinérer (in) To cremate.
inciser (insizé) To cut*.
incisif, ive Incisive, sharp.
incision *f* (zyon) Incision.
inciter (sì) To incite (ai).
inclinaison *f* (nèzon) Slope.
inclination *f* Inclination.
incliner (ìné) To incline.
inclure* (ür) To include; *ci-inclus*, herewith.
incohérent (an) Incoherent.
incolore (inkò) Colourless.
incomber To devolve [*à* : on].
incommode Inconvenient.
-oder To inconvenience (vî).
-odité *f* Inconvenience.
incomparable Matchless.
incompatible Incompatible.
incompétence *f* Incompetence.
incomplet, ète Incomplete.
incompréhensible [ansîbl] Meaningless.
inconcevable Inconceivable.
inconduite *f* (uî) Misconduct.
incongru (ongrü) Improper.
inconnu, ue *a* (ònü) Unknown to. *mf* Stranger (stréindjer).
inconscient Unconscious.

inconséquence *f* Inconsistency.
inconsidéré Thoughtless.
inconstance *f* Inconstancy. **-ant** Inconstant; fickle.
incontestable Undeniable.
incontinent *ad* Forthwith. **-nent, ente** *a* Incontinent.
inconvenance *f* Impropriety. **-venant, ante** Improper. **-vé-nient** *m* Inconvenience.
incorporer To incorporate.
incorrect Incorrect. **-ection** *f* Incorrection.
incrédule (ü) Incredulous. *mf* Unbeliever (bilîv^{er}).
incrédulité *f* Incredulity.
incriminer (i^{n}kri) Accuse.
incroyable Unbelievable.
incroyant (à^{y}a^{n}) Unbeliever.
incruster (ü) To incrust (œ).
inculpation *f* (ü) Charge. **-pé, ée** Accused, prisoner.
inculper Charge (tshâ^{r}dj).
inculte (ült) Uncultivated.
incurable (kü) Incurable.
incurie (i^{n}kürî) Neglect.
incursion (ürs^{y}o^{n}) Inroad.
Inde *f* (i^{n}d) India (ìnd^{ye}).
indécent (ésa^{n}) Indecent (dî).
indécis, ise Undecided.
indéfini (ìnî) Indefinite.
indéfrisable *f* (zàbl) Permanent wave.
indélicat, ate Indelicate.
indélicatesse *f* Indelicacy.
indemniser Indemnify (fa^{i}).
indemnité *f* Compensation.
indépendance *f* Independence. **-dant, te** Independent.
indescriptible Undescribable.
indésirable Undesirable.
index *m* (i^{n}dèks) Forefinger. Index (ìn) [table]. *Mettre* à l' -*, to black-list.
indicateur, trice Indicator, informer. Time-table [rail].
indicatif (kà) Indicative.
indication *f* Indication.
indice *m* (i^{n}dîs) Sign (a^{i}n).
indicible Unspeakable.
indien, ienne (i^{n}d^{y}i^{n}, ^{y}èn) Indian (ìnd^{y}en). *f* Print.
indifférence *f* Indifference.
indifférent, e Indifferent.
indigence *f* (ja^{n}s) Poverty.
indigène (jèn) Native (é^{i}).
indigent, ente (i^{n}dìja^{n}) *a* Needy (nîdi). *mf* Pauper.
indigeste (j) Indigestible.
indigestion *f* Indigestion.
indignation (ñ) Indignation.
indigne (i^{n}dîñ) Unworthy.
indigné (ñ) Indignant (g-n).
indigner To shock, to make* indignant. **-ignité** *f* Unworthiness (œnwë^{r}zhinis).
indigo *m* (i^{n}) Indigo (ìn).
indiquer (ké) To indicate.
indirect, ecte (dì) Indirect.
indiscipline *f* Indiscipline.
indiscret, ète (è, èt) Indiscreet. Inquisitive [curieux].
indiscrétion *f* Indiscretion.
indiscutable Incontestable.
indispensable Indispensable.
indisposer To indispose.
indistinct (i^{n}) Indistinct.
individu (dü) Individual. **-duel** (d^{u}èl) Individual.
indivis (vî), **se** Undivided.
indolence *f* Indolence, sloth.
indomptable Indomitable.
indubitable Unquestionable.
induction *f* (ük) Induction.
induire* (d^{u}ir) To induce [**induis, -duit, -uisons,* etc.; *-uisais,* etc.; *-uisis,* etc.; *-uise,* etc.; *-uisant; -uit*].
indulgence *f* (ü) Leniency.
indulgent, ente *a* Lenient.

indûment (ümaⁿ) Unduly.
industrie *f* (iⁿdü) *I*ndustry.
industriel, elle Industrial. *m* Manufacturer (mànyou).
inébranlable Unyielding.
inédit, te (dî) Unpublished.
ineffable Unspeakable.
ineffaçable (sà) Indelible.
inefficace (às) Unavailing.
inefficacité *f* Inefficacy.
inégal, e Unequal (œnîkwel).
inégalité *f* Inequality.
inepte Stupid (styou).
inépuisable Inexhaustible.
inerte (ìnèrt) Inert (ërt).
inertie *f* (èrsî) Inertia (she).
inespéré Unhoped for (hoou).
inestimable Invaluable.
inévitable Unavoidable.
inexact, acte Inaccurate.
inexactitude Inaccuracy.
inexorable Unrelenting.
inexpérience *f* Inexperience (pie) **-imenté** Inexperienced.
inexplicable Unaccountable.
inexprimable Unutterable.
inextinguible Unquenchable.
infaillible (àу) Infallible
infamant (àmaⁿ) Degrading.
infâme (âm) *I*nfamous.
infamie *f* (àmî) *I*nfamy.
infanterie *f* (iⁿfaⁿ) *I*nfantry.
infanticide *m* Child-murder. [crime]. Child-murderer.
infatigable (iⁿ) Untiring.
infect, ecte Foul (faoul).
infecter To infect (ìnfèkt).
infection *f* Infection.
inférieur, eure *a* Inferior, lower **-iorité** *f* Inferiority.
infernal (èr) Infernal (ë).
infester (iⁿ) To infest.
infidèle (dèl) Infidel (ìnfidel). **-délité** *f* Infidelity (ìn).
infiltration *f* Infiltration.
infiltrer (iⁿ) Infiltrate.
infime (iⁿfîm) Lowest.
infini, ie (nî) *I*nfinite.
infinité *f* Infinity, no end.
infinitif *m* Infinitive.
infirme (îrm) Invalid (ìn).
infirmer To invalidate.
infirmerie *f* Infirmary (ë).
infirmier [Male] nurse. **-ière** *f* (irmyèr) Nurse.
infirmité *f* Infirmity (ë).
inflammation *f* Inflammation.
inflation *f* (à) Inflation.
inflexible (iⁿ) Inflexible.
inflexion *f* Inflexion.
infliger (iⁿflìjé) To inflict [**infligeai, -geons*].
influence *f* *I*nfluence.
influencer *I*nfluence (oue) [**influençai, -çons*].
influent, ente Influential.
influer (üé) To tell*.
information *f* Information.
informe (iⁿ) Shapeless (éⁱ).
informer (iⁿformé) To inform. **S' -** To enquire about.
infortune *f* (ün) Misfortune. **-tuné** Unhappy, wretched.
infraction *f* (yoⁿ) Breach.
infroissable Uncreasable.
infructueux (üktuë) Fruitless.
infus, use (iⁿfü, üz) Inborn.
infusion *f* Infusion (fyouj).
ingambe (iⁿgaⁿb) Nimble.
ingénier (s') To contrive.
ingénieur (j) Engineer (dj).
ingénieux Ingenious. Clever. **-iosité** *f* Ingenuity (nyou).
ingénu, ue (jénü) Ingenuous. **-nuité** *f* (ui) Artlessness.
ingrat (à), **ate** Thankless.
ingratitude *f* Ingratitude.
ingrédient *m* Ingredient.
inguérissable Incurable.
ingurgiter (ürji) To swallow.

inhabité (inà) Uninhabited.
inhalation *f* Inhalation.
inhérent Inherent (**hi**e).
inhospitalier Inhospitable.
inhumain (ìnümin) Inhuman.
inhumation *f* Burial (bèe).
inhumer To bury (bè).
inimitié *f* Hatred (**hé**).
ininterrompu (pü) Unbroken.
inique (îk) Iniquitous (kw).
iniquité *f* (kì) Iniquity (kw).
initial, ale (syàl) Initial.
initiation *f* (sì) Initiation.
initiative *f* Initiative.
initier (syé) Initiate (shyèt').
injecter (inj) To inject (dj).
injection *f* Injection.
injonction *f* Injunction (dj).
injure *f* (jür) *I*nsult (œlt).
injurier (jü) To abuse. To insult.
injurieux, se Insulting (œ).
injuste (injüst) Unjust (œ).
injustice *f* Injustice.
inlassable (inlàs) Untiring.
inné, ée Inborn, innate.
innocence *f* (an) *I*nnocence.
innombrable Innumerable.
innovation *f* Innovation.
innover (òvé) To innovate.
inoccupé (òküpé) *I*dle (ai).
inoculation *f* Inoculation.
inodore (òdòr) *O*dourless.
inoffensif, ive Harmless.
inondation *f* (inon) Flood.
inonder (on) To flood (œ).
inopiné Unexpected.
inopportun, une Untimely.
inoubliable Unforgettable.
inouï, ïe (ìnwî) Unheard of.
inqualifiable Unspeakable.
inquiet, ete (inkyè) Alarmed, uneasy, worried, concerned.
inquiéter (yé) To alarm (â) [*-ète]. **-étude** *f* Concern.
inquisition *f* Inquisition.
insaisissable Unseizable.
insalubre (sàlü) Unhealthy.
insanité *f* (in) Insanity.
insatiable (syà) Insatiable.
inscription *f* (ipsyon) *E*ntry, inscription (ipshen). **-crire** To inscribe (aib), to enter [*inscrit, -it, -ivons,* etc.; *-ivais; -ivis; -ive; -ivant; it*].
insecte *m* (in) *I*nsect (ìn).
insensé, ée (insansé) Mad.
insensibiliser To anaesthetize (îsthitaiz). **-sibilité** *f* Insensibility. **-sible** Insensible.
inséparable Inseparable.
insérer (in) To insert [*-ère].
insertion *f* (èr) Insertion.
insigne (insîñ) Signal (g). *m* Badge. *pl* Insignia.
insignifiant (ñì) Trifling.
insinuation *f* (nuàs) Hint. **-nuer** (nué) To hint (**hì**nt). **S' -** To worm one's way.
insipide (ìpîd) Tasteless.
insistance *f* Insistence.
insister To insist, dwell*.
insolation *f* Sunstroke.
insolence *f* *I*nsolence.
insolent, ente *I*nsolent.
insolite Unwonted, strange.
insoluble (übl) Insoluble.
insolvabilité *f* Insolvency. **-vable** (insol) Insolvent.
insomnie *f* Sleeplessness.
insondable Unfathomable.
insouciant (syan) Care-free.
insoumis, ise Refractory.
insoumission *f* Rebellion.
inspecter To inspect, survey. **-ecteur** Inspector, surveyor. **-ection** *f* Inspection, survey.
inspirateur, trice (ìrà) *a* Inspiring. *n* Inspirer (aierer).
inspirer To inspire (aier).

S' - To take* inspiration.
Instabilité *f* Instability.
Instable Unsteady, instable.
installer To fit up. To set, install. **S'** - To settle, to set up.
Instamment (aⁿ) Earnestly.
instance *f* (aⁿs) Entreaty.
instant *m* (aⁿ) Instant. While.
instant, ante Earnest (ër).
instantané (aⁿ) Instantaneous (téⁱ). *m* Snapshot.
Instar *m* (iⁿstàr) Fashion.
Instigation *f* Instigation.
instinct *m* (tiⁿ) Instinct.
instinctif Instinctive.
Instituer (tᵘé) Institute.
institut *m* (itü) Institute.
instituteur Teacher. Tutor.
-trice Mistress. Governess.
Institution *f* Institution.
instructeur (ü) Instructor.
-uctif, ive Instructive (œk).
-uction *f* (üksʸoⁿ) Instruction (œkshᵉn), education.
Instruire* (ᵘîr) To instruct. (œkt), teach*. **S'** - To learn [**instruis*, *-uit*, *-uisons*, etc.; *-uisais*, etc.; *-uisis*, etc.; *-uise*, etc.; *uisant*; *uit*].
Instrument *m* Instrument.
insu (sü) : *à l'* -, unknown.
Insubordination *f* Insubordination. **-donné** Unruly.
insuccès *m* (süksè) Failure.
Insuffisance *f* Insufficiency.
-isant (ìzaⁿ) Insufficient.
Insulaire (ülèr) Insular.
Insulte *f* Insult (sœlt).
insulter To insult (sœlt).
Insupportable Unbearable.
Insurgé (sürjé) Insurgent.
insurger (s') (iⁿsürjé) To rebel [*-geai*, *-geons*].
Insurmontable Insuperable.

Insurrection *f* Rebellion.
intact, acte (àkt) Intact.
Intarissable Inexhaustible.
intègre (iⁿtègr) Upright (aⁱ).
Intégrité *f* Integrity (è).
Intellectuel Intellectual.
Intelligence *f* (jaⁿs) Intelligence (djᵉns). **-igent** Intelligent. **-ible** Clear (iᵉr).
Intempérance Intemperance.
Intempérie *f* Bad weather.
Intempestif Unseasonable.
Intenable (tᵉ) Untenable (tî).
Intendance *f* Administration. Commissariat [mil.].
Intendant (aⁿdaⁿ) Steward. Intendant. Commissary [mil.].
intense (iⁿtaⁿs) Intense (è).
-sifier To intensify (faⁱ).
-sité *f* Intensity.
Intenter (iⁿtaⁿ) To bring*.
Intention *f* Intention, intent.
intercaler (kà) To insert.
intercéder Intercede [*-ède*].
intercepter To intercept.
intercession *f* Intercession.
interdiction *f* Interdiction.
Interdire* To forbid*, prohibit. To abash [étonner] [*V. DIRE, but *interdisez*].
Intéressant, e Interesting.
Intéressé *a* Concerned (ër). Stingy [avare]. *mf* Person concerned, applicant.
Intéresser To interest. **S'** - To be interested (*à* : in).
Intérêt *m* (rè) Interest, concern (kᵉnsërn). Selfishness.
Intérieur, eure Interior (tiᵉ). *Ministre de l'-*, Home Secretary; *ministère de l'-*, Home Office.
Interjection *f* Interjection.
Interligne *f* (lìñ) Space-line.
interloquer (ké) To nonplus.

intermède *m* *I*nterlude (lyoud).
intermédiaire Intermediate. *m* Middleman. Intermediary.
interminable (àbl) Endless.
intermittent Intermittent.
internat *m* Boarding-school.
international International.
interne *mf* (èrn) Boarder.
interner To intern (tërn).
interpeller To hail (hé[l]l). To question [ministre].
interposer To interpose.
interprétation Construction.
-prète (èrprèt) Interpreter (ìntërpreter). **-préter** To interpret, construe [*-*prète*].
interrogateur, trice *a* Enquiring. *mf* Examiner (àminer).
-ogatif, ive Interrogative.
-ogation *f* Interrogation, question. **-toire** *m* (twar) Examination. **-oger** (òjé) To examine [*-*geai, -geons*].
interrompre* To interrupt. **S' -** To break* off, to stop [*V. ROMPRE].
interrupteur (üptœr) Interrupter (œ). Switch [électr.].
-uption *f* Interruption.
intersection *f* Intersection.
interstice *f* Interstice.
intervalle *m* (àl) *I*nterval.
intervenir* To intervene [*V. VENIR]. **-vention** *f* Intervention.
intervertir To reverse.
intestin *m* (in) Intestine.
-estin, ine *a* Domestic.
intime (îm) Inmost, intimate.
intimider Intimidate, scare.
intimité *f* (ìté) *I*ntimacy.
intituler (tü) To entitle.
intolérable Unbearable (èe).
-érance *f* Intolerance. **-érant, ante** Intolerant.
intoxication *f* Poisoning.
-xiquer (ksiké) To poison.
intraitable Inflexible.
intransigeant (intransìjan) Uncompromising.
intrépide (épîd) Fearless.
intrigant, ante *a* Intriguing. *mf* Schemer (skî). **-igue** *f* Intrigue, plot. **-iguer** (gé) To intrigue. To puzzle (œ).
introduction *f* Introduction.
-duire* To show* in. To insert, put* in. **S' -** To get* in [*-*duis, duit, duisons*, etc.; *-duisais*, etc.; *-duisis*, etc.; *-duise*, etc.; *-duisant; -duit*].
intrus (intrü) Intruder (*ou*).
intuition *f* (ui) Intuition.
inusable (üzàbl) Lasting.
inusité (ìnü) Uncommon (en).
inutile (ìnütîl) *U*seless. **-lité** *f* Uselessness (*yous*).
invalide Invalid (ìnve). **-lider** (invà) To invalidate. **-lidité** *f* Invalidity [testament]. Disablement [santé].
invariable (và) Invariable.
invasion *f* Invasion (éìjen).
invective *f* (in) Invective.
invendable (an) Unsaleable.
inventaire *m* (antèr) Inventory. Stock-taking [magasin].
inventer (invanté) To invent To make* up [faux].
inventeur, trice Inventor.
invention *f* (syon) Invention.
-torier Take* stock, value.
inverse (èrs) Inverse (ërs).
inversion *f* Inversion.
investigation *f* Inquiry (al).
investir (in) To invest.
invétéré (in) Inveterate.
invisible (zibl) Invisible.
invitation *f* Invitation.
invité, ée (invité) Guest.

Inviter *vt* To invite.
invocation *f* Invocation.
involontaire Involuntary.
invoquer (ké) To call upon.
invraisemblable (sanblàbl) Unlikely (œnlai), **-blance** *f* (ans) Unlikelihood.
invulnérable Invulnerable.
iode *m* (yòd) Iodine (aiedain).
iodure *m* (yòdür) Iodide (aid).
ipéca *m* Ipecacuanha (kwà).
irai, irais. V. ALLER.
irascible Irascible, testy.
iris *m* (ìrîs) Iris (airis).
irisé (ìzé) Iridescent.
irlandais Irish (airish).
Irlande *f* (and) Eire (ère).
- *du Nord*, Northern Ireland.
ironie *f* (ìronî) Irony (ai).
ironique (ik) Ironical.
irréalisable Unfeasible.
irréductible (ü) Irreducible.
irréfléchi Inconsiderate.
irréfutable (ü) Irrefutable.
irrégularité *f* Irregularity.
-lier, ère (ülyé) Irregular.
irréligion *f* (j) Irreligion.
irréprochable Blameless.
irrésistible Irresistible.
irrésolu (zòlü) Irresolute.
irrespirable Unbreathable.
irresponsable Irresponsible.
irrévérencieux Disrespectful.
irriguer (ìgé) Irrigate.
irritable Irritable. Touchy.
-tation *f* (tà) Irritation.
-ter To irritate; annoy.
irruption *f* (ü) Irruption.
Islande *f* (island) Iceland.
isolateur, trice *a* Insulating. *mf* Insulator. **-olé, ée** (ìzò) Lonely [solitaire].
isolement *m* Loneliness.
isoler (ìzòlé) To cut* off. **S'** - To live apart, hold aloof.
israélite (isràélît) Jewish (djou). *m* Jew. *f* Jewess.
issu, ue (ìsü) Born, sprung.
issue *f* Outlet [sortie]. Outcome [produit]. Close [fin].
isthme *m* (ism) Isthmus.
Italie *f* (ìtàlî) Italy (iteli).
italien, ienne Italian.
itinéraire *m* (érèr) Route.
ivoire *m* (ìvwàr) Ivory (ai).
ivraie *f* (ìvrè) Darnel; tare.
ivre (îvr) Intoxicated.
ivresse *f* (ès) Intoxication.
ivrogne, gnesse Drunkard.
-gnerie (ñerî) Drunkenness.

J

j *m* (jî) J (djéi).
jabot *m* (jàbô) Crop [oiseau]. Frill [chemise].
jaboter (jà) Jabber (dj).
jacasser To jabber, chatter.
jachère *f* (jàshèr) Fallow.
jacinthe *f* (sint) Hyacinth.
Jacques (jàk) James (éimz).
jactance *f* (ans) Bragging.
jade *m* (jàd) Jade (djéid).
jadis (jàdis) Formerly.
jaillir (jàyîr) To gush (œ), to spring*; to spurt out.
jaillissement *m* Gushing.
jais *m* (jè) Jet (djèt).
jalon *m* (jàlon) Staff, pole
jalonner To stake out, mark.
jalouser (jàlûzé) To envy.
jalousie *f* (ûzî) Envy (èn). Venetian blind [fenêtre].

jaloux, ouse (jàlû) Jealous.
jamais (jàmè) Never; not... ever. *Si* -, if ever.
jambage *m* (ja^{n}bàj) Jamb (dj). [porte]. Downstroke [trait].
jambe *f* (ja^{n}b) Leg.
jambière *f* (b^{y}èr) Legging.
jambon *m* (ja^{n}bo^{n}) Ham (**h**).
jambonneau *m* [Foreleg] ham.
jante *f* (ja^{n}t) Felly [bois]. Rim [cycle, auto].
janvier *m* (ja^{n}v^{y}é) January.
Japon *m* (jàpo^{n}) Japan (dj^{e}pàn). **-onais, aise** Japanese.
japper (jàpé) To yelp.
jaquette *f* (kèt) Morning-coat. Jacket (dj) [de dame].
jardin *m* (jàrdi^{n}) Garden.
jardinage *m* Gardening (â^{r}d).
jardiner (ìné) To garden.
jardinier, ère Gardener.
jargon *m* (jàrgo^{n}) Jargon.
jarre *f* (jàr) Jar (djâ^{r}).
jarret *m* (rè) Hock, hamstring.
jarretelle *f* (tèl) Suspender.
-tière *f* (jàrt^{y}èr) Garter.
jars *m* (jàr) Gander (gàn).
jaser (jàzé) To gossip.
jasmin *m* (jàsmi^{n}) Jasmine.
jaspe *m* (jàsp) Jasper (dj).
jatte *f* (jàt) Bowl (bo^{ou}l).
jauge *f* (jôj) Gauge (gé^{i}dj).
jauger To gauge, measure [**jaugeai, -geons*].
jaunâtre (âtr) Yellowish.
jaune (jôn) Yellow (yèlo^{ou}).
jaunir (jônir) To make* yellow. *vi* To turn yellow.
jaunisse *f* Jaundice (dj).
javeline *f* (jàvlîn). **javelot** *m* (lô) Javeline (djàv^{e}lìn).
Javel (eau de) Bleaching liquid.
Jean (ja^{n}) John (djòn).
Jeanne (jàn) Jane (djé^{i}n).
- *d'Arc,* Joan (o^{ou}) of Arc.
jésuite (jéz^{u}ît) Jesuit (djè).
Jésus (jézü) Jesus (djîzes).
jet *m* (jè) Cast, throw [lancer]. Gush [jaillir]. Shoot [pousse]. Flash [lumière].
jetée *f* (j^{e}té) Pier (pi^{er}).
jeter (j^{e}té) To cast*, to throw* (**thro^{ou}**). To utter [cri]. To throw* down. To lay* [fondation]. **Se -** To throw* oneself. Rush [élan]. To flow [couler] [**jette*].
jeton *m* (j^{e}to^{n}) Mark, counter. Token coin [argent].
jeu *m* (jë) Play (plé^{i}). Fun [amusement]. Game [partie]. Acting [théât.]. Set [rames]. Pack [paquet]. *-de mot,* pun.
jeudi *m* (jë) Thursday (**thë**).
jeun *m* (ju^{n}) *A* -, fasting.
jeune *a* (jœn) Young (œ**ng**).
jeûne *m* (jën) Fast (fâst).
jeûner (jëné) To fast.
jeunesse *f* (jœnès) Youth.
joailler (jwà^{y}é) Jeweller.
joaillerie *f* Jewellery.
jobard *m* (jobàr) Gull, mug.
jocrisse Dolt, simpleton.
joie *f* (jwà) Joy (djo^{i}).
joindre* (jwi^{n}dr) To put* together, join (djo^{i}n) To annex. **Se -** To join, to meet* [**joins, -gnons,* etc.; *-gnais; -gnis; joigne; -gnant; joint*].
joint *m* (jwi^{n}) Joint (dj).
joint, ointe *a* Joined; *ci-joint,* herewith. **-ture** *f* (tür) Joint. Knuckle [doigt].
joli, ie (jòlî) Pretty (ì).
jonc *m* (jo^{n}) Rush (rœsh).
joncher (shé) To strew*.
jonction *f* (jo^{n}) Junction.
jongler (jo^{n}) To juggle. **-gleur** Juggler (djœgl^{er}).

jonque *f* (jonk) Junk (djœ).
jonquille *f* (kîy) Jonquil.
Joseph (jò) Joseph (djoou).
joubarbe *f* (jû) Houseleek.
joue *f* (jû) Cheek (tshîk).
jouer (jwé) To play (pléi). To speculate, gamble [argent]. To work [méc.]. To warp [bois]. **Se -** To sport; *se - de*, to make* game of.
jouet *m* (jwè) Toy, plaything.
joueur, euse (jwœr, ëz) Player. Performer, actor. Gambler [argent], speculator.
joufflu, ue (ü) Chubby (œ).
joug *m* (jû) Yoke (youk).
jouir (jwîr) To enjoy (dj).
jouissance *f* (jwisans) Enjoyment (èndjoiment).
jouisseur Pleasure-seeker.
joujou *m* (jûjû) Toy (toi).
jour *m* (jûr) Day (déi); daylight (lait) [lumière]. Opening. Openwork [couture].
journal *m* (jûrnàl) Journal, newspaper. Diary (daieri) [intime]. Day-book [com.].
journalier, ière Daily. *m* Journeyman, day labourer.
journalisme *m* Journalism. **-aliste** (jûr) Journalist.
journée *f* (jûrné) Day's work. *A la -*, by the day; *femme de -*, charwoman (tshâr).
journellement *ad* Daily.
joute *f* (jût) Tilting-match.
jouter To tilt. **-eur** Tilter.
jouvenceau (juvansô) Stripling, lad. **-celle** Damsel, lass.
jovial (jò) Jovial (djoou). **-lité** *f* Joviality, jollity.
joyau *m* (jwàyô) Jewel (dj).
joyeux euse (jwàyë) Merry.
jubilation *f* (jü) Jubilation.
jubilé *m* (ìlé) Jubilee (dj).
jubiler To jubilate (djou).
jucher (jüshé) To roost.
judaïsme *m* (àîsm) Judaism.
judas *m* (jüdà) Judas (djoudes). Spy-hole [de porte].
judiciaire (jüdìsyèr) Judicial. **-icieux** Judicious.
juge (jüj) Judge (djœdj).
jugement *m* (jüj) Judgment. (djœdj). Trial [procès].
juger (jüjé) To judge (djœ) [affaire]. To try [accusé]. To think*, deem [penser] [*-*geai*, -*geons*].
jugulaire (jügülèr) Jugular. *f* Chin-strap [menton].
Juif (juif), **ive** *a* Jewish (djou). *mf* Jew, Jewess.
juillet *m* (juiyè) July (lai).
juin *m* (juin) June (dj).
Jules (jül) Julius (djou).
Julie (jülî) Julia (djou).
jumeau (jümô), **elle** Twin.
jumeler (jümelé) Couple.
jumelles *fpl* (èl) Binoculars. Field-glass. Opera-glasses.
jument *f* (jüman) Mare (èer).
jungle *f* (jungl) Jungle (dj).
jupe *f* (jüp) Skirt (skërt).
Jupiter (jü) Jove (dj).
jupon *m* (jüpon) Petticoat.
juré (jüré) Sworn. *m* Juror.
jurer To swear* (swèer). To jar (djâr) [détonner].
juridiction *f* Jurisdiction. **-dique** Juridical, legal. **-sprudence** *f* Jurisprudence.
juriste (jü) Jurist (djou).
juron *m* (jü) Oath (oouth).
jury *m* (jürî) Jury (djouri).
jus *m* (jü) Juice (djous). Gravy (gréivi) [de rôti].
jusant *m* (jüzan) Ebb-tide.
jusque (jüsk) Till [temps]. To, up to, as far as [espace].

as much (many) as [quantité]. *Jusqu'à ce que*, till.
juste (jüst) Just. Right. Fair.
justesse *f* (tès) Justness.
justice *f* (îs) Justice (dj).
justicier Justiciary, judge.
justifiable Justifiable (œ).
-fication *f* Justification.
-fier To justify (djœstifa[i]).
jute *f* (jüt) Jute (djout).
juteux, euse Juicy (djousi).
juvénile (jüvénîl) Youthful.
juxtaposer (jükstà) To put* side by side.

K

k (kâ) K (ké[i]).
kakatoès *m* (tòès) Cockatoo.
kangourou *m* (ka[n]gûrû) Kangaroo (kàng-g[e]roû).
kaolin *m* (i[n]) China clay.
kari *m* (kàri) Curry (kœ).
képi *m* Cap [soldier].
kermesse *f* (mès) Fair.
kilo *m* Kilo, thousand.
kilomètre (è) Kilometre (î).
kiosque *m* (k[y]osk) Bandstand [musique]. Stall [journaux]. Conning-tower [mar.]. Kiosk.
kirsch *m* (kirsh) Kirsch.
krach *m* (kràk) Collapse.
kyrielle *f* (kìr[y]èl) Litany (lit[e]ni). Long string.
kyste *m* (kîst) Cyst (sist).

L

l (èl) L (èl).
l' [*le* or *la*] The (**zh**[e]).
la (là) [*f* of *le*] The.
là (là) There (**zh**è[er]); *çà et là*, here and there; *ce livre-là*, that book; *là-dessus*, thereupon; *là-bas*, down there; *là-haut*, up there
labeur *m* (làbœr) Work.
laboratoire *m* (làboràtwàr) Laboratory (làb[er]e[t]eri).
laborieux ([y]ë) Laborious.
labourable Ploughable.
labourer To plough (pla[ou]).
laboureur (œr) Ploughman.
labyrinthe *m* (i[n]t) Maze (é[i]).
lac *m* (làk) Lake (lé[i]k).
lacer Lace [**laçai*, *-çons*].
lacérer Tear* up [*-*ère*].
lacet *m* (làsé) Lace (lé[i]s). Winding (wa[i]) [détour].
lâche (lâsh) Loose (lous) [peu serré]. Cowardly [peureux]. *m* Coward (ka[oue]rd).
lâcher (lâshé) To let* go*. To loosen [desserrer].
lâcheté *f* (shté) Cowardice.
lacis *m* (làsî) Network.
laconique (ònik) Laconic.
lacrymogène (*gaz*) Tear-gas.
lacté (làkté) Milky (mil).
lacune *f* (kün) Gap, blank.
lacustre (üstr) Lacustrian.
ladre (lâdr) *a* Stingy (dji)

[avare]. *m* Miser (ma^{i}ze^{r}).
lagune *f* (*ün*) Lagoon (*oûn*).
laïc, laique Lay, l*a*ic.
laid, aide (lè, èd) *U*gly (*œ*) [affreux]. Pl*a*in [sans beauté]. Unbecoming [indécent].
laideur (lèdœr) *f U*gliness.
laie *f* (lè) Wild sow.
lainage *m* (lèn*à*j) Woollens.
laine *f* (lèn) Wool (woul).
laineux, se (në, ëz) Woolly.
laïque (làïk) Lay, l*a*ic.
laisse *f* (ès) Leash (îsh).
laisser (lés*é*) To allow, to let* [permettre]. To le*a*ve* [quitter]. *Laisser-aller m* Unconstr*a*int. *Laissez-passer m* Pass, permit.
lait *m* (lè) Milk (i). **-tage** *m* (t*à*j) D*a*iry produce. **-terie** *f* (lètrî) Dairy (dé^{i}).
laitier (lèt^{y}*é*) D*a*iryman.
laitière (^{y}èr) D*a*irymaid.
laiton *m* (lèt*o*^{n}) Brass.
laitue *f* (*ü*) Lettuce (tyou).
lambeau *m* (la^{n}b*ô*) Strip.
lambin (la^{n}b*i*^{n}) D*a*wdler.
lambrequin *m* (k*i*^{n}) V*a*lance.
lambris *m* (brî) W*a*inscot.
lame *f* (làm) Bl*a*de [métal]. Wave (wé^{i}v) [vague].
lamentable (làma^{n}t*à*bl) Lamentable (l^{e}m*è*n). **-tation** *f* Lament*a*tion.
lamenter (se) To lam*e*nt.
laminer (ìn*é*) To roll (r^{ou}).
lampe *f* (la^{n}p) Lamp (làmp).
lamper (la^{n}) To drink* off.
lampion *m* Chin*e*se l*a*ntern.
lampiste Lamp-l*i*ghter; lamp-m*a*ker; lamp-seller.
lamproie *f* (prw*a*) L*a*mprey.
lance *f* (la^{n}s) Lance (làns), spear. Nozzle [tuyau].
lancement *m* L*a*unching.
lancer (la^{n}s*é*) To throw* (thr*o*^{ou}), to cast*. To launch [bateau]. **Se -** To rush.
lancette *f* (sèt) L*a*ncet (l*à*).
lancier (la^{n}s^{y}*é*) L*a*ncer (l*à*).
lande *f* (la^{n}d) W*a*ste (é^{i}).
langage *m* (la^{n}g*à*j) Language (làng-gwidj), speech.
lange *f* (j) Sw*a*ddling-clothes.
langoureux L*a*nguishing.
langouste *f* Sp*i*ny lobster.
langue *f* (la^{n}g) Tongue (*œ*).
langueur *f* (gœr) L*a*nguor.
languir (gîr) To l*a*nguish.
lanière *f* (làn^{y}èr) Thong.
lanterne *f* (èrn) L*a*ntern.
lapider To stone to death.
lapin, ine (p*i*^{n}) R*a*bbit.
lapon, onne L*a*plander.
laps *m* Lapse. **-sus** *m* Slip.
laquais *m* (làk*è*) F*oo*tman.
laque *f* (làk) Lac. *m* L*a*cquer.
laquer (k*é*) To jap*a*n, l*a*cquer.
larbin *m* (làrb*i*^{n}) Fl*u*nkey.
larcin *m* (làrs*i*^{n}) L*a*rceny.
lard *m* (làr) B*a*con. Fat [pig].
larder To lard (lâ^{r}d).
large (làrj) Broad, w*i*de : *six pieds de large*, six feet w*i*de. L*oo*se-fitting [vêtements]. *m* Breadth, width [largeur]. *O*ffing [mar.]; *au - de*, off.
largesse *f* Liber*a*lity; bounty.
largeur *f* (jœr) Breadth, width; *en* -, across.
larguer (làrg*é*) To let* go*.
larme *f* (làrm) Tear (ti^{e}r).
larmoyer (wà^{y}*é*) To weep* (î).
larron Thief (thîf).
larve *f* (làrv) L*a*rva, grub.
laryngite *f* Laryng*i*tis (*a*^{i}).
larynx *m* (làr*i*^{n}ks) Larynx.
las (lâ), **lasse** T*i*red (*a*^{i}).
lascar (làsk*à*r) L*a*scar (ke^{r}).
lascif, ive Lewd (lyoud).

lasser (lâ) To tire (ta[ier]).
lassitude *f* (tüd) Weariness.
latent, te (là) Latent (éi).
latéral, ale (àl) Lateral (r[e]l).
latin, ine (tin) Latin (là).
latiniste Latin scholar.
latitude *f* (üd) Latitude.
latrines *fpl* (în) Latrines.
latte *f* (làt) Lath (lâth).
laudanum *m* Laudanum.
lauréat, ate (éà) Laureate.
laurier *m* (lor[y]é) Laurel.
lavabo *m* Wash-stand. Toilet.
lavage *m* (làvàj) Washing.
lavande *f* (a[n]d) Lavender.
lave *f* (làv) Lava.
lavement *m* Rectal injection.
laver *vt* To wash, cleanse.
-veur, se Washer, -woman.
lavoir *m* (wàr) Wash-house.
laxatif, ive Laxative.
layette *f* (lè[y]et) Baby-linen.
le (l[e]) *m* (*f* la, *pl* les) The (zh[e]) *pro* Him *m*, it *neut.*
lé *m* (lé) Breadth (brèdth).
lécher (sh) Lick [*-*èche*].
leçon *f* (l[e]so[n]) Lesson (lè).
lecteur, trice Reader (rî).
lecture *f* (ür) Reading (î).
légal, ale (lé) Legal (lî).
légaliser (ìzé) To attest.
légalité *f* Legality.
légat *m* (gà) Legate (g[i]t).
légataire (èr) Legatee (î).
légation *f* Legation.
légendaire (ja[n]) Legendary.
légende *f* (ja[n]d) Legend (dj[e]nd). Inscription, title.
léger, ère (léjé, èr) Light (la[i]t) [poids]. Slight [faible]. Thoughtless (thaut) [esprit]. Nimble [agile].
légèreté *f* (jèrté) Lightness, slightness. V. LÉGER.
légion *f* (léj[y]o[n]) Legion (lîdj). **-nnaire** *m* Legionary. Knight [chevalier].
législateur (léj) Law-maker.
-tif, ve Legislative (lèdj).
-lation *f* Legislation (éi).
légitime (jì) Lawful (au).
-mer Legitimate (lèdji).
legs *m* (lè) Legacy (g[e]si).
léguer (gé) Bequeath (îth).
légume *m* (ü) Vegetable (dj).
lendemain *m* (la[n]) Morrow.
lénitif, ive (tif) Lenitive.
lent, ente (la[n], a[n]t) Slow.
lenteur *f* (tœr) Slowness.
lentille *f* (la[n]tî[y]) Lentil (lè) [légume]. Lens [verre].
léopard *m* (léòpàr) Leopard.
lèpre *f* (lèpr) Leprosy ([e]si).
lépreux, euse *a* (prë, ëz) Leperous. *mf* Leper (èp[er]).
lequel *m*, **laquelle** *f*, **lesquels** *mpl*, **lesquelles** *fpl* (l[e]kèl, làkèl, lèkèl). *Pour les personnes, sujet* who (hou) *m, f, pl; complément* whom (houm). *Pour les choses, suj. ou compl. m, f, pl,* which.
les *pl de* **le** *art* The (zh[e]), *pronom* Them (zhèm).
léser (z) To wrong (rong).
lésiner (zì) To be stingy.
lésinerie *f* Stinginess.
lésion *f* (z[y]o[n]) Wrong [tort]. Lesion (lîj[e]n) [blessure].
lessive *f* (lésiv) Washing (wo); *faire la -*, to do the washing.
lest *m* (lèst) Ballast ([e]st).
leste (lèst) Nimble (nìm) [agile]. Free [libre].
lester To ballast (bàl[e]st).
léthargie *f* (tàr) Lethargy.
lettre *f* (lètr) Letter (lèt[er]). Note (no[ou]t).
lettré, ée *mf* Scholar (sko).
leur (lœr) *a* Their (zhè[er]);

le leur [*pron.*], theirs. *Pers. pron. : à eux,* to them.
leurre *m* (œr) Lure, catch.
leurrer To ensnare, deceive.
levain *m* (vin) Yeast (îst).
Levant *m* (levan) East (îst).
levée *f* (levé) Raising (éiz). Levy (lèvi) [mil.]. Rising (aiz) [révolte]. Collection [poste]. Trick [cartes].
lever (levé) To raise (réiz). To levy [mil.]. To collect [poste]. To weigh [ancre]. To break* up [siège]. To take* [plan]. **Se** - To rise*, to get* up, to stand up [*lève].
levier *m* (levyé) Lever (lî).
lèvre *f* (lèvr) Lip.
lévrier *m* (lévrìé) [*f* **levrette** (levrèt)] Greyhound.
levure *f* (ü) Yeast (yîst).
lexique *m* (ksik) Lexicon.
lézard *m* (zàr) Lizard (zerd).
lézarde *f* (zàrd) Crack, chink.
liaison *f* (lyèzon) Connection, linking, joining.
liane *f* (lyàn) Creeper (îp).
liant, ante (lyan) Winning [charmant]. Flexible.
liard *m* (lyàr) Farthing (âr).
liasse *f* (lyàs) Bundle (œ).
libation *f* (bà) Libation (éi).
libellé *m* (èlé) Wording.
libeller (èlé) To draw* up.
libellule *f* (ü) Dragon-fly.
libéral (éràl) Liberal
libéralité *f* Liberality. **-rateur, trice** Deliverer (li). **-ration** *f* (libéràsyon) Liberation, discharge.
libérer (lìbéré) To free (î). To discharge (tshârdj). To pay* up [action]. **Se** - To get* free, to free oneself. To redeem [dette] [*-ère].
liberté *f* (èrté) Freedom.
libertin, ine Licentious.
libertinage *m* (àj) Licence.
libidineux (ë) Libidinous.
libraire (èr) Book-seller.
librairie *f* (èrî) Bookshop. Publishing house [éditeur].
libre (lîbr) Free (frî).
libre-échange *m* Free trade.
lice *f* (lîs) Lists [tournoi].
licence *f* (lisans) Licence. **-cié, ée** Licentiate (lai). **-cier** To disband (ànd).
licencieux (yë) Licentious.
lichen *m* (lì) Lichen (lai).
licite Licit, lawful.
licol, licou *m* Halter.
licorne *f* Unicorn (you).
lie *f* (lî) Dregs, lees (lîz).
liège *m* (lyèj) Cork (**au**).
lien *m* (lyin) Band, bond.
lier (lyé) Bind*, fasten.
lierre *m* (lyèr) Ivy (aivi).
liesse *f* (lyès) Joy (dj).
lieu *m* (lyë) Place, spot; *au - de,* instead of; *au - que,* whereas; *avoir -*, to take place.
lieue *f* (lyë) League (lîg).
lieutenant (lyëtnan) Lieutenant (lèftènent, lou [Am.]).
lièvre *m* (lyèvr) Hare (**hè**).
ligament *m* (an) Ligament.
ligature *f* (ür) Ligature.
ligne *f* (liñ) Line (lain).
lignite *m* (ñît) Lignite (ait).
ligue *f* (lîg) League (lîg).
lilas *m* (lìlà) Lilac (lailek).
limace *f* (lìmàs) Slug (œ).
limaçon *m* (àson) Snail.
limaille *f* (ày) Filings (ai).
limande *f* (lìmand) Dab.
lime *f* (lîm) File (fail).
limer To file. To polish.
limite *f* Limit. **-ter** To limit.
limitrophe (òf) Bordering.

limon *m* (lìmo^{n}) Mud [boue]. Lime (a^{i}) [fruit]. Shaft.
limonade *f* (àd) Lemonade.
limpide (li^{n}) Limpid, clear.
limpidité *f* Limpidity (ìm).
lin *m* (li^{n}) Flax. Linen.
linceul *m* (sœl) Shroud.
linge *m* (li^{n}j) Linen (li).
lingère (jèr) Seamstress.
lingerie *f* Linen goods. Linen trade. Underwear.
lingot *m* (gô) Ingot. Bullion.
linoléum *m* (òm) Linoleum.
linon *m* (lino^{n}) Lawn (laun).
linot, otte (ò, òt) Linnet.
linteau *m* (tô) Lintel.
lion, onne (lyo^{n}, òn) Lion, lioness (la^{i}en, la^{i}enis).
lionceau *m* Lion's cub (œb).
lippu, ue (ü) Thick-lipped.
liquéfaction *f* Liquefaction.
-éfier (kéfyé) To liquefy.
liqueur *f* (kœr) Liqueur [dessert]. Liquor [liquide].
liquidateur (ki) Liquidator (kwi) **-dation** *f* Liquidation. Settlement. Winding up.
liquide (kîd) Liquid (kwi).
liquider (kì) To liquidate. To wind* up [société]. To settle [compte].
liquoriste Spirit merchant.
lire* (lîr) To read* (rîd). [*lis, lit, lisons, etc.; lisais, etc.; lus, etc.; lirai, etc.; lire, etc.; lisant, lu.*]
lis *m* (lîs) Lily (lili).
liseron *m* (zro^{n}) Bindweed.
lisible (zîbl) Legible (lèdj).
lisière *f* (zyèr) List. Edge.
lisse (lîs) Smooth (smoûzh).
lit *m* (lî) Bed. Bedstead.
litanie *f* (ànî) Litany (t^{e}).
literie *f* (litrî) Bedding.
lithographie *f* Lithography.
litière *f* (tyèr) Litter.
litige *m* (tîj) Litigation.
litre *m* (litr) Litre (lit^{er}).
littéraire (érèr) Literary.
littéral (éràl) Literal.
littérateur Writer (ra^{i}t^{er}).
-rature *f* (ü) Literature.
littoral (òràl) Littoral.
liturgie *f* (ürjî) Liturgy.
livide (vîd) Livid (livid).
livraison *f* (vrè) Delivery.
livre *m* (lîvr) Book (bouk). *f* Pound [poids, monnaie].
livrée *f* (vré) Livery.
livrer (lìvré) To deliver (di). To give* [battle].
livret *m* (lìvrè) Book.
livreur (lìvrœr) Carman, delivery-man.
local *m* (lò) Premises *pl.*
local, ale Local (lo^{ou}k^{e}l).
localiser (ìzé) To localize.
localité *f* Place (é^{i}), spot.
locataire (àtèr) Tenant (tèn^{e}nt). Lodger [en garni].
location *f* (àsyo^{n}) Rent (è).
loch *m* (lòk) Log.
locomotion *f* Locomotion.
locomotive *f* Engine (èndj).
locution *f* (ü) Phrase (é^{i}z).
loge *f* (lòj) Cabin [hutte]. Lodge [parc]. Box [théat.].
logement *m* (lòjma^{n}) Lodgings. **-ger** (jé) To lodge. To billet [mil.]. [*gea, geons*].
logeur, se Landlord, -lady.
logique *a* (lojîk) Logical (lodjik^{e}l). *f* Logic.
logis *m* (jî) Home (ho^{ou}m).
loi *f* (lwà) Law (lau). Act.
loin (lwi^{n}) Far (fâr).
lointain *m* (lwi^{n}ti^{n}) Distance. **-ain, aine** Distant.
loisible (lwà) Permissible.
loisir *m* (lwàzîr) Leisure (j).

lombric *m* Earthworm.
londonien, ienne Londoner.
Londres *f* (loⁿdr) London.
long, ongue (loⁿ, oⁿg) Long. *m* Length; *en* -, lengthwise.
longe *f* (loⁿj) Tether (**zh**) [lien]. Loin [viande].
longer (*jé*) To go* along [*-*gea, geons*].
longitude *f* (*ü*) Longitude.
longtemps (*a*ⁿ) Long (lòng).
longueur *f* (gœr) Length.
longue-vue *f* Telescope.
lopin *m* (*i*ⁿ) Patch, bit.
loquace (kwàs) Talkative.
loquacité *f* Loquacity (kw).
loque *f* (lòk) Tatter, rag.
loquet *m* (lòkè) Latch.
loqueteux, euse Ragged (id).
lorgner (lorñé) To ogle at.
lorgnette *f* Opera-glasses.
lorgnon *m* (ñoⁿ) Eye-glasses.
loriot *m* (yò) Oriole (ooul).
lors *ad* (lòr) Then (**zhèn**); *lors de*, at the time of.
lorsque (lòrsk) When (wèn).
losange *m* (zaⁿj) Lozenge.
lot *m* (lò) Lot (òt), share.
loterie *f* (trî) Lottery (tri).
lotion *f* (losyoⁿ) Lotion.
lotir To allot; parcel out.
loto *m* (tô) Lotto (toou).
louage *m* (lwàj) Hiring out.
louange *f* (lwaⁿj) Praise.
louche *a* (lûsh) Squinting [œil]. Shady [suspect].
louche *f* Soup-ladle (léi).
loucher (lûshé) To squint.
louer (lwé) To let* out [bailleur]. To rent [preneur]. To praise [louange]. **Se** - To congratulate oneself.
loueur, euse Hirer out; renter out [maison].
Louis (lwî) Lewis (louis').
Louise (lwîz) Louisa (louî).
loup *m* (lû) Wolf (woulf). Mask. Blunder (œ) [faute].
loupe *f* Magnifying-glass. Wen [tumeur].
lourd, de (lûr, ûrd) Heavy. (hèvi) [poids]. *Awkward* (**au**) [gauche]. Sultry (œ) [temps].
lourdeur *f* (œr) Heaviness.
loustic *m* (lûs) Wag (wàg).
loutre *f* Otter. Seal [fur].
louve *f* (lûv) She-wolf.
louveteau *m* Wolf's cub.
louvoyer (wàyé) To tack about.
lover (lòvé) To coil.
loyal, ale (lwàyàl) Loyal (loiel). Fair. Faithful.
loyauté *f* (yòté) Fairness.
loyer *m* (lwàyé) Rent, hire.
lubrifier (*ü*) To lubricate.
lucarne *f* Dormer window.
lucide (lüsid) Lucid (ou).
luciole *f* (lüsyòl) Firefly.
lucratif, ve (ü) Lucrative.
lucre *m* (lükr) Lucre (ouker).
luette *f* (luèt) Uvula (you).
lueur *f* (luœr) Light (lait).
lugubre (lügübr) Dismal (z).
lui *pron. m* (luî) He *m* (**hî**), it *n* [sujet]. Him *m*, it *n* [complém.]. To him, to it.
luire (luîr) To shine* (ai). [**luis, luit, luisons; luisais; luise; luisant; lui*].
luisant (zaⁿ) Shining. Glossy. *Ver* -, glow-worm
lumbago *m* (à) Lumbago (éi).
lumière *f* (yèr) Light (ai).
lumineux (lüminë) Luminous.
lundi *m* (luⁿ) Monday (mœ).
lunatique (lü) Whimsical.
lunch *m* (luⁿsh) Lunch (œ).
lune *f* (lün) Moon (moûn).
lunette *f* (èt) Telescope. *pl* Spectacles. Spy-glass.

lustre *m* (lüstr) Lustre (lœster) [brillant]. Lustrum.
lustrer (lü) To gloss.
lustrine *f* (în) Lustring.
luth *m* (lüt) Lute (loût).
luthérien (lüté) Lutheran.
luthier *m* Violin-maker.
lutin *m* (lütin) Elf, goblin.
lutin, ine Roguish (roûg).
lutrin *m* (lütrin) Lectern.
lutte *f* (lüt) Struggle (œ). Wrestling (rèsling) [match].
lutter Struggle. Wrestle.
lutteur Wrestler. Fighter.
luxe *m* (lüks) Luxury (lœkshouri). *De luxe,* fancy.
luxueux (lüksüë) Luxurious.
luxure *f* (ür) Lewdness (ou).
luxuriant Luxuriant (lœks).
luzerne (zèrn) Lucern (lou).
lycée *m* (lìsé) Secondary school. **-céen** Schoolboy.
lymphathique Lymphatic.
lyncher (linshé) To lynch.
Lyon (lyon) Lyons (laienz).
lyre *f* (lîr) Lyre (laier).
lyrique (lìrik) Lyrical.
lyrisme *m* Lyricism.

M

ma (mà) My (mai).
macabre (màkàbr) Gruesome.
macadam *m* (àdàm) Macadam.
macaroni *m* (rò) Macaroni.
macérer To macerate, steep.
mâchefer *m* Dross, slag.
mâcher (mâshé) To masticate, to chew (tshou).
machin *m* (shin) What d'ye call him [*f* her, *neut* it].
machinal, e *a* Mechanical.
machination *f* (shì) Scheme.
machine *f* (mà) Machine (meshîn), engine (èndjìn).
machiner (shì) To plot (t).
machiniste Engineer (djinie). Property-man [théât.].
mâchoire *f* (shwàr) Jaw (dj).
maçon (son) Mason (méi).
maçonnerie *f* (mà) Masonry.
madame (dàm) Madam (dem). - *Fabre,* Mrs. Smith.
mademoiselle (màdmwàzèl) Madam. - *Brun,* Miss Brown.
madone *f* (òn) Madonna (ne).
madré, ée (mà) Shrewd (oud).
madrier *m* (ìé) Thick board.
magasin *m* (àzin) Warehouse [entrepôt]. Shop [vente].
magasinage *m* Warehousing.
magasinier Warehouseman.
mage (màj) Mage (dj), magus.
magicien (jìsyin) Magician.
magie *f* (jî) Magic (djik).
magique (jik) Magical (ikel).
magistral (jis) Masterly.
magistrat (trà) Magistrate.
-trature *f* (ü) Magistracy.
magnanime Magnanimous.
magnésie *f* (ñézî) Magnesia.
-sium *m* (zyòm) Magnesium.
magnétique Magnetic (g-n).
-tisme *m* (ñé) Magnetism.
magnéto *f* (ñ) Magneto (g-n).
magnificence *f* Magnificence.
-fique (ñì) Magnificent
magot *m* (gò) Hoard (haurd) [trésor]. Magot [singe].
mahométan Mohammedan.
mai *m* (mè) May (méi).

maigre (ègr) Lean (lîn) [animal, viande]. Thin [pers.].
maigreur *f* Leanness, thinness. Scantiness [pauvreté].
maigrir To grow* thin.
maille *f* (màʸ) Mesh [filet]. Mail (éil) [armure].
maillechort *m* German silver.
maillet *m* Mallet.
maillon *m* (yoⁿ) Link (ng).
maillot *m* (màyò) Swaddling-clothes [bébé]. Bathing-costume. Tights [théat.].
main *f* (miⁿ) Hand (hànd). Quire (kwàier) [papier].
main-d'œuvre *f* (miⁿdœvr) Labour [ouvrier]. Workmanship [travail].
main-forte *f* (fòrt) Help.
mainlevée *f* Withdrawal.
maint, te (miⁿ, t) Many (è).
maintenant (miⁿteⁿaⁿ) Now.
maintenir* To maintain (méintéin) [*V. TENIR].
maintien *m* (tyiⁿ) Keeping. Bearing (bèe) [tenue].
maire (mèr) Mayor (mèer).
mairie *f* (mèrî) Mayoralty [fonction]. Town hall.
mais (mè) But (bœt).
maïs *m* (màîs) Maize (méiz), Indian corn [Am.].
maison *f* (mèzoⁿ) House (hàous). Home (hooum) [foyer].
maisonnée *f* (zòné) Household.
-onnette *f* (nèt) Cottage.
maître (mètr) Master (âs).
maîtresse (três) Mistress.
maîtrise *f* (îz) Mastery.
maîtriser (ìzé) To master.
majesté *f* (jèsté) Majesty.
majestueux (tüë) Majestic.
majeur, eure (màjœr) Major (méidjer). Of age [21 ans].
major (àjòr) Army surgeon.
majoration *f* (joràsyoⁿ) Increase (îs). Extra-charge.
majorer To increase, raise.
majorité *f* Majority (djo).
majuscule (üskül) Capital.
mal *m* (màl) Evil (îvel), Ill [souffrance]. Wrong [tort]. - *de dent*, toothache (éik); - *de mer*, sea-sickness. *ad* Ill, badly. Wrongly [à tort].
malade (màlàd) Ill, sick.
maladie *f* (àdî) Illness, sickness. Disease (zîz).
maladif, ive (àdif) Sickly.
maladresse *f* Clumsiness.
maladroit, oite (drwà, àt) Clumsy, awkward; silly.
malaise *m* (èz) Uneasiness.
malaisé, ée Uneasy, hard.
malandrin (aⁿdriⁿ) Ruffian.
malappris (àprî) Ill-bred.
malaxer To knead (nîd).
malchance *f* (shaⁿs) Ill luck.
-anceux, euse Unlucky (lœki).
maldonne *f* (òn) Misdeal.
mâle (mâl) Male (méil).
malédiction *f* Curse (ërs).
maléfice *m* (îs) Evil spell.
malencontreux Untoward.
malentendu (malaⁿtaⁿdü) *m* Misunderstanding.
malfaçon *f* Fault, defect.
malfaisant, te Mischievous.
malfaiteur (ètœr) Evil-doer.
malfamé (à) Ill-famed (éi).
malgré In spite of (spait).
malheur *m* (œr) Misfortune.
malheureux, euse Unhàppy.
malhonnête (màlònèt) Dishonest (dizonist). Rude (roud).
-êteté *f* Dishonesty, rudeness.
malice *f* (îs) Slyness.
malicieux, euse Sly (slai).
malignité *f* (ñ) Malignity.
malin, igne (màliⁿ, ìñ) Mis-

chievous (tshives). Sly [rusé].
malingre Puny (you), sickly.
malintentionné Evilminded.
malle *f* (àl) Trunk (œngk).
malléable Soft, pliant.
mallette *f* (lèt) Suit-case.
malmener To handle roughly.
malpropre Dirty (dërti).
-preté *f* Dirt, dirtiness.
malsain, aine (in) Unhealthy.
malséant, ante Unbecoming.
malt *m* (màlt) Malt (**ault**).
maltraiter (èté) To ill-use.
malveillance *f* Ill-will.
malveillant Evil-minded.
malversation *f* Peculation.
maman (màman) Mummy (œ).
mamelle *f* (èl) Breast (èst).
mamelon *m* Mound [colline]. Nipple [sein].
mammifère (fèr) Mammal.
manant (ànan) Boor (bouer).
manche *f* (mansh) Sleeve (îv). Hose, pipe [tuyau]. Channel (tshànel) [détroit]. Game. *m* Handle (**hànd**el) [poignée]. Finger-board [violon].
manchette *f* (shèt) Wristband. Headline [journal].
manchon *m* (shon) Muff (œ). Mantle [gaz]. Box, pipe.
manchot (shò) One-armed.
mandarin (in) Mandarin (ì).
mandarine *f* (în) Tangerine.
mandat *m* (mandà) Mandate. - *-poste m,* money order.
mandataire (èr) Agent (é1).
mander Report; send* for.
mandibule *f* (ül) Mandible.
mandoline *f* (an) Mandolin.
mandrin *m* (andrin) Mandrel.
manège *m* (èj) Riding-school. Merry-go-round. Stratagem.
manette *f* (èt) Hand-lever.
manganèse *m* (èz) Manganese.
mangeable (jàbl) Eatable.
mangeoire *f* (jwàr) Manger.
manger (anjé) To eat* (ît). (**mangeai*) [- *dans*, - of].
mangeur, euse (jœr) Eater.
maniable (yàbl) Tractable.
maniaque (à) Fussy. Faddy.
manie *f* (ànî) Trick. Fad.
maniement *m* (nì) Handling.
manier (à) To handle (**hà**).
manière *f* (yèr) Manner.
maniéré, ée (yéré) Affected.
manifestation *f* Manifestation. **-feste** Manifest. **-fester** To show* (shoou).
manigance *f* (igans) Trick.
manioc *m* (mànyòk) Manioc.
manipuler (ü) Manipulate.
manivelle *f* Crank. Handle.
mannequin *m* (kin) Dummy.
manœuvre *f* (œvr) Working. Drill [mil.]. *m* Labourer.
manœuvrer Work, manœuvre.
manoir *m* (wàr) Manor house.
manomètre *m* Manometer.
manquant, te (kan) Missing.
manque *m* (mank) Want, lack.
-ement *m* Failure, breach.
manquer (ké) To miss: *tu lui manques,* he misses you.
mansarde *f* (mansàrd) Attic.
mansuétude *f* (ué) Meekness.
mante *f* (ant) Mantle (àntel) Mantis [insecte]. **-teau** *m* (tô) Cloak, mantle.
manucure (ükür) Manicure.
manuel, elle *a* (uèl) Manual (mànyouel). *m* Hand-book.
manufacture *f* (tür) Manufactory. Works. Mill.
manuscrit (î), **e** Manuscript.
manutention *f* Management [direction]. Handling, manipulation. Commissariat [mil.].
mappemonde *f* (màpmond)

Map of the world. Star-map.
maquereau *m* (krô) Mackerel.
maquette *f* (kèt) Model (ò).
maquignon (ñ) Horse-dealer.
maquillage *m* (yàj) Make-up.
maquiller To make* up. Fake.
maquis *m* (kî) Scrub. Bush.
marabout *m* (àbû) Marabout (bout'). Marabou [oiseau].
maraîcher Market-gardener.
marais *m* (marè) Swamp.
marasme *m* Apathy. Slump.
marâtre *f* Step-mother [bad].
marauder (ôdé) To maraud.
maraudeur Marauder.
marbre *m* (à) Marble (â^r).
marc *m* (màr) Grounds [café]. Grape brandy. *Au - le franc,* pro rata.
marchand, de (màrsha^n, a^{n}d) Dealer (dî). Retailer [détail]. Wholesaler [gros]. Merchant (me^{r}tsh^{e}nt) [négociant]. *a* Mercantile (më^r).
marchander (sh) To haggle.
marchandise *f* (dîz) Commodity, ware. *pl* Goods.
marche *f* (màrsh) Walk (**auk**) [à pied]. March [mil.]. Step [escalier]. Course [cours].
marché *m* (màrshé) Market (â) [lieu]. Bargain, transaction. *Bon -,* cheap (tshîp).
marchepied *m* Footboard.
marcher To walk [à pied]. To travel. To work [mec.].
mardi *m* Tuesday (tyouzdi). *- gras,* Shrove -.
mare *f* (màr) Pond, pool.
marécage *m* (kàj) Marsh.
marécageux (jë) Swampy.
maréchal (shàl) Field-marshal. - *-ferrant,* farrier; *- des logis,* sergeant.
marée *f* (màré) Tide (ta^{i}d); *- montante,* flow; *- descendante,* ebb. Sea-fish.
margarine *f* (à) Margarine.
marge *f* (màrj) Margin (dj).
margelle *f* (jèl) Brink.
mari (mà) Husband (**hœz**).
mariage *m* (r^{y}àj) Marriage (màridj). Wedding [noce].
Marie *f* (àrî) Mary (è^{e}ri).
marié, ée (r^{y}é) *a* Married. *m* Bridegroom. *f* Bride (a^i).
marier To marry [épouser].
Se - To get* married.
marin (màri^n) Sailor (sé^i).
marine *f* (în) Navy (né^{i}vi) [de guerre]. Marine (m^e).
mariner To pickle (pik^{e}l).
marionnette *f* Puppet.
maritime (î) Maritime (a^{i}m).
marjolaine *f* (j) Marjoram.
marmelade *f* (àd) Marmalade.
marmite *f* (màrmît) Kettle.
marmiton *m* (to^n) Scullion.
marmonner (mòné) To mutter.
marmot *m* (màrmò) Brat (àt).
marmotte *f* (òt) Marmot (â).
marmotter Mumble, mutter.
marne *f* (màrn) Marl (â).
Maroc *m* (màrok) Morocco.
marocain, aine (òki^n, èn) *a* Moroccan (ok^{e}n). *mf* Moor.
maroquin *m* (ki^n) Morocco-leather. **-quinerie** *f* Fancy-leather goods [ou trade].
marotte *f* (àrot) Hobby (**h**).
marque *f* (àrk) Mark (â).
marquer To mark, show*.
marqueter (ke) To inlay* [**marquette*].
marqueterie *f* Inlaid work.
marquis, ise (màrkî, kîz). Marquis (kw), marchioness.
marraine *f* (èn) Godmother.
marri, ie Grieved (îv).
marron *a* (màro^n) Brown

(aoun). *m* Chestnut (nœt).
marronnier *m* Chestnut-tree.
mars *m* (màrs) Mars (mârz) [star]. March (tsh) [mois].
marsouin *m* (swin) Porpoise.
marteau *m* (tô) Hammer (hâmer). Knocker (nòker) [porte]; - -*pilon*, steam-hammer.
marteler (telé) To hammer [**martèle*].
martial (syàl) Martial (sh).
martinet *m* (nè) Tilt-hammer. Cat [fouet]. Martlet [bird].
martin-pêcheur *m* Kingfisher.
martre *f* (àrtr) Marten (â).
martyr, yre (tîr) Martyr.
martyre *m* Martyrdom.
martyriser To torment.
mascarade *f* (àd) Masquerade.
mascotte *f* (kot) Mascot.
masculin, ne (ü) Masculine.
masque *m* (àsk) Mask (âsk).
masquer (màské) To mask.
massacre *m* (àkr) Slaughter.
-crer To slaughter (au).
massage *m* (màsàj) Massage.
masse *f* (màs) Mass. Mob [populace]. Mace [arme].
masser To mass, massage.
massif *m* (sif) Cluster (œ).
massif, ive Massive. Solid.
massue *f* (àsü) Club (œb).
mastic *m* Putty (pœ).
mastication *f* Mastication.
mastiquer (ìké) To masticate. To putty [verre]. To stop.
mastroquet *m* (kè) Publican.
masure *f* (zür) Shanty (à).
mat (màt) Checkmated. Mate.
mat, ate *a* Dull, dim, flat.
mât *m* (mâ) Mast (mâst).
matelas *m* (màtlà) Mattress.
matelasser To pad.
matelot *m* (màtlò) Sailor.
mater (màté) To checkmate.
mâter (âté) To mast (âst).
matérialiser (màtéryàlizé) To materialize (metieryelaiz).
-rialiste Materialist (meti).
matériaux *mpl* Materials.
-riel, elle Material (ie).
maternel, elle Motherly.
mathématique (té) Mathematical (thimà). *f* Mathematics.
matière *f* (tyèr) Matter; - *première*, raw material.
matin *m* (in) Morning (au).
mâtin *m* (mâtin) Mastiff.
matinal, ale (nàl) Early (ër).
matinée *f* (ìné) Morning. Afternoon performance [théat.]
matois (twà) Sly, crafty.
matou *m* (màtû) Tom-cat.
matraque *f* (àk) Cudgel (œ).
matrice *f* (màtris) Matrix.
matricule *m* (kül) Register.
matrimonial Matrimonial.
matrone (mà) Matron (méi).
mâture *f* (ü) Masting. Masts.
maturité *f* (ü) Maturity (you).
maudire (ôdir) Curse (ë). [*V. DIRE, but *maudissons*].
maugréer (ô) Grumble (œ).
maure, resque Moor (mouer).
maussade (à) Peevish, sulky.
mauvais, aise (è, èz) Bad, ill. Wicked [méchant].
mauve *a* Mauve. *f* Mallow.
maxime *f* (îm) Maxim.
maximum *m* Maximum.
mazout *m* (zû) Fuel oil.
me (me) Me (mî).
méandre *m* (andr) Winding.
mécanicien (isyin) Mechanician. Engine-driver.
mécanique *a* (nîk) Mechanical (mekà). *f* Mechanics [science]. Machine, gadget.
-isme *m* Works, machinery.
méchamment (man) Wickedly.

méchanceté *f* (a^{n}sté) Unkindness; wickedness.
méchant, te (sha^{n}) Wicked, unkind. Sorry [médiocre].
mèche *f* (mèsh) Wick [lampe]. Match, fuse [mine]. Lash [fouet]. Lock [cheveu]. Bit, drill [foreuse].
mécompte *m* (méko^{n}t) Mistake (é). Disappointment.
méconnaissable Unrecognizable. **-onnaître** Not to recognize (g-na^{i}z). To ignore [*V. CONNAÎTRE].
mécontent, ente Displeased. **-tentement** *m* Discontent. **-tenter** To displease (îz).
mécréant, ante Misbeliever.
médaille *f* (dày) Medal (d^{e}l).
médailler (àyé) To decorate.
médecin (médsi^{n}) Doctor.
médecine *f* (sîn) Medecine.
médiation *f* (à) Mediation.
médical, ale (kàl) Medical.
médicament *m* Medicament.
médiéval (yévàl) Mediæval.
médiocre (yòkr) Middling.
médiocrité *f* Mediocrity.
médire* To slander (ànd^{er}). [*V. DIRE].
médisance *f* (za^{n}s) Slander.
méditation *f* Meditation.
méditer To meditate (é^{i}t).
Méditerranée *f* (èràné) Mediterranean (é^{i}nye^{n}).
médium *m* (yòm) Medium (î).
médius *m* (ü) Middle finger.
méduse *f* (düz) Jelly-fish.
méfait *m* (fè) Misdeed (î).
méfiance *f* (a^{n}s) Distrust.
méfiant, ante Distrustful.
méfier (se) To beware (è).
mégarde *f* Inadvertence.
mégère *f* (jèr) Shrew (ou).
mégir (jîr) To taw (**tau**).
mégot *m* (gò) Fag-end.
meilleur (mèyœr) Better.
mélancolie *f* Melancholy. **-olique** Melancholy.
mélange *m* (a^{n}j) Mixture.
mélanger (a^{n}jé) To mix [*mélangeai, -geons*].
mélasse *f* (às) Treacle (î).
mêlée *f* (mèlé) Scuffle (œ).
mêler To mix up, mingle. Entangle [embrouiller].
mélèze *m* (èz) Larch (â^{r}).
mélisse *f* (lîs) Balm (âm).
mélodie *f* (òdî) Melody. **-dieux** (dyë) Tuneful.
mélodrame *m* Melodrama.
melon *m* (m^{e}lo^{n}) Melon (mèl^{e}n); *chapeau* -, bowler.
membrane *f* (àn) Membrane.
membre *m* (a^{n}br) Limb (ìm) [corps]. Member [société].
même *a* (mèm) Same. Very. *Moi-même,* myself. *ad* Even (îv). *Quand -,* even though.
mémento *m* Memorandum.
mémoire *f* (mwàr) Memory. *m* Memorandum (ànd^{e}m).
mémorable (àbl) Memorable.
menace *f* (m^{e}nàs) Threat.
menacer To threaten (**thrè**) [*menaçai, -çons*].
ménage *m* (àj) Household [maisonnée]. Housekeeping [soin]. Married couple.
ménagement *m* (jma^{n}) Prudence. **-ger** (**jé**) To spare (spè^{er}) [*ménagea, -geons*]. **-gère** *f* (àjèr) Housewife. **-gerie** *f* (jrî) Menagerie.
mendiant, ante Beggar.
mendicité *f* Begging, beggary.
mendier (dyé) To beg.
menée *f* (m^{e}) Intrigue, plot.
mener To lead* [conduire]. To manage. To draw* [*mène*].

meneur (m^{e}nœr) Leader (lî).
ménétrier (trié) Fiddler.
méningite *f* (j) Meningitis.
menotte *f* (ot) Handcuff.
mens. V. MENTIR.
mensonge *m* (so^{n}j) Lie (la^{i}).
mensonger, ère False (**au**).
mensualité (ma^{n}s^{u}àlité) *f* Monthly payment (mœn**th**li).
mensuel, elle (s^{u}èl) Monthly.
mental (ma^{n}tàl) Mental.
mentalité *f* Mentality.
menteur, euse (œr, ëz) Liar.
menthe *f* (a^{n}t) Mint (ìnt).
mention *f* (ma^{n}s^{y}o^{n}) Mention. **-tionner** To mention.
mentir (ma^{n}) To lie (la^{i}) [**mens, ment, mentons,* etc.; *mentais,* etc.; *mente,* etc.].
menton *m* (o^{n}) Chin (tshìn).
menu *m* (nü) Menu (nyou).
menu, ue Minute (ma^{i}nyout).
menuisier (n^{u}iz^{y}é) Joiner.
méprendre* (se) To be mistaken (té^{i}ken). [V. PRENDRE].
mépris *m* (prî) Contempt.
méprisable Contemptible.
méprise *f* (îz) Mistake (é^{i}).
mépriser (ìzé) To despise.
mer *f* (mèr) Sea (sî).
mercanti *m* Profiteer.
mercantile (î) Mercantile.
mercenaire (èr) Mercenary.
merci *f* (èr) Mercy (ë) [pitié]. *m* Thanks [remercier].
mercier, ière Haberdasher.
mercredi *m* (mèrkr^{e}di) Wednesday (wènsdi); - *des Cendres,* Ash Wednesday.
mercure *m* (ü) Mercury (ë).
mère *f* (mèr) Mother (œ**zh**).
méridien, ienne Meridian.
mérinos *m* (nòs) Merino.
mérite *m* (ît) Merit, worth.
mériter To deserve (zë^{r}v).
méritoire (wà) Meritorious.
merlan *m* (mèrla^{n}) Whiting.
merle *m* (mèrl) Blackbird.
merveille *f* (vè^{y}) Wonder.
merveilleux, euse Wonderful.
mes *pl* (mè) My (ma^{i}).
mésalliance *f* Bad match.
mésange *f* (za^{n}j) Titmouse.
mésaventure *f* (ü) Mishap.
mesdames (dàm) Ladies.
mesdemoiselles (zèl) Ladies.
mésintelligence (i^{n}télìja^{n}s) *f* Bad terms.
mesquin, ine (ki^{n}) Mean (î).
mesquinerie *f* Meanness.
mess *m* (mès) Mess.
message *m* (àj) Message.
messager, ère Messenger.
messe *f* (mès) Mass (màs).
messie (sî) Messiah (a^{ie}).
messieurs (mès^{y}ë) Gentlemen (djènt^{e}l). Messrs. (mès^{e}z).
mesure *f* (m^{e}zür) Measure (mèj^{er}); gauge (gé^{i}dj). Time [mus.]. *Sur* -, to order.
mesurer (züré) To measure.
met. V. METTRE.
métairie *f* Small farm.
métal (tàl) Metal (t^{e}l).
métallique (lik) Metallic.
métallurgie *f* Métallurgy.
métamorphose *f* Metamorphosis. **-physique** *a* (fìzik) Metaphysical. *f* Metaphysics.
métayer (tè^{y}é) Small farmer [paying rent in kind].
métempsycose *f* (a^{n}psìkôz) Metempsychosis (a^{i}ko^{ou}sis).
météore *m* (òr) Meteor (mî).
météorologie *f* Meteorology.
méthode *f* (tòd) Method (**th**).
-odique (ik) Methodic (**th**).
méticuleux, euse Particular.
métier *m* (yé) Calling (**au**). Trade. Loom [à tisser].

métis, isse (tî) Mongrel (œ).
métrage *m* (àj) Measurement.
mètre *m* (mètr) 1.10 yard.
métro, métropolitain *m* Underground railway. **-pole** *f* Mother country, metropolis.
mets *m* (mè) Dish.
mettre* (mètr) To put* (pout), to set*. To put* on [sur soi]. *Se - en route*, to set* out. To start, to begin [**mets, met, mettons*, etc. ; *mettais; mis*, etc. ; *mette; mis*].
meuble (mœbl) *a* Loose [terre]. Movable (mou) [bien]. *m* Piece of furniture, *pl* Furniture (fërnitsher).
meubler (mœ) To furnish.
meugler (mëglé) To low.
meule *f* (mœl) Millstone [moulin]. Stack, rick [foin].
meunerie *f* (mœ) Flour-trade. **-nier, ière** (mœnyé, yèr) Miller, miller's wife.
meurtre *m* (mœrtr) Murder (mërder). **-trier** Murderer. **-trière** *f* Murderess. Loop hole [trou]. **-trir** Bruise.
meute *f* (mœt) Pack.
mévente *f* (ant) Slump (œ).
mexicain, ne (kin) Mexican.
mi *m* (mî) E (î) [mus.].
mi *a* (mî) Half (hâf).
miasme *m* (myàsm) Miasma.
miauler (ôlé) To mew (you).
mica *m* (mìkà) Mica (maike).
miche *f* (îsh) Loaf (loouf).
Michel (ìsh) Michael (ai).
microbe *m* (mìkròb) Microbe (maikrooub).
microphone *m* (mìkròfòn). Microphone (maikrefooun).
-scope *m* (skòp) Microscope.
midi *m* (mìdî) Midday (middéi). South (saouth).
mie *f* (mî) Crumb (krœm).
miel *m* (myèl) Honey (hœni).
mien (myin), **enne** Mine (ai)
miette *f* (myèt) Crumb (œm).
mieux *ad* (myë) Better (bèter). *Le -*, the best.
mièvre (myè) Finical. Sickly.
mignard, arde Dainty (déin).
mignon, onne (mìñon, òn) Dainty. *mf* Darling (dâr).
migraine *f* Sick headache.
migration *f* (mì) Migration.
mijoter (jòté) To simmer.
mil *m* Thousand. Millet.
milice *f* (îs) Militia (she).
milieu *m* (mìlyë) Middle (midel). Medium (mîdyem).
militaire *a* (tèr) Military. *m* Soldier (soouldjer).
militarisme *m* Militarism.
militer To militate (éit).
mille (mîl) Thousand (thaou). Mile (mail) [1609 m].
millet *m* (yè) Millet (lèt).
milliard *m* (lyàr) Milliard.
millième (lyèm) Thousandth.
millier *m* (mìlyé) Thousand.
millimètre *m* Millimetre.
million *m* (lyon) Million.
millionnaire Millionaire.
mime (mîm) Mime (maim).
mimer (mìmé) To mimic.
mimique *f* (mîk) Mimicry.
mimosa *m* (òzà) Mimosa.
minable Shabby, wretched.
minaret *m* (àrè) Minaret.
minauder (ôdé) To simper.
mince (minn) Thin, slender.
mine *f* (în) Mine (ain). Look.
miner (mì) To mine (main).
minerai *m* (erè) Ore.
minéral, ale (minéràl). Mineral (minerel).
minet, ette (è, èt) Puss (ou).
mineur *m* (mìnœr) Miner (ai).

mineur, eure Minor (ma^{i}-n^{er}). Infant; under age.
miniature *f* (*ü*) Miniature.
minime (nîm) Very small.
ministère *m* (èr) Ministry.
-tériel, elle Ministerial.
ministre (îstr) Clergyman [prêtre]. Minister [Etat]. *Premier -*, Prime Minister; *- des Affaires étrangères*, Foreign Secretary; *- des Finances*, Chancelor of the Exchequer.
minium *m* (^{y}òm) Minium.
minois *m* (wà) Little face.
minorité *f* (mì) Minority.
minoterie *f* Flour-mill; flour-trade. **-tier** Miller.
minuit *m* (^{u}î) Midnight (*a*^{i}).
minuscule *a* (üskül) Very small. *f* Small letter.
minute *f* (*ü*t) Minute (it).
minuterie *f* (ü) Time-switch.
minutie *f* (üsî) Nicety (*a*^{i}).
minutieux (s^{y}*ë*) Particular.
mioche *mf* (^{y}òsh) Brat (àt).
mirabelle *f* Mirabelle plum.
miracle *m* (àkl) Miracle (k'l).
miraculeux, euse Miraculous.
mirage *m* (àj) Mirage (âj).
mirer (miré) To look at.
mirifique (ifîk) Wonderful.
mirliton *m* (t*o*^{n}) Reed-pipe.
mirobolant (*a*^{n}) Marvellous.
miroir *m* (mirwàr) Mirror; looking-glass.
miroiter (rwà) To glisten.
mis, ise (mî, îz). V. METTRE*.
misaine *f* (mìzèn) Foresail.
misanthrope (za^{n}) Misanthrope. **-opie** *f* Misanthropy.
mise *f* (mîz) Stake [jeu]. Outlay [frais]. Bidding [enchère]. Dress [habits].
miser (mìzé) To stake [jeu]. To bid* [enchère].
misérable *a* (zéràbl) Miserable. Destitute. *mf* Wretch.
misère *f* (mìzèr) Poverty. Destitution. Trifle [bagatelle].
miséricorde *f* (òrd) Mercy.
miséricordieux Merciful.
missel *m* (sèl) Missal.
mission *f* (s^{y}*o*^{n}) Mission (sh^{e}n). **-ionnaire** (s^{y}onèr) Missionary. **-ive** *f* Missive.
mistral *m* North wind.
mitaine *f* (èn) Mitten (^{e}n).
mite *f* (mît) Moth (mo**th**).
mitiger (tìjé) To mitigate [**-geai, -geons*].
mitoyen [mur] Party wall.
mitraille *f* (à^{y}) Grapeshot.
mitrailler To machine-gun.
-ailleuse *f* Machine-gun.
mitre *f* (mîtr) Mitre (ma^{i}).
mitron *m* (*o*^{n}) Baker's man.
mixte (mikst) Mixed (mikst).
mobile *a* (mobîl) Movable. Sliding [échelle]. Adhesive [timbre]. *m* Moving body. Motive power.
mobilier *m* (ìl^{y}é) Furniture.
mobilisation *f* (bìlìzàs^{y}*o*^{n}) Mobilisation (la^{i}zé^{i}sh^{e}n). **-liser** (lìzé) To mobilize (a^{i}z). **-lité** *f* Mobility.
modalité *f* Modality (dà).
mode *f* (mòd) Mode (mo^{ou}d), fashion (fàsh^{e}n). *pl* Millinery. *m* Mode.
modèle *m* Model, pattern.
modeler (mod^{e}lé) To model [**modèle*].
modération *f* Moderation.
modéré, ée Moderate (d^{e}r^{e}t).
modérer To moderate (ré^{i}t) [**modère*].
moderne (èrn) Modern (^{e}rn).
moderniser Modernize (a^{i}z).

modeste (èst) Humble (hœm).
modestie *f* (stî) Humility.
modicité *f* (sìté) Lowness.
modification *f* Modification.
modifier To modify. To alter.
modique (mòdîk) Low (loou).
modiste (mòdist) Milliner.
modulation *f* Modulation.
moelle *f* (wàl) Marrow (oou).
moelleux (lë) Marrowy [os]. Mellow [son, liqueur].
moellon *m* (mwàlon) Ashlar.
mœurs *fpl* (mœr) Morals (maurelz), manners (erz).
moi *pron* (mwà) Me (mî).
moignon *m* (mwàñon) Stump.
moindre (mwindr) Smaller, less. *Le* -, the least (î).
moine (mwàn) Monk, friar.
moineau *m* (mwànô) Sparrow.
moins (win) Less; *pl* fewer.
moire *f* (wà) Watered silk.
mois *m* (wà) Month (œnth).
Moïse *m* (òîz) Moses (oou).
moisi *a* (mwàzî) Musty (mœ), mouldy (mouldi).
moisson *f* (mwàson) Harvest.
moissonner Reap*, gather.
moissonneur, se Reaper (î).
moite (mwàt) Moist (moist).
moiteur *f* (tœr) Moisture.
moitié *f* (mwà) Half (hâf).
mol, molle Solft. V. MOU.
molaire Molar (oou).
môle *m* (môl) Mole, pier.
molécule *f* (kül) Molecule.
molester (èsté) To molest.
mollesse *f* (lès) Softness.
mollet *m* (mòlè) Calf (kâf).
mollet, ette (lè, èt) Soft.
molletière *f* (tyèr) Legging.
mollusque *m* (üsk) Mollusc.
moment *m* (mòman) Moment.
momentané Momentary (eri).
momie *f* (mòmî) Mummy.
mon *a* (mon) My (mai).
monarchie *f* (shî) Monarchy (erki). **-chique** (shik) Monarchical (ârkikel). **-chiste** (mònàrshîst) Monarchist.
monastère *m* (èr) Monastery.
monceau *m* (sô) Heap (hîp).
mondain, e (in, èn) Worldly.
monde *m* (mond) World (ë).
monder To cleanse, husk.
mondial (dyàl) World-wide.
monétaire (étèr) Monetary.
moniteur, trice Monitor.
monnaie *f* (mònè) Currency (kœrensi). Small change.
monnayer To mint. To sell*.
monocle *m* (òkl) Monocle.
monogramme *m* Monogram.
monologue *m* (òg) Monologue.
monoplan *m* (an) Monoplane.
monopole *m* (pòl) Monopoly. **-poliser** (lizé) Monopolize.
monotone (tòn) Monotonous.
monotonie *f* (nî) Monotony.
monseigneur (èñœr) My Lord.
monsieur (mesyë) Sir (sër); *-Fabre*, Mr. Smith (mister); *un monsieur*, a gentleman.
monstre *m* (monstr) Monster.
monstrueux (üë) Monstrous.
mont *m* (on) Hill, mountain.
montagnard, de Mountaineer.
montagne *f* (tàñ) Mountain.
montagneux (ñë) Hilly.
montant *m* (montan) Amount (emaount) [compte]. Post [de porte]. Stanchion.
montant, ante Rising (rai). Uphill [route]. Flowing [mer]. High-necked [robe].
mont-de-piété *m* Pawnshop.
montée *f* (monté) Hill.
monter (monté) To go* up. To ride*, mount [cheval]. To flow [marée]. To set [bijou].

monteur Setter, assembler.
monticule *m* (kül) Hillock.
montre *f* (mo^{n}tr) Shop-window. Exhibition. Watch : - *bracelet*, wristwatch.
montrer To show* (o^{ou}). To point out [indiquer]. To teach* (tîtsh) [enseigner].
montueux, euse (tüë) Hilly.
monture *f* (tür) Mount [cheval]. Setting [diamant].
monument *m* (ü) Monument.
-mental (tàl) Monumental.
moquer (se) (ké) To laugh (lâf) [*de* : at]. To deride.
moquerie *f* (k^{e}rî) Mockery.
moqueur, se *a* (kœr, ëz) Jeering, mocking. *mf* Scoffer.
moral *m* (ò) Moral. Morale.
moral, ale Moral (maur^{e}l).
morale *f* Morality. Ethics.
moraliser To moralize (a^{i}z).
moraliste Moralist.
moralité *f* Morality, morale.
moratorium *m* Moratorium.
morbide Sickly, unhealthy.
morceau *m* (sô) Piece, bit.
morceler To cut* up [*-celle*].
mordant, ante Biting (ba^{i}).
mordant *m* (da^{n}) Keenness.
mordiller (i^{y}é) To nibble.
mordoré (òré) Golden brown.
mordre (ordr) To bite* (a^{i}).
morfondre To chill. **Se -** To stand shivering, waiting.
morgue *f* (morg) Arrogance. Mortuary [dépôt].
moribond, onde (bo^{n}) Dying.
morne Dreary, gloomy.
morose (ôz) Morose (o^{ou}s).
morphine *f* (fîn) Morphia.
mors *m* (òr) Bit; *prendre* le - aux dents*, to run* away.
morse *m* (ò) Walrus, morse.
morsure *f* (sür) Bite (a^{i}t).
mort *f* (mòr) Death (dèth).
mort, te *a* (mòr, t) Dead (è).
mortaise *f* (èz) Mortise.
mortalité *f* (ité) Mortality.
mortel, elle (èl) Mortal.
morte-saison *f* Slack time.
mortier *m* (t^{y}é) Mortar.
mortification *f* Mortification.
mortifier (f^{y}é) To mortify.
mort-né Still-born.
mortuaire (t^{u}èr) Mortuary.
morue *f* (morü) Cod; *huile de foie de -*, cod-liver oil.
morve *f* (ò) Snot. Glanders.
morveux, euse (vë) Snotty.
mosaïque *a, f* (zàìk) Mosaic.
mosquée *f* (ské) Mosque.
mot *m* (mò) Word (wë^{r}d).
moteur *m* (tœr) Motor (o^{ou}t^{er}). Engine (èndj) [auto].
moteur, trice Motive (o^{ou}).
motif *m* (mòtif) Motive.
motiver (ìvé) To ground.
motocyclette *f* Motor-cycle.
motorisé (zé) Motorized.
motte *f* Clod, sod [gazon].
motus (mòtüs) Mum (œm).
mou (mû), **olle** Soft, weak.
mouchard *m* (mûshàr) Spy.
mouche *f* (mûsh) Fly (a^{i}).
moucher (mûshé) To blow* [souffler], wipe [essuyer] the nose of. To snuff [chandelle]. To snuff [rabrouer].
moucheron *m* Gnat (nàt).
mouchoir *m* (mûshwàr) Handkerchief (hàngk^{er}tshif).
moudre* (ûdr) To grind* (a^{i}). [**mouds*, *moulons ; -lais ; -lus ; moule ; -lant ; -lu*].
moue *f* (mû) Pout (pa^{ou}t).
mouette *f* (wèt) Gull (gœl).
mouffette *f* (fèt) Skunk (œ).
moufle *f* (mûfl) Mitten, glove. Tackle [palan]. *m*

Muffle-furnace.
mouillage *m* (ûy) Anchorage.
mouiller (mûyé) To wet [humecter]. To cast* [ancre]. *vi* To cast* anchor.
moulage *m* (mûlàj) Cast.
moule *m* (mûl) Mould (oou,) cast. *f* Mussel (mœsel).
mouler To cast, mould (oou).
moulin *m* (mûlin) Mill.
moulinet *m* (ìnè) Turn-stile. Wheel. Flourish [épée].
moulu. V. MOUDRE.
moulure *f* (lür) Moulding.
mourant (an) Dying (aiing).
mourir* (ûrir) To die (ai).
[**meurs, mourons, meurent; mourais*, etc.; *mourus*, etc.; *mourrai; meure, mourions, meurent; mourant; mort*].
mouron *m* (ron) Pimpernel.
mousquet *m* (mûskè) Musket.
mousquetaire (mûsketèr) Musketeer (mœsketier).
mousqueton *m* Rifle, carbine.
mousse *f* (mûs) Moss. Froth, foam [écume]. *m* Ship-boy.
mousseline *f* Muslin (mœz).
mousser To froth; lather.
mousseux, euse (mûsë, ëz) Mossy. Sparkling [vin].
mousson *f* (son) Monsoon.
moustache *f* (tà) Moustache.
moustiquaire *f* Mosquito-net.
moustique *m* (îk) Mosquito.
moût *m* (mû) Must (mœst).
moutard *m* (mûtàr) Brat.
moutarde *f* (àrd) Mustard.
mouton *m* (mûton) Sheep [animal]. Mutton (mœ) [chair].
mouture *f* (tür) Grindings.
mouvant (mûvan) Moving; quick [sable]. **-vement** *m* (mûvman) Motion (mooushen), movement (mou).
mouvoir (mûvwàr) To move. (mouv), to stir. **Se-** To move [**meus, mouvons, meuvent; mouvais; mus; mouvrai; meuve, mouvions; mouvant; mu*].
moyen, enne (mwàyin, yèn) Mean. *m* Means. *f* Average; *en moyenne,* on an average.
moyenâgeux (jë) Medieval.
moyennant (mwàyènan) In consideration of, for.
moyeu *m* (mwàyë) Nave, hub.
mu, mue (mü). V. MOUVOIR.
mucilage *m* (mü) Mucilage.
mucus *m* (müküs) Mucus.
mue *f* Moulting. Breaking.
muer (mué) To moult [plume]. To break* [voix].
muet, ette (muè, èt) Dumb [infirmité]. Silent, mute.
mufle *m* (üfl) Snout (aout) [museau]. Cad [pers.].
mugir (müjîr) To bellow.
muguet *m* (mügè) Lily of the valley [fleur]. Thrush [méd.].
mulâtre, âtresse Mulatto.
mule *f* (mül) Mule (myoul).
mulet *m* (ülè) Mule (youl).
muletier (tyé) Muleteer (*i*).
mulot *m* (ülô) Field-mouse.
multiple Multiple. **-plicande** *m* Multiplicand. **-plicateur** *m* Multiplier. **-plication** *f* Multiplication. **-plier** To multiply (mœl).
multitude *f* (üd) Multitude.
municipal *a* (mü) Municipal.
municipalité *f* Corporation.
munificence *f* Munificence.
munir To provide, supply.
munition *f* (ü) Ammunition.
muqueux, euse *a* (mükë) Mucous (myoukes).

mur *m* (mür) Wall (**waul**).
mûr, ûre (ür) Ripe (ra[i]p).
muraille *f* (mürày) Wall.
mural, ale Mural (my*ou*).
mûre *f* Mulberry (mœlb[e]ri).
murer To wall up, wall in.
mûrier *m* Mulberry-tree.
mûrir To ripen, to mature.
murmure *m* (ür) Murmur (ë).
murmurer Murmur, whisper.
musaraigne *f* Shrew-mouse.
musarder To idle, dawdle.
musc *m* (müsk) Musc (mœsk).
muscade *f* (müskàd) Nutmeg (nœtmeg).
muscle *m* (müskl) Muscle (mœs[e]l). Brawn (**braun**).
musculaire (müskülèr) Muscular (mœskyoul[er]).
muse *f* (müz) Muse (myouz).
museau *m* (üzô) Muzzle.
musée *m* (é) Museum (i[e]m).
museler (müzlé) To muzzle.
muselière *f* Muzzle (œz[e]l).
muser (üzé) Idle, dawdle.
musette *f* (müzèt) Bag-pipe. [mus.]. Bag; nose-bag.
musical, ale (mü) Musical.
musicien, enne (üzisyi[n], èn) Musician (myouzish[e]n).
musique *f* (ü) Music (you).
musquer (üské) To musk (œ).
musulman (üzül) Moslem.
mutation *f* (mü) Mutation.
mutilation *f* Mutilation.
mutiler To mutilate, maim.
mutin, e (müti[n], în) Unruly [mil.]. Roguish [espiègle]. *m* Mutineer (myoutini[er]).
mutiner (se) To mutiny.
mutinerie *f* Mutiny (my*ou*).
mutisme *m* (ism) Dumbness.
mutuel, elle (müt[u]èl) Mutual (myoutyou[e]l).
myope (myop) Short-sighted.
-pie *f* Short-sightedness.
myosotis *m* (yo) Mouse-ear.
myriade *f* (yàd) Myriad.
myrrhe *f* (îr) Myrrh (ë[r]).
myrte *m* (î) Myrtle (ë).
-tille *f* (îy) Whortleberry.
mystère *m* (tèr) Mystery.
mystérieux (yë) Mysterious.
mysticisme *m* Mysticism.
mystifier (fyé) To hoax.
-cation *f* Hoax (**ho**[ou]ks).
mystique (ik) Mystical.
mythe *m* (mît) Myth (**mith**).
mythologie *f* (mìtòlòjî) Mythology (**mitho**l[e]dji).

N

n (èn) N (èn).
n': *ne* before vowel or mute *h*.
nabab (nàbàb) Nabob (né[i]).
nabot, ote (bò, òt) *a* Dwarfish. *mf* Dwarf (dwau[r]f).
nacelle *f* (nàsèl) Dinghy, skiff [bateau]. Gondola.
nacre *f* (nàkr) Mother-of-pearl. **-cré, ée** *a* Pearly.
nage *f* (nàj) Swimming.
nageoire *f* (jwàr) Fin (fìn).
nager (nàjé) To swim* [*nagea, nageons*].
nageur, euse *mf* Swimmer.
naguère *ad* (nàgèr) Lately.
naïf, ïve (nàîf, iv) Naive (é[i]).
nain, aine (ni[n], èn) Dwarf. *a* Dwarfish (dwau[r]fish).
nais. V. NAÎTRE.
naissance *f* (nèsa[n]s) Birth.

naissant, ante *a* Beginning.
naître* (nètr) To be born [**nais*, *naissons*; *naissais*; *naquis*; *naisse*; *naissant*; *né*].
naïveté *f* (nà) Artlessness.
nantir (na^{n}tîr) To give* security to. To provide for.
nantissement *m* Security.
naphtaline *f* Naphthalene.
naphte *f* (nàft) Naphtha.
napolitain, aine Neapolitan.
nappe *f* (nàp) Table-cloth (klòth). Sheet [eau].
napperon *m* (^{e}ro^{n}) Doily.
narcisse *m* (nàr) Daffodil.
narcotique *a* and *m* Narcotic.
narguer (nàrgé) To jeer at.
narine *f* (nàrîn) Nostril.
narquois, oise (wà) Mocking.
narrateur, trice Teller.
narration *f* (rà) Narrative.
narrer To relate (rilé^{i}t).
nasal, e (zàl) Nasal (né^{i}).
naseau *m* (zò) Nostril (nos).
nasiller (zi^{y}é) To snuffle.
nasse *f* (às) Eel-pot. Trap.
natal, ale Native (é^{i}).
natalité *f* Birth-rate (bë^{r}th).
natation *f* (syo^{n}) Swimming.
natif, ive (à) Native (é^{i}).
nation *f* (nàsyo^{n}) Nation (é^{i}).
national, e National (sh).
nationalisme *m* Nationalism. **-aliste** Nationalist. **-alité** *f* Nationality.
nativité *f* Birth, nativity.
natte *f* (nàt) Mat [paille]. Plait (àt) [cheveux].
natter To mat; plait, braid.
naturaliser (ìzé) To naturalize (^{e}la^{i}z).
nature *f* (àtür) Nature (né^{i}tsh^{e}^{r}). *En -*, in kind.
naturel, elle *a* (ürèl) Native (né^{i}t), natural. *mf* Native.
-lement Of course.
naufrage *m* (àj) Shipwreck (prèk). **-fragé** Shipwrecked.
nauséabond (zéà) Nauseous.
nausée *f* (nozé) Sickness.
nautique (nòtik) Nautical.
nautonnier Mariner, boatman.
naval (nàvàl) Naval (né^{i}).
navet *m* (nàvè) Turnip (ë).
navette *f* (èt) Rape [colza]. Shuttle [méc.]; *faire* la -*, to ply [transport].
navigable (àbl) Navigable [eaux]. Seaworthy [navire].
-gateur Sailor, navigator.
-gation *f* Navigation.
naviguer (nàvigé) To sail.
navire *m* (îr) Vessel, ship.
navrer (nâvré) To distress.
ne *ad* (n^{e}) Not; *ne... pas*, not; *ne... plus*, no more; *ne... que*, only.
né, née (né) Born. V. NAÎTRE.
néanmoins Nevertheless.
néant *m* (a^{n}) Nothingness.
nébuleuse *f* (ülës) Nebula.
-leux, euse *a* Nebulous (you).
nécessaire *a* (sèr) Necessary. *m* Necessaries *pl.*
nécessité *f* Necessity.
nécessiteux Needy (nîdi).
nécrologie *f* (jî) Necrology.
nécropole *f* (ò) Necropolis.
nectar *m* (tàr) Nectar.
néerlandais, se Dutch (œ).
nef *f* Nave (é^{i}), ship.
néfaste (àst) Fatal (fé^{i}).
nèfle *f* (nèfl) Medlar.
négatif, ive Negative.
négation *f* Negation.
négligé Neglected, slovenly.
négligence *f* Negligence.
négligent (ja^{n}) Negligent.
négliger (ìjé) To neglect.

omit. To ignore [dédain] [*négligea, -geons*].
négoce *m* (gôs) Trade (éid).
négociant (syan) Merchant.
négociation *f* Negotiation.
négocier (s) Negotiate (sh).
nègre (ègr) Negro (îgroou).
négresse *f* (ès) Negress.
négrillon (iyon) Piccaninny.
neige *f* (nèj) Snow (snoou).
neiger (nèjé) To snow [*-gea*].
neigeux, euse (jë) Snowy.
nénuphar *m* (àr) Waterlily.
néologisme *m* Neologism.
néon *m* (néon) Neon (nîen).
néophyte (ît) Neophyte (ai).
néphrite *f* (ît) Nephritis.
nerf *m* (nèr). Nerve (nërv).
nerveux (vë) Sinewy (sinyoui). Nervous (nërves).
nervosité *f* Nervousness.
net, ette (èt) Clean, neat. Net [prix]. Frank [parler].
netteté *f* (nètetê) Clearness.
nettoiement *m* (nètwàman), **-oyage** *m* (twàyàj) Cleaning. **-oyer** To clean [*nettoie*].
neuf (nœf) Nine (nain).
neuf, ve (œf, œv) New (you).
neurasthénie *f* (nëràsténî) Neurasthenia (nyouresthînye). **-thénique** Neurasthenic.
neutralité *f* Neutrality.
neutre (œtr) Neutral (nyoutrel). Neuter [gram.].
neuvième (yèm) Ninth (ai).
neveu *m* (ë) Nephew (vyou).
névralgie *f* Neuralgia (nyou).
névrose *f* (òz) Neurosis.
nez *m* (né) Nose (noouz).
ni... ni Neither... nor.
niais, aise (nyè, èz) Silly, foolish. *mf* Booby.
niaiserie *f* Silliness.
niche *f* (nîsh) Niche [mur]. Kennel [chien]. Trick [tour].
nichée *f* (shé) Brood (oud).
nicher To nestle, lodge.
nickel *m* (kèl) Nickel. **-eler** To nickel-plate [*nickèle*].
nid *m* (nî) Nest.
nièce *f* (nyès) Niece (nîs).
nier (nyé) To deny (dinai).
nigaud, aude (gô, ôd) Silly. *mf* Booby, simpleton.
nihilisme *m* Nihilism (nai).
nimbe *m* (ninb) Nimbus.
nippes *fpl* Togs.
nitrate *m* (tràt) Nitrate.
nitre *m* (nîtr) Nitre (ai).
nitrique (nì) Nitric (nai).
niveau *m* (vô) Level (lè).
niveler To level [*-elle*].
noble (nòbl) Noble (noou).
noblesse *f* (ès) Nobility. Nobleness [vertu].
noce *f* (nòs) Wedding (wèd).
nocif, ive (nò) Injurious.
noctambule (anbül) Sleepwalker. Night-rover.
nocturne (türn) Nightly.
Noël *m* (nòèl) Christmas.
nœud *m* (në) Knot (nòt) [corde]. Bow (boou) [ruban].
noir, oire (nwàr) Black (àk). Gloomy [sombre]. *m* Black.
noirâtre (âtr) Blackish.
noirceur *f* (œr) Blackness. Wickedness [méchanceté].
noircir To blacken; defame.
noisetier *m* Hazel (héi).
noisette *f* (nwàzèt) Hazelnut. Hazel [couleur].
noix *f* (nwà) Nut (nœt), walnut; - *muscade*, nutmeg.
nom *m* (non) Name (néim); - *de baptême*, [Christian] name; - *de famille*, surname.
nomade (àd) Nomad (id).
nombre *m* (onbr) Number (œ).

nombreux, se Numerous (you).
nombril *m* (o^{n}) Navel (é^{i}).
nomenclature *f* (àtür) List.
nominal, ale (àl) Nominal.
-natif, ive Nominative (no).
-nation *f* Nomination.
nommer (nòmé) To name (né^{i}m), to appoint (^{e}po^{i}nt).
non *ad* (no^{n}) No (no^{ou}) ; not.
nonce (o^{n}s) Nuncio (œnsh).
nonchalance *f* Carelessness.
-chalant (shàla^{n}) Careless.
non-lieu *m* No true bill.
nonne *f* (nòn) Nun (nœn).
nonnette *f* (nonèt) Young nun. Small gingerbread cake.
nonobstant Notwithstanding.
non-sens *m* (sa^{n}s) Nonsense.
nopal *m* (nopàl) Cactus.
nord *m* (nòr) North (**nau^{r}th**).
normal, ale (àl) Normal.
normand, ande (a^{n}, a^{n}d) Norman. **-andie** *f* Normandy.
norme *f* (nòrm) Standard.
Norvège *f* (èj) Norway (é^{i}).
norvégien, enne Norwegian.
nos *a* (no) Our (a^{er}).
nostalgie *f* Home-sickness.
nota *m* (nòtà) Note (no^{out}).
notabilité *f* Notability.
notable Notable (no^{ou}).
notaire (nòtèr) Notary.
notamment (a^{n}) Specially.
notation *f* (às) Notation.
note *f* (nòt) Note (no^{out}). Bill [compte].
noter To note, write* down.
notice *f* (nò) Notice (no^{ou}).
notion *f* (òs) Notion (o^{ou}sh).
notoire (twàr) Notorious.
notoriété *f* Notoriety (a^{i}).
notre (ò) Our; **nôtre** Ours.
nouer (nwé) To tie (ta^{i}), knot (nòt). To establish.
noueux, euse (nwë) Knotty.
nouilles (nûy) *fpl* Noodles.
nourrice *f* (nûris) Nurse (ë).
nourricier [*père*] Foster-father. *a* (*f* **-ière**) Nutritive.
nourrir (nû) To feed* (î). To bring* up [élever]. **Se** - To feed [*de :* on], to eat*.
nourrissant, te Nutritious.
nourrisson *m* Nurseling.
nourriture *f* (ü) Food (ou).
nous (nû) We (wî) [sujet]. Us (œs) [complément].
nouveau, elle (nûvô, èl) New (nyou) ; *de -*, again.
nouveauté *f* Novelty (nov^{e}l).
nouvelle *f* Piece of news. Short story [conte].
novembre *m* (a^{n}br) November.
novice (îs) Novice.
noviciat *m* (s^{y}à) Noviciate.
noyade *f* (nwà^{y}àd) Drowning.
noyau *m* (nwà^{y}o) Kernel (ë); stone [fruit]. Nucleus.
noyer *m* (wà^{y}é) Walnut-tree.
noyer To drown (a^{ou}n). **Se** - To get* drowned [accident]. To drown oneself [suicide].
nu, nue (nü) Naked (né^{i}kid); *tête nue*, bare-headed. *Mettre* à nu*, to lay* bare.
nuage *m* (n^{u}àj) Cloud (a^{ou}d).
nuageux, se (jë, ëz) Cloudy.
nuance *f* (n^{u}a^{n}s) Shade (é^{i}).
nudité *f* (nü) Nakedness.
nue *a* (nü) Naked. *f* Cloud.
nuée *f* (n^{u}é) Cloud. Swarm.
nuire* (n^{u}îr) To harm (**h**â).
[**nuis, nuit, nuisons ; -sais ; -sis ; nuise ; nuisant ; nui*].
nuisible (zibl) Harmful (**h**).
nuit *f* (n^{u}î) Night (na^{i}t).
nul, nulle (nül) Not *any*. Void [sans valeur].
nullement By no means.
nullité *f* Nullity (nœ).

numéraire *m* Specie.
numéral (ü) Numeral (nyou).
-rateur (nümé) Numerator.
-ration *f* Numeration (éi).
-rique Numerical (nyoumè).
numéro *m* (ü) Number (œ).
numéroter To number.
nuptial (nüpsyàl) Nuptial.
nuque *f* (nük) Nape (néip).
nutritif, ive (ü) Nutritive.
nutrition *f* Nutrition (nyou).
nymphe (ninf) Nymph (ìm).

O

ô (ô) 'O, oh! (oou).
oasis *f* (òàzis) Oasis (éi).
obéir (òbéir) To obey; -à, to obey, to comply with.
obéissance *f* Obedience (î).
obéissant (obéi) Obedient.
obélisque *m* Obelisk (obi).
obérer To burden (bër).
obèse (obèz) Stout (aout).
obésité *f* (zì) Stoutness.
objecter (èkté) To object.
objectif, ive Objective.
objection *f* Objection (sh).
objet *m* (jè) Object (ìkt).
obligataire Bond-holder.
obligation *f* Obligation; bond, debenture [com.].
obligatoire Compulsory.
obligeance *f* Obligingness.
obligeant (jan) Obliging!
obliger (ijé) To oblige (ai) [*obligea, -geons].
oblique (ik) Slanting.
oblitérer Obliterate [*-ère].
obole *f* (ol) Obol, mite.
obscène (èn) Obscene (în).
obscur, ure (ür) Dark (â).
obscurcir (ür) To darken.
obscurité *f* Darkness (â).
obséder To beset [*obsède].
obsèques *fpl* (èk) Funeral.
obséquieux (kyë) Obsequious.
observateur, trice Observer.
observation *f* Observation.
observatoire *m* Observatory.
observer (vé) To observe (ërv). **S'** - To be careful.
obsession *f* Obsession.
obstacle *m* (tà) Obstacle.
obstination *f* Obstinacy.
obstiné, ée Stubborn (stœ).
obstiner (s') To persist.
obstruer (üé) To obstruct.
obtempérer Comply [*à:* with].
obtenir* To obtain. To gain, to get* [*V. TENIR].
obtention *f* (an) Obtaining.
obturateur *m* (tü) Shutter.
obturer (üré) To stop.
obtus, use (ü, üz) Obtuse.
obus *m* (obü) Shell.
obusier *m* (üzyé) Howitzer.
occasion *f* (àzyon) Occasion. Opportunity. Bargain [achat]; *d'occasion,* second-hand.
occasionnel Occasional (éi).
occasionner To cause (auz).
occident *m* (dan) Occident.
-ental (àl) Occidental (è).
occiput *m* (üt) Occiput (œ).
occulte (ült) Occult (œlt).
occupation *f* Occupation.
occuper (ü) To occupy (ai). **S'** - To be busy. To attend.
occurrence (ürans) Juncture.
océan *m* (òséan) Ocean (ooushen). **-anique** Oceanic.
ocre *m* (òkr) Ochre (oouker).

octave *f* (àv) Octave (iv).

octobre *m* (ò) October (o^{ou}).

octroi *m* (wà) Grant [don]. Town dues (dyouz) [impôt].

octroyer (trwa^{y}é) To grant.

oculaire (okülèr) Ocular; *témoin -*, eye-witness.

oculiste (ü) Oculist (you).

ode *f* (òd) Ode (o^{ou}d).

odeur *f* (ôdœr) Scent, smell.

odieux (òd^{y}ë) Hateful (hé^{i}).

odorant, ante Fragrant (é^{i}).

odorat *m* (odorà) Smell.

œil *m* (œ^{y}) [pl **yeux** (^{y}ë)]. Eye (a^{i}). Sight (sa^{i}t) [vue].

œillade *f* (œ^{y}àd) Glance.

œillère *f* (œ^{y}èr) Blinker.

œillet *m* (œ^{y}è) Carnation (é^{i}she^{n}), pink [fleur]. Eyelet (a^{i}lit) [trou].

œsophage *m* (ézofàj) Gullet.

œuf *m* (œf) [pl **œufs** (ë)] Egg. Spawn, roe [poisson].

œuvre *f* [*m*] (œvr) Work.

offensant, ante Offensive.

offense *f* (a^{n}s) Offence (èns).

offenser (a^{n}sé) To offend. **S' -** To take* offence (èns).

offensif, ive *a, f* Offensive.

offertoire *m* (wà) Offertory.

office *m* (òfîs) Office.

officiel, lle (is^{y}èl) Official.

officier *m* (s^{y}é) Officer. *v* To officiate (ishyé^{i}t).

officieux (s^{y}ë) Officious.

offrande *f* (a^{n}d) Offering.

offre *f* (òfr) Offer. Supply (se^{p}la^{i}) [and demand].

offrir (îr) To offer, to tender. [**offre; offrais; offre; offrant; offert*].

offusquer (üské) To cloud [embrumer]. To shock.

ogive *f* (òjîv) Ogive (o^{ou}dja^{i}v); *en ogive*, pointed.

ogre *m* (ògr) Ogre (o^{ou}ge^{r}).

ogresse *f* (ès) Ogress (is).

oïdium *m* (^{y}òm) Vine-mildew.

oie *f* (wà) Goose (goûs).

oignon *m* (òño^{n}) Onion (œ).

oindre* (wi^{n}dr) To anoint [**oins, oint, oignons* [wa]; *oignais*, etc.; *oignis*, etc.; *oigne*, etc.; *oignant; oint*].

oiseau *m* (wàzô) Bird (ë).

oiselet *m* (zlè) Little bird.

oiseleur Bird-fancier.

oiseux (wàzë) Idle, useless.

oisif, ive (wàz) Idle (a^{i}d).

oisillon *m* (^{y}o^{n}) Fledgeling.

oisiveté *f* Idleness (a^{i}d'l).

oléagineux (jìnë) Oily (o^{i}).

olivâtre (âtr) Olive-green.

olive *f* (îv) Olive (oliv).

olivier *m* (v^{y}é) Olive-tree.

ombilic *m* (o^{n}) Navel (né^{i}).

ombrage *m* (àj) Shade (é^{i}d).

ombrager (bràjé) To shade [**-geai, -geons*].

ombrageux (ë) Shy [cheval]. Suspicious (she^{s}), touchy.

ombre *f* (o^{n}br) Shade [pénombre]. Shadow [image].

ombrelle *f* (èl) Sunshade.

ombreux, euse (ë, ëz) Shady.

omelette *f* (òm) Omelet (it').

omettre* (ètr) To omit (it') [*V. METTRE].

omission *f* (s^{y}o^{n}) Omission.

omnibus *m* (ìbüs) Omnibus.

omoplate *f* Shoulder-blade.

on *pron* (o^{n}) We, you, they: somebody, people; *on vous voit**, you are seen*.

once *f* (o^{n}s) Ounce (a^{ou}ns).

oncle (o^{n}kl) Uncle (œnke^{l}).

onction *f* (o^{n}k) Unction (œ).

onctueux (tüë) Unctuous.

onde *f* (o^{n}d) Wave (wé^{i}v).

ondée *f* (o^{n}) Shower (a^{ouer}).

ondoyer (oⁿdwàyé) To wave, ripple. To baptize privately [*ondoie].
ondulation *f* Undulation: - *permanente*, permanent wave.
onduler (oⁿdülé) To wave, to undulate. To corrugate [fer].
onduleux, euse Waving, wavy.
onéreux, euse Onerous, heavy.
ongle *m* (oⁿgl) Nail (néil).
onguent *m* (oⁿgaⁿ) Salve (â).
onomatopée *f* Onomatopœia.
onyx *m* (îks) Onyx (oniks)
onze (oⁿz) Eleven (ilèveⁿ)
onzième (yèm) Eleventh (**th**).
opacité *f* (sìté) Opacity.
opale *f* (òpàl) Opal (oᵒᵘ).
opalin, ine Opaline (elaⁱn).
opaque (òpàk) Opaque (éik).
opéra *m* (òpérà) Opera.
opérateur, trice Operator.
opération *f* Operation.
opérer To operate [*opère].
opérette *f* Musical comedy.
ophtalmie *f* Ophthalmia.
opiner (òpìné) To decide.
opiniâtre (nyàtr) Stubborn.
opiniâtreté *f* Obstinacy.
opinion *f* (yoⁿ) Opinion.
opium *m* (òpyòm) Opium (oᵒᵘ).
opportun, une (uⁿ, ün) Timely. **-unité** *f* Expediency.
opposé, ée (zé) Opposite.
opposition *f* Opposition.
oppresser (èsé) To oppress.
oppresseur (œr) Oppressor.
oppression *f* Oppression (sh).
opprimer (ìmé) To oppress.
opprobre *m* Shame, disgrace.
opter To decide, to choose*.
opticien (ìsyiⁿ) Optician.
optimiste *mf* Optimist. *a* Optimistic, buoyant (boyent).
option *f* (syoⁿ) Option (sh).
optique *a* (ik) Optical. Optic [nerf]. *f* Optics [pl.].
opulence *f* (ü) Wealth (è).
opulent, ente (aⁿ) Wealthy.
opuscule *m* (ül) Pamphlet.
or *m* (òr) Gold (goᵒᵘld).
or *conj* Now (naᵒᵘ).
oracle *m* (àkl) Oracle (ekel).
orage *m* (òràj) Storm (**au**).
orageux, se (jë, ëz) Stormy.
oraison *f* (èzoⁿ) Prayer.
oral, ale (àl) Oral (aurel).
orange *f* (aⁿj) Orange (ìn).
oranger *m* Orange-tree.
orangerie *f* Green-house.
orateur (àtœr) Orator.
oratoire *a* (àtwàr) Oratorical. *m* Oratory (oreteri).
orbe *m* (òrb) Orb, orbit.
orbite (bit) *m* Orbit (bit'). Socket [œil].
orchestre *m* (k) Orchestra.
orchestrer (òrkè) To score.
orchidée *f* (kì) Orchid (k).
ordinaire *a* (ìnèr) Ordinary (aurdineri). *m* Daily fare [menu]. Ordinary [messe]. *Comme à l'-*, as usual.
ordinal, ale (nà) Ordinal.
ordination *f* Ordination.
ordonnance *f* (ònaⁿs) Order. Prescription [méd.]. Orderly [mil.]. Regulation.
ordonnancer To pass [payer] [*ordonnança, -çons*].
ordonné Tidy, orderly.
ordonner To order (aurder). To prescribe (aib) [med.].
ordre *m* (òrdr) Order (**au**r).
ordure *f* (ür) Dirt (dërt).
ordurier, ère (üryé) Filthy.
oreille *f* (òrèy) Ear (ier).
oreiller *m* (èyé) Pillow.
oreillette *f* (èy) Auricle.
oreillons *mpl* (èyoⁿ) Mumps.
ores *ad* (or) Now; *d' - et*

déjà, from now onward
orfèvre (èvr) Goldsmith (o^{ou}).
orfèvrerie *f* Jewellery.
organdi *m* (a^{n}) Book-muslin.
organe *m* (gàn) Organ (g^{e}n).
organique (ik) Organic.
organisation *f* Organisation.
organiser (nì) To organize (g^{e}na^{i}z). **-niste** Organist.
organsin *m* (i^{n}) Thrown silk.
orge *f* (òrj) Barley (bâr).
orgelet *m* (òrj^{e}lè) Stye (a^{i}).
orgie *f* (òrjî) Orgy (dji).
orgue *m* [pl: *f*] (òrg) Organ.
orgueil *m* (gœ^{y}) Pride (a^{i}).
orgueilleux, se Proud (a^{ou}d).
orient *m* (òr^{y}a^{n}) East (îst).
oriental (^{y}a^{n}tàl) Eastern.
orientation *f* (às^{y}o^{n}) Orientation, bearings.
orienter (òr^{y}a^{n}té) To turn. **S' -** To take* one's bearings.
orifice *m* (ìfis) Orifice.
oriflamme *f* (àm) Oriflamme.
originaire (jìnèr) Native.
original (jìnàl) Original.
originalité *f* Originality.
origine *f* (jîn) Origin (dji).
originel Original (djin^{e}l).
oripeau *m* (ìpô) Tinsel.
orme *m* (òrm) Elm.
ornement *m* (ma^{n}) Ornament.
ornemental, ale Decorative.
orner To adorn, to decorate.
ornière *f* (n^{y}èr) Rut (rœt).
orphelin, ine (li^{n}) Orphan.
orphelinat *m* (nà) Orphanage.
orphéon *m* Choral society.
orteil *m* (òrtè^{y}) Toe (to^{ou}).
orthodoxe (t) Orthodox (th).
-doxie *f* Orthodoxy (th^{e}).
orthographe *f* (tògràf) Orthography (tho), spelling.
-graphier (f^{y}é) To spell*.
orthopédie *f* Orthopaedy.
ortie *f* (tî) Nettle.
orvet *m* (òrvè) Slow-worm.
orviétan *m* (ta^{n}) Nostrum.
os *m* (os) Bone (bo^{ou}n).
oscillation *f* Oscillation.
osciller (lé) To oscillate.
osé, ée (ôzé) Daring, bold.
oseille *f* (òzè^{y}) Sorrel.
oser (ôzé) To dare (dè^{e}r).
osier *m* (ôz^{y}é) Osier (o^{ou}j).
ossature *f* Skeleton, frame.
ossements *mpl* (sma^{n}) Bones.
osseux, euse Bony (bo^{ou}ni).
ossifier (^{y}é) To ossify (a^{i}).
ossuaire *m* (òs^{u}èr) Ossuary.
ostensoir *m* Monstrance.
ostentation *f* Ostentation.
otage *m* (àj) Hostage (ho^{ou}).
otarie *f* (àrî) Sea-lion.
ôter To remove (rimoûv); To take* off [vêtement].
otite *f* (ît) Otitis (a^{i}).
ottoman, ane Ottoman (^{e}n).
ou conj (û) Or. *Ou [bien]... ou [bien]*, either... or.
où Where [lieu]. When [temps].
ouailles *fpl* (wà^{y}) Flock.
ouate *f* (wàt) Wadding (o).
oubli *m* (ûbli) Oblivion.
oublier (ûblié) To forget*.
oubliettes *fpl* Oubliette.
oublieux, euse Forgetful (g).
ouest *m* (wèst) West.
oui (wî) Yes (yès).
ouïe *f* (wî) Hearing. Gill (gil) [poisson]
ouï-dire *m* (wìdir) Hearsay.
ouistiti *m* Marmoset, wistiti.
ouragan *m* (ga^{n}) Hurricane.
ourdir To warp. To weave*.
ourler (ûrlé) To hem (hèm).
ourlet *m* (lè) Hem.
ours, ourse *mf* (ûrs) Bear.
oursin *m* (si^{n}) Sea-urchin.
ourson *m* (so^{n}) Bear's cub.

outarde *f* (àrd) Bustard.
outil *m* (ûtî) Tool (toul).
outillage *m* Plant, machinery.
outiller (ûtiyé) To equip with tools [or machinery].
outrage *m* (ûtràj) Outrage (aoutridj). **-geant** (àjan) Outrageous. **-ger** To outrage (idj) [*outragea, -geons*].
outrance *f* (ûtrans) Excess.
outre *f* (û) Leather-bottle.
outre Beyond (biyònd); *en* -, besides, moreover.
outré Excessive. Furious.
outrecuidant Overbearing.
ouvert, erte (ûvèr) Open.
ouverture *f* (tür) Opening. Aperture. Overture. Mouth.
ouvrable (àbl) Working.
ouvrage *m* (àj) Work (wërk).
ouvreur, euse Box-opener; usher, *f* usherette.
ouvrier, ère (ûvrié, èr) Workman, *f* workwoman. Labourer. *a* Working, operative.
ouvrir* (ûvrîr) To open (oou-pen). To break* open [de force]. **S'** - To open [**ouvre*, etc.; *ouvrais*, etc.; *ouvre*, etc.; *ouvrant; ouvert*].
ouvroir *m* (vrwàr) Workroom.
ovaire *m* (èr) Ovary (oou).
oval, ale (ovàl) Oval (oou).
ovation *f* (òvà) Ovation.
ovule *m* (ül) Ovule (vyoul).
oxyde *m* (îd) Oxyde (aid).
oxyder To oxydize (idaiz).
oxygène *m* (jèn) Oxygen (dj) **-géner** To oxygenate (éit).
ozone *m* (zôn) Ozone (ooun)

P

p (pe, pé) P (pî).
pacha (shà) Pasha (pâshe).
pachyderme *m* (pàshidèrm) Pachyderm (pàkidërm).
pacification *f* Pacification.
pacifier (fyé) To pacify.
pacifique (ik) Pacific.
pacifiste (ist) Pacifist.
pacotille *f* (òtiy) Shoddy.
pacte *m* Pact, covenant.
pactiser (tì) To compromise.
pagaie *f* (pàgè) Paddle.
pagaïe (gày) *f* Disorder.
paganisme *m* (ism) Paganism.
page *m f* (pàj) Page (péidj).
paginer (pàjìné) To page, to paginate.
pagne *m* (pàñ) Loin-cloth.
pagode *f* (òd) Pagoda (oou).
paie. V. PAYE.
paiement *m* (pèman) Payment.
païen, enne (àyin, èn) Pagan (péigen), heathen (hîzh).
paillard (àyàr) Lewd (lyon).
paillasse *f* (pàyàs) Straw mattress. *m* Clown (aoun).
paillasson *m* (yàson) Mat.
paille *f* (pày) Straw (**au**). Flaw [défaut].
pailleter Spangle [**-llette*].
paillette *f* (àyèt) Spangle.
pain *m* (pin) Bread (brèd). Loaf (loouf) [miche].
pair (pèr) Equal (îkwel). Even (îven) [nombre]. *Au pair*, at par [cours]. *m* Peer (pier); *hors de* -, matchless, incomparable.
paire *f* (pèr) Couple, pair.
pairesse *f* (ès) Peeress.

pairie *f* (rî) Peerage (idj).
paisible (èz) Peaceful (î).
paître* (è) To graze (é^{i}), to feed* [*V. PARAÎTRE; no past tenses].
paix *f* (pè) Peace (pîs).
palabre *f* (àbr) Palaver.
palais *m* (pàlè) Palace (lis). Law-courts. Court [tribunal]. Palate (lit') [bouche].
palan *m* (la^{n}) Tackle (ak^{e}l).
palanquin *m* (ki^{n}) Palanquin.
pale *f* (pàl) Blade (blé^{i}d). [rame, hélice].
pâle *a* (pâl) Pale (pé^{i}l).
palefrenier Groom, ostler.
palet *m* (lè) Quoit (ko^{i}t).
paletot *m* (tò) Coat (co^{ou}t).
palette *f* (lèt) Blade (é^{i}). [hélice, rame]. Palette.
palétuvier *m* (ü) Mangrove.
pâleur *f* (lœr) Paleness.
palier *m* (pàl^{y}é) Landing [escalier]. Level [route].
pâlir To grow* pale, to pale.
palissade *f* (sàd) Paling.
palissandre *m* Rosewood.
palliatif Palliative.
pallier (l^{y}é) To palliate.
palmarès *m* Prize-list.
palme *f* (pàlm) Palm (pâm).
palmé, ée Web-footed.
palmier *m* (pàl) Palm-tree.
palmipède Palmiped.
palombe *f* (o^{n}b) Ring-dove.
palper To feel*, touch.
palpitation *f* Palpitation, throb. **-piter** To throb, palpitate. To thrill [vibrer].
paludéen, enne (lü) Marshy.
paludisme *m* Malaria, impaludism, marsh-fever.
pâmer (se) To faint, swoon.
pâmoison *f* (mwàz) Swoon.
pamphlet *m* (flè) Satire.
pamplemousse *f* Grapefruit.
pampre *m* (a^{n}) Vine-branch.
pan *m* (pa^{n}) Flap. Piece.
panacée *f* (sé) Panacea.
panache *m* (àsh) Plume (oûm).
panaché Variegated; mixed.
panade *f* (àd) Panada.
panais *m* (nè) Parsnip (â^{r}).
panaris *m* (àrî) Whitlow.
pancarte *f* (àrt) Placard.
pancréas *m* (éàs) Pancreas.
pané, ée Covered with bread crumbs.
panégyrique *m* Panegyric (dj).
panier *m* (pàn^{y}é) Basket.
panique (ik) Panic (à).
panne *f* (pàn) Plush [tissu]. Breakdown [accident]. Fat.
panneau *m* (nô) Panel.
panonceau Escutcheon-sign.
panoplie *f* (òplî) Panoply.
panorama *m* (àmà) Panorama.
pansage *m* (sàj) Grooming.
panse *f* (pa^{n}s) Belly, paunch.
pansement *m* (a^{n}) Dressing.
panser To dress [blessure]. To groom [chevaux].
pantalon *m* (lo^{n}) Trousers *pl* (tra^{ou}ze^{r}z) [homme]; knickers (nike^{r}z) [femme].
panteler To pant, throb [*-è-].
panthéisme *m* Pantheism.
panthère *f* (tèr) Panther.
pantin *m* (ti^{n}) Puppet (pœ).
pantomime (ìm) Pantomime.
pantoufle *f* (ûfl) Slipper.
paon *m* (pa^{n}) Peacock (pî).
papa (pàpà) Daddy, papa.
papal, ale (àl) Papal (pé^{i}).
papauté *f* (pà) Papacy (é^{i}).
pape (pàp) Pope (po^{ou}p).
paperasse *f* (ràs) Official papers. **-serie** *f* Red tape.
papeterie *f* (pàp^{e}trî) Paper-mill [usine]. -trade. Statio-

nery (éish) [magasin].
papetier, ère Stationer.
papier *m* (àpyé) Paper (éi). *-buvard*, blotting-paper.
papille *f* (îy) Papilla.
papillon *m* (yon) Butterfly.
papillote *f* (pìyòt) Curl-paper. Cracker [bonbon].
papilloter To glitter [lumière]. To blink [œil].
papisme *m* (pà) Papism (éi).
papotage *m* (tàj) Tattling.
paquebot *m* (bô) Liner (ai).
pâque *f* (âk) Passover (oou).
paquerette *f* (rèt) Daisy.
Paques (pâk) *m* [*f* with an adj.] Easter (îster).
paquet *m* (àkè) Parcel (ârsel); package. Bundle.
par *prep* (pàr) By (bai).
parabole *f* (àbòl) Parable (rebel). Parabola [math.].
parachute *m* (ü) Parachute.
parade *f* (àd) Parade (éid), show. Parry [escrime].
paradis *m* (dî) Paradise (ais).
paradoxal (oksàl) Paradoxical. **-doxe** *m* (òks) Paradox.
parafe. V. PARAPHE.
paraffine *f* (în) Paraffin.
parage *mpl* Region, parts.
paragraphe *m* Paragraph.
paraître* (ètr) To appear (epier), to seem; *vient de -*, just out. [**parais*, *-raît*, *-aissons*, etc.; *-aissais*; *parus*; *-aisse*; *-aissant*; *paru*].
parallèle *f* (èl) Parallel. **-lléliseme** *m* Parallelism.
paralyser (lì) To paralyze.
paralysie *f* Paralysis (pe).
paralytique Paralytic (itik).
parangon *m* (gon) Paragon.
parapet *m* (pè) Parapet (it).
paraphe *m* (àf) Paraph, initials.
parapher To initial (ishel).
paraphrase *f* Paraphrase.
parapluie *f* (uî) Umbrella.
parasite *m* (zît) Parasite.
parasol *m* (sòl) Parasol.
paratonnerre Lightning-rod.
paravent *m* Folding-screen.
parc *m* (pàrk) Park (pârk) [ville]. Grounds [gibier]. Fold [moutons], pen [bétail].
parcelle *f* Lot, parcel.
parce que (seke) Because.
parchemin *m* (in) Parchment. **-miné** Shrivelled, dried up.
parcimonie *f* Parsimony. **-monieux** Parsimonious.
parcourir* To run* over; to look over [œil]. [*V. COURIR].
parcours *m* (ûr) Course (au).
pardessus *m* (esü) *O*vercoat.
pardon *m* (don) Forgiveness, Pardon (pârden) [excuse].
pardonner (òné) To pardon, forgive*. To excuse (youz).
pare-brise *m* (î) Windscreen.
pare-chocs *m* (shòk) Bumper.
pareil, eille *a* (pàrèy) Like (laik), similar. Such (œ). *mf* Match, fellow, equal (î).
parement *m* (pàrman) *O*rnament; cuff [manche]; facing [habit].
parent, ente (pàran, ant) Relative (rèle). Parent (pèerent) [père, mère].
parenté *f* (pàran) Kinship.
parenthèse *f* (antèz) Parenthesis (thisis). Brackets.
parer (pà) To adorn, dress. To parry, ward off [coup].
paresse *f* Laziness, idleness.
paresseux, se Lazy, idle.
parfaire* (fèr) Make* up.
parfait aite (fè) Perfect.
parfois *ad* (fwà) At times.

parfum *m* (fuⁿ) Perfume (you).
-fumer (fü) To perfume.
-fumerie *f* Perfumery (fyou).
-fumeur (fü) Perfumer.
pari *m* (à) Bet, wager (éi).
paria (yà) Pariah (pàrye).
parier (yé) To bet, wager.
parieur, euse Bettor (bè).
parisien, enne (izyiⁿ, yèn) Parisian (perijen).
parité *f* (ìté) Parity (pà).
parjure *a* (jür) Forsworn. *m* Perjury (pë̈rdje) [crime]. *mf* Perjurer [criminel].
parjurer (se) To forswear* oneself, perjure oneself.
parlant, tê Speaking; *cinéma* -, talking pictures.
parlement *m* Parliament.
parlementaire Member of Parliament. Bearer of a flag of truce. *a* Parliamentary.
parlementer (aⁿ) To parley.
parler (pàr) To speak* (îk); to talk (tauk) [bavarder].
parleur Speaker, talker; *haut* -, loud-speaker.
parloir *m* (lwàr) Parlour.
parmi *prep* (mî) Among (œ).
parodie *f* (òdî) Parody.
parodier (dyé) To parody.
parol *f* (pàrwà) Wall, side.
paroisse *f* (rwàs) Parish.
paroissial (yàl) Parochial.
paroissien, enne Parishioner (ishener). *m* Prayer-book.
parole *f* (àròl) Word (ërd) [mot]. Speech [langage]. Voice (vois) [voix].
paroxysme *m* (ism) Paroxism.
parpaing *m* (iⁿ) Bond-stone.
parquer (ké) To fold, pen. [bétail]. To park [auto].
parquet *m* (pàrkè) Floor [plancher]. Court [trib.].
parrain (pàriⁿ) Godfather.
parricide (sîd) Parricide.
parsemer To strew*, sprinkle [*parsème].
part *f* (pàr) Share (èer), part, portion; *à* -, aside; *quelque* -, somewhere.
partage *m* (àj) Sharing (èe).
partager (àjé) To share, to divide. **Se** - To divide (ai).
partance *f* (aⁿs) Departure; *en - pour*, bound for.
partant *ad* (taⁿ) Therefore. *mf* Goer, starter.
partenaire (nèr) Partner.
parterre *m* (pàrtèr) Bed [jardin]. Pit [théât.].
parti *m* Side, party. Choice [choix]. Match.
partial (syàl) Biased.
partialité *f* (sya) Partiality.
participation *f* Share (èer), participation (éishen).
participe *m* (sîp) Participle.
participer (sìpé) To share [partager]. To partake* of.
particularité (kü) *f* Particularity (kyou).
particule *f* (kül) Particle.
particulier, ère (külyé, èr) Particular (ikyouler). Peculiar (pikyou) [spécial]. Private (praivit) [lesson]. *mf* Private person.
partie *f* (tî) Part (pârt). Party [d'un contrat]. Line [business]. Game [jeu].
partiel, elle (àrsyèl) Partial.
partir* (pàr) To go*, set* out. To leave. Go* off [fusil] [*pars, part, partons, etc.; partais, etc.; parte, etc.].
partisan (zaⁿ) Partisan.
partitif, ive Partitive.
partition *f* (syoⁿ) Partition

(*ishen*). Score [mus.].
partout *ad* (*tû*) *E*verywhere.
paru... V. PARAÎTRE.
parure *f* (*ür*) *O*rnament (m^e^nt). Set [ensemble].
parvenir* To reach [atteindre]. To succeed (s^e^ksîd) [réussir] [*V. VENIR].
parvenu, ue *mf* Upstart.
pas *m* (pâ) Step. P*a*ce (*é*^i^) [allure]. Str*i*de [enjambée]. Walk [marche]. Threshold [seuil]. Thread [vis]; *faux* -, slip; *de ce* -, directly.
pas *ad* (pâ) Not; *pas de feu*, no f*i*re; *pas du tout*, not at all; *ne ... pas*, not.
passable Tolerable, m*i*ddling.
passage *m* (sàj) P*a*ssage; l*a*ne; - *à niveau*, level-crossing. - *clouté*, zebra crossing.
passager, ère (àjé, èr) P*a*ssenger (indj^er^); p*a*sser-by [passant]. *a* Short-l*i*ved.
passant, ante P*a*sser-by. *a* Busy [rue].
passavant *m* (àva^n^) Permit.
passe *f* (pâs) P*a*ssing. Permit. Ch*a*nnel [mar.].
passé *m* (pàsé) P*a*st (pâst).
passé, ée *a* P*a*st. *O*ver. F*a*ded [fané]. St*a*le [éventé].
passe-debout *m* Permit.
passe-droit *m* Unj*u*st f*a*vour.
passementerie *f* Lace-tr*a*de.
passe-partout *m* Latch-key.
passe-passe *m* Sleight (sla^i^t) of hand.
passepoil *m* (pwàl) P*i*ping.
passeport *m* (pòr) P*a*ssport.
passer (pàsé) To pass (pâs): to pass by, to walk past; to pass aw*a*y [disparaître]; to f*a*de [se faner]. *vt* To pass, go* *o*ver. To om*i*t [omettre]. To c*a*rry acr*o*ss. To spend [temps]. To str*a*in [filtrer]. **Se -** To h*a*ppen, to t*a*ke* pl*a*ce; *se passer de*, to do* with*o*ut.
passerelle *f* Foot-bridge. G*a*ngway [mar.]. Br*i*dge [du commandant].
passe-temps *m* (*a*^n^) Past*i*me.
passible (îbl) L*i*able (*a*^i^).
passif *m* Liab*i*lities [com.].
passif, ive P*a*ssive.
passion *f* (sy*o*^n^) P*a*ssion.
passionné (òné) P*a*ssionate.
passionner To thrill, stir.
passoire *f* (swàr) Str*a*iner.
pastel *m* Past*e*l.
pastèque *f* (èk) W*a*ter-melon.
pasteur Shepherd. M*i*nister.
pastille *f* (tîy) Lozenge, drop.
pastoral, ale P*a*storal.
patache *f* Old c*a*rriage.
pataud, aude (tô) Cl*u*msy.
patauger (ôjé) Splash [**pataugea, -geons*].
pâte *f* (â) Paste (é^i^).
pâté *m* Pie (pa^i^), p*a*sty (*é*^i^).
pâtée *f* (pâté) Mess; p*a*ste.
patelin *m* Place, v*i*llage.
patelin, ine *a* Wh*ee*dling.
patène *f* (èn) Paten (àt^e^n).
patenôtre *f* Pr*a*yers, beads.
patent, te (pàta^n^) P*a*tent.
patente *f* (*a*^n^t) L*i*cence.
patenter (pà) To l*i*cense.
pater *m* The Lord's Pr*a*yer.
patère *f* Peg, hat-peg.
paternel, elle F*a*therly.
paternité *f* (èr) P*a*ternity.
pâteux, euse Thick, h*e*avy.
pathétique *a* (té) Pathet*i*c (p^e^thètik). *m* P*a*thos (*é*^i^).
pathologie *f* (to) Path*o*logy.
pathos *m* (pàtòs) B*o*mbast.
patibulaire Of the g*a*llows.

patiemment (syà) Patiently.
patience *f* (syans) Patience.
patient, te Patient (péish).
patienter To wait patiently.
patin *m* (pàtin) Skate (éit).
patinage *m* (ìnàj) Skating.
patine *f* (tîn) Patina.
patiner To skate.
patineur, euse (pà) Skater.
pâtir To suffer (sœfer).
pâtisserie *f* Pastry (éi). Pastry-cook's shop; tea-rooms.
pâtissier, ère Pastry-cook.
patois *m* (wà) Dialect (ai).
pâtre Herdsman; shepherd.
patriarche (pàtriàrsh) Patriarch (péitriârk).
patricien, ienne Patrician.
patrie *f* (pàtrî) Native land; motherland; home, country.
patrimoine *m* Patrimony.
patriote (pà) Patriot (éi).
patriotique Patriotic (pà).
-otisme *m* (ism) Patriotism.
patron, onne (pàtron, òn) Employer, boss. Pattern [dress]. Landlord [hôtel].
patronage *m* Patronage. Club.
patronat *m* (nà) Employers.
patronner To patronize.
patrouille *f* (trûy) Patrol.
patte *f* (à) Paw. Foot. Leg.
pâturage *m* (ü) Pasture (âs).
pâture *f* (tür) Food, fodder.
pâturer (ü) To graze (éi).
paturon *m* (üron) Pastern.
paume *f* (pôm) Palm (pâm).
paupière *f* (pyèr) Eyelid.
pause *f* (pôz) Pause (pauz).
pauvre (pôvr) Poor (pouer).
pauvreté *f* Poverty.
pavage *m* (pàvàj) Paving.
pavaner (se) To strut (œ).
pavé *m* (pàvé) Paving-stone.
paver (pà) To pave (péiv).
paveur (œr) Paviour, paver.
pavillon *m* (yon) Pavilion. Horn [phono]. Flag [mar.].
pavois *m* (wà) Shield. Flags.
pavot *m* (pàvô) Poppy (popi).
payable (pèyàbl) Payable (péiebel). **-yant, te** *a* Paying. *mf* Payer (péier).
paye *f* (èy) Pay (éi), wages.
payement, paiement *m* (pèman) Payment.
payer (pèyé) To pay* for.
payeur, euse (pèyœr) Payer.
pays *m* (péi) Country (kœn).
paysage *m* (ìzàj) Landscape.
-agiste Landscape-painter.
paysan, anne (pèizan, àn) Countryman; country-woman.
péage *m* (péàj) Toll (tooul).
peau *f* (pô) Skin. Hide (haid) [gros animal]. Peel [fruit].
peaussier Skin-dresser.
peccadille *f* (diy) Slip.
pêche *f* (pèsh) Peach (pîtsh) [fruit]. Fishing [poisson].
péché *m* (péshé) Sin (sìnn).
pécher To sin [**pèche*].
pêcher *m* (shé) Peach-tree.
pêcher To fish. To angle [ligne]. **-cherie** *f* Fishery.
pêcheur, euse Fisher. *- à la ligne,* angler (àng-gler).
pécheur, eresse Sinner.
pécore *f* (òr) Silly goose.
pécule *m* (ül) Savings, hoard.
pécuniaire (kü) Pecuniary.
pédagogie *f* (òjî) Pedagogy.
-ique (j) Pedagogic (gik).
pédagogue (gòg) Pedagogue.
pédale *f* (àl) Pedal (pè).
pédalier *m* Crank-gear [bicycl.]. Pedal-board [orgue].
pédant, te *a* Pedantic (dàn). *mf* Pedant (pèdent).
pédestre Pedestrian.

pédicure (ür) Chiropodist.
pègre *f* Underworld, thieves.
peigne *m* (pèñ) Comb (kooum).
peigner Comb. Card [laine].
peignoir *m* Dressing-gown.
peindre* (in) To paint (éi). [**peins, peint, peignons; peignais*, etc.; *peignis; peigne*, etc.; *peignant; peint*].
peine *f* (pèn) Affliction, grief; cares. Troubles. Punishment. *Valoir la - d'être vu*, to be worth seeing; *à* -, hardly.
peiner (pè) To grieve (î) [affliger]. To labour (éi).
peintre (pintr) Painter (éi) [*f* paintress]. Artist.
peinture *f* (ür) Paint [matière]. Picture [tableau].
péjoratif, ive Pejorative.
pékin *m* (in) Pekin (pî) [tissu]. Civilian [pers.].
pelade *f* (pelàd) Pelada.
pelage (pelàj) Coat (coout).
pelé (pelé) Bald (**au**), bare.
pêle-mêle *ad* (pèlmèl) Pell-mell. *m* Jumble, mess.
peler (pelé) To peel [**pèle*].
pèlerin, e (pèlrin, în) Pilgrim. **-inage** *m* Pilgrimage.
pèlerine *f* (în) Cape (kéip).
pélican *m* (kan) Pelican.
pelisse *f* Fur-lined coat.
pelle *f* (èl) Shovel (œ). Spade [bêche]. Scoop [charbon].
pelletée *f* Shovelful.
pelleterie *f* (trî) Peltry.
pellicule *f* (ül) Film, skin. Dandruff [cuir chevelu].
pelote *f* (pelòt) Ball (**au**). Pincushion. Pile [magot].
peloter To wind* into a ball. To cuddle [caresser].
peloton *m* (on) Ball. Group. Platoon (pletoûn) [mil.].
pelotonner To ball [laine]. **Se** - To nestle, to huddle.
pelouse *f* (pelûz) Lawn (**au**).
peluche *f* (üsh) Plush (œ).
pelure *f* (ür) Peel, paring.
pénal (pé) Penal (pînel).
pénalité *f* Penalty (pènel).
pénates *mpl* (àt) Penates.
penaud (penô) Crestfallen.
penchant, te *a* Sloping. *m* Slope (ooup). Bent [goût].
pencher (panshé) To lean* (î). To slope. **Se** - To lean*.
pendaison *f* (èzon) Hanging.
pendant *m* (pandan) Pendant (pèndent). Ear-ring. *prep* During; - *que*, while (ai).
pendentif *m* Pendant (pèn).
pendiller (iyé) To dangle.
pendre (pan) To hang* (**h**).
pendule *f* (pandül) Clock. *m* Pendulum (pèndyoulem).
pène *m* (pèn) Bolt (booult).
pénétration *f* Penetration.
pénétrer To enter, penetrate; to go* through [**pénètre*].
pénible (îble) Painful (péi).
péniche *f* (îsh) Barge (dj).
péninsule *f* (ül) Peninsula.
pénitence *f* (ans) Penance.
pénitent, te (an) Penitent.
pénombre *f* Gloom, half-light.
pensée *f* (pansé) Thought (**thaut**). Pansy [fleur].
penser To think*; - *à*, of.
penseur Thinker (**thingker**).
pensif, ive Pensive (pèn).
pension *f* (pansyon) Pension (pènshen). Boarding-school. - *de famille*, boarding-house.
pensionnaire Boarder (**aue**).
pensionnat *m* Boarding-school.
pensionner (an) To pension.
pensum *m* (insòm) Imposition.
pente *f* (pant) Slope (ooup).

Pentecôte *f* (paⁿ) Whitsun; *dimanche de -*, Whitsunday.
pénurie *f* (ü) Scarcity (èe), shortage; dearth (dërth).
pépier (pyé) To chirp (ër).
pépin *m* (iⁿ) Pip, stone.
pépinière *f* (inyèr) Nursery.
pépite *f* (pît) Nugget (œ).
pepsine *f* (în) Pepsine.
peptone *m* (òn) Peptone.
percale *f* Cotton cambric.
perçant, te (saⁿ) Piercing.
perce-neige *m* Snow-drop.
percepteur Tax-gatherer.
perception *f* (syoⁿ) Perception. Collection [taxe].
percer (sé) To pierce (ie) through, bore [**perça, -çons*].
perceuse *f* Boring-machine.
percevoir* (sevwàr) To perceive (persîv) [idée]. To collect [impôt] [**perçois, -cevons, -çoivent; -cevais; -çus,* etc.; *-cevrai,* etc.; *-çoive,* etc.; *-cevant; perçu*].
perche *f* (pèrsh) Perch (ë).
percher To perch (përtsh).
perchoir *m* (shwàr) Roost.
perclus, se Stiff, crippled.
percussion *f* (ü) Percussion.
percuter (küté) To strike*.
perdition *f* Loss, wreck.
perdre (pèrdr) To lose* (ou).
perdreau *m* Young partridge.
perdrix *f* (drî) Partridge (â).
père (pèr) Father (fâzher).
pérégrination Peregrination.
péremptoire (aⁿ) Peremptory.
perfection *f* Perfection.
perfectionnement *m* Improvement. **-onner** To improve.
perfide (îd) False (fauls).
perfidie *f* (èr) Perfidy (ë).
perforation *f* Perforation. **-ratrice** *f* Drilling machine.
perforer (pèr) To drill.
péricarde *m* Pericardium.
péricliter To be in danger.
péril *m* (îl) Peril (pèrel).
périlleux, euse Dangerous.
périmé Barred by limitation. Overdue, forfeited, lapsed.
périmètre *m* Perimeter.
périnée *m* (iné) Perineum.
période *f* (yod) Period (pie).
périodique (dik) Periodical.
péripétie *f* (sî) Change, turn; incident, adventure.
périphérie *f* Periphery.
périphrase *f* Periphrase.
périr (pérîr) To perish.
périscope *m* (òp) Periscope.
périssable (à) Perishable.
périssoire *f* (wàr) Canoe.
péristyle *m* (îl) Peristyle.
péritonite *f* (nît) Peritonitis.
perle *f* (èrl) Pearl (ërl).
perlé, ée Pearly.
perler (lé) To bead (bîd).
permanence *f* Permanence (ë).
permanent (pèr) Permanent.
perméable (éàbl) Pervious.
permettre* (mètr) To allow, to permit, let*. To enable [*V. METTRE].
permis, ise (mî, îz) Allowed.
permis *m* (mî) Permit (për).
permission *f* (ìsyoⁿ) Leave (lîv), permission (ishen).
permuter (üté) To permute.
pernicieux (syë) Injurious.
péronnelle Saucy wench.
péroraison *f* (zoⁿ) Peroration.
pérorer To hold* forth.
perpendiculaire (aⁿdìkülèr) Perpendicular (èn).
perpétrer Perpetrate [*-ètre*].
perpétuel, elle Perpetual.
perpétuer To perpetuate.
perpétuité *f* (tui) Perpetui-

ty (tyoui) ; à -, for life.
perplexe Perplexed (èkst).
perplexité *f* Perplexity.
perquisition *f* (kìzìsyon) Search. **-tionner** To search.
perron *m* (on) Steps, perron.
perroquet *m* (kè) Parrot (et). Topgallant [voile].
perruche *f* (üsh) Parakeet. Mizzen topgallant [voile].
perruque *f* (ük) Wig. **-quier** Wig-maker. Hair-dresser.
pers (pèr) Sea-green.
persan, ane (pèr) Persian.
Perse *f* (pèrs) Persia (përshe). Chintz [étoffe]. *mf* Persian (shen).
persécuter (kü) Persecute. **-ution** *f* Persecution.
persévérance *f* Perseverance. **-vérer** To persevere [*-vère].
persienne *f* Venetian blind.
persifler To scoff at.
persil *m* (pèrsî) Parsley.
persistance *f* Persistence.
persister To persist.
personnage *m* (àj) Personage.
personnalité *f* Personality.
personne *f* (sòn) Person (përsen). *pr* Nobody.
personnel *a* (èl) Personal (përsenel). *m* Staff.
personnifier To personify, to impersonate.
perspective *f* Perspective. Prospect [espoir].
perspicace (às) Shrewd (ou).
perspicacité *f* Insight (ait).
persuader (suà) To persuade (perswéid). **-suasif, ive** Persuasive, convincing. **-suasion** *f* Persuasion.
perte *f* (èrt) Loss, waste.
pertinent (nan) Pertinent.
pertuis *m* Hole, channel.
perturbateur (ür) Disturber. **-bation** *f* Perturbation.
pervenche *f* Periwinkle.
pervers, se (èr) Perverse.
perversion *f* Perversion.
perversité *f* Wickedness.
pervertir To pervert (ërt).
pervertissement Perverting.
pesage *m* (pezàj) Weighing (wéiing). Paddock [course].
pesant, te (an) Heavy (hé).
pesanteur *m* Gravity. Weight.
pesée *f* Weighing. Bearing.
peser (pezé) To weigh (wéi). To bear* [levier] [*pèse].
pessimisme *m* Pessimism.
peste *f* (èst) Plague (éig).
pester To storm [*contre :* at].
pestiféré, ée Plague-stricken.
pestilentiel Pestilential.
pet *m* (pè) Fart (fârt).
pétale *m* (àl) Petal.
pétard *m* (àr) Petard [mil.]. Cracker [artif.].
péter To fart. Crack [*pète].
pétiller (iyé) To crackle [bois]. To sparkle [œil].
petit, ite (petî) Small (au), little. Short. Slight [léger]. Mean (î) [vil]. *ad* Little.
petite-fille Granddaughter.
petitement Meanly, poorly.
petitesse (tès) *f* Smallness; slightness; shortness.
petit-fils (fìs) Grandson.
pétition *f* Pétition (ishen).
petit-lait *m* (lè) Buttermilk [beurre]. Whey [fromage].
peton *m* (peton) Tootsy (ou).
pétrifier (fyé) To petrify.
pétrin *m* Kneading-trough (œf) ; - *mécanique,* kneader.
pétrir Knead (nîd) ; mould.
pétrole *m* (òl) Oil, paraffin.
pétrolier *m* Tanker.

peu *ad* (pë) Little; *peu de* [*sing*], little; [*pl*] few; *un - de,* a little. *m* Little.
peuplade *f* (àd) Tribe (*a*ⁱ).
peuple *m* (pœpl) People (pî).
peupler To people (pîpᵉl).
peuplier *m* (plié) Poplar.
peur *f* (pœr) Fear (fiᵉʳ); *avoir -,* to be afraid; *faire* -, to frighten.
peureux, euse (pœrë) Timid.
peut-être (pëtètr) Perhaps.
pharaon (fàràoⁿ) Pharaon.
phare *m* (fàr) Lighthouse [mar.]. Beacon [aviat.]. Headlight [auto].
pharisien (zyiⁿ) Pharisee.
pharmacie *f* (àsî) Pharmacy [science]. Chemist's shop [Angl.]. Drug-store [Am.].
pharmacien (syiⁿ) Chemist.
pharyngite *f* Pharyngitis.
pharynx *m* (iⁿks) Pharynx.
phase *f* (fâz) Phase (féⁱs).
phénol *m* Carbolic acid.
phénoménal (àl) Phenomenal.
-mène *m* (mèn) Phenomenon.
philanthrope (aⁿtròp) Philanthropist (ànthrᵉ). **-opie** *f* Philanthropy.
philatélie *f* (lî) Philately.
-téliste Stamp-collector.
philologie *f* (jî) Philology (dji) **-ogique** (jik) Philological. **-ogue** Philologist.
philosophal (fàl) Philosopher's. **-sophe** (zòf) Philosopher (osᵉfᵉʳ). **-sophie** *f* (zòfî) Philosophy (osᵉfi).
-sophique Philosophical.
philtre *m* (filtr) Philtre.
phlébite *f* (ît) Phlebitis (*a*ⁱ).
phlegmon *m* (oⁿ) Phlegmon.
phonéticien (syiⁿ) Phonetician (ishᵉn). **-étique** *a* Phonetic. *f* Phonetics.
phonographe *m* Phonograph.
phoque *m* (fòk) Seal (sîl).
phosphate *m* (àt) Phosphate.
phosphore *m* (ò) Phosphorus.
photographe Photographer.
-aphie *f* (àfî) Photography [art]. Photograph, photo [image]. **-aphier** To photograph. **-aphique** (àfîk) Photographic (àfik).
phrase *f* (âz) Sentence.
phtisie *f* (ftizî) Phthisis (thaⁱsis), consumption.
phtisique Consumptive.
phylloxéra *m* Phylloxera.
physicien (zisyiⁿ) Natural philosopher, physicist.
physiologie *f* Physiology.
physionomie *f* (fizyonomî) Countenance (kaᵒᵘ), face.
physique *a* (fìzîk) Physical. *f* Physics (ziks). *m* Looks, aspect, physique.
piaffer To paw the ground.
piailler (pyàyé) To squall.
pianiste (pyànist) Pianist.
piano *m* (pyànō) Piano (oᵒᵘ); *- droit,* cottage -; *- à queue,* grand -; *- à demi queue,* baby-grand -.
piastre *f* (àstr) Piastre (ᵉʳ).
piauler (pyolé) To whine.
pic *m* (pik) Pick [outil]. Peak (pîk) [pointe]. Woodpecker [oiseau]. *A -,* steep.
pichenette *f* (nèt) Fillip.
pichet *m* (shè) Pitcher.
picorer (koré) To peck.
picoter To tingle, to prick.
picotin *m* Peck of oats.
picrique (îk) Picric (pi).
pie *f* (pî) Magpie (magpaⁱ). *a* Pious (paⁱᵉs).
pièce *f* (pyès) Piece (pîs),

Coin [monnaie]. Part [méc.]. Room. Gun [canon]. Play [théât.]. - *jointe,* enclosure.
pied *m* (pyé) Foot (fout) [*pl.* feet (fît)]. Leg [meuble]. Footing [position]. *Cou-de-*-, instep; *coup de* -, kick.
pied-à-terre *m* (pyétàtèr) Temporary lodging.
piédestal *m* (àl) Pedestal.
piège *m* (pyèj) Snare (èer).
pie-grièche (ièsh) Shrike.
pierraille *f* (ày) Broken stones, rubble.
Pierre *m* (pyèr) Peter (pî).
pierre *f* Stone (ooun).
pierreries *fpl* (pyèrerî) Gems (djèmz), precious stones.
pierreux (ë) Stony, gritty.
pierrot *m* Clown. Sparrow.
piété *f* (pyété) Piety (ai).
piétiner To stamp, trample.
piéton *m* (pyé) Pedestrian.
piètre (pyètr) Paltry (aul).
pieu *m* (pyë) Stake. Pile. - *d'amarrage,* bollard.
pieuvre *f* (pyëvr) Octopus (ektooupes), poulp (poûlp).
pieux, se (yë) Pious (pai).
pigeon *m* (jon) Pigeon (dj).
pigeonneau *m* (jònô) Squab.
pigeonnier *m* (jò) Dovecot.
pigment *m* (an) Pigment.
pignon *m* (piñon) Gable (géi) [mur]. Sprocket [chaîne].
pilastre *m* (àstr) Pilaster.
pile *f* (pîl) Pile (pail) [tas]. Pier [pont]. Battery [élect.]. Reverse [monnaie]; - *ou face,* heads or tails.
piler (pì) To pound (aou).
pileux (lë) Pilous, hairy.
pilier *m* (lyé) Pillar.
pillage *m* (piyàj) Plunder.
pillard (yàr) Plunderer.
piller (yé) To plunder (œ).
pilon *m* (on) Pestle (pèsel).
pilonner To pound, ram.
pilori *m* (òrî) Pillory.
pilote (pìlòt) Pilot (pai).
piloter (òté) To pilot (ai).
pilotis *m* (otî) Pile-work.
pilule *f* (lül) Pill. *Dorer la* -, to sugar the pill
pimbêche *f* (in) Sour-lips.
piment *m* (an) Pimento (èn).
pimenter (an) To spice (ai).
pimpant, te (pinpan) Smart.
pin *m* (pin) Pine (ai), fir.
pinard *m* (inàr) Wine (ain).
pinasse *f* (às) Pinnace (is).
pince *f* (pins) Pinch [pincement]. Pincers, nippers *pl.* Tweezers [épiler]. Tongs [feu, sucre].
pincé, ée Stiff, prim.
pinceau *m* (insô) Brush (œ).
pincement *m* (an) Pinching.
pince-nez *m* Eyeglasses.
pincer (pinsé) To pinch, nip. To bite* [froid]. To catch* [*pinça, -çons*].
pince-sans-rire Dry joker.
pincettes *f* Tongs, pincers.
pingouin *m* (gwin) Penguin.
pingre (pingr) *a* Stingy.
pinson *m* (son) Chaffinch.
pintade *f* (àd) Guinea-hen.
pinte *f* (pint) Pint (paint).
pioche *f* (pyòsh) Mattock, pickaxe. **-cher** To dig*. To grind* [travailler].
piolet *m* (pyòlè) Ice-axe.
pion *m* (pyon) Pawn [échecs]. Man [dames]. Usher [univ.].
pionnier (pyò) Pioneer (ai).
pipe *f* (pîp) Pipe (paip).
pipeau *m* (pô) Reed-pipe [mus.]. Bird-call [appeau]. Snare [piège].

pipelet, ette Door-keeper.
piper To lure. To cog [dés]. To mark [cartes].
piperie *f* (pip^{e}) Cheating.
pipi *m Faire** -, to piddle.
piquant *m* (pìka^{n}) Quill (kw) [porc-épic]. Prickle [épine]. Zest, pungency [histoire].
piquant, te Pricking [épine] Biting [froid]. Pungent [fig.].
pique *f* (pîk) Pike (pa^{i}k) [arme]. Pique, spite (a^{i}t) [aigreur]. *m* Spade (é^{i}).
pique-nique *m* (pîknîk) Picnic. **-quer** (ké) To picnic.
piquer (pìké) To prick. To stitch [point]. To quilt [couverture]. To pique [blesser]. To stimulate. **Se -** To take* offence. To pride oneself.
piquet *m* (kè) Stake [pieu]. Picket [mil.]. Piquet [jeu].
piquette *f* (kèt) Thin wine.
piqueur (kœr) Huntsman.
piqûre *f* (kür) Prick [épingle]. Sting [abeille]. Stitch, stitching [couture].
pirate (pìràt) Pirate (pa^{i}rit). **-aterie** *f* Piracy (pa^{i}r^{e}si).
pire (pîr) Worse (wë^{r}s) : *le - de tous,* the worst of all.
pirogue *f* Dug-out, pirogue.
pis *m* (pî) Udder (œd^{er}). *ad* Worse; *le -,* the worst.
pis-aller *m* Makeshift.
piscine *f* Swimming-pool.
pissenlit *m* (lî) Dandelion.
pisser (sé) To make* water.
pistache *f* (àsh) Pistachio.
piste *f* Track. **-ter** To track.
pistil *m* (tîl) Pistil.
pistolet *m* (lè) Pistol (^{e}l).
piston *m* (o^{n}) Piston (t^{e}n).
pistonner Recommend, push.
pitance *f* (a^{n}s) Food (oûd).
pitchpin *m* (i^{n}) Yellow pine.
piteux, se (të) Piteous (i).
pitié *f* (t^{y}é) Pity (piti).
piton *m* (o^{n}) Screw-ring [vis]. Peak (pîk) [pic].
pitoyable (wà^{y}àbl) Pitiful.
pitre (pîtr) Clown (a^{ou}n).
pitrerie *f* Buffoonery.
pittoresque Picturesque.
pivert *m* Green wood-pecker.
pivoine *f* (vwàn) Peony (pi^{e}).
pivot *m* (vô) Pivot (piv^{e}t).
pivoter To turn, to hinge.
placage *m* Veneer [bois]. Plate [métal].
placard *m* (kàr) Cupboard (kœb^{er}d). Placard (â^{r}d) [affiche]. Slip [imp.].
placarder To post up.
place *f* (às) Place (é^{i}s). Room [espace]. Seat (î) [siège]. Employment, post. *A la - de,* instead (tèd) of.
placement *m* (àsma^{n}) Placing. Investing [capitaux]. *Bureau de -,* labour exchange.
placer (plàsé) To place, set*, put*. To invest [argent].
placide (îd) Placid, quiet.
placier (às^{y}é) Canvasser.
plafond *m* (o^{n}) Ceiling (sî).
plage *f* (àj) Beach (bîtsh).
plagiaire (plàj^{y}èr) Plagiarist (plé^{i}dj). **-iat** *m* (j^{y}à) Plagiarism. **-ier** (j^{y}é) To plagiarize (a^{i}z), to copy.
plaider (plèdé) To plead.
plaideur Suitor, litigant.
plaidoirie *f* Pleading
plaie *f* (plè) Wound [blessure]. Plague [fléau].
plaignant, te (plèña^{n}, a^{n}t) Plaintiff, prosecutor.
plain-chant *m* Plain-song.
plaindre* (i^{n}dr) To pity. **Se -**

To complain (k^{e}mplé^{i}n). [*plains, plaignons, etc.; plaignais, etc.; plaignis; plaigne; plaignant; plaint].
plaine f (èn) Plain (é^{i}n).
plainte f (i^{n}t) Complaint.
plaintif, ve (i^{n}) Plaintive.
plaire* (èr) To please (îz). Se - à, to delight (a^{i}t) in. [*plais, etc.; plaisais; plus; plaise; plaisant; plu].
plaisant, te (èza^{n}) Amusing, funny (fœ); un mauvais -, an evil-minded wag.
plaisanter (za^{n}té) To jest.
-terie f (t^{e}rî) Joke (o^{ou}).
plaisir m (plèzîr) Pleasure (plèj^{er}). Will [bon vouloir].
plan, ane (a^{n}, àn) Level (lèv). m Plan (àn); ground.
planche f (a^{n}sh) Board (au). Plate [métal]. Bed [jardin].
plancher m (shé) Floor (au).
planer (àné) To hover (hœ), to soar (sau^{er}), to float. vt To smooth, to plane.
planète f (èt) Planet (it).
planeur m (œr) Glider (a^{i}).
plant m (a^{n}) Slip. Sapling.
plantain m (ti^{n}) Plantain.
plantation f Plantation.
plante (a^{n}t) Plant (ànt).
planter (a^{n}té) To plant (à). To set* up [dresser].
planteur (tœr) Planter (àn).
planton m (a^{n}to^{n}) Orderly.
plantureux, se (türë, ëz) Plentiful, fertile (ta^{i}l).
plaque f (àk) Plate [métal]. Slab [marbre]. Patch [tache].
plaquer (àké) To plate [métal]. To veneer [bois]. To flash [verre]. To strike* [accord]. To chuck [lâcher].
plaquette f Small plate. Pamphlet (pàmflit) [livre].
plastique a, f Plastic.
plastron m Breast-plate [armure]. Front [chemise].
plastronner To pose, strut.
plat, ate (plà, àt) Flat (àt). m Dish. Flat [épée].
platane m (àn) Plane-tree.
plateau m (àtô) Tray, waiter. Scale (ské^{i}l) [balance]. Table-land [géogr.].
plate-bande f (àtba^{n}d) Bed.
plate-forme f Platform.
platine f (àtîn) Plate (é^{i}t). m Platinum (plàtinem).
platitude f (ü) Platitude.
plâtras m (trà) Rubbish (œ).
plâtrer To plaster (âst^{er}).
plausible (ôz) Plausible.
plèbe f (èb) Common people.
plébéien (é^{y}i^{n}) Plebeian.
plébiscite m Plebiscite.
pléiade f (é^{y}àd) Pleiad (a).
plein, eine (i^{n}, èn) Full (ou). Open (o^{ou}p^{e}n) [air].
plénière (^{y}èr) Plenary.
plénipotentiaire (a^{n}s^{y}èr) Plenipotentiary (ènsh^{e}ri).
plénitude f (üd) Fullness.
pléonasme m (àsm) Pleonasm.
pléthore f (tòr) Plethora.
pleur m (œr) Tear (ti^{er}).
pleurer (œré) To weep*, to cry (a^{i}). To mourn [mort].
pleurésie f (œ) Pleurisy.
pleurnicher (shé) Whimper.
pleutre m (œtr) Coward (ka^{ou}).
pleuvoir* (œvwàr) To rain [*pleut, pleuvait, plut, pleuvra, pleuve, pleuvant, plu].
plèvre f (èvr) Pleura (ou).
pli m (î) Fold (o^{ou}). Crease (îs) [faux -]. Cover [enveloppe]. Habit [habitude].
pliant, te Pliant (a^{i}e^{n}t) [ca-

ractère]. Folding [méc.]. *m* Folding-chair.
plie *f* (plî) Plaice (éis).
plier (iyé) To fold (oou) [papier]. To bend* [courber]. To yield [céder].
plieuse *f* Folding-machine.
plinthe *f* (int) Plinth [colonne]. Skirting-board.
plissement *m* (an) Folding.
plisser To fold. To crease.
plomb *m* (plon) Lead (lèd). Seal [douane]. Shot [fusil]. *Fil à -*, plumb-line.
plombage *m* (àj) Plumbing (œming). Stopping [dent].
plombagine *f* (j) Plumbago.
plomber (onbé) To lead (lèd). To cover with lead. to fit with lead. To stop [dent]. To seal (sîl) [douane].
plomberie *f* (plonberî) Plumbing (plœming).
plombier (byé) Plumber (œ).
plongée *f* (jé) Submersion.
plongeon *m* (jon) Dive (al), plunge. Diver [oiseau].
plonger (jé) To dive (aiv), plunge. To dip [bout] [*plongea, -geons*]. **-geur, se** Diver. Dish-washer-up.
ploutocratie *f* Plutocracy.
ployer (plwàyé) To bend*. *vi* To bow [*ploie*].
plu*. V. PLAIRE*, PLEUVOIR*.
plumage *m* (ümàj) Plumage.
plume *f* (ü) Feather (èzh). [oiseau]. Pen (èn) [écrire].
plumeau *m* Feather-broom.
plumer To pluck. To fleece.
plumet *m* (ümè) Plume (oûm).
plumier *m* (ümyé) Pen-box.
plupart (la) (üpàr) Most.
pluriel (üryèl) Plural (*ou*).
plus *ad* (plüs, plü) More (**au**); *le -*, the most; *ne ... plus*, no more, no longer.
plusieurs (üzyœr) Several.
plus-que-parfait Pluperfect.
plutôt (ütô) Rather (**zh**).
pluvier (ü) Plover (oou).
pluvieux (üvyë) Rainy, wet.
pneumatique *a* (pnë) Pneumatic (nyou). *m* Tyre (aier).
pneumonie *f* (pnë) Pneumonia.
pochade *f* (à) Hasty sketch.
pochard (shàr) Dunkard.
poche *f* (pòsh) Pocket. Pouch (paoutsh), bag [sac].
pocher (ò) To poach (oou).
pochette *f* (shèt) Small pocket. Fancy handkerchief.
pochoir *m* (shwàr) Stencil.
poêle *f* (pwàl) Frying pan. *m* Stove (oou) [feu]. Pall.
poêlon *m* (pwàlon) Pipkin.
poème *m* (pò) Poem (oou).
poésie *f* (pòézî) Poetry (poouitri); *une -*, a poem.
poète (pòèt) Poet (poouit).
poétesse *f* Poetess.
poétique Poetical (pooué).
poétiser (ìzé) To poetize.
poids *m* (wà) Weight (wéit).
poignant (wàñan) Agonizing.
poignard *m* (pwàñàr) Dagger.
poignarder (ñàrdé) To stab.
poigne *f* (wàñ) Grasp, grip.
poignée *f* (pwàñé) Handful. Handle [manche].
poignet *m* (ñò) Wrist (rist).
poil *m* (pwàl) Hair (hèer).
poilu (ü) Hairy. *m* Soldier.
poinçon *m* (pwinson) Punch.
poindre* (pwindr) To sting*. To dawn [*poins, poignons, poignais*, etc.; *poignis; poigne; poignant; point*].
poing *m* (pwin) Fist.
point *m* (win) Point (point).

Spot [petit]. Stitch [aiguille]. *I*nstant. Full stop, period [ponctuation]. Degree.
point *ad* Not, no, none.
pointage *m* (pwi^{n}tàj) Levelling (lèv^{e}) [arme]. Checking (tshèk) [contrôle].
pointe *f* (pwi^{n}t) Point (o^{i}). Nail [clou]. Cape [cap]. Taunt [railler]. Witticism. *- du pied,* tiptoe.
pointer To point. To check.
pointeur Pointer. Checker.
pointiller (ì^{y}é) To dot.
pointilleux (ë) Particular.
pointu, ue (pwi^{n}tü) Pointed.
pointure *f* (ür) Size, number.
poire *f* (pwàr) Pear (pè^{er}).
poireau *m* (wàrô) Leak (lîk).
poirier *m* (r^{y}é) Pear-tree.
pois *m* (pwà) Pea (pî).
poison *m* (pwàzo^{n}) Poison.
poisser (pwàsé) To pitch.
poisseux Pitchy, sticky.
poisson *m* (pwàso^{n}) Fish.
poissonnerie *f* Fishmarket; fish-shop. **-eux** Full of fish. **-ier** Fishmonger. **-ière** *f* Fishmonger. Fish-kettle [plat].
poitrail *m* (à^{y}) Breast (è).
poitrinaire Consumptive.
poitrine *f* (pwàtrîn) Breast (brèst), chest (tshèst).
poivre *m* (pwàvr) Pepper (è).
poivrer (vré) To pepper.
poivrière *f* Pepper-box.
poivrot (pwàvrô) Boozer.
poix *f* (pwà) Pitch.
polaire (pòlèr) Polar (po^{ou}le^{r}); *étoile -,* pole-star.
pôle *m* (pôl) Pole (po^{ou}l).
polémique *f* Controversy.
poli, ie (pòlî) Polite (a^{i}t). Polished [luisant].
police *f* (pòlîs) Police [agents]. Policy (polisi) [assurance]. *Agent de -,* policeman. **-icer** To civilize.
polichinelle (ìnèl) Punch.
policier (lis^{y}é) Policeman, detective.
polir (pòlîr) To polish.
polisseur (ìsœr) Polisher.
polisson, onne *a* Naughty (***au***). Free [libre]. *mf* Scamp.
polissonnerie *f* Naughtiness.
politesse *f* (ès) Politeness.
politicien Politician.
politique *a* (tîk) Political. *f* Politics.
pollen *m* (èn) Pollen (ìn).
polluer (l^{u}é) To pollute.
Pologne *f* (òñ) Poland.
polonais, aise *a* (nè, èz) Polish. *mf* Pole (o^{ou}).
poltron, onne (o^{n}, òn) Cowardly, *mf* Coward (ka^{ou}).
poltronnerie *f* Cowardice.
polygame (gàm) Polygamous. *m* Polygamist. **-gamie** *f* Polygamy (ig^{e}mi).
polyglotte (òt) Polyglot.
polygone *m* (òn) Polygon.
polype *m* Polyp. Polypus.
pommade *f* (àd) Pomade (âd).
pomme *f* (pòm) Apple (àp^{e}l). Knob [boule]. Rose [arrosoir]. Head [chou].
pommeau *m* (mô) Pommel [selle]. Knob (nob) [porte].
pommelé (pòmlé) Dappled.
pommette *f* (èt) Cheek-bone.
pommier *m* (^{y}é) Apple-tree.
pompe *f* (o^{n}p) Pump (œmp) Pomp, state [majesté]. **-per** To pump. **-eux, se** Pompous.
pompier (p^{y}é) Fireman.
pompon *m* (o^{n}) Tuft. Tassel.
ponce *f* (po^{n}s) Pumice (pœ).
ponceau *m* (po^{n}sô) Culvert

[pont]. Poppy [pavot].
ponction *f* (syon) Punction (kshen). **-lonner** To tap.
ponctualité *f* (ponktuà) Punctuality (pœngktyouà).
-tuation *f* Punctuation (éi).
-tuel, elle (tuèl) Punctual.
ponctuer To punctuate.
pondération *f* Ponderation.
pondre (pondr) To lay* (éi).
poney *m* (pònè) Pony (poou).
pont *m* (pon) Bridge. Deck [vaisseau]. *Ponts et Chaussées*, Highways Department.
pontife (pontîf) Pontiff.
pontifical Pontifical. **-cat** *m* (kà) Pontificate
ponton *m* (ponton) Pontoon.
pontonnier Pontoneer (ier).
populace *f* (ülàs) Rabble.
populaire (ülèr) Popular.
popularité *f* Popularity.
population *f* Population.
porc *m* (pòr) Pig. Pork [viande].
porcelaine *f* (slèn) China.
porc-épic *m* Porcupine.
porche *m* (pòrsh) Porch.
porcher (shé) Swine-herd.
porcherie *f* (sherî) Pigsty.
pore *m* (pòr) Pore (pauer).
poreux, se (ë) Porous (es).
pornographie *f* Pornography.
porphyre *m* (fîr) Porphyry.
port *m* (pòr) Port (pauert) [mar.]. Carriage [transp.].
portail *m* (ày) Gate (géit).
portatif, ive Portable.
porte *f* (pòrt) Door (auer).
- *cochère*, gate, gateway.
porte-avions Aircraft carrier.
porte-cigarettes *m* Cigarette holder.
porte-drapeau (pô) Ensign (sain) ; colour-sergeant.
portée *f* (té) Brood [oiseau]. Litter [animaux]. Scope, range [champ de vision].
portefaix (fè) Porter.
portefeuille *m* Portfolio.
portemanteau *m* Coat rack.
porte-mine *m* Pencil-case.
porte-monnaie *m* Purse (ë).
porte-parapluies *m* (àpluî) Umbrella-stand.
porte-parole *m* Spokesman.
porte-plume *m* (ü) Penholder.
porter (pòrté) To bear (èer) [fruit]. To carry [fardeau]. To wear* [habit]. To deal* [coup]. To incline (ain). *vi* To bear* [reposer]. To tell* [effet). To reach [atteindre]. To carry [canon]. **Se -** To move [aller]. To be [santé]. To be worn [habit].
porteur (œ) Bearer (èe).
porte-voix Speaking-trumpet.
portier, ère (pòrtyé) Doorkeeper. *f* Door. Door-curtain.
portion *f* (syon) Portion.
portique *m* (tîk) Porch (tsh), portico. Cross-beam [gymn.].
porto *m* Port, port wine.
portrait *m* (trè) Portrait (it).
-iste Portrait-painter.
portugais, aise *a, mf* (ügè) Portuguese (tyoughîz).
pose *f* (pôz) Setting [action]. Posture [attitude]. Pose [affectée]. Exposure [phot.].
posé, ée (zé) Calm, sedate.
poser (zé) To lay*, to set*. To ask [question]. To assume [supposer]. To lay* down [principe]. *vi* To sit* [portrait]. To pose [affectation]. **Se -** To rest, to alight.
poseur, euse Prig, pedant. Layer [mine, brique, etc.].
positif, ive Positive (poz)

position *f* (zisyon) Position.
possédé, ée (édé) Possessed (zèst). *m* Madman, maniac.
posséder (édé) To possess (pezès), to own [*possède].
-esseur (sœr) Possessor, owner.
-ession *f* Possession (èshen).
possibilité *f* Possibility.
possible (ibl) Possible.
postal, e (ò) Postal (oou).
poste *f* (ò) Post (ooust); post-office [bureau]. *m* Station. Wireless set [radio].
postérieur Posterior, later.
postérité *f* Posterity.
posthume (ü) Posthumous.
postiche (îsh) False (au).
postillon (yon) Postillon.
postscriptum *m* Postscriptum.
postulant, te (ü) Applicant.
postulat *m* (üld) Postulate.
postuler (ü) To apply for.
posture *f* (tür) Posture.
pot *m* (pò) Pot (pòt), jug.
potable (àbl) Drinkable; *eau* -, drinking water.
potache *m* (tàsh) Schoolboy.
potage *m* (àj) Soup (soup).
potager, ère (àjé, èr) Comestible. *m* Kitchen-garden.
potasse *f* (tàs) Potash.
potassium *m* (òm) Potassium.
pot-au-feu *m* Boiled beef.
pot-de-vin *m* (vin) Bribe.
poteau *m* (pòtô) Post (oou).
potelé, ée Plump, chubby.
potence *f* (ans) Gibbet (dj).
potentat *m* (tà) Potentate.
potentiel (syèl) Potential.
poterie *f* (trî) Pottery.
poterne *f* (èrn) Postern (oou).
potiche *f* (îsh) Large vase.
potier (tyé) Potter (ter).
potin *m* (pòtin) Gossip.
potion *f* Draught (drâft).
potiron *m* (ìron) Pumpkin.
pou *m* (pû) Louse (laous).
pouce *m* (pûs) Thumb (thœm) [doigt]. Inch [mesure].
poudre *f* (pûdr) Powder (paouder). **-drer** To powder.
poudrerie *f* Powder-mill.
poudreux, euse Dusty (dœsti).
pouffer (pûfé) To guffaw.
pouilleux (pûyë) Lousy (a).
poulailler *m* (yé) Hen-roost.
poulain *m* (pûlin) Colt (oou).
poularde *f* (àrd) Fowl (faoul).
poulet *m* (pûlè) Chicken.
pouliche *f* (pûlîsh) Filly.
poulie *f* (pûlî) Pulley (li).
poulpe *m* Octopus, poulp.
pouls *m* (pû) Pulse (pœls).
poumon *m* (pûmon) Lung (œ).
poupe *f* (pûp) Poop, stern.
poupée *f* (pûpé) Doll (dòl).
pouponnière *f* Babies' room.
pour (pûr) For. *Le - et le contre,* the pros and cons.
pourboire *m* (pûrbwàr) Tip.
pourceau *m* (pûrsô) Pig.
pourcentage *m* Percentage.
pourchasser To pursue.
pourparler *m* (àrlé) Parley.
pourpoint *m* (pwin) Doublet.
pourpre *f* (pûrpr) Purple.
pourquoi (pûrkwâ) Why (wai); *c'est* -, therefore.
pourri, ie (pûrî) Rotten.
pourrir *vi* Rot. *vt* Corrupt.
pourriture *f* Rot, rottenness.
poursuite *f* (suît) Pursuit persyout). Action [légale].
poursuivre (suivr) To pursue (persyou). To proceed with. To prosecute [*V. SUIVRE].
pourtant (tan) Yet, though.
pourvoi *m* (wà) Appeal (îl).
pourvoir* (wàr) To provide [*V. VOIR; past t. : *pourvus;*

future : *pourvoirai*].
pourvu, ue (vü) Provided for. - *que*, provided that.
pousse *f* (û) Shoot [tige]. Sprout [germe]. Growth.
poussée *f* (pûsé) Pressure.
pousser (pûsé) To push. To incite (a^{i}t). To utter [cri]. *vi* To grow* (gro^{ou}).
poussière *f* (s^{y}èr) Dust (œ).
poussif, ive Broken-winded.
poussin *m* (pûsi^{n}) Chick.
poutre *f* (pûtr) Beam, girder.
pouvoir* (pûvwàr) To be able; *je peux*, I can; *je pouvais*, I could; *il ne peut pas*, he cannot. *m* Power (pa^{ouer}). [**puis* or *peux*, *peux*, *peut*, *pouvons*, *pouvez*, *peuvent*; *pus*, etc.; *pourrai*, etc.; *puisse*, etc.; *pouvant*; *pu*].
prairie *f* (èrî) Meadow (è).
praline *f* (în) Burnt almond.
praticable (kàbl) Practicable.
praticien Practitioner.
pratiquant, te Church-goer.
pratique *a* (àtìk) Practical. Convenient. *f* Practice.
pratiquer (ké) To practise (is). To open [passage].
pré *m* Meadow (mèdo^{ou}).
préalable Previous (î).
préambule *m* (ül) Preamble.
préau *m* (ô) Yard (yâ^{r}d).
prébende *f* (a^{n}d) Prebend (è).
précaire (kèr) Precarious.
précaution *f* Precaution (sh).
précédent *a* (da^{n}) Previous (îvy^{e}s). *m* Precedent (prè).
précéder To precede (isîd). [**précède*].
précepte *m* (èpt) Precept (î).
précepteur *m* Tutor (tyou).
prêche *m* (èsh) Sermon (ë^{r}).
prêcher To preach (îtsh).
précieux (yë) Precious (èsh).
précipice *m* (îs) Precipice.
précipitamment Hurriedly. **-pitation** *f* (às^{y}o^{n}) Hurry. **-pité** Hurried (hœrid). **-piter** To hurl down [lancer]. To hasten (hé^{i}s^{e}n) [hâter]. **Se -** To rush. To hurry.
précis, ise (sî, sîz) Precise (prisa^{i}s), accurate, exact. *m* Abstract, primer.
préciser To specify (a^{i}).
précision *f* (z^{y}o^{n}) Accuracy.
précoce (kòs) Early (ë^{r}li).
précocité *f* Precocity.
préconçu (sü) Preconceived.
préconiser (ìzé) To advocate.
précurseur (kür) Harbinger.
prédécesseur Predecessor.
prédicateur Preacher (îtsh^{er}). **-cation** *f* (às^{y}o^{n}) Preaching.
prédiction *f* Prediction (sh).
prédilection *f* Preference.
prédire* To foretell* [*V. DIRE, but *médisez*].
prédisposer To predispose.
prédominer To predominate.
préface *f* (às) Preface (èfis).
préfecture *f* (ür) Prefecture. Headquarters [police].
préférable Preferable (-*à*, -to).
préféré Favourite (é^{i}vrit).
préférence *f* (a^{n}s) Preference.
préférer To prefer (prifër), to like better [**préfère*].
préfet *m* (fè) Prefect (prî).
préfixe *m* Prefix (îfiks).
préhistorique Prehistoric.
préjudice *m* (jüdîs) Injury.
préjudiciable Detrimental.
préjugé *m* (jüjé) Prejudice.
préjuger To prejudge (djœ).
prélasser (se) To bask, loll.
prélat (là) Prelate (èlit).
prêle *f* (èl) Horsetail.

prélèvement *m* Previous deduction. **-lever** To deduct (œ) in advance [**prélève*].
préliminaire Preliminary.
prélude *m* (üd) Prelude.
prématuré (türé) Untimely (œntaimli), premature.
préméditer To premeditate.
prémices *mpl* (îs) First-fruits. Firstlings [animal].
premier, ière (premyé, èr) First (fërst). Former [de deux]. *f* Forewoman [couture]. First-night [théât.].
prémisse *f* (îs) Premise (is).
prémunir (mü) To forewarn.
prendre* (andr) To take* (éi), seize (sîz). *- feu,* to catch* fire; *- la fuite,* to take* to flight; *- [une chose] mal,* to take* in bad part. **Se -** To be caught. *S'en - à,* to lay* the blame on [**prends, prenons,* etc.; *prenais; pris; prenne; prenant; pris*].
preneur (prenœr) Purchaser. [achat]. Lessee [location].
prénom *m* (on) Name (néim), Christian name.
préoccupation *f* Anxiety.
préoccuper (küpé) To worry.
préparatif *m,* **préparation** *f* (asyon) Preparation.
préparatoire Preparatory.
préparer (àré) To prepare (ipèer), to make* ready. **Se -** To get* ready (rèdi).
préposé, ée (ôzé) Official.
préposition *f* Preposition.
prérogative *f* Prerogative.
près *ad* (prè) Near (nier); *tout -,* close by. *prep.* Near.
présage *m* (zàj) Omen (oou).
présager To portend, to bode [**présageai, -geons*].
presbyte (bît) Long-sighted.
presbytère *m* (èr) Parsonage. **-térien, enne** Presbyterian.
presbytie *f* (sî) Presbyopia.
prescription *f* Prescription.
prescrire* To prescribe (aib). [*V. ÉCRIRE].
présence *f* (zans) Presence.
present, ente (zan, ant) Present; *à présent,* at present, now; *par la présente,* hereby.
présentation *f* Presentation, introduction (œkshen) [ami].
présentement Now, at once.
présenter (zanté) To present (izènt). To introduce [ami]. **Se -** To present oneself. To occur (ekër) [occasion].
préservatif, ive *a, m* (èrvàtif) Preservative (ërvetiv).
préservation *f* Preservation.
préserver (zèr) To protect.
présidence *f* (ans) Presidency.
président, te *mf* President. Chairman *m.* Lady-president.
présider (zìdé) To preside over (izaid), be chairman of.
présomptif (zon) Presumed; apparent (èe) [héritier].
présomption *f* Presumption.
présomptueux, euse (onptuë) Presumptuous, presuming.
presque (èsk) Almost, nearly.
presqu'île *f* (eskîl) Peninsula.
pressage *m* (sàj) Pressing.
pressant, te Urgent (ërdj).
presse *f* (ès) Press [impr.]. Throng [foule].
pressé Urgent. Hurried. *Être pressé,* to be in a hurry.
pressentiment *m* Foreboding.
pressentir (antîr) To forebode [deviner]. To sound.
presse-papiers Paper-weight.
presser (èsé) To press. To

squeeze [fruit]. To press hard upon [ennemi]. To entreat [supplier]. To hasten [hâter]. **Se -** To hurry [hâte]. To throng [foule].

pression *f* (s^{y}o^{n}) Pression.

pressurer (süré) To press [vin]; to squeeze [citron]. To oppress [opprimer].

prestance *f* Fine bearing.

preste (èst) Nimble (nimb'l).

prestesse *f* (tès) Agility.

prestidigitateur Conjurer. **-gitation** *f* Legerdemain.

prestige *m* (tîj) Prestige.

prestigieux, euse Amazing.

présumer (zümé) To presume.

présure *f* (ür) Rennet (rè).

prêt (prè), **ête** Ready (rè).

prêt *m* (prè) Loan (lo^{ou}n).

prétendant, te Suitor (syou). Claimant, applicant.

prétendre (a^{n}) To claim.

prétendu (a^{n}dü) Pretended. Would-be. *mf* Suitor, fiancé.

prétentieux, euse Conceited.

prétention *f* (a^{n}s^{y}o^{n}) Pretension, claim. Conceit.

prêter (èté) To lend* (lènd).

prêteur, euse (œr, ëz) Lender.

prétexte *m* Pretence.

prétexter To allege, plead.

prêtre (prètr) Priest (îst).

prêtresse (ès) Priestess.

prêtrise *f* (îz) Priesthood.

preuve *f* (œv) Evidence.

prévaloir* (wàr) To prevail [*V. VALOIR; subj.: *prévale*].

prévaricateur *a* Dishonest. *m* Dishonest official. **-rication** *f* Breach of trust.

prévenance *f* Kind attention.

prévenant, ante Obliging.

prévenir* (v^{e}nîr) To forestall [devancer]. To prevent [empêcher]. To warn [avertir] [*V. VENIR].

prévention *f* Prejudice. Committal for trial [just.].

prévenu, ue (^{e}nü) Accused.

prévision *f* (z^{y}o^{n}) Forecast.

prévoir* (wàr) To foresee* [V. VOIR; fut.: *prévoirai*].

prévôt (vô) Provost.

prévoyance *f* (vwà^{y}a^{n}s) Foresight. **-ant** Foreseeing.

prie-Dieu *m* Praying-stool.

prier (prié) To pray (é^{i}). To invite (a^{i}t). To ask.

prière *f* (ièr) Prayer (é^{er}). - *de*, please to.

prieur (iœr) Prior (a^{ier}).

prieuré *m* Priory (a^{i}eri).

primaire (èr) Primary (a^{i}). Elementary [école].

primauté *f* (ôté) Primacy.

prime *f* (îm) Premium (prî).

primer (îmé) To surpass. To reward (au^{r}d) [récompense].

primesautier Spontaneous.

primeur *f* (imœr) Newness. Early fruit [or vegetable].

primevère *f* (èr) Primrose.

primitif, ive Primitive.

primogéniture Primogeniture. **-mordial** (d^{y}àl) Primordial.

prince (pri^{n}s) Prince (ìns).

princeps First (fë^{r}st).

princesse *f* (ès) Princess.

princier, ère Princely (ìn).

principal, ale Principal.

principauté *f* Principality.

principe *m* (i^{n}sîp) Principle.

printanier, ère Spring.

printemps *m* (i^{n}ta^{n}) Spring.

priorité *f* Priority (a^{i}).

pris, se. V. PRENDRE*.

prise *f* (îz) Capture (tsh), prize (a^{i}z). Hold [tenir]. Pinch [tabac]. Coupling

[mot.]. - *d'armes*, parade; - *de corps*, arrest; *être aux -s avec*, to grapple with.
priser *vt* (ìzé) To value (vàlyou). To snuff (œ) [tabac].
priseur (ìzœr) Appraiser; *commissaire- -*, auctioneer. Snuff-taker [tabac].
prisme *m* (ism Prism.
prison *f* (ìzoⁿ) Prison (zᵉn).
prisonnier, ère Prisoner.
privation *f* Privation.
privauté *f* (vô) Familiarity.
priver (ivé) To deprive (aⁱv).
privilège *m* (lèj) Privilege.
-légier To privilege (lidj), to prefer (ifëʳ) [créance].
prix *m* (prî) Price (aⁱs), consideration. Prize [récomp.].
probabilité *f* Probability.
probable (àbl) Probable.
probant, te Conclusive (*ou*).
probe (òb) Honest, upright.
probité *f* Integrity, honesty.
problème *m* (èm) Problem.
procédé *m* (dé) Proceeding. Process (oᵒᵘ) [techn.]. Behaviour (héⁱ) [conduite].
procédure *f* (ü) Proceeding.
procès *m* (sè) Law-suit, suit (syout), case, action [civil]. Trial (aⁱᵉl) [criminel].
procession *f* Procession.
procès-verbal Report (*au*ʳt).
prochain, aine *a* (shiⁿ, shèn) Next. *mf* Neighbour. **-nement** (ènmaⁿ) Shortly.
proche (òsh) Near (nieʳ).
proclamation *f* Proclamation.
proclamer (àmé) To proclaim.
procréer To procreate (iéⁱt).
procurateur (œr) Procurator.
-ration *f* (kü) Procuration (kyou); power of attorney.
procurer (küré) To procure.
procureur (rœr) Procurator. - *de la République*, public prosecutor; - *général*, Attorney General.
prodigalité *f* Prodigality.
prodige *m* (îj) Prodigy (dji).
prodigieux, euse Prodigious.
prodigue (îg) Prodigal, lavish (là). *mf* Spendthrift.
prodiguer (igé) To lavish (à).
producteur, trice Productive (œk). *mf* Producer (dyou).
production *f* (düksʸoⁿ) Production (prᵉdœkshᵉn).
produire* (dᵘîr) To produce (dyous). To bring* about.
produit *m* (òdᵘî) Product [résultat]. Produce (yous') [récolte]. Proceeds [argent].
proéminence *f* Prominence.
profanation *f* Profanation.
profane (àn) Profane (éⁱn). *mf* Outsider. Layman.
profaner (àné) To profane.
proférer (éré) To utter (œ). [*profère*].
professer (èsé) To profess [opinion]. To teach* [classe]; to lecture (tshᵉʳ) [univ.].
professeur *mf* (èsœr) Professor (èsᵉʳ) [univ.]; teacher, master [second degré].
profession *f* (ès) Profession.
-ionnel Professional. **-orat** *m* Professorship. Teaching.
profil *m* (îl) Profile (aⁱl).
profiler To profile, to cut*. **Se** - To stand* out.
profit *m* (fî) Profit (it').
profitable Advantageous.
profiter (ìté) To profit [*de* : by]. To benefit. To take advantage of [occasion]. To thrive* (aⁱv) [prospérer].
profond, de (oⁿ) Deep (dîp).

profondeur *f* Depth (dèp**th**).
profusion *f* (fü) Plenty.
progéniture (ür) Offspring.
programme *m* Programme.
progrès *m* (grè) Progress.
progresser To progress.
progressif, ive Progressive.
progression *f* Progression.
prohiber (òi) To prohibit, forbid*. **-bitif** Prohibitory [loi]. Prohibitive [prix]. **-bition** *f* (ìs^{y}o^{n}) Prohibition (pro^{ou}**hi**bish^{e}n).
proie *f* (prwà) Prey (pré^{i}).
projecteur (jèktœr) Projector. Search-light [avion].
projectile *m* (tîl) Missile (sa^{i}l), projectile, shot.
projection *f* Projection.
projet *m* (jè) Scheme (skîm), project (pròdjèkt).
projeter (jté) To project. To plan, to intend [*projette].
prolétaire *mf* (étèr) Proletarian (è^{e}ry^{e}n). **-tariat** *m* Proletariat. **-tarien** Proletarian.
prolifique (fîk) Prolific.
prolixe (òliks) Prolix (o^{ou}).
prologue *m* (òlòg) Prologue.
prolongation *f*, **prolongement** *m* Prolongation, extension.
prolonger (o^{n}jé) To lengthen (lè**ngth**^{e}n), to extend (tènd). [*prolongeai, -geons].
promenade *f* (òmnàd) Outing [sortie]; walk [pied]; drive [voiture]; ride [cheval, bicycl.]; sail [bateau].
promener (se) To go* out for a walk [drive, ride, sail, etc.] [*promène].
promeneur, euse Walker, rider. Tripper [excursion].
promenoir *m* (wàr) Promenade.
promesse *f* (ès) Promise (is).
promettre To promise (prò) [*V. METTRE].
promontoire *m* Headland.
promoteur (òtœr) Promoter.
promotion *f* Promotion (o^{ou}).
promouvoir* (ûvwàr) Promote [U. only in p. p. : PROMU].
prompt, e (o^{n}, o^{n}t) Prompt (òmpt); hasty. **-titude** *f* Promptitude, quickness.
promu (òmü). Promoted (o^{ou}).
promulgation *f* Promulgation. **-guer** (ülgé) Promulgate.
prône *m* (ôn) Sermon (së^{r}).
prôner To preach. To extol.
pronom *m* (òno^{n}) Pronoun.
prononcer (o^{n}sé) To pronounce. To utter. [*prononça, -çons]. **-onciation** *f* Pronunciation.
pronostic *m* Forecast (âst) [temps]. Prognosis [méd.]. **-ostiquer** To prognosticate.
propagande *f* Propaganda. **-gateur, trice** *mf* Propagator. **-ger** (jé) To propagate. **Se -** To spread*. To reproduce [*propagea, -geons].
propension *f* Propensity.
prophète (èt) Prophet (it').
prophétie *f* (sî) Prophecy. **-étiser** (ìzé) To prophesy.
prophylaxie *f* Prophylaxy.
propice (pîs) Propitious.
proportion *f* (orsy^{o}n) Proportion (au^{e}rsh^{e}n), ratio (sh). **-ortionnel** Proportional (sh). **-ortionner** To proportion.
propos *m* (pô) Remark (rimâ^{r}k) [mot]. Purpose [but].
proposer (ôzé) To offer. **-sition** *f* Suggestion, offer [offre]. Proposition [math.].
propre (òpr) Clean (în) [net]. Proper [décent]. Own [personnel]. Right [exact].

propreté *f* Cleanliness (klè).
propriétaire (ìétèr) *O*wner.
propriété *f* (iété) *O*wnership [titre]. Estate [foncière]. Property [qualité]. Propriety (aieti) [convenance].
propulseur (pül) Propeller.
-sion *f* Propulsion (œlsh).
prorata *m* (rà) Ratio (éish).
proroger (òjé) To adjourn (ërn) [**prorogea, -geons*].
prosaïque (àîk) Prosaic (éi).
prosateur (à) Prose-writer.
proscription *f* Proscription.
proscrire* To banish, proscribe. **-crit, te** Outlaw, exile. [*V. ÉCRIRE].
prose *f* (ôz) Prose (oouz).
prosélyte (lît) Proselyte.
prosodie *f* (zodî) Prosody.
prospecteur *m* Prospector.
-ectus *m* (tüs) Hand-bill. Prospectus [de société].
prospère Prosperous, thriving.
-pérer To thrive* (thraiv), to prosper [**prospère*].
-périté *f* Prosperity (èriti).
prosterner (se) To bow down.
prostituée *f* (ué) Prostitute.
-tuer Prostitute. **-tution** *f* (tüsyon) Prostitution (tyou).
protecteur, trice Protector (èkter). *f* Protectress.
protection *f* Protection (sh).
-torat *m* (à) Protectorate.
protéger (jé) To protect [**protège, -geai, -geons*].
protestant, te (èstan, ant) Protestant (protistent). **-tan-**
-tisme *m* Protestantism.
-tataire Protestor, objector.
-tation *f* (tàsyon) Protest.
protester To protest; *laisser -,* to dishonour (z).
protêt *m* (tè) Protest (oou).
prothèse *f* (tèz) Prosthesis.
protocole *m* (kòl) Protocol [écrit]. State etiquette.
prototype *m* (îp) Prototype.
protubérance *f* Protuberance.
proue *f* (prû) Prow (praou).
prouesse *f* (ûès) Prowess.
prouver (ûvé) To prove (oû).
provenance *f* (nans) Origin.
provenir* (ve) To proceed (sîd) [*de:* from] [*V. VENIR].
provende *f* (and) Food (oû).
proverbe (èrb) Proverb (erb).
-erbial (byàl) Proverbial.
providence *f* (ans) Providence.
-entiel (syèl) Providential.
province *f* (ins) Province.
provincial Provincial.
proviseur (œr) Headmaster.
provision *f* (vìzyon) Provision (ijen), store. *Tirer un chèque sans -,* to overdraw* one's account. **-soire** (zwàr) Provisional.
provocation *f* Provocation.
provoquer (òké) To provoke; to challenge [défier]. To bring* on [amener].
proximité *f* Proximity (pre).
prude *a* (üd) Prudish (ou). *f* Prude. **-derie** *f* Prudery.
prudence *f* (ü) Prudence (ou).
prudent, te Careful, cautious.
prud'homme Wise, upright man.
prune *f* (prün) Plum (œm).
pruneau *m* (ünô) Prune (oûn).
prunelle *f* Sloe [baie]. Apple [eye]. **-nellier** *m* Blackthorn.
prunier *m* (prü) Plum-tree.
prurit (prürì) Itching.
Prusse *f* (üs) Prussia (œshe).
prussien, enne Prussian (œ).
psalmiste (psà) Psalmist.
psalmodie *f* (dî) Psalmody.

psaume *m* (psôm) Psalm (sâm).
pseudo (ëdô) Pseudo (syou).
-donyme *m* (îm) Pseudonym.
psychologie *f* (psìkòlòjî) Psychology (psa[i]kol[e]dji).
-logique (jîk) Psychological.
-logue (lòg) Psychologist.
pu (pü). V. POUVOIR*.
puant, te (p[u]a[n]) Stinking.
puanteur *f* (a[n]tœr) Stench.
puberté *f* (ü) Puberty (you).
public, ique (ü) Public (œ).
publication *f* Publication.
publiciste (pü) Publicist.
publicité *f* Advertising (ta[i]).
publier (pü) Publish (pœ).
puce *f* (püs) Flea (flî).
pucelle (püsèl) Maid, virgin.
puceron *m* (o[n]) Plant-louse.
pudeur *f* (dœr) Modesty (mo).
pudibond, de (püdìbo[n], o[n]d) Bashful, prudish.
pudique (püdik) Modest.
puer (p[u]é) To stink* (ingk).
puériculture *f* Scientific rearing [of children].
puéril (p[u]é) Childish (a[1]).
puérilité *f* Childishness.
pugilat *m* (püjìlà) Boxing.
pugiliste (püjìlist) Boxer.
puîné, ée (p[u]i) Younger (yœ).
puis (p[u]î) Then. V. POUVOIR.
puisard *m* (p[u]izàr) Cesspool.
puisatier (yé) Well-sinker.
puiser (p[u]izé) To draw* (au).
puisque (p[u]isk) Since (ìns).
puissance *f* (p[u]isa[n]s) Power.
-sant, te Powerful (pa[oue]).
puits *m* (p[u]î) Well. Shaft.
pulluler (pülülé) To swarm.
pulmonaire Pulmonary, lung.
pulpe *f* (pülp) Pulp (pœlp).
pulsation *f* Pulsation, beat.
pulvérisateur *m* (ü) Spray.
-riser To pulverize, spray.
punais (pünè) Stinking.
punaise *f* (èz) Bug (bœg). Drawing-pin [clou]. Tack.
punir (ü) To punish (œ).
punition *f* Punishment ([e]nt).
pupille *f* (püpîl) Pupil (you), apple [œil]. *mf* Ward.
pupitre *m* (püpîtr) Desk.
pur, pure (ü) Pure (pyou[er]).
purée *f* (püré) Mash; - *de pommes de terre*, mashed potatoes. Poverty [fam.].
pureté *f* (pü) Purity (you).
purgatif *a, m* Purgative (pë).
-ation *f* (pü[r]gà) Purgation.
-atoire *f* (twàr) Purgatory.
purge *f* (pürj) Purge (përdj).
purger To purge. To pay* off [dette]. **Se** - To take* medicine [*purgeai, -geons*].
purification *f* Purification.
purifier (ü) To purify (you).
purin *m* (i[n]) Liquid manure.
puriste (pürist) Purist (you).
puritain, aine (ti[n], èn) Puritan (pyourit[e]n). **-tanisme** (pü) Puritanism ([e]niz[e]m).
purulent (pürüla[n]) Purulent.
pus *m* (pü) Matter, pus (œs).
pustule *f* (püstül) Pimple.
putois *m* (pütwà) Polecat.
putréfaction *f* Decay (ké[i]).
putréfier (pü) To putrefy.
pyjama *m* (jàmà) Pyjamas.
pylône *m* (ôn) Tower, pylon.
pylore *m* (or) Pylorus (r[e]s).
pyramide *f* (àmîd) Pyramid.
pyrèthre *m* (ètr) Feverfew.
pyrite *f* (pìrît) Pyrites (a[i]).
pyrogravure *f* Poker-work.
pyrotechnie *f* Pyrotechnics.
python *m* (pito[n]) Python (pa[i]th[e]n).
pythonisse Pythoness (a[i]th)

Q

q (kü) Q (kyou).
quadragénaire *a, mf* (kwàdràjénèr) Quadragenarian.
quadrature *f* (ür) Squaring.
quadrilatère Quadrilateral.
quadrille *m* (kà) Quadrille.
quadrillé, ée (kàdriyé) Squared [papier]. Chequered [étoffe]. Grip [carte].
quadrumane *m* (kwàdrümàn) Quadrumane (éin). *a* Four-handed. **-pède** *m* (kwàdrü) Quadruped *a* Four-footed.
quadruple (üpl) Quadruple (kwodroupel), fourfold.
quadrupler To quadruple.
quai *m* (kè) Wharf (**au**), quay (kî) [port]; *à quai*, berthed. Embankment [fleuve]. Platform [gare].
qualificatif, ive (kà) Qualifying (kwo). *m* Epithet.
qualifier (kà) To qualify (kwolifai). To call [nom].
qualité *f* (kà) Quality (wo).
quand (kan) When (wèn); *depuis -*, how long; *-même*, nevertheless, even though.
quant à (kantà) As for.
quantième *m* Day of the month.
quantité *f* (kan) Quantity (kwòntiti).
quarantaine *f* (kàrantèn) Two score. Quarantine [mar.].
quarante (kàrant) Forty (**au**). **-antième** Fortieth.
quart *m* (kàr) Quarter (kwaurter). Watch [mar.]. **-teron** *m* Quarter.
quartier *m* (kàrtyé) Quarter. *-général*, headquarters. *Quartier-maître*, quarter-master.
quartz *m* (kwàrts) Quartz.
quasi, quasiment (kà) Almost.
quasimodo (kà) Low Sunday.
quatorze (kàtorz) Fourteen. **-orzième** Forteenth (**fau**er).
quatre (kàtr) Four (**fau**er).
quatre-temps Ember-days.
quatre-vingts (vin) Eighty. **-tième** Eighteenth (éit).
quatrième (ièm) Fourth (**th**).
quatuor *m* (kwàtuor) Quartet.
que Whom (**hoûm**) [pers.]; which (witsh) [choses]; what (wòt) [interr.]: *que veux-tu?* What do you want? *conj* That (**zhàt**). As (àz) [comp. d'égalité]. Than (**zhàn**): *plus que*, more than [comp. d'infér. *ou* supér.]. How (**hao**u) [exclam.].
quel, elle (kèl) What. *Quel ... que*, whatever [may].
quelconque (konk) Any ... whatever, any sort of...
quelque (kèlk) Some, any.
quelquefois (wà) Sometimes.
quelqu'un, une (kèlkun, ün) Somebody, anybody.
quémander (kéman) To beg, to beg for. To solicit.
qu'en-dira-t-on (le) *m* Mrs. Grundy.
quenotte *f* (kenòt) Tooth.
quenouille *f* (ûy) Distaff.
querelle *f* (kerèl) Quarrel.
quereller (se) To quarrel.
querelleur, euse *a* Quarrelsome (kw**au**). *mf* Wrangler.

quérir (kérîr) To fetch.
question *f* (kèst^y**o**^{n}) Question; matter [sujet]; *il est - de,* there is talk of.
questionnaire *m* List of questions; form to fill.
questionner To question.
quête *f* (kèt) Collection.
quêter (kèt*é*) To collect.
quêteur, euse Collector.
queue *f* (kë) Tail (té^{i}l). Stalk (**au**k) [fruit]. Handle [casserole]. Train [robe]. Skirt [habit]. Rear [cortège]. Cue (kyou) [billard]. Queue (kyou) [perruque, file].
qui (kì) Who (**h**ou) [pers.]. Which (witsh) [choses]. Who? [sujet]; whom? (**h**oum) [compl.]. *Qui que ce soit,* whoever, anybody.
quiconque Whoever, anybody.
quidam *m* (kìdam) Somebody.
quiétude *f* (kiét*ü*d) Peace (î).
quignon *m* (kiñ**o**^{n}) Hunch.
quille *f* (kî^y) Skittle [jeu]. Keel (kîl) [mar.].
quillon *m* (ki^y**o**^{n}) Cross-bar.
quincaillerie *f* (ki^{n}kà^{y}rî) Ironmongery, hardware.
quincaillier (ki^{n}kà^y*é*) Ironmonger (a^{ie}rnmœ**ng**^{e}r).
quinconce *m* (**o**^{n}s) Quincunx.
quinine *f* (kinîn) Quinine (kw).
quinquet *m* (ki^{n}kè) Argand lamp. Eye [fam.].
quinquina *m* (ki^{n}kìnà) Quinquina (ki**ng**kîn^e).
quintal *m* (ki^n) Hundredweight (hœndr^{e}dwé^{i}t).
quinte *f* (ki^{n}t) Fifth [mus.]. Fit [toux]. Freak [caprice].
quintessence *f* Quintessence.
quintette *m* (ki^n) Quintet.
quinteux Fitful; crotchety.
quinto (kwi^{n}tô) Fifthly.
quintuple (kwi^n) Fivefold.
quinzaine *f* (ki^{n}zèn) About fifteen. Fortnight [temps].
quinze (ki^{n}z) Fifteen (tîn); *- jours,* a fortnight.
quinzième (z^{y}èm) Fifteenth.
quiproquo *m* (kô) Mistake.
quittance *f* (kìt**a**^{n}s) Receipt.
quitte (kît) Free, released. *tenir* quitte,* to release; *en être quitte pour,* to get* off with.
quitter (kì) To leave* (îv). To give* up. To part from.
quitus *m* (kìt*ü*s) Discharge.
qui-vive *m* (kìvîv) Who goes there? *Le -,* the look-out.
quoi (kwà) What (wòt). **-que** (kwàk) Though (**zh**o^{ou}).
quolibet *m* (kòlìbè) Gibe.
quote-part *f* (kòtpàr) Quota.
quotidien *m* (kòtìd^y*i*^{n}) Daily paper. **-dien, enne** *a* Daily.
quotient *m* (kos^y**a**^{n}) Quotient (kwo^{ou}sh^{e}nt).
quotité [kò] *f* Quota.

R

r (èr) R (â^r).
rabâchage *m* (shàj) Twaddle. **-cher** (sh*é*) To twaddle.
rabais *m* (bè) Rebate (*é*^{i}t).
rabaisser (ès*é*) To lower.
rabat *m* (ràbà) Bands (bàndz).
rabat-joie Wet blanket.
rabatteur, euse Beater [chas-

se]. Tout (taout) [com.].
rabattre* (àtr) To pull down [baisser]. To reduce (dyous) [diminuer]. To lower [rabaisser]. To beat* up [gibier]. **Se -** To fall* down [*sur :* upon] [*V. BATTRE].
rabattu, ue *a* (àtü) Turn-down [col]. Slouched [chapeau]. Felled [couture].
rabbin *m* (bin) Rabbi (bai).
râble *m* (râbl) Back.
râblé Strong-backed, sturdy.
rabot *m* (ràbô) Plane (éin).
raboter (oté) To plane.
-teuse *f* Planing-machine.
-teux, euse Rough, rugged.
rabougri (bû) Stunted (œ).
rabrouer (ûé) To snub (œb).
racaille *f* (ày) Rabble (à).
raccommodage *m* (àj) Mending. **-oder** Mend. Darn (â) [bas]. To reconcile [ami].
-odeur, euse *mf* Mender.
raccord *m* (ràkor), **-ordement** *m* Joining (djoi).
raccorder To join, connect.
raccourci *m* (ûr) Short cut.
raccourcir To shorten (aue).
-cissement *m* Shortening.
raccroc *m* (krò) Fluke (ou).
raccrocher To hook up again. Hang *up [téléph.]. To solicit. **Se -** To catch*, to cling*.
race *f* (ràs) Race (éi).
rachat *m* (shà) Redemption.
racheter (ràshté) To buy* back, redeem [**rachète*].
rachitique (sh-îk) Rickety.
-isme *m* Rickets; rachitis.
racine *f* (ràsîn) Root (roût').
raclée *f* Thrashing, hiding.
racler To scrape (éi).
racloir *m* (wàr) Scraper.
racontar *m* (ontàr) Gossip.
raconter (konté) To tell*.
racornir To harden; to make* horny. **Se -** To grow* tough.
radar *m* Radar.
rade *f* (ràd) Roads *pl* (rooudz).
radeau *m* (dô) Raft (râft).
radiateur *m* (dyà) Radiator.
radiation *f* Radiation [rayon].
radical, ale (kàl) Radical.
radier (ràdyé) To strike* out, to cross off [a list].
radieux, se Radiant (réi).
radio *f* (ràdyo) Radio (réi).
radiodiffuser To broadcast*.
radiographie *f* Radiography.
-graphier To radiograph.
radis *m* (dì) Radish (rà).
radium *m* (yòm) Radium (éi).
radoter To dote (doout).
radoub *m* Repair, graving.
rafale Squall (skwaul).
raffermir To strengthen.
raffiné, ée Refined (ai).
raffinement *m* Refinement.
raffiner (fì) To refine (ai).
raffoler To dote [*de :* on].
rafistoler To patch up.
rafler To sweep* off [jeu, vol]. To round up [police].
rafraîchir (èshir) To cool [froid]. To refresh [neuf]. **Se -** To cool. To drink* [boire]. **-chissant, te** Cooling. **-issement** *m* Cooling. *pl* Drinks.
ragaillardir To brace up.
rage *f* (ràj) Madness. Rage.
rager To fume. [**rageai, -geons*]. **-geur** Peppery.
ragot *m* (ràgô) Gossip.
ragoût *m* (ràgû) Stew (you).
ragoûtant, ante Tempting.
rai *m* (rè) Spoke [roue]. Beam (bîm) [lumière].
raide (rèd) Stiff. Steep.

raideur *f* (œr) Stiffness.
raidir (rèdîr) To stiffen.
raie *f* (rè) Streak (strîk) [rayure]. Parting [cheveu]. Skate (éi) [poisson].
raifort *m* (òr) Horse-radish.
rail *m* (ràY) Rail (réil).
railler (ràYé) To scoff. *vt* To scoff at. **-erie** *f* Gibe. **-eur, euse** *a* Bantering. *mf* Scoffer, jester.
rainette *f* (rènèt) Tree-frog.
rainure *f* (ür) Groove (oû).
raisin *m* (rèzin) Grapes (éi).
raison *f* (rèzon) Reason; *avoir* -, to be right. *En - de*, on account of.
raisonnable (onàbl) Sensible, reasonable. **-onnement** *m* Reasoning. **-onner** To reason.
rajeunir (ràjœnîr) *vt* To make* younger, to rejuvenate. *vi* To get* younger.
rajouter (ràjûté) To add.
rajuster (jüs) To readjust.
râle *m* (râl) Rattle [brult].
ralentir (an) To slacken.
râler To have the death-rattle.
ralliement *m* Rallying.
rallier (ràlYé) To rally.
rallonger To lengthen [*rallongeai, -geons*].
rallumer (ümé) To rekindle.
ramage *m* (àj) Flowers [dessin]. Warbling (waur) [chant]. Prattle [babil].
ramassé, ée Thick set.
ramasser To gather, collect.
rame *f* (ràm) Oar [mar.]. Prop [tige]. Ream [papier].
rameau *m* (ô) Branch, bough.
ramée *f* Foliage (foouliidj), green boughs.
ramener (ràmné) To bring* back [again] [*ramène*].
ramer To row (roou), to pull [bateau]. To stick [pois].
rameur, euse Rower (rooue r)
ramier *m* Wood-pigeon (djin).
ramification *f* Ramification.
ramille *f* (ràmîY) Twigs.
ramollir To soften (òfen).
ramoner (ràmòné) To sweep*.
ramoneur Chimney-sweeper.
rampe *f* (ranp) Slope (ooup). Gradient [rail]. Hill [côte]. Railing, banisters [escalier]. Footlights [théât.].
ramper (ranpé) To creep*.
ramure *f* (ür) Boughs (aouz).
rance (rans) Rancid (ràn).
rancœur *f* (kœr) Spite (ai).
rançon *f* (ranson) Ransom (rànsem). **-çonner** (sòné). To exact a ransom from.
rancune *f* (rankün) Grudge.
rancunier, ère Spiteful.
randonnée *f* Circuit, tour.
rang *m* (ran) Line, row [rangée]. Rank [place].
rangée *f* (jé) Line (ai), row.
ranger (ranjé) To put* in order, to tidy up. To range. **Se** - To make* way. To draw* up [*rangeai, -geons*].
ranimer To revive (aiv).
rapace (às) Rapacious (éi).
rapacité *f* (rà) Rapacity.
rapatrier To send* home.
râpe *f* (râp) Grater (éiter).
râpé, ée Grated [fromage]. shabby [vêt.]. Threadbare.
râper To grate. To rasp (â).
rapetasser To patch up.
rapetisser (sé) To shorten.
raphia *m* (fYà) Raffia (à).
rapide (îd) Rapid (rà), fast. *m* Fast train.
rapidité *f* Rapidity (pi).
rapiécer (Yé) To patch up

[**rapiéçai*, -*çons*].
rapière *f* (yèr) Rapier (*é*i).
rapine *f* (în) Plunder. Graft.
rappel *m* (ràpèl) Recall (*au*); reminder (aindeʳ).
rappeler (ràplé) To call back [en arrière]. To call again [de nouveau]. To remind. [souvenir]. To restore [ranimer]. **Se** - To remember (rimèmbeʳ) [**rappelle*].
rapport *m* (ràpòr) Proceeds (esîdz) [vente]; produce [travail]. Account [récit]. Relation, connection.
rapporter (òrté) To bring* back. To bring* again [de nouveau]. To repeal [loi]. To report [dire]. To quote (kwoout) [citer]. To refer. **Se** - To relate, to refer; *s'en - à*, to rely on (rilai).
rapprendre* (andr) To learn* again. To teach* again [*V. PRENDRE].
rapprocher Bring* together.
rapt *m* (ràpt) Rape (réip). Kidnapping.
raquette *f* (kèt) Racket (it).
rare (ràr) Rare (rèeʳ), scarce.
raréfaction *f* Rarefaction.
raréfier (rà) To rarefy (*é*e).
rareté *f* (àr) Scarcity (*â*ʳ).
ras, ase (râ) Close (oous).
rasade *f* (ràzàd) Bumper (œ).
raser (râzé) To shave (éiv) [barbe]. To raze [fort]. To brush (œ) [effleurer]. To bore [ennui]. **Se** - To shave.
rasoir *m* (zwàr) Razor (éi).
rassasier (àzyé) To satiate.
rassemblement *m* Gathering.
rassembler (san) To gather.
rasseoir (se) (ràswàr) To sit down again [*V. ASSEOIR].
rasséréner To calm (kâm). **Se** - To clear up [ciel] [*-*ène*].
rassortir To rematch [couleur]. To re-stock [com.].
rassurer (süré) To reassure (riàshoueʳ). To strengthen.
rastaquouère Flashy bounder.
rat, ate *mf* (rà, àt) Rat (ràt').
ratatiner (àtì) To shrink*.
ratatouille *f* (àtûy) Stew.
rate *f* (ràt) Spleen (în).
raté *m* (ràté) Misfire (*a*i). [auto]. Failure [personne].
râteau *m* (ràtô) Rake (réik).
rater (ràté) To miss.
ratière *f* (tyèr) Rat-trap.
ratifier (rà) To ratify (ai).
ratine *f* (în) Ratteen (în).
ration *f* (ràsyon) Ration (éi).
rationnel (yonèl) Rational.
rationner (syoné) To ration.
ratisser (ràtìsé) To rake.
rattacher (àshé) To fasten again. To connect.
rattraper (àpé) To catch* again. To overtake* [rejoindre]. Make* up for [temps].
rature *f* (*ü*) Erasure (*é*ij).
-rer To erase, strike* out.
rauque (ôk) Hoarse (**haueʳs**).
ravage *m* (*à*j) Ravage (idj).
ravager (*jé*) To lay* waste.
ravaler (àlé) To roughcast [mur]. To swallow again.
ravauder (vô) To mend, darn.
rave *f* (râv) Rape, turnip.
ravier *m* Radish-dish.
ravigoter To revive (*a*i).
ravin *m* (ràvin) Ravine (în).
raviner (viné) To furrow.
ravir (ràvîr) To ravish.
ravissant, ante Ravishing.
-ssement *m* (isman) Rapture (ràptsheʳ). **-sseur** Ravisher.
ravitaillement *m* Supply (*a*i).

-ailler (àyé) To supply.
raviver (ìvé) To revive (a^i^).
rayer (rèyé) To stripe (a^i^) [trait]. To cratch [raie]. To cross out [mot]. To rule [papier]. To rifle [canon].
rayon *m* (rèyo^n^) Ray [lumière]. Spoke [roue]. Radius [géom.]. Shelf [planche]. Department [section]. Honeycomb [miel].
rayonne *f* (òn) Rayon.
rayonner (rèy) To beam (î).
rayure *f* (rèyür) Stripe (a^i^).
raz *m* (râ) Race (ré^i^s) ; - *de marée*, tidal wave.
razzia *f* (zyà) Raid (ré^i^d).
ré *m* (ré) D (dî).
réaction *f* (réak) Reaction.
réactionnaire Reactionary.
réagir (àjîr) To react (rî).
réalisable (réàl) Feasible.
-isation *f* Realization (é^i^).
-iser To realize. **-isme** *m* Realism. **-iste** Realist (ri^e^).
réalité *f* (ré) Reality (ri).
réapparition *f* Reappearance.
rébarbatif Grim, gruff (œf).
rebattre* To beat* again [*V. BATTRE].
rebattu (àtü) Trite (a^i^t).
rebelle (bèl) *a* Rebellious. *mf* Rebel (rèb^e^l).
rebeller (se) To rebel.
rébellion *f* Rebellion.
rebiffer (se) To kick, resist.
rebondi (r^e^bo^n^dî) Plump (œ).
rebondir To rebound (a^ou^nd).
-dissement *m* Rebounding.
rebord *m* (òr) Edge, border.
rebours *m* (r^e^bûr) *A* -, backwards; *au - de*, unlike.
rebouteux (ûtë) Bone-setter.
rebrousser (ûsé) To turn up. - *chemin*, to turn back.
rebuffade *f* (üfàd) Snub (œ).
rébus *m* (üs) Rebus, riddle.
rebut *m* (bü) Refuse (yous).
rebuter (üté) To disgust (œ).
récalcitrant (a^n^) Refractory.
récapituler (ü) To sum up.
receler Receive stolen goods [*-*cèle*] .**-eleur, se** Receiver.
récemment (sà) Lately (é^i^).
recensement *m* (a^n^) Census.
recenser (a^n^) To take* the census (èn) of. To count.
récent, te (ré) Recent (rî).
récépissé *m* Receipt (ît).
récepteur *m* (œr) Receiver.
-eption *f* (syo^n^) Reception.
recette *f* (r^e^sèt) Takings *pl.* [argent]. Recipe (rèsipî) [plat]. Receiver's office.
recevable (àbl) Admissible.
receveur, se Receiver (sî). Collector. Conductor [tram.].
recevoir (wàr) To receive [**reçois, recevons, reçoivent ; recevais ; reçus ; recevrai ; reçoive*, etc. ; *recevant ; reçu*].
rechange *m* (sha^n^j) Change ; *de* -, spare [part, wheel].
réchapper (shàpé) To escape.
recharger (r^e^shàrjé) To load again. To repair (è^e^r) [route] [**rechargeai, -geons*].
réchaud *m* (shô) Stove (o^ou^).
réchauffer (ôfé) To warm up.
rêche (rèsh) Rough (rœf).
recherche *f* (shèrsh) Research (së^r^tsh). Inquiry (ìngkwa^ie^ri) [enquête]. Affectation.
rechercher (shèrshé) To seek* after. To court (kau^r^t).
rechigner (chìñé) To jib.
rechute *f* (shüt) Relapse.
récidive *f* (dîv) Relapse.
-ver To relapse, offend again. **-viste** Old offender.
récif *m* (résîf) Reef (rîf).

récipient *m* (pya[n]) Vessel.
réciprocité *f* Reciprocity.
réciproque *a* (òk) Reciprocal. *f* Converse (kònvers).
récit *m* (sî) Narrative.
récitation *f* Reciting.
réciter (sì) To recite (a[i]t).
réclamation *f* Claim (é[i]m), complaint. **-me** *f* (àm) Advertising (a[i]zing). **-mer** To complain (é[i]n) To claim.
reclus, use (*ü*, *üz*) Recluse.
réclusion *f* (ü) Retirement. Solitary confinement.
recoin *m* (wi[n]) Nook, recess.
recoller (lé) To glue again.
récolte *f* (òlt) Crop, harvest.
récolter To reap*, harvest.
recommander (a[n]dé) To recommend. To register [poste]. **-dation** *f* Recommendation. Registration [poste].
recommencer To begin* again [*recommença, -çons*].
récompense *f* (a[n]s) Reward. **-penser** To reward (riwau[r]d).
réconciliation *f* Reconciliation. **-cilier** To reconcile.
reconduire* (o[n]du[i]r) To bring* back; to take* home; to show* to the door.
réconfort *m* (rékonfòr) Comfort. **-forter** To cheer up.
reconnaissable Recognizable.
reconnaissance *f* (ònèsa[n]s) Recognition (g-nishen) [rappel]. Gratitude (tyoud). Acknowledgement [aveu]. I O U (a[i]oouyou) [de dette]. Reconnoitring, scouting [mil.].
reconnaissant, te Thankful.
reconnaître* (kònètr) To recognize (òg-na[i]z). To be grateful for. To admit, to own. To reconnoitre, scout [*V. CONNAÎTRE].
reconquérir* (ké) To regain [*V. CONQUÉRIR].
reconstituant (tua[n]) Tonic.
reconstituer (tué) Restore. **-titution** *f* Reconstruction.
record *m* (rekor) Record (è).
recouper (kû) To cut* again.
recourber To bend* [back].
recourir To have recourse, to resort. [*V. COURIR].
recours *m* (rekûr) Recourse. Remedy [légal]. Appeal.
recouvrement *m* Collection.
recouvrer (kû) To recover [santé]. Collect [dette].
recouvrir To cover again.
récréation *f* (éàsyo[n]) Play, amusement (emyouz) Break.
récréer To amuse (emyouz).
récrier (se) To cry out.
récrimination *f* Recrimination. **-iner** To recriminate.
récrire* To re-write* (rîra[i]t). To write* again [*V. ÉCRIRE].
recrue *f* (*ü*) Recruit (ût).
recrutement *m* Recruiting.
recruter (üté) To recruit.
rectangle *m* (a[n]) Rectangle.
rectangulaire Rectangular.
recteur (tœr) Rector (ter).
rectification *f* Rectification.
rectifier To rectify (fa[i]).
rectitude *f* (*ü*d) Rectitude.
recto *m* (to) Face (fé[i]s).
rectum *m* (òm) Rectum (tem).
reçu *m* (res*ü*) Receipt (ît).
recueil *m* (kœy) Collection.
recueillement Collectedness.
recueillir (kœyîr) To collect.
recul *m* (rek*ü*l) Recoil.
reculade *f* (ülàd) Retreat.
reculer (ü) *vt* To put* back. *vi* To fall* back.
reculons (à) (o[n]) Backwards.

récupérer (kü) Recover [*père].
récurer (küré) To scour (a^{er}).
récuser (küzé) To take* exception to. **Se -** To decline.
rédacteur, trice *mf* Writer; *- en chef*, editor.
rédaction *f* Drawing up [docum.]. Composition [devoir]. Editorial staff [journal].
reddition *f* Surrender.
rédempteur (a^{n}ptœr) Redeeming. *m* Redeemer. **-emption** *f* (a^{n}ps^{y}o^{n}) Redemption.
redevable Indebted (dètid).
redevance *f* (a^{n}) Due (dyou).
redevoir* To owe a balance of [*V. DEVOIR].
rédhibitoire Redhibitory.
rédiger (ìjé) To draw* up. To edit [*rédigea, -geons].
redingote *f* (òt) Frockcoat.
redire* To repeat (ripît); *trouver à redire*, to find* fault with [*V. DIRE].
redoubler To redouble; *pas redoublé*, double-quick time.
redoutable (ûtàbl) Fearful.
redouter To fear, to dread.
redresser To straighten ($é^{1}$).
réduction *f* (ü) Reduction.
réduire* Reduce (ridyous).
réduit *m* (d^{u}î) Recess (ès).
réel, elle (éèl) Real. Actual.
refaire* Do* again. Cheat.
réfection *f* Repairs ($pè^{er}$z). Refreshment [repas].
réfectoire *m* (wà) Refectory.
référé *m* Plea of urgency.
référence *f* (a^{n}) Reference.
référer To refer [*réfère].
réfléchi, ie *a* (shî) Deliberate. Reflexive [gram.].
réfléchir (sh) To reflect [miroir]. To consider [penser].
réflecteur *m* Reflector.
reflet *m* (flè) Reflection.
refléter (été) To reflect (riflekt) [*reflète].
réflexe *a, m* (èks) Reflex.
réflexion *f* Reflection.
reflux *m* (r^{e}flü) Ebb.
refondre (o^{n}dr) Cast* again.
refonte Casting again.
réformateur, trice Reformer.
réforme (réfòrm) *f* Reform, reformation. Discharge.
réformer To reform, reverse [jug.]. To discharge [mil.].
refouler (fû) To drive* back.
réfractaire (èr) Refractory.
refrain *m* (r^{e}fri^{n}) Burden.
refréner To bridle (a^{1}).
réfrigérant, ante Cooling.
refroidir (wàdîr) To cool [objet]. To chill [pers.].
refroidissement *m* (isma^{n}) Cooling. Chill [pers.].
refuge *m* (r^{e}füj) Shelter.
réfugié, ée (üj^{y}é) Refugee.
réfugier (se) [üj^{y}é] To take* shelter [*ou* refuge].
refus *m* (r^{e}fü) Denial (a^{1}).
refuser (ü) To deny (na^{i}), refuse. Decline [invit.].
réfutation *f* (fü) Refutation.
réfuter (ü) To refute (fyou).
regagner (àñé) To regain. (rigé^{1}n). To return to.
regain *m* (gi^{n}) Aftermath.
régal *m* (régàl) Treat (ît).
régaler To treat [*de :* to].
regard *m* (r^{e}gàr) Look (louk), Hole [trou]. *En - de* opposite; *eu - à*, considering.
regarder (àrdé) To look [at.]. To consider. To concern.
régate *f* (gàt) Regatta (ri).
régence *f* (ja^{n}s) Regency.
régénérer Regenerate [*-ère].
régent *m* (ja^{n}) Regent (dj).

régenter To command (ànd).
régicide (î) Regicide (sai).
régie *f* (jî) Administration.
régime *m* (jîm) Diet (dai). Government. Rule, standard.
régiment *m* (man) Regiment.
région *f* (réjyon) Region (rîdjyen). **-gional** Local.
régir (jir) To manage (mà).
régisseur (sœr) Manager.
registre *m* (îstr) Register.
règle *f* Rule [loi]. Ruler.
règlement *m* (an) Regulation. Settlement [compte].
réglementaire (èr) Regular.
régler To regulate [ordre]. To time [moteur]. To rule [papier]. To settle, adjust [compte] [*règle].
réglisse *m* (îs) Liquorice.
règne *m* (rèñ) Reign (réin).
régner To reign; to rule (roûl). To prevail [*règne].
regret *m* (regrè) Regret (t').
regretter (èté) To regret.
régulariser (gü) To regularize. **-ité** *f* Regularity.
régulateur *m* Regulator.
régulier, ère Steady. Regular.
réhabiliter To reinstate.
rehausser (reôsé) To raise [élever]. To enhance [relief].
réimprimer (réin) Reprint.
rein *m* (rin) Kidney. Back.
reine *f* (rèn) Queen (kwîn).
reinette *f* (èt) Rennet (it).
réitérer To repeat [*-ère].
rejaillir (jàyîr) To rebound. To splash [éclabousser].
rejet *m* (rejè) Rejection [refus]. Sprout [plante].
rejeter (rejté) To throw* back. To reject [*rejette].
rejeton *m* Shoot [plante]. Offspring [famille].

rejoindre* (jwindr) To rejoin. To overtake*. **Se** - To meet*. To gather. [*V. JOINDRE].
réjouir (réjwîr) To gladden. **Se** - To rejoice (djois).
réjouissance *f* Rejoicing. **-issant** Cheering. Amusing.
relâche *m* (âsh) Relaxation. No performance [théât.]. *f* Call [mar.]. **-âché, ée** Lax. **-âchement** *m* (an) Looseness.
relâcher (âshé) To loosen. To discharge [prisonnier].
relais *m* (relè) Relay (léi).
relater (là) To relate (éi).
relatif, ive Relative (rèle).
relation *f* (àsyon) Relationship. *pl* Friends. Report [rapport].
relégation *f* Relegation.
reléguer (égé) To relegate; to transport [*relègue].
relent *m* (lan) Musty smell.
relève *f* (relèv) Relieving (lî), relieving-party. Shift.
relevé *m* Statement; abstract.
relever To raise again. To pick up [ramasser]. To set* off [rehausser]. To take* up [plan]. **Se** - To get* up.
relief *m* (lyêf) Relief (lîf).
relier To connect. To bind* [livre]. **-lieur** *m* Bookbinder.
religieux, euse *a* Religious. *m* Friar (fraier). *f* Nun (œ).
religion *f* (jyon) Religion.
reliquaire *m* (kèr) Shrine.
reliquat *m* (kà) Balance.
relique *f* (relîk) Relic (è).
reliure *f* (liür) Binding.
reluire* (luîr) To shine*, to glitter. [*V. LUIRE].
remanier (ànyé) To recast*.
remarquable (à) Remarkable.
remarque *f* (àrk) Remark (â).
remarquer To observe (zërv).

remblai *m* (blè) Embankment.
rembourrer (ranbûré) To pad.
remboursable Redeemable (î).
-sement *m* Repayment; *contre* -, cash against delivery.
rembourser To repay; redeem.
remède *m* (remèd) Remedy.
remédier (dyé) To remedy.
remerciement *m* (man) Thank.
remercier To thank (**thàngk**).
remettre* To put* back [en arrière]. To put* again [de nouveau]. To set* [membre]. To restore [santé]. To deliver [lettre]; to hand over. To put* off [différer]. To pardon. **Se** - To recover [*V. METTRE].
remise *f* (îz) Delivery [lettre]. Discount [escompte]. Remittance [envoi]. Remission [dette]. Coach-house.
remiser (mìzé) To house (z).
rémission *f* Remission (shen).
remonter To remount. To wind* up [montre]. To brace up [santé]. To restock [com.]. *vi* To rise* again. To date back [temps; *à*: from].
remontrance *f* Remonstrance.
remords *m* (remòr) Remorse.
remorque *f* (òrk) Towing. Towline. Trailer [auto].
remorquer (ké) To tow (toou).
-queur *m* Tug-boat. Tractor.
rémouleur (ûlœr) Grinder.
remous *m* Eddy, backwash.
rempailler (ranpàyé) Re-stuff. Re-bottom [siège].
rempailleur Chair-mender.
rempart *m* (àr) Rampart.
remplaçant, ante Substitute.
-acement *m* Substitution.
remplacer (ran) To take* the place of. To do* for [*remplaçai; -çons].
rempli *m* (ran) Fold, tuck.
remplir (ranplîr) To fill. To hold* [emploi]. To fulfil.
remplissage *m* Filling up.
remporter (ran) To carry back. To carry off [prix].
remuant, ante (uan) Restless.
remue-ménage *m* Bustle (œ).
remuement *m* Stir, commotion.
remuer (remué) To stir. To shake* [tête], wag [queue].
rémunération Consideration.
remunérer (ü) To remunerate, to pay* for [*rémunère].
renâcler To snort.
renaissance *f* New birth (ë); revival (ai). Renascence.
renaître* (renètr) To revive (raiv). To be born again.
renard, de *m* Fox [*f* Vixen].
renchérir To rise* in price.
rencontre *f* (ran) Meeting.
rencontrer To meet*; meet with. **Se** - To meet* (mît).
rendement *m* (randman) Output [méc.]. Yield [agr.]. Produce (dyouss).
rendez-vous *m* Appointment, date [Am.]. Resort (rizaurt).
rendormir To send* to sleep again. **Se** - To go* to sleep again [*V. DORMIR].
rendre (randr) To give* back. To bring* in. To produce. To express, to translate. To send* forth [son]. To throw* up [vomir]. - *heureux*, to make* happy. **Se** - To surrender [reddition]. To go*.
rêne *f* (rèn) Rein (réin).
renégat (gà) Renegade.
renfermer (ran) To shut* up. To contain (kentéin).
renfler (ran) To swell*.

renflouer To set* afloat.
renforcer To strengthen [*renforçai; -çons]. **-fort** *m* (ranfòr) Reinforcement.
renfrogné, ée (ñé) Gruff (œ).
rengager (jé) To re-enlist [*rengageai; -geons].
rengaine *f* (gèn) Old story.
rengainer (gèné) To sheathe.
renier (renyé) To deny (aı).
renifler (ìflé) To sniff.
renne (rèn) Rein-deer (di).
renom *m* (renon) Fame (éım).
renommé (omé) Celebrated.
renommée *f* Fame (fèım).
renoncement *m* Abnegation.
renoncer (on) To renounce.
-onciation *f* Renunciation.
renoncule *f* (kül) Crowfoot.
renouer (nwé) To tie again. To resume (yoûm) [relation].
renouveau *m* (ûvô) Spring.
renouveler (ûvlé) To renew [*renouvelle]. **-vellement** *m* Renewal (you).
rénovation *f* Renovation.
rénover (òvé) To restore.
renseignement Information.
renseigner (èñé) To inform. **Se -** To inquire (about).
rente *f* (rant) Yearly income; - *viagère*, life annuity. Funds [fonds d'état].
rentier, ère Stock-holder.
rentrée *f* (rantré) Return (ë) Re-opening. Receipt [argent].
rentrer To come* home, to return. Re-enter. Re-open. To get* in [argent]. To gather in [récolte]; take* in.
renversement *m* (vèrsman) Overthrow; upsetting.
renverser (ran) To throw* down. To upset. To spill [liquide]. To reverse [vapeur]. To amaze [surprendre]. **Se -** To fall* back, to capsize. To lean back.
renvoi *m* (ranvwà) Return (ë) [colis]. Discharge [soldat]. Dismissal [employé]. Reference. Adjournment (edjër).
renvoyer (vwàyé) To return. To discharge. To dismiss. To refer (ër). To adjourn.
repaire *m* (repèr) Haunt.
repaître (se) To feed*; eat* one's fill. [*V. PAÎTRE].
répandre To spread* [étendre]. To pour out [verser]. To shed* [larme, sang]. **Se -** To spread*. To be shed.
réparable Mendable (mèn).
reparaître (etr) To reappear [*V. PARAÎTRE].
réparateur, trice Refreshing. *mf* Repairer, mender.
réparation *f* Repair. Amends.
réparer (àré) To repair (èe), to mend. To make* up for.
repartie *f* (àrtî) Retort.
repartir To set* out again [*V. PARTIR].
répartir To divide, share. To assess (esès) [impôt].
répartition *f* Assessment [impôt]. Allotment [action].
repas *m* (repà) Meal (mîl).
repassage *m* (sàj) Grinding [couteau]. Ironing [linge].
repasser To grind*. To iron (aıern). To look over [page].
repasseur Grinder (aındeг).
-euse *f* Ironer, laundress.
repentir *m* (an) Repentance.
repentir (se) To repent (è) [*repens, repentons, etc.; repentais, etc.; repente, etc.].
répercussion *f* Repercussion.
-cuter (se) Reverberate.

repère *m* (r^e^pèr) Mark (âʳk).
repérer To locate [*-*père*].
répertoire *m* List. Stock.
répéter To repeat (ripît). To rehearse [rôle] [**répète*].
répétiteur, trice Assistant-master, *f* -mistress. Coach.
répétition *f* Repetition. Private lesson. Rehearsal (rihëʳs'l) [théât.].
repeupler (pœ) To repeople [gens]. Restock [animaux].
répit *m* (pî) Respite (it').
replacer Replace, put* back [**replaçai, -çons*].
replet, ète (plè) Stoutish.
repli *m* (plî) Fold. Retreat.
replier To fold back [again]. **Se -** To fall* back.
réplique *f* (îk) Retort.
répliquer (ké) To retort.
répondant (oⁿdaⁿ) Surety.
répondre (oⁿdr) To answer.
réponse *f* (oⁿs) Answer (sᵉʳ).
report *m* (r^e^pòr) Amount carried forward, carry over. Contango [Bourse].
reportage *m* (àj) Reporting.
reporter *m* (tèr) Reporter.
reporter To carry forward [compte]. To carry over [Bourse]. **Se -** To refer (ë).
repos *m* (r^e^pô) Rest, pause.
reposer (ôzé) To set* back again. To rest [repos]. **Se -** To rely [*sur :* on].
repoussant (aⁿ) Repulsive.
repoussé *a* Embossed.
repousser To push again. To drive* back [attaque]. *vi* To grow* again [cheveu].
repoussoir *m* Set-off, foil.
répréhensible (aⁿ) Blamable.
répréhension *f* Reproof.
reprendre* (aⁿdr) To take* again. To resume [travail]. To scold [gronder]. To retract. **Se -** To correct oneself [*V. PRENDRE].
représaille *f* (ày) Reprisal.
représentant (zaⁿtaⁿ) Agent [com.]. Representative.
-sentation *f* Agency [com.]. Representation. Remonstrance. Performance [théât.].
représenter (zaⁿté) To represent. To point out [indiquer]. To perform [théât.].
répression *f* Repression.
réprimande *f* (aⁿd) Scolding.
-imander To reprove, scold.
réprimer (ìmé) To repress.
repris. V. REPRENDRE.
reprise *f* (îz) Recapture. Revival [théât.]. Darn [bas].
repriser (ì) To darn, mend.
réprobateur Reproachful.
réprobation *f* Reprobation.
reproche *m* (òsh) Reproach.
-ocher Reproach (ᵒᵘtsh).
reproduire* (òdᵘîr) To reproduce (dyous). **Se -** To breed* [*V. PRODUIRE].
réprouver (ûvé) To condemn.
reptile *m* (îl) Reptile (aⁱl).
repu, ue (r^e^pü) Satiated.
républicain, aine (üblikiⁿ, èn) Republican (œblikᵉn).
république *f* (pü) Republic.
répudier (pü) To repudiate.
répugnance *f* (ünaⁿs) Loathing. **-gnant, te** Loathsome.
répugner (üné) To loathe.
répulsion *f* (ü) Repulsion.
réputation *f* Reputation.
réputer (ü) To esteem (îm).
requérir (kérir) To require.
requête *f* (r^e^kèt) Reque t.
requin *m* (r^e^kiⁿ) Shark (â).
requis, ise (kî) Required.

réquisition *f* Requisition. **-itionner** To commandeer. **-itoire** *m* (zitwàr) Speech for the prosecution.
rescousse *f* (ûs) Rescue.
réseau *m* (zô) Net, net-work.
réséda *m* (zédà) Mignonette.
réserve *f* (zèrv) Reserve. Reservation [article]. *Caution.* Store [provision].
réserver (zèrvé) To reserve (rizë^{r}v). To book [place].
réserviste Reservist. **-voir** *m* Reservoir, pond; tank.
résidence *f* (*a*^{n}) Residence. **-dent, te** Resident (rèz). **-der** (ìdé) To reside (*a*^{i}d).
résidu *m* (zidü) Residue.
résignation *f* Resignation.
résigner (ziñé) To resign (riza^{i}n). **Se** - To submit.
résiliation *f* Cancellation.
résilier (zìl^{y}é) To cancel.
résine *f* (zîn) Resin (rèzìn).
résistance *f* Resistance. **-istant** (*a*^{n}) Strong, tough.
résister To resist (zist).
résolu, ue (zòlü) Resolute. **-olution** *f* Resolution (*ou*).
résonner (zòné) To resound.
résorber (zòrbé) Reabsorb.
résoudre* (zûdr) To resolve [**résous, résolvons; résolvais; résolus; résolve; résolvant; résolu*].
respect *m* (pè) Respect (èkt).
respectable Respectable.
respecter (èkté) To respect. **-ectif, ive** Respective (iv). **-ectueux** (t^{u}ë) Respectful.
respiration *f* Breathing (î).
respirer To breathe (îzh).
resplendir To be resplendent.
responsabilité *f* Responsibility. **-onsable** (o^{n}sàbl) Responsible for, liable.
ressac *m* (r^{e}sàk) Surf (ë).
ressaisir (sèzîr) To catch* again. **Se** - Recover oneself.
ressemblance *f* Likeness (*a*^{i}).
ressembler To ressemble.
ressemeler (s^{e}mlé) To re-sole [**ressemelle*].
ressentiment *m* Resentment.
ressentir (r^{e}sa^{n}) To feel* [émotion]. To resent [tort] [*V. SENTIR].
resserrer To tighten.
resservir To serve again, to be used again [*V. SERVIR].
ressort *m* (r^{e}sòr) Spring, energy. Jurisdiction, scope.
ressortir To stick out, to project. Be amenable.
ressortissant Amenable (î).
ressource *f* (ûrs) Resource.
ressusciter (résüsìté) To resuscitate, to revive (va^{i}v).
restant *m* (t*a*^{n}) Remainder. *a* Remaining. *Poste restante,* to be held* till called for.
restaurant *m* (restòr*a*^{n}) Restaurant. **-rateur** Eating-house keeper. **-ration** *f* Restoration (é^{i}) **-rer** To restore. **Se** - To take* refreshment.
reste *m* (rèst) Remainder. *pl* Remnants. Remains [dépouille]. *De* -, to spare.
rester To remain (é^{i}n); *il me reste...,* I have... left.
restituer (t^{u}é) Give* back. **-tution** *f* (ü) Restitution.
restreindre* To restrain [**restreins, -treignons; -treignais; -treignis; -treigne,* etc.; *-treignant; -treint*].
restriction *f* Restriction; - *mentale,* reservation.
résultat *m* (zültà) Result.

résulter To result (œlt).
résumé *m* (zümé) Summary.
résumer To sum up (sœmœp).
résurrection *f* Resurrection.
retable *m* (tàbl) Reredos.
rétablir To re-establish. To restore. **Se -** To recover.
rétablissement *m* (isma^n) Re-establishment; recovery.
rétamer (àmé) To re-tin. To re-silver. **-ameur** Tinker.
retard *m* (àr) Delay (dilé^i); *en -*, late (lé^it), backward.
retardataire (tèr) Lagger.
retarder (àr) To delay. To put* back. *vi* To be slow.
retenir* To hold* back, to retain. To carry [calcul]. To clutch. To book [place]. **Se -** To forbear*. To keep* [*V. TENIR].
retentir (a^n) To resound.
retentissant, ante (sa^nt) Loud (la^oud), resounding.
retenue *f* (t^enü) Reserve.
réticule *m* (kül) Hand-bag.
rétif, ive Restive (iv).
rétine *f* (tîn) Retina (rè).
retiré *a* Secluded. Retired.
retirer (tìré) To pull back. To draw*. To derive [gain]. To take* off [habit]. To redeem [gage]. **Se -** To withdraw*. To retire [retraite]. To shrink* [tissu].
retomber To fall* back.
rétorquer (òrké) To retort.
retors (retòr) Twisted [fil]. Crafty [rusé].
retouche *f* (ûsh) Touching up. **-oucher** To touch up.
retour *m* (r^etûr) Return (ritë^rn) Turning. Change.
retourner (ûrné) To turn back. To return (të^rn). To turn up [carte]. **Se -** To turn round.
retracer (àsé) To trace again. To relate [*retraça, -çons].
rétractation *f* Recantation.
rétracter (té) To retract. **Se -** To recant (rikànt).
retrait *m* (trè) Withdrawal.
retraite *f* (èt) Retreat (ît). Retirement [repos]. Retiring pension [rente].
retraité, ée *mf* Pensioner.
retranchement Retrenchment.
retrancher (a^nshé) To cut* off. To retrench [mil.]. To subtract [soustraire]. **Se -** To entrench oneself.
rétréci, ie (ésî) Shrunk.
rétrécir To make* narrower. **Se -** To shrink*; to narrow.
retremper (a^n) To soak again. **Se -** To strengthen oneself.
rétribuer (^ué) To remunerate. **-bution** *f* (üsy^o^n) Salary.
rétrograde Retrograde. **-spectif, ve** Retrospective.
retrousser (ûsé) To turn up.
retrouver (ûvé) To find again. To recover [figuré].
rets *mpl* (rè) Net, toils.
réunion *f* (réüny^o^n) Meeting. Party, function.
réunir (réünîr) To bring* together. **Se -** To meet*.
réussi *a* (réüsî) Successful.
réussir (üsîr) To succeed. To carry out [accomplir].
réussite *f* (sît) Success.
revanche *f* (a^nsh) Revenge.
rêve *m* (rèv) Dream (îm).
revêche (èsh) Harsh. Cross.
réveil *m* (vèy) Waking (wé^i). Alarm-clock [horloge].
réveiller (èyé) To wake* up. **Se -** To awake*, to wake up.
réveillon *m* (èy^o^n) Midnight-

supper (Xmas or New-Year].
révélation *f* Disclosure (j).
révéler To disclose, to reveal. Develop [phot.] [*-èle].
revenant *m* (revnan) Ghost.
revendeur Retailer, hawker.
revendication *f* Claim (éim).
-diquer (ké) To claim.
revendre (andr) To resell*.
revenir* (revnîr) To come* again. To come back. To recur [événement]. To cost* [prix]. To accrue [profit]. - *à soi*, recover [*V. VENIR].
revenu *m* (revnü) Income.
rêver (vé) To dream* (îm).
réverbère *m* Street-lamp.
réverbérer To reverberate.
reverdir Grow* green again.
révérence *f* (an) Reverence.
-érend, de Reverend (end).
révérer To revere [*révère].
rêverie *f* (vrî) Dreaming.
revers *m* (revèr) Back [dos]. Reverse [médaille]. Lapel [habit]. Top [botte]. Backstroke [tennis]. Misfortune.
reverser To refund [argent]. To pour out again [liquide].
revêtement *m* (man) Facing.
revêtir* To clothe* again. To put* on [*V. VÊTIR].
rêveur, euse *a* (rèvœr, ëz) Dreaming. *mf* Dreamer.
revient *m* (revyin) Cost.
revirement *m* Sudden turn.
reviser (ìzé) To revise (aiz).
revision *f* Revision (ijen).
revivre* To live again [*V. VIVRE].
révocation *f* Revocation.
revoir* (revwàr) To see* again. *Au revoir*, good-bye [*V. VOIR].
révolte *f* (òlt) Revolt (ri).
révolter To revolt (oouIt).
Se - To rebel (ribèl).
révolu, ue (òlü) Completed.
révolution *f* (ü) Revolution.
-utionnaire *a* (syònèr) Revolutionary. *m* Revolutionist.
-utionner To revolutionize.
revolver *m* (vèr) Revolver.
révoquer (oké) To cancel; to dismiss.
revue *f* (revü) Review (vyou).
révulsif, ive (ü) Revulsive.
rez-de-chaussée *m* (rédshôsé) Ground-floor. First floor.
rhétorique *f* (tò) Rhetoric.
Rhin *m* (rin) Rhine (rain).
rhinocéros *m* Rhinoceros.
rhubarbe *f* (rü) Rhubarb.
rhum *m* (ròm) Rum (rœm).
rhumatisant (rü) Rheumatic.
-isme *m* Rheumatism (rou).
-ismal Rheumatic.
rhume *m* (rüm) Cold (oou).
ricaner To sneer (ie).
riche (rîsh) Rich (ritsh).
richesse *f* (shès) Wealth.
ricin *m* (sin) Castor-oil.
ricocher (shé) To rebound. To ricochet [tir]. **-chets** *mpl* (shè) Ducks and drakes.
rictus *m* (riktüs) Grin (ìn).
ride *f* (rîd) Wrinkle, line.
rideau *m* (dô) Curtain (ër).
rider To wrinkle, to line.
ridicule *a* (kül) Ridiculous (ikyoules). *m* Ridicule (youl).
ridiculiser To ridicule.
rien *m* (ryin) Nothing (œth).
rigide (jîd) Rigid (dj), stiff.
-dité *f* Rigidity (ridj).
rigole *f* Channel, gutter.
rigoureux (gûrë) Severe (ie).
rigueur *f* (œr) Rigour (ger).
rime *f* (rîm) Rhyme (raim).
rimer To rhyme, versify.

rince-doigts *m* Finger-bowl.
rincer (ri^{n}sé) To rinse (rìns) [*rinça, -çons*].
ripaille *f* (ây) Feasting.
riposte *f* (ripòst) Retort. **-ter** To retort (ritau^{e}t).
rire* (rîr) To laugh (lâf). *m* Laughter (lâft^{er}). [**ris, rions,* etc.; *riais,* etc.; *ris; rirai; rie; riant; ri*].
ris *m* (rî) Reef [voile]. - *de veau,* sweetbread.
risée *f* Laugh, derision.
risible (îbl) Laughable (âf).
risque *m* (sk) Risk, hazard.
risquer (ké) To risk, venture.
rissoler To brown (a^{ou}).
ristourne *f* (tûrn) Refund.
rite *m* (rît) Rite (ra^{i}t).
rituel (t^{u}èl) *a, m* Ritual.
rivage *m* (àj) Shore (au^{e}).
rival, ale *a, mf* (rivàl) Rival (ra^{i}v^{el}). **-aliser** To vie (va^{i}). **-alité** *f* Rival (ra^{i}).
rive *f* (rîv) Bank (bàngk).
river (vé) To rivet (vit').
riverain, aine *a* (rivri^{n}, èn) Riparian (è^{e}ry^{en}). *mf* Riverside resident.
rivet *m* (vè) Rivet (vit').
rivière *f* (v^{y}èr) River (*i*).
rixe *f* (îks) Brawl (braul).
riz *m* (rî) Rice (ra^{i}s).
rizière *f* (^{y}èr) Rice-field.
robe *f* (rob) Gown (ga^{ou}n), dress. Coat [poil].
robinet *m* (nè) Cock, faucet.
robuste (üst) Robust (œst).
roc *m* (ròk) Rock.
rocaille *f* (kà^{y}) Rock-work.
rocailleux Stony. Rugged.
roche *f* (sh), **rocher** *m* (shé) Rock. - *à pic,* steep rock.
rocheux, euse (shë) Rocky.
rococo *m* (ôkô) Rococo (o^{ou}).
rodage *m* (dàj) Running in.
roder To run* in (rœn).
rôder To prowl (a^{ou}l).
rôdeur, se Prowler, loafer.
rogatoire (twàr) Rogatory.
rogne *f* (ròñ) Mange [gale]. Scab [plante]. Ill-humour.
rogner To pare. Cut* down.
rognon *m* (ño^{n}) Kidney.
rognure *f* Clipping, paring.
rogue Gruff (œ), offensive.
roi (rwà) King (king).
roitelet *m* Wren (rèn)
rôle *m* (rôl) Roll (o^{ou}) [liste]. Part (pâ^{r}t) [théât.].
romain, aine (ròmi^{n}, èn) Roman (ro^{ou}m^{en}). **-aine** *f* Cos lettuce. Steelyard [balance].
roman *m* (ròma^{n}) Novel.
roman, ane (a^{n}) Romanesque [art]. Romance [langue].
romance *f* (a^{n}s) Song, ballad.
romancier, ière (a^{n}s^{y}é) *m* Novelist; *f* Lady-novelist.
romanesque (èsk) Romantic.
romanichel (sh) Gipsy (dj).
romantique (tîk) Romantic.
romantisme *m* Romanticism.
romarin *m* (àri^{n}) Rosemary.
rompre* (ro^{n}pr) To break*. To break* off [**rompt*].
rompu (pü) Broken; tired.
ronce *f* (ro^{n}s) Bramble (à).
rond, e (o^{n}) Round (a^{ou}nd).
ronde *f* Round. Semi-breve [mus.]. *À la -,* around.
rondelet, ette Stoutish [pers.]. Handsome [somme].
rondelle *f* Ring, washer.
rondement (dma^{n}) Briskly.
rondeur *f* Roundness.
rondin *m* (i^{n}) Billet, log.
rond-point *m* Roundabout.
ronfler (ro^{n}flé) To snore. To roar [feu], hum [méc.].

ronger (ro^n^jé) To gnaw (nau). Pick [os] [*rongea, -geons].
rongeur, se Gnawing; consuming [souci]. *mf* Rodent.
ronron *m* Purring.
ronronner Purr (pë^r^).
roquet *m* (ròkè) Cur (kë^r^).
rosace *f* (às) Rose (ro^ou^z).
rosaire *m* (zèr) Rosary.
rosbif *m* Roast beef (bîf).
rose *f* (rôz) Rose (ro^ou^z).
roseau *m* (ròzô) Reed (rîd).
rosée *f* (rôzé) Dew (dyou).
roseraie *f* Rose garden.
rosier *m* (z^y^é) Rose-bush.
rosière *f* (^y^èr) Rose-queen.
rosse *f* Jade (djé^i^d), crock.
rossée *f* Hiding, licking.
rosser (ròsé) To thrash (à).
rossignol *m* (ìñòl) Nightingale (gé^i^l). Picklock [clé]. Unsaleable article.
rot *m* (rò) Belch (bèltsh).
rôt *m* (rô) Roast (ro^ou^st).
rotation *f* (tàs) Rotation.
roter (ròté) To belch.
rôti *m* (rô) Roast (ro^ou^st).
rôtie *f* Round of toast.
rotin *m* (i^n^) Rattan (àn).
rôtir To roast; to broil.
rotonde *f* (o^n^d) Rotunda.
rotondité *f* (o^n^) Rotundity.
rotule *f* (ü) Knee-cap (nî).
roturier (tü) Plebeian.
rouage *m* (wàj) Wheel-work.
roublard (àr) Crafty, foxy.
-blardise *f* (dîz) Cunning.
roucouler (rûkûlé) To coo.
roue *f* (rû) Wheel (wîl).
roué, ée (rwé) Crafty. *m* Rake.
rouer (rwé) To beat, to thrash.
rouerie *f* (rûrî) Cunning.
rouge (rûj) Red. Rouge [fard]; - *à lèvres,* lipstick.
rouge-gorge *m* (gòrj) Robin.
rougeole *f* (jòl) Measles (î).
rougeur *f* Redness. Blush.
rougir (rûjîr) To blush.
rouille *f* (rû^y^) Rust (œ).
rouiller (rû^y^é) To rust.
rouir (rwîr) To soak (so^ou^k).
rouleau *m* (lô) Roll, roller.
roulement *m* Rotation. Roll [mus.]. Rumbling [tonnerre]. *Fonds de -,* working capital.
rouler (rûlé) To roll (o^ou^).
roulette *f* (rûlèt) Caster. Small wheel. Roulette [jeu].
roulier *m* (l^y^é) Carrier.
roulis *m* (rûlî) Rolling.
roulotte *f* (òt) Caravan (à).
roumain, ne Rumanian (é^i^).
Roumanie *f* (mànî) Rumania.
roupie *f* (rûpî) Rupee (î).
rousse. V. ROUX.
rousseur *f* (rûsœr) Redness; *tache de -,* freckle.
roussir To redden. To brown.
route *f* (rût) Road (ro^ou^d); way [chemin]. Route (rût) [itinéraire]. *Feuille de -,* way-bill, route [mil.].
routier, ière *a Carte routière,* road-map. *Un vieux -,* an old stager.
routine *f* Routine (rûtîn).
routinier, ière Routine; groovy. *mf* Routinist.
rouvre *m* (û) Russian oak.
rouvrir* (rû) To reopen [*V. OUVRIR].
roux, ousse *a* Russet, red. Red-headed. Brown sauce.
royal, ale (rwà^y^àl) Royal (ro^i^^e^l). **-iste** Royalist.
royaume *m* (rwà^y^ôm) Kingdom. **-auté** *f* Royalty.
ruade *f* (r^u^àd) Kick.
ruban *m* (rüba^n^) Ribbon.
rubéfier (rü) To rubefy.

rubéole *f* German measles.
rubicond, de Rubicond (*rou*).
rubis *m* (rübî) Ruby (*rou*).
rubrique *f* (rübrîk) Ruddle (rœdel) [terre]. Heading.
ruche *f* (rüsh) Hive (**haiv**), bee-hive. Ruche, frill [tulle].
rude (rüd) Rough (rœf) [rugueux]. Harsh [voix]. Stern [dur]. Rude (rôud) [impoli].
rudesse *f* (rüdès) Roughness; harshness; rudeness.
rudiment *m* (rü) Rudiment. **-mentaire** Rudimentary.
rudoyer (rüdwayé) To treat roughly [**rudoie*].
rue *f* (rü) Street (ît). Rue (roû) [plante].
ruée *f* (rüé) Rush (rœsh).
ruelle *f* (rüèl) Lane (léin).
ruer (rüé) To kick, to lash out. **Se -** To rush.
rugir (rüjîr) To roar (*au*).
rugissement *m* (isman) Roar.
rugosité *f* (rü) Ruggedness.
rugueux, euse (rügë) Rough (rœf), rugged (rœgid).
ruine *f* (ruîn) Ruin (rouin).
ruiner (ruiné) To ruin.
ruineux, euse Ruinous (*rou*).
ruisseau *m* (ruisô) Brook, streamlet. Gutter [de rue].
ruisseler (ruislé) Stream [**ruisselle*].
rumeur *f* (rümœr) Confused noise. Uproar [tumulte]. Rumour (roumer) [voix].
ruminant (rüminan) Ruminant (rouminent').
ruminer (rü) To ruminate, to chew the cud.
ruolz Electroplated metal.
rupture *f* (rüptür) Break (éik), breaking; parting.
rural e (rüràl) Rural (*ou*).
ruse *f* (ü) Trick. Cunning.
rusé, ée Cunning (kœ), sly.
ruser (rüsé) To dodge.
russe (üs) Russian (œsh).
Russie *f* (rüsî) Russia (she).
rusticité *f* (ü) Rusticity (rœsti); boorishness.
rustique (rüstîk) Rustic.
rustre (rüstr) Boor (bouer).
rut *m* (rüt) Rut (rœt).
rutilant Glowing, glittering.
rythme *m* (rîtm) Rhythm (rizhem.) **-mer** Give* rhythm to.

S

s (ès) S (ès).
s'. V. SE.
sa (sà) His, her, its.
sabbat *m* (sàbà) Sabbath (eth). Shindy, row [bruit].
sable *m* (sàbl) Sand (sànd).
sabler To sand. Drink* off.
sablier *m* (sàblié) Sand-box. Hour-glass.
sablon *m* (blon) Fine sand.
sablonneux, se (ë) Sandy.
sablonnière *f* Sandpit.
sabord *m* (sàbor) Port-hole.
saborder To scuttle.
sabot *m* (sàbò) Wooden shoe. Hoof [animal]. Skid [frein].
sabotage *m* (tàj) Sabotage. **-ter** To bungle [work]; sabotage. **-tier** Clog-maker.
sabre *m* (sàbr) Sabre (séiber), sword (swauerd).
sabrer To sabre, to slash.

sac *m* Bag [cuir]; sack [toile]; wallet [besace]; Knapsack [de dos]. Sacking.
saccade *f* (kàd) Jerk (dj).
saccager (sakàjé) To sack [*saccagea, -geons].
saccharine *f* Saccharine.
sacerdoce *m* (dòs) Priesthood.
-dotal Sacerdotal, priestly.
sachet *m* (sàshè) Small bag.
sacoche *f* Bag, satchel.
sacre *m* (àkr) Consecration.
sacré, ée Sacred (séikrid).
sacrement *m* (an) Sacrament.
sacrer (sàkré) To consecrate [évêque]. To anoint [roi]. To swear* [jurer].
sacrificateur Sacrificer.
sacrifice *m* (îs) Sacrifice. (ais). **-fier** To sacrifice.
sacrilège *a* (lèj) Sacrilegious (lîdjes). *m* Sacrilege (idj) [crime]. *mf* Sacrilegist.
sacripant *m* (an) Scoundrel.
sacristain *m* (tin) Sexton.
sacristie *f* (istî) Vestry.
sacrum *m* (sàkròm) Sacrum.
safran *m* (an) Saffron (en).
sagace (às) Sagacious (éi).
sagacité *f* Sagacity (à).
sagaie *f* (gè) Assagai.
sage (àj) Wise (aiz). Good.
sage-femme (fàm) Midwife.
sagesse *f* (jès) Wisdom (wizdem). Goodness, virtue.
sagittaire *m* (sàji) Archer.
sagou *m* (sàgû) Sago (séi).
saignant (sèñan) Bleeding. Underdone (œ) [viande].
saignée *f* (ñé) Bleeding.
saignement *m* (an) Bleeding.
saigner (sèñé) To bleed*.
saillant *a* (sàyan). V. SAILLIR. *m* Salient (sàlyent).
saillie *f* (sàyî) Sally [sortie]. Projection. Covering.
saillir* To gush out [eau]. To jut out [archit.]. To cover [animal] [*saillit, saillissait; saillit; saillira; saillissant; sailli].
sain, aine (in, èn) Healthy (hèlthi). Sane [esprit].
saindoux *m* (dû) Lard (lârd).
sainfoin *m* (fwin) Sainfoin.
saint, te (sin, int) Holy (hoou). *mf* Saint (séint).
sainteté *f* (teté) Holiness.
sais, sait. V. SAVOIR*.
saisi, ie (sèzî) Seized (sîzd).
saisie *f* Seizure (sîjer). Distraint (éint) [droit].
saisir (sèzîr) To seize (sîz), to catch* hold of. To understand* [idée]. To avail oneself of [occasion]. **Se -** To take* possession of.
saisissable Distrainable. **-issant** *a* Striking, thrilling. **-issement** *m* (zisman) Chill [froid]. Shock [émotion].
saison *f* (sèzon) Season (îz).
salade *f* (sàlàd) Salad (sà).
saladier *m* (yé) Salad-bowl.
salaire *m* (èr) Pay, wages.
salaison *f* (èzon) Salting (saulting). Salt meat.
salamalec *m* (lèk) Salaam.
salamandre *f* Salamander.
salant *Marais-* -, salt-marsh.
salarié, ée *a* Wage-earning; paid. *mf* Wage-earner.
sale Dirty (ë). Coarse [grossier]. Foul (faoul).
salé, ée Salted (au). Biting [mordant]. Broad [risqué].
saler To salt (sault), pickle.
saleté *f* (sàlté) Dirt (ë).
salière *f* Salt-cellar.
salin, ine Salt, briny. **-ine** *f*

Salt-marsh. Salt-works.
salir To dirty. **Se -** To get* dirty. **-issure** *f* Stain (éⁱn).
salive *f* (îv) Saliva (ivᵉ).
salle *f* (sàl) Room. Ward [hôpital]. House [théât.].
salon *m* (oⁿ) Drawing-room. Living-room, parlour. - *de l'Automobile*, Motor-Show.
salopette *f* (pèt) Overall.
salpêtre *m* (sàl) Saltpetre.
salsifis *m* (fî) Salsify.
saltimbanque Showman.
salubre (übr) Wholesome.
salubrité *f* (ü) Salubrity.
saluer (sàlᵘé) To greet (ît); to bow to. To salute [mil.].
salut *m* (lü) Safety (séⁱ) [sûreté]. Salvation [ciel]. Greeting [accueil]. Bow [de la tête]. Salute (oût) [mil.].
salutaire (ütèr) Salutary.
salutiste Salvationist.
salve *f* (sàlv) Salvo (oᵒᵘ).
samaritain, aine Samaritan.
samedi *m* (sàmdî) Saturday.
sanatorium *m* Sanatorium.
sanctifier (aⁿ) Sanctify.
sanction *f* (aⁿ) Sanction.
sanctuaire *m* (saⁿktᵘèr) Sanctuary (sàngktyoueri).
sandale *f* (àl) Sandal.
sang *m* (saⁿ) Blood (blœd).
sang-froid *m* Composure.
sanglant Bleeding. Bitter.
sangle *f* (saⁿgl) Strap.
sangler To strap, to girth.
sanglier *m* Wild boar (bauᵉʳ).
sanglot *m* (saⁿglô) Sob.
sangloter (òté) To sob.
sangsue *f* (saⁿsü) Leech.
sanguin, ine (giⁿ) Of blood. **-naire** (nèr) Bloodthirsty. **-nolent** Blood-stained.
sanitaire (ìtèr) Sanitary.
sans (saⁿ) Without (wizh).
sansonnet *m* (ònè) Starling.
santal *m* (saⁿ) Sandalwood.
santé *f* (saⁿté) Health (hèlth); *à ta santé*, here's to you.
saoul, saouler. V. SOÛL.
sape *f* (sàp) Sap. **-per** To sap. **-peur** *m* Sapper (sapᵉʳ).
saphir *m* (fîr) Sapphire.
sapin *m* (sàpiⁿ) Fir (fëʳ).
sarabande *f* (aⁿd) Saraband.
sarbacane *f* Pea-shooter.
sarcasme *m* (àsm) Sarcasm.
sarcastique (ik) Sarcastic.
sarcelle *f* (èl) Teal (tîl).
sarcler (sàr) To weed (î).
sarcloir *m* (wà) Hoe (hoᵒᵘ).
sarcophage *m* Sarcophagus.
sardine *f* Sardine (în).
sardonique (ik) Sardonic.
sarment *m* (maⁿ) Vine-shoot.
sarrasin, ine (ziⁿ, în) Saracen. Buckwheat [blé].
sarrau *m* (sàrô) Smock.
Satan *m* (sàtaⁿ) Satan (séⁱ).
satané Cursed. **-tanique** (ànik) Satanic, fiendly.
satellite *m* (ît) Satellite.
satiété *f* (sʸété) Satiety.
satin *m* (tiⁿ) Satin (tìn).
satiner (ìné) To satin.
satinette *f* Sateen (în).
satire *f* (îr) Satire (aⁱᵉʳ).
satirique (îk) Satirical.
satiriser (ri) To satirize.
satisfaction *f* Satisfaction. **-faire*** Satisfy [*V. FAIRE]. **-faisant** (zaⁿ) Satisfactory. **-fait, aite** (fè) Satisfied.
saturer (türé) To saturate.
satyre *m* (tîr) Satyr (tᵉʳ).
sauce *f* (sôs) Sauce (saus).
saucière *f* (ʸèr) Sauceboat.
saucisse *f* (sîs). **-isson** *m*

(sison) Sausage (sausidj).
sauf *prép.* (sòf) Save (séiv).
- *-conduit*, safe-conduct.
sauf, sauve Safe, uninjured.
sauge *f* (sôj) Sage (séidj).
saugrenu (ü) Preposterous.
saule *m* (sôl) Willow (loou).
saumâtre (âtr) Briny (ai).
saumon *m* (sômon) Salmon (samen). Pig [fronte].
saumure *f* (ür) Brine (ai).
saunier *m* (nyé) Salt-maker.
saupoudrer (ûdré) *To* powder.
saurien *m* (ryin) Saurian.
saut *m* (sô) Jump, leap; *-périlleux*, somersault.
saute *f* (sôt) Shift, turn.
saute-mouton *m* Leapfrog.
sauter (sôté) To jump (dj). To jump over [franchir].
sauterelle *f* Grasshopper.
sautiller (tiyé) To hop.
sautoir *m* (wàr) Watchguard. *En -*, crosswise.
sauvage (àj) Wild (waild). Shy (ai) [timide]. *mf* Savage (idj). Bear [ours].
sauvagerie *f* (àjrî) Savagery. Shyness [peur].
sauvegarde *f* (à) Safeguard. (ârd). **-der** To safeguard.
sauve-qui-peut *m* Panic.
sauver (sô) To save (séiv).
Se - To escape, run away.
sauvetage *m* (tàj) Rescue (rèskyou). Salvage [mar.]. *Canot de -*, life-boat.
sauveur *m* (œ) Saviour (éi).
savamment *ad* Learnedly.
savane *f* (vàn) Savanna.
savant, te (sàvan, t) Learned (lërnid). *mf* Scholar (skoler). Scientist (saie).
savate *f* (àt) Worn-out shoe.
savetier (sàvtyé) Cobbler.
saveur *f* (sàvœr) Taste.
Savoie *f* (wà) Savoy (se).
savoir* *v* (sàvwàr) To know* (noou). *m* Knowledge [**sais*, *savons*, etc.; *savais*, etc.; *sus*, etc.; *saurai*, etc.; *sache*; *susse*, etc.; *sachant*; *su*].
savoir-faire *m* Tact.
savoir-vivre *m* Good manners.
savon *m* (on) Soap (sooup).
savonner To soap, to wash.
savonnerie *f* (ònrî) Soap-works [usine]. Soap-trade.
-onnette Soap-ball. Hunter [montre]. **-onneux** Soapy.
savourer (ûré) To relish.
savoureux, euse Tasty (téi).
saynète *f* (sè) Short play.
scalpel *m* (pèl) Scalpel.
scandale *m* (andàl) Scandal (skàn). **-aleux, euse** Scandalous. **-aliser** To scandalize.
Se - To be shocked.
scander (skandé) To scan.
scaphandre *m* (andr) Diving-suit. **-andrier** *m* Diver (ai).
scapulaire *m* (èr) Scapular.
scarabée *m* (bé) Beetle (î).
scarifier (fyé) To scarify.
scarlatine *f* Scarlet fever.
sceau *m* (sô) Seal (sîl).
scélérat, te *a* (sélérà, àt). Villainous. *mf* Scoundrel.
scellé *m* (sèlé) Seal. **-ller** To seal (î). Bed [mortier].
scénario *m* (ryô) Scenario.
scène *f* (sèn) Scene (sîn). Scenery [décor]. Stage [plateau]. **-nique** Scenic (sîn).
scepticisme *m* (sèp) Scepticism (skè). **-tique** (sèptîk) Sceptic (skèptik).
sceptre *m* (sèptr) Sceptre.
schéma *m* (shémà) Diagram.
schisme *m* (shîsm) Schism

(sizem). **-atique** (àtîk) Schismatic (sizmàtik).
schiste *m* (shîst) Schist.
sciatique (syà) Sciatica.
scie *f* (sî) Saw (**sau**).
sciemment (syà) Wittingly.
science *f* (syans) Science (saiens). **-tifique** Scientific.
scier (syé) To saw* (**sau**).
scierie *f* (sîrì) Saw-mill.
scieur (syœr) Sawyer (**au**).
scinder (sindé) To divide.
scintiller (yé) To twinkle.
scion *m* (syon) Shoot (out).
scission *f* (sisyon) Split.
sciure *f* (syür) Sawdust.
scolaire (èr) School-...
scolarité *f* Attendance to lectures and courses.
sconse *m* (ons) Skunk.
scorbut *m* (üt) Scurvy (ër).
scorie *f* (rî) Slag, dross.
scorpion *m* (pyon) Scorpion.
scribe *m* (îb) Scribe (aib).
scrupule *m* (ül) Scruple (*ou*). **-puleux** (pülë) Scrupulous.
scrutateur *a* Searching. *m* Scrutinizer. **-uter** (üté) To search into (sërtsh).
scrutin *m* (ütin) Ballot.
sculpter (ülté) To carve.
sculpteur (ültœr) Sculptor (skœlpter). **-ture** *f* (tür) Sculpture (skœlptsher).
se (se) Himself, herself, itself, themselves, oneself.
séance *f* (séans) Sitting.
séant *a* (an) Decent (dî). *m* *Sur son -*, sitting up.
seau *m* (sô) Pail, bucket. Scuttle [charbon]. *Seau à toilette*, slop-pail.
sec, sèche (èsh) Dry (ai).
sécateur *m* Pruning-scissors.
sécher To dry [**sèche*].
sécheresse *f* (ès)· Dryness. Drought (aout) [période].
séchoir *m* (shwàr) Dryer.
second, onde *a* (segon, ond) Second (sèkend). *m* Second floor [étage]. First officer [mar.]. *f* Second.
secondaire (èr) Secondary.
seconder To second, support.
secouer (sekwé) To shake*.
secourable (ûràbl) Helpful.
secourir* To help, assist [*V. COURIR].
secours *m* (ûr) Help, relief.
secousse *f* (û) Jerk, shake.
secret *m* (sekrè) Secret (sîkrit). **-et, ète** *a* Secret. **-étaire** Secretary (sèkr).
sécréter To secrete (ît). **-étion** *f* (syon) Secretion.
sectaire *a* Sectarian. *mf* Sectary **-tateur, trice** Votary.
secte *f* (sèkt) Sect.
secteur *m* Sector. District.
section *f* (syon) Section.
séculaire (ülèr) Secular. **-lariser** To secularize. **-lier. lière** Secular (sèkyouler).
sécurité *f* (ürìté) Safety.
sédatif, ive Sedative.
sédentaire (tèr) Sedentary.
sédiment *m* (ìman) Sediment.
séditieux, euse Seditious.
sédition *f* (syon) Sedition.
séducteur, trice *a* (düktœr) Bewitching. *mf* Seducer.
séduction *f* Seduction (œ).
séduire* (duîr) To seduce [**séduis*, etc.; *séduisais; séduisis; séduirai; séduise; séduisant; séduit*].
séduisant, te (zan) Winning.
segment *m* (an) Segment.
seiche *f* (sèsh) Cuttle-fish.
seigle *m* (sègl) Rye (rai).

seigneur (sèñœr) Lord (lau^{r}d).
seigneurie *f* Lordship.
sein *m* (si^{n}) Breast (èst). Bosom [poitrine] Womb [ventre]. *Au sein de,* amid.
seing *m* (si^{n}) Signature.
seize (sèz) Sixteen (tîn).
-zième (z^{y}èm) Sixteenth.
séjour *m* Stay. Dwelling.
séjourner (jûrné) To stay.
sel *m* (sèl) Salt (**sault**).
selle *f* (sèl) Saddle [cheval]. Stool [méd.].
seller (sèlé) To saddle.
sellette *f* (lèt) Stool. *Mettre* sur la -,* cross-examine.
sellier (sèl^{y}é) Saddler.
selon (s^{e}lo^{n}) According to (**au**) ; *- que,* according as.
semailles *fpl* (â^{y}) Sowing.
semaine *f* (s^{e}mèn) Week (îk).
sémaphore *m* Signal-station.
semblable *a* (sa^{n}blàbl) Like. Similar (*à*, to). *m* Fellow-man.
semblant *m* *Faire -,* to pretend.
sembler (blé) To seem (sîm).
semelle *f* (s^{e}mèl) Sole (o^{ou}).
semence *f* (ma^{n}s) Seed (sîd).
semer (s^{e}mé) To sow* (so^{ou}) [**sème*].
semestre *m* (èstr) Half-year.
-estriel Half-yearly.
semeur, euse (œr) Sower.
semi *ad* (s^{e}mî) Half (**hâf**).
sémillant (y*a*^{n}) Sprightly.
séminaire *m* Seminary (sè).
semis *m* (semî) Seed-bed.
semonce *f* (o^{n}s) Rebuke.
semoule *f* (mûl) Semolina.
sénat *m* (nà) Senate (nit).
sénateur (tœr) Senator (sè).
sénile (îl) Senile (sina^{i}l).
sénilité *f* Senility.
sens *m* (sa^{n}s) Sense (sèns). Meaning (mî). Direction.
sensation *f* Sensation (sé^{i}sh).
-ationnel (sa^{n}) Sensational.
sensé (sa^{n}sé) Sensible.
sensibiliser To sensitize.
-bilité *f* Sensibility.
sensible (sa^{n}sibl) Perceptible. Sensitive, feeling.
sensualité *f* Sensuality.
sensuel (sa^{n}s^{u}èl) Sensual.
sentence *f* (*a*^{n}s) Sentence.
senteur *f* (sa^{n}tœr) Smell.
sentier *m* (t^{y}é) Foot-path.
sentiment *m* (*a*^{n}) Sentiment (sèntim^{e}nt). **-ental** (tàl) Sentimental. **-entalité** Sentimentality *f*.
sentinelle *f* (èl) Sentry *m*.
sentir* (sa^{n}) To feel* (î) [sensation]. Smell* [odeur] [**sens, sentons,* etc.; *sentais,* etc.; *sente,* etc.].
séparation *f* Separation.
séparer (àré) To separate. **Se -** To part [*de :* with].
sept (sèt) Seven (sèv^{e}n).
septembre *m* (*a*^{n}) September.
septième (sèt^{y}èm) Seventh.
sépulcre *m* (ülkr) Sepulchre (sèp^{e}lk^{e}r). **-ture** *f* Sepulture, burial (bèr^{y}el).
séquestration Sequestration.
séquestre *m* (kèstr) Sequestration. Sequestrator.
séquestrer (kèstré) To sequester (kwès), to confine.
sera, serez. V. ÊTRE.
sérail *m* (rà^{y}) Seraglio.
séraphin *m* (àfi^{n}) Seraph.
serein, eine (i^{n}, èn) Serene.
sérénade *f* (àd) Serenade.
sérénité *f* (ité) Serenity.
serf, erve (sèrf, èrv) Serf.
serge *f* (sèrj) Serge (sërdj).
sergent (sèrja^{n}) Sergeant.
série *f* (rî) Series (si^{e}riz).

En -, standardized.
sérieux, euse (sér^{y}ë, ëz) Serous (si^{e}r^{y}e^{s}). *m* Gravity.
serin *m* (s^{e}ri^{n}) Canary.
seringue *f* (i^{n}g) Syringe.
serment (a^{n}) Oath (o^{ou}**th**).
sermon *m* (sèrmo^{n}) Sermon (ë).
serpe *f* (sèrp) Bill-hook.
serpent *m* (a^{n}) Snake (é^{i}k).
serpenter (a^{n}té) To wind*.
serpentin *m* (ti^{n}) Worm, coil. Streamer [papier].
serpillière *f* Packing-cloth.
serpolet *m* (òlè) Wild thyme.
serre *f* (sèr) Talon [griffe]. Hot-house [chaude].
serrement *m* (ma^{n}) Squeeze (skwîz) [main]. Pang [cœur].
serrer (sèré) To tighten (ta^{i}t^{e}n), to squeeze. To close [rang]. To gather in. [récolte]. **Se** - To crowd.
serrure *f* (sèrür) Lock.
serrurier (ür^{y}é) Locksmith.
sertir To set*, mount.
sérum *m* (òm) Serum (si^{e}).
servage *m* (vàj) Bondage (ò).
servant *m* (sèrva^{n}) Gunner.
servante *f* Maid-servant
serviable (v^{y}àbl) Obliging.
service *m* (sèrvîs) Service (së^{r}vis). Course [plat].
serviette *f* (v^{y}èt) Napkin [table]. Towel (ta^{oue}l) [toilette]. Brief-case [cuir].
servile (vîl) Servile (a^{i}l).
servilité *f* (té) Servility.
servir* (sèrvîr) To serve (së^{r}v), to wait on [table]. To help [plat]. To supply [fournir]. **Se** - To help oneself [*de:* to]. To use (youz). [**sers, sert, servons,* etc.; *servais; servis; serve; servant; servi*].
serviteur (sèr) Servant (ë).
servitude *f* (ü) Bondage.
ses (sè) His, her, its.
session *f* (s^{y}o^{n}) Session.
seuil *m* (sœ^{y}) Threshold.
seul, eule *a* (sœl) Alone.
seulement (sœlma^{n}) Only.
sève *f* (sèv) Sap.
sévère (èr) Severe (sivi^{e}r).
sévérité *f* (ìté) Severity.
sévices (îs) *mpl* Brutality.
sévir To chastise. To rage.
sevrer (s^{e}) To wean (wîn).
sexe *m* (sèks) Sex (sèks).
sextant *m* (ta^{n}) Sextant.
sextuple (üpl) Sixfold.
sexuel (sèks^{u}èl) Sexual.
seyant, te (^{y}a^{n}) Becoming.
si *m* (sî) B (bî) [mus.]. *ad* So [tellement]. *conj.* If [au cas où]. *Si... ou non,* whether... or not.
sibylle *f* (bîl) Sibyl (si).
sidérurgie *f* Iron works.
siècle *m* (s^{y}èkl) Century [100 ans]. Age [époque].
siège *m* (s^{y}èj) Seat (sît) [chaise]. Siege (sîdj) [blocus]. Head-office [central].
sien, ienne His, hers, its.
sieste *f* (s^{y}èst) Nap. siesta.
sieur (s^{y}œr). V. MONSIEUR.
sifflement *m* Hi s. whistle.
siffler (siflé) To hiss [serpent]. To whistle (wis^{e}l) [oiseau]. To whizz [balle].
sifflet *m* (sìflè) Whistle (**h**wis^{e}l).
signal *m* (ñàl) Signal (g-n).
-alement *m* Description.
signaler (ñà) To point out.
signature *f* (ñàtür) Signature (sig-n^{e}tsh^{e}r), hand.
signe *m* (sîñ) Sign (sa^{i}n), signal. Nod [tête].

signer (ñé) To sign (saⁱn). **Se -** To cross oneself.
significatif Significant.
signifier (ñifyé) To signify. To mean*. Serve [droit].
silence *m* (silaⁿs) Silence (saⁱlens). Rest [mus.].
silencieux, euse (syë) Silent (saⁱ). *m* Silencer [auto].
silex *m* (silèks) Flint (ì).
silhouette *f* (lwèt) Figure.
silice *f* (îs) Silica (ikᵉ).
sillage *m* (yàj) Wake (éⁱk).
sillon *m* (yoⁿ) Furrow (ë).
silo *m* (silô) Silo (saⁱ).
simagrée *f* (gré) Grimace.
simiesque (myèsk) Simian.
similaire (èr) Similar.
similitude *f* (ü) Similitude.
simoun *m* (ûn) Simoon (oûn).
simple (siⁿpl) Simple (sìm) Plain [sans apprêt]. Simple-minded [naïf]. *fpl* Simples [herbes].
simplicité *f* Simplicity.
simplifier (fyé) Simplify.
simulacre *m* (ülàkr) Semblance. **-lateur** Simulator. **-lation** *f* Simulation. **-ler** (ülé) To simulate (éⁱt).
simultané Simultaneous.
sinapisme *m* Mustard plaster.
sincère (siⁿsèr) Sincere (iᵉr).
sincérité *f* (iⁿ) Sincerity.
sinécure *f* (kür) Sinecure.
singe *m* (siⁿj) Monkey (œ), ape (éⁱp). Boss [patron].
singer To ape [**singeai-geons*]. **-gerie** *f* Grimace, antic. Mimicry.
singularité *f* Singularity. **-ulier, ière** (gü) Singular.
sinistre *a* (ìstr) Sinister, ominous. *m* Disaster, fire.
sinon (sinoⁿ) Else (èls).
sinueux, euse (uë) Winding.
sinuosité *f* Winding.
sinus *m* (inüs) Sinus (aⁱ).
siphon *m* (sì) Siphon (aⁱ).
sire (sîr) Lord. Sire [roi].
sirène *f* (sirèn) Siren (aⁱ). Hooter, fog-horn [signal].
sirop *m* (rò) Syrup (sireᵖ).
sirupeux (üpé) Syrupy (rᵉ).
sis, sise (sî, sîz) Situated.
sismique Seismic (saⁱz).
site *m* (ît) Site; landscape.
sitôt que (sitô) As soon as.
situation *f* (uà) Job, position.
situer To situate (tyouéⁱt).
six (sîs) Six (siks).
sixième (zyèm) Sixth (**th**).
ski *m* (skî) Ski (shî).
slave (à) Slavonic. Slav.
smoking *m* Dinner-jacket. Tuxedo (tœksidoᵒᵘ) [Am.].
snobisme Snobbishness.
sobre (sòbr) Sober (soᵒᵘ).
sobriété *f* Sobriety.
sobriquet *m* (kè) Nickname.
soc *m* Ploughshare (shèᵉ).
sociable (syàbl) Sociable.
social, ale (sosyàl) Social (soᵒᵘshᵉl); *raison -*, style.
socialisme *m* (syà) Socialism. **-aliste** Socialist (soᵒᵘshᵉlist).
société *f* (sosyété) Society (saⁱti). Company [actions]. Partnership [nom collectif].
sociologie *f* (j) Sociology.
socle *m* (ò) Pedestal, stand.
soda *m* (sòdà) Soda (soᵒᵘdᵉ).
sœur (sœr) Sister (sistᵉʳ).
sofa *m* (sòfà) Sofa (soᵒᵘfᵉ).
soi (swà). V. SE.
soi-disant (zaⁿ) Would-be.
soie *f* (swà) Silk. Hair [porc].
soif *f* (swàf) Thirst; *avoir -*, to be thirsty.
soigner (swàñé) To attend

to. To nurse [malade]. **Se -** To take* care of oneself.
soin *m* (swiⁿ) Care (kèᵉr).
soir *m* (swàr) Evening (îvning). **-rée** *f* Evening-party. Evening performance; *tenue de -*, evening dress.
soit. V. ÊTRE. *Soit... soit...* either... or; *soit que... ou que*, whether... or
soixantaine *f* (swàsaⁿ) Three score. **-ante** (saⁿt) Sixty. **-antième** (tyèm) Sixtieth.
sol *m* (sòl) G (djî) [mus.]. Ground (aᵒund) [terre].
solaire (solèr) Solar.
soldat (soldà) Soldier (oᵒu).
soldatesque *f* Soldiery.
solde *f* (sòld) Pay (péⁱ). *m* Balance (bàlᵉns). Clearance sale. Bargain [occasion].
solder To pay*. To settle, balance. To sell* off.
sole *f* (sòl) Sole (soᵒul).
solécisme *m* (ism) Solecism.
soleil *m* (sòlèy) Sun. Sunshine.
solennel, elle (là) Solemn. **-ennité** *f* Ceremony.
solfège *m* (fèj) Solfeggio.
solfier (fyé) To sol-fa.
solidaire (dèr) Joint. **-dairement** Jointly and severally. **-dariser (se)** To join together. To make* common cause. **-darité** *f* Solidarity.
solide (îd) Strong. **-difier** To solidify. **-dité** *f* Solidity.
soliste (îst) Soloist (oᵒu).
solitaire (èr) Solitary (o). *m* Hermit. Solitaire [diam.].
solitude *f* (tüd) Solitude.
solive *f* (lîv) Joist (dj).
solliciter To solicit. **-citude** *f* (üd) Solicitude.
solo *m* (solô) Solo (soᵒu).
solstice *m* (tîs) Solstice.
solubilité *f* (lü) Solubility. **-uble** (übl) Soluble (youbᵉl). **-ution** *f* (üsyoⁿ) Solution
solvabilité *f* Solvency.
solvable (àbl) Solvent.
sombre (soⁿbr) Dark (dârk).
sombrer To founder [mar.].
sommaire *m* (èr) Summary.
sommation *f* Summons (sœ).
somme *f* (sòm) Sum (sœm). Burden (bëʳ) [fardeau].
sommeil *m* (èy) Sleep (îp); *avoir* -*, to be* sleepy.
sommeiller (èyé) To doze.
sommelier (yé) Butler (œ).
sommer (sòmé) To summon.
sommes. V. ÊTRE.
sommet *m* (sòmè) Top; acme.
sommier *m* (yé) Pack-horse. Spring-mattress. Plate.
sommité *f* Top. Leader.
somnambule Sleep-walker.
somnifère *m* Sleeping-draught.
somnolence *f* (aⁿs) Drowsiness. **-olent** Drowsy (aᵒu).
somptueux (ptᵘë) Gorgeous.
son (soⁿ) [*f* sa, *pl* ses] His, her, its, one's.
son *m* (soⁿ) Sound (saᵒund) [bruit]. Bran (àn) [blé].
sonate *f* (àt) Sonata (âtᵉ).
sondage *m* (dàj) Sounding.
sonde *f* (soⁿd) Sounding-line [mar.]. Probe (oᵒub) [méd.]. Bore (bauᵉ) [mine]
sonder To sound (aᵒu) [mar.]. To probe [méd.]. To bore.
songe *m* (soⁿj) Dream (îm).
songer To dream. To muse [**songea, -geons*].
songeur, euse (soⁿjœr, ëz) *a* Pensive. *mf* Dreamer.
sonner To sound (aᵒu). To ring* [cloche]; ring* for.

sonnerie *f* Bell. Ringing.
sonnette *f* (sonèt) Bell.
sonore (òr) Sounding, loud.
sont. V. ÊTRE*.
sophisme *m* (fîsm) Sophism.
sorbet *m* (bè) Sherbet (ër).
sorbier *m* Service-tree.
sorcellerie *f* Witchcraft.
sorcier, ère (syé, èr) *m* Wizard, *f* Witch.
sordide (îd) Sordid (saue).
sorgho *m* Sorghum (gem).
sornette *f* (èt) Nonsense.
sort *m* (sòr) Fate. Spell.
sorte *f* (sòrt) Kind (ai); *de sorte que*, so that.
sortie *f* (tî) Way out [issue]. Sally [siège]. Holiday [congé]. Outing [promenade].
sortilège *m* (j) Witchcraft.
sortir* To go* out, to come* out. *vt* To bring* out [**sors, sortons*, etc.; *sortais; sorte*].
sosie *m* (zî) Double (dœbel).
sot, sotte *a* (sò, sòt) Silly, foolish. *mf* Fool (foûl).
sottise *f* (îz) Foolishness.
sou *m* (sû) Penny.
soubassement *m* Basement.
soubresaut *m* (bresô) Start.
soubrette *f* (èt) Abigail.
souche *f* (sûsh) Stump [arbre]. Origin. Counterfoil [talon].
souci *m* (sûsî) Care; *sans* -, care-free. Marigold [fleur].
soucier (sûsyé) To worry. **Se** - To care, to be concerned.
soucieux, se (syë) Worried.
soucoupe *f* (ûp) Saucer (au).
soudain (sûdin) Suddenly (sœ). **-ain, aine** *a* Sudden. **-aineté** *f* Suddenness.
soude *f* (sûd) Soda (soou)
souder (sûdé) To solder.
soudoyer (wàyé) Bribe (ai).
soudure *f* (dür) Soldering.
souffle *m* (sûfl) Breath (è).
souffler To breathe (îzh) [respirer]. To blow* [vent]. To blow* out [éteindre]. To whisper [chuchoter]. To prompt [rôle, leçon].
soufflet *m* (è) Bellows *pl.* Box on the ear. Affront.
souffleter To slap the face of [**soufflette*].
souffleur Prompter [théât.].
souffrance f Suffering.
souffrir To suffer (sœ) [**souffre*, etc.; *souffrais; souffre; souffrant; souffert*].
soufre *m* (sûfr) Sulphur (œ).
soufrer (fré) To sulphur.
souhait *m* (swè) Wish. **-table** Desirable. **-ter** To wish.
souiller (sûyé) To soil.
souillon *f* (sûyon) Slut (œ).
souillure *f* (sûyür) Stain.
soûl *m* (sû) Fill. **soûl, le** *a* Surfeited [repu]. Drunk.
soulagement *m* (àjman) Relief (rilîf). **-ager** To relieve [**soulageai, -geons*].
soûler To make* drunk, intoxicate. **Se** - To get* drunk.
soulèvement *m* (an) Rising.
soulever (sûlvé) To lift. To raise. To rouse [exciter]. **Se** - To raise oneself. To revolt (rivooult) [**soulève*].
soulier *m* (sûlyé) Shoe (ou).
souligner (ñ) To underline.
soumettre* (ètr) To submit [*V. METTRE].
soumis, ise (mî) Submissive. **-mission** *f* (syon) Submission (sœbmishen). Tender. **-missionner** To tender for.
soupape *f* (sûpàp) Valve.

soupçon *m* (pso^n^) Suspicion. **-çonner** (sò) To suspect. **-çonneux** Suspicious (sh).
soupe *f* (sûp) Soup (soup).
soupente *f* (sûpa^n^t) Loft.
souper *m* (sûpé) Supper (sœp^er^). *v* To sup (sœp).
soupeser (p^e^zé) To weigh.
soupière *f* Soup-tureen.
soupir *m* (sûpîr) Sigh (a^i^). **-irail** *m* Air-hole. **-irant** Suitor (syou). **-irer** To sigh.
souple (sûpl) Supple (sœp^e^l).
souplesse *f* (ès) Suppleness.
source *f* (sûrs) Spring.
sourcier (yé) Dowser (a^ou^).
sourcil *m* (sî) Eyebrow (a^ou^). **-ciller** (yé) To frown.
sourd, rde (sûr, d) Deaf (è).
sourdine *f* (în) Mute (yout).
sourd-muet Deaf and dumb.
souricière *f* Mousetrap.
sourire *m* Smile (sma^i^l). *v* To smile [*V. RIRE].
souris *f* (rî) Mouse (ma^ou^s).
sournois (wà) Sly. Sneaking.
sous *prep* (sû) Under (œn).
souscripteur (œr) Subscriber. **-iption** *f* Subscription. **-ire** (sûs) Subscribe [*V. ÉCRIRE].
sous-entendre To understand; imply. **-entendu** *m* Hint.
sous-lieutenant (lyë) Second lieutenant (lèftèn^e^nt).
sous-main *m* Writing-pad.
sous-marin *m* (i^n^) Submarine.
sous-officier Non-commissioned officer; N.C.O. (ènsio^ou^).
sous-produit *m* By-product.
sous-secrétaire (étèr) Under-secretary (sèkrit^e^ri).
soussigné, ée Undersigned.
sous-sol *m* (sûsòl) Basement.
soustraction *f* Subtraction. **-traire** (trèr) To subtract (sœb). **Se -** To escape (é^i^p). [*V. TRAIRE].
soutache *f* (tàsh) Braid.
soutane *f* (tàn) Cassock.
soute *f* (sût) Store-room. [provisions]. Bunker [charbon]. Magazine [poudre].
soutènement *m* (a^n^) Support.
soutenir* (sût^e^nîr) To support. Maintain [idée]. Sustain [effort] [*V. TENIR].
souterrain, aine *a* (tèri^n^, èn) Underground. *m* Tunnel.
soutien *m* (sût^y^i^n^) Support.
soutien-gorge *m* Brassiere.
soutier (t^y^é) Bunker-hand.
soutirer (ìré) To draw* off.
souvenir *m* (sûv) Memory.
souvenir* (se) To remember [*V. VENIR].
souvent (a^n^) Often (of^e^n).
souverain, aine (ri^n^, rèn) *a, mf* Sovereign (sovrìn). **-aineté** *f* Sovereignty.
soyeux, euse (swày^ë^) Silky.
spacieux, euse (spàs^y^ë) Wide (a^i^), spacious (é^i^sh^e^s).
sparterie *f* Esparto goods.
spasme *m* (àsm) Spasm.
spath *m* (spàt) Spar (spâ^r^).
spatule *f* (spatül) Spatula.
spécial, ale (s^y^àl) Special (èsh^e^l). **-aliser** (ìzé) To specialize (spèsh^e^la^i^z).
spécialiste (spés^y^a) Specialist. **-alité** *f* Speciality.
spécieux, se (^y^ë) Specious.
spécifier (^y^e) To specify.
spécifique (îk) Specific.
spécimen *m* (mèn) Specimen.
spectacle *m* (à) Spectacle.
spectateur, trice Spectator.
spectre *m* (ektr) Spectre (t^e^r).
spéculateur, trice Speculator. **-atif** (ü) Speculative. **-ation**

(èkülàsʸoⁿ) *f* Speculation.
spéculer (kü) To speculate.
sphère *f* (èr) Sphere (iᵉʳ).
sphérique Spheric.
sphinx *m* (iⁿks) Sphinx (ì).
spiral, ale *a* (ìràl) Spiral.
spire *f* (spîr) Spire (aⁱᵉʳ).
spirite (ît) Spiritualist. **-itisme** *m* Spiritualism. **-ituel** (tᵘèl) Witty. Spiritual [immatériel]. **-itueux** (tᵘë) Spirituous. *pl* Spirits.
spleen *m* (în) Low spirits.
splendeur *f* (aⁿdœr) Splendour. **-dide** (î) Splendid.
spolier (lʸé) To despoil.
spongieux, se (ʸë) Spongy.
spontané (àné) Spontaneous.
sport *m* (òr) Sport (auʳt).
sportif, ive Sporting.
square *m* (àr) Square (èᵉʳ).
squelette *m* (skᵉlèt) Skeleton.
stabiliser (ìzé) To stabilize.
stabilité *f* Stability.
stable (àbl) Stable (éⁱb'l).
stade *m* (àd) Stadium (éⁱ).
stage *m* (àj) Term of probation. **-agiaire** Probationer.
stagnant (g-n) Stagnant (àg).
stalactite *f* Stalactite (aⁱ).
stalle *f* (àl) Stall (staul).
stance *f* (aⁿs) Stanza (àn).
standardiste *m* ou *f* Operator.
station *f* (àsʸoⁿ) Station (éⁱshᵉn). **-onnaire** (ònèr). Stationary. **-onnement** *m* (aⁿ) Stationing, stopping.
stationner To stop, stand*.
statistique *a* (tîk) Statistical (istikᵉl). *f* Statistics.
statuaire *f* (ᵘèr) Statuary. *mf* Sculptor (œ). Sculptress.
statue *f* (tü) Statue (tyou).
statuer (ᵘé) To decree (î).
stature *f* (ü) Stature (ᵉʳ).
statut *m* (ü) Statute (yout).
sténo *f* (sténô) Shorthand (-hànd); *-dactylographe*, shorthand typist (taⁱpist).
sténographe *mf* (àf) Stenographer (ᵉfᵉʳ). **-aphie** *f* (fî) Shorthand (shauᵉʳt hànd).
stérile (îl) Sterile (aⁱl).
-ilité *f* (ìté) Sterility.
sternum *m* (òm) Sternum.
stigmate *m* (àt) Stigma (mᵉ).
-atiser (zé) To brand (à).
stimuler (ü) To stimulate.
stipuler (ülé) To stipulate.
stock *m* Stock. **-ker** To stock.
stoïcisme *m* (ism) Stoicism.
stoïque (îk) Stoic (oᵒᵘ).
stoppage *m* Invisible mending.
stopper To stop. To fine-darn.
-ppeur, euse Darner.
store *m* (òr) Blind (aⁱnd).
strabisme *m* Squinting.
strapontin *m* (iⁿ) Flap-seat.
strass *m* Strass, paste.
stratagème *m* (j) Stratagem.
stratège (èj) General (djè).
-tégie *f* (ji) Generalship.
strict, stricte Strict.
strident, ente (aⁿ) Shrill.
strié, ée Streaked (îkt).
strophe *f* (stròf) Strophe.
structure *f* (ür) Structure.
stuc m (ük) Stucco (œkoᵒᵘ).
studieux, euse (stüdʸë, ëz). Studious (styoudʸᵉs).
stupéfaction *f* Stupefaction.
stupéfait, aite (è) Aghast.
stupéfier (üpéfʸé) To dumbfound (aᵒᵘnd), to amaze.
stupeur *f* (üpœr) Amazement.
-pide (pîd) Stupid, foolish.
-pidité *f* (té) Stupidity.
style *m* (stîl) Style (aⁱl).
styler To train, to school.
stylet *m* (ìlè) Stiletto.

stylo, stylographe *m* (*àf*) Fountain-pen (fa^ount^enpèn).
su (sü). V. SAVOIR*.
suaire *m* (s^uèr) Shroud.
suave (s^uàv) Sweet (swît).
suavité *f* (s^uà) Sweetness.
subalterne (èrn) Subaltern.
subir* (sübîr) To undergo*.
subit, ite (sübî) Sudden (œ).
subjectif, ive Subjective.
-jonctif *m* Subjunctive.
subjuguer (*gé*) To subjugate.
sublime (im) Sublime (a^im).
-imé *m* (sü) Sublimate (sœ).
-imité *f* (té) Sublimity.
submerger (*jé*) To submerge.
-mersible Submersible.
-mersion *f* Submersion (ë).
subordonner To subordinate.
suborner (orné) To suborn.
subside *m* (sübsîd) Subsidy.
subsistance *f* Subsistence.
-sister (zis) To subsist.
substance *f* (sübsta^ns) Substance (sœbst^ens). **-antiel** (s^yèl) Substantial (ànsh^el).
substantif *m* Noun (na^oun).
substituer (t^ué) To substitute (sœ). **-itut** *m* (itü) Substitute (tyout). **-itution** *f* (üs^yo^n) Substitution.
subterfuge *m* (èrfüj) Shift.
subtil, ile (sübtîl) Subtle (sœt^el). **-iliser** To quibble. To spirit away [voler].
subtilité *f* Subtlety.
subvenir* (sübv^e) To provide [*V. VENIR].
subvention *f* (a^n) Subsidy.
-ventionner To subsidize.
subversif, ive Subversive.
suc *m* (sük) Juice (djous).
succédané *m* (ü) Substitute.
succéder Succeed [**succède*].
succès *m* (sè) Success (ès).
-esseur (èsœr) Successor.
-essif, ive Successive. **-ession** *f* Succession (èsh^en).
succinct, incte (i^n) Brief.
succion *f* (süks^yo^n) Suction.
succomber (o^n) To succumb.
succulent Juicy, delicious.
succursale *f* (ürsàl) Branch.
sucer (süsé) To suck (sœk). [**suçai, -çons*].
sucre *m* (sükr) Sugar (shou).
sucrer To sweeten (swî).
sucrerie *f* (kr^erî). Sugar-works [usine]. Sweetmeat.
sucrier *m* (ié) Sugar-basin.
sud *m* (süd) South (sa^outh).
sudation *f* (sü) Perspiration.
Suède *f* (s^uèd) Sweden (î).
suédois, se (wà) Swedish (swî). *mf* Swede (swîd).
suer (s^ué) To perspire (a^i).
sueur *f* (s^uœr) Perspiration.
suffire* (süfîr) Suffice [**suffis, suffit, suffisons*, etc.; *suffisais*, etc.; *suffis*, etc.; *suffise*, etc.; *suffisant; suffi*].
suffisamment (zà) Enough.
-sance *f* (za^ns) Sufficiency. Self-conceit. **-sant, ante** Sufficient. Conceited (sî).
suffixe *m* (süfiks) Suffix.
suffocation *f* Suffocation.
-oquer (süfòké) To stifle.
suffrage *m* (àj) Suffrage (œ).
suggérer (sügjéré) To suggest (s^edjèst). **-estif, ive** Suggestive. **-estion** *f* (t^yo^n) Suggestion (s^edjèstsh^en).
suicide *m* (s^uisîd) Suicide (syouisa^id). **-cider (se)** To commit suicide.
suie *f* (s^uî) Soot (sout).
suif *m* (s^uif) Tallow.
suint *m* (s^ui^n) Grease (îs).
suinter To ooze. To leak.

Suisse *f* (sᵘîs) Switzerland. *mf* Swiss. Beadle (î) [église].
suite *f* (sᵘît) Following, rest. Result. Order. Retinue [escorte]. *A la -*, after; *par - de*, owing to.
suivant *prep* Agreeably to. **-ant, te** (sᵘivaⁿ) Next. *m* Follower. *f* Waiting-maid.
suivre* (sᵘîvr) To follow (foloᵒᵘ). To escort. To watch over [surveiller]. *Faire* -*, to forward. [**suis, suivons; suivais; suivis*, etc.; *suive; suivant; suivi*].
sujet, ette *a* (süjè, èt) Subject (sœbjikt), liable (laᴵᵉbᵉl). *mf* Subject.
sulfate *m* (sül) Sulphate. **-fure** *m* (ü) Sulphide (aᴵd).
sulfureux (ë) Sulphureous. **-rique** Sulphuric (*you*).
sultan, ane *mf* (sültaⁿ, àn) Sultan (sœl), sultana.
sûmes. V. SAVOIR*.
superbe *a* (süpèrb) Superb (syoupëʳb). *f* Pride (aᴵd).
supercherie *f* Deceit (î).
superficie *f* Area (èᵉriᵉ). **-iciel, elle** (syèl) Superficial (fishᵉl), shallow.
superflu, ue (flü) Superfluous. **-uité** *f* Superfluity.
supérieur, eure (ryœr) Superior (pieryᵉr). **-riorité** *f* Superiority.
superposer (sü) Superpose.
superstitieux, euse (isyë) Superstitious (shᵉs). **-ition** *f* Superstition.
supplanter (aⁿté) Supplant.
suppléant (éaⁿ) Deputy.
suppléer (sü) To take* the place of. To supply (aᴵ).
supplément *m* (aⁿ) Supplement. **-entaire** (tèr) Supplementary; *heures -s*, overtime.
suppliant, ante *a* (sü) Beseeching. *mf* Supplicant.
supplication *f* Entreaty (î).
supplice *m* (süplîs) Torture. **-icier** (isyé) To execute. To torture (tauᵉʳtshᵉʳ).
supplier (ié) To entreat.
supplique *f* (îk) Petition.
support *m* (süpòr) Support (sᵉpauᵉʳt). Prop [tuteur]. **-ortable** (àbl) Bearable. **-orter** (orté) To support. To bear* (bèᵉʳ) [tolérer].
supposer (süpozé) To suppose (sᵉpoᵒᵘz). **-osition** *f* (syoⁿ) Supposition (sœpᵉzishᵉn). **-ositoire** *m* Suppository.
suppôt *m* (süpô) Instrument.
suppression *f* (ès) Suppression (sh). **-rimer** To suppress (sᵉ).
suppurer (ü) To suppurate.
supputer (ü) To calculate.
suprématie *f* (sî) Supremacy. **-rême** Supreme (syouprîm).
sur *prep* (sür) On (òn) [contact]. Above (ᵉbœv) [au-dessus]. Over [par-dessus]; *un sur dix*, one out of ten.
sur, sure (ü) Sour (saᵒᵘᵉʳ).
sûr, sûre (ü) Sure. Safe [sans danger]. Reliable [de confiance]; *bien -*, of course.
surabondance *f* Superabundance. **-dant, te** Superabundant. **-der** To superabound.
suralimentation *f* Feeding up. **-menter** To feed* up.
suranné, ée (rà) Antiquated.
surcharge *m* (àrj) Overloading. Overcharge. **-arger** To overload [*-gea, -geons*].
surchauffer (ôfé) Overheat.
surcroît *m* (krwà) Addition.

surdité *f* (sür) Deafness.
sureau *m* (sürô) Elder (d^{er}).
surenchère *f* (süra^{n}shèr) Higher bid. **-chérir** To overbid*. To outbid*.
surestarie *f* Demurrage.
sûreté *f* Safety (é^{i}).
surexcitation *f* Excitement. **-citer** To excite.
surface *f* (sürfàs) Surface.
surfaire* (èr) To overcharge. To exaggerate [*V. FAIRE].
surgir (sürjîr) Spring* up.
surhumain Superhuman.
surintendant (a^{n}da^{n}) Overseer, superintendent, steward.
surjet *m* (sürjè) Whipping.
surjeter (j^{e}) To overcast*.
surlendemain *m* Second day after.
surmenage *m* (nàj) Overwork.
surmonter To overcome.
surnager (nàjé) To float.
surnaturel Supernatural.
surnom *m* (sürno^{n}) Nickname.
surnombre *m* Excess, surplus.
surnommer To call (kaul).
surpasser (àsé) To outdo*.
surplis *m* (plî) Surplice (ë).
surplomber (o^{n}bé) Overhang*.
surplus *m* (ü) Surplus.
surprenant (a^{n}) Surprising. **-prendre*** Surprise (a^{i}z). [*V. PRENDRE]. **-prise** *f* (îz) Surprise (s^{er}).
surproduction *f* (üksyo^{n}) Overproduction (œksh^{e}n).
sursaut *m* (sürsô) Start. **-sauter** (sôté) To start.
surseoir (sürswàr) To delay, postpone.
sursis *m* (sî) Deferment, reprieve [*V. ASSEOIR].
surtaxe *f* (taks) Supertax.
surtout *m* (sürtû) Overcoat. Epergne (ë^{r}n) [table]. *ad* Mostly. Above all; chiefly.
surveillance *f* Supervision. **-ant, te** Overseer (i^{er}).
surveiller (sürvèyé) To watch over; to supervise.
survenir* Occur (ë^{r}) [fait]. Arrive [pers.]. [*V. VENIR].
survie *f* (sürvî), **survivance** *f* Survival (a^{i}v^{e}l). **-vivant, te** *a* Surviving. *mf* Survivor.
survivre* (îvr) To survive (va^{i}v); - *à*, outlive (iv). [*V. VIVRE].
survoler (sür) To fly* over.
susceptibilité *f* Susceptibility. **-tible** Touchy. Likely.
susciter (sü) To arouse.
suscription *f* Address.
surtaxe *f* (tàks) Supertax.
susdit, ite Above-mentioned.
suspect, ecte (süspè, èkt) Suspicious (sh); suspected.
suspecter (té) To suspect.
suspendre* (süspa^{n}dr) To hang* [*V. PENDRE]. **-pens** *m* (pa^{n}) Suspense (èns). **-pension** *f* Hanging. Suspension. Springing [auto].
suspicion *f* Suspicion.
sustenter (a^{n}) To sustain.
susurrer (süré) To whisper.
suture *f* (sütür) Seam (îm).
suzerain, ne (süzri^{n}) Suzerain. **-aineté** *f* Suzerainty.
svelte (èlt) Slim, slender.
sybarite *m* (ît) Sybarite.
sycomore *m* (òr) Sycamore.
syllabaire *m* (èr) Spelling-book. **syllabe** *f* (àb) Syllable.
syllogisme *m* Syllogism.
symbole *m* (si^{n}bòl) Symbol (sìmb^{e}l). **-olique** Symbolic.
symétrie *f* Symmetry. **-étrique** (îk) Symmetrical.

sympathie *f* (tî) Sympathy (sìmpethi). **-thique** Nice, genial, friendly. **-thiser** (tìzé) To sympathise (aiz).
symphonie *f* (sinfònî) Symphony (sìmfeni).
symptôme *m* (sinptòm) Symptom (simtem).
synagogue *f* (òg) Synagogue.
syncope *f* (sinkòp) Syncope (singkepi), fainting fit.
syndic (sin) Trustee (œ).
syndicalisme *m* Trade-unionism. **-iste** Trade-unionist.
syndicat *m* (kà) Syndicate (it); *-ouvrier*, trade-union.
synonyme *m* (nîm) Synonym. *a* Synonymous (onimes).
synoptique (îk) Synoptical.
syntaxe *f* (sintàks) Syntax.
synthèse *f* (èz) Synthesis.
synthétique Synthetical.
Syrie *f* (sîrî) Syria (sie).
système *m* (èm) System.

T

t (té) T (tî).
t'. V. TE.
ta (tà) Your (yauer).
tabac *m* (bà) Tobacco.
tabatière *f* (yèr) Snuff-box.
tabernacle *m* (à) Tabernacle.
table *f* (tàbl) Table (téibel). Board [nourriture].
tableau *m* (tàblô) Picture. *- noir*, blackboard; *- de bord*, dash-board; *- d'avancement*, list of promotion.
tabler (tablé) To reckon.
tablette *f* (èt) Shelf [rayon]. Tablet (tà) [marbre, méd.].
tablier *m* (tàblié) Apron (éipren). Platform [pont].
tabou *m* (bû) Taboo (tebou).
tabouret *m* (ûrè) Stool (ou).
tache *f* (tàsh) Stain, blot.
tâche *f* (âsh) Task (â), job.
tacher (shé) To stain (éi).
tâcher (tâshé) To try (ai).
tacheter (tàshté) To spot.
tacite (sît) Tacit (tàsit). **-iturne** (ü) Taciturn (ërn).
tacot *m* (tàkò) Old crock.
tact *m* (tàkt) Tact (tàkt).
tacticien (syin) Tactician.
tactique *a* (taktîk) Tactical. *f* Tactics (tàktiks).
tænia *m* (ténya) Tapeworm.
taffetas *m* (tàftà) Taffeta; *- d'Angleterre*, court-plaster.
tafia *m* (tàfyà) Tafia.
taie *f* (tè) Pillow-case. Film [œil], white speck.
taillader (yàdé) To slash.
taille *f* (tày) Cutting [coupe]. Height (hait) [hauteur]. Size (saiz) [dimension]. Waist [ceinture]. *- douce*, copperplate engraving.
tailler (tàyé) To cut* (œ). Carve [pierre]. Prune [arbre]. Sharpen [mine].
taillerie *f* (tày) Cutting.
tailleur (tàyœr) Tailor (téiler); *- de pierre*, cutter.
taillis *m* (tàyî) Copse.
tain *m* (tin) Silvering.
taire* (tèr) Conceal (sîl). **Se -** To keep* silent (ai). [**tais, tait, taisons*, etc.; *taisais; tus; taise; taisant; tu*].
talc *m* (tàlk) Talc (tàlk).

talent *m* (*a*ⁿ) Talent (ᵉnt).
taler To bruise (ouz).
talion *m* (*yo*ⁿ) Retaliation.
talisman *m* (sm*a*ⁿ) Talisman.
taloche *f* (òsh) Hawk [de maçon]. Cuff (œ) [coup].
talon *m* (tàloⁿ) Heel (**hîl**). Counterfoil [chèque].
talonner To follow closely.
talus *m* (lü) Bank. Slope.
tamarinier *m* Tamarind-tree.
tamaris *m* (àrîs) Tamarisk.
tambour *m* (taⁿbûr) Drum (œ). Drummer [joueur]. Tambour.
tambourin *m* (ûriⁿ) Timbrel.
-ouriner To drum (œ).
tambour-major Drum-major.
tamis *m* (tàmî) Sieve (siv).
Tamise *f* (îz) Thames (tèmz).
tamiser To sift, screen.
tampon *m* (taⁿpoⁿ) Stopper, plug [bouchon]. Buffer [rail]. Pad [ouate].
tamponnement *m* Collision.
tamponner (òné) To plug [boucher]. To dab [humecter]. To collide with (kᵉlaⁱd).
tan *m* (taⁿ) Tan (tàn).
tanche *f* (aⁿ) Tench (èn).
tandis que (taⁿdiskᵉ) While [pendant que]; whereas.
tangage *m* (gàj) Pitching.
tangent, te (jaⁿ) Tangent.
tanguer (gé) To pitch.
tanière *f* (yèr) Den (dèn).
tanin *m* (niⁿ) Tannin (nìn).
tanner (tàné) To tan (tàn).
tannerie *f* Tanning-works.
tanneur (œr) Tanner (nᵉʳ).
tant *ad* (taⁿ) So much [sing.]. So many [plur.]. - *mieux* (- *pis*), so much the better (...the worse); - *que*, as long as.
tante *f* (taⁿt) Aunt (ânt).
tantième *m* Percentage.
tantôt *ad* (taⁿtô) Presently [bientôt]. Just now [récemment] *Tantôt... tantôt...*, Now... now...
taon *m* (taⁿ) Gadfly (flaⁱ).
tapage *m* (àj) Noise, uproar.
tapageur, euse *a* (àjœr) Noisy. *mf* Rowdy (raᵒᵘdi).
taper To hit [frapper]. To plug [fût]. To type [machine]. To cadge [emprunt].
tapeur, se (œr, ëz) Cadger.
tapinois (en) On the sly.
tapioca *m* (pyòkà) Tapioca.
tapir (se) (tàpîr) To lurk.
tapis *m* (pî) Carpet (pit).
tapisser (isé) To hang* with tapestry; to paper. **-isserie** *f* Tapestry; wall-paper.
-issier (isyé) Upholsterer.
-issière *f* Furniture-van.
tapoter To tap, pat, thrum.
taquet *m* (kè) Stop, peg.
taquin, ine *a* (kiⁿ, în) Teasing *mf* Tease (tîz).
taquiner To tease (tîz).
taraud *m* (rò) Tap.
tard *ad* (tàr) Late (léⁱt).
tarder To be long, delay.
tardif, ive Tardy, late.
tare *f* (tàr) Tare (tèᵉʳ) [peser]. Defect. Blemish [tache].
tarer (ré) To tare [poids]. To damage (idj) [abîmer].
taret *m* (tàrè) Ship-worm.
targette *f* (jèt) Flat bolt.
targuer (se) (gé) To boast.
tarière *f* (yèr) Auger (gᵉʳ).
tarif *m* (rîf) Tariff.
tarir To dry up (aⁱœp).
tartan *m* (taⁿ) Tartan.
tartare (tàr) Tartar (ârtᵉʳ).
tarte *f* (tart) Tart (târt).
tartine *f* Slice of bread.
tartre *m* (àrtr) Tartar (â).

tartufe (*üf*) Hypocrit.
tas *m* (tà) Heap (**hîp**).
tasse *f* (tàs) Cup (kœp).
tasseau *m* (tàsò) Bracket.
tassement *m* (tàsm*a*^{n}) Settling down; compression.
tasser To press together. **Se -** To settle down.
tâter To feel* [pouls]. To taste [goûter]. To sound [sonder], test [épreuve].
tatillon, onne (*o*^{n}, *ò*n) Fussy.
tâtonner To grope (o^{ou}). **-onnement** *m* (m*a*^{n}) Groping. **-ons** *mpl* (*o*^{n}) *A -*, gropingly. *Aller* à -*, to grope.
tatouer (tw*é*) To tattoo.
taudis *m* (dî) Hovel, slum.
taupe *f* (tôp) Mole (mo^{ou}l).
taupinière *f* Mole-hill.
taureau (tòrô) Bull (boul).
taux *m* (tô) Rate (ré^{i}t).
taverne *f* (èrn) Tavern.
taxe *f* (tàks) Tax, duty.
taxer To tax, assess.
taxi *m* (tàksî) Taxi-cab.
tchèque (èk) Czech (tshèk).
te *pron* (t^{e}) You.
technicien (sy*i*^{n}) Technician (ish^{e}n). **-nique** *a* (îk) Technical. *f* Technics (èk).
teign... V. TEINDRE*.
teigne *f* (tèñ) Ringworm.
teindre* (t*i*^{n}dr) Dye (da^{i}). [**teins, teint, teignons*, etc.; *teignais*, etc.; *teignis*, etc.; *teigne*, etc.; *teignant; teint*].
teint, einte (ti^{n}) Dyed (da^{i}d). *m* Dye. Complexion.
teinture *f* (*ür*) Dye. **-urerie** *f* (rî) Dye-works. **-urier, ère** *mf* Dyer, cleaner.
tel, telle Such (sœtsh).
telécommande *f* (a^{n}) Remote control.
télégramme *m* Telegram. **-aphe** *m* Telegraph (àf). **-aphie** *f* (fî) Telegraphy. **-aphier** To telegraph.
télémètre *m* (ètr) Range-finder. **-pathie** *f* (tî) Telepathy.
téléphérique *m* Cable-railway.
téléphone *m* (fòn) Telephone (o^{ou}n). **-oner** To telephone.
télescope *m* (èskòp) Telescope (o^{ou}p). **-oper** To telescope. To collide (*a*^{i}d) [train].
télévision *f* Television (*ij*).
tellement (tèlm*a*^{n}) So much.
téméraire (érèr) Rash (àsh).
témérité *f* (ìt*é*) Rashness.
témoignage *m* (wàñ*à*j) Witness, testimony. *E*vidence [preuve]. Testimonial (o^{ou}).
témoigner (ñ*é*) To testify [*de* : to]. To bear* witness.
témoin *m* (w*i*^{n}) Witness (is).
tempe *f* (ta^{n}p) Temple (èm).
tempérament *m* (*a*^{n}) Constitution. Temperament. *A* - [vente], by instalment.
tempérance *f* (*a*^{n}s) Temperance. **-ant, ante** Temperant. **-ature** *f* (t*ür*) Temperature.
tempéré (a^{n}) Temperate. **-érer** To moderate [*-*ère*].
tempête *f* (ta^{n}pèt) Storm. **-êter** To storm. **-étueux, euse** (ét^{u}*ë*) Stormy.
temple *m* (a^{n}) Temple (èm).
templier Templar (e^{r}).
temporaire (èr) Temporary. **-orel, elle** (rèl) Temporal. **-oriser** (ìz*é*) To temporize.
temps *m* (ta^{n}) Time (ta^{i}m) [durée]. Weather (wè**zh**^{e}r) [température]. Tense [gram.].
tenable (t^{e}nàbl) Tenable (tîn^{e}b^{e}l), bearable (bè^{e}).
tenace (às) Tenacious (é^{i}).

ténacité *f* (té) Tenacity.
tenailles *fpl* (à^{y}) Pincers.
tenancier Holder. Keeper.
tenant *m* (t^{e}na^{n}) *D'un seul -*, in one piece; *-s et aboutissants*, adjacent parts.
tenante [*séance*] Forthwith.
tendance *f* (a^{n}s) Tendency.
tendeur *m* (dœr) Stretcher.
tendon *m* (ta^{n}do^{n}) Sinew.
tendre *a* (ta^{n}dr) Tender.
tendre To stretch. To bend* [arc]. To hold* out [main]. To hang* [tapisserie]. *vi* To tend [se diriger].
tendresse *f* Tenderness.
tendu, ue (ü) Stretched. Strained [relations].
tenèbres *fpl* (èbr) Darkness.
-ébreux, se Dark (â).
teneur *f* (t^{e}nœr) Tenor (è). *m* Holder (**h**o^{ou}).
ténia *m* (tén^{y}à) Tapeworm.
tenir* *vt* (t^{e}nîr) To hold* (**h**o^{ou}ld). To keep* [garder]. To take* [prendre]. To look upon [regarder]. *vi* To hold*. To care for. To come* from. To be fast [couleur]. **Se -** To stand* [debout]. To behave [conduite]. To hold* together. To control oneself. To keep* from [s'empêcher] [**tiens, tient, tenons*, etc.; *tenais*, etc.; *tins, tint, tînmes; tiendrai; tienne; tenant; tenu*].
tennis *m* (nîs) Tennis (tè).
ténor (ténòr) Tenor (tèn^{er}).
tension *f* (ta^{n}s^{y}o^{n}) Tension (tènsh^{e}n), strain; *-artérielle*, blood-pressure.
tentacule *m* (kül) Tentacle.
tentateur, trice *mf* (ta^{n}tàtœr, trîs) Tempter, temptress.
-ation *f* Temptation. **-ative** *f* (îv) Attempt (èmt).
tente *f* (ta^{n}t) Tent (tènt).
tenter (ta^{n}té) To try (a^{i}), to attempt (èmt) [essayer]. To tempt [tentation].
tenture *f* (ür) Hangings.
ténu, ue (ténü) Slender (è).
tenu, ue (t^{e}nü) Kept. Bound.
tenue *f* Dress. Behaviour.
térébenthine *f* Turpentine.
tergiverser (ji) To shuffle.
terme *f* (tèrm) Term (tërm) Quarter (kw**au**) [trimestre].
terminaison *f* (èzo^{n}) Ending.
-iner (ìné) To end. **Se -** To end. **-inus** *m* (üs) Terminus.
termite *m* (ît) Termite.
terne (tèrn) Dull (dœl), dim.
ternir To dull, tarnish.
terrain *m* (tèri^{n}) Ground.
terrasse *f* (às) Terrace (is).
-assement *m* (ma^{n}) Earthwork. **-asser** To bank up [terrain]. To throw* down. To overcome*. **-assier** (s^{y}é) Navvy, digger.
terre *f* (tèr) Earth (**ë^{r}th**) [planète]. Ground [sol]. Land [terre ferme, pays].
terreau *m* (tèrô) Mould.
Terre-Neuve Newfoundland.
terrer To earth up. **Se -** To burrow (bœro^{ou}). **-estre** *a* Earthly, terrestrial.
terreux, se Earthy (**ë^{r}thi**).
terreur *f* (œ) Terror (^{er}).
terrible (îbl) Terrible.
terrier *m* (tèr^{y}é) Burrow (bœro^{ou}) [trou]. Terrier [chien].
terrifier (f^{y}é) To terrify.
terrine *f* (tèrîn) Pot (pòt').
territoire *m* (wà) Territory.
-torial Territorial.
terroir *m* (rwàr) Soil.

terroriser Bully, frighten.
tertio *ad* (syo) Thirdly.
tertre *m* (tèrtr) Bank (**ngk**).
tesson *m* (tèsoⁿ) Potsherd.
testament *m* (àmaⁿ) Testament (eᵐent), will.
testateur, trice (àtœr, tris) Testator, testatrix.
tester To make* one's will.
testicule *m* (küì) Testicle.
tétanos *m* (òs) Lockjaw.
têtard *m* (àr) Tadpole.
tête *f* (tèt) Head (**hèd**).
tétée *f* (té) Sucking (sœ).
téter (té) To suck (sœk); *donner à* -, suckle [*tette].
têtu, ue (tü) Wilful (oul).
teuton, nique Teutonic.
texte *m* (tèkst) Text. **-tuel, elle** (tuèl) Textual (you).
textile (îl) Textile (ail).
texture *f* (ü) Texture (tsh).
thaumaturge Miracle-worker.
thé *m* (té) Tea (tî).
théâtral, ale (téàtràl) Theatrical; spectacular.
théâtre *m* (téâtr) Theatre (thieter); play-house.
théière *f* (téyèr) Teapot.
thème *m* (tèm) Theme (thîm).
théologie *f* (téòlòjî) Theology (thioledji). **-ogien** (jyiⁿ) Theologian (thioloᵒudjyeⁿ).
théorème *m* (téorèm) Theorem (thierem). **-ricien** (risyiⁿ) Theorist. **-rie** *f* Theory. **-rique** (îk) Theoretical.
thérapeutique Therapeutic.
thermal, ale (tèr) Thermal. **-momètre** *m* Thermometer.
thésauriser (téz) Hoard.
thèse *f* (tèz) Thesis (thî).
thon *m* (toⁿ) Tunny-fish.
thorax *m* (tò) Thorax (**th**).
thym *m* (tiⁿ) Thyme (taim).
thyroïde (ti) Thyroid (**th**).
tiare *f* (tyàr) Tiara.
tibia *m* (þyà) Tibia, shin.
tic *m* (tik) Tic, twitch.
ticket *m* (kè) Ticket (ikit).
tic-tac *m* Tick-tack.
tiède (tyèd) Warm, tepid.
tiédeur *f* Tepidity, warmth.
tien, enne (tyiⁿ, èn) Yours.
tiens, tienn... V. TENIR*.
tiers, tierce *a* (tyèr, èrs) Third (thërd); of a third party; - *état*, the Commons.
tiers-point *m* Saw-file.
tige *f* (tîj) Stem, stalk (**au**) [plante]. Shaft [colonne]. Rod [méc.]. Stock [race].
tignasse *f* (ñàs) Mop, shock.
tigre, esse (tîgr, ès) Tiger (taiger), tigress.
tillac *m* (tiyàk) Deck.
tilleul *m* (yœl) Lime-tree (ai). Linden-tea [tisane].
timbale *f* (tiⁿbàl) Kettledrum (œm). Mug [gobelet].
timbre *m* (tiⁿbr) Stamp (à). Bell [cloche]. Tone (toᵒun). - *-poste*, postage stamp.
timbrer (bré) To stamp (à).
timide (îd) Timid (timid).
timidité *f* Timidity.
timon *m* (timoⁿ) Pole [voiture]. Helm (**h**) [bateau].
timonier *m* (nyé) Helmsman.
timoré, ée (òré) Timorous.
tine *f* (tîn) Butt (bœt).
tinette *f* Tub; soil-tub.
tins, tint. V. TENIR*.
tintamarre *m* (àr) Uproar.
tintement *m* (aⁿ) Tolling [cloche]. Ringing [son]. Buzzing [d'oreille].
tinter (tiⁿté) To ring*. To toll (toᵒul) [cloche]. To

tinkle, to buzz [bourdon].
tintouin *m* (twi^n) Trouble.
tique *m* (tîk) Tick. **-quer** (*ké*) To twitch, to wince.
tir *m* (tîr) Shooting (*ou*).
tirade *f* (àd) Tirade (*é*[i]).
tirage *m* (àj) Drawing (*au*). Draught (âft) [feu]. Printing [photo]. Circulation [Journal]. Towing [halage].
tiraillement *m* (ày) Pulling about. Pang. Friction.
tirailler (àyé) To tug, pull about. To twitch [douleur].
tirailleur Sharpshooter.
tirant *m* (ra^n) String, strap. Tie-beam [charpente]. Draught (âft) [d'eau].
tiré *m* (tìré) Drawee (auî) [com.]. Shooting-preserve.
tire-bouchon *m* Corkscrew. **-bouton** *m* Button-hook.
tire-d'aile (à) At full speed.
tire-ligne *m* (ñ) Drawing-pen.
tirelire *f* (lîr) Money-box.
tire-point *m* (wi^n) Pricker.
tirer (tìré) To draw* (drau). To pull out [sortir], pull off [arracher]. To draw [chèque]. To shoot at [arme]. To print [imprimer]. To derive (*a*[i]v) [profit]. - *au sort*, to draw* lots. *vi* To draw*, to go*, to tend.
tiret *m* (tìrè) Dash.
tirette *f* (èt) String.
tireur, euse (rœr, ëz) Marksman [sport]. Drawer [com.]. Wire-drawer [métal]. - *de cartes*, fortune-teller.
tiroir *m* (tirwàr) Drawer.
tisane *f* (àn) Infusion, tea.
tison *m* (zo^n) Brand, ember. **-onner** (né) To poke (po^ouk).
tisonnier *m* (nyé) Poker.
tissage *m* (àj) Weaving (î).
tisser (sé) To weave* (wîv).
tisserand *m* (sra^n) Weaver.
tissu *m* (ü) Material. Fabric; - *métallique*, wiregauze.
titan *m* (tìta^n) Titan (ta[i]-t^en). **-anique** Titanic.
titre *m* (tîtr) Title (ta[i]t^el) Security (kyou) [valeur]. Fineness (fa[i]) [or, argent].
titré, ée (tré) Titled (*a*[i]).
tituber (übé) To stagger.
titulaire (ülèr) Titular.
toast *m* (tôst) Toast (to^oust).
tocsin *m* (tòksi^n) Tocsin.
toge *f* (tòj) Toga; robe.
tohu-bohu *m* Chaos. Hubbub.
toi *pron* (twà) You. Thou.
toile *f* (twàl) Linen (lin^en) [fine]. Canvas (kànv^es). Curtain [théât.]. Cobweb [d'araignée]. Packing-cloth.
toilette *f* (twàlèt) Toilet (to[i]lit). Dressing-table. Dressing [habillement]. *En grande* -, in full dress.
toise *f* (twàz) Fathom (**zh**). *Passer à la* -, to measure.
toiser (twàzé) To size up.
toison *f* (twàzo^n) Fleece (î).
toit *m* (twà) Roof (rouf).
toiture *f* (ür) Roofing, roof.
tôle *f* (tôl) Sheet-iron.
tolérance *f* (a^ns) Tolerance. Allowance [poids]. **-rant, -ante** (a^n) Tolerant (tol^e).
tolérer To tolerate [*-*lère*].
tollé *m* (tòlé) Outcry (*a*[i]).
tomate *f* (àt) Tomato (â).
tombale [*pierre*] Tombstone.
tombe *f* (to^nb), **tombeau** *m* (ô) Grave (gré[i]v), tomb.
tombée *f* (bé) Fall (faul).
tomber (to^nbé) To fall*. To crash [avion]. To drop [vent,

fièvre]. To decay [déchoir]. *Laisser* -, to drop.
tombereau *m* (b*e*rô) Tipcart.
tombola *f* (là) Tombola (ò).
tome *m* (tòm) Tome (to*ou*m).
ton, ta, tes Your (yau*er*).
ton *m* (to*n*) Tone (to*ou*n).
tonalité *f* (ìté) Tonality.
tondeur (dœr) Shearer. **-euse** *f* (ëz) Shears (i*er*z) [mouton]. Clipper [cheveu].
tondre (to*n*dr) To shear* (i*er*). To clip. To mow* [gazon]. **-du, ue** (*ü*) Shorn.
tonique (îk) Tonic (tònik).
tonitruant (ü*a*n) Thundering.
tonnage *m* (àj) Tonnage.
tonne *f* (tòn) Tun (œ) [fût]. Ton [poids]. **-eau** *m* (ònô) Cask (kâsk), tun. Ton [mar.]. **-elet** *m* (lè) Keg. **-elier** (l*y*é) Cooper. **-elle** *f* (èl) Arbour. **-ellerie** *f* (èlrî) Coopery.
tonner (tòné) To thunder. **-erre** *m* (èr) Thunder (thœ).
tonsure *f* (sür) Tonsure (sh).
tonte *f* Shearing; clipping.
topaze *f* (àz) Topaz (to*ou*).
topinambour *m* (tòpina*n*bûr) Jerusalem artichoke.
topographie *f* Topography.
toquade *f* (kàd) Infatuation.
toque *f* (tòk) Cap, toque.
toqué, ée (ké) Crazy, dotty.
toquet *m* (kè) Cap.
torche *f* (tòrsh) Torch, link.
torcher (shé) Wipe (wa*i*p). **-chère** *f* Candelabrum. **-chis** *m* (shî) Cob, loam. **-chon** *m* (o*n*) Duster. Rag.
tordre (tòrdr) To twist. **Se** - To writhe (ra*i*zh); - *de rire*, to split* with laughter.
torpeur *f* (œr) Torpor (*er*).
torpille *f* (pî*y*) Torpedo (î). **-iller** (pi*y*é) To torpedo. **-illeur** *m* Torpedo-boat.
torréfier (f*y*é) To roast (o*ou*).
torrent *m* (ra*n*) Torrent. **-entiel** (s*y*èl) Torrential (sh).
torride (îd) Scorching, torrid.
tors, se (tòr, rs) Twisted.
torse *m* (tòrs) Torso, trunk.
torsion *f* (s*y*o*n*) Twisting.
tort *m* (tòr) Wrong (ròng) [injustice]. Harm [dommage]. *Avoir** -, to be* wrong.
torticolis *m* (lî) Stiff neck.
tortiller (ti*y*é) To twist. **Se** - To wriggle (rig*e*l).
tortionnaire (èr) Torturer.
tortue *f* (tü) Tortoise (t*e*s). - *de mer*, sea-turtle (ë*r*).
tortueux, se (t*u*ë) Winding (a*i*). Crooked (*ou*) [fig.].
torture *f* (tür) Torture. **-urer** To torture (tsh*er*).
toscan, ane *a* (ska*n*, àn) Tuscan. **-ane** *f* Tuscany (œ).
tôt (tô) Soon (ou), early (ë).
total, ale (tòtàl) Total (o*ou*). **-alité** *f* (té) Totality.
touage *m* (twàj) Towing.
touchant *prép* (tûsha*n*) Concerning. **-ant, te** Moving.
touche *f* (tûsh) Touch (œ). Key (kî) [piano].
touche-à-tout *m* Meddler.
toucher *m* (tûshé) Touch.
toucher (shé) To touch (œ), concern. To cash [chèque]. To call (kaul) [escale].
touer (twé) To tow (to*ou*).
touffe *f* (tûf) Tuft (œ).
touffu, ue (*ü*) Bushy (*ou*). Leafy (lî) [branche]. Heavy.
toujours (jûr) Always, ever.
toupet *m* (pè) Tuft of hair. Cheek (tshîk) [impudence].
touple *f* (pî) Top, peg-top.

tour *f* (tûr) Tower (taouer). **tour** *m* (tûr) Turn (tërn). Tour, trip [excursion]. Revolution [méc.]. Lathe (éizh) [outil]. Trick [piège]. **tourbe** *f* (tûrb) Peat (pît) [charbon]. Rabble [racaille]. **-bière** *f* (byèr) Peat-bog. **tourbillon** *m* (biyon) Eddy, whirlpool [eau]. Whirlwind. **-onner** To whirl. To eddy. **tourelle** *f* (èl) Turret (të). **tourillon** *m* (iyon) Spindle. **tourisme** *m* (ism) Touring. **-iste** (ist) Tourist (tou). **tourmaline** *f* (în) Tourmalin. **tourment** *m* (man) Torture. **-ente** *f* (ant) Storm. **-enter** (té) To torture. **Se** - To worry. **tournant** *m* (nan) Turning. **tourné, ée** (né) Turned. Shaped. Expressed. Disposed. **tournedos** *m* (dô) Fillet steak. **tournée** *f* (né) Round (aou). **tourner** (tûrné) To turn (ë). To outflank [mil.]. *vi* To turn, revolve; curdle (kë) [lait]. **Se** - To turn round. **tournesol** *m* (òl) Sunflower. **tournevis** *m* (îs) Screw-driver. **-niquet** *m* (kè) Turnstile. **-noi** *m* (nwà) Tournament. **-noiement** *m* (an) Wheeling. **-noyer** (nwàyé) To whirl. **-nure** *f* (ür) Turn, shape. **tourte** *f* (tûrt) Tart (târt). **tourteau** *m* (tô) Oil-cake. **tourtereau** *m*, **elle** *f* (rô, èl) Turtle-dove (tërteldœv). **Toussaint** *f* (in) All Saints' day. **tousser** (tû) To cough (kœf). **tout, toute, tous, toutes** (tû, tût, tûs, tût) All (aul). *Tous les mois,* every month. *Toute la masse,* the whole (hooul) mass. *pron* All, everything. *Pas du -,* not at all. *ad* Quite (kwait). **tout à coup** (kû) Suddenly. **tout à fait** (tàfè) Quite. **tout-à-l'égout** *m* Modern plumbing. **toutefois** (fwà) However. **toutou** *m* Doggy, bow-wow. **tout-puissant** Almighty. **toux** *f* (tû) Cough (kœf). **toxine** *f* (în) Toxin (in). **toxique** (tòksîk) Toxic. **trac** *m* (àk) Stage-fright. **tracas** *m* (kà) Bother (zh), worry. **-casser** To worry. **trace** *f* (às) Trace (éis), track. **-cer** (sé) To trace. To draw* [ligne]. To lay* out [**traçai, -çons*]. **trachée-artère** *f* Trachea (k). **tracteur** *m* (tœr) Tractor. **traction** *f* (syon) Traction. **tradition** *f* (syon) Tradition (ishen). **-tionnel, elle** (èl) Traditional (ishenel). **traducteur, trice** (düktœr, trîs) Translator (éiter). **-uction** *f* (üksyon) Translation (éishen). **-uire** (uîr) To translate (ànsléit). **trafic** *m* (ik) Trade (éid). **-fiquer** (ké) To trade. **tragédie** *f* (jédî) Tragedy. **-édien, enne** (yin, èn) Tragedian (djî). **-ique** Tragical. **trahir** (àîr) To betray (éi). **trahison** *f* (izon) Betrayal. **train** *m* (trin) Pace (péis) [allure]. Course [marche]. Train (éin) [convoi]. Mood. **traînant, ante** (ènan) Dragging. Shuffling [démarche]. Drawling (au) [voix]. **traînard** (ènàr) Straggler.

traîne *f* (èn) Train (éin).
traîneau *m* (nô) Sledge (è).
traînée *f* (èné) Trail (éil).
traîner (né) To drag. To drawl (aul) [voix]. To put* off [retarder]. *vi* To lag, trail. **Se** - To creep* along.
train-train *m* (in) Routine.
traire (èr) To milk [*trais, trait, trayons, etc.; trayais; traie, etc.; trayant; trait].
trait *m* (trè) Arrow [flèche]. Stroke [plume]. Feature [visage]. Relation. Draught (drâft) [gorgée]. - *d'union* (dünyon), hyphen (halfen).
traitable (àbl) Tractable.
traite *f* (èt) Stage [voyage]. Trade [trafic]. Draft, bill [com.]. Milking [lait].
traité *m* (èté) Treaty (î), agreement [convention]. Treatise [étude].
traitement *m* (ètman) Salary (eri). Treatment (ît).
traiter (èté) To treat. To use. To deal (with). To entertain. To call [nom]. **-teur** (tœr) Keeper of an eating-house.
traître, tresse (ètr, très) Traitor (éi) *m*; traitress. **-trise** *f* (trîz) Treachery.
trajectoire *f* Trajectory.
trajet *m* (àjè) Journey, way.
trame *f* (àm) Weft, web. Plot [fig.]. **-mer** To weave*. Plot.
tramway *m* (àmwè) Tramcar.
tranchant *m* (anshan) Edge. **-ant, ante** Sharp, cutting.
tranche *f* (answ) Slice (als). Edge [papier]. Series (sie). **-chée** *f* (shé) Trench [guerre]. Cutting. **-cher** (anshé) To cut* (œ). To solve [question]. To contrast.

tranquille (kîl) Calm (kâm), quiet (kwaiit). **-illiser** (ìzé) To calm, soothe. **-illité** *f* (té) Peace (pîs).
transaction *f* Transaction.
transatlantique *a* (antîk) Transatlantic. *m* Liner (ai).
transbordement *m* (deman) Transhipment. **-border** To tranship. **-bordeur** *m* (bòrdœr) Transporter.
transcription *f* Transcription. **-crire*** Transcribe.
transe *f* (ans) Fright, fear.
transept *m* (sèpt) Transept.
transférer (ansféré) To transfer (fër). **-fert** *m* (fèr) Transfer [*transfère].
transfigurer (güré) To transfigure (figer).
transformation *f* (àsyon) Transformation. **-ormer** (mé) To transform, to alter.
transfuge (üj) Turncoat.
transfusion *f* Transfusion.
transgresser (sé) To transgress. **-ssion** *f* (èsyon) Transgression (èshen).
transi, ie (ansî) Chilled.
transiger (jé) To compound.
transit *m* (zit) Transit (à). **-sitaire** (tèr) Forwarding agent. **-sitif** Transitive. **-sition** *f* (syon) Transition. **-sitoire** (twàr) Transitory.
transmettre* To transmit [*V. METTRE].
transmigration *f* Transmigration. **-grer** Transmigrate.
transmission *f* Transmission. **-muer** (mué) To transmute.
transparence *f* (ans) Transparency. **-ent, ente** (an, ant) Transparent (pèerent).
transpercer (persé) To pierce

through [*transperça, -çons].
transpiration f Perspiration.
-spirer To perspire, sweat.
transplanter To transplant.
transport m (pòr) Transport (à). Carriage. Haulage [train]. Freight [frêt]. **-porter** (té) To transport. To carry. To transfer. **-poser** (pôzé) To transpose. **-versal** Transversal.
trantran m (aⁿ) Routine.
trapèze m (èz) Trapeze (îz) [gymn.]. Trapezium [géom.].
trappe f (àp) Trap, trapdoor.
trapu, ue (àpü) Thick-set.
traquenard m (keǹàr) Snare.
traquer (àké) To hunt down.
travail m (àvày) Work (wërk), job (dj) [besogne]. Workmanship [façon]. Labour. **-ailler** (àyé) To work. **-ailleur, euse** a (àyœr, ëz) Hard-working. mf Worker. - manuel, workman, -woman, labourer. **-ailliste** (îst) Member of the Labour Party.
travée f (vé) Bay. Span.
travers m (àvèr) Breadth (è). Defect, oddity. A -, across, through (throu).
traverse f (èrs) Cross-bar. Sleeper, tie [rail]. Chemin de -, short cut. **-ersée** f (sé) Crossing. **-erser** To cross, to go* through. **-ersin** m (èrsiⁿ) Bolster (oᵒu).
travesti m (èstî) Disguise. a Disguised (gaⁱzd); bal -, fancy-ball. **-estissement** m (ismaⁿ) Disguise, travesty.
trébucher (üshé) To stumble (œmbᵉl). **-uchet** m (üshè) Birdtrap. Assay-balance.
tréfiler (ìlé) To wiredraw*.
-ilerie f (rî) Wire-mill.
trèfle m (èfl) Clover (oᵒu). Trefoil [art]. Clubs [carte].
tréfonds m (oⁿ) Subsoil.
treillage m (èyàj) Lattice-work. Wire-netting [métal].
treille f (èy) Vine-arbour.
treillis m (èyî) Treillis, lattice-work. Canvas [toile].
treize (èz) Thirteen (thëʳ). **-zième** (zyèm) Thirteenth.
tréma m Diaeresis (àⁱî).
tremble m (aⁿbl) Aspen. **-blement** m (maⁿ) Trembling; - de terre, earthquake.
trembler (aⁿblé) To tremble, to shiver, to shake*. **-eur, euse** (œr, ëz) Quaker (kwéⁱ). **-oter** (òté) To shiver (i).
trémie f (mî) Hopper (ho).
trémière [rose] Hollyhock.
trémousser (se) To bustle.
trempe f (aⁿp) Temper (èmpᵉʳ) [acier, âme]. Steeping.
tremper (pé) To temper [acier]. To steep [mouiller], dilute; drench [pluie]; dip.
tremplin m (iⁿ) Springboard.
trentaine f About thirty.
trente (aⁿt) Thirty (thëʳ). **-tième** (tyèm) Thirtieth.
trépaner (àné) To trepan.
trépasser (àsé) To die (daⁱ).
trépidant, ante (idaⁿ, aⁿt) Vibrating. Hectic [fig.]. **-dation** f (syoⁿ) Vibration.
trépied m (pyé) Trivet (i).
trépignement m (iñ) Stamping. **-igner** (ñé) To stamp.
très (trè) Quite (kwaⁱt). Very [devant adj. ou adv.] Much, very much [dev. part.].
trésor m (zòr) Treasure (ej) [objet]. Treasury [service]. **-orier, ière** (yé) Treasurer.

tressaillement *m* (àʸmaⁿ) Flutter (œ). **-aillir** Flutter [*-aille, etc.; -aillant].
tresse *f* (ès) Braid (éid).
tresser To braid, plait (àt).
tréteau *m* (tô) Trestle (sᵉl) [support]. Stage [théât.].
treuil *m* (œʸ) Windlass (i).
trêve *f* (èv) Truce (ous).
tri *m* (trì) Sorting (auᵉ).
triage *m* (ìàj) Sorting.
triangle *m* (ìaⁿgl) Triangle (aⁱàng-gᵉl). **-gulaire** (gü-lèr) Triangular (gyoulᵉʳ).
tribord *m* (òr) Starboard.
tribu *f* (ìbü) Tribe (aⁱb).
tribulation *f* Tribulation.
tribun *m* (ìbu) Tribune (you).
tribunal *m* (ünàl) Tribunal.
-une *f* (ün) Tribune (youn).
tribut *m* (bü) Tribute (yout).
-utaire (ütèr) Tributary.
tricher (ìshé) To cheat (tshît). **-erie** *f* (rî) Cheating. **-eur, euse** Cheater.
trichine *f* (shîn) Threadworm.
tricolore (òr) Tricolor.
tricorne *m* Tricorn (aⁱ).
tricot *m* (kò) Knit wear.
-oter (té) To knit* (nit).
trictrac *m* Backgammon (gà).
trident *m* (aⁿ) Trident (aⁱ).
triennal (ìènàl) Triennial.
trier (ìé) To sort, pick.
trieur, euse *mf* (ìœr, ëz) Sorter. *f* Sorting-machine.
trigonométrie Trigonometry.
trille *m* (trîʸ) Trill (il).
trillion *m* (ìʸoⁿ) Billion (bilʸen). Trillion [Am.].
trilogie *f* (jî) Trilogy (dji).
trimardeur *m* (àrdœr) Tramp.
trimbaler (iⁿ) To lug about.
trimer (ìmé) To toil, fag.
trimestre *m* (èstr) Quarter (kwauʳtᵉʳ). **-estriel, elle** (ièl) Quarterly.
tringle *f* (iⁿgl) Rod.
trinité *f* (ìté) Trinity.
trinquer (iⁿké) Touch glasses.
trio *m* (ìô) Trio (aⁱoᵒᵘ).
triomphal, ale (ìoⁿfàl) Triumphal (aⁱœmfᵉl). **-phant, ante** (faⁿ, aⁿt) Triumphant. **-phateur, trice** (tœr, trîs) Triumpher (traⁱemfᵉʳ).
triomphe *m* (ìoⁿf) Triumph (aⁱemf). **-ompher** Triumph.
tripe *f* (îp) Tripe (aⁱp).
triple (îpl) Triple (ipᵉl), threefold. **-pler** To treble.
triporteur *m* (œr) Tricar.
tripot *m* (pò) Gambling-house. **-poter** (òté). To tamper with. To mess about.
triptyque *m* (îk) Triptych.
trique *f* (îk) Cudgel (œdj).
triste (îst) Sad, sorrowful.
tristesse *f* (ès) Sadness.
triturer (ü) To triturate.
trivial, ale (vʸàl) Trivial.
-alité *f* Triviality.
troc *m* (òk) Barter (bâʳtᵉʳ).
troène *m* (òèn) Privet (it').
troglodyte *mf* Troglodyte.
trogne *f* (tròñ) Phiz (fiz).
trognon *m* (ñoⁿ) Core. Stump.
trois (trwà) Three (**thrî**).
-sième (zʸèm) Third (ëʳd).
trombe *f* (oⁿb) Waterspout.
tromblon *m* (oⁿ) Blunderbus.
trombone *m* (òn) Trombone.
trompe *f* (troⁿp) Horn [mus.]. Trunk [éléphant].
tromper To deceive (îv). **Se -** To be* mistaken (téⁱ).
tromperie *f* (rî) Deception.
-pette *f* (pèt) Trumpet (œ).
-peur, se (œr, ëz) Deceiver.
tronc *m* (oⁿ) Trunk (œngk).

Shaft [colonne]. Box, poorbox. Frustum (œ) [géom.].
tronçon *m* (soⁿ) Stump (œ).
trône *m* (ôn) Throne (oouⁿ).
tronquer (ké) To truncate.
trop *ad* (trò) Too (tou) [devant adj. ou ad.] Too much [dev. nom sing.] Too many [devant nom pluriel].
trophée *m* (fé) Trophee (fî).
tropical, ale *a* (kàl) Tropical. **-ique** *m* (ik) Tropic.
trop-plein *m* (iⁿ) Overflow.
troquer (ké) Barter, truck.
trot *m* (trò) Trot (òt'). **-tter** (té) To trot. **-ttoir** *m* (twàr) Pavement (éi). Sidewalk.
trou *m* (trû) Hole (hooul).
trouble *a* (trûbl) Turbid, muddy (œ). Dim [vue]. *m* Disturbance, confusion.
troubler (é) To disturb. To make* muddy [eau]. To break* [silence]. To dim [vue]. **Se** - To get* cloudy. To falter.
trouée *f* (trûé) Opening, gap.
trouer To hole, to pierce.
troupe *f* (ûp) Troop (oup). **-peau** *m* (pô) Flock [petit bétail]. Herd (hërd) [gros]. **-pier** (pyé) Soldier (soou).
trousse *f* (ûs) Bundle (œ). Case. **-sseau** *m* (sô) Bundle, bunch. Outfit. Trousseau. **-sser** (sé) To tuck up, turn up. To truss [volaille].
trouvaille *f* (vày) Discovery, windfall [aubaine].
trouver (ûvé) To find* (ai). **Se** - To happen. To find* oneself; to be found*.
truand, ande (uaⁿ) Vagrant.
truc *m* (ük) Trick [tour]. Knack [habileté].
truculent, te (aⁿ) Truculent.
truelle *f* (üèl) Trowel (aou).
truffe *f* (üf) Truffle (œfel).
truie *f* (truî) Sow (saou).
truite *f* (uît) Trout (aout).
trumeau *m* (ümô) Pier-glass.
trusquin *m* (üskiⁿ) Scriber.
tsar (tsàr) Czar (zâr).
tu, toi, te (tü, twà, te) You.
tu (tü). V. TAIRE*.
tuant, ante (ü) Exhausting.
tub *m* (tœb) Sponge-bath.
tube *m* (tüb) Tube (tyoûb).
tubercule *m* (tübèrkül) Tubercle (tyoubërkel). **-leux, euse** (ë, ëz) Tuberculous. **-lose** *f* (ôz) Tuberculosis.
tubéreuse *f* (ëz) Tuberose.
tubulaire (èr) Tubular (you).
tudesque (tüdèsk) Teutonic.
tuer (tué) To kill.
tuerie *f* (türî) Slaughter.
tue-tête Top of the voice.
tueur, euse (tuœr) Killer.
tuf *m* (tüf) Tuff (tœf).
tuile *f* (tuîl) Tile (tail).
tuilerie *f* (lrî) Tile-works.
tuilier (lyé) Tile-maker.
tulipe *f* (tülîp) Tulip (you).
tulipier *m* (pyé) Tulip-tree.
tulle *m* (tül) Tule (tyoul).
tuméfier (tüméfyé) To tumefy.
tûmes. V. TAIRE*.
tumeur *f* (tü) Tumour (you).
tumulte *m* (tümült) Tumult (tyoumœlt). **-ultueux, euse** (tuë, ëz) Tumultuous (œl).
tumulus *m* (tümülüs) Barrow.
tunique *f* (tünîk) Tunic.
Tunisie *f* (zî) Tunisia (izye).
tunnel *m* (tü) Tunnel (œ).
turban *m* (ür) Turban (ë).
turbine *f* (türbîn) Turbin.
turbot *m* (türbò) Turbot (ë).
turbulence *f* (türbülaⁿs) Turbulence (ë). **-ent, te** (aⁿ,

a^{n}t) Turbulent (you^{e}nt).
turc, que *a* (türk) Turkish (të^{r}kish). *mf* Turk (të^{r}k).
turf *m* (türf) Turf (të^{r}f).
turpitude *f* (üd) Turpitude.
Turquie *f* (türkî) Turkey.
turquoise *f* (türkwàz) Turquoise (të^{r}kwâz).
tussilage *m* (àj) Colt's foot.
tutélaire (tütélèr) Tutelary.
tutelle *f* (tütèl) Guardianship. **-teur, trice** Guardian. (gâ^{r}dy^{e}n). Prop [support].
tutoiement *m* (tütwàma^{n}) Theeing and thouing. **-toyer** (twa^{y}é) To thee and thou (zhî, zha^{ou}).
tutu *m* (ü) Ballerina's skirt.
tuyau *m* (t^{u}i^{y}ô) Pipe (pa^{i}p). Hose [arrosage]. Flue [cheminée]. Funnel [mar.]. Tip [renseignement].
tuyauter (té) To goffer. To give* a tip to [renseigner]. **-terie** *f* Piping, tubing.
tuyère *f* (t^{u}i^{y}èr) Blastpipe.
tympan *m* (ti^{n}pa^{n}) Tympanum (tìmp^{e}n^{e}m). Ear-drum.
type *m* (tîp) Type (ta^{i}p).
typhoïde *f* (fòîd) Typhoid (ta^{i}fo^{i}d). **-phon** *m* (fo^{n}) Typhoon (ta^{i}foûn).
typhus *m* (tìfüs) Typhus.
typique (ìk) Typical (tì).
typographe (tìpògrâf) Typographer (ta^{i}). **-phie** *f* (fî) Typography.
tyran *m* (tìra^{n}) Tyrant (a^{i}). **-annie** *f* Tyranny. **-annique** (ànìk) Tyrannical (rànik^{e}l). **-anniser** (ànìzé) To tyrannize (na^{i}z).
tzar, tsar (tsàr) Czar (zâ^{r}).
tzigane (àn) Gipsy (djipsi).

U

u (ü) U (you).
ubiquité *f* (kwì) Ubiquity.
ulcère *m* (ülsèr) Ulcer (œls^{e}r). **-cérer** To ulcerate.
ultérieur, eure (ültéryœr) Further (fë^{r}zh^{e}r).
ultimatum *m* (ültimàtòm) Ultimatum (œltimé^{i}t^{e}m).
ultime (ültîm) Ultimate (œ).
ululer (ü) To howl (ha^{ou}l).
un, une (u^{n}, ün) One (wœn); a (^{e}) [an (àn) dev. voyelle].
unanime (ünànîm) Unanimous (younà). **-imité** *f* Unanimity.
uni, ie (ünî) United (youna^{i}tid). Smooth [lisse]. Even (îvn) [plat]. Plain [simple].
unifier (ünìf^{y}é) To unify (younifa^{i}). **-forme** *a, m* (fòrm) Uniform (you). **-formité** *f* Uniformity.
union *f* (ün^{y}o^{n}) Union (you).
unique (ünîk) Unic (younik). Only [fils]. Single. **-quement** (kma^{n}) Only (o^{ou}nli).
unir (ünîr) To unite (youna^{i}t). To connect (èkt).
unisson *m* (so^{n}) Unison (z^{e}n).
unité *f* (ünìté) Unity (you).
univers *m* (ünivèr) Universe (younivërs). **-ersel, elle** (èl) Universal (vë^{r}s^{e}l). **-ersitaire** *a* (tèr) Academic. *mf* Professor, teacher. **-ersité** *f* University (younivë^{r}siti).
urbain, aine (ürbi^{n}, èn) Ur-

ban (ërbᵉn). **-anité** *f* (*té*) Urbanity (ërbàniti).
urée *f* (ürè) *U*rea (*you*).
urémie *f* (mî) Uremia (*î*).
uretère *m* (tèr) *U*reter.
urètre *m* (ürètr) Urethra.
urgence *f* (ürjaⁿs) Urgency (ërdjᵉnsi). **-ent, ente** (*a*ⁿ, *a*ⁿt) Urgent (ërdjᵉnt).
urinaire (ürinèr) *U*rinary.
urine *f* (ürîn) Urine (*you*). **-ner** (*né*) To *u*rinate (néⁱt).
urinoir *m* (wàr) L*a*vatories.
urique (ürîk) Uric (*you*ᵉrik).
urne *f* (ürn) Urn (ërn). Ballot-box [vote].
urticaire *f* Nettle-rash.
us *mpl* (üs) Ways (wéⁱz).
usage *m* (üzàj) Custom (kœ). Use (yous); *faire* de l'* -, to wear* well. **-gé, ée** (*jé*) Worn. **-ger** *m* (*jé*) *U*ser.
user (üzé) To use (youz). To wear* *o*ut [complètement].
usine *f* (üzîn) F*a*ctory (*à*). Works [fer, gaz]. Mill [fil, bois, papier]. **-inier** (*yé*) Mill-owner, manuf*a*cturer.
usité (üzìté) Used (youzd).
ustensile *m* (üstaⁿsîl) Utensil (*you*tᵉn), *i*mplement.
usuel, elle (üzᵘèl) Usual (*you*jouᵉl).
usufruit *m* (frᵘî) *U*sufruct.
usuraire (üzürèr) Us*u*rious. **-ure** *f* (ür) Usury (*you*jouri). Wear and tear [fatigue]. **-urier** (üryé) *U*surer (*you*).
usurpateur trice *mf* (üzürpàtœr, trîs) Usurper (youzër). **-pation** *f* Usurp*a*tion. **-per** To usurp (youzërp).
ut *m* (üt) C (sî).
utile (ütîl) Useful. **-liser** (*zé*) To use, to *u*tilize. **-litaire** (èr) Utilit*a*rian. **-lité** *f* (*té*) Ut*i*lity (you).
utopie *f* (ütopî) Utopia (youtᵒᵒupyᵉ). **-pique** *a* (îk), **-piste** *mf* Utopian (ᵒᵒupyᵉn).

V

v (vé) V (vî).
va. V. ALLER*; *ça* -, all right.
vacance *f* (vàkaⁿs) Vacancy. Vac*a*tion, h*o*liday; *en* -, on h*o*liday. Recess [Parl.].
vacant, ante (*a*ⁿ) V*a*cant.
vacarme *m* (àrm) Uproar (**au**).
vaccin *m* (ksiⁿ) V*a*ccine. **-ination** *f* Vaccin*a*tion. **-iner** (ìné) To v*a*ccinate.
vache (vàsh) Cow (kaᵒᵘ).
vacher, ère (*shé*, *èr*) Cowkeeper. **-erie** *f* (rî) Byre.
vacillation *f* (làsyoⁿ) Vacillation (éⁱshᵉn). **-iller** (*silé*) To vacillate (vàsiléⁱt).
vacuité *f* (kᵘité) *E*mptiness.
va-et-vient *m* (vyiⁿ) To and fro motion. Two way [élec.].
vagabond, de (vàgàboⁿ, oⁿd) Vagrant (véⁱgrᵉnt). **-ondage** *m* (àj) V*a*grancy. **-onder** (oⁿdé) To rove, run* about.
vagir (vàjîr) To pule (pyoul). **-issement** *m* (isma*ⁿ*) P*u*ling.
vague *a* (vàg) Vague (véⁱg). *f* Wave (wéⁱv). *m* V*a*gueness.
vaguemestre *m* (vàgmèstr) B*a*ggage-master. Postman [mar.].
vaguer (vàgé) To w*a*nder (*ò*).

vaillamment (vàyàm*a*ⁿ) VaIiantly (và). **-ance** *f* (*a*ⁿs) Valour, bravery. **-ant, ante** (*a*ⁿ, *a*ⁿt) Valiant (vàlyent).
vaille (vày). V. VALOIR*.
vain, ne (iⁿ, èn) Vain (éin).
vaincre* (viⁿkr) To conquer (kòngker), vanquish (vàngkwish) [**vaincs, vainc, vainquons; -quais; -quis; -quant.*
vaincu, ue (kü) Conquered. **-queur** (kœr) Conqueror.
vairon *m* (vèr*o*ⁿ) Minnow.
vais (vè). V. ALLER*
vaisseau *m* (vèsô) Vessel (vèsel). Ship [mar.].
vaisselle *f* (èsèl) Plates and dishes. Crockery [faïence]. *Faire la* -, to wash up.
val *m* (vàl) Vale (véil).
valable (àbl) Valid, good.
valériane *f* (yàn) Valerian.
valet *m* (vàlè) Footman (men), valet (it') Knave (néiv) [carte]. Claw [menuis.].
valétudinaire Valetudinarian.
valeur *f* (vàlœr) Value (yoû), worth (wërth). Valour (vàler) [courage]. Security (kyou) [titre]. Bill [traite]. *Sans* -, worthless.
valeureux, euse (ë) Valiant.
valider To validate (eit).
validité *f* (té) Validity.
valise *f* (îz) Portmanteau, gripsack; - *plate*, suitcase.
vallée *f* (vàlé) Valley (li).
vallon *m* (*o*ⁿ) Vale, dale.
vallonné, ée (é) Undulating.
valoir* (lwàr) To be worth (ërth); to deserve (dizërv). [**vaux, vaut, valons,* etc.; *-lais,* etc.; *-lus,* etc.; *vaudrai; vaille; valant; valu*].
valse *f* (vàls) Waltz (wauls). **-ser** To waltz. **-seur** Waltzer.
value *f* (lü) Value (vàlyoû).
valve *f* (vàlv) Valve.
vampire *m* (îr) Vampire (air).
van *m* (aⁿ) Winnowing-basket.
vanille *f* (îy) Vanille (ile).
vanité *f* (té) Vanity. **-iteux, euse** (ë, ëz) Vain (éi).
vanne *f* (vàn) Water-gate.
vanneau *m* (nò) Lapwing.
vanner (né) To winnow, fan.
vannerie *f* (vànrî) Basket-making; basket-work.
vannier (nyé) Basket-maker.
vantard, arde (vaⁿtàr, àrd) Boastful. *mf* Boaster (oou).
-tardise *f* (îz) Bragging.
vanter (se) [té) To boast.
vanterie *f* (trî) Bragging.
va-nu-pieds *m* Ragamuffin.
vapeur *f* (vàpœr) Steam (î); vapour (véi). *m* Steamer.
vaporeux, euse (rë, ëz) Vaporous (véi). Steamy. **-orisateur** *m* Scent-spray, sprayer.
-oriser (izé) To spray (éi).
Se - To vaporize.
vaquer (vàké) To be absent, vacant. To be in vacation. To attend to [s'occuper].
varech *m* (èk) Sea-wrack.
vareuse *f* (ëz) Pilot-coat.
variabilité *f* (và) Variability.
-riable (vàryàbl) Variable (è).
-riation *f* (àsy*o*ⁿ) Variation.
varice *f* (vàrîs) Varix (vèe). [*pl* Varices]; varicose vein.
-icelle *f* (sèl) Chicken-pox.
varier (vàryé) To vary (èe).
variété *f* (yé) Variety (ai).
variole *f* (vàryòl) Smallpox.
variqueux, se (kë) Varicose.
varlope *f* (vàrlòp) Jointer.
vas. V. ALLER*.
vase *f* (vâz) Slime (ai), mud.

vase *m* (vâz) Vase (vâz).
vaseline *f* (lîn) Vaseline.
vaseux (zë) Slimy, muddy.
vasque *f* (vàsk) Basin (é^{i}s).
vassal, ale (sàl) Vassal.
vasselage *m* (àj) Vassalage.
vaste (vàst) Vast, wide.
va-tout *m* (vàtû) One's all.
vaudeville *m* Light comedy.
vau-l'eau [à] (àvôlô) Adrift.
vaurien, ienne *mf* (vôr^{y}i^{n}, èn) Rascal (ràsk^{e}l), scamp.
vautour *m* (ûr) Vulture (œ).
vautrer (se) To wallow.
vaux (vô). V. VALOIR* et VAL.
veau *m* (vô) Calf (kâf) [animal]. Veal (vîl) [viande].
vécu. V. VIVRE*.
vedette *f* Vedette, mounted sentry. Scout [mar.]. Star.
végétal, ale *a* (jétàl) Vegetable (vèdj^{e}t^{e}b^{e}l). *m* Plant. **-tarien, enne** (^{y}i^{n}, èn) Vegetarian (é^{e}ry^{e}n). **-tarisme** *m* Vegetarianism. **-tatif, ive** (tîf, îv) Vegetative (vèdj^{e}). **-tation** *f* (às^{y}o^{n}) Vegetation.
végéter (jété) Vegetate [*-ète*].
véhémence *f* (vééma^{n}s) Vehemence (vîim^{e}ns). **-ent, te** (a^{n}) Vehement (vîim^{e}nt).
véhicule *m* (ìkül) Vehicle.
veille *f* (vè^{y}) Watching (ò) [garde]. Waking (é^{i}) [insomnie]. Sitting up [tardive]. Eve (îv), day before.
veillée *f* (vè^{y}é) Evening.
veiller To watch over [surveiller]. To wake* [insomnie]. To sit* up [tarder à se coucher]. To take* care.
veilleur (vè^{y}œr) Watchman.
veilleuse *f* (vè^{y}ëz) Night-light. *Mettre* en -*, to dim.
veinard, de (àr, àrd) Lucky.
veine *f* (vèn) Vein (vé^{i}n). Seam (î) [filon]. Luck.
veineux, euse (ë, ëz) Venous.
vêler (vè) To calve (kâv).
vélin *m* (véli^{n}) Vellum (^{e}m).
velléité *f* (é^{i}té) Feeble desire, vague intention.
vélocité *f* (té) Velocity.
vélodrome *m* (òdròm) Cycle-racing track.
vélomoteur *m* Moped.
velours *m* (v^{e}lûr) Velvet (it).
velouté, ée (ûté) Velvety.
velu, ue (v^{e}lü) Hairy (hè^{e}ri).
vélum *m* (òm) Awning (**au**).
venaison *f* (èzo^{n}) Venison.
vénal, ale Venal (vîn^{e}l).
vénalité *f* (té) Venality.
vendange *f* (va^{n}da^{n}j) Vintage [saison]. Grape-gathering. **-anger** (jé) To gather (gà); to gather the grapes. [**vendengeai, -geons*]. **-angeur** (jœr) Grape-gatherer.
vendeur, euse *mf* (va^{n}dœr, ëz) Seller. Salesman (sé^{i}lzm^{e}n) [employé]; *f* Saleswoman; shopman, shopgirl.
vendre (va^{n}dr) To sell*.
vendredi *m* (va^{n}dr^{e}dî) Friday (a^{i}); - *saint*, Good Friday.
venelle *f* (v^{e}nèl) Lane (lé^{i}n).
vénéneux, se (ë) Poisonous.
vénérable (àbl) Venerable. **-ration** *f* (às^{y}o^{n}) Veneration.
vénérer To venerate [*-ère*].
vénerie *f* (vénrî) Hunting.
venette *f* (venèt) Funk (œngk).
veneur *m* (v^{e}nœr) Huntsman.
vengeance *f* (va^{n}ja^{n}s) Revenge (rivèndj).
venger (jé) To avenge [**vengeai, -geons*]. **-geur, geresse** *mf* (jœr, j^{e}rès) Avenger. *a* Vengeful, avenging.

véniel, elle (nyèl) Venial.
venimeux, euse (ë, ëz) Poisonous (poi), venomous.
venin *m* (venin) Venom (em).
venir* (venîr) To come* (kœm); *s'en* -, to come* back; *faire** -, to send* for; *d'où vient que?* how is it that? [**viens, vient, venons,* etc.; *venais, vins,* etc.; *viendrai; vienne,* etc.; *venant; venu*].
Venise *f* (venîz) Venice (vè).
vénitien, enne Venetian (î).
vent *m* (van) Wind (wìnd).
vente *f* (vant) Sale (séil).
venter (vanté) To blow*.
ventilateur *m* (vantilàtœr) Ventilator (vèntiléi), fan.
-lation *f* Ventilation, airing (èe). **-ler** To ventilate, air.
ventouse *f* Cupping-glass.
ventre *m* (vantr) Belly (bè); stomach [plus poli]. **-triloque** (òk) Ventriloquist.
ventru, ue (ü) Stout (aout).
venu, ue (venü). V. VENIR*. *Le premier* -, the first comer; *nouveau venu,* newcomer.
Vénus (vénüs) Venus (vînes).
vêpres *fpl* (vèpr) Vespers.
ver *m* (vèr) Worm (wërm).
véracité *f* (té) Veracity.
véranda *f* (andà) Verandah.
verbal, ale (vèrbàl) Verbal, (vër), by word of mouth.
verbaliser (izé) To draw* up an information.
verbe *m* (vèrb) Verb (vërb).
verbiage *m* (yàj) Mere talk.
verdâtre (âtr) Greenish (î).
verdeur *f* (dœr) Greenness. Acidity. Vigour (viger).
verdict *m* (vèrdikt) Verdict.
verdir (vèrdîr) To grow* green. To make* green.
verdoyant, te (wàyan) Green.
verdure *f* (dür) Verdure (ë). Greenness; foliage.
véreux, euse (ë, ëz) Maggotty [fruit]. Fishy. Shady.
verge *f* (vèrj) Rod [tige]. Wand [baguette]. Switch.
vergé, ée (jé) Laid (léid).
verger *m* (jé) Orchard (tsh).
verglas *m* (glà) Frost; *il fait du* -, it is slippery.
vergogne *f* (oñ) Shame (éi).
vergue *f* (vèrg) Yard (â).
véridique (dîk) Truthful.
vérificateur (àtœr) Inspector. Auditor (au) [comptes].
-cation *f* Verification.
vérifier (fyé) To check.
vérin *m* (in) Screwjack.
véritable (àbl) **True (ou).** Genuine (dj) [authentique].
vérité *f* Truth (outh).
verjus *m* (jü) Verjuice (ë).
vermeil, eille *a* (mèy) Ruddy (œ). *m* Silver-gilt (g).
vermicelle *m* (sèl) Vermicelli.
vermifuge *m* (üj) Vermifuge.
vermillon *m* (iy) Vermilion.
vermine *f* (vèrmîn) Vermin.
vermisseau *m* (sô) Grub (œb).
vermoulu (ûlü) Worm-eaten.
vermouth *m* (mût) Vermouth.
vernir (vèrnîr) To varnish.
vernis *m* (nî) Varnish (vâr).
-issage *m* (sàj) Varnishing. Varnishing-day [salon].
vernisser To glaze (éiz).
-isseur (ìsœr) Varnisher.
vérole *f* (òl) Pox; *petite* -, smallpox.
verr... V. VOIR*.
verrat *m* (rà) Boar (auer).
verre *m* (vèr) Glass [à boire]. Chimney [lampe].
verrerie *f* (vèrerî) Glass-

works [usine]. Glass-ware [article]. Glass-making.
verrière *f* (yèr) Glass-case. Stained glass window.
verroterie *f* (rî) Glass beads.
verrou *m* (vèrû) Bolt (o^{ou}).
verrouiller (ûyé) To bolt.
verrue *f* (rü) Wart (wau^{r}t).
vers *m* (vèr) Line, verse (ë).
vers *prép* (vèr) Towards.
versant *m* (a^{n}) Slope (o^{ou}p).
-satile (îl) Versatile (a^{i}l).
verse (à) (èrs) In torrents.
versé, ée (sé) Conversant.
versement *m* (ma^{n}) Payment.
verser (vèrsé) To pour (au^{e}). To shed* [sang, larme]. To pay* in [argent]. To upset*, to overturn [voiture].
versifier (fyé) To versify.
version *f* (syo^{n}) Translation [traduction]. Version.
verso *m* (sò) Back, verso.
vert, te (vèr, èrt) Green (î).
vertèbre *f* (èbr) Vertebra. (vë^{r}). **-ébré** Vertebrate.
vertement *ad* (ma^{n}) Sharply.
vertical, ale (àl) Vertical.
vertige *m* (tîj) Dizziness. *Avoir* le -,* to feel* dizzy.
-igineux (në) Giddy (gidi).
vertu *f* (vèrtü) Virtue (ë).
vertueux, euse (t^{u}ë, ëz) Virtuous (vë^{r}tyou^{e}s).
verve *f* (vèrv) Verve (ë).
verveine *f* (vèn) Verbena (î).
vesce *f* (vès) Vetch.
vésicatoire *m* (wà) Blister.
vésicule *f* (zìkül) Vesicle.
vespasienne *f* Street urinal.
vessie *f* (vèsî) Bladder.
vestale (tàl) Vestal.
veste *f* (vèst) Jacket (dj).
vestiaire *m* (yèr) Cloak-room.
vestibule *m* (ül) Hall (haul).
vestige *m* (tîj) Footprint; trace, vestige.
veston *m* (o^{n}) Jacket (dj).
Vésuve *m* (züv) Vesuvius.
vêtement *m* (vètma^{n}) Clothes (klo^{ou}zhs), dress, garment.
vétéran (éra^{n}) Veteran.
vétérinaire (ìnèr) Veterinary.
vétille *f* (îy) Trifle (a^{i}).
vêtir (vètîr) To clothe*, to dress. **Se -** To dress [**vêts, vêtons,* etc.; *vêtais,* etc.; *vête,* etc.; *vêtant; vêtu*].
veto *m* (tô) Veto (vîto^{ou}).
vétusté *f* (ü) Decay (é^{i}).
veuf, veuve *a* (vœf, vëv) Widowed. *m* Widower. *f* Widow.
veuillez (vœyé) Please (îz).
veule (vœl) Weak (wîk).
veulerie *f* (rî) Weakness (î).
veuvage *m* (vàj) Widowhood.
vexation *f* (syo^{n}) Vexation.
-atoire (twàr) Vexatious.
vexer To vex, annoy, hurt.
viable (vyàbl) Viable (a^{ie}).
viaduc *m* (vyàdük) Viaduct.
viager, ère (jé) For life.
viande *f* (vya^{n}d) Meat (ît).
viatique *m* (tîk) Viaticum.
vibration *f* Vibration.
vibrer (vì) To vibrate (a^{i}).
vicaire (èr) Curate.
vice *m* (vìs) Vice (va^{i}s); *- de forme,* informality.
vice-amiral (vìsàmìràl) Vice-admiral (va^{i}s). **- -consul** Vice-consul. **- -roi** Viceroy.
vicier (syé) To vitiate, to corrupt.
vicieux, euse (syë, ëz) Depraved, vicious. Faulty.
vicinal, ale (sìnàl) Local.
vicissitude *f* Vicissitude.
vicomte, tesse *mf* (vìko^{n}t, tès) Viscount, tess (a^{i}k).

victime *f* (îm) Victim (ìm). **victoire** *f* (twàr) Victory (vìkteri). **-torieux, euse** (ryë, ëz) Victorious (auryes). **victuaille** *f* (vìktuày) Food, victuals (vitelz). **vidange** *f* (anj) Emptying. Ullage [fût]. Night-soil. **vidanger** To empty, drain. **vidangeur** (jœr) Nightman. **vide** *a* (vîd) Empty (èmti), vacant, void. *m* Emptiness. Vacuum. *A vide,* empty. **vider** To empty. To bore [creuser]. To settle [querelle]. **vie** *f* (vî) Life (laif). Living (li) [subsistance]; *en vie,* alive (elaiv). **vieil, eille** (vyèy) [*m* **vieux** (vyë)] Old (oould). **vieillard** (vyèyàr) Old man. **vieillerie** *f* (rî) Old thing. **vieillesse** *f* (yès) Old age. **vieillir** *vi* (vyèyîr) To grow* old. *vt* To make* old. **-issement** *m* (isman) Ageing (éi). **-ot, otte** (ò, òt) Oldish. **vielle** *f* (vyèl) Hurdy-gurdy. **vien...** V. VENIR*. **Vienne** *f* (vyèn) Vienna [Autriche]. Vienne [France]. **vierge** *a, f* (vyèrj) Virgin (vërdjìn), maid, maiden. **vieux.** V. VIEIL. **vif, vive** (vîf, vîv) Quick (kwik), lively (ai). Sharp [piquant]. Hot [emporté]. *Brûler vif,* to burn* alive. *m* Quick; *sur le -,* from life. **vif-argent** *m* Quick-silver. **vigie** *f* (vijî) Look-out. **vigilance** *f* (vìjìlans) Watchfulness. **-ant, ante** (an, ant) Watchful. **-igile** *f* Vigil. **vigne** *f* (vîñ) Vine (vain).

Vineyard (nyerd) [champ]. **vigneron** (on) Wine-grower. **vignoble** *m* (ñòbl) Vineyard. **vigogne** *f* (gòñ) Vicuna (you). **vigoureux, euse** (ûrë, ëz) Vigorous (vigeres), sturdy. **vigueur** *f* (vìgœr) Vigour. **vil, vile** (vîl) Vile (vail). **vilain, ne** (in, èn) Ugly (œ); bad, naugty. *m* Villain. **vilebrequin** *m* (kin) Wimble. **vilenie** *f* (vilnî) Meanness. **vilipender** (an) To vilify. **villa** *f* (vìlà) Villa (vile). **village** *m* (àj) Village (idj). **villageois, se** *a* (àjwà, àz) Rustic (œ). *mf* Villager. **ville** *f* (vîl) Town (taoun). **villégiature** *f* (jyàtür) Stay in the country; holiday resort. **-urer** (tü) To spend* a holiday, to rusticate. **vin** *m* (vin) Wine (wain). **vinaigre** *m* (vìnègr) Vinegar. (vineger). **-grette** *f* Vinegar sauce. **-grier** *m* (ìé) Vinegar-maker. Cruet (ouit). **vindicatif** Vindictive. **vineux, se** (në, ëz) Vinous. **vingt** (vin) Twenty (twèn). **vingtaine** *f* (vintèn) Score. **-tième** (tyèm) Twentieth. **vinicole** (ò) Wine-growing. **viol** *m* (vyòl) Rape (réip). **violacé, ée** (àsé) Purple (ë). **violateur** (làtœr) Trangressor. **-ation** *f* (syon) Transgression (èshen); breach (îtsh). **viole** *f* (vyòl) Viol (vaiel). **violemment** (àman) Violently. **-ence** *f* (ans) Violence (ai). **-ent, ente** (an) Violent (ent). **-enter** (anté) To do violence. **violer** (vyolé) To violate (vaieléit). To break* [loi].

To ravish, to rape [pers.].
violet, ette *a* (vyolè, èt) Purple (ër). *f* Violet (ai).
violon *m* (vyolon) Violin (vaielìn). Fiddle [crin-crin]. Quod (kwod) [prison].
violoncelle *m* (sèl) Cello. **-elliste** Cellist (tshèlist).
violoneux (në) Fiddler.
violoniste Violinist (ai).
viorne *f* (vyòrn) Viburnum.
vipère *f* (ìpèr) Viper (ai).
virage *m* (àj) Turning (ë).
virago *f* (àgô) Termagant.
virement *m* (rman) Turning. Veering [mar.]. Transfer.
virer (ré) To turn (tërn). To transfer [com.]. Tone [phot.]. To veer, tack about [mar.].
virevolte *f* (òlt) Wheeling.
virginal, ale (vìrjìnàl) Virginal (vërdjinel), maidenly.
virginité *f* Maidenhood.
virgule *f* (virgül) Comma.
viril, ile (îl) Manly. **-ilité** *f* Manhood, manliness.
virole *f* (òl) Ferrule (el).
virtuel, elle (uèl) Virtual.
virtuose (tuôz) Virtuoso (ë). **-osité** *f* Virtuosity.
virulence *f* (vìrulans) Virulence (viroulens). **-ent, te** (an, ant) Virulent (lent).
virus *m* (vìrüs) Virus (ai).
vis *f* (vîs) Screw (skrou) ; *pas de -*, furrow of a screw.
visa *m* (vìzà) Visa, visé.
visage *m* (zàj) Face (féis).
vis-à-vis *ad* (vìzàvî) Opposite. *m* Vis-à-vis.
viscères *mpl* (sèr) Viscera.
viscosité *f* Viscosity.
visée *f* (vìzé) Aim (éim).
viser *vt* To aim at. To refer to [concerner]. To endorse, to visé. *vi* To aim (éim).
viseur *m* (zœr) Sight [fusil]. View-finder [phot.].
visibilité *f* Visibility.
visible (zîbl) Visible.
visière *f* (zyèr) Shade (éi) [cap]. Visor (ai) [casque].
vision *f* (zyon) Vision (jen). **-ionnaire** (nèr) Dreamer (î).
visitation *f* Visitation.
visite *f* (zît) Visit, call. Search (sërtsh) [douane].
visiter To visit, to call on. To search [douane].
visiteur, se *mf* (œr, ëz) Visitor, caller. Searcher.
vison *m* (zon) Mink (ìngk).
visqueux (kë) Viscous (kes).
visser (sé) To screw (ou).
visuel, elle (vizuèl) Visual (vijyouel).
vital, ale (vìtàl) Vital (vai). **-alité** *f* Vitality.
vitamine *f* (în) Vitamin.
vite (vît) Fast (â).
vitesse *f* (ès) Speed (îd).
viticole (kòl) Wine-growing. **-culteur** (kültœr) Wine-grower. **-culture** *f* (tür) Viticulture (kœltsher).
vitrage *m* (àj) Glass-work.
vitrail *m* (ày) Stained glass window [*pl* vitraux].
vitre *f* (vìtr) Pane (péin) [of glass] ; window-pane.
vitreux, euse (trë) Glassy.
vitrier (ié) Glazier (éiz).
vitrifier (fyé) To vitrify.
vitrine *f* (în) Shop-window. Glass-case (kéis).
vitriol *m* (iòl) Vitriol.
vivace (às) Evergreen [plante]. Inveterate [passion].
vivacité *f* (té) Vivacity.
vivandier, ière (yé) Sutler.

vivant, ante (viva^{n}, a^{n}t) Living (li), alive (ela^{i}v). Modern [langue].
vivat *m* (và) Cheer (tshi^{er}).
vive. V. VIF et VIVRE.
viveur (vivœr) Fast liver.
vivier *m* (vìv^{y}é) Fish-pond.
vivifier (f^{y}é) To vivify, to brace, to refresh.
vivipare (àr) Viviparous.
vivisection *f* Vivisection.
vivre* (vîvr) To live (*de*, on) [**vis, vit, vivons,* etc.; *vécus; vive; vivant; vécu*].
vizir (zîr) Vizier (zi^{er}).
vocable *m* (vòkàbl) Term (ë).
vocabulaire *m* Vocabulary.
vocal, ale (vò) Vocal (o^{ou}).
vocaliser To vocalize.
vocation *f* (às^{y}o^{n}) Vocation (ké^{i}sh^{e}n). Calling. Bent.
vociférer Scream (îm) [**fère*].
vœu *m* (ë) Vow (a^{ou}). Wish.
vogue *f* (vòg) Vogue (vo^{ou}g).
voguer (vogé) To sail (sé^{i}l).
voici (vwàsî) Here (hi^{er}); - *ma clé*, here is my key.
voie *f* (vwà) Way (wé^{i}). Track [piste]. Gauge (gé^{i}dj) : - *d'eau*, waterway, leak [fissure]; *voies de fait*, assault.
voilà (wàlà) There (zhè^{er}).
voile *f* (vwàl) Sail (sé^{i}l). *m* Veil (vé^{i}l). Pretence.
voiler (lé) To veil. To rig [mar.]. To fog [phot.]. To warp [bois]. **-lette** *f* (lèt) Veil (é^{i}l). **-lier** *m* (l^{y}é) Sailer (é^{i}). **-lure** *f* (lür) Sails. Warping [bois].
voir* (vwàr) To see* (sî). [*vois, voit, voyons, voient; voyais,* etc.; *vis,* etc.; *verrai,* etc.; *voie, voie, voyions, voient; voyant; vu*].
voirie *f* (vwàrî) Roads.
voisin, ine *a* (vwàzi^{n}, în) Neighbouring. *mf* Neighbour (né^{i}b^{er}). **-sinage** *m* (nàj) Neighbourhood. **-siner** (zìné) To be neighbourly.
voiture *f* (vwàtür) Carriage (kàridj). Cartload [chargement]. - *automobile*, motor-car; - *à bras*, hand-cart; - *d'enfant*, pram.
voiturer To convey (é^{i}). **-urier** (tür^{y}é) Carrier.
voix *f* (vwà) Voice (vo^{i}s). Vote (vo^{ou}t). *De vive* -, by word of mouth.
vol *m* (vòl) Flight (a^{i}t) [oiseau]. Theft [larcin].
volage (àj) Fickle (fik^{e}l).
volaille *f* (à^{y}) Fowl (fa^{ou}l), poultry.
volant *m* (a^{n}) Shuttlecock [jouet]. Flounce (a^{ou}) [couture]. Steering-wheel, wheel [auto]. Fly-wheel [méc.].
volatil, ile *a* Volatile. **-tile** *m* Bird (bë^{r}d). **-tiliser** To volatilize.
volcan *m* (a^{n}) Volcano (é^{i}). **-canique** (nîk) Volcanic.
voler (vòlé) To fly* (a^{i}) [oiseau]. To steal* (îl) [voleur]. To rob [dépouiller].
volet *m* (lè) Shutter (œ).
voleter (volté) To flutter.
voleur, euse (œr, ëz) Thief.
volière *f* (l^{y}èr) Aviary (é^{i}).
volige *f* (lîj) Batten (bà).
volontaire *a* (o^{n}tèr) Voluntary. *mf* Volunteer (ti^{er}).
volonté *f* (vòlo^{n}té) Will. **-ontiers** (t^{y}é) Willingly.
volt *m* (ò) Volt (o^{ou}).
voltage *m* (tàj) Voltage (idj).
volte-face *f* (às) Face-about.

voltige *f* (tîj) Slack rope. Vaulting [cheval].
voltiger (ìjé) To flutter.
volubile (übîl) Voluble (volyoubel. **-bilis** *m* Convolvulus. **-bilité** *f* (té) Volubility.
volume *m* (üm) Volume (youm). **-umineux** (në) Bulky (bœl).
volupté *f* (üpté) Sensual pleasure. **-tueux** Voluptuous.
vomique (mîk) Vòmic.
vomir (mîr) To throw* up, to vomit. **-issement** *m* (isman) Vomiting. **-itif** *m* Emetic.
vont. V. ALLER*.
vorace (às) Voracious (é[1]).
voracité *f* (té) Voracity.
vos (vô) Your (yauer).
votant, te (an) Voter (oou).
vote *m* (vòt) Vote (voout).
voter (té) To vote.
votre (vòtr) Your (yauer); *le vôtre,* Yours (yauerz).
voudr... V. VOULOIR*
vouer (vwé) Devote (oout). [consacrer]. Vow [jurer].
vouloir* *v* (vûlwàr) To want. To wish [désirer], to wish for. To intend [intention]. To require [exiger]. To order [ordonner]. To resolve. *Que veux-tu dire?* What do you mean? *Je voudrais être,* I wish I were [**veux, veut, voulons, veulent; voulais; -lus; voudrai; veuille; veuillons, veuillez; voulant; voulu*].
vouloir *m* (lwàr) Will.
voulu, ue (lü). V. VOULOIR*. *Au temps -,* in due time.
vous (vû) You, yourself.
voussoir *m* (vûswàr) Archstone. **-ssure** *f* Archcurve.
voûte *f* (vût) Arch (ârtsh), vault. Archway [passage].
voûter To vault. To bend* [âge]. **Se -** To be bent*.
voyage *m* (vwàyàj) Journey. Trip, tour. Voyage [mar.]. *pl* Travel [sg]; *aller en -,* to go on a journey.
voyager (vwàyàjé) To travel [**voyageai, -geons*].
voyageur, euse (àjœr, jëz) Traveller. Passenger. *Commis -,* commercial traveller.
voyant, ante *a* (vwàyan, ant) Showy. *mf* Seer (sier).
voyelle *f* (vwàyèl) Vowel.
voyou (vwàyû) Hooligan.
vrac *m* (vràk) Bulk (bœlk).
vrai, aie (vrè) True (trou). Genuine (djènyouin) [authentique]. Right [légitime]. Regular, thorough [parfait]. *m* Truth (trouth).
vraiment Truly, indeed (îd).
vraisemblable (sanblàbl) Likely (a[1]). **-blance** *f* (ans) Likelihood, probability.
vrille *f* (vrîy) Gimlet (gi) [outil]. Tendril [vigne].
vrombir (vronbîr) To hum.
vu, vue (vü). V. VOIR*.
vu *adv* Having regard to.
vue *f* (vü) Sight (sa[1]t). View [spectacle]. Slide [projection]. Design [plan]. *En - de,* in sight of.
vulcaniser To vulcanize.
vulgaire (vülgèr) Vulgar (œ); *langue -,* vernacular; *le -,* the common people.
vulgariser (ìzé) To vulgarize.
vulgarité *f* Vulgarity.
vulnérabilité *f* (vülné-té) Vulnerability. **-rable** (àbl) Vulnerable (vœl).
vulnéraire *a, m* (rèr) Vulnerary (œ). *f* Wound-wort.

W X Y Z

w (dûbl^{e}vé) W (dœb^{e}lyou).

wagon *m* (vàgo^{n}) Carriage (kàridj) ; coach (ko^{ou}tsh) ; - *-lit,* sleeping-car ; *-restaurant,* dining-car.

wagonnet *m* (vàgònè) Truck.

warrant *m* (vàra^{n}) Warrant (wor^{e}nt). **-anter** Warrant.

watt *m* (wàt) Watt (wòt').

wattman *m* (àn) Driver (a^{i}).

whist *m* (wist) Whist.

Xérès *f* (kérès) Jerez *m* (kérès). *m* Sherry.

y (ìgrèk) Y (wa^{i}).

y *ad* (î) There (**zh**è^{er}) ; *il y a un livre,* there is a book ; *il est venu il y a trois jours,* he came three days ago ; *il y a deux jours qu'il attend,* he has been waiting for two days. *pron* Of it ; to it .

yacht *m* (yàk) Yacht (yòt).

yeux *mpl* (yë) Eyes. V. ŒIL.

yole *f* (yòl) Yawl (y**au**l).

youyou *m* (yû) Dingy. Skiff.

z (zèd) Z (zèd).

zagaie *f* (gè) Assagai (iga^{i}).

zèbre *m* (èbr) Zebra (îbr^{e}).

zébrer To stripe [**zèbre*].

zébu *m* (zébü) Zebu (zibou).

zélateur, trice Zealot (î).

zèle *m* (zèl) Zeal (zîl).

zélé, ée (lé) Zealous (zî).

zénith *m* (nît) Zenith (i**th**).

zéphir *m* (îr) Zephyr (f^{er}).

zéro *m* (zérô) Nought (n**au**t). Cipher (sa^{i}). Zero [therm.].

zeste *m* (zèst) [Lemon] peel.

zézaiement *m* (ma^{n}) Lisping.

zézayer (zè^{y}é) To lisp.

zibeline *f* (lîn) Sable (é^{i}).

zigzag *m* (zàg) Zigzag. **-zaguer** (zàgé) To zigzag.

zinc *m* (zi^{n}g) Zinc (zì**ng**k) Spelter [com.]. Counter [bar].

zinguer (gé) To zinc, to cover with zinc. **-gueur** *m* (zi^{n}gœr) Zinc-worker.

zizanie *f* (zìzànî) Tare (è). Dissension, quarrel (ò).

zodiaque *m* (zod^{y}àk) Zodiac.

zone *f* (zôn) Zone (zo^{ou}n).

zoologie *f* (zòòlòjî). Zoology (zo^{ou}òl^{e}dji). **-gique** (jîk) Zoological (lòdjik^{e}l). **-giste** (jîst) Zoologist.

Zoulou *m* (zûlû) Zulu (zou).

zut (züt) Hang it! Shut up!

VERBES IRRÉGULIERS ANGLAIS

Les verbes qui n'ont qu'une forme dans cette liste ont la même forme au présent, au passé simple et au participe passé.

Les verbes qui ont deux formes sont ceux qui ont une forme identique au passé simple et au participe passé.

Les formes entre parenthèses sont d'autres formes également employées aux mêmes temps.

To abide, *abode.* **To arise,** *arose, arisen.* **To awake,** *awoke, awoke* (*awaked*). **To be,** *was, been.* **To bear,** *bore, borne* (*born*). **To beat,** *beat, beaten.* **To become,** *became, become.* **To begin,** *began, begun.* **To behold,** *beheld.* **To bend,** *bent.* **To bereave,** *bereft* (*bereaved*). **To beseech,** *besought.* **To bespeack,** *bespoke, bespoken.* **To bid,** *bade, bid* (*bidden*). **To bind,** *bound.* **To bite,** *bit, bit* (*bitten*). **To bleed,** *bled.* **To blow,** *blow, blown.* **To break,** *broke, broken.* **To breed,** *bred.* **To bring,** *brought.* **To build,** *built* (*builded*). **To burn,** *burnt* (*burned*). **To burst. To buy,** *bought.* **I can,** *I could.* **To cast. To catch,** *caught.* **To chide,** *chid, chid* (*chidden*). **To choose,** *chose, chosen.* **To cleave,** *cleft, cleft* (*cloven*). **To cling,** *clung.* **To clothe,** *clad, clad* (*clothed*). **To come,** *came, come.* **To cost. To creep,** *crept.* **To crow,** *crew* (*crowed*), *crowed.* **To cut. To dare,** *durst, dared.* **To deal,** *dealt.* **To dig,** *dug.* **To do,** *did, done.* **To draw,** *drew, drawn.* **To dream,** *dreamt* (*dreamed*). **To drink,** *drank, drunk.* **To drive,** *drove, driven.* **To dwell,** *dwelt.* **To eat,** *ate, eaten.* **To fall,** *fell, fallen.* **To feed,** *fed.* **To feel,** *felt.* **To fight,** *fought.* **To find,** *found.* **To flee,** *fled.* **To fling,** *flung.* **To fly,** *flew, flown.* **To forbear,** *forbore, forborne.* **To forbid,** *forbade, forbidden.* **To forget,** *forgot, forgotten.* **To forgive,** *forgave, forgiven.* **To forsake,** *forsook, forsaken.* **To freeze,** *froze, frozen.* **To get,** *got.* **To gild,** *gilt* (*gilded*). **To gird,** *girt* (*girded*). **To give,** *gave, given.* **To go,** *went, gone.* **To grind,** *ground.* **To grow,** *grew, grown.* **To hang,** *hung* (*hanged*). **To have,** *had.* **To hear,** *heard.* **To heave,** *hove* (*heaved*). **To hew,** *hewed, hewn.* **To hide,** *hid, hid* (*hidden*). **To hit. To hold,** *held.* **To hurt. To keep,** *kept.* **To kneel,** *knelt* (*kneeled*). **To knit** (*knit* ou *knitted*) **To know,** *knew, known.* **To lade,** *laded, laden.* **To lay,** *laid.* **To lead,** *led.* **To lean,** *leant* (*leaned*). **To leap,** *leapt* (*leaped*). **To learn,** *learnt* (*learned*). **To leave,** *left.* **To lend,** *lent.* **To let. To lie,** *lay, lain.* **To light,** *lit* (*lighted*) **To lose,** *lost.* **To make,** *made.* **I may,** *I might.* **To mean,** *meant.* **To meet,** *met.* **To mistake,** *mistook, mistaken.* **To mow,** *mowed, mown.*

I must. I ought to. To pay, *paid.* **To pen,** *pent.* **To put. To read,** *read* [pron. réd]. **To rend,** *rent.* **To rid. To ride,** *rode, ridden.* **To ring,** *rang, rung.* **To rise,** *rose, risen.* **To run,** *ran, run.* **To saw,** *sawed, sawn.* **To say,** *said.* **To see,** *saw, seen.* **To seek,** *sought.* **To seethe,** *sod, sodden.* **To sell,** *sold.* **To send,** *sent.* **To set. To sew,** *sewed, sewn* (*sewed*). **To shake,** *shook, shaken.* **I shall,** *I should.* **To shape,** *shaped, shaped* (*shapen*). **To shave,** *shaved, shaved* (*shaven*). **To shear,** *shore, shorn.* **To shed. To shine,** *shone.* **To shoe,** *shod.* **To shoot,** *shot.* **To show,** *showed, shown.* **To shred. To shrink,** *shrank* (*skrunk*), *shrunk.* **To shrive,** *shrove, shriven.* **To shut. To sing,** *sang, sung.* **To sink,** *sank, sunk.* **To sit,** *sat.* **To slay,** *slew, slain.* **To sleep,** *slept.* **To slide,** *slid, slid* (*slidden*). **To sling,** *slung.* **To slink,** *slunk.* **To slit. To smell,** *smelt* (*smelled*). **To smite,** *smote, smitten.* **To sow,** *sowed, sown.* **To speak,** *spoke, spoken.* **To speed,** *sped.* **To spoil,** *spoilt* (*spoiled*). **To spread. To spring,** *sprang, sprung.* **To stand,** *stood.* **To steal,** *stole, stolen.* **To stick,** *stuck.* **To sting,** *stung.* **To stink,** *stank, stunk.* **To strew,** *strewed, strewn.* **To stride,** *strode, stridden.* **To strike,** *struck.* **To string,** *strung.* **To strive,** *strove, striven.* **To swear,** *swore, sworn.* **To sweat. To sweep,** *swept.* **To swell,** *swelled, swollen.* **To swim,** *swam, swum.* **To swing,** *swung.* **To take,** *took, taken.* **To teach,** *taught.* **To tear,** *tore, torn.* **To tell,** *told.* **To think,** *thought.* **To thrive,** *throve, thriven.* **To throw,** *threw, thrown.* **To thrust. To tread,** *trod, trodden.* **To understand,** *understood.* **To undo,** *undid, undone.* **To upset. To wear,** *wore, worn.* **To weave,** *wove, woven.* **To weep,** *wept.* **I will,** *I would.* **To win,** *won.* **To wind,** *wound.* **To withdraw,** *withdrew, withdrawn.* **To withstand,** *withstood.* **To work,** *worked* (*wrought*). **To wring,** *wrung.* **To write,** *wrote, written.* **To writhe,** *writhed, writhen.*

NOTE. — Les verbes donnés à la 1re pers. (**I can**), n'ont ni infinitif ni participe, donc pas de temps composés.

Imprimerie HÉRISSEY - 27000 ÉVREUX
Juin 1942. — Dépot légal 1942-4e
No de série Editeur 7838
IMPRIMÉ EN FRANCE (*Printed in France*). — 20 402 F-1-77

access Accès *m* (sè).
accessible Accessible.
accessory Accessoire (wàr).
accident Accident *m* (a^n).
acclaim (^{e}klé^{i}m) Acclamer.
acclamation Acclamation *f.*
acclimatize (a^i) Acclimater.
accommodate (é^{i}t) Accommoder. Loger (lò*jé*) [lodge]. Rendre service. **-ation** Accommodement *m.* Logement *m.*
accompaniment (^{e}kœm) Accompagnement *m* (àko^{n}pàñ).
accompanist Accompagnateur, trice (ñatœr, trìs).
accompany Accompagner (ñ*é*).
accomplice Complice.
accomplish (òm) Accomplir.
accomplishment Accomplissement *m. Pl* Talents *m;* arts [*mpl*] d'agrément.
accord (^{e}*kau*rd) Accorder; s'accorder. *n* Accord *m* (kòr), consentement : *of his own -,* de son propre mouvement.
accordance (^{e}ns) Accord *m.*
according Conforme (òrm) : *- to,* selon; *- as,* selon que.
accordingly En conséquence.
accordion Accordéon *m.*
accost (^{e}kost) Accoster.
account (^{e}ka^{ou}nt) Compte *m* (o^nt). Compte rendu *m* [report]. Motif *m* [cause]. *On - of,* en raison de; *on my -,* pour mon compte; *to take* into -,* tenir compte de. *vt* Compter. *vi* Rendre compte [*for :* de], expliquer.
accountable Responsable.
accountant Comptable (ko^n).
accoutrement Habillement.
accredit (it') Accréditer.
accrue (^{e}kr*ou*) Croître* [to grow]. Revenir [debt].
accumulate (*you*) Accumuler (kümü), s'accumuler. **-lation** Accumulation *f.* **-lator** Accumulateur *m.*
accuracy (you) Exactitude *f.*
accurate Exact, te (zà, àkt).
accurse (^{e}kë^{r}s) Maudire*.
accusation (kyouzé^i) Accusation *f* (üzas^{y}o^n).
accuse (*youz*) Accuser (kü).
accustom (^{e}kœs) Accoutumer.
ace (é^{i}s) As *m* (às').
acetate (it') Acétate *m* (tàt). **-tone** Acétone *f.* **-tic** (*si*) Acétique. **-tylene** (*é*tilin') Acétylène *m* (lèn).
ache (é^{i}k) Douleur *f* (dûlœr); *headache,* mal de tête; *sick headache,* migraine *f; toothmal* de dents. *vi* Faire* mal.
achieve (^{e}tshîv) Accomplir. Acquérir (ké) [obtain]. **-vement** Accomplissement *m.* Exploit *m* (plwà).
acid Acide.
acknowledge (^{e}kno) Reconnaître* (nètr). **-ment** Reconnaissance *f.* Accusé de réception *f* [letter].
aconite (a^{i}t) Aconit *m.*
acorn (*e*^{i}kau^{r}n) Gland *m* (a^n).
acoustic (^{e}ka^{ou}) Acoustique.
acquaint (^{e}kwé^{i}nt) Informer; *to get* acquainted with,* faire* la connaissance de.
acquaintance Connaissance *f.*
acquest (kwèst) Acquisition *f. Pl* Acquêts.
acquiesce (kwiès) Acquiescer (k^{y}è); accéder [*in :* à].
acquire (wa^i) Acquérir (ké).
acquirement Acquisition (ki).
acquirer Acquéreur, se (ké).
acquisition (wi) Acquisition.
acquit (wit') Acquitter (kì).

acquittal Acquittement *m*.
acquittance Acquittement *m*. Quittance *f* (kì) [receipt].
acre (é^{i}k^{er}) Arpent *m* (pa^{n}).
acrid Acre (âkr).
acridity Âcreté *f* (âkr^{e}té).
acrimony Acrimonie *f* (nî).
acrobat (at') Acrobate (àt).
acrobatics Acrobatie *f* (sî).
across (^{e}kros') A travers (vèr) : *to swim** -, traverser à la nage; *to come** -, croiser.
act Action *f*, acte *m*: *in the* -, sur le fait; - *of Parliament*, loi; - *of God*, force majeure. *vt* Jouer. *vi* Agir.
acting Jeu *m* (jë). *a* Suppléant, faisant fonction de.
action Action f.
active Actif, ive.
activity Activité *f*.
actor, tress Acteur, trice.
actual (àkt^{y}ou^{e}l) Réel, elle.
actuality Réalité *f*.
acute (yout) Aigu, uë (égü).
adapt Adapter.
add Ajouter (ajûté). Additionner (s^{y}ò) [mat.].
adder (d^{e}r) Vipère *f* (vìpèr).
addict Adonner.
addition Addition *f*.
address Adresse *f* (ès). Discours *m* [speech]. Manières *fpl*. [manners]. *vt*. Adresser. S'adresser à.
addressee (sî) Destinataire.
adduce (^{e}d^{y}ous') Citer.
adept Adepte.
adequate (wit) Adéquat, e.
adhere (hi^{er}) Adhérer (dé).
adhesion (hi) Adhésion *f* (dé).
adhesive Collant, e; gommé.
adieu (you) Adieu *m* (àd^{y}ë).
adjacent (jé^{i}) Adjacent, e.
adjective Adjectif *m*.
adjoin Toucher, avoisiner.
adjourn (^{e}djë^{r}n) Ajourner.
adjudge (ædj) Adjuger.
adjunct (œngkt) Adjoint, e (wi^{n}); accessoire (swàr).
adjure (ou^{er}). Adjurer (jü).
adjust (æst) Ajuster (jüs).
adjutant Adjudant-major.
administer Administrer.
administration Administration. **-trative** (mi) Administratif. **-trator** Administrateur, trice.
admirable (r^{e}) Admirable (à).
admiral (àdmir^{e}l) Amiral : *rear* -, contre-amiral.
admiralty Amirauté *f* (ôté).
admiration (é^{i}) Admiration *f*.
admire (a^{ier}) Admirer (mì).
admirer (a^{ierer}) Admirateur.
admissibility Admissibilité.
admissible Admissible.
admission Admission *f*. - *ticket*, billet d'entrée.
admit Admettre* (ètr).
admittable Admissible.
admittance Accès *m* (sè); admission *f* : *no* -, défense d'entrer.
admonish Admonester.
admonition Admonestation *f*.
ado (dou) Peine *f* (èn); difficulté *f*. Bruit *m* [noise]. Façons *fpl* : *without more* -, sans autre cérémonie.
adolescence Adolescence *f*.
adolescent Adolescent, e.
adopt Adopter. **-tive** Adoptif, ive. **-tion** Adoption *f*.
adoration Adoration *f*.
adore (^{e}dau^{er}) Adorer.
adorer Adorateur, trice.
adorn (^{e}daurn) Orner.
adown (a^{o}un) En bas (a^{n}bà).
adrift A la dérive (rìv).

adroit (oⁱt) Adroit, e (wà).
adroitness Adresse *f* (ès).
adulation Adulation *f*.
adult (ᵉdœlt). Adulte.
adulterate (ᵉdœl) Adultérer.
adulteration Falsification.
adulterer, teress Adultère.
adulterous (ᵉs). Adultère.
adultery Adultère *m*.
advance (àns) Avancer, s'avancer. *n*. Avance *f*, progrès *m* (grè). Hausse *f* [price].
advancement Avancement *m* (aⁿsmaⁿ). Avance *f* [comm.].
advantage (ântidj) Avantage *m* (aⁿtàj) : *to take* - of*, profiter de. *vt* Avantager.
advantageous Avantageux, se.
adventure (tshᵉʳ) Aventure *f* (aⁿtür). *vi* S'aventurer.
adventurer, turess Aventurier, ère. **-urous** Aventureux.
adverb (àdvëʳb) Adverbe *m*.
adversary (vᵉʳ) Adversaire.
adverse Adverse, contraire.
adversity (ëʳsiti) Adversité *f*.
advertence Attention f.
advertise (aⁱz) Annoncer (oⁿ).
advertisement (ëʳ) Annonce *f*.
advertiser (ëʳtaⁱ) Annoncier.
advertising Réclame (réklàm) *f*, publicité *f* (pü).
advice (vaⁱs) Conseils *mpl*, avis. *Advice-boat*, aviso *m*.
advise (aⁱz) Conseiller (koⁿsèʸé). *vi* Délibérer.
adviser (aⁱ) Conseiller *m*.
advocate (it') Avocat *m* (kà). *vt* (éⁱt) Défendre, vanter.
æolian (ioᵒᵘ) Éolien, enne.
aerate (eⁱeréⁱt) Aérer.
aération Aération *f*.
aerial (èᵉryel) Aérien, enne (aéryiⁿ, èn). *n* Antenne *f*.
aerolith (th) Aérolite (ìt).
aeronaut (aut') Aéronaute.
aeronautic Aéronautique. *npl* Aéronautique *f*.
aeroplane (èeropléⁱn) Aéroplane *m* (àéroplàn).
æsthetic (th) Esthétique.
afar (ᵉfâr) Loin (lwiⁿ).
affability Affabilité *f*.
affable (afᵉb'l) Affable.
affair (efèᵉʳ) Affaire *f* (fèr).
affect (ᵉfekt) Affecter.
affecting Émouvant, e (ûvaⁿ).
affection Affection *f*.
affectionate (shᵉnit') Affectueux, euse (tüë, ëz).
affiliate (éⁱt) Adopter [son]. Affilier [member].
affirm (ᵉfëʳm) Affirmer.
affirmation Affirmation *f*.
affirmative Affirmatif, ive.
affix Apposer (àpôzé).
afflict Affliger (jé).
affliction Affliction *f*. Peine *f*.
afflictive Affligeant (jaⁿ).
affluence (flou) Opulence *f*. Affluence *f* [crowd].
affluent Opulent, te (pülaⁿ). *n* Affluent *m* (àflüaⁿ).
afford (auʳd) Donner, fournir.
affray (éⁱ) Echauffourée *f*.
affright (ᵉfraⁱt) Effrayer. *n* Effroi *m* (frwà).
affront (ᵉfrœnt') Affronter. *n* Affront *m* (àfroⁿ).
afloat (ᵉfloᵒᵘt) A flot (flô).
afoot (efout') A pied (pʸé).
afore (ᵉfauᵉʳ) Auparavant (ôpàràvaⁿ) : *- said*, susdit.
afraid (éⁱd) Effrayé, e (èʸé).
afresh (ᵉfrèsh) De nouveau.
Africa (afr) Afrique *f* (ìk).
African Africain, ne (kiⁿ, èn).
aft A l'arrière (àrʸèr).
after Après (àprè). D'après.
afternoon Après-midi *m*.

afterward, wards (werdz) Après, ensuite.
again (egéin) De nouveau, encore. *Never* -, jamais plus.
against (egéinst) Contre.
age (éidj) Age *m* (âj) : *of* -, majeur; *under* -, mineur.
agency (éidjensi) Agence *f*.
agenda Ordre du jour *m* [program]. Agenda *m* [book].
agent (éidj) Agent *m* (jan).
agglomerate Agglomérer.
aggravate (agrevéit) Aggraver. Agacer (sé) [tease].
aggravation Aggravation *f*. Agacement *m* [tease].
aggregate (géit) Assembler. Totaliser. *a* Réuni, *ie*. *n* Masse *f*, total *m*.
aggregation Assemblage *m*. Tas *m* (tâ) [heap].
aggression Agression *f*.
aggressive Agressif, *ive*.
aggressor Agresseur *m*.
aghast (egâst) Épouvanté.
agile (adjail) Agile (jìl).
agility (edji) Agilité *f*.
agitate (àdjitéit) Agiter (jì).
agitation Agitation *f*.
ago (egoou) Passé: *two days* -, il y a deux jours.
agony Angoisse *f* (angwàs).
agree (egrî) S'accorder, être* d'accord. Consentir [*to*: de] : *it's agreed*, entendu.
agreeable (ieb'l) Agréable (àgréàbl). Conforme (òrm).
agreement (ment) Accord *m* Entente *f* (antant). Contrat.
agriculture Agriculture *f*.
aground (egraound) A terre.
ague (éigyou) Fièvre *f*.
ahead (ehèd) En avant (van).
aid (éid) Aider (èdé) : *to* - *each other*, s'entraider. *n* Aide *f*. Secours *m* [help].
aigrette Aigrette *f* (ègrèt).
ail (éil) Faire* mal à.
ailing (éil) Souffrant, e.
ailment Mal *m*. Malaise *m* (lèz) [uneasiness]. Maladie.
aim (éim) Viser; diriger (jé) [arm]. *n* Visée *f*, but *m*.
air (èer) Air *m*. Brise *f* [wind]. *vt* Aérer : *to - oneself*, prendre l'air. *Aircraft*, avion; *airfield*, aérodrome; *air-hostess*, hôtesse de l'air; *air-lift*, pont aérien; *airman*, aviateur.
airplane (éin) Avion *m*.
airy (èiri) Aérien, ne (àéryin). Léger, ère [light].
aisle (ail) Bas-côté *m*.
ajar (edjâr) Entrouvert.
akin (ekìn) Apparenté, *ée*.
alabaster Albâtre *m*.
alacrity Empressement *m*.
alarm (elârm) Alarme *f*. *vt* Alarmer. - - *clock*, réveil *m*.
alas (elâs') Hélas.
album (bem) Album *m* (bom).
albumen (byou) Albumine *f*.
alchemy (ke) Alchimie *f* (sh).
alcohol (kehol) Alcool *m*.
alcoholism Alcoolisme *m*.
alder (aulder) Aulne *m* (ôn).
alderman (aul) Echevin *m*, conseiller municipal *m*.
ale (éil) Bière *f* (byèr).
alembic Alambic *m* (lan).
alert (eiërt) Alerte. *n* Alerte *f*.
algebra (aldjibre) Algèbre *f*.
Algeria (djieri) Algérie *f*.
Algiers (ierz) Alger (jé).
alibi (bai) Alibi *m* (bì).
alien (éil). Étranger, ère.
alienation Aliénation *f*.
alienist (éilye) Aliéniste.
alight (ait) Allumé, *e* (lü).

vi Descendre. Se poser [bird]. Atterrir [aviat.].
alike (e$^{}$la^{i}k) Semblable. *adv* Egalement (égalma^{n}).
aliment Aliment *m* (ma^{n}).
alive (e$^{}$la^{i}v) Vivant, e (a^{n}).
alkali (la^{i}) Alcali *m* (lî).
all (aul) Tout (tû) [*f:* toute; *pl:* tous, toutes] : *All-Hallows,* la Toussaint; *All-Saints' Day,* le Jour des Morts. *adv* Tout: *not at all,* pas du tout; *at all,* le moins du monde. *n* Tout: *above all,* surtout; *all-in,* tout compris.
allay (e$^{}$lé^{i}) Apaiser (àpèzé).
allegation Allégation *f.*
allege (edj) Alléguer (égé).
allegiance (idj) Fidélité *f.*
allegory (ali). Allégorie *f.*
allelujah (alilouy^{e}) Alléluia *m.* (àlélü^{y}à).
alleviate Alléger, soulager.
alley (ali) Passage *m* (àj) : *blind -,* impasse *f* (i^{n}pâs).
alliance (^{e}la$^{i e}$ns) Alliance *f* (àl^{y}a^{n}s).
allied (a^{i}d) Allié, *ée* (àl^{y}é).
allot (^{e}lot') Assigner (ñé).
allotment Partage *m* (taj). Lot *m* (lô) [share].
allow (^{e}la^{ou}) Permettre*.
allowable Permis, *ise.*
allowance (^{e}ns) Pension *f.* Remise *f* [comm.]. *To make* - for,* tenir* compte de.
alloy (^{e}lo^{i}) Alliage *m* (^{y}àj). Mélange *m* [mixture]. *vt* Allier. Altérer [fig.].
allude (youd) Faire* allusion.
allure (you) Séduire (üir).
allurement Attrait *m.*
allusion (youj^{e}n) Allusion *f.*
ally (^{e}la^{i}) Allier (àl^{y}é). *n* Allié, *ée* [pl. Allies].
almanac (aul) Almanach *m.*
almighty (aulma^{i}ti) Tout-puissant (tûpüïsa^{n}).
almond (âm^{e}nd) Amande *f.*
almost (aul) Presque (esk).
alms (âmz) Aumône *f* (ômôn).
almshouse Hospice *m.*
aloe (alo^{ou}) Aloès *m* (oès).
aloft En haut (a^{n} ô).
alone (o^{ou}n) Seul, le (sœl).
along (^{e}lòng) Le long (lo^{n}) de: *come along,* allons, viens.
aloof (ouf) A l'écart (kàr).
aloud (^{e}la^{ou}d) A voix haute [voice]. Bruyamment.
alpaca (àlpak^{e}) Alpaga *m* (àlpàgà).
alphabet (it') Alphabet *m.*
alphabetic Alphabétique.
alpine (pa^{i}n) Alpin, *ine.*
already (aulrèdi) Déjà (jà).
also (aulso^{ou}) Aussi (ôsi).
altar (ault^{er}) Autel *m* (ô).
alter (ault^{er}) Changer (sha^{n}jé) : *to - one's mind,* changer d'avis.
alteration Changement *m.*
altercation Altercation *f.*
alternate Alterner.
alternative Alternatif, *ive.*
although (zho^{ou}) Quoique.
altitude (youd) Altitude *f* (ü).
altogether (gé) Entièrement.
alum (al^{e}m) Alun *m* (lu^{n}).
aluminium Aluminium *m.*
always (aulw^{e}z) Toujours (tûjûr).
***am.** V. BE.
amalgam Amalgame *m* (gàm).
amalgamate Amalgamer.
amass (^{e}mas') Amasser.
amateur (m^{e}) Amateur (mà).
amatory Amoureux, *euse.*
amaze (emé^{i}z) Étonner.
amazement Étonnement *m.*

amazon (àm^{e}zòn) Amazone *f* (àmàzòn).
ambassador, dress Ambassadeur, drice.
amber Ambre *m* (a^{n}br).
ambiguity (gyou) Ambiguïté *f.*
ambiguous Ambigu, uë.
ambition Ambition *f.*
ambitious Ambitieux, euse.
ambulance Ambulance *f.*
ambush (àmboush) Embuscade *f.* Embûche *f* [fig.].
ameliorate (^{e}mi) Améliorer.
amelioration Amélioration *f.*
amen Amen; ainsi soit-il!
amenable (^{e}mîn^{e}b'l) Responsable; soumis, ise.
amend (^{e}mènd) Amender (a^{n}).
amendment Amendement *m.*
amends Dédommagement *m.*
amenity (^{e}miniti) Aménité *f.*
America Amérique *f* (rìk).
American Américain, ne.
amethist (**th**) Améthiste *f.*
amiability Amabilité *f.*
amiable (é^{i}my^{e}b'l) Aimable.
amicable Amical, ale, aux.
amid, amidst (^{e}midst) Au milieu de, entre.
amiss Mauvais, aise. *adv* Mal.
amity Amitié *f* (t^{y}**é**).
ammonia Ammoniaque *f.*
ammunition Munitions *fpl.*
amnesty Amnistie *f.* *vt* Amnistier (t^{y}**é**).
among, amongst (^{e}mongst) Parmi, entre. Chez (sh**é**).
amorous (r^{e}s) Amoureux, se.
amount (^{e}ma^{o}^{u}nt) S'élever, monter. *To - to,* revenir à. *n* Montant *m,* total.
amphibian, -bious Amphibie.
amphitheater Amphithéâtre.
ample (àmp'l) Ample (a^{n}pl).
amputate (pyou) Amputer.
amulet (you) Amulette *f* (ü).
amuse (^{e}myouz) Amuser (mü).
amusement Amusement *m.*
amusing Amusant, te.
an (àn) Un (u^{n}), une (ün) [devant voy. ou *h* muette].
anachronism Anachronisme.
anæmia (^{e}nimy^{e}) Anémie *f.*
anæmic (ni) Anémique.
anæsthesia (^{e}nîs**th**î) Anesthésie *f* (ànèstézî).
analogous (g^{e}s) Analogue.
analogy (dji) Analogie *f.*
analysis (sis') Analyse *f.*
analyse (la^{i}z) Analyser.
anarchic (kik) Anarchique.
anarchist (kist) Anarchiste.
anarchy (k) Anarchie *f* (sh).
anathema (**th**) Anathème *m.*
anatomy Anatomie *f.*
ancestor (t^{e}r) Ancêtre *m.*
anchor (àngk^{e}r). Ancre *f.*
anchorage Mouillage *m.*
anchorite (a^{i}t) Anachorète.
anchovy (àntsho^{o}^{u}vi) Anchois *m* (a^{n}shwà).
anchylosis (ka^{i}) Ankylose *f.*
ancient (é^{i}nsh^{e}nt) Ancien, enne (a^{n}syi^{n}, èn). Antique.
and (ànd, ^{e}n) Et (è).
andiron (ai^{e}rn) Chenet *m.*
Andrew (àndrou) André (a^{n}).
anecdote Anecdote *f.*
anemone (^{e}ni) Anémone *f.*
aneurism Anévrisme *m.*
anew (^{e}nyou) De nouveau.
angel (é^{i}ndj^{e}l) Ange *m.*
angelic Angélique.
angelus (dji) Angélus *m.*
anger (**àng**-g^{e}r) Colère *f.* *vi* Mettre* en colère.
angina (àndja^{i}n^{e}) Angine *f.*
angle (**àng**-g'l) Angle *m.* *vi* Pêcher à la ligne.
angler Pêcheur *m* [ligne]

anglican (àng) Anglican, ne.
anglicism Anglicisme *m.*
angling Pêche *f* à la ligne.
Anglo-Saxon Anglo-Saxon, e.
angry (àng-gri) Irrité, ée.
anguish Angoisse *f* (a^{n}gwàs). *vt* Angoisser, navrer.
angular (gyou) Angulaire. Anguleux, se [many angles].
anhydrous (ha^{i}) Anhydre.
aniline (la^{i}n) Aniline *f*
animal Animal. *n* Animal *m.*
animate *vt* Animer. *a* Animé.
animation Animation *f.*
animosity Animosité *f.*
anise (is') Anis *m* (ànì).
aniseed (îd) Graine d'anis.
ankle (àng-k'l) Cheville *f.*
annals *pl* (^{e}lz) Annales *fpl.*
anneal (nil) Recuire (küir).
annex Annexer. *n* Annexe *f.*
annexation Annexion *f.*
annihilate Anéantir (a^{n}tir).
annihilation Anéantissement.
anniversary Anniversaire *m.*
annotate (àn^{e}té^{i}t) Annoter.
annotation Annotation *f.*
announce (o^{ou}ns) Annoncer.
announcement Annonce *f.* Lettre de faire part.
announcer Speaker [radio].
annoy (o^{i}) Importuner (tü).
annoyance Désagrément *m,* ennui *m* (a^{n}nüi).
annoying Ennuyeux, euse.
annual (you) Annuel, elle.
annuity (^{e}nyou) Annuité *f* (anuité) ; pension *f* : *life -,* rente viagère *f.*
annul (œl) Annuler (ülé).
annulment Annulation *f.*
annunciation Annonce *f.* Annonciation *f* [Lady-day].
anodyne (da^{i}n) Anodin, ne.
anoint Oindre* (wi^{n}dr).
anomalous Anormal, ale.
anomaly Anomalie *f.*
anon Tout à l'heure.
anonymous (m^{e}s) Anonyme.
another (th^{er}) Un autre.
answer (àns^{er}) Réponse *f* (o^{n}s). *vt* Répondre à. *vi* Répondre [*for :* de].
ant (ànt') Fourmi *f* (fûr).
antagonism Antagonisme *m.*
antecedent Antécédent, te. *n* Antécédent *m.*
antedate (dé^{i}t). Antidater.
antelope (ànti) Antilope *f.*
antenna (àntèn^{e}) Antenne *f.*
anterior Antérieur, eure.
anteroom Antichambre *f.*
anthem (th) Antienne *f.*
anthology (th) Anthologie *f.*
Anthony (ànt) Antoine (wàn).
anthracite (thr^{e}sa^{i}t) Anthracite *m* (a^{n}tràsìt').
anthrax (th) Anthrax *m* (tr).
anthropology (th) Anthropologie (a^{n}tro-jî).
anthropophagous (th-f^{e}g^{e}s) Anthropophage (a^{n}tròpòfàj).
anti-aircraft De défense contre avions, de D. C. A.
antibiotic Antibiotique *m.*
antic Farce *f* : *to play antics,* faire* des siennes.
Antichrist (àn) Antéchrist.
anticipate (é^{i}t) Anticiper. Prévoir [to foresee]. S'attendre à [to expect].
anti-freeze Antigel *m.*
antidote (o^{out}) Antidote *m.*
antipathy (thi) Antipathie *f.*
antipodes (diz) Antipodes.
antipyrin (a^{ie}) Antipyrine *f.*
antiquarian Antiquaire (kèr).
antiquated Vieilli, ie (yì).
antique (àntik) Antique (a^{n}).
antiseptic Antiseptique *m.*

Antwerp (àn) Anvers (a^{n}ver).
anvil Enclume *f* (a^{n}klüm).
anxiety (àng-gza^{i}ti) Anxiété *f* (a^{n}ks^{y}été), inquiétude *f*.
anxious (àngsh^{e}s) Inquiet, ète (i^{n}k^{y}è). Désireux, euse.
any (èni) Quelque (kelk) : *have you any books*, avez-vous des livres. Aucun (ôku^{n}), pas (pâ) : *there is not any hope*, il n'y a aucun espoir. De (d^{e}), des : *has he any sugar, any friends*, a-t-il du sucre, des amis? *I have not any, je n'en ai pas.* Tout (tû) N'importe quel [*a*], lequel [*pr*] : *any amount*, n'importe quelle somme.
anybody N'importe qui.
anyhow N'importe comment.
anything (**thing**) N'importe quoi. Quelque chose.
anywhere N'importe où.
apart (^{e}pârt) De côté.
apartment Pièce *f* (p^{y}ès'), chambre *f* (sha^{n}br). *pl* Appartement *m* (ma^{n}).
apathy (**th**) Apathie *f* (tî).
ape (é^{i}p) Singe *m* (si^{n}j).
aperient (pi^{e}) Laxatif *m*.
aperture Ouverture *f* (ür). Orifice *m* [hole].
apex (é^{i}) Sommet *m*.
aphorism Aphorisme *m*.
apiary (é^{i}) Rucher *m*.
apiece (^{e}pis') La pièce (p^{y}ès) [things]. Par tête [pers.].
apocalypse Apocalypse *f*.
apogee (dji) Apogée *f* (jé).
apologize (a^{i}z) S'excuser.
apologue Apologue *m*.
apology (dji) Apologie *f* [defence]. Excuse *f* (küz).
apoplexy Apoplexie *f*.
apostasy Apostasie *f*.
apostate (it') Apostat (tà).
apostle (^{e}pos'l) Apôtre *m*.
apostolic Apostolique.
apostrophe Apostrophe *f*.
apotheosis (**th**) Apothéose *f*.
appal (^{e}paul) Epouvanter.
apparatus (ap^{e}ré^{i}t^{e}s) Appareil *m* (àparé^{y}).
apparel (^{e}par^{e}l) Vêtement *m* (ma^{n}). *vt* Vêtir*.
apparent Apparent, te.
apparition Apparition *f*.
appeal (îl) Appel *m* : *Court of* -, Cour de cassation *f*. *vt* Appeler (àp^{e}lé).
appear (^{e}pi^{e}r) Paraître* (ètr), apparaître*.
appearance Apparence *f* (a^{n}s) [aspect]. Apparition *f*. Comparution *f* [law].
appease (îz) Apaiser (zé).
appellation Appellation *f*.
append Annexer, ajouter.
appendicitis (èndisa^{i}tis) Appendicite *f* (i^{n}disìt).
appendix (èn) Appendice *m*.
appertain (é^{i}n) Appartenir*.
appetence (pi), **appetency** Envie *f* (a^{n}vì), appétence *f*.
appetite (apita^{i}t) Appétit *m* (àpétî).
appetize Mettre en appétit.
appetizer Apéritif [drink] *m*. Hors-d'œuvre *m* (œvr).
appetizing Appétissant, e.
applaud Applaudir.
applause Applaudissement *m*.
apple (àp'l) Pomme *f* (pòm). Prunelle *f* (ü) [eye].
apple-tree Pommier *m* (^{y}é).
appliance (a^{i}ens) Appareil *m*, instrument *m*.
applicant Candidat, te. Demandeur, eresse [law].
application Application [use,

etc.] Demande *f* (aⁿd) : *on* -, sur demande.
apply (eplai) Appliquer. *vi* S'adresser : - *for*, postuler.
appoint Désigner, nommer. Equiper [troops].
appointment Nomination *f*, emploi *m*. Rendez-vous *m*.
appraise Evaluer, estimer.
appraisement *m* Expertise *f*.
appraiser Expert *m* (pèr).
appreciate *vt* Apprécier. *vi* S'améliorer, augmenter.
appreciation Appréciation *f*. Amelioration *f* [rise].
apprehend (pri) Comprendre [understand]. Saisir [take]. Craindre* [fear].
apprehension Appréhension *f*. Compréhension *f*.
apprehensive Intelligent, e [quick]. Inquiet, te [fear].
apprentice Apprenti, ie. **-ship** Apprentissage *m*.
apprise (aiz) Informer.
approach (oᵘutsh) Approche *f*. *vi* Approcher. *vt* S'approcher de (àpróshé).
approbation Approbation *f*.
appropriate Approprié, e. *vt* Approprier, s'approprier.
approval (eprouvel) Approbation *f* : *on* -, à condition.
approve (eprouv) Approuver (prû). Éprouver [to test].
approver Approbateur, trice. Dénonciateur, trice.
approximate (eit) Rapprocher (shé). *vi* Se rapprocher. *a* (mit') Approximatif, ive. **-mation** Approximation *f*.
appurtenance Dépendance.
apricot (éi-ot') Abricot *m*.
april (èipril) Avril *m*. -*shower*, giboulée *f* (jìbûlê).
apron (éi) Tablier *m* (ié).
apt Enclin, ine, sujet, te [inclined]. Apte [proper].
aptitude (tyoud) Aptitude *f*.
aquarium Aquarium *m*.
aquatic (ò) Aquatique (wà).
aqueduct (kwi) Aqueduc *m*.
aqueous (éikwies) Aqueux.
aquiline (wi) Aquilin, ne.
arab (areb) Arabe (àb). Voyou [street] (vwayû) *m*.
arbiter Arbitre *m*.
arbitrary Arbitraire (èr).
arbitration Arbitrage *m* (aj). *Board of arbitration*, conseil des prud'hommes.
arbitrator Arbitre *m*.
arbor Arbre *m* (arbr).
arbour (ârber) Tonnelle *f*.
arc (ârk) Arc *m* (àrk).
arcade (éid) Arcade *f* (àd).
arch (tch) Arc *m*. Arche *f* (arsh) [bridge]. Voûte *f* [vault]. *vt* Arquer (ké).
arch *a* Espiègle (pyègl), malin, igne (iⁿ, iñ).
archaeology Archéologie *f*.
archaic (kéik) Archaïque.
archaism Archaïsme *m*.
archangel (djel) Archange.
archbishop Archevêque *m*.
archduke (youk) Archiduc *m*.
archer (tsher) Archer *m* (é).
archipelago (ki) Archipel *m*.
architect (ki) Architecte.
architecture Architecture *f*.
architrave Architrave *f*.
archive (kaiv) Archive *f* (sh).
archivist Archiviste *m*.
archness (artshnis') Malice *f*.
ardent (ârdent) Ardent, te : - *spirits*, spiritueux *mpl*.
ardour (ârder) Ardeur *f*.
arduous (dyoues) Ardu (ü).
are. V. BE.

area (èrye) Aire *f* (èr), surface *f*. Courette *f* [yard].
arena (erine) Arène *f*.
Argentina (ai) Argentine f.
argonaut Argonaute *m*.
argue (ârgyou) Argumenter.
argument (you) Argument (gü) *m*. Discussion *f* (kü).
arid Aride. **-idity** Aridité *f*.
aright (erait) Bien droit.
arise* (eraiz) Se lever. [IRR. *arose*. *arisen*.]
aristocracy Aristocratie *f*.
aristocrat Aristocrate. **-cratic** Aristocratique.
arithmetic (**th**) Arithmétique.
ark Arche *f* (àrsh).
arm (ârm) Bras *m* (brà) [limb]. Arme *f* (àrm) [weapon]. *vt* Armer. *vi* S'armer.
armament Armement *m*.
armature (tyou) Armature *f*.
armchair (èer) Fauteuil *m*.
armful (foul) Brassée *f*.
armistice Armistice *m*.
armlet Brassard *m* [band]. Bracelet *m* (bràslè).
armour (mer) Blindés *mpl*.
armoured (armerd) Cuirassé, *ée* [ship]. Blindé [train].
armourer Armurier (üryé).
armpit Aisselle *f* (èsèl).
army (ârmi) Armée *f* (àrmé).
arnica Arnica *m*.
aroma (eroume) Arôme *m*. (àrôm). **-atic** Aromatique.
arose. V. ARISE.
around (eraound) Autour.
arouse (erouz) Eveiller.
arrange (eréindj) Arranger.
arrangement Arrangement *m*.
arrant (ent') Fieffé (fyé).
array (eréi) Ranger (ranjé). Parer [dress]. *n* Ordre *m*. Parure *f* (ür) [dress].
arrear (ier) Arriéré *m*. Arrérages *mpl* (aj) [rent].
arrest (erest) Arrêter. *n* Arrestation *f* (tàsyon).
arrival (eraiv'l) Arrivée *f*.
arrive (eraiv) Arriver (rì).
arrogance Arrogance *f*.
arrow (arou) Flèche *f* (sh).
arsenal Arsenal *m*.
arsenic Arsenic *m* (senì).
art (ârt') Art *m* (àr): *bachelor of -*. bachelier ès lettres.
artery Artère *f* (tèr).
artesian Artésien, enne.
artful (oul) Rusé, *ée* (rü).
arthritic (**th**) Arthritique.
artichoke Artichaut *m* (ô).
article (ârtik'l) Article *m*.
articulate (you) Articuler.
articulation Articulation.
artifice Artifice *m*.
artificial Artificiel, lle.
artillery (ârtileri) Artillerie (artìyeri) *f*.
artisan (àn) Artisan (an).
artist Artiste.
artistic Artistique.
artless Naturel, elle.
as (az) Comme (kòm). En (an) : *as a friend*, en ami. *As well as*, aussi bien que. *As for*, quant à, pour. *As yet*, jusqu'à maintenant.
ascend (essènd) Monter.
ascendant Ascendant, e.
ascendency Ascendant *m*.
ascension (essènshen), **ascent** Ascension *f* (àssansyon).
ascertain S'assurer de.
ascetic Ascétique.
ascribe (aib) Attribuer (ü).
aseptic Aseptique.
ash Frêne *m* [tree]. Cendre *f* (sandr) [burnt matter]. *Ash-tray*, cendrier *m*.

ashamed (éi) Honteux, euse.
ashlar Moellon (on) *m.*
ashore (eshauer) A terre.
ashy Cendré, ée (san).
Asia (éishe) Asie *f* (âzî).
aside (esaid) De côté.
ask Demander (demandé). *To for,* demander (quelque chose) ; *to - from,* demander à.
aslant Obliquement.
asleep (eslîp) Endormi, ie. *To fall** -, s'endormir*.
asparagus Asperge *f* (èrj).
aspect (ekt') Aspect *m* (pè).
asperity Aspérité *f.* Rudesse.
aspersion Aspersion *f* [water]. Calomnie *f.*
asphalt Asphalte *m.*
asphyxia Asphyxie *f.*
asphyxiate Asphyxier. **-yxiating** Asphyxiant, e.
aspirant (paierent) Aspirant (an) ; candidat, ate.
aspirate (asperéit) Aspirer.
aspiration (réi) Aspiration.
aspirator Aspirateur *m.*
aspire (aspaier) Aspirer.
aspiring Ambitieux, euse.
asquint De travers.
ass Âne *m* (ân) : *she-ass,* ânesse *f ; young-ass,* ânon.
assail Assaillir (àsàyìr).
assailant Assaillant, e (yan).
assassin (ìn') Assassin (in).
assassinate Assassiner.
assassination Assassinat *m.*
assault (esault) Agression *f. vt* Assaillir (sàyîr).
assay (eséi) Essayer (èyé). *n* Essai (èsè) *m.*
assemble Assembler. Monter.
assembly Assemblée *f. Assembly line,* chaîne de montage.
assent Assentiment *m.*
assert (esërt) Affirmer.
assertion Revendication *f.*
assess (esès) Imposer, taxer.
assessment Imposition *f.*
assets *pl* Actif *m.*
assiduity (dyou) Assiduité *f.*
assiduous Assidu, ue.
assign (esain) Assigner [law]. Céder. *n* Ayant cause.
assignation (g n) Assignation *f.* [law]. Cession *f.* Rendez-vous [time].
assignee (inî). Cessionnaire. Syndic [bankruptcy].
assignment Cession *f.* Transfert *m.* Assignation *f.*
assimilate Assimiler.
assist (esist) Assister, aider (èdé) [*in* : à].
assistance (ens) Assistance *f.* Aide *f* (èd) [help].
assistant Assistant, te. *Aide m* [helper]. *Shop* -, employé de magasin.
assize (saiz) Assises *fpl.*
associate (soushiéit) Associer. S'associer.
association Association *f.*
assort (saurt) Assortir.
assortment Assortiment *m.*
assume (youm) Assumer (sü).
assuming Arrogant, te.
assumption (sœm) Prétention *f* (an). Supposition *f.* Assomption (syon) [rel.].
assurance Assurance *f.*
assure (eshouer) Assurer.
asterisk Astérisque *m.*
asthma (asme) Asthme *m.*
astonish Étonner.
astonishment Étonnement *m.*
astound (aound) Stupéfier.
astrakhan (àn) Astrakan *m.*
astray (to go*) S'égarer.
astride (aid) A cheval.
astringent Astringent, te.

astrologer Astrologue *m.*
astrology Astrologie *f.*
astronomer Astronome *m.*
astronomy Astronomie *f.*
astute (yout) Rusé, *ée.*
astuteness Astuce *f* (*üs*).
asunder (sœn) En deux. Séparément.
asylum (as*a*ilem) Asile *m.*
at A: *at the house,* à la maison. Chez (shè): *at my father's,* chez mon père. *Look at him,* regardez-le; *to laugh at,* rire* de.
ate. V. EAT.
athletic (**th**) Athlétique.
Atlantic (àntik) Atlantique.
atlas (atles) Atlas *m.*
atmosphère Atmosphère *f.*
atom (atem) Atome (òm) *m.*
atomic Atomique.
atonement Expiation *f.*
atrocious (ooushes) Atroce.
atrophy (efi) Atrophie *f.*
attach Attacher. Saisir.
attack Attaquer (**ké**). *n* Attaque *f* (àk).
attain Atteindre* (**tin**).
attainder Flétrissure *f.*
attainment Acquisition *f* (àkì). Talent *m,* savoir *m.*
attaint Condamner (dàn**é**) [law]. Flétrir [*fig.*]. Corrompre [flesh].
attempt Tentative (**tan**) *f,* essai *m. vt* Tenter.
attend Faire* attention à. Assister [to be present].
attendance Présence (*a*ns) *f.* Assistance *f.* Soins *mpl* (swin) [doctor]. Service *m* (ìs) [hôtel].
attendant Assistant. Serviteur. Ouvreuse [theat.].
attention (ènshen) Attention *f* (àtansyon): *to pay* - to,* faire* attention à. Garde à vous [mil.].
attentive Attentif, ive.
attenuate (you) Atténuer.
attest Attester.
attestation Attestation *f.*
attic Mansarde *f* (ansard).
attire (etaier) Vêtement *m,* parure *f. vt* Vêtir*.
attitude (youd) Attitude *f.*
attorney (etërni) Avoué (àvwé): - *general,* procureur général.
attract Attirer (àtìré).
attraction Attraction *f.*
attractive Attrayant, te.
attribute Attribut *m* (**bü**). *vt* (atribyout') Attribuer.
attribution (*you*) Attribution *f* (**bü**). Éloge *m* (**lòj**).
auburn (ërn) Châtain clair.
auction (shen) Enchère *f* (anshèr): - *-room,* salle des ventes; - *sale,* vente aux enchères.
auctioneer (*i*er) Commissaire-priseur *m.* Courtier inscrit.
audacious Audacieux, se.
audacity *n* Audace *f* (ôdàs).
audience Audience *f.* Auditoire *m* [hearers].
audit Vérifier. *n* Vérification *f* : - *office,* cour des comptes; - *-house,* sacristie.
audition Audition *f.*
auditor, tress Auditeur, trice. Vérificateur.
auger (*aug*er). Tarière *f.*
aught (**aut'**) Quelque chose.
augment Accroissement *m. vt* (augmènt). Augmenter.
augmentation Augmentation.
augur Augure *m. vt* Augurer.
augury Augure *m.*

august (œst) Auguste (*ü*st). *n* (aug^e^st) Août *m* (û).
aunt (ânt) Tante (ta^n^t).
aurora Aurore *f* (òr).
auscultate (ausk^e^ltéⁱt) Ausculter (ôskültė).
auspice (*au*s) Auspice *m*. **-icious** De bon augure.
austere (i^er^) Austère (èr).
austerity Austérité *f*.
Australia Australie *f*.
Austria Autriche *f* (sh).
authentic (th) Authentique.
authenticity Authenticité *f*.
author (*auth*^er^) [*f* authoress]. Auteur *mf* (ôtœr).
authoritative Autoritaire.
authority (auth) Autorité *f*.
authorization Autorisation *f*
authorize (th^e^raⁱz) Autoriser.
autocracy Autocratie *f*.
autocrat (*au*) Autocrate *m*.
autograph Autographe *m*.
automatic Automatique (ik)
automaton Automate *m*.
automobile Automobile *f*.
autonomous Autonome.
autonomy Autonomie *f*.
autopsy Autopsie *f*.
autumn (t^e^m) Automne (òn).
auxiliary Auxiliaire.
avail Utilité *f*. *v* Servir*.
available (evéⁱl^e^) Utilisable.
avarice (àv^e^ris) Avarice *f*.
avaricious (sh^e^s) Avare.
avaunt (^e^vaunt) Arrière!
avenge (^e^vèndj) Venger.
avenue (*a*vinyoû) Avenue *f*.
aver (^e^vë^r^). Prouver.
average (àv^e^ridj) Moyen, ne (mwà^y^i^n^, èn). *n* Moyenne *f*: *to strick* an -, *faire* une moyenne. *n* Avarie *f* [mar]; *particular* (*common*) -, avarie simple (grosse).
averse (^e^vë^r^s) Opposé, ée.
aversion Aversion *f*.
avert (^e^vë^r^t) Détourner (tûr).
aviary (éⁱvi^e^) Volière *f*.
aviation (éⁱ) Aviation *f*.
avidity Avidité *f*.
avoid (^e^voⁱd) Éviter.
avoirdupois (*a*v^e^rd^e^poⁱz) Système de poids. V. *Tables*.
avouch (^e^va^ou^tsh) Attester.
avow (^e^va^ou^) Avouer (vûé).
avowal (^e^va^ou^el) Aveu *m*.
await (^e^wéⁱt) Attendre.
awake*, **awaken** (^e^wéⁱk) Éveiller (évè^y^é). S'éveiller. [Irr. *awoke*, *awoke-awaked*.]
awakening Réveil *m* (è^y^).
award (^e^w*au*^r^d) Décision *f* (sìz^y^o^n^). *vt* Décider.
aware (^e^wè^er^) Au courant.
away (^e^wéⁱ) Au loin : *to go** -, s'en aller; *to drive* -, chasser; - *from*, loin de; *he is* -, il est parti.
awe (au) Crainte *f* (i^n^t).
awful (*au*foul) Terrible.
awhile (^e^w*a*ⁱl) Un moment.
awkward Gauche. Fâcheux.
awkwardness Gaucherie *f*.
awn (aun) Barbe *f* (bârb), arête *f*. Gousse *f* [husk].
awning Auvent *m*. Tente *f*.
awoke V. AWAKE.
axe Hache *f* (*àsh).
axiom Axiome *m*.
axis Axe *f* (àks).
axle (aks'l) Essieu *m* (ès^y^ë).
ay, aye (aⁱ) Oui, si.
azalea (^e^zéⁱly^e^) Azalée *f*.
azote (*o*^ou^t) Azote *m* (òt).
azure (*a*j^er^) Azur *m* (àzür).

B

b (bî) *B* (bé). [mus.] Si.

B. A. (bî éi) [*Bachelor of Arts*] Bachelier ès lettres.

babble Babil *m*. Babiller (yé).

babe (béib), **baby** (béibi) Enfant *m* (anfan), bébé. **- -hood** Première enfance *f*.

babyish Enfantin, ine.

bachelor Célibataire *m* [unmarried]. Bachelier [B.A.].

back Arrière *m* (yèr). Dos *m* (dô) [body, book]. Dossier *m* (yé) [chair]. Revers (revèr) [hand]. *At the - of*, derrière; *on one's -*, à la renverse; *on the - of* [sheet], au verso. En arrière: *to come -*, revenir*; *to call -*, rappeler. *To be* -, être* de retour. *vt* Soutenir*. Parier pour [betting]. Endosser [document]. Renverser [steam]. *vi* Reculer.

backbite (bait) Médire* de.

back-bone Epine dorsale.

backer Partisan (zan).

backgammon Trictrac *m*.

background Arrière-plan *m*.

backing Recul *m* (rekül).

backside Derrière *m* (ryèr).

backward Arrière, en retard.

backward, backwards En arrière. A la renverse [fall]. *A rebours* [read, brush].

backwardness Retard *m* [delay]. Lenteur *f* [slowness].

bacon (béiken) Lard *m* (làr).

bad Mauvais, *aise* (mòvè).

badge Marque *f* (màrk). Insigne *m* (iñ). Brassard *m*.

badger Blaireau *m*.

badly Mal : - *off*, pauvre.

baffle Déconcerter, déjouer.

bag Sac. *vt* Mettre en sac.

baggage (idj) Bagages *mpl*.

bagman Commis-voyageur.

bagpipe (aip) Cornemuse *f*.

bail (béil) Caution *f* (kôsyon). *vt* Donner caution; libérer sous caution.

bailiff (béi) Huissier *m* (üissyé). Bailli (bàiyi) [magistrat]. Gérant, régisseur [manager].

bait (béit) Amorce *f* (òrs), appât *m* (pâ). Repas *m* (repà) [meal]. *vt* Amorcer. *Faire** manger [horse].

bake (béik) Cuire [four].

baker Boulanger (bûlanjé) : - *'s shop*, boulangerie *f*.

baking Cuisson *f*.

balance (balens) Balance *f* [poise]. Solde *m* [account]. *vt* Balancer. - *-sheet*, bilan.

balcony Balcon *m*.

bald (bauld) Chauve (shôv).

baldness Calvitie *f* (sî).

bale (béil) Balle *f*. *vt* Vider. *To bale out*, sauter en parachute.

balk (bauk) Poutre *f* (pûtr). *vt* Frustrer, contrarier.

ball (baul) Balle *f*. Boule *f* [snow]. Boulet *m* [cannon]. Boulette *f* [cook]. Bille *f* [billiards]. - *-point*, (crayon) à bille. Bal *m* [dance].

ballad (bàled) Ballade *f*.

ballast (balᵉst). Lest *m* [ship]. Ballast *m* [rail].
ballet (balé¹) Ballet *m* (bàlè) : *ballet-girl*, danseuse *f*.
balloon (bᵉloun) Ballon *m*.
ballot (balᵉt) Boule *f* (bûl). Bulletin *m* [vote]. Scrutin *m* (skrütiⁿ).
balm (bâm) Baume *m*. *vt* Embaumer (aⁿbômé).
balsam (baulsᵉm) Baume *m*.
balustrade Balustrade *f*.
bamboo (bàmbou) Bambou *m*.
bamboozle Duper (düpé).
ban (bàn) Ban *m* (baⁿ). Bannissement *m* [banish.].
banana (bᵉnânᵉ) Banane *f*.
band (bànd) Bande *f* (baⁿd). Ruban *m* [ribbon]. Orchestre (kes) *m*. *vt* Liguer.
bandage (bàndidj) Bandeau *m* (baⁿdô) [headband]. Bandage *m* (àj) [med.].
bandit (it') Bandit *m* (dì).
bandy (bàndi) Renvoyer (raⁿvwàyé). Tordu, *ue* : *bandy-legged*, bancal.
bane (béⁱn) Poison *m* (pwàzoⁿ). *Fig.* Fléau *m*.
banish Bannir.
banishment Bannissement *m*.
banister Balustre *m*.
bank (bàngk) Rive *f* (rìv) [river]. Talus *m* (lü) (earth). Banque *f* (baⁿk) [comm.]: *savings-bank*, caisse d'épargne *f*; *bank-note*, billet [*m*] de banque. *vt* Remblayer [land]. Placer [banque].
banker Banquier *m*.
bankrupt (bànkrœpt) Failli. *n* Banqueroutier *m*, failli.
bankruptcy Faillite *f*.
banner Bannière *f*.
banquet (wit') Banquet *m*.
banter Badinage *m*. Badiner.
baptism Baptême *m* (tèm).
baptize *vt* (aⁱz) Baptiser.
bar Barre *f* (bàr) [iron]. Barreau *m* (bàrô). [law]. Comptoir *m* (oⁿtwàr) [inn]. Obstacle *m*. Mesure *f* [mus.]. *vt* Barrer. Exclure
barb (bârb) Barbe *f* (bàrb). *Barbed wire*, barbelé *m*.
barbarism Barbarie *f* (rî). Barbarisme *m* [gramm.].
barbarous Barbare.
barber Barbier *m*.
bard Barde *m* [poet] Barde *f* [bacon]. *vt* Barder.
bare (bèᵉr) Nu, ue (nü). *vt* Dénuder. Dépouiller.
barefaced (féⁱ) Effronté, *ée*.
barefoot (fout') Nu-pieds.
barely (bèᵉrli) A peine.
bargain (bârgìn) Marché *m* (shé) : *into the -*, par-dessus le marché; *a real -*, une véritable occasion. *vi* Marchander.
barge (bârdj) Chaland *m*.
baritone Baryton *m* (oⁿ).
bark (â) Écorce *f* [tree]. *vt* Écorcer. *n* Aboiement *m* (bwà) [dog]. *vt*·Aboyer.
barking Aboiement *m*.
barley (bârli) Orge *f* (òrj).
barm Levure *f*.
barmaid Fille de comptoir.
barman Garçon de comptoir.
barn (â) Grange *f* (aⁿj).
barometer Baromètre *m*.
baron, ness Baron *m* (oⁿ), baronne (òn).
baronet (barᵉnit) Baronnet.
barrack Caserne *f* (zèn).
barrel Baril *m* (ìl). Canon *m* [gun]. Tambour *m* [machine].
barren (bàrᵉn) Stérile (ìl).

barricade (éi) Barricade *f* (àd) *vt* Barricader.
barrier (ier) Barrière *f*.
barring Excepté.
barrister Avocat *m*.
barrow (barou) Brouette *f* (brûèt); *hand-barrow*, brancard *m*. Tumulus *m* [mound].
barter Échange *m* (shanj). *vt* Troquer, échanger.
basalt (ault) Basalte *m*.
base (éis) Bas, basse (bâ, bâss); vil, vile. *n* Base *f*. *vt* Baser.
basement Sous-sol *m*.
baseness Bassesse *f* (ès).
bashful (foul) Timide.
basil Basilic *m* [plant]. Basane *f* [leather].
basilica Basilique *f*.
basin (béi) Bassin *m*. Cuvette *f* (küvèt) [bathroom].
basis (béissis') Base *f*.
basket Panier *m* (pànyé).
basket-work Vannerie *f*.
bass (béis') Basse *f* (bâss).
basset (it') Basset *m* (è).
bassoon (oun) Basson *m*.
bastard Bâtard, de.
baste (béist) Arroser [roast]. Bâtir [sew].
bat (bat') Crosse *f* [wood]. Chauve-souris *f* [animal].
batch Fournée *f* (fûrné).
bate (éit) Diminuer (üé).
bath (th) Bain *m* (in). Baignoire *f* [tub]. *Shower-bath*, douche *f*. *vi* Se baigner.
bathe *vt* (éizh) Baigner (bèñé). *vi* Se baigner.
bathing Baignade *f*: - *-resort* (rizaurt), station balnéaire *f*; - *-room*, salle [*f*] de bain.
bating (béiting) Excepté.
baton (baten) Bâton *m* (on).
battalion Bataillon *m*.
batter Battre : *to - down*, abattre. *n* Pâte *f*.
battery Batterie *f*. Voies de fait [law].
battle (bat'l) Bataille *f*; - *-dress*, tenue de campagne.
battlefield Champ [*m*] de bataille.
battlement Créneau *m*.
battleship Cuirassé *m*.
bauble Babiole *f* (yòl).
bawl (baul) Brailler (bràyé).
bay (béi) Baie *f* (bè). *vt* Aboyer (wàyé). *At bay*, aux abois. *a* Bai (bè).
bayonet (béie) Baïonnette *f*.
bay-tree Laurier *m* (lôryé).
bazaar (bezâr) Bazar *m*.
be* *vi* (bî) Être* (etr) : *I am*, je suis; *let us be*, soyons; *it is we*, c'est nous. Avoir*: *to be cold*, avoir froid; *they are right*, ils ont raison; *he is six years old*, il a six ans. Aller : *I am well*, je vais bien. Faire* (fèr) : *it is cold*, il fait froid. Devoir*: *he is to speak*, il doit parler. Y avoir [quantity] : *it is a mile*, il y a un mille. [Irr. *am. is, are; was, were; been.*]
beach (bîtsh) Plage *f*.
beacon Balise *f*. Phare *m*.
bead (bîd) Grain *m* (in). Perle *f*. *Beads*, chapelet.
beadle (bîd'l) Bedeau *m*.
beagle Chien courant *m*.
beak (bîk) Bec *m*.
beam (îm) Rayon *m* (rèyon) [light]. Poutre *f* (pûtr) [timber]. Timon *m* [carriage]. Balancier *m* [engine].
bean (în) Fève *f*: *French* -,

haricot vert *m; kidney -*, haricot blanc.
bear (bè^{er}) Ours *m* (ûrs'), se *f*. Baissier *m* [Stock Exch.]. *vt* Porter, supporter. Produire [fruit, etc.]. Se comporter. *vi* Supporter: *To - with*, être patient avec; *to - towards*, se diriger vers; *to - up*, tenir bon. [IRR. *bore, borne* (*born*. né).]
beard (bi^{er}d) Barbe *f*.
beardless Imberbe (i^{n}).
bearer (bé^{e}r^{er}) Porteur.
bearing Rapport *m* [relation]. Conduite *f* [behaviour]. Portée *f* [scope].
beast (bîst) Bête *f* (bèt).
beat* (bît') Battre*. [IRR. *beat, beaten*.]
beatitude Béatitude *f*.
beautiful (byoutifoul) Beau, belle (bô, bèl).
beautify (fa^{i}) Embellir.
beauty Beauté *f* (bôté).
beaver (bî) Castor *m*.
became V. BECOME.
because (bi) Parce que.
beckon Faire* signe.
become* (bikœm) Devenir*. *vt* Convenir*. [IRR. *became, become*.].
bed Lit *m* (lî). Gisement *m* [coal]. Plate-bande *f* [garden]. *To go* to bed*, aller* se coucher; *in bed*, au lit. *v* Coucher. Se coucher.
bedding Literie *f*.
bedizen (a^{i}) Attifer.
bedroom Chambre à coucher.
bee (bî) Abeille *f* (bè^{y}).
beech (tsh) Hêtre *m* ('êtr).
beef (bîf) Bœuf *m* (bœf).
beefsteak (èk) Bifteck *m*.
***been** V. BE.
beer (bi^{er}) Bière *f* (b^{y}èr).
beer-shop, - -house (ha^{ou}s) Taverne *f*, brasserie *f*.
beet *n* (bît') Betterave *f*.
beetle (bît'l Scarabée *m* (bé). Maillet *m* (^{y}è) [hammer]. *vi* Surplomber.
beetroot (bitrout') Betterave *f*.
befall* Arriver à.
befit (bifit') Convenir*.
before (bifau^{r}) Avant (a^{n}) [time]: *- dying*, avant de mourir. Devant [space]. *conj*. Avant que [subj].
beforehand D'avance.
befriend (frènd) Aider.
beg Demander, prier. Mendier [beggar]. *I beg to...*, j'ai l'honneur de...; *I beg your pardon*, je vous demande pardon.
began V. BEGIN.
beget (g) Engendrer (a^{n}ja^{n}).
beggar (bèg^{er}) Mendiant, te (ma^{n}d^{y}a^{n}, a^{n}t).
beggarly Misérable.
beggary Mendicité *f*.
begin* (gìn) Commencer (a^{n}). [IRR. *began, begun*.]
beginner (n^{er}) Commençant.
beginning Commencement *m*.
beguile (biga^{i}l) Tromper.
behalf (bihâf) Faveur *f*.
behave (hé^{i}v) Se conduire.
behaviour Conduite *f*.
behind (biha^{i}nd) Derrière (^{y}èr): *- time*, en retard.
behold* (biho^{ou}ld) Regarder. [IRR. *beheld*.] *int*. Voici.
behoof (houf) Avantage *m*.
being (bîing) Être *m*.
belabour (bilé^{i}b^{er}) Rosser.
belch Roter: *to - forth*, vomir. *n* Rot *m* (rô).
belfry Beffroi *m* (frwà).

Belgian (djen) Belge.
Belgium (djem) Belgique *f*.
belie (bilai) Démentir.
belief (bilîf) Croyance *f*.
believe (îv) Croire* (*wàr*).
believer Croyant, te.
bell Cloche *f* (sh). Clochette *f*. Sonnette *f* [house-bell].
belladonna Belladone *f*.
belligerent Belligérant, te.
bellow (bèloou) Beugler.
bellows (oouz) Soufflet *m*.
belly Ventre *m* (vantr).
belong (bi) Appartenir*.
beloved Chéri, *ie*.
below (biloou) Au-dessous.
belt Ceinture *f*; *Life- -*, ceinture de sauvetage.
bemire (bimaier) Crotter.
bench (tsh) Banc *m* (ban); banquette *f*. Tribunal *m*.
bend* *vt* Courber, plier. Fléchir [will]. Diriger [steps]. Appliquer [mind]. *vi* Plier, fléchir. [Irr. *bent*.] *n* Courbure *f*. Tournant *m* [road].
beneath (binîth) Au-dessous.
benediction Bénédiction *f*.
benefactor, tress Bienfaiteur, trice (byinfètœr, trìss).
beneficent (s) Bienfaisant, e.
beneficiary (sh) Bénéficiaire.
benefit (bénifit') Bienfait *m* (byinfè). Bénéfice *m* [profit]. *vt* Faire* du bien à. *vi* Profiter.
benevolence Bienveillance.
benevolent Bienveillant.
benign (ain) Bénin, igne (îñ) [med.]. Doux, douce.
benjamin (djemìn) Benjoin *m* (binjwin) [gum]. Benjamin (binjàmin) [name].
bent Courbé, *e*. *n* Penchant.
benumb (binœm) Engourdir.
benzene, ine (bènzìn) Benzine *f* (binzin).
benzoin (oin) Benjoin *m*.
bequeath (kwith) Léguer.
bequest (bikwest) Legs *m*.
bereave* (birîv) Priver [Irr. *bereft, bereaved*.]
berry (bèri) Baie *f* (bè). Grain *m* (grin) [coffee].
berth (bërth) Mouillage *m* [station]. Couchette *f* [bed].
beseech Supplier [**besought*].
beset Obséder : *besetting sin*, péché mignon *m*.
beside A côté de, hors.
besides (aidz) En outre. *Outre*, en plus de.
besiege (îdj) Assiéger (*jé*).
besieger, -ging Assiégeant.
besmear (ier) Barbouiller.
bespeak* (pîk) Commander. Retenir* [seat]. Annoncer. [Irr. *bespoke, bespoken*.]
best Meilleur (mèyœr). *adv* Le mieux (myë) : *to do one's best*, faire* de son mieux.
bestial (tyel) Bestial, ale.
bestir (bistër) Remuer.
bestow (bistoou) Accorder.
bestowal (toouel) Don *m*.
bestride (aid) Enjamber (j).
bet Parier (yé). *n* Pari *m*.
betake* (éik) [**betook, betaken*]. Se rendre, se mettre*.
betime De bonne heure.
betray (bitréi) Trahir.
betrayer Traître (trètr).
betroth (zh) Fiancer (fyan).
betrothal (zh) Fiançailles *fpl* (fyansày).
better Meilleur, re (èyœr). *adv* Mieux (myë) : *- and -*, de mieux en mieux; *I had -*, je ferais mieux; *so much the better*, tant mieux. *n* Supé-

rieur. Parieur [who bets]. vt Améliorer.
betting Pari, jeu *m* (jë).
between (bitwìn) *Entre.*
bevel De biais, en biseau. Biais *m* (byè) [slant].
beverage Breuvage *m.*
bevy (bèvi) Volée *f* (vòlé).
bewail Pleurer (plœ).
beware (èer) Prendre* garde.
bewilder (wilder) Affoler.
bewilderment Affolement *m.*
bewitch Ensorceler (an).
beyond (biyònd) Au-delà de. *adv* Là-bas, au-delà.
bias (baies) Biais *m* (byè). *fig.* Penchant *m. vt* Incliner.
biased Partial, aux.
bib Bavette (èt). *v* Boire*.
bibber Ivrogne (ivròñ).
bibliography Bibliographie.
biceps (ai) Biceps *m* (bì).
bicker Se chamailler (yé).
bicycle (bai) Bicyclette *f.*
bid* Ordonner, inviter. *n* Enchère *f* (anshèr). [**bid, bade; bidden*].
bidder Enchérisseur.
bidding Enchère *f* (anshèr) [offer]. Ordre *m.*
bide (baid) Endurer (andü).
bier (bier) Civière *f.*
bifurcate (baifer) Bifurquer.
big Gros, osse; grand, de.
bigamist Bigame (bìgàm).
bigamy Bigamie *f.*
bigness Grosseur *f.*
bigot (biget) ou **bigoted** Bigot, ote.
bilious Bilieux, euse (yë).
bile (bail) Bile *f* (bîl).
bill (bil) Bec *m.* Compte *m* (kont) [trade]. Note *f* [hôtel]. Facture *f* (ür) [invoice]. Addition *f* [restaurant]. Lettre de change *f* (shanj), traite *f* [draft]. Projet de loi *m* [Parliam.]. *- of fare*, menu; *- of lading*, connaissement; ***hand-bill***, prospectus.
billet (bilit') Bûche *f* (üsh) [wood]. Billet de logement *m. vt* Loger (jé).
billiards *pl* (bilyerdz) Billard *m* (bìyàr).
billion Trillion *m* (lyon).
billow Vague *f* (vàg).
bin (in) Caisse *f* (kès) *Dustbin*. boîte à ordures.
bind* (baind) Lier (lyé), resserrer. Obliger (jé). Relier (relyé) [book). Bander [wound]. *To be* bound to*, être* tenu de [**bound*].
binding Obligatoire. *n* Reliure *f* (relyür).
bindweed (baind) Liseron *m.*
biography Biographie *f.*
biology (bai) Biologie *f.*
biplane (plèin) Biplan *m.*
birch (bërtsh) Bouleau *m.*
bird (ërd) Oiseau *m* (wàzô).
bird-lime (laim) Glu *f* (ü).
birth (ërth) Naissance *f.*
birth-day Anniversaire *m.*
birth-place Pays natal *m.*
biscuit (kit') Biscuit (ui).
bishop (ep) Evêque *m* (èk).
bishopric Evêché *m.*
bismuth (th) Bismuth (üt).
bison (bais) Bison *m* (zon).
bit (bit') Morceau *m* (sô), bout *m.* Mèche *f* (mèsh) [tool]. Mors *m* [horse].
bitch Chienne *f* (shyèn).
bite* (bait) Mordre (mòrdr) [**bit, bitten*].
bitter Amer, ère.
bitterness Amertume *f* (üm).

bitumen (*you*) Bitume *m*.
black Noir, noire (nwàr). *n* Noir. *vt* Noircir.
blackball Blackbouler.
blackberry Mûre *f* (**mür**).
blackbird (bëʳd) Merle *m*.
blacken Noircir.
blackguard (blàgâʳd) Vaurien *m*; gredin *m*.
blacking Cirage *m* (*à***j**).
blackish Noirâtre (*â*tr).
blacklead Mine de plomb.
blackleg Escroc (*ô*).
blackmail (éⁱl) Chantage *m* (tàj). *vt* Faire* chanter.
blackness Noirceur *f* (œr).
blacksmith (**th**) Forgeron.
bladder Vessie *f*.
blade (bléⁱd) Lame *f* (làm) [knife]. Brin *m* [grass].
blame (éⁱm) Blâme *m* (âm). *vt* Blâmer.
blameworthy Blâmable.
blanch (ànsh) Blanchir.
bland (ànd) Aimable (*à*bl).
blandish Cajoler.
blank (blà**ngk**) Blanc, che. Nu [bare]. Vide [empty]. Déconcerté [abashed]. *n* Blanc *m*. Vide *m* (vìd), lacune *f*. *vt* Faire* pâlir.
blanket (blàn) Couverture *f*.
blankness Blancheur *f* (shœr). Confusion *f* (**fü**).
blaspheme (îm) Blasphémer.
blasphemy Blasphème *m*.
blast (blâst) Coup [*m*] de vent. Explosion *f*. *vt* Faire* sauter.
blast-furnace (fëʳniss) Haut fourneau *m* (fûrn*ô*).
blast-pipe Echappement *m*.
blaze (bléⁱz) Flamme *f* (flâm). *v* Flamber (**fla**ⁿ).
blazing Flamboyant.
blazon (bl*é*ⁱ) Blason *m* (â).
bleach (blîtsh) Blanchir.
bleacher Blanchisseur *m*.
bleak (blîk) Ablette *f*. *a* Désolé, sombre, froid.
blear (bl*i*ᵉʳ) Chassieux.
bleat (blît') Bêlement *m* (bèlm*a*ⁿ). *v* Bêler.
bleed* (blîd) Saigner (sèñ*é*) [**bled*].
bleeding Saignement *m*.
blemish Ternir. *n* Tache *f*.
blend Mélanger. *n* Mélange *m*.
bless Bénir; rendre heureux.
blessing Bénédiction *f*.
blind (aⁱnd) Aveugle (œgl). *n* Store *m*: *Venetian blind*, jalousie *f*. *vt* Aveugler.
blindman Aveugle (œ): *blindman's buff*, colin-maillard *m*.
blindness Cécité *f*. Aveuglement *m* [fig.].
blink Clignoter.
blinker Œillère *f* (œʸèr).
bliss Félicité *f* (ìt*é*).
blister Ampoule *f* (**a**ⁿpûl). Vésicatoire *m* ([med.].
blithe (blaⁱ**zh**). Joyeux, se.
blizzard Tempête de neige.
bloat (bloᵒᵘt) Enfler.
bloater Hareng saur *m*.
block Bloc *m*. Poulie *f* [pulley] *vt* Bloquer.
blockade (*é*ⁱd) Blocus *m*.
blockhead (**h**èd) Imbécile.
blood (blœd) Sang *m* (**a**ⁿ).
bloodhorse Pur sang *m*.
bloody Sanglant, te (*a*ⁿ).
bloom (bl*ou*m) Fleur *f* (œr). *vt* Fleurir. **-ming** Floraison *f* (rèz*o*ⁿ). En fleur. Florissant, te [fig.].
blossom Fleur *f*. Fleurir.
blot Tache *f*. *vt* Tacher.
blotting-paper Buvard *m*.

blouse (*a*ouz) Blouse (*û*z).
blow* (blo*ou*) Souffler (sû). S'épan*ouir* [to open]. *To - one's nose,* se moucher; *to - up,* f*aire** sauter [**blew, blown*]. *n* Coup *m* (kû).
blow-pipe Chalumeau (*ü*mò).
blue (blou) Bleu. - -*print*, photoc*a*lque *m*. Plan, proj*e*t *m*.
bl*u*estocking *f* Bas-bleu *m*.
bluff (œf) Escarp*é* [steep]. Rude (r*ü*d) [fig.]. *n* Fal*ai*se *f* [cliff]. Bluff *m* [bluffing]. *vi* Bluff*er*.
bl*u*ish Bleuâtre (*â*tr).
bl*u*nder (œn) Bévue *f* (v*ü*).
bl*u*nderer Maladr*oit*.
bl*u*nt (œnt) Emoussé, *ée* (mû) [edge]. Obt*u*s, se [dull]. Br*u*sque. *vt* Emousser. Amort*ir* [blow].
bl*u*ntness Brusquer*ie* *f*.
bl*u*r (blë*r*) Tache *f* (tàsh).
bl*u*sh (œsh) Rougeur *f* (rûjœr). *vi* Rougir (rû*jîr*).
bl*u*ster (œst*er*) Tempête *f*.
bl*u*sterer F*a*nfar*o*n.
boa (b*o*ou*e*) Boa *m* (bò*â*).
boar (bau*er*) Verr*a*t *m*: *wild boar*, sanglier *m*.
board (bau*er*d) Pl*a*nche *f* (sh) [plank]. Ecrit*eau* *m* [poster]. T*a*ble *f*, pension *f* (pa*n*sy*o*n). Conseil *m* (k*o*nsèy) [committee]. Carton *m* (*o*n) [cardboard]. Etabl*i* *m* [workshop]. Bord *m* (bòr) [mar.]. *Board of Trade*, ministère du Commerce; *on board a ship*, à bord d'un bat*eau*. *vt* Planchéi*er* [floor]. Nourr*ir* [food]. Aborder [ship]. *vi* Prendre* pens*ion*.
b*o*arder Pensionn*aire*.
b*o*arding-house Pens*ion* *f*.
- -**school** (sk) Pensionn*a*t *m*.
boast (b*o*oust) Vanter*ie* *f* (va*n*trî). *vi* Se vanter.
b*o*astful, b*o*aster Vant*a*rd.
boat (b*o*out) Bateau *m* (t*ô*): *life- -*, canot de sauvet*a*ge.
b*o*atman Batel*ier* *m* (*y*é).
b*o*ating Canot*a*ge *m*.
bob Pend*a*nt [*a*n] *m* [ear]. Gl*a*nd *m* [tassel]. *vt* Ballotter, pendill*er*.
b*o*bbin (bòbìn') Bob*ine* *f*.
bode (h*o*oud) Présager.
b*o*dice Cors*a*ge *m*.
b*o*dily Corporel, *elle*.
b*o*dy Corps *m* (kòr). Nef *f* [church]. Cors*a*ge *m* [dress].
b*o*dyguard G*a*rde du corps.
b*o*g Maréc*a*ge *m*.
b*o*gey (gi) Croquemitaine *m*.
b*o*ggle Av*oir** peur.
b*o*gie (b*o*ougi) Bog*ie* *m*.
b*o*gus (b*o*ou) F*a*ux, f*au*sse.
boh*e*mian Bohém*ien*, ne.
b*o*il Furoncle *m* (f*ü*r*o*nkl). *vt* F*aire** bouill*ir* (*y*îr). *vi* Bouill*ir**: *boiled egg*, œuf à la c*o*que.
b*o*iler Chaud*ière* *f* (shô) [engine]. Bouill*oire* *f*.
b*o*isterous (b*o*i) Bruy*a*nt.
b*o*ld (b*o*ould) Hard*i*, *ie*. Effront*é*, *ée* [saucy]. Gros, osse [letter].
b*o*ldness Hard*iesse* *f*.
b*o*lshevism Bolchev*isme*.
b*o*lshevist Bolchev*iste*.
b*o*lster Travers*in* *m*.
b*o*lt (b*o*oult) Verr*ou* *m* [bar]. Boul*o*n *m* (bûl*o*n) [screw]. Chev*ille* *f* (shvî*y*) [pin]. F*ou*dre *f* (fûdr) [thunder]. Bond *m* (b*o*n) [jump]. Fuite *f* (f*ü*it) [flight]. Blutoir *m* (bl*ü*tw*à*r) [sift].

ad Tout droit. *vt*. Verrouiller. Bluter [sift]. Avaler [swallow]. *vi* Décamper.
bolter (booᵘ) Tamis *m* (mì).
bomb (bòm) Bombe *f* (boⁿb).
bombastic Ampoulé (aⁿpûlé).
bomber (mᵉr) Bombardier *m*.
bond (bònd) Lien *m* (lʸiⁿ). Obligation *f* (gàsʸoⁿ).
bone (booᵘn) Os *m*. Arête *f*.
bonfire Feu (de jardin).
bonnet (bonit') Capote *f* (kàpòt). Capot *m* (pò) [motor].
bonus (booᵘnᵉs) Prime *f*.
booby (bou) Nigaud (nìgô).
book (bouk) Livre (livr) *m*. *vt* Enregistrer (aⁿrᵉjistré).
bookbinder (baⁱndᵉr) Relieur (rᵉlʸœr).
bookcase (kèⁱs) Bibliothèque *f* (bìblʸòtèk).
book-keeper (bouk-kipᵉr) Comptable (koⁿtàbl).
book-keeping Comptabilité *f*.
booklet (èt) Brochure *f*.
bookseller (èlᵉr) Libraire.
bookstore Librairie *f* (lì).
boom (boum) Grondement *m* (oⁿdᵉmaⁿ) [rumbl.]. Hausse soudaine *f* [business]. *vi* Gronder (groⁿdé).
boon (boun) Bienfait *m*.
boor, boorish Rustre (ü).
boot (bout') Chaussure *f* (shôsür). Botte *f* [long]. Bottine *f* (bòtin) [short]. Coffre *m* (kòfr) [box]. *vt* Botter (té).
bootlegger (gᵉr) Contrebandier (koⁿtrᵉbaⁿdʸé).
bootmaker (méⁱkᵉr) Bottier.
booth (bouth) Baraque *f*.
boots Décrotteur (dé-tœr).
booty Butin *m* (bütiⁿ).
border (dᵉr) Bord *m* (bòr). Bordure *f* (dür) [edging]. Frontière *f* (ʸèr) [geogr.]. *vt* Border (bòrdé).
bore (bauᵉr) Percer (sé). Ennuyer (aⁿnüʸé) [weary]. *n* Trou (trû) [hole]. Calibre *m* (lìbr) [size]. Ennui *m* (aⁿnui).
***bore** V. BEAR*.
born Né, née. *To be -, naître**.
borne Porté. V. BEAR.
borough (bòrᵉ) Bourg *m*.
borrow (roᵒᵘ) Emprunter (aⁿpruⁿté) [- à, *to* - *from*].
borrower Emprunteur *m*.
bosom (bouzᵉm) Sein (iⁿ).
boss Patron (pàtroⁿ) [master]. Contremaître (koⁿtrᵉmètr) [foreman].
botanic, botanical Botanique.
botany *n* Botanique *f*.
both (booᵘth) Les deux.
bother (bozhᵉr) Tracas *m*.
bottle Bouteille (bûtèʸ).
bottom Fond *m* (foⁿ). Bas *m* (bâ) [page]. Base *f*.
bough (baᵒᵘ) Rameau (mô).
bought* (baut'). V. BUY*.
bounce Bondir. Se vanter [boast]. *n* Bond. Vanterie *f*.
bound (baᵒund) Limite *f*. Bond *m* (boⁿ) [leap]. *a* En route pour. Tenu, ue [V. BIND]. *vt* Limiter, bondir.
boundary (dᵉri) Frontière.
boundless (liss) Immense.
bounteous (baᵒᵘn) ou **-tiful** Généreux, se.
bounty Libéralité. Prime *f*.
bourne (bauᵉrn) Limite *f*.
bout (baᵒᵘt') Coup *m* (kû).
bow (baᵒᵘ) Courber (kûrbé). *vi* Se courber. *n* Salut *m* (lü). Avant *m* [mar.].
bow (booᵘ) Arc *m*. Archet *m*

(shè) [violin]. Nœud *m* (në) [ribbon].
bowels (baouelz) Entrailles *fpl* (antràY).
bower (baouer) Tonnelle *f* (tònèl). Boudoir *m* [room].
bowie-knife (boouinaif) Couteau-poignard *m.*
bowl (booul) Bol *m*. Fourneau *m* [pipe]. Boule *f* [ball].
bowsprit Beaupré *m.*
box (boks) Boîte *f* (bwàt). Malle *f* (màl) [trunk]. Loge *f* [théat.]. Soufflet *m* (soûflè) [slap]. *Christmas box*, étrennes *fpl; strong-box*, coffre-fort *m. Box-office*, bureau de location. *vt* Boxer. Souffleter [slap].
boxer Boxeur. **-xing** Boxe *f.*
boxwood Buis *m* (buì).
boy (boi) Garçon *m* (son).
boycott Boycotter.
boyhood (houd) Enfance *f.*
boyish Puéril, ile (puérìl).
brace (éis) Couple *m* (kû); paire *f* (pèr). Bretelles *fpl* [trousers].
bracelet Bracelet *m.*
bracket Applique *f*, tasseau *m.* Crochet *m* [typogr.].
brag Fanfaronnade *f. vi* Se vanter. **braggard** Vantard.
braid Tresse *f*; galon *m* (on). *vt* Tresser.
brain Cerveau *m;* cervelle *f.*
brake Fourré *m.* Frein *m* (frin) [coach]. *v* Freiner.
bramble (bràmb'l) Ronce *f.*
bran (àn) Son *m* (son).
branch (bransh) Branche *f* (bransh). Embranchement *m* (shman) [railw.]. Succursale *f* (sükürsàl) [firm]. *vi* S'embrancher.
brand (brànd) Tison *m.* Stigmate *m.* Marque *f* [trade]. *vt* Stigmatiser, marquer.
brandish *vt* Brandir.
brandy Cognac *m* (kònàk).
brass Cuivre jaune *m*, laiton *m* (lèton). Airain *m* (èrin) [bronze]. Impudence *f* (inpüdans). - *band*, fanfare *f;* - *wire*, fil de laiton *m.*
brassy D'airain. Effronté.
brat Marmot *m* (mô).
bravado Bravade *f* (àd).
brave (bréiv) Brave (àv). Excellent, te (an, ant) [smart]. *vt* Défier, braver.
bravery (bréi) Bravoure *f.*
bravo Bravo.
brawl (braul) Querelle *f* (kerèl). Tapage *m* [noise]. *vi* Brailler (bràYé).
brawn (braun) Pâté de porc.
brawny Charnu, ue (shàrnü).
bray Braiment *m. vi* Braire*.
braze (bréiz) Braser.
brazen (zen) D'airain [V. BRASS]. Impudent, te [fig.].
brazier Chaudronnier *m.*
breach (ìtsh) Brèche *f* (èsh). Rupture *f* (rüptür). - *of promise*, manque de parole.
bread (brèd) Pain *m* (pin).
breadth (èdth) Largeur *f.*
break* (bréik) Briser (zé), rompre. Violer (vYolé) [law]. Ruiner (ruìné). *Faire part de [inform]. *To - in*, enfoncer; *to - into*, faire* irruption dans; *to - up*, disperser, détruire. *vi* Rompre, se casser. Éclater [storm]: *to - down*, s'effondrer. Faire* faillite [comm.]. [**broke, broken*]. Rupture *f* (rüptür). Trouée *f* [gap]. Interruption

f. Alinéa *m* [imp.]. - *of day,* point du jour *m.*
breakage (idj) Cassure *f* (kàssür). Casse *f* [comm.].
breaker (k^er) Brisant *m.*
break-down Panne *f* [mot.].
breakfast (ekf^est) Déjeuner.
breast (èst) Sein *m,* poitrine *f.* Poitrail *m* [horse]. - *stroke* Brasse *f* [nage].
breast-plate Cuirasse *f.*
breath (brèth) Souffle (sûfl) *m.,* haleine *f* (àlèn).
breathe (îzh) Respirer.
breathing Respiration *f.*
breathless Hors d'haleine.
***bred.** V. BREED.
breeches Culotte *f* (külòt).
breed* (brîd) Élever (élvé) [**bred*]. *n* Race *f* (ràss).
breeding Élevage *m* (àj) [animals]. Éducation *f.*
breeze (brîz) Brise *f.*
brethren (èzh) Frères *mpl.*
breviary (brî) Bréviaire.
brevity Brièveté *f.*
brew (brou) Brasser.
brewery Brasserie (àsrî).
briar (bra^ier) Ronce *f.*
bribery (a^i) Corruption *f.*
brick Brique *f* (brìk).
bride (a^id) Mariée *f* (yé).
bridegroom Marié *m.*
bridesmaid, -man Demoiselle, garçon d'honneur.
bridge Pont *m* (po^n). Bridge.
bridle (a^id'l) Bride *f* (brîd). *vt* Brider. Retenir.
brief (brîf) Bref, ève.
brief-case Serviette *f.*
brig Brick *m.*
brigade (gé^id) Brigade *f.*
brigadier (di^er) Général de brigade (gàd).
brigand Brigand *m* (a^n).
bright (bra^it) Brillant, ante.
brighten (a^i) Faire* briller. Égayer [enliven]. Embellir. *vi* Se rasséréner.
brightness Clarté *f,* éclat *m.*
brilliancy Éclat *m* (klà).
brilliant Brillant, ante.
brim Bord *m* (bòr).
brimful Tout plein (pli^n).
brimstone Soufre *m* (sûfr).
brine (bra^in) Saumure *f.*
bring* Amener (àmné) [person]. Apporter [thing] : *to - away,* emporter; *to - back,* rapporter; *to - forth,* produire [**brought*].
brink (bringk) Bord *m.*
briny (bra^i) Saumâtre.
brisk Vif, ive; actif, ve.
bristle (is'l) Soie *f* (swà), poil raide. *v* Se hérisser.
Britain (t^en) Grande-Bretagne *f* (br^etàñ).
British (itish) Britannique.
brittle Fragile (jìl).
broach (bro^outsh) Broche *f.* *vt* Percer [cask]. Entamer.
broad (aud) Large (làrj).
broadcast* (âst) Diffuser.
broadcasting Émission *f.*
broadness Largeur *f* (jœr).
brocade (é^id) Brocart *m.*
brogue (bro^oug) Patois *m.*
broil Griller (grìyé).
***broke** (bro^ouk). V. BREAK.
broken Brisé, ée. *Broken French,* mauvais français.
broker (bro^ouk^er) Courtier.
brokerage Courtage *m.*
bronchitis (ka^i) Bronchite.
bronze Bronze *m.* *vt* Bronzer.
brooch (bro^outsh) Broche *f.*
brood Couvée *f.* *vt* Couver.
brook Souffrir. *n* Ruisseau.
brooklet Ruisselet *m.*

broom (broum) Genêt (nè) *m* [plant]. Balai (lè) *m*.

broth (**auth**) Bouillon *m*.

brother (œzh^{er}) Frère *m*.

brotherhood Confrérie *f*.

brotherly Fraternel, le.

***brought** (**aut'**). V. BRING.

browse (bra^{ou}z) Brouter (brû).

brow Sourcil *m* (sî) Front.

brown Brun, une (u^{n}, *ü*n). Sombre [dark]. *vt* Brunir.

brownish Brunâtre.

bruise (brouz) Contusion *f* (ü). Meurtrir (mœr).

bruit (out') Ebruiter (u^{i}).

brush Brosse *f*. *vt* Brosser.

brushwood Broussailles *fpl*.

Brussels sprouts (brœs^{e}lz spra^{ou}ts) Choux de Bruxelles (shû d^{e} Brüsèl).

brutal (brout'l) Brutal, e.

brutality Brutalité *f*.

brute (brout') Brute *f* (brüt), animal *m*. *a* Brut, ute. Sauvage [wild]. Abruti, *ie*.

brutish Abruti. Brutal.

bubble (bœb'l) Bulle *f*.

buck (bœk) Daim *m* (di^{n}) [deer]. Chevreuil *m* (sh^{e}-vrœ^{y}) [roe]. Lessive *f* (lès-sîv) [wash].

bucket (it') Seau *m*.

buckle Boucle *f*. Boucler.

buckshot Chevrotine *f*.

buckskin Peau [*f*] de daim.

buckwheat Sarrasin *m*.

bud (œd) Bourgeon *m* (**jo^{n}**). Bouton *m*. *vi* Bourgeonner.

budge (œdj) Bouger (bû**jé**).

budget (bœ) Budget *m* (bü).

buff Buffle *m* [skin].

buffer (bœ) Tampon *m*.

buffet (bœfit') Coup *m* (kû) [blow]. Buffet *m* (büfè) [sideboard]. *vt* Frapper.

buffoon (bœfoun) Bouffon *m*.

buffoonery Bouffonnerie *f*.

bug Punaise *f* (pünèz).

bugbear Epouvantail *m*.

bugle (byoug'l) Clairon *m*.

build (bild) Bâtir [***built**].

builder Constructeur *m*.

building Bâtiment *m*.

bulb Bulbe *m* [plant]. Ampoule *f* (a^{n}pûl) [lamp]. Poire *f* (pwàr) [rubber].

bulge (œl) Bombement *m*.

bulk Volume *m*.

bull Taureau *m* (tôrô). Haussier *m* [Stock Ex.]. Bévue *f* [blunder]. Bulle *f* [pope].

bull-dog Bouledogue *m*.

bullet (it') Balle *f*.

bull-finch Bouvreuil *m*.

bullion (bou) Or en lingots.

bullock Bouvillon *m* (y**o^{n}**).

bully Matamore *m*, tyranneau.

bulwark Rempart *m*.

bump Bosse *f*, coup *m*.

bumper Rasade *f*. Pare-chocs *m* [motor].

bumpkin (bœmp) Rustre *m*.

bun (œn) Brioche *f* (iòsh).

bunch (œ) Botte [vegetables]. Bouquet *m* [flowers]. Trousseau *m* [keys]. Grappe *f* [grapes]. Bosse *f* [bump].

bundle Paquet *m*. Fagot *m* [wood]. Botte *f* [vegetables]. Liasse *f* [paper].

bung Bonde *f*.

bungalow Villa coloniale *f*.

bungle Bousiller.

bunion (bœ) Oignon *m* (ñ).

bunk (bœngk) Couchette *f*.

bunker Soute *f* (sût).

bunting Étamine *f*.

buoy (bo^{i}) Bouée *f* (bû**é**) : *life* -, bouée de sauvetage.

buoyant (bo^{i}) Léger, ère.

burden (bë^r) Fardeau *m* [load]. Refrain *m* (*i*^n) [song].
bureau (byòuro^ou) Bureau *m* (bürô).
burgess (bë^rdjis) Bourgeois.
burgh (bë^rg) Bourg *m* (bûr).
burgher Bourgeois, e (jwà).
burglar Cambrioleur.
burgomaster Bourgmestre.
burial (bè) Enterrement *m*.
burial-ground Cimetière *m*.
burin (byou) Burin *m* (*i*^n).
burlesque Burlesque.
***burn** (ë^rn) Brûler [**burnt*]
burning Combustion *f*.
burnish Polir. Brunir [met.].
burrow (bœro^ou) Terrier *m*.
bursar (bë^rse^r) Économe *m*.
burst* *vi* (bë^rst) Éclater (àté). *vt* Crever (kr^evé) [**burst*]. *n* Éclat *m* (éklà), explosion *f*.
bury (bèri) Enterrer (a^n).
***bus** (œs) Omnibus *m* (üs).
bush (ou) Fourré *m* (fûré), buisson *m* (b^uisso^n). Brousse *f* [wilderness].
bushel (bou) Boisseau *m*.
bushy Touffu, ue (tûfü).
business (bizniss) Affaires *fpl* (àfèr).
busk (œ) Busc *m* (ü).
buskin (bœs) Brodequin *m*.
bust (œ) Buste *m* (ü).
bustle (œs'l) Confusion *f*. *vi* Se remuer, s'empresser.
busy (bizi) S'affairer.
but *conj* (bœt') Mais (mè) ; ne... pas; *not one but knows,* pas un qui ne sache. *ad* Excepté, ne... que : *nothing but*. rien que; *all but,* presque; *the last but one,* l'avant-dernier.
butcher (boutsh^e^r) Boucher *m* (bûshé). *Butcher's shop,* boucherie *f*.
butchery Massacre *m*.
butler (bœ) Sommelier *m*.
butt (bœt') Crosse *f* [gun]. Barrique *f* [cask].
butter (bœt) Beurre *m* (bœr). *vt* Beurrer.
butter-dish Beurrier *m*.
butterfly (fla^i) Papillon *m*.
buttock Croupe *f* (krûp).
button (bœ) Bouton *m* (bû).
button-hole Boutonnière *f*.
button-hook Tire-bouton *m*.
buttress (bœ) Contrefort *m* : *flying -,* arc-boutant *m*.
butts Polygone [*m*] de tir.
buy* (ba^i) Acheter (àshté); *to-up,* accaparer [**bought*].
buyer (ba^ie^r) Acheteur, euse.
buzz (bœz) Bourdonner.
buzzard (bœze^rd) Buse *f*.
by prep (ba^i) Par : *by the door,* par la porte; *by heart,* par cœur. De (d^e) : *by far,* de beaucoup; *to profit by,* profiter de. En (a^n) [with a pr. part.] : *by falling,* en tombant. A (à) : *one by one,* un à un. Près de [near] : *stand by me,* restez près de moi. Envers (a^nvèr) [towards]. Sur (sür) : *five by two,* cinq sur deux.
bygone Passé ée.
by-law (ba^ilau) Arrêté *m*.
by-name (é^im) Sobriquet *m*.
by-product Sous-produit *m*.
bystander Assistant *m*.

C

c (sî) [mus.] Ut (üt), do.
cab Fiacre *m* (f^{y}âkr) : *taxicab*, taxi *m*; *cab-stand*, station [*f*] de voitures.
cabal (k^{e}bàl) Cabale *f*.
cabbage (idj) Chou *m* (shû).
cabin (ìn) Cabane *f* (bàn). Cabine *f* (în) [ship].
cabinet (it') Cabinet *m* (nè).
cabinet-maker Ébéniste.
cable (é^{i}b'l) Câble *m* (kâbl). *vt* Câbler; - *-railway*, téléphérique *m*.
cablegram Câblogramme *m*.
cackle Caquet *m*. Caqueter.
cad Voyou *m* (vwà^{y}û).
cadaverous Cadavéreux, se.
caddie Caddie *m*.
caddy Boîte [*f*] à thé.
cadence Cadence *f* (kàda^{n}s).
cadet (k^{e}dèt) Cadet (dè).
cage (ké^{i}dj) Cage (àj).
cake (ké^{i}k) Gâteau *m* (gâtô). Tablette *f* [chocolate]. Morceau [soap].
calabash Calebasse *f* (às').
calamitous Désastreux, se.
calamity Calamité *f*.
calcine (a^{i}n) Calciner.
calcination Calcination *f*.
calcium Calcium *m* : - *carbide*, carbure de calcium.
calculable Calculable.
calculate (kyoulé^{i}t) Calculer.
calculation (é^i) Calcul *m*.
calculus Calcul *m* [med.].
calendar Calendrier *m* (a^{n}drìé). Rôle *m* [list].
calf (kâf) Veau *m* (vô) (animal]. Mollet *m* (lè).
calibre Calibre *m*.
calico Calicot *m* (kô) : *printed* -, indienne *f*.
caliph Calife *m* (ìf).
calix (ké^i) Calice *m* (kà).
calk. V. CAULK.
call (kaul) Appeler (àp^{e}lé) : *to - names*, insulter; *to - to witness*, prendre à témoin; *to - up*, évoquer. *vi* Crier (krìé), appeler. Faire* visite [*on* : à]. *To - for*, demander; *to - on*, inviter. *n* Appel *m*; invitation *f*. Visite *f*. *At my* -, à mes ordres.
callous (l^{e}s) Calleux, se.
calm (kâm) Calme *m*. *vt* Calmer.
calmness Calme *m* (kàlm).
calomel Calomel *m*.
caloric Calorique (ìk).
calumniate (œm) Calomnier.
calumny (kal^e) Calomnie *f*.
calvary Calvaire *m* (vèr).
calve (kâv) Vêler (vélé).
calvinism Calvinisme *m*.
cam (kàm) Came *f* (kàm).
camber Cambrer. *n* Cambrure *f* (ka^{n}brür). Courbe *f*.
cambric (ké^{i}m) Batiste *f*.
***came**. V COME.
camel Chameau *m* (shàmô) [*f* chamelle (èl)].
camellia (mî) Camélia *m*.
cameo (kamio^{ou}) Camée *m*.
camera Appareil *m* [phot].
camomile (a^{i}l) Camomille *f*.
camp (kàmp) Camp *m* (ka^n).

Camp-stool, pliant *m* (ìa^{n}).
campaign (é^{i}n) Campagne *f.*
campanile Campanile *m.*
campanula Campanule *f.*
camphor Camphre *m* (a^{n}fr).
can (kàn) Pot *m* (pò). Jarre *f.* Bidon *m: milk-can,* boîte [*f*] à lait. Boîte *f* [tin box]. *vt* Mettre* en boîte *f.*
***can** Pouvoir* (wàr) : *if I can,* si je peux. Savoir (wàr) : *can you speak French?* savez-vous parler français?
canadian Canadien, enne.
canal (k^{e}nal) Canal *m* (kà).
canary (k^{e}nèri) Canari *m.*
cancel (kàn) Annuler (nü).
cancer (kàn) Cancer *m.*
candelabrum Candélabre *m.*
candid Franc, che (a^{n}, sh).
candidate (it') Candidat, e.
candied Candi (ka^{n}).
candle Chandelle *f* (sha^{n}dèl).
Candlemas Chandeleur *f.*
candlestick Chandelier *m.*
candour (kànd^{er}) Candeur.
candy (kàn) Candi *m* (ka^{n}).
cane (ké^{i}n) Canne *f* (kàn).
cane-sugar Sucre de canne.
canine (ké^{i}na^{i}n) Canin, e.
canister Boîte *f* (bwàt).
canker Chancre *m.* Corruption *f* [fig.]. *vt* Ronger.
cannibal (b^{e}l) Cannibale.
cannon (n^{e}n) Canon *m* (*o*^{n}).
canny Rusé, *ée*; avisé, *ée.*
canoe (k^{e}nou) Canot *m* (kànô). Périssoire *f* [sport].
canon (kàn^{e}n), **ess** Chanoine, nesse (shànwàn, nèss).
canopy Dais *m* (dè).
cant (kànt) Hypocrisie *f.* Pan coupé *m* [arch]. *vt* Incliner. Retourner [over].
cantata (k^{e}ntâte) Cantate *f.*
canteen [în'] Cantine *f.*
canter Petit galop *m.*
canticle Cantique *m* (ka^{n}tìk).
cantilever (kàntilîv^{er}) Porte à faux (portàfô).
cantle (kànt'l) Fragment *m.* Coin (kwi^{n}) *m* [corner].
canvas (kànv^{e}s). Canevas *m.* Voile (vwàl) [sail]. Tableau *m* (tàblô) [picture].
canvass (kànv^{e}s) *vt* Examiner, discuter. *vi* Faire* la place.
cap Bonnet *m* (nè). Casquette *f* (kèt) [man]. Amorce *f* [gun]. *Fool's cap,* bonnet d'âne. *vt* Surmonter.
capable (ké^{i}p^{e}b^{e}l) Capable (kàpàbl) Susceptible.
capacious (k^{e}pé^{i}sh^{e}s) Ample, spacieux, se (spàs^{y}ë, ëz).
capacity Capacité *f.*
cape (ké^{i}p) Cap *m* [land]. Collet *m* (lè) [tippet].
caper (ké^{i}) Cabriole *f.* Câpre *f* [cook]. *vi* Cabrioler.
capillary Capillaire (pìlèr).
capital Capital, *ale*; excellent, ente. *n* Capital *m.* Capitale *f* [city]. Chapiteau *m* [arch.]. Majuscule *f* (jüskül), capitale [letter].
capitalist Capitaliste.
capitulate Capituler.
capon (ké^{i}p^{e}n) Chapon *m.*
capot (k^{e}pot') Capot *m* (pó).
capote (*o*^{out}) Capote *f* (ôt).
caprice (îs') Caprice *m.*
capricious (k^{e}prish^{e}s) Capricieux, euse (s^{y}ë, ëz).
capsize (*a*^{i}z) Chavirer.
capstan (àn) Cabestan *m* (*a*^{n}).
capsule (you) Capsule *f* (*ü*).
captain (tìn) Capitaine *m.*
captious Captieux, *euse.*
captivate Captiver.

captive (iv) Captif, ive.
captivity Captivité *f*.
capture (kàptsher) Capture *f* (ür). *vt* Capturer.
car Char *m* (shàr). Voiture *f* (tür) [auto]. *Dining-car* (dai), wagon-restaurant *m*; *sleeping-car*, wagon-lit *m*; *motor-car*, automobile *f*.
carapace (éis) Carapace *f* (às).
carat (kàret) Carat *m* (rà).
caravan Caravane *f* (àn). Roulotte *f* [cart].
carbine (ain) Carabine *f*.
carbon Carbone *m* (òn).
carbonate (it') Carbonate *m*.
carbonize (aiz) Carboniser.
carbuncle Charbon *m*.
carburettor Carburateur *m*.
carcass Carcasse *f* (kàs).
card (kârd) Carte *f* (kàrt) Carde *f* [comb].
card-board (aue) Carton *m*.
cardinal (kâr) Cardinal, ale.
care (kèer) Soin *m* (swin). Souci *m* [anxiety]. Attention. *Care of*, aux bons soins de. *vi* Se soucier; *I don't care*, je m'en moque.
career (keriër) Carrière *f*.
care-free Insouciant.
careful Soigneux, se. Prudent, te. **-fulness** Soin *m* (swin).
careless Négligent, te (jan), insouciant, te (insûsian).
carelessness Insouciance *f*.
caress (ke) Caresse *f* (kà). *vt* Caresser.
cargo (kârgoou) Cargaison *f* (gézon): *cargo-boat*, cargo *m*.
caricature Caricature *f*.
caries (kèeriiz) Carie *f*.
carman Charretier *m* (yé).
carmine Carmin *m* (in).
carnal Charnel, elle (shàr).
carnation Carnation *f*. Œillet *m* (œyè) [flower].
carnival Carnaval.
carnivorous Carnivore.
carol Chant *m* (shan).
carotide Carotide *f*.
carousal Ripaille *f* (ripày).
carouse (keraouz) Ribote *f*.
carp Carpe *f*. *vt* Chicaner.
carpenter Charpentier (an)
carpentry Menuiserie *f* (menuìzrì), charpente *f*.
carpet (it') Tapis *m* (pì).
carriage (karidj) Voiture *f* (vwàtür). Wagon *m* (vàgon). Affût *m* (àfü) [gun]. Transport *m* (transpòr) [cartage]. Démarche *f* (àrsh) [bearing]. - *forward*, port dû; - *paid*, port payé.
carrier Voiturier *m*. - *pigeon*, pigeon voyageur.
carrion Charogne *f* (òñ).
carrot (kàret) Carotte *f*.
carry Porter. Emporter [take away]. Emmener (anmené) [person]. Reporter [sum]. *To - out*, mettre* à exécution. *To - on*, exercer [trade]. *vi* Porter.
cart (kârt') Charrette *f* (shàrèt). Fourgon *m* (on) [mil.]. *vt* Transporter.
cartage (idj) Transport *m*.
carter Voiturier.
cartilage (lidj) Cartilage *m*.
cartoon (oun) Carton *m* (on).
cartridge Cartouche *f* (ûsh). **-pouch** Cartouchière *f*.
cartwright (rait) Charron.
carve (kârv) Sculpter (skülté). Découper [meat].
carving Sculpture *f* (tür).
cascade (éi) Cascade *f* (àd).
case (kéiss) Caisse *f* (kès)

[box]. Étui *m* [sheath]. Cas *m* (kâ) [matter]. Cause *f* (kôz) [law]. *In any -*, en tout cas; *in - he*, au cas où il. *vt* Enfermer, emballer.
casemate (kéi) Casemate *f*.
casement (kéis) Croisée *f*.
cash Espèces *fpl*: *- down*, argent comptant; *for -*, au comptant. *vt* Payer. Toucher (tûshé) [check]. *Cash-box*, caisse *f* (kès); *cash-register*, caisse enregistreuse *f*.
cashier Caissier, ère.
cashmere (ier) Cachemire *m*.
casing (kéi) Revêtement *m*.
cask Tonneau *m* (tònô).
casket Écrin *m*, cassette *f*.
cassette Chargeur [photo].
cassock Soutane *f* (sûtàn).
cast* Jeter (jeté). Couler (kûlé) [metal]. Calculer [account]; *to - up*, rejeter. *vi* Se déjeter [to warp] *n* Jet *m* (jè). Moule *m* (mûl) [mould]. Trempe *f* [métal]. Expression *f* [*cast].
castanet Castagnette *f* (ñet).
caste (kâst') Caste *f* (kàst).
castigate Châtier (shâtyé).
castigation Châtiment *m*.
cast-iron (aiern) Fonte *f*.
castle (kâs'l) Château *m* (shâtô). Tour *f* [chess].
castor Castor *m* [hat].
casual (kajyouel) Fortuit, te.
casualty Accident *m*. Pertes *fpl* (pèrt) [mil.].
cat Chat, atte. Fouet *m*.
cat's-eye Cataphote *m*.
catalepsy Catalepsie *f*.
catalogue Catalogue *m*.
catapult (œlt) Catapulte *f*.
cataract Cataracte *f*.
catarrh (ketâr) Catarrhe *m*.
catastrophe Catastrophe *f*.
catch* Attraper, saisir (sè): *to - the eye*, frapper l'œil; *to - fire*, prendre feu. *vi* Se prendre. *n* Prise *f* (îz) [taking]. Attrape *f*. Crampon *m* [techn.] [*caught].
catching Prise *f*.
catechism (k) Catéchisme *m*.
category Catégorie *f*.
cater (kéiter) Pourvoir*.
caterer (kéi) Pourvoyeur.
caterpillar Chenille *f* (ìy).
catgut Corde à boyau.
cathedral (th) Cathédrale *f*.
catholic (th) Catholique (tò).
catholicism Catholicisme *m*.
catkin (ìn) Chaton *m*.
cattle (kàt'l) Bétail *m* (tày).
***caught**. V. CATCH.
caulker *n* Calfat *m* (fà).
cause Cause *f* (kôz); motif *m*: *there is - to*, il y a lieu de. *vi* Causer, produire.
causeway (wéi) Chaussée *f*.
caustic Caustique.
cauterize Cautériser.
cautery Cautère *m*.
caution (kaushen) Avertissement *m* [warning]. Précaution *f*. Caution *f* [surety].
cautious (kaushes) Prudent, ente (prüdan, ant).
cavalcade (éid) Cavalcade *f*.
cavalry Cavalerie *f*.
cave (kéiv) Caverne *f*. *vt* Creuser (krëzé).
cavern (vern) Caverne *f* (èrn).
cavil Chicaner (shì).
caw (kau) Croasser.
cease (sîs') Cesser (séssé).
ceaseless Incessant, te (an, t).
cedar (sîder). Cèdre *m*.
ceiling (sì) Plafond *m* (fon).
celebrate (ibréit) Célébrer.

celebrated Célèbre (sélèbr).
celebration Célébration *f.*
celerity (si). Vitesse *f.*
celestial (si) Céleste (sé).
celibate Célibataire *m.*
cell Cellule *f* (ül).
cellar (sèler) Cave *f* (kàv).
cellular (lyou) Cellulaire *m.*
celluloid Celluloïd *m* (lü).
cellulose Cellulose *f.*
cement (simènt) Ciment *m.* *vt* Cimenter. *vi* Se réunir.
cemetery Cimetière *m* (tyèr).
censer Encensoir *m.*
censor Censeur *m.*
censorship Censure *f.*
censure (sènsher) Censure *f* (ür), blâme. *vt* Blâmer.
census (ses) Recensement *m.*
cent (sènt) Cent *m* (san). Sou *m* (sû) [Amer.]
centenary (ti) Centenaire.
centigrade Centigrade.
center. V. CENTRE.
central (el) Central, le (àl).
centre (sènter) Centre *m* (santr). Cintre *m* (sintr) [arch.]. *v* Centrer.
centuple (youp'l) Centuple *m* (santüpl). *v* Centupler.
century (tshou) Siècle *m.*
ceramic (si) Céramique (sé).
cereal (siriel) Céréale *f.*
ceremonial Cérémonial, le. *n* Cérémonie *f.* **-monious** Cérémonieux, euse.
ceremony (sèri) Cérémonie *f.*
certain (sërtìn) Certain, taine (sèrtin, èn).
certainly Certainement.
certainty Certitude *f* (üd).
certificate Certificat *m.*
certitude (youd) Certitude *f.*
cessation (éish) Cessation *f.*
cession (shen) Cession *f.*
chafe (tshéif) Chauffer (shô). Irriter. Érailler [to fret].
chafer Hanneton *m* ('ànton). Réchaud *m* (shô) [stove].
chaff (tshâf) Balle *f* (bàl). *vn* Blaguer [fam.].
chaffinch (shafìnsh) Pinson *m* (pinson).
chagrin (shegrìn) Chagrin *m* (shagrin). *vt* Chagriner.
chain (tshéin) Chaîne *f.* (shèn). *vt* Enchaîner.
chair (tshèer) Chaise *f* (shèz). Fauteuil (fôtœy) [présid.]. *Arm-chair, easy-chair*, fauteuil *m.*
chairman (men) Président.
chalice (tshà) Calice *m.*
chalk (auk) Craie *f* (krè).
chalky Crayeux, se (yë, ëz).
challenge (lìndj) Défi *m.* Qui-vive *m* (kìvîv) [mil.]. *vt* Défier. Arrêter [sentry]. Récuser [law].
challenger Provocateur *m.*
chamber (tshéi) Chambre *f* (shanbr). Ame *f* [gun].
chamberlain (tshéimberlìn) Chambellan *m* (shanbèlan).
chamber-maid (méid) Femme de chambre *f* (shanbr).
chameleon (ke) Caméléon *m.*
chamfer Chanfrein *m* (frin).
champ (àmp) Ronger (jé).
champagne (éin) Champagne.
champion (tshàm) Champion (shanpyon). *vt* Défendre.
chance (tshâns') Hasard *m* (*àzàr). *vi* Arriver.
chancel (ân) Chœur *m* (kœr).
chancellor Chancelier *m.*
chandelier Lustre *m* (lüstr).
chandler Marchand (shan).
change (tshéindj) Changement (shanjman). Linge

[*m*] de rechange. Monnaie *f* (nè) [coins]. Bourse *f* (Exchange]. *v* Changer.
changeable Changeant, te.
changer Changeur (jœr).
channel (tshan'l) Canal *m*. Lit *m* (lì) [river]. Passe *f*. Chenal *m* [harbour]. Manche (ma^{n}sh) [geog.].
chant (tshânt') Psalmodier.
chaos (ké^{i}òss) Chaos *m* (àô).
chap Gerçure *f* (jèrsür). Compère *m* [friend]. Mâchoire *f* (shwar) [jaw].
chapel (tsha) Chapelle *f* (èl).
chaperon (o^{ou}n) Chaperon *m*.
chaplain (plìn) Chapelain (pli^{n}). Aumônier *m* [mil.].
chaplet (it') Chapelet *m*.
chapman Marchand m (sha^{n}).
chapter Chapître *m*.
character (karikt^{er}) Caractère *m*. Genre *m* (ja^{n}r). Réputation *f*. Rôle *m* [theat.].
-teristic Caractéristique.
characterize (a^{i}z) Caractériser (izé).
charade (sh^{e}râd) Charade *f*.
charcoal (tshârko^{ou}l) Charbon de bois *m*.
charge (tshâ^{r}dj) Charge *f*. (shàrj). Prix *m* (prì) [price]. Accusation *f* (àküzàsyo^{n}). Charges *pl*, frais *mpl* (frè) : *free of* -, franco. *vt* Charger (shàrjé). Faire* payer [price]; percevoir*. Accuser (àküzé).
charger (dj^{er}) Cheval de bataille. Plat *m* [dish].
charily Prudemment.
chariness Prudence *f* (ü).
chariot (ry^{e}t) Char *m* (shàr).
charitable (tshà) Charitable.
charity Charité *f* (shàrité).
charlatan (àn) Charlatan.
charm Charme *m*. Charmer.
charmer Charmeur, euse.
charming Charmant, ante.
charter (tshâ^{r}t^{er}) Charte *f* (shàrt). *vt* Frêter (frèté) [to let]. Affrêter [to take]. *Charter-party*, charte-partie.
charterer (tshâ^{r}t^{e}r^{er}) Frêteur, affrêteur.
charwoman Femme de ménage
chary (tshè^{e}ri) Prudent, e.
chase (tshé^{i}s) Chasse *f* (shàs), poursuite *f* (pûrsüit). *vt* Chasser.
chaste (é^{i}st) Chaste (àst).
chastise (a^{i}z) Châtier (tyé).
chastity Chasteté *f*.
chat (at') Causerie *f* (kôzrî). *v* Causer (kauzé).
chatter Bavarder, jacasser. Claquer (ké) [teeth].
cheap (tshîp) Bon marché.
cheapness Bon marché *m*.
cheat (tshît') Tricherie f. Tricheur, se. *vi* Tricher.
cheating Tricherie *f*.
check Arrêter (àrèté), réprimer. Contrôler. Enregistrer [luggage]. *n* Obstacle *m*, frein *m* (fri^{n}). Chèque *m*. Contremarque *f* [theat.].
cheek (tshîk) Joue *f* (jû). Fig. Toupet *m* (tûpè) : *cheek-bone*, pommette *f*.
cheer (tshi^{er}) Applaudissement *m* (ìsma^{n}). *vt* Réjouir. *vi* S'égayer; applaudir.
cheerful (foul) Joyeux, se.
cheerfulness Bonne humeur *f*.
cheerless Triste, maussade.
cheese (îz) Fromage *m* (àj).
chemical (kè) Chimique (sh).
chemist (kè). Chimiste (sh). Pharmacien (yi^{n}) : *chemist's*

shop, pharmac*ie* *f* (fàrmàsì).
ch*e*mistry Chimie *f* (shîmî).
cheque (tshèk) Chèque: *cheque-book*, carnet de chèques.
ch*e*quered A carr*eaux* [cloth]. Diapré [colour]. Accidenté, *ée* [life].
cherish (tshé) Soigner (ñé).
cherry (tshèri) Cerise *f* (iz).
ch*e*rry-tree Ceris*ier* *m*.
cherub (tshè) Chérub*in* *m*.
ch*e*rvil Cerf*euil* *m* (fœʸ).
chess (tshès) Échecs (éshèk).
ch*e*ssboard Échiqu*ier* *m*.
chest Coffre *m* (kòfr). Poitr*ine* *f* (pwà). Poitr*ail* *m* [horse]. *Chest of drawers*, commode *f*.
chestnut (tshèsnᵉt') Châtaigne *f* (shâtèñ), marron *m* (màr*o*ⁿ). *Horse-chesnut*, marron d'*I*nde. *a* Châtain (*i*ⁿ). - *-tree*, châtaign*ier* *m*, marronn*ier* *m*.
chevron (ᵉn) Chevron *m*.
chew (tshou) Mâcher (sh*é*). Chiquer (shìk*é*) [tobacco].
ch*e*wing-gum Gomme à mâcher.
chick Poussin *m* (pûss*i*ⁿ).
ch*i*cken Poulet *m* (pûlè).
ch*i*cory Chicorée *f* (kòr*é*).
chide* (aⁱd) Gronder (gr*o*ⁿ) [**chid*, *chid*, *chidden*].
ch*i*ding Grond*erie* *f*.
chief (tshìf) Chef *m* (shef).
ch*ie*fly Surtout (sürt*û*).
ch*ie*ftain Chef de clan.
ch*i*lblain Engelure *f* (*ü*r).
child (tsh*a*ⁱld) [pl. *children* (tshildrᵉn)] Enfant (aⁿf*a*ⁿ).
ch*i*ldhood (houd) Enf*ance* *f*.
ch*i*ldish (*a*ⁱl) Enfant*in*, *ine*.
ch*i*ldishness Puérilité *f*.
ch*i*ldlike Enfant*in*, *ine*.
chill (tschil) Froid *m* (frwà).
a Glacé, *ée*. *vt* Glacer (s*é*).
ch*i*lly Froid. Fril*eux*, se.
chime (*a*ⁱm) Carill*on* *m* (ʸ*o*ⁿ).
chim*e*ra (kaⁱmi) Chimère *f*.
ch*i*mney Chemin*ée* *f* (shᵉ).
- *-sweep* Ramon*eur* (œr).
chimpanzee (zî) Chimpanzé.
chin (tchìn) Menton *m* (aⁿ).
China (*a*ⁱnᵉ) Chine *f* (ìn). Porcelaine *f* (porslèn).
chine (*a*ⁱn) Éch*ine* *f* (ìn).
ch*i*nese (aⁱnîz) Chin*ois*, se.
chink (tshìngk) Crev*asse* *f*. *vt* F*aire** sonner [money].
chip (tship) Copeau *m* (kòpô) Fragment *m*. *vt* Hacher.
chir*o*podist Pédicure (*ü*r).
chirp (tshërp) Pép*ier*.
ch*i*sel (tshizᵉl) Ciseau *m* (sìzô). *vt* Ciseler (sîzl*é*). Filouter [to steal].
chit (tshit') Marmot *m* (*ô*).
ch*i*tterlings *pl* And*ouille* *f*.
ch*i*valrous Chevaleresque.
ch*i*valry Chevaler*ie* *f*.
chive (tsh*a*ⁱv) Ciboulette *f*.
chl*o*ride Chlor*ure* *m*.
chl*o*rine Chlore *m* (òr).
chl*o*roform Chlorof*o*rme *m*.
chock Cale *f* (kal).
chocolate (tshokᵉlit') Chocolat *m* (shòkòlà).
choice (tsh*o*ⁱs) Choix *m* (wà). *a* Chois*i*, *ie*.
ch*o*iceness Excellence *f*.
choir (kw*a*ⁱᵉʳ) Chœur *m*.
choke (oᵒᵘk) Étouffer (étû).
choler (kòlᵉʳ) Bile *f* (bìl). Colère *f* [anger].
ch*o*lera Choléra *m*.
ch*oo*se* (tshoûz) Choisir (shwàzîr). Décider. Voul*oir** [wish] [**chose*, *chosen*].
chop Hacher ('àsh*é*) Troquer [barter]. *vi* Trafiquer

(*ké*). Tourner [veer]. Clapoter [sea]. *n* Côtelette *f* [mouton, agneau, porc].
chopping Coupe *f* (kûp). Troc *m* (òk) [barter].
choral (kau^rel) Choral, e.
chord Corde *f*. Accord *m*.
chorister (*kau*) Choriste.
chorus (^es) Chœur *m* (kœr).
***chose, chosen.** V. CHOOSE.
Christ (a^ist) Christ (ìst).
christen (*is*'n) Baptiser.
christening Baptême *m* (àt).
christian (istye^n) Chrétien, enne (y*i*^n, èn) : *Christian name*, nom [*m*] de baptême.
-tianity Christianisme *m*.
Christmas (krisme^s) Noël *m*.
chronic Chronique (ìk).
chronicle Chronique *f*.
chronology (*o*le^dji) Chronologie *f* (lòjî).
chronometer Chronomètre *m*.
chubby Joufflu, e (jûfl*ü*).
chuck (œk) Gloussement *m* (glûsm*a*^n). Poulet, ette *mf* [chicken]. Petit coup [under the chin]. *vi* Glousser (*sé*). Tapoter [pat].
chuckle (œk'l) Rire étouff*é* *m*. *vi* Rire tout bas.
chum (œm) Camarade *m* (ad).
church (tshë^rtsh) Eglise *f* (îz). Temple *m* (ta^npl).
churchyard Cimetière *m*.
churl (ë^rl) Rustre *m* (*ü*s).
churn (tshë^rn) Baratte *f* (àt). *vt* Battre (bàtr).
cicada (sikéi^de) Cigale *f*.
cider (sa^ide^r) Cidre *m* (sî).
cigar Cigare *m* (gàr). - *-case*, étui [*m*] à cigares. - *-holder*, fume-cigare *m*.
cigarette Cigarette *f*.
cinder Cendre *f* (sa^ndr).
Cinderella Cendrillon.
cinema (n^em^e) Cinéma *m*.
cinnamon (*si*) Cannelle *f*.
cipher (s*a*^ife^r) Zéro *m*. Chiffre *m* (îfr) : *in -*, chiffré. *vt* Chiffrer.
ciphering Calcul *m* (*ü*l).
circle (së^rk'l) Cercle *m* (sèrkl). *vt* Encercler.
circuit (së^rkit') Circuit *m* (sìrk^uì). Tour *m*.
circular (së^rkyou) *a* et *n* Circulaire *f* (sìrkülèr). **-late** Circuler (*ülé*). *vi* Répandre.
circulation Circulation.
circumference (kœmfe^re^ns) Circonférence *f* (*a*^ns).
circumscribe Circonscrire.
circumstance (së^r) Circonstance *f* (sìr). *v.* Placer (à*sé*).
circumstantial Détaillé (à^y*é*).
circus (së^rk^es) Cirque *m*. Rond-point *m* [street].
cistern Citerne *f*.
citation (*té*^i) Citation *f* (tà).
cite (sa^it) Citer (sì*té*).
citizen (*s*itiz'n) Citoyen *m* (sìtwà^y*i*^n).
citron Cédrat *m* (sédrà).
city (*s*iti) Cité *f* (*té*).
civic Civique (sìvìk).
civil Civil, *i*le.
civility Civilité *f*.
civilization (sivila^iz*é*^i) Civilisation *f* (sivilìzàs^y*o*^n).
civilize (a^iz) Civiliser (liz*é*).
clack Claquement *m*.
***clad.** V. CLOTHE.
claim (kléi^m) Demande *f*. Droit *m* [right]. *vt* Réclamer.
clamorous Bruyant, e (üy*a*^n).
clamour (àme^r) Clameur *f*.
clamp Crampon *m* (a^npo^n).
clan (àn) Clan *m* (a^n).
clandestine Clandestin, e.

clang ou **clank** Résonner.
clap Claquement *m* (klàkmaⁿ). *v* Claquer. Battre [hands]. Applaudir. Battant *m* (aⁿ).
clapping Applaudissement *m*.
claret Bordeaux *m* [wine].
clarify (fa¹) Clarifier (fyé).
clarinet Clarinette *f*.
clash Choquer. S'entrechoquer. Résonner. *n* Choc *m*. Conflit *m* (flî).
clasp Fermoir *m* (fèrmwàr).
class Classe *f*. *v* Classer.
classic Classique.
classification Classification *f*.
classing Classement *m*.
clatter Fracas *m*.
clause (auz) Clause *f* (oz).
claw (klau) Griffe *f*, ongle *m*. Pince *f* [crab]. *vt* Griffer.
clay (é¹) Argile *f* (jìl).
clean (klîn') Propre. Blanc, che [linen]. *ad* Entièrement. *vt* Nettoyer (wàyé).
cleaner Aspirateur *m*. Cireur [boots]. Dégraisseur [cloth].
cleaning Nettoyage *m*.
cleanliness Propreté *f*.
cleanly (klènli) Propre. *ad* (klînli) Proprement.
cleanness (klî) Propreté *f*.
cleanse (ènz) Nettoyer (twà).
cleansing Nettoyage *m* (yàj).
clear (klîer) Clair, e (klèr). Libre [free]. *vt* Éclaircir. Déblayer [rubbish]. Défricher [ground]. Disculper. Passer [customs]. *vi* S'éclaircir. *Clear-sighted*, clairvoyant, te.
clearance Dégagement *m*.
clearing Eclaircissement *m*. Défrichement *m* [ground]. Clairière *f* [wood]. - *-house* chambre [*f*] de compensation.
clearly Clairement.
clearness Clarté *f*.
cleave* (îv) [**clove, cleft* (*cloven*)]. Fendre (aⁿdr). *vi* [**clave, cleaved*] Coller (lé).
cleft Fente *f* (faⁿt).
clemency Clémence *f* (aⁿs).
clergy (dji) Clergé *m* (jé).
clergyman (ërdj). Pasteur *m*.
clerk (klârk) Clerc (klèr). Commis (kòmì), employé.
clever Habile. Ingénieux.
cleverness Habileté *f*.
click Cliquetis *m*.
client (a¹ent) Client, te.
cliff Falaise *f* (fàlèz).
climate (kla¹mit) Climat *m*.
climb (a¹m) Grimper (griⁿ).
clime (a¹m) Climat *m* (mà).
cling* Se cramponner (òné) [**clung*].
clinic Clinique (ìk).
clink (ìngk) Tinter (tiⁿ). *n* Tintement *m*.
clip Rogner (ñé). Tondre [dog]. *n* Tonte *f*.
clippings Rognures *fpl*.
cloak (oᵒᵘk) Manteau *m* (maⁿtô). Capote *f* (pòt) [mil.]. *vt* Masquer (ké). - *-room*, vestiaire *m* (yèr); consigne *f* (koⁿsîñ) [railw.].
clock Horloge *f*: *what o'clock is it?* quelle heure est-il? - *-maker*, horloger *m*. - *-work*, mouvement d'horlogerie.
clod Motte [*f*] de terre.
clog Entrave *f*. Entraver.
cloister Cloître *m* (klwàtr). *vt* Cloîtrer.
close (oᵒᵘz) Fermer. Barre [road]. Serrer [ranks]. Terminer. *n* Fin *f* (fiⁿ).
close (oᵒᵘs) Clos *m* (klô),

enclos *m*. *a* Serré, *ée*. Intime [friend]. Lourd [weather]. Renfermé [air]. *ad* Tout près : - *by*, tout à côté.
closely (kloousli) De près.
closeness Étroitesse *f*. Solitude *f* (*ü*d). Lourdeur *f* [air]. Proximité *f*.
closet (kloouzit') Cabinet *m* [room]. Armoire *f* (m*w*àr).
closing Fermeture *f* (*ü*r).
clot Grumeau *m* (grümô).
cloth (**th**) Drap *m* (drà) [wollen]. Toile *f* (t*w*àl) [linen]. *Table cloth*, nappe *f* (nàp); tapis *m* [wollen].
clothe* (kloou**zh**) Habiller. [**clad, clad* (*clothed*)].
clothes *pl* (oou**zh**s'). Habits *mpl* (àbì), vêtements *mpl*.
cloud (aoud) Nuage *m* (nüàj). *fig*. Nuée *f*. *vt* Couvrir de nuages. *vi* Se couvrir.
cloudy Nuageux, se (**jë**).
clove Clou [*m*] de girofle.
cloven (oou) Fendu (fandü).
clover (oou) Trèfle *m*.
clown (klaoun) Rustre *m*. Clown *m* (klûn) [circus].
clownish Grossier, ère.
club (œb) Massue *f* (sü) [cudgel]. Trèfle *m* [card]. Cercle *m*. - *foot*, pied bot (bô). *vi*. Se cotiser.
cluck (œk) Glousser (glû).
clump (œ) Masse *f*, bloc *m*.
clumsy (œm) Maladroit, oite.
***clung**. V. CLING.
cluster (klœs) Grappe *f* (àp). Groupe *m*. Essaim *m* (in) [bees]. *v* Grouper.
clutch (œtsh) Saisir (sè). Embrayer [mot.]. *n* Prise *f* (îz). Griffe *f* [claw].
clyster Clystère *m*.
coach (kooutsh) Voiture *f*. Car *m*. Répétiteur *m* [teacher]. - -*house n*, remise *f*.
coachman Cocher (shé).
coagulate (gyou) Coaguler.
coal (kooul) Charbon *m*.
coalition Coalition *f*.
coalman Charbonnier (nyé).
coaltar Coaltar *m* (kòl).
coarse (kaurs) Grossier.
coarseness Grossièreté *f*.
coast (kooust) Côte *f* (kôt). *vt* Côtoyer. **-ter** Caboteur *m*.
coasting (oou) Cabotage *m*.
coat (koout) Habit *m* (àbî). Paletot *m* [overcoat]. Couche *f* (kûsh) [paint]. *Dress-* -, habit *m*; *frock-* -, redingote *f*; *great-* -, pardessus *m*. *vt* Revêtir*.
coating Drap *m*. Couche *f*.
coax (koouks) Cajoler (jòlé).
cob Bidet *m* (bìdè) [horse].
cobalt (**ault**) Cobalt *m* (à).
cobble (kòb'l) Raccommoder.
cobbler Savetier *m*.
cobweb Toile d'araignée.
cocaine (kéin) Cocaïne *f*.
cochineal Cochenille *f* (îy).
cock Coq *m*. Mâle *m* [bird]. Chien *m* (shyin) [gun]. Robinet *m* [tap]. Meule *f* [hay]. Relever. *Cock-a-doodle-doo*, cocorico.
cockade (éi) Cocarde *f* (àrd).
cockatoo [tou] Cacatoès *m*.
cockchafer Hanneton *m*.
cockle Recroqueviller (yé).
cockney [pop.] Londonien.
cockroach Cafard *m*.
coco (koou) Coco *m* (kòkò).
cocoa (kooukoou) Cacao (àò).
cocoon (kekoun) Cocon *m*.
cod Morue *f*; - -*liver oil*, huile de foie de morue.

coddle Dorloter.
code (ko^ou^d) Code *m* (kòd).
codicil Codicille *m* (il).
codify (fa^i^). Codifier.
coffee (kofi) Café *m*; *--house*, café *m*; *- -pot*, cafetière *f*.
coffer Coffre *m* (kòfr).
coffin Cercueil *m* (œ^y^).
cog Dent *f* (da^n^).
cognate (kog-né^i^t) Apparenté, ée. Analogue (òg).
cognizance Connaissance *f*.
cognomen (no^ou^) Surnom *m*.
coherence (hi^e^) Cohérence *f*.
coherent Cohérent, ente.
cohesion (hîj^e^n) Cohésion *f*.
coil Rouleau *m* (rûlô) ; repli *m*. Bobine *f* [elect.]. *v* Enrouler. Lover [mar.].
coin (ko^i^n) Pièce [*f*] de monnaie. *vt* Frapper [money]. Forger [word]; inventer.
coinage Frappe *f* (fràp).
coincidence Coïncidence *f*.
coiner Faux-monnayeur *m*.
coke (ko^ou^k) Coke *m* (kòk).
cold (ko^ou^ld) Froid, de (frwà, àd) : *I am -*, j'ai froid; *it is -*, il fait froid [weather]. *n* Froid *m* : *to catch* a -*, s'enrhumer.
coldness Froideur (wàdœr).
colic Colique *f*.
collaborate Collaborer.
collaboration Collaboration *f*. **-rator** (*la*) Collaborateur.
collapse *vi* S'effondrer.
collapsible Démontable.
collar (kol^e^r) Collier *m* (yé). Col *m* [shirt]. Collet *m* (è) [coat]. *vt* Colleter.
colleague (lîg) Collègue (ègj).
collect Recueillir* (r^e^kœyîr). Percevoir (vwàr) [taxe]. *n* (kolekt) Collecte *f* (lekt).
collection Collection *f*. Amas *m* (mâ) [gathering]. Collecte *f* [money]. Levée *f* (l^e^vé) [post]. Perception *f* [taxes]. Encaissement *m* [bill].
collector Collecteur. Percepteur [taxes]. Collectionneur.
college (idj) Collège *m* (èj).
collier (kòli^e^r) Mineur *m*. Bateau charbonnier.
collision (ij^e^n) Collision *f*.
collocate (é^i^t) Placer.
collop Escalope *f*.
colloquial (k^e^lo^ou^) Familier.
collusion (louj^e^n) Collusion.
colon (ko^ou^l^e^n) Côlon *m* [anat.]. Deux-points [:].
colonel (kë^r^n^e^l) Colonel *m* (kòlònèl).
colonial Colonial, ale.
colonist Colon (o^n^).
colonization Colonisation *f*.
colonize (a^i^z) Coloniser.
colonnade (kòl^e^né^i^d) Colonnade *f* (nàd).
colony (kol^e^ni) Colonie *f*.
colossal (k^e^los'l) Colossal, e.
colossus (òs^e^s) Colosse *m*.
colour (kœl^e^r) Couleur *f* (kûlœr). *vt* Colorer (é). Colorier [paper]. *vi* Se colorer.
coloured (kœl^e^rd) Coloré, colorié. De couleur [man].
colouring Coloris *m* (rî) ; couleur *f*. Prétexte *m*.
colourless Incolore. Pâle.
colt (ko^ou^lt) Poulain *m* (li^n^).
column (l^e^m) Colonne *f*.
comb (ko^ou^m) Peigne *m* (pèñ). Étrille *f* [horse]. Crête [cock] *f*. Rayon *m* (rèyo^n^) [honey]. *vt* Peigner [hair]. Étriller [horse].
combat (kòmb^e^t) Combat *m*

(koⁿbà). *v* Combattre.
combination Combinaison *f.*
combine (kòmbaⁱn) Combiner; réunir. *vi* S'unir.
combustion (kembœstshen) Combustion *f* (koⁿbüstyoⁿ).
come* (kœm) Venir*, arriver : - *in,* entrez; *to* - *again, to* - *back,* revenir*; *to* - *by,* passer près de, hériter de [**came; come*].
comer Venu, *ue;* venant : *new-comer,* nouveau venu.
comedian (mî) Comédien, ne.
comedy (mi) Comédie *f* (édì).
comeliness Beauté *f,* grâce *f.*
comely Beau, belle.
comestible Comestible.
comet (it') Comète *f* (mèt).
comfit Dragée *f* (dràjé).
comfort (kœmfert) Confort *m* (koⁿfòr). Aisance *f* [well-off]. Consolation *f. vt* Consoler (koⁿsòlé), réconforter.
coming Venue *f* (venü).
confortable (èb'l) A l'*aise.* Agréable [thing], consolant.
conforter Consolateur, trice. Cache-nez *m* [muffler].
confortless Triste, désolé.
comic, comical Comique (ìk).
comma Virgule *f* (ül).
command (âɒd) Ordre *m* (òrdr). Autorité *f.* Commander.
commandeer Réquisitionner.
commander Commandant (aⁿ). Commandeur [knighthood].
-andment Commandement.
commence (èns) Commencer
-cement Commencement *m.*
commend Recommander (dé)
-dation Recommandation.
comment Commentaire *m* (tèr). *vt* (kement) Commenter.
commerce (ërs) Commerce *m.*
commercial (ërshel) Commercial, le (syàl).
commissariat Intendance *f.*
commission (ishen) Commission *f. vt* Commissionner : *non - commissioned officer,* sous-officier.
commissioner (ishener). Commissaire *m* (sèr).
commit Commettre* (ètr). Confier [trust]. Se compromettre* [oneself].
committee Comité *m.*
commodious (kemooudyes) Spacieux, euse (spàsyë, ëz).
commodity Article *m,* denrée *f* (daⁿré). Avantage *m* (àj) Commodité *f.*
commodore Commandant.
common Commun, une (uⁿ, ün). *n* Commune *f; House of* -, Chambre des Communes.
commoner Roturier.
commonly Communément.
commonplace (kòmenpléⁱs) Banal. *n* Lieu commun *m.*
commonwealth (wèlth) République *f.* Fédération *f.*
commotion Commotion *f.* Tumulte *m* (tümült) [riot].
commune (youn) Converser. Communier (ünyé) [rel.].
communicate Communiquer.
communication (kéⁱshen) Communication *f* (kàsyoⁿ).
communion Communion *f.*
community Communauté *f.*
commute Commuer (üé).
compact Pacte *m. a* (kempàkt) Compact,. te.
companion Compagnon *m* (ñoⁿ); compagne *f* (añ).
companionship Camaraderie.
company (kœ) Compagnie *f* (ñì), société *f* (yété) : *joint-*

stock -, société par actions; *to keep** - *with*, fréquenter.
comparative Comparatif, tive.
compare (pèer) Comparer.
comparison (ariz'n) Comparaison *f* (rèzon).
compartment Compartiment.
compass Tour *m* (tûr). Enceinte *f* [enclosure]. Boussole *f* [mar.]. *pl* Compas (pâ) [techn]. *vt* Entourer. Accomplir (àkon).
compassion Compassion *f*.
compassionate Compatissant.
compatibility Compatibilité *f*.
compatible Compatible.
compel (kempèl) Contraindre* (trindr), forcer (sé).
compendium Résumé *m* (ü).
compensate Compenser (an).
compensation Compensation *f*.
compete (pît) Rivaliser (ìzé).
competence, -cy Capacité *f*. Compétence *f* (ans) [law].
competent Compétent, te.
competition (pìtìshen) Concurrence *f* (konküranS). Concours *m* [for post].
competitor Concurrent (ran).
complacence (éissens), **-cy** Complaisance *f* (plèzans).
complacent Complaisant, te.
complain (éin) Se plaindre*.
complainant Plaignant, te.
complainer Mécontent, te.
complaint (éint) Plainte *f* (int) Maladie *f*.
complement Complément *m*.
complete (ît') Complet, ète (plè, èt). *v* Compléter.
completion Achèvement *m*.
complex Complexe (èks).
complexion Tempérament *m*. Teint (tin) [skin].
complexity Complexité *f*.
compliance (aiens) Consentement *m*, conformité *f*.
complicate Compliquer.
complication Complication *f*.
complicity Complicité *f*.
compliment Compliment *m*. *vt* (mènt) Féliciter.
complimentary Flatteur.
comply (plai) Se conformer.
component Composant, ante.
comport (kempaurt) S'accorder. Se comporter.
comportment Conduite *f*.
compose (poouz) Composer. Apaiser (àpèzé) [calm]. **-posed** Composé, ée. Calme.
composer Auteur *m*. Compositeur *m* [mus.].
composition (zishen) Composition *f*. Arrangement *m*.
composure (kempooujer) Sang-froid *m* (sanfrwà).
compound (aound) Composé, ée. *vt* (aound) Composer.
comprehend Comprendre*.
-hension Compréhension *f*.
compress Compresse *f* (ess). *vt* (prèss) Comprimer.
compression Compression.
comprise (aiz) Comprendre.
compromise (aiz) Compromis *m* (mî). *v* Arranger (anjé). Transiger (jé).
compulsion (pœl) Contrainte *f*. **-pulsory** Obligatoire.
comrade (èid) Camarade (àd).
comradeship Camaraderie *f*.
concave (éiv) Concave (àv).
conceal (sîl) Cacher (shé).
concealment Dissimulation *f*. Cachette *f* (sh) [place].
concede (sîd) Concéder.
conceit Pensée *f* (pansé), opinion *f* (nyon). Imagination *f* (yon) Vanité *f*.

conceited Vain, ne (iⁿ, èn).
conceitedness Suffisance *f*.
conceive (îv) Concevoir*.
concentrate Concentrer. **-tration** Concentration *f*.
concentric Concentrique.
conception Conception *f*. Idée *f* (idé); projet *m* (jè).
concern (ërn) Intérêt *m* (iⁿtérè). Souci *m* [trouble]. Entreprise *f* (aⁿtrᵉprîz). Firme *f* [firm]. *It's his -*, c'est son affaire. *vt* Concerner. Intéresser. Inquiéter [worry].
concert (ërt) Concerter. Se concerter. *n* (kòn) Concert *m*.
concession Concession *f*.
conciliate Concilier.
conciliation Conciliation *f*.
concise (aïs) Concis, ise (ì).
conclave (éïv) Conclave *m*.
conclude (oud) Conclure.
conclusion Conclusion *f*.
concord (kaurd) Concorde *f*. *v* (kᵉnkaurd) Concorder.
concordance Concordance *f*.
concourse (aurs) Concours *m* (koⁿkûr).
concrete (it') Concret, ète. Béton *m*; - *-mixer*, bétonneuse *f*.
concur (ër) Concourir* (kû).
concurrence (kë) Concours *m* (koⁿkûr), assentiment *m*.
concurrent Concourant, te.
condemn (kᵉndèm) Condamner (dàné). **-nation** Condamnation *f* (nàssyoⁿ).
condense (èns) Condenser.
condescend (kòndissènd) Condescendre (saⁿdr).
condition Condition *f* [*on* : à]. **-ditional** Conditionnel.
condolence Condoléance *f*.
conduce (yous') Contribuer.
conduct (kòndᵉkt) Conduite *f* (uit'). *v* (dœkt) Conduire* (koⁿduir). **-ductor** Conducteur (koⁿdüktœr).
conduit (dit') Conduit *m*.
cone (koᵒun) Cône *m* (ôn).
confection Sucrerie [sweetmeat] *f*. Confection *f*.
confectioner Confiseur *m*.
confectionery Confiserie *f*.
confederacy ou **-ation** *n* Confédération *f*.
confederate (it') Confédéré. *v* (éït'). Confédérer.
confess Confesser, avouer.
confession Confession *f*.
confessional (shᵉn'l) Confessional *m* (syònàl).
confessor Confesseur *m*.
confide (aïd) Confier (yé).
confidence Confiance *f* (yaⁿs). Confidence *f* (aⁿs) [secret].
confident Confiant, ante.
confidential Confidentiel.
confidently Avec confiance.
confine (aïn) Enfermer. Borner [limit] : *to be* confined*, faire* ses couches. *n* (koⁿfaïn) Limites *fpl* (ìt). **-finement** Détention *f*. Couches (kush) *fpl* [childbed].
confirm (fërm) Confirmer.
confirmation Confirmation *f*.
confiscate Confisquer.
conflict Conflit *m* (flî).
confluence Confluent *m*. Affluence *f* [crowd].
conform (aurm) Conformer.
conformity Conformité *f*.
confound (aᵒund) Confondre* (oⁿdr). Maudire* [curse].
confront (ònt) Confronter.
confuse (kᵉnfyouz) Embrouiller (aⁿbrûyé).
confusion (jᵉn) Confusion *f*.

confute (*yout'*) Réfuter (ü).
congeal (djîl) Congeler (j^{e}).
congenial (djî) Congénère. Sympathique (si^{n}pàtìk).
congeniality Sympathie (ti).
congeries (djeriîz) Amas *m*.
congest (k^{e}ndjest) Entasser.
congestion Congestion *f*. Amas *m* (àmâ) [heap].
congratulate Féliciter.
congregate (gri) Rassembler.
congregation Congregation *f*. Assistance *f*.
congress Congrès *m* (grè).
congruent, congruous (kòng-grou^{e}s) Convenable.
conic Conique (ìk).
coniferous Conifère (fèr).
conjecture (dj) Conjecture *f* (ko^{n}jektür) *vt* Conjecturer.
conjoin (djo^{i}n) Conjoindre* (jwi^{n}dr). **-joint** (kòndjo^{i}nt') Conjoint, te (jwi^{n}).
conjugal (dj) Conjugal, le (j).
conjugate Conjuguer (jügé).
conjunction (djœnk) Conjonction *f* (jo^{n}).
conjure (k^{e}ndjou^{er}) Conjurer (ko^{n}jüré). (kœndj^{er}) Escamoter (mòté).
conjuror Prestidigitateur.
connect Lier. Embrayer (a^{n}-brèyé) [motor] : *direct connected*, en prise directe. Relié, ée [phone].
connection Rapport *m* (òr). Clientèle *f* [com.]. Parenté *f* [family]. Correspondance *f* [railway].
connivence (a^{i}) Connivence *f*.
connoisseur (nissë^{r}) Connaisseur *m* (èssœr).
conquer (kòngk^{er}) Vaincre* (vi^{n}kr) ; conquérir*.
conqueror Vainqueur (kœr).
conquest (kwèst) Victoire *f* (wàr) ; conquête *f*.
conscience (kònsh^{e}ns) Conscience *f* (ya^{n}s). **-cientious** Consciencieux, se.
conscious (konsh^{e}s) Conscient, te (ya^{n}, a^{n}t).
consciousness Conscience *f*; *to lose* -, perdre* connaissance (kònèsa^{n}s).
conscription (ipsh^{e}n) Conscription *f* (syo^{n}).
consecrate Consacrer.
consecration Consécration *f*.
consecutive Consécutif, ive.
consent (k^{e}nsènt) Consentement *m* (sa^{n}tma^{n}). *vi* Consentir.
consequence (sikw^{e}ns) Conséquence *f* (séka^{n}s).
consequent Conséquent, te.
conservation Conservation *f*.
conservative (k^{e}nsë^{r}vetiv) Conservateur, trice.
conservatory (v^{e}t^{e}ri) Conservatoire *m*. Serre *f* [hort.].
conserve (ë^{r}v) Conserve *f* (ko^{n}sèrv). *vt* Conserver (vé).
consider (sid^{e}r) Considérer.
considerable Considérable.
considerate Réfléchi, ie (shì). Prévenant, te.
consideration Considération *f*. Rémunération *f*.
consign (sa^{i}n) Livrer (lìvré), confier (ko^{n}fyé). Consigner (ñé) [com.].
consignee Consignataire.
consigner (a^{i}) Expéditeur.
consignment Consignation *f*.
consist Consister [*in:* en, à]; s'accorder [*with :* avec].
consistence, -ency Consistance *f*. [matter]. Esprit [*m*] de suite [ideas].

consolation Consolation *f.*
consolatory Consolant, te.
console (soᵒᵘl). Consoler.
consolidate Consolider.
consonant Consonant, te. Conforme. *n* Consonne *f.*
consort (auʳt) Compagnon, pagne. *vi* (*au*ʳt) *To - with,* fréquenter (fréka**ⁿ**té).
conspicuous Remarquable.
conspiracy Conspiration *f.*
conspirator Conspirateur.
conspire (aⁱᵉʳ) Conspirer.
constable (kænstᵉb'l) Agent (àjaⁿ) [towns]. Gendarme (jaⁿ) [country]. **-tabulary** Police *f.* Gendarmerie *f.*
constancy Constance *f* (aⁿs).
constant Constant, ante.
constellation Constellation *f.*
consternation Consternation.
constipation Constipation *f.*
constituency (tyou) Circonscription électorale *f.*
constituent Constituant, te. *n* Électeur, trice.
constitute Constituer.
constitution Constitution *f.*
constrain (éⁱn) Contraindre*.
constraint Contrainte *f.*
construct (œkt) Construire*.
construction Construction *f.*
construe (ou) Interpréter.
consul (kònsᵉl) Consul *m.*
consulate (it') Consulat *m.*
consult (sœlt) Consulter.
consume (youm) Consumer. Consommer [use].
consumer Consommateur *m*; - *-goods,* biens de consommation.
consummate Consommé, ée.
consummation Consommation.
consumption Consommation *f.* Consomption [med.].
consumptive Phtisique.
contact Contact.
contagion (éⁱdj) Contagion *f.*
contagious Contagieux, se.
contain (kᵉntéⁱn) Contenir*.
container Contenant *m* (aⁿ); récipient *m* (pʸaⁿ).
contaminate Contaminer.
contemn (tèm) Mépriser.
contemplate Considérer.
contemplation Méditation.
contemporaneous (kᵉntèmpᵉréⁱnyᵉs) Contemporain (rịⁿ).
contempt Mépris *m* (prì).
contemptible Méprisable.
contend (ènd) Lutter (lüté). Soutenir*.
content (kontᵉnt) *n* Contenu *m* (koⁿtnü). *vt* (tènt) Contenter. *a* Content (koⁿtaⁿ).
contentment Contentement *m.*
contention Contention *f* [straining]. Dispute *f* (üt).
contest Contestation (tèstasʸoⁿ). (tèst) Contester.
contestation Contestation.
contiguous Contigu, guë (ü).
continental Continental, e.
contingence, ency (ìndjᵉns) Contingence *f* (iⁿjaⁿss).
contingent Contingent.
continual (kᵉntinyouᵉl) Continuel, elle (nᵘel).
continuance Continuation *f.*
continuation Continuation *f.*
continue Continuer (ᵘé): *to be* continued,* à suivre.
continuity Continuité *f.*
continuous Continu, ue (nü).
contortion Contorsion *f.*
contour (touᵉʳ) Contour *m.*
contra prep. Contre.
contraband Contrebande *f.*
contrabandist Contrebandier.
contract (kᵉntrakt) Contrac-

ter, se contracter. S'engager. *n* (kòntràkt) Contrat *m* (trà). Engagement *m*.
contraction Contraction *f*.
contractor Contractant. Adjudicataire [tender]. Fournisseur [goods]. Entrepreneur [builder].
contradict Contredire*.
contradiction Contradiction.
contrary (kòntr^{e}ri) Contraire (ko^{n}trèr) [*on the :* au].
contrast Contraste *m* (àst). *vi* (k^{e}ntrast) Contraster.
contravention Contravention.
contribute (byout') Contribuer (b^{u}é). **-bution** Contribution *f*. Collaboration.
contributor Contribuant. Collaborateur, trice.
contrite (a^{i}t) Contrit.
contrition Contrition *f*.
contrivance Invention *f*; expédient *m* (dya^{n}).
contrive (a^{i}v) Inventer; arranger (àra^{n}jé). S'arranger.
contriver Inventeur, trice.
control (o^{ou}l) Contrôle *m* (ôl). *vt* Contrôler (ko^{n}trôlé). Maîtriser (mètrìzé), [master].
controller Contrôleur *m*.
controversy Controverse *f*.
contumacy Obstination *f*.
contumely (tyou) Insulte *f*.
contusion (youj^{e}n) Contusion.
convalescence Convalescence *f*. **-escent** Convalescent, te.
convene (k^{e}nvîn) Convoquer (ké), assembler (a^{n}blé).
convenience Commodité *f*, convenance *f* : *at your* -, quand vous le pourrez.
convenient Convenable.
convent Couvent *m* (kûva^{n}).
convention Convention *f*.
convergent Convergent, te..
conversant (vë^{r}s^{e}nt) Versé [*with :* dans]; au courant.
conversation Conversation *f*.
converse (k^{e}nvë^{r}s) Converser. *n* (kòn) Conversation *f*.
conversion Conversion *f*.
convert Convertir, se convertir. *n* (kòn) Converti, *ie*.
convex Convexe.
convey (k^{e}nvé^{i}) Transporter. Transmettre* [sound]. Donner [idea]. Céder.
conveyance Transport *m* (òr). Voiture *f* (vwàtür) [car]. Cession *f* [transfer].
conveyancer Notaire.
convict Convaincre* (i^{n}kr). Condamner (né). *n* (kònvikt). Condamné, *ée*.
conviction Conviction *f* [belief]. Condamnation *f*.
convince Convaincre* (i^{n}kr).
convincing Convaincant, te.
convivial Joyeux, *euse*.
convocation Convocation *f*.
convoke (o^{ou}k) Convoquer.
convolution Enroulement *m*.
convoy (o^{i}) Convoyer (vwàyé). *n* (kòn) Convoi *m* (ko^{n}vwà).
convulsion (œ) Convulsion *f*.
cony (ko^{ou}) Lapin *m* (i^{n}).
coo (kou) Roucouler (rûkû).
cooing Roucoulement *m*.
cook (kouk) Cuisinier, ère *f* (k^{u}ìzìnyé). Coq *m* [mar.]. *v* Cuisiner, faire* cuire.
cookery Cuisine *f* (k^{u}ìzìn).
cooking Cuisine *f* [art]. Cuisson *f* (k^{u}i) [act].
cool (koul) Frais, aîche (frè, èsh). Calme. Impudent, te. *n* Frais *m*. *vt* Rafraîchir. Calmer [fig.].
cooler Réfrigérant *m* (jéra^{n}).

Radiateur *m* [motor].
cooling Rafraîchissant, te.
coolly Fraîchement. Froidement. Sans gêne (sanjèn).
coolness Fraîcheur *f*. Sang-froid *m* (sanfrwà). Impudence *f*.
coom Cambouis *m* (wì) [grease]. Suie *f* (sui) [soot].
coop Baquet *m* (kè) [tub]. Tonneau *m*. *vt* Enfermer.
cooper Tonnelier *m* (lyé).
co-operation Coopération *f*.
co-operative Coopératif, ive.
co-ordinate Coordonner.
co-ordination Coordination *f*.
copartner Associé.
copious (koou) Abondant, te.
copper Cuivre *m* (kuîvr). *vt* Cuivrer. **- -smith** Chaudronnier (shôdrònyé).
coppice Taillis *m* (tâyî).
copy Copie *f* (pì). Exemplaire *m* (anplèr) [book]. Numéro *m* (nü) [newspaper]. *vt* Copier. **- -book** Cahier *m* (kàyé). *Copying-book*. copie de lettres *m*.
copyright (ait) Propriété littéraire *f*.
coquet (èt') Coqueter (keté).
coquetry Coquetterie *f*.
coquette (èt') Coquette *f*.
coral Corail *m* (ày). Hochet *m* ('oshè) [toy].
corbel Corbeau *m* (bô).
cord (kaurd) Corde *f*. Cordon *m* [small]. *vt* Corder.
cordial Cordial, e.
cordiality Cordialité *f*.
corduroy (kaurdyouroi) Velours [*m*] à côtes [coton].
core *n* (kauer) Cœur *m* (œr). Noyau *m* (nwâyô) [casting].
cork (kaurk) Liège *m* (lyèj). Bouchon *m* (bûshon) [stopper]. *vt* Boucher. - *-screw* (skrou), tire-bouchon *m*.
corn (kaurn) Grain *m* (grin). Blé *m* [wheat]. Maïs *m* (màîs) [Am.]. Cor *m* [foot]. *vt* Saler [beef] - *-exchange*, Halle [*f*] aux blés. - *-flower* Bluet *m* (blüè).
corner (kaurner) Coin *m* (kwin), angle *m* (angl). Accaparement *m* (man). *vt* Accaparer. Cerner [surround].
cornice Corniche *f* (ìsh).
corolla (ròle) Corolle *f* (òl).
corona (rooune) Couronne *f*.
coronation Couronnement *m*.
coroner (kòrener) Magistrat [*m*] chargé des enquêtes sur les décès.
corporal Caporal *m* (inf.). Brigadier *m* (yé) [caval.]. *a* Corporel, elle (èl).
corporate (rit) Constitué, ée.
corporation Corporation *f*. Municipalité *f*.
corporeal Corporel, elle.
corps (kaur) Corps *m* (kor).
corpse (kaurps) Cadavre *m*.
corpulence Corpulence *f*.
corpulent Corpulent, te.
Corpus Christi (kaurpes kristai) Fête-Dieu *f* (dyë).
corpuscle Corpuscule.
correct (kerèkt) Correct, te (kòrekt). *vt* Corriger (jé).
correction Correction *f*.
correctness Exactitude *f* (üd).
corrector Correcteur, trice.
correlative Corrélatif, ve.
correspond (rispònd) Correspondre (èspondr).
correspondence Correspondance *f*. **-pondent** Correspondant, ante.

corridor Corridor *m*. Couloir *m* (kulwàr) [train].
corroborate Corroborer.
corrosion (roouj en) Corrosion *f* (òzyon).
corrosive Corrosif, ve.
corrugate Onduler (ondülé).
corrupt (kerœpt) Corrompre (onpr), se corrompre. *a* Corrompu, *ue*.
corrupter Corrupteur, trice.
corruption Corruption *f*.
corsair (kaursèer) Corsaire.
corset (it') Corset *m* (sè).
cos (kòs') Laitue romaine *f*.
cosmetic Cosmétique *m*.
cosmopolitan Cosmopolite.
cossack Cosaque *m* (zàk).
cost* Coûter (kûté). *n* Coût *m* (kû). Frais *mpl* (frè) [expenses]. Dépens *mpl* (dépan) [law] [**cost*].
costermonger (œngger) Marchand des quatre saisons.
costive (iv) Constipé, *ée*.
costiveness Constipation *f*.
costliness Prix élevé *m*.
costly Coûteux, se (kûtë, ëz).
costume (youm) Costume *m*.
cosy (koouzi) Douillet, ette (dûyè, èt), confortable.
cot (ot') Chaumière *f* (shô). Berceau *m* [bed].
cottage (idj) Chaumière *f*. Maisonnette *f* [house].
cottager (idjer) Paysan, anne (péizan, àn).
cotter (koter) Clavette *f*.
cotton (kòt'n) Coton *m* (kòton). Cotonnade *f* (àd) [stuff]; *printed -*, indienne *f*. *v* Cotonner. Se lier [*to :* avec]. - *-cloth*, cotonnade *f*. - *-wool*, ouate *f*.
couch (aoutsh) Couche (ûsh) *f*. *v* Coucher, se coucher. - *-grass*, chiendent *m*.
cough (kauf) Toux *f* (tû). *vi* Tousser (sé).
could*. V. CAN.
council (kaouns'l) Conseil *m* (sèy). Concile *m* [rel.].
councillor Conseiller (èyé).
counsel (kaoun) Conseil *m*.
counsellor Conseiller *m* (èyé)
count (kaount) Comte (ont) *m* [title]. Calcul *m* (ül), compte *m* (ont). *v* Compter.
countenance Visage *m* (âj); air *m* (èr) [face]. Contenance (ans). Appui *m* (ui) [support]. *To put* out of -*, décontenancer.
counter (kaou) Compteur *m*. Jeton *m* [cards]. Comptoir *m* (twàr) [shop]. *ad* Contre.
counterfeit (fit) Faux, fausse (fô, ôs) [false]. Contrefait, te. *n* Contrefaçon *f* (son). Pièce fausse *f*. *v* Contrefaire* (fèr). *fig.* Feindre* (findr).
counter-foil (kaounterfoil) Talon *m* (tàlon), souche *f*.
counterpane (péin) Couvre-pied *m* (kûvrepyé).
counterpart Contrepartie *f*.
counterpoise Contrepoids *m* (pwà). *v* Contrebalancer.
counterpoison (poiz'n) Contrepoison *m* (pwàzon).
countess (aoun) Comtesse (on).
counting Compte *m* (kont). - *-house*, comptoir *m* (twàr).
country (kœn) Pays *m* (péî). Contrée *f* [geogr.]. Campagne *f* (pàñ) [rural]. Province *f* [distinct from metropolis]. Patrie (trì) [own].
countryman Paysan (péîzan). Compatriote *m* [fellow].

countrywoman Paysanne *f*.
county (a^{oun}) Comté *m* (o^{n}).
couple (kœp'l) Couple *m* (kûpl). *v* Accoupler.
courage (kœridj) Courage *m* (kûràj).
courageous Courageux, euse.
course (kau^{er}ss) Course *f* (kûrss) [race]. Cours *m* (kûr) [progress]. Carrière *f*, voie *f* [way]. Cours *m* [lectures]. Direction *f*. Traitement *m* [med.]. *First* -, entrée *f* [dinner]; *of* -, naturellement; *a matter of* -, une chose toute naturelle.
court (kau^{r}t) Cour *f* (kûr); tribunal *m*. Passage *m* (àj) [lane]. *vt* Courtiser. *-card*, figure *f* (fìgür) [cartes].
courteous (kë^{r}) Courtois, se.
courtesy (kë^{r}) Courtoisie *f*.
courtship Cour *f* (kûr).
courtyard (yâ^{r}d) Cour *f*.
cousin (kœz'n) Cousin, ne (kûzi^{n}): *first cousin*, cousin germain.
covenant Pacte *m*. Stipuler.
cover Couvrir*. Cacher [hide]. *n* Couverture *f* (tür). Couvercle *m* [lid]. Tapis *m* (tàpì) [cloth]. Housse *f* [chair]. Prétexte *m*.
covering Couverture *f* (tür).
covert (kœv^{er}t) Abri *m*.
coverture (tsh^{er}) Abri *m*.
covet (kœvit') Convoiter.
covetous (t^{e}s) Cupide (kü).
cow (ka^{ou}) Vache *f* (vàsh).
coward (ka^{ouer}d) Lâche (sh).
cowardice (ìs') Lâcheté *f*.
cowardly Lâche. Lâchement.
cowl (ka^{ou}l) Capuchon *m*.
cowslip Primevère *f* (prîm).
coxcomb (o^{ou}m) Crête-de-coq [plant]. Fat [fop].
coy (ko^{i}) Timide.
cozen (kœz'n) Duper (düpé).
crab Crabe *m* (àb).
crabbed Acariâtre.
crack *vt* Fendre (fa^{n}dr). Fêler [glass]. Gercer (jèrsé) [skin]. Faire* claquer [whip]. Lâcher [joke]. Muer (m^{u}é) [voice]. *n* Fente *f* (fa^{n}t). Lézarde *f* [wall]. Fêlure *f* [glass]. Craquement *m* [noise]. Hâblerie *f* [boast]. *a* D'élite. - *-brained*, timbré, ée.
cracker Vantard *m* (va^{n}tàr) [boaster], Pétard *m* (pétar) [firework]. Biscuit *m* (k^{u}ì).
cracking Craquement *m*.
crackle (ak'l) Pétiller (ìyé).
cradle (kré^{i}d'l) Berceau *m* (bèrsô). *v* Bercer.
craft Métier *m* (yé) [calling]. Ruse *f* (rüz). Bateau *m* (bàtô) [boat]. Avion *m*.
craftiness Astuce *f* (àstüs).
craftsman Artisan (àrtiza^{n}).
crafty Rusé, ée (rüzé, é).
cram (àm) Bourrer. Se gaver.
crammer Répétiteur (œr).
cramp (àmp) Crampe *f* (a^{n}p). Entrave *f*. Crampon *m* [iron]. *vt* Cramponner, entraver.
crane (kré^{i}n) Grue *f* (grü).
cranium (y^{e}m) Crâne *m* (ân).
crank (àngk) Manivelle *f* (vèl). Coude *m* [bend]. Pédalier *m* [bicyc.]. Caprice *m*.
cranny Fente *f* (a^{n}t).
crape (é^{i}p) Crêpe *m* (èp).
crash Fracas *m* (kà). *v* Fracasser. S'écraser [plane].
crass Grossier, ère.
crater (é^{i}t^{er}) Cratère *m*.
cravate (kr^{e}vat') Cravate *f*.

crave (kréiv) Implorer (*i*n). *n* Besoin maladif, passion *f*.
craven (kré'v'n) Lâche.
crawfish (*au*) Écrevisse *f*.
crawl (kraul) Ramper (ran). Grouiller [swarm].
craze (kréiz) Rendre fou. *vi* Devenir* fou. *n* Folie *f*.
crazy Fou, folle.
creak (krîk) Grincer (in); craquer (*ké*).
cream (krim) Crème *f* (èm).
creamy Crémeux, *euse*.
crease (îs') Faux pli.
create (iéit). Créer (*kréé*).
creation (iéishen) Création *f*.
creator Créateur *m* (œr).
creature (krîtsher) Créature *f* (kréàtür).
credence (dens) Croyance *f*.
credible Croyable (yàbl).
credit (it') Crédit *m* (dì). Créditer (ìté) [comm.].
creditable Honorable.
creditor Créancier, ère.
credulity (*you*) Crédulité *f*.
credulous Crédule (krédül).
creed (îd) Credo *m*.
creek (îk) Crique *f* (ìk).
creep* (îp) Ramper (ranpé) [**crept, crept*].
creole (îooul) Créole (éòl).
creosote (îe) Créosote *f* (é).
crepitate Crépiter.
crescent (sent) Croissant *m*.
cress Cresson *m* (on).
crest Crête *f*. Aigrette *f*.
crestfallen Penaud, *aude*.
cretin (ìn) Crétin *m* (in).
crevice Crevasse *f* (krevàs').
crew (krou) Bande *f* (band). Équipage *m* (ékìpàj) [mar.].
crib Crèche *f* [manger].
cricket Grillon *m* (yon) [insect]. Cricket *m* [game].
crier (aier) Crieur *m* (œr).
crime (aim) Crime *m* (ìm).
criminal Criminel, *elle*.
criminate Incriminer.
crimp Racoleur *m* (kòlœr). *v* Friser [hair].
crimson Cramoisi (mwàzì).
cringing Courbette *f*.
***crinkle** Zigzaguer, onduler.
cripple Estropié, *ée* Boiteux, se [lame]. *vt* Estropier.
crisis (aisis') Crise *f* (îz).
crisp Crêpu, *ue* [curly]. Croquant, te [pastry]. Vif, ive [air]. *vt* Crêper.
crispness Frisure *f* (zür).
criterion (airi) Critérium.
critic Critique *m* (ìk).
critical Critique.
criticism Critique *f*.
criticize (aiz) Critiquer.
croak (oouk) Croasser (òà) [crow]. Coasser [frog]. *n* Croassement, coassement *m*.
crock Cruche *f* (üsh).
crockery Faïence *f* (fàyans).
crocodile (ail) Crocodile *m*.
croft Lopin [*m*] de terre.
crone (oou) Vieille *f* (vyèy).
crony Compère *m* (konpèr).
crook Courbe *f* (kûrb). Houlette *f* [sheph.]. Crosse *f* [bish.]. Courber, se courber. - -*backed*, bossu, *ue*.
crooked Crochu, ue (shü). *Fig*. Tortueux, *euse*.
crop Récolte *f*. Jabot *m* (jàbô) [bird]. *vt* Couper.
crosier (kroouj er) Crosse *f*.
cross Croix *f* (wà). Croisement *m* [street]. *a* Transversal, e. Contraire (kontrèr). Maussade (môssàd) [pers.]. *vi* Marquer d'*une* croix. Barrer [cheque]. Fran-

chir [doorstep]. Contrarier [thwart]. *To - out,* biffer; *to - oneself,* se signer. *prep.* A travers. - *-breed,* race hybride *f.*
crossing Croisement *m;* passage *m.* Traversée *f* [mar.].
crosswise (wa^{i}z) En travers.
crotchet Lubie *f* (lübî). Noire *f* (nwàr) [mus.].
crouch (kra^{ou}tsh) Se tapir.
croup (kroup) Croupe *f* [back]. Croup *m* [disease].
crow (kro^{ou}) Corneille *f* (kòrnè^{y}). *vn* Chanter [coq].
crowbar Pince *f* (pi^{n}s).
crowd (kra^{ou}d) Foule *f* (fûl). *vt* Serrer. *vi* Se presser.
crow-foot Renoncule *f* (ül).
crown (kra^{ou}n) Couronne *f* (kû). Fond *m* [hat]. Écu *m* [coin]. *vt* Couronner.
crowning Couronnement *m.*
crow's foot Patte d'oie.
crucible Creuset *m* (krëzè).
crucifix (kroussifiks) Crucifix *m* (krüsifì).
crude (kroud) Cru, ue (krü).
crudeness Crudité *f.*
cruel (ou) Cruel, elle (üèl).
cruelty Cruauté *f* (krüô).
cruet (krouit') Burette *f* (ü). - *-stand,* huilier *m* (^{u}ìl^{y}é).
cruise (oûz) Croisière *f.*
cruiser (oû) Croiseur *m* (œr).
crumb (krœm) Mie *f* (mî). Miette *f* (m^{y}èt) [a crumb].
crumble (krœmb'l) Émietter.
crumple (œmpl) Chiffonner.
crunch (œntsh) Croquer (ké).
crupper (œp^{er}) Croupière *f.*
crusade (sé^{i}d) Croisade *f.*
crusader Croisé (krwàzé).
crush (krœsh) Écraser (ékrâzé). *n* Écrasement *m.*

Cohue *f* (kòü) [crowd].
crust (œst) Croûte *f* (ût). *v* Former une croûte.
crustacean (é^{i}sh^{e}n) Crustacé.
crusty Couvert d'une croûte. Grincheux, euse (gri^{n}shë, ëz) [person].
crutch (œ) Béquille *f* (î^{y}).
crux (krœks) Difficulté *f.*
cry (a^{i}) Cri *m* (î). *v* Crier. Pleurer [weep], Annoncer. *To - off,* renoncer; *to - out,* s'écrier. *To - down,* décrier; *to - up,* vanter (va^{n}té).
crypt Crypte *f.*
crystal (i) Cristal *m* (àl).
crystalline (la^{i}n) Cristallin, ine (li^{n}, ìn).
crystallize (la^{i}z) Cristalliser (ìzé).
cub (kœb) Petit *m* (p^{e}tî). *vi* Mettre* bas.
cube (kyoûb) Cube *m* (küb). *vt* Cuber (kübé).
cubic (kyou) Cube, cubique.
cubit (it') Coudée *f* (küdé).
cuckoo (kou) Coucou *m* (kû).
cucumber (you) Concombre *m.*
cuddle (œ) Embrasser (a^{n}).
cudgel (kœd) Gourdin *m* (gûrdi^{n}). *vt* Bâtonner.
cue (kyou) Queue *f* (kë).
cuff (kœf) Parement *m* [coat]. Manchette *f* (ma^{n}shèt) [linen]. Soufflet. *vt* Battre*.
cuirass (kwi) Cuirasse *f* (^{u}i).
cuirassier (i^{er}) Cuirassier.
culinary (you) Culinaire (ü).
cull (kœl) Recueillir*.
cullender Passoire *f* (wàr).
culpability Culpabilité *f.*
culpable Coupable (kû).
culprit (it') Coupable (kû).
cult (kœlt) Culte *m* (kült).
cultivate (kœl) Cultiver.

cultivation, culture (kœltsher) Culture *f* (kültür).
cumber (kœmber) Encombrer.
cumbersome Encombrant, te.
cumulate (kyoumyou) Cumuler [offices]. Accumuler.
cunning (kœ) Ruse *f* (rüz). *a* Rusé, ée.
cup (kœp) Tasse *f* (tâss); coupe (kûp) *f*.
cupboard (kœberd) Armoire *f* (wàr) [clothes]; buffet *m* (büfè) [food].
cupidity (kyou) Cupidité *f*.
cupola (kyou) Coupole *f*.
cupping-glass Ventouse *f*.
cur (kër) Roquet *m* (kè).
curable (kyou) Guérissable.
curate (kyourit') Desservant.
curb (kërb) Gourmette *f*. *fig.* Frein *m* (frin).
curd (kërd) Caillé (kàyé).
curdle (kërd'l) Cailler.
cure (kyouer) Guérison *f* (gérìzon). Remède *m* (remèd). *vt* Guérir. Mariner [fish]. Saler [meat].
curio (kyoueryoou) Curiosité *f*, bibelot *m*.
curiosity Curiosité *f*.
curious (kyoueryes) Curieux, euse (küryë, ëz).
curl (kërl) Boucle *f* (bûkl). *v* Friser (zé). Bouclé, ée.
currant (kœrent) Groseille *f* (zèy), raisins de Corinthe. *Black-*, cassis *m*.
currency Monnaie *f* (mònè).
current Courant, te (an).
currently (kœ) Couramment.
curse (kërs) Maudire* (môdîr). *vi* Jurer (jüré). *n* Malédiction *f*.
cursive Cursif, ive.
cursory (kër) Rapide.
curt (kërt) Bref, ève. Cassant, ante (kàssan, ant).
curtness Brièveté *f*.
curtail (kërtéil) Raccourcir.
curtain (kërtìn) Rideau *m*.
curtsey (ërtsi) Révérence *f*.
curve (kërv) Courbe *f* (kûrb). *v* Courber.
cushion (kooshen) Coussin *m* (kûssin). Coussinet *m* [mec.].
custard (œs) Crème aux œufs. *- tart*, Flan *m* (an).
custom (kœstem) Coutume *f* (kûtüm) [habit]. Clientèle *f* (klìantèl), pratique *f*.
customer Client (klìan).
custom-house (haous) Douane *f*. *- -officer*, douanier *m* (dwànyé).
customs *pl* Douane *f* (dwàn). Droits *mpl* (drwâ) [duty].
cut* (kœt) Couper (kûpé). Découper [carve]. Rompre [avec] [give up]. *To - away*, déguerpir. *n.* Coupure *f* (kûpür). Coup *m* (kû) [stroke]. Coupe *f* (kûp) [clothes]. Gravure *f* (gràvür) [engraving]. [**cut, cut*].
cutaneous (kyou) Cutané, ée.
cute (kyout') Fin, fine.
cutlass (kœt) Coutelas *m*.
cutlet (œ) Côtelette *f* (èt); escalope *f* (òp) [slice].
cutter (kœter) Coupeur, euse (kûpœr, ëz) [pers.]. Coupoir *m* [tool]. Cutter *m* [mar.].
cutting Incision *f* (insìzyon). Coupure *f* (ür) [newspaper]. Tranchée *f* [railway]. *a* Coupant, te.
cybernetics Cybernétique *f*.
cycle (saik'l) Cycle *m* (sìkl); bicyclette *f* (bìsìklèt); *mo-*

tor-cycle, motocyclette *f.*
cycling (sa^{i}) Cyclisme *m.*
cyclist (sa^{i}) Cycliste.
cyclone (a^{i}) Cyclone *m* (sì).
cyclopaedia (sa^{i}klopîdy^{e}) *f.* Encyclopédie (a^{n}sìklòpédì).
cyclops (sa^{i}) Cyclope (sì).
cylinder (silìn) Cylindre *m* (t^{n}) ; - *capacity,* cylindrée.
cymbal Cymbale *f* (si^{n}bàl).
cynical (sinik^{e}l) Cynique.
cynicism (si) Cynisme *m.*
cypher (sa^{i}f^{er}). V. CIPHER.
cypress (a^{i}) Cyprès *m* (prè).
cyst Kyste *m* (kist).
czech (tshèk) Tchèque *m.*

D

d (di) D (dé). Ré *m* [mus.].
dab Petit coup *m* (kû). Tache *f* (tàsh) [spot]. Limande *f* (a^{n}d) [fish]. *v* Éponger. Toucher légèrement.
dabble Barbouiller (bûyé).
dad, daddy Papa *m. Daddy-long-legs,* faucheux, *m.*
daffodil Narcisse *m* (siss).
dagger (dag^{er}) Poignard *m.*
dahlia (dé^{i}ly^{e}) Dahlia *m.*
daily (dé^{i}) Quotidien, ne (kòtìd^{y}i^{n}). *ad.* Tous les jours.
daintiness Délicatesse *f.*
dainty (de^{i}nti) Délicat, te (kà, àt). Difficile (sìl). *n* Friandise *f* (frìa^{n}dìz).
dairy (dè^{e}) Laiterie *f* (lètrî).
dairymaid (mé^{i}d) Laitière *f.*
dairyman Laitier (lèt^{y}é).
daisy (dé^{i}zi) Pâquerette *f.*
dale (dé^{i}l) Vallon *m* (o^{n}).
dally (dà) Badiner, folâtrer.
dam Barrage *m* (ràj) ; digue *f* (dîg). Femelle *f* [animal]. *vt* Endiguer.
damage (idj) Dommage *m* (àj) *v* Endommager.
damask Damas *m* [linen].
dame (dé^{i}m) Dame *f* (dàm).
damn (dàm) Damner (dàné). Condamner. **-able** (m-n^{e}b'l) Damnable (danàbl) ; odieux, euse. **-ation** (m-né^{i}sh^{e}n) Damnation *f* (dànà).
damp (dàmp) Humide (ümìd). *n* Humidité *f. Fig.* Tristesse. *vt* Humecter. Étouffer [fire]. Décourager ; refroidir.
damper Éteignoir *m.* Amortisseur *m* (œr) [motor].
dampness Humidité *f.* (ü).
damsel Jouvencelle (jûva^{n}).
dance (dàns') Danse *f* (da^{n}s). *vi* Danser : *to - attendance,* faire* antichambre.
dancer Danseur (œ^{r}), euse.
dandelion (la^{i}en) Pissenlit *m.*
dandruff Pellicules *fpl* (kül).
dandy (dàn) Dandy (da^{n}).
dane, danish Danois, se.
danger (é^{i}ndj) Danger *m* (jé).
dangerous Dangereux, euse.
dangle (àng) Pendre (a^{n}dr).
Daniel (dàny^{e}l) Daniel.
dank (dàngk) Humide (îd).
dankness Humidité *f* (ìté).
dapper (dap^{er}) Vif, vive.
dapple Pommelé, ée (pômlé).
dare* (dè^{er}) Oser (ôzé). *vt* Défier (yé) [**durst, dared*].
dare-devil Casse-cou *m.*

daring Audacieux, euse. *n* Audace *f* (ôdàss).
dark (dârk) Obscur, ure (ür), sombre (on). *n* Obscurité *f*.
darken (dârk) Obscurcir (ür) ; s'obscurcir.
darkle (dârk'l) S'assombrir.
darkness Ténèbres *fpl*. Teinte foncée *f*.
darling (âr) Chéri, ie (shé).
darn (dârn) Reprise *f* (îz). *v* Repriser (reprìzé).
dart (dârt). Javelot *m*, dard *m*. *vt* Lancer, *vi* S'élancer.
dash Jeter* (je). Briser (brì) [break]. Éclabousser [splash]. *vi* S'élancer (élansé). *n* Choc *m* (shòk). Coup de main [attack]. Impétuosité *f*. Trait *m* [stroke]. Filet *m* [vinegar]. Touche *f* (tûsh) [colour].
dashing Impétueux, euse. Pimpant (pinpan), te [smart].
dastard Poltron, onne.
data (déite) Données *fpl*.
date (déit) Date *f* (dàt) : *up to date*, à jour. Datte *f* (dàt) [fruit]. *vi* Dater. - *-palm* (pâm) Dattier.
daub Barbouiller (bûyé). *n* Barbouillage *m* (bàrbûyàj).
daughter (dau) Fille *f* (fîy) : *daughter-in-law*, belle-fille *f*; *step-daughter*, belle-fille [fille du conjoint] ; *grand-daughter*, petite-fille.
daunt Effrayer (éfrèyé).
daw (dau) Choucas *m*.
dawdle (daud'l) Flâner.
dawn (daun) Aube *f* (ôb). *vi* Poindre* (pwindr).
day (déi) Jour *m* (jûr). Journée *f* [work]. *By -*, de jour ; *by the -*, à la journée ; *every other -*, tous les deux jours ; *this -*, aujourd'hui ; *this - week*, d'aujourd'hui en huit. - *-break*, point [*m*] du jour. - *-light*, jour *m*.
dazzle Éblouir (éblûir).
deacon (dî) Diacre (dyâkr).
dead (dèd) Mort, te (mòr, t). Amorti, ie [sound]. Mat, te [colour]. Plat (plà) [calm].
deaden Amortir.
deadly Mortel, elle.
deadness Mort *f*. Torpeur *f*.
deaf (dèf) Sourd, de (sûr, d).
deafen Assourdir.
deafness Surdité *f* (sür).
deal (dîl) Quantité *f* (kantìté). Transaction *f*. Donne *f* [cards]. *A good -*, beaucoup. *vi* Agir (àjîr). Faire* le commerce [*in:* de]. [**dealt*].
dealer Marchand (màrshan).
dealing Conduite *f*.
dean (dîn) Doyen (dwàyin).
dear (dier) Cher, ère (sh). *Dear me!* Mon Dieu!
dearly Chèrement (shèrman).
dearness (niss) Cherté *f*.
dearth (dërth) Disette *f*.
death (dèth) Mort *f* (mòr).
deathless Immortel, elle.
debar (dibâr) Exclure (ür).
debase (dibéiss) Avilir.
debate (dibéit) Débat *m* (bà) ; dispute *f* (üt). *vi* Débattre*, discuter (disküté).
debater Orateur *m* (tœr).
debauch (dibautsh) Débauche *f* (ôsh). *vt* Débaucher.
debauchee (î) Débauché, ée.
debenture (èn) Obligation *f*.
debility Débilité *f*.
debit Débit *m* (bì). Débiter.
debt (dèt) Dette *f* (dèt).
debtor (èter) Débiteur, trice.

decade (dékéid) Décade *f*.
decadence Décadence *f* (*a*ns).
decalitre Décalitre (lîtr) *m*.
decalogue Décalogue *m*.
decametre Décamètre (ètr) *m*.
decamp (dikàmp) Décamper.
decanter (dikànter) Carafe *f*.
decapitate Décapiter.
decay (dikéi) Décadence *f*, déclin *m*. Dépérissement *m* [health]. *vi* Décliner (înè). Dépérir [wither]. Se carier [teeth]. Pourrir [wood].
decease (dissîs') Décès *m* (déssè). **-sed** (îst) Décédé, ée. *n* Défunt, te (*u*n, *u*nt).
deceit (dissît') Tromperie *f* (tronprî). Fraude *f* (ôd).
deceitful Trompeur, euse.
deceive (sîv) Tromper (on).
deceiver Trompeur, euse.
december (disèmber) Décembre *m* (dés*a*nbr).
decency (di) Bienséance *f*.
decent (dî) Honnête (ònèt). Passable [tolerable].
deception Tromperie *f* (on).
decide (*a*id) Décider (sìdé) [*on* : de].
decigram Decigramme *m*.
decilitre Décilitre *m*.
decimal Décimal.
decision (dìssijen) Décision *f* (déssìzy*o*n).
decisive (*a*isiv) Décisif, ive.
deck Pont *m* (pon). *Between decks*, entrepont. *vt* Ponter [ship]. Orner [adorn].
declaim (dikléim) Déclamer.
declamation Déclamation *f*.
declamatory Déclamatoire.
declaration Déclaration *f*.
declare *vt* (diklèer) Déclarer (déklàré).
declension Déclin *m* (*i*n).
decline (dikl*a*in) Incliner (inklìné), pencher (panshé). Décliner [honour, invit.]. *vi* Décliner. *n* Déclin *m*.
declivity Pente *f* (pant), déclivité *f*.
declutch (œtsh) Débrayer.
decoction Décoction *f*.
decompose Décomposer. **-position** Décomposition f.
decorate (réit) Décorer.
decoration Decoration *f*.
decorator (éi) Décorateur.
decorative Décoratif, ive.
decorous Bienséant, ante.
decorum Bienséance *f* (*a*ns).
decoy (dik*o*i) Leurrer (lœ). *n* Leurre *m* (lœr).
decrease (dîkrîs) Décroissance *f*. *vt* (îs') Diminuer. *vi* Decroître* (wàtr).
decree (dikrî) Décret *m* (è). Arrêt *m* [judge]. Décréter.
decrepit (it') Décrépit, e.
decrepitude Décrépitude *f*.
decry (*a*i) Décrier (dékrìé).
dedicate Dédier (dédyé).
deduce (didyouss) Déduire*.
deduct (didœkt) Déduire*.
deduction Déduction *f* (ük).
deed (îd) Action *f*. Acte *m*.
deem (dîm) Juger (jüjé).
deep (dîp) Profond, onde. Foncé, ée [colour]. *ad* Profondément. *n* Abîme *m*, profondeur *f*.
deepen (dîpen) Approfondir, obscurcir [colour].
deeply (dî) Profondément.
deepness Profondeur *f* (dœr).
deer (dier) Daim, daine (din, dèn) [buck]. Cerf *m* (sèr) [stag]. Chevreuil *m* [roe].
deface (féi) Défigurer (gu).
defalcation Défalcation *f*

[deduct]. Détournement *m.*
defamation Diffamation *f.*
defame (éim) Diffamer (fâ).
default (difault) Défaut *m.*
defeat (difît') Défaite *f* (défèt). *vt* Battre*. Déjouer [plan].
defect Défaut *m* (défô).
defection Défection *f.*
defective Défectueux, euse.
defence Défense *f* (défans).
defend Défendre (andr).
defender Défenseur (ansœr).
defensive Défensif, ive.
defer (difër) Différer. Ajourner. Déférer [submit].
deferent (férent) Déférent.
deferment Sursis *m* [mil.].
defiance (difaiens) Défi *m.*
defiant (ai) Provocant, ante.
deficiency Défaut *m* (fô).
deficient (ishent) Insuffisant, te; défectueux, se.
deficit Déficit *m.*
defile (difail) Défilé *m.* Souiller (sûyé). Corrompre.
-lement Souillure *f* (yür).
defiler Corrupteur trice.
define (difain) Définir (înîr).
definite (dé) Défini, ie; déterminé, ée.
definition Définition *f.*
definitive Définitif, ve.
deflate (eit) Dégonfler.
deflect Dévier (dévyé).
deform (faurm) Déformer.
deformation Déformation *f.*
deformity (difaurmiti) Difformité *f.*
defraud (difraud) Frustrer.
deft Adroit, oite (àdrwà, t).
defunct (fœngkt) Défunt, te.
defy (difai) Défier (défyé).
degenerate (didjènerit') Dégénéré, ée. *vi* Dégénérer.
degrade (digréid) Dégrader.
degree (digrî) Degré *m.* Diplôme *m.*
deign (déin) Daigner (èñé).
deject (didjèkt) Abattre.
dejection Abattement *m.*
delay (diléi) Délai *m* (délè). *vt* Retarder. *vi* Tarder.
delegate (git) Délégué (gé). *vt* (ègéit) Déléguer.
delegation Délégation *f.*
delete (dilît) Effacer (sé).
deliberate (rit') Délibéré, ée. *v* (éit) Délibérer.
deliberation Délibération *f.*
delicacy Délicatesse *f* (tès).
delicate (it') Délicat, e.
delicious (dilishes) Délicieux, euse (délìssyë, ëz).
delight (dilait) Délice *m* (délìs). *vt* Enchanter.
delightful Délicieux, euse.
delimit (di) Délimiter.
delineate (nyéit) Dessiner.
delinquent Délinquant, te.
delirious En délire.
delirium Délire *m* (délîr).
deliver (diliver) Délivrer [free]. Livrer [give]. Remettre* [hand]. Distribuer (bué) [letters]. Prononcer [speech]. Porter [blow].
deliverer Libérateur.
delivery Délivrance *f.* Livraison *f* (èzon) [goods]. Distribution *f* [letters]. Diction *f* (syon) [speech].
dell (dèl) Vallon *m* (vàlon).
deluge (dèlyoudj) Déluge *m* (üj). *vt* Inonder (ìnondé).
delusive (dilyou) Trompeur.
demagogy Démagogie (jì).
demand (dimànd) Demande *f* (demand) : *on* -, à vue. *vt* Demander. Exiger [exact].

demean (dimîn) Conduire [behave]. Avilir [lower].
demeanour (n^{er}) Conduite *f.*
demi (dèmi) Demi, ie (d^{e}mî). - *-god*, demi-dieu *m.* - *-john*, dame-jeanne *f.*
demission (ish) Démission *f.*
democracy Démocratie *f.*
democrat Démocrate.
demolish Démolir.
demolisher Démolisseur (œr).
demolition Démolition *f.*
demon (dîm^{e}n) Démon *m* (o^{n}).
demonstrate Démontrer.
demonstration (dèm^{e}nstré^{i}sh^{e}n) Démonstration *f.*
demoralize (a^{i}z) Démoraliser.
demur (dimë^{r}) Hésitation *f.* *vi* Hésiter (ézìté).
demure (you^{er}) Sérieux, euse. Prude (üd).
den (dèn) Antre *m* (a^{n}tr).
denial (dina^{i}el) Déni *m* (dénî). Refus *m* (r^{e}fü). Démenti *m* (déma^{n}tî) [lie].
denigrate (dî) Dénigrer.
denizen (dèniz'n) Citoyen.
Denmark (èn) Danemark *m.*
denomination Dénomination.
denote (dino^{out}) Dénoter.
denounce (dî) Dénoncer.
dense (dèns) Dense (da^{n}s).
density Densité *f* (da^{n}sìté).
dent (dènt') Entaille *f* (tà^{y}). *vt* Entailler.
dental Dentaire (da^{n}tèr).
dentifrice Dentifrice *m.*
dentist Dentiste *m* (da^{n}).
denunciation Dénonciation *f.*
deny (na^{i}) Nier (nìé). Démentir [lie]. Refuser (ü).
depart (dipâ^{r}t) S'en aller.
department Département *m.* Service *m* (is'). Rayon *m.*
departure (dipâ^{r}tsh^{e}r). Départ *m* (dépàr). Déviation *f.*
depend (dipènd) Dépendre (dépa^{n}dr) [*on* : de].
dependence (d^{e}ns) Dépendance *f.* Confiance *f* (ya^{n}s).
dependent Dépendant, te.
depict Dépeindre (pi^{n}dr).
depilatory Dépilatoire.
deplorable Déplorable.
deplore (diplau^{er}) Déplorer.
deploy (di) Déployer (wà^{y}é).
deportment (dipau^{r}tm^{e}nt) Tenue *f* (t^{e}nü), conduite *f.*
depose (dipo^{ou}z) Déposer.
deposit (di) Dépôt *m* (dépô). *vt.* Déposer, verser.
depositary Dépositaire.
deposition Déposition *f.*
depositor Déposant, ante.
depository Garde-meuble *m.*
depot (dèpo^{ou}) Dépôt (ô). [Am.] Gare *f* (àr) [railw.].
deprave (dipré^{i}v) Dépraver. *n* Dépravation *f.*
depreciate (prishié^{i}t) Déprécier. Se déprécier.
depreciation Dépréciation *f.*
depredation (dépridé^{i}sh^{e}n) Pillage *m* (pì^{y}àj).
depress (di) Déprimer (dé). Abaisser (àbèssè) [lower].
depression Abaissement *m.* Dépression *f.* Abattement *m.*
deprive (a^{i}v) Priver (prì).
depth (dèpth) Profondeur *f.*
depurative (you) Dépuratif.
deputation Députation *f.*
depute (dipyout') Députer.
deputy (dèpyou) Député (ü).
derange (diré^{i}ndj) Déranger (déra^{n}jé). Troubler [brain].
derangement Dérangement *m.*
derelict Abandonné, ée
deride (ra^{i}d) Railler (yé).
derision (ij^{e}n) Dérision *f.*

derivative Dérivatif, ive.
derive (dira[iv]) Dériver.
derm (dë[r]m) Derme *m*.
derogate Déroger [*from* : à].
derogation Dérogation *f*.
descend (disènd) Descendre.
descendant Descendant, te.
descent (disènt) Descente *f*. Descendance [poster.].
describe (a[i]b) Décrire* (ìr).
description Description *f*.
desert (dizë[r]t) Mérite *m*. (dèze[r]t) Désert [*m*], erte (dézer, èrt). *vt* (dizë[r]t) Déserter. Abandonner.
deserter Déserteur *m*.
desertion Désertion *f*.
deserve (dizë[r]v) Mériter.
design (diza[i]n) Projeter (je-té). Destiner [*for* : à]. Dessiner [drawing]. *n* Dessein *m* (in). Modèle *m* (èl) [pattern]. Dessin *m* [draw.].
designate (zig-n) Désigner.
designation Désignation *f*.
designedly (diza[i]) A dessein.
designer Inventeur *m*. Auteur *m*. Dessinateur *m*.
desire (diza[ier]) Désir *m*. *vt* Désirer. Prier [ask].
desirous Désireux, euse.
desist (dizist) Cesser (sé).
desk Bureau *m* (bürô).
desolate (dèse[lit]') Désolé ée, *vt* (e[i]t) Désoler.
desolation Désolation *f*.
despair (dispèe[r]) Désespoir *m*. *vi* Désespérer.
desperate Désespéré, ée.
despise (dispa[i]z) Mépriser.
despite (a[i]t) Dépit *m* (pî). *prep* En dépit de.
despoil Dépouiller (dépûyé).
despond Se décourager.
despot (dèspot') Despote *m*.
despotism Despotisme *m*.
dessert (dizë[r]t) Dessert *m* (désèr).
destination Destination *f*.
destine (dèstìn) Destiner.
destiny Destiné, ée *f*.
destitution (you) Dénûment.
destroy (distro[i]) Détruire*.
destroyer Destructeur. Contre-torpilleur *m* [mar.].
destruction Destruction *f*.
detach (ditatsh) Détacher.
detachment Détachement *m*.
detail (dité[i]l) Détail *m* (détày). *vt* (dité[i]l) Détailler.
detain (dité[i]n) Retenir*.
detainer Détenteur.
detect (ditèkt) Découvrir.
detective Policier *m* (syé).
detent (ditènt') Détente *f*.
detention Retard *m*. Détention *f* (a[n]syo[n]).
deter (ditë[r]) Détourner.
deteriorate (diti[e]rye[r]é[i]t) Détériorer (téryòré).
deterioration Détérioration *f*.
determination Détermination.
determine (ditë[r]mìn) Terminer. Déterminer.
detest (ditèst) Détester.
detestable Détestable (àbl).
detonation Détonation *f*.
detraction Dénigrement *m*.
detriment Détriment *m*.
deuce (dyous') Deux *m* (dë). Diable *m* (dyàbl).
devastate Dévaster.
devastation Dévastation *f*.
develop (divèl) Développer.
developer Révélateur *m*.
development Développement.
deviate (divié[i]t') Dévier.
deviation Déviation *f*.
device (diva[i]s') Dessein *m*. Stratagème *m*. Procédé *m*

[proceeding]. Devise *f* (dᵉvîz) [motto]; emblème *m*.
devil (dè) Diable *m* (dʸàbl).
devilish Diabolique (òlìk).
devise (divaⁱz) Legs *m* (lè). *vt* Imaginer (jìné). Léguer (gé) [bequeath].
devoid (divoⁱd) Dénué, ée.
devolve Transmettre*.
devote (oᵒut) Dévouer (vûé).
devotee Dévot, ote (ô, òt).
devotion (divoᵒᵘ) Dévotion *f* [piety]. Dévouement *m* (ûmaⁿ) [affection].
devour (divaᵒᵘᵉʳ) Dévorer.
devout (divaᵒᵘt) Dévot, ote.
dew (dyou) Rosée *f* (zé).
dexterity Dextérité *f*.
dexterous Adroit (wà).
diabetes (daⁱᵉbîtîz) Diabète *m* (dʸàbèt).
diabetic Diabétique.
diabolic Diabolique (dʸà).
diadem (daⁱᵉ) Diadème *m*.
diagnosis Diagnostic *m*.
diagonal (daⁱa) Diagonal.
dial (daⁱᵉl) Cadran *m*. *To dial*, composer un numéro [tel.].
dialect (daⁱᵉlèkt) Dialecte *m*.
dialogue (daⁱᵉlog) Dialogue *m* (dʸàlòg).
diameter (daⁱa) Diamètre *m*.
diamond (daⁱᵉmᵉnd) Diamant *m* (dʸàmaⁿ) [stone]. Losange *m* [figure]. Carreau *m* (kàrô) [cards].
diapason (daⁱᵉpéⁱs'n) Diapason *m* (dʸàpàzoⁿ).
diaper (daⁱ) Diapré, ée (dʸàpré). *n* Linge damassé *m*.
diaphanous (daⁱa) Diaphane.
diaphragm Diaphragme *m*.
diarrhœa (daⁱᵉriᵉ) Diarrhée *f* (dʸàré).
diary (aⁱᵉ) Journal *m* (jûr).
dice *pl* (daⁱs) Dés *mpl*.
dicky Plastron *m* [shirt].
dictate (éⁱt) Dicter. *n* (diktéⁱt) Précepte *m*, ordre *m*.
dictation (éⁱshᵉn) Dictée *f*.
dictator (éⁱ) Dictateur *m*.
diction (dikshᵉn) Diction *f*.
dictionary (dikshᵉnᵉri) Dictionnaire *m* (diksʸònèr).
***did**. V. DO.
die (daⁱ) [*pl* **dies** (daⁱz)] Coin *m* (kwiⁿ). *n* [*pl.* **dice** (daⁱs)] Dé *m* [à jouer].
die (daⁱ) Mourir* (mûrîr).
diet (daⁱt') Régime *m* (jìm) [food]. Diète *f* (dʸèt) [assembly]. *vt* Mettre* au régime.
differ (difᵉʳ) Différer. Se quereller [fall out].
difference Différence *f*. Différend *m* [disagreement].
different Différent, te.
difficult (difikᵉlt). Difficile.
difficulty Difficulté (ü).
diffidence Défiance *f* (yaⁿs). Timidité *f*.
diffuse (youz) Répandre, diffuser (üzé). *a* (yous'). Répandu, diffus.
diffusion (jᵉn) Diffusion *f*.
dig* Creuser. Bêcher [**dug*].
digest (djest) Digérer (jé) [food]. Élaborer [work]. *vi* Digérer.
digestion (didj) Digestion *f*.
digestive Digestif, ive.
digger (digᵉʳ) Terrassier.
digging (ìng) Bêchage *m*.
digit (didjit') Chiffre *m*.
digital (dj) Digital, ale (jì).
dignify (dig-nifaⁱ) Honorer.
dignitary (ᵉri) Dignitaire.
dignity Dignité *f* (dìñìté).
digression Digression *f*.

dike (da^{i}k) Digue *f* (dîg) [mound]. Fossé *m* [ditch].
dilapidate Dilapider. **-dation** Dilapidation *f*.
dilatation Dilatation *f*.
dilate (da^{i}lé^{i}t) Dilater.
dilemma Dilemme *m* (lèm).
diligence (dj^{e}) Diligence *f*.
diligent (dj^{e}nt) Diligent, e.
dilute (da^{i}lyout') Diluer (dilué) [liquids]. Délayer (délèyé) [paste].
diluvian Diluvien, ienne (ü).
dim Sombre (o^{n}br). Trouble [sight]. Faible [light]. *vt* Assombrir.
dime (a^{i}m) 10 cents [Am.].
dimension Dimension *f*.
diminish Diminuer (^{u}é).
diminution Diminution *f*.
diminutive Diminutif, ive.
dimness (nis') Obscurité *f*.
dimple (dìmp'l) Fossette *f*.
din Vacarme *m*. Assourdir.
dine (da^{i}n) Dîner (dìné).
diner (da^{i}n^{er}) Dîneur, euse.
dingy (dji) Sale, pauvre.
dining-room Salle à manger.
dinner (din^{er}) Dîner *m* (né).
Dinner-jacket, smoking *m*.
diocese (da^{i}esis) Diocèse *m*.
dip Plonger (o^{n}jé); tremper (a^{n}pé). S'incliner [slant]. *n* Plongeon *m* (jo^{n}). Inclinaison *f*.
diphteria (difthi^{er}y^{e}) Diphtérie *f* (diftérî).
diphthong (th) Diphtongue *f*.
diploma (o^{ou}m^{e}) Diplôme *m*.
diplomacy Diplomatie *f* (sî).
diplomatic Diplomatique.
diplomatist Diplomate.
dipper Cuiller [*f*] à pot.
dire (da^{ier}) Affreux, euse (âfrë, ëz). Cruel, elle (ü).
direct Direct, te. *vt* Diriger (jé). Adresser [letter].
direction Direction *f*. Instruction *f*. Ordre *m* (òrdr).
directly Directement.
director Directeur *m*.
directory Annuaire *m* (^{u}èr).
direful (da^{ier}) Affreux, euse.
dirge (ë^{r}dj) Chant funèbre.
dirigible Dirigeable (jàbl).
dirk (dëik) Poignard *m*.
dirt (dë^{r}t) Saleté *f*. Salir*.
dirtiness Malpropreté *f*.
dirty Sale (sàl). *vt* Salir.
disability Incapacité *f*.
disabled Hors de service. Hors de combat [mil.]. Estropié, ée [crippled].
disaccustom Déshabituer.
disadvantage Désavantage *m*. *vt* Désavantager.
disagree (diss^{e}grî) Différer. Se quereller. Être* mauvais.
disagreeable (diss^{e}gri^{e}b'l) Désagréable (dézàgréàbl).
disagreement Désaccord *m* (kòr); brouille *f* (brû^{y}).
disappear (diss^{e}pi^{er}) Disparaître* (rètr).
disappearance Disparition *f*.
disappoint (diss) Désappointer (wi^{n}té). **-pointement** Désappointement *m*.
disapprobation (diss) **-oval** (ouv'l) Désapprobation *f*.
disapprove (diss^{e}proûv) Désapprouver (déz).
disarm (dissâ^{r}m) Désarmer.
disarmament Désarmement *m*.
disaster (diz) Désastre *m*.
disastrous Désastreux, se.
disavow (diss^{e}va^{ou}) Désavouer (dézàvüé).
disbeliever Incrédule (i^{n}).
disburse (bë^{r}s) Débourser.

disbursement Frais (frè) *mpl*, débours (bûr) *mpl*.
discard (kârd) Écarter.
discern (zërn) Discerner.
discerning Judicieux, euse.
discernment Discernement *m*.
discharge (tshârdj) Déchargement *m*. Décharge *f* (shàrj) [arm]. Congé *m* (konjé) [servant]. Quittance *f* (kitans') [comm.]. *vt* Décharger [arm]. Libérer [soldier, debtor]. Congédier (jédyé) [servant]. Acquitter (àkìté), solder [debt].
disciple (dissaip'l) Disciple (dissìpl).
discipline (dissiplìn) Discipline *f* (plìn). *vt* Discipliner.
disclose (kloouz) Découvrir*.
disclosure (jer) Révélation *f*.
discolour (œler) Décolorer.
discomfiture Déconfiture *f*.
discomfort Gêne *f* (jèn). Peine *f* [trouble]. *vt* Gêner. Affliger.
discompose Déranger (anjé).
discomposure (jer) Dérangement *m*; agitation *f*.
disconnect Dissocier. Désembrayer [motor].
disconsolate Inconsolable.
discontent Mécontent, ente. Mécontentement *m*. *vt* Mécontenter.
discontinue (nyou) Cesser.
discontinuous (disk^entinyoues) Discontinu, ue.
discord (diskaurd) Discorde *f*. Dissonance *f* [mus.].
discordant Discordant, te.
discount (kaount) Escompte *m* (ont). Rabais [sum]. *vt* Escompter [draft]. Rabattre.
discourage (kœridj) Décourager (kûràjé). **-ragement** Découragement.
discourse (aurs) Discourir. *n* Discours *m* (kûr).
discourteous (kërtyes) Discourtois, se (kûrtwà, àz).
discover (kœ) Découvrir (kû).
discoverer Découvreur *m*.
discovery Découverte *f*.
discredit (it') Discrédit *m* (diskrédî). *vt* Discréditer.
discreet (krit') Discret, ète.
discretion Discrétion *f*.
discriminate (kriminéit). Distinguer (ingé). **-nation** Discernement *m*.
discus (kes) Disque *m* (isk).
discuss (œss) Discuter (ü).
discussion Discussion *f*.
disdain (éin) Dédain *m* (dédin). *vt* Dédaigner.
disdainful Dédaigneux, se.
disease (dizîz) Maladie *f*.
disembark Débarquer (ké).
disengage (èngéidj) Dégager (jé). Debrayer [motor].
disentangle Démêler.
disfavour (éi) Défaveur *f*.
disfigure (ger) Défigurer.
disgorge (gaurdj) Dégorger.
disgrace (éis) Honte *f* ('ont) [shame]. Disgrâce *f* [favour]. *vt* Disgracier.
disgraceful Honteux, euse.
disgust (œst) Dégoût *m* (gû). *vt* Dégoûter.
dish Plat *m* (plà). *vt* Apprêter, dresser. *Fam.* Rouler.
dishabille (disebil) Déshabillé *m* (dézàbìyé).
dishearten (har) Décourager.
dishonest (so) Malhonnête.
dishonesty Malhonnêteté *f*.
dishonour Déshonneur *m* (dézònœr). *vt* Déshonorer.

disillusion (youjen) Désillusion *f* (üzyon). *vt* Désillusionner.
disinfect Désinfecter.
disinfection Désinfection *f*.
disinherit Déshériter (zé).
disinterested Désintéressé. **-ness** Désintéressement *m*.
disjoin (djoin) Disjoindre*.
disjointed Démonté, ée. Décousu, ue [stylo].
disk *n* Disque *m* (dîsk).
dislike (dislaik) Aversion *f*.
dislocate (kéit) Disloquer (ké). Démettre* [limb].
dislocation Dislocation *f*. Luxation *f* [bone].
disloyal Déloyal (lwàyàl).
dismal Lugubre (lügübr).
dismay Effroi *m* (wà).
dismember Démembrer (an).
dismiss Renvoyer (ranwàyé). Destituer [office]. Laisser [subject].
dismissal Renvoi *m* (ranvwà).
dismission Renvoi *m*.
dismount (aount) Descendre [cheval]. *vt* Désarçonner.
disobedience Désobéissance *f*. **-edient** Désobéissant, te.
disobey (sebéi) Désobéir à.
disoblige (aidj) Désobliger.
disorder (zaur) Désordre *m*. Maladie *f*. *vt* Déranger. **-derly** Déréglé. Turbulent.
disorganization Désorganisation *f* **-ganize** (aurgenaiz) Désorganizer (zé).
disown (ooun) Désavouer (wé).
disparage (ridj) Dénigrer.
disparate (parit') Disparate.
disparity Disparité *f*.
dispatch (àtsh) Envoi *m* (anvwà), dépêche (èsh) *f*. Diligence *f* (jans) [haste]. *vt* Dépêcher. Tuer (tué) [kill].
dispensary Dispensaire *m*.
dispensation (shen) Bienfait *m* (byinfè). Épreuve *f* (ëv).
dispense Dispenser (ansé). *vi* Se passer [*with* : de].
disperse (ërs) Disperser.
dispersion Dispersion *f*.
dispirit (it') Décourager.
displace (éis) Déplacer (plà).
display (éi) Déploiement *m* [troops]. Exposition *f*. *Fig.* Étalage *m* (àj). *vt* Déployer (wàyé) [troops]. Exposer.
displease (plîz) Déplaire* **-easure** (èjer) Déplaisir *m*.
disport (aurt) Divertir.
disposal (oouzel) Disposition *f*. Vente *f* (vant) [sale].
dispose (oouz) Disposer (z).
disposition Disposition *f*.
dispossess (zès) Déposséder.
disproof (ouf) Réfutation *f*.
disproportion (paur) Disproportion *f* (pòrsyon). **-tionate** Disproportionné, ée.
disprove (ou) Réfuter (üté).
disputation Dispute (üt).
dispute (yout') Dispute *f* (üt), discussion *f* (kü). *vi* Disputer, discuter (küté). *vt* Contester.
disqualify (kwolifai) Rendre incapable, disqualifier.
disregard Mépris *m*.
disrespect (rispèkt) Irrévérence *f* (ans).
disrobe Déshabiller.
dissemble Dissimuler (ülé).
dissembler (èm), **dissembling** (ing) Hypocrite (ìpòkrît).
disseminate Disséminer.
dissension Dissension *f*.
dissent Dissentiment *m* (antìman). *vi* Différer.

dissertation Dissertation *f.*
dissimilar Dissemblable.
dissipate Dissiper.
dissipation Dissipation *f.*
dissociate (disooushyéit) Dissocier (dìsòsyé).
dissolute (disselyout') Dissolu, ue (òlü).
dissoluteness, -lution (youshen) Dissolution *f.*
dissolve (zòlv) Dissoudre* (disûdr), se dissoudre : *to - into tears,* fondre en larmes. **-vent, -ver** Dissolvant, te.
dissuade (swéid) Dissuader.
dissuasion Dissuasion *f.*
distaff Quenouille *f* (kenûy).
distance (tens) Distance *f* (ans). *vt* Distancer.
distant Distant, ante.
distaste (éist) Dégoût *m.*
distemper Maladie *f* (dî) [disease]. Détrempe (anp) *f* [paint.]. *vt.* Déranger.
distend (tènd) Tendre (tandr). Dilater (dìlàté).
distinct (ingkt) Distinct, te.
distinction Distinction *f.*
distinctive Distinctif, ive.
distinguish (ìnggwish) Distinguer (ingé).
distort Tordre (tòrdr).
distract Distraire* (èr). Rendre fou [mad].
distraction Distraction *f.* Folie *f* (lî) [madness].
distress Détresse *f.* Saisie *f* [law]. *vt* Affliger.
distribute Distribuer.
distribution Distribution *f.*
district District *m* (distrikt).
distrust (træst) Méfiance *f.*
distrustful Méfiant, te.
disturb (ërb) Troubler (trû).
disturbance Trouble *m* (trû).
disunion (you) Désunion *f.*
disunite (ait) Désunir (zü).
ditch Fossé *m.*
ditto Dito, idem.
ditty Chanson *f,* ballade *f.*
diuretic (dai) Diurétique.
divagation (daivegéishen) Divagation *f* (gàssyon).
divan (àn) Divan *m* (an).
dive (daiv) Plonger (onjé). Plongeon *m* (onjon).
diver (daiver) Plongeur *m.*
diverge (dai) Diverger (dì).
divergence (dj) Divergence.
divergent Divergent, ente.
divers, -erse (dai) Divers, se.
diversion Diversion *f.* Divertissement *m* [amusement].
diversity (dai) Diversité *f.*
divert (divërt) Divertir*.
diverting Divertissant, te.
divide (divaid) Diviser (ìzé). Se diviser.
dividend (vi) Dividende *m.*
divider (divaider) Diviseur.
divination (éi) Divination *f.*
divine (divain) Prêtre *m. a* Divin, ine. *vt* Deviner.
divinity (vi) Divinité *f.*
division (vijen) Division *f.*
divorce (aurs) Divorce *m. v* Divorcer. Se séparer de.
divulge (œldj) Divulguer.
dizziness Vertige *m* (ìj).
dizzy Étourdi, ie (étûrdî).
do* (dou) Faire* (fèr). Cuire* (kuir) [cook]. Refaire* [cheat]. *To do good,* faire le bien ; *done,* entendu ; *well done,* bravo ! *vi* Se porter, aller*. Suffire* (süfìr) [suffice]. Finir* [end]. *That will do,* çà va. *v aux.* servant à la conjug. négative : *il ne parle pas,* he

does not speak; *ne venez pas,* do not come; à l'interrogation : *que dit-il?* what does he say? dans les réponses: *a-t-il dit cela? il l'a dit,* did he say so? he did [***did, done**].
docile (o^{ou}sa^{i}l) Docile (sìl).
docility Docilité *f.*
duck Bassin *m* (i^n), duck *m.*
docker Débardeur *m*, docker.
dockyard Chantier *m* (sha^n).
doctor Docteur *m* (œr). *vt* Droguer. Truquer (trüké) [fake]. Frelater [wine].
doctrine (ìn) Doctrine *f.*
document (dokyoum^{e}nt) Document *m. vt* Documenter.
dodge (dodj) Éviter, esquiver (èkìvé). *Fig.* Ruser. *n* Détour *m. Fig.* Ruse *f.*
dodger Roublard.
doe (do^{ou}) Daine *f. Doe rabbit,* lapine *f.*
dog Chien *m* (sh^{y}i^n). *Dog-days,* canicule *f. Dog-kennel,* chenil *m* (sh^{e}nî). *Dog-rose,* églantine *f.*
dogged (dogid) Obstiné, ée.
doily (do^{i}li) Napperon *m.*
doings Actions, menées *fpl.*
dole (do^{ou}l) Chagrin *m* (shàgri^n). Secours *m* : *unemployment dole,* allocation [f] de chômage. *vt* Distribuer.
doleful Triste, lugubre (übr).
doll Poupée *f* (pûpé).
dolorous Douloureux, se.
dolt (do^{ou}lt) Sot, sotte.
dome (do^{ou}m) Dôme *m* (dôm).
domestic Domestique (tìk).
domesticate Domestiquer.
domesticity Domesticité *f.*
domicile (a^{i}l) Domicile *m.*
domiciliate Domicilier.
dominant Dominant, te.
domination Domination *f.*
dominical Dominical, ale.
dominion (minyen) Domination *f* (àss^{y}o^n). Empire *m* (a^{n}pîr). Possessions *fpl* (s^{y}o^n); dominion (n^{y}o^n).
domino Domino *m* (nô).
don (dòn) Mettre* (mètr).
donation Donation *f*, don *m.*
***done** (dœn). V. DO.
donkey (dòng-ki) Âne *m.*
doom (doum) Juger (jüjé). Condamner (ko^{n}dàné). *n* Jugement *m* (jüjma^n), condamnation *f.* Sort *m* [fate]. *Doomsday,* jour du jugement.
door (dau^{er}) Porte *f* (pòrt). Portière *f* [carriage]. *Indoors,* à la maison; *out of doors,* en plein air; *to turn out of doors,* mettre* à la porte. *Door-keeper,* concierge (s^{y}èrj). *Door-step,* seuil *m.*
dormant (dau^{er}) Dormant.
dormer-window Lucarne *f.*
dormitory Dortoir *m* (twàr).
dorsal (dau^{r}s'l) Dorsal, e.
dose (do^{ou}s) Dose *f* (dôz). *vt* Doser (dôzé).
dot (dot') Point *m* (pwi^n). *vt* Pointer; pointiller.
dotal (do^{ou}) Dotal, e (dò).
dotard (do^{ou}) Radoteur, euse.
dotation Dotation *f.*
dote (do^{ou}t) Radoter (ràdòté). Raffoler [to love].
double (dœb'l) Double (dûbl) *n* Double *m.* Pendant *m* (pa^{n}da^n) [picture]. *vt* Doubler; plier en deux. Serrer [fist]. *vi* Ruser (rüzé).
doubleness Duplicité *f.*
doubt (da^{ou}t) Doute *m* (dût). *vt* Soupçonner (sòné). *vi* Douter. Hésiter.

doubtful Douteux, euse.
doubtless Sans doute.
dough (dô^ou^) *Pâte f* (pât).
doughty (da^ou^ti) Vaillant.
dove (œv) Colombe *f* (o^n^b). *Ring-dove,* ramier *m Dovecot,* colombier *m.*
down (da^ou^n) Duvet *m* (düvè) [hair]. Dune *f* (dün) [hill]. *ad* En bas (a^n^bâ); à bas. Tombé [wind]. *Down with!* à bas! *prep* En bas de, *-fall.* Chute *f* (shüt).
downpour (pau^er^) Averse *f.*
downward Descendant, ante. *ad* En descendant.
dowry (da^ou^ri) Dot *f.*
doze (dô^ou^z) Sommeiller (èyé). *n* Somme *m* (sòm).
dozen (dœz'n) Douzaine *f.*
draft Dessin *m* (i^n^) [drawing]. Esquisse *f* [sketch]. Brouillon *m* [rough]. Traite *f* [comm.]. *vt* Dessiner [drawing]. Rédiger [letter]. Détacher [mil.].
drag Traîner (trèné). Draguer (gé) [river]. *vi* Se traîner. Draguer. *n* Croc *m* (krò) [hook].
dragon (drag^e^n) Dragon *m.*
dragon-fly Libellule *f* (ül).
dragoon (dr^e^goun) Dragon *m.*
drain (é^i^n) Drainer (drè). *n* Tranchée *f.* Drain *m* [med.].
drake (é^i^k) Canard *m* (àr).
dram Drachme *f* [weight]. Goutte *f* (gût) [drink].
drama (âm^e^) Drame *m* (àm).
dramatic Dramatique.
drank. V. DRINK*.
drape (dré^i^p) Draper (pé).
draper Drapier *m* (dràp^y^é): *linen-draper,* marchand [*m*] de nouveautés.
drapery Draperie *f* (dràprî).
draught (drâft) Tirage *m* (tiràj). Courant [*m*] d'air. Gorgée *f* (jé) [drink]. Potion *f* (s^y^o^n^) [med.]. Dessin *m* (i^n^) [drawing]. *draught-board,* damier *m. draught-horse,* cheval de trait. *pl* Jeu [*m*] de dames.
draughtsman Dessinateur *m.*
draw* (drau) Tirer (tiré). Traîner [drag]. Dessiner [drawing]. Arracher [teeth]. Attirer [attention]. *To draw in,* rentrer; *to draw up,* aligner [troops], rédiger [deed]. *vi* Tirer. Dessiner [drawing]. Infuser. *To draw up,* s'arrêter [**drew, drawn*].
drawback Mécompte *m* (o^n^t). Drawback [com.].
drawer (drau^er^) Tireur, euse.
drawer (drau^r^) Tiroir *m* (wàr) [box]. *pl* Caleçon *m* (kàlso^n^) [man]; pantalon *m* (o^n^) [woman].
drawing Tirage *m* (àj). Dessin *m* (i^n^). *Drawing-room,* salon *m* (salo^n^).
drawn (draun) Indécis, ise [battle]. V. DRAW.
dray (dré^i^) Camion *m* (y^o^n).
drayman Camionneur *m.*
dread (dred) Crainte *f* (i^n^t). terreur *f* (œr). *a* Terrible (ìbl). *vt* Redouter.
dreadful (èd) Épouvantable.
dreadnought (aut') Dreadnought *m*; cuirassé *m.*
dream* (îm) Rêver. Rêve *m* [**dreamt, dreamed*].
dreamer Rêveur, euse.
drear, dreary Morne (òrn).
dredge Drague *f* (àg).
dregs (drègz) Lie *f* (lî).

drench (drènsh) Tremper.
dress Habiller (àbìyé). Panser (paⁿ) [wound]. Apprêter [food, cloth]. Aligner (ñé) [mil.]. *vi* S'habiller. *n* Vêtement *m* (vètmaⁿ); toilette *f* (twàlet'): *evening dress,* habit *m* (àbì) [man], robe [*f*] de soirée [woman]; *morning dress,* tenue [*f*] de ville; *full dress,* grande tenue. *Dress-circle,* balcon *m*. *Dress-coat* (koout), habit *m*.
dresser Habilleur, *euse*. Dressoir *m* [furniture].
dressing Toilette *f*. Pansement *m* [wound]. *Dressing-gown* (gaoun), robe [*f*] de chambre. *Dressing-room,* cabinet de toilette.
dressmaker Couturière *f*.
drew. V. DRAW*.
dribble. V. DRIP.
drift Poussée *f* [driving]. Tendance f (taⁿdaⁿs). *vt* Pousser (pûssé). Amonceler.
drill Foret *m* (rè). Sillon *m* (yoⁿ) [furrow]. Exercice *m* [mil.]. *vt* Forer. Semer* [agr.]. Exercer [mil.].
drily (draili) Sèchement.
drink* (dringk) Boire* (bwàr): *to - to,* boire à la santé de. *m* Boisson *f* (bwàsoⁿ) [**drank, drunk*].
drinkable Buvable, potable.
drinker Buveur (œr), *euse*.
drinking Boisson *f* [drink]; ivrognerie *f*. *a* Potable.
drip Dégoutter (gûté).
drive* (aiv) Pousser (pû). Chasser (shà) [away]. Conduire (koⁿduîr) [horse, car]. Actionner [machine]. *To drive back,* repousser. *n* Promenade en voiture [**drove, driven*]. Campagne *f* [effort].
driver (ai) Cocher (shé) [carriage]; conducteur (koⁿdüktœr [car]. Chauffeur (shôfœr) [motor].
drivel (driv'l) Bave *f* (bàv). *Fig.* Radotage *m* [doting]. *vi* Baver. Radoter.
drizzle Bruine *f*. *vi* Bruiner.
droll (oou) Drôle (ôl).
drollery Drôlerie *f* (rî).
dromedary Dromadaire *m*.
drone (ooun) Bourdon *m* (bûrdoⁿ). Bourdonnement *m* [droning]. Fainéant [idle]. *vi* Bourdonner. Flâner [idle].
droop (droup) Tomber.
drop Goutte *f* (gût). Chute *f* (shüt) [fall]. Pastille *f* (tiy) [lozenge]. *vt* Laisser tomber. Abandonner (aⁿdòné). *vi* Tomber goutte à goutte. Échapper (éshapé). [escape] Tomber [de fatigue]. Tomber [wind]. *Dropping-tube,* compte-gouttes *m*.
dropsy Hydropisie *f*.
drought (aout) Sécheresse *f*.
drown (aoun) Noyer (wàyé).
drowsy (draouzi) Assoupi, *ie*.
-siness Assoupissement *m*.
drudge (drœdj) Souffre-douleur *m*. Esclave (âv) [slave]. *vi* Peiner (pèné).
drudgery Corvée *f* (vé). Esclavage *m* (àj).
drug (œg) Drogue *f* (òg). *vt* Droguer (gé).
druggist (œg) Pharmacien *m*.
drug-store Pharmacie *f* (sî).
drum (œm) Tambour *m*. Rouleau *m* [roll]. Tonneau *m*.
drummer Tambour *m*.

drunk (drœngk) Ivre (îvr). **drunkard** Ivrogne *m* (ôñ). **drunken** (drœngk^e^n) *I*vre. **drunkenness** (^e^nis') Ivresse *f* (èss), ivrognerie *f*. **dry** (dra^i^) Sec, sèche (sh). Altéré, ée [thirsty]. **-goods,** tissus. *v* Sécher. **dryness** Sécheresse *f*. **dubious** (dyou) Douteux, se. **ducat** (dœkit') Ducat *m*. **duchess** (dœtshis) Duchesse. **duck** (dœk) Canard *m* (àr). Cane *f* (kàn). Plongeon *m* (o^n^jo^n^) [dip]. *v* Plonger. **-ling** Caneton *m* (kànto^n^). **duct** (dœkt) Conduit *m* (d^u^ì). **ductile** Ductile. Docile. **dudgeon** (dœdj^e^n) Colère *f*. **due** (dyou) Dû, due (dü). Échu, ue (ü) [bill]. Convenable. *n* Dû. Droits *mpl* (wà) : *town dues,* octroi *m*. **duel** (dyou^e^l) Duel (ü) *m*. **duet** (dyouit') Duo (ü) *m*. **duffer** (dœ) Niais *m* (ny^è^). Camelot *m* [hawker]. **dug** (dœg). V. DIG. **dug-out** Abri *m*; cagna *f*. **duke** (dyouk) Duc (dük). **dukedom** Duché *m* (shé). **dulcet** (œl) Doux (dû), ouce. **dull** (dœl) Lent, te. Stupide (stü). Terne [colour]. Gris [sky]. Sourd, de (sûr, ûrd) [sound]. Ennuyeux, euse (a^n^n^u^ìyë, ëz). *vt* Engourdir [benumb]. Ternir. **dullness** Stupidité *f*. Lenteur *f* (la^n^tœr). Ennui *m*. **duly** (dyou) Dûment (düma^n^). **dumb** (dœm) Muet, ette. **dumbness** Mutisme *m* (mü). **dumbfound** *vt* Confondre. **dummy** Mort *m* (mòr) [cards]. **dump** (dœmp) Dépôt *m* (dépô). *vt* Déposer (òzé). **dumping** (dœm) Dumping. **dumpy**-Trapu, ue (pü). **dun** (dœn) Bai (bè). *n* Créancier. *vt* Importuner. **dunce** (dœns) Ignorant, te. **dung** (dœng) Fiente *f*; crottin *m* [horse]. **dungeon** (dœndj^e^n) Cachot *m*. **dupe** (dyoup') Dupe (düp). *vt* Duper (düpé). **duplicate** (you) Double (ûbl). **duplicity** Duplicité *f*. **durable** (dyou) Durable. **duration** Durée *f* (düré). **during** (dyou) *prep* Durant (düra^n^), pendant (pa^n^da^n^). **durst.** V. DARE. **dusk** (dœsk) Crépuscule *m*. **dusky** Sombre (so^n^br). **dust** (œ) Poussière *f* (pûss^y^èr). *vt* Épousseter [clean]. Couvrir* de poussière. **dustbin** Boîte aux ordures. **duster** Torchon *m* (sho^n^). **dusty** Poussiéreux, euse. **dutch, -man, -woman** Hollandais (a^n^dè), aise. **duteous** (dyouty^e^s), **dutiful** Soumis, se (sûmì, îz). **duty** (dyouti) Devoir *m* (d^e^vwàr). Droit *m* (drwà) [taxes]. *On duty,* de service. **dwarf** (dwau^r^f) Nain, naine (ni^n^, nèn). *vt* Rapetisser. **dwarfish** Nain, naine. **dwell*** Demeurer (d^e^mœré) : *to - on,* insister sur [**dwelt*]. **dweller** Habitant (a^n^), ante. **dwelling** Habitation *f*. **dye** (da^i^) Teindre* (ti^n^dr). *n* Teinture *f* (ti^n^tür). **dyeing** (da^i^ing) Teinture *f*. **dyer** (da^ier^) Teinturier, ère.

dying (da^{i}ing) Mourant, te.
dying-bed Lit de mort.
dynamite (da^{i}n^{e}ma^{i}t) Dynamite *f* (mît).
dynamo (da^{i}) Dynamo *f* (dì).
dynasty (din^{e}sti) Dynastie *f*.
dysentery Dysenterie *f*.
dyspepsy Dyspepsie *f*.

E

e (î) E (é). Mi [mus.].
each (îtsh) Chaque (shàk). *pron* Chacun, chacune (ku^{n}, ün). *Each other*, l'un l'autre, les uns les autres.
eager (îg^{er}) Avide (àvîd), impatient (i^{n}pàss^{y}a^{n}), ente.
eagerness Avidité *f*; impatience *f*; empressement.
eagle (îg'l) Aigle *m* (ègl).
eaglet (it') Aiglon *m* (o^{n}).
ear (i^{er}) Oreille *f* (orè^{y}). Épi *m* [corn].
earl (ë^{r}l) Comte *m* (ko^{n}t).
early (ë^{r}li) Matinal, ale; précoce (*os'*) [fruit].
earn (ë^{r}n) Gagner (ñé).
earnest (ë^{r}nist) Sérieux, euse (yë, ëz). Sincère (si^{n}sèr). Ardent (a^{n}), ente [eager]. *n* Sérieux *m*. Gage *m* (gàj). *In -*, pour de bon.
earnest-money Arrhes *fpl*.
earnestness Sérieux *m*. Sincérité *f*. Ardeur *f*.
earnings Gains *mpl* (gi^{n}).
earring Boucle [*f*] d'oreille.
earth (ë^{r}th) Terre *f* (tèr). *v* Enterrer. Se terrer.
earthen (th) De terre. **-ware** Poterie *f*, faïence *f*.
earth-nut (œt') Arachide *f*.
earthquake (kwé^{i}k) Tremblement [*m*] de terre.
earthy (ë^{r}thi) Terreux, se.
earthly (ë^{r}thli) Terrestre.
ease (îz) Aise *f* (èz). Facilité *f*. Soulagement *m* [relief]. *vt* Mettre* à l'aise. Soulager.
easel Chevalet *m* (shvàlè).
easement (îz') Soulagement.
easily Aisément (èzéma^{n}).
easiness Aisance *f* (èza^{n}s).
east (îst) Est *m* (èst).
easterly, eastern Oriental.
easter (îst^{er}) Pâques *m* (pâk); -*eve*, samedi saint.
easy (îzi) Facile (il); aisé, ée (èzé); - *chair*, fauteuil; - *going*, accommodant.
eat* (ît') Manger (a^{n}jé) : *to - away*, ronger; *to - up*, dévorer; *to - out of*, - dans.
eater (ît^{er}) Mangeur, euse.
eaves *pl* (îvz) Auvent *m*.
ebb Reflux *m* (r^{e}flü). Déclin *m* (i^{n}). *v* Décliner.
ebonite (a^{i}t). Ébonite *f*.
ebony Ébène *f* (ébèn).
ebullition (eb^{e}lish^{e}n) Ébullition *f* (ébülìss^{y}o^{n}).
eccentric Excentrique *m*.
eccentricity Excentricité *f*.
ecclesiast Ecclésiastique.
echo (èko^{ou}) Écho *m* (ékô). *vt* Répéter.
eclipse (iklips) Éclipse *f*.
economic (îk^{e}nòmik) Économique. *pl* Économie politique.

economical Économe [person]. Économique [thing].
economize (aiz) Économiser.
economy Économie *f* (mî).
ecstasy Extase *f* (âz).
eczema (eksime) Eczéma *m.*
eddy Tourbillon (tûrbìyon), remous *m* (remû).
edge (èdj) Bord *m* (bòr) [rim]. Lisière *f* (lìzyèr) [cloth, wood]. *vt* Aiguiser (uìzé) Border [cloth].
edged Tranchant, te [knife]. Bordé, ée [cloth]. *Gilt - edged,* doré sur tranche.
edging (edjing) Bordure *f.*
edict (îdikt) Édit *m* (édî).
edifice (èdi) Édifice *m.*
edify *vt* (fai) Édifier (yé).
edit (èdit') Éditer (édìté); diriger [paper].
edition Édition *f.*
editor Rédacteur en chef *m.*
editorial (tau) Éditorial, ale. Article de fond.
Edmund (end) Edmond (on).
educate (èdyou) Élever (él).
education Éducation *f.*
educational (kéi) Scolaire.
educator Éducateur, trice.
Edward Édouard *m* (wàr).
eel (îl) Anguille *f* (angîy).
eerie (îri) Étrange (anj).
efface (iféis) Effacer (é).
effect (ifèkt) Effet (èfè) *m.* *vt* Effectuer (tué).
effective Effectif, efficace.
effeminate Efféminé, ée.
effervesce Bouillonner. **-vescence** Effervescence *f.*
efficacious (kéishes) Efficace (efikàs).
efficacy Efficacité *f.*
efficiency Efficacité *f.* Rendement *m* [labour].
efficient (ifishent) Utile (ütìl), efficace.
effigy (èfidji) Effigie *f* (jî).
effort (èfert) Effort *m* (òr).
effusion (jen) Effusion *f.*
egg Œuf *m* (œf, *pl :* ë) : *boiled egg,* œuf à la coque; *fried egg,* œuf sur le plat; *hard-boiled egg,* œuf dur. *vt To egg on,* exciter.
egg-cup Coquetier *m* (ktyé).
egg-plant Aubergine *f* (jìn).
egoism Égoïsme *m* (ìsm).
egoist (ègoouist) Égoïste.
egress (îgrès) Sortie *f* (tî).
Egypt (îdj) Égypte (éj).
egyptian (idjipshen) Égyptien, enne (syin, èn).
elder-down (aiderdaoun) Édredon *m* (édredon).
eight (éit) Huit (uît).
eighteen Dix-huit (diz).
eighteenth (tînth) Dix-huitième (tyèm).
eighth (th) Huitième (yèm).
eightieth Quatre-vingtième.
eighty Quatre-vingts (vin).
either (aizher, izher) L'un ou l'autre. *conj* Ou bien (ûbyin). Non plus [neg.].
ejaculate (idjà) Lancer.
ejaculation Exclamation *f.*
eject (idjèkt) Expulser.
eke Suppléer à. *ad* Aussi.
elaborate (éit) Élaborer.
elaboration Élaboration.
elapse (ilaps) S'écouler.
elastic (il) Élastique (é).
elasticity Élasticité *f.*
elbow (oou) Coude *m* (kûd). *vt* Coudoyer (kûdwàyé).
elder Sureau *m* [plant] (sürô). *a* Aîné, ée [older]; ancien (ansyin).
elderly D'un certain âge.

elect (ilèkt) Élu, ue (élü). *vt* Élire*. Choisir.
election Élection *f*.
electoral Électoral, ale.
electric (il) Électrique (él).
electrician (ishen) Électricien.
electricity Électricité *f*.
electromagnet Électro-aimant.
elegance (ens) Élégance *f*.
elegant Elégant, ante.
element Élément *m* (man).
elementary Élémentaire.
elephant Éléphant *m* (fan).
elevate (elivéit) Élever.
elevation Élévation *f*.
elevator Ascenseur *m* [lift].
eleven (ilèv'n) Onze (onz).
eleventh (th) Onzième.
eliminate Éliminer.
elision (ilijen) Élision *f*.
elixir Élixir *m*.
Elizabeth (ilizebeth) Élisabeth *f* (élìzàbèt).
elk Élan *m* (élan).
ellipse, ellipsis Ellipse.
elm Orme *m* (òrm).
elocution Élocution *f*.
elope (ilooup) S'enfuir [*from:* de]. Se faire* enlever.
elopement Fuite *f*. Enlèvement *m* [abduction].
eloquence (wens) Éloquence
-quent Éloquent (kan), te.
else Autre, *ad* Autrement.
elsewhere Ailleurs (àyœr).
elucidate (you) Élucider.
elude (ilyoud) Éluder.
emaciate (iméishyéit) Amaigrir. *vi* Maigrir. **-ciation** Amaigrissement *m*.
emanate Émaner.
emanation Émanation *f*.
emancipate Émanciper.
emancipation Émancipation.
embalm (ènbâm) Embaumer.
embank Endiguer (andìgé).
embankment Levée (levé) *f*. Remblai *m* (ranblè) [rail]. Quai *m* (kè).
embargo Embargo *m*.
embark Embarquer (ké). **-kation** Embarquement *m*.
embarras (ìmba) Embarrasser (an). **-ment** Embarras *m* (rà).
embassy Ambassade *f* (àd).
embellish Embellir. **-ment** Embellissement *m*.
ember Cendre *f* (sandr).
ember-days Quatre-Temps.
embezzle Détourner (tûr).
embezzlement Détournement.
emblem (blem) Emblème *m*.
emblematic Emblématique.
embody Incorporer. Incarner.
embolden Enhardir (an-àr).
embolism Embolie *f* (anbòlî).
embossed En relief [stamp]; timbré, ée [enveloppe].
embrace Embrassement *m* (anbràsman). *vt* Embrasser.
embrocation Embrocation *f*.
embroider (ìm) Broder (òdé).
-dery Broderie *f* (òdrî).
embroil (ìmbroil) Embrouiller. **-ment** Confusion *f*.
embryo (èmbrioou) Embryon.
emend (imènd) Corriger (jé).
emendation Correction *f*.
emerald Émeraude *f* (émrôd).
emerge Émerger (j); surgir.
-gency Circonstance critique.
emery Émeri *m* (èmrî).
emetic (imètik) Émétique.
emigrant Émigrant, e.
emigrate Émigrer.
emigration Émigration *f*.
eminence Éminence *f*.
eminent Éminent (an), ente.
emissary Émissaire (sèr).
emission Émission *f* (syon).

emit (imît') Émettre* (ètr).
emollient Emollient, e.
emolument Émolument *m.*
emotion (imooushen) Émotion *f* (émòssyon).
emperor (èmperer) Empereur.
emphasis Force *f*, énergie *f* (jî). Accent *m* [stress].
emphasize (saiz) Appuyer.
emphatic Accentué, ée.
empire (aier) Empire *m.*
empiric Empirique.
empiricism Empirisme *m.*
employ (ìmploi) Employer (anplwàyé). *n* Emploi *m* (anplwà). Service *m.*
employee (èmploiî) Employé, ée (yé). **-oyer** Patron (pàtron) onne.
employment Emploi *m*
emporium Entrepôt *m.*
empower Autoriser.
empress Impératrice *f* (in).
emptiness Vide *m.*
emption (shen) Achat *m.*
empty (èmti) Vide (vîd). Vider, se vider.
emulate (èmyou) Rivaliser.
emulation Émulation *f.*
emulous Rival, ale.
enable (inéib'l) Permettre*.
enact Ordonner, promulguer.
enamel (inàmel) Émail *m* (émay). *vt* Émailler (yé).
enamour (inamer) Rendre amoureux. Séduire* [seduce].
encampment Campement *m.*
encash (ènkash) Encaisser.
encaustic Encaustique *f.*
enchant *vt* (ìntshânt) Enchanter (anshanté).
enchanter Enchanteur *m.*
enchanting Ravissant, te.
enchantment Enchantement.
enchantress Enchanteresse *f.*
encircle Ceindre* (sindr).
enclose Enclore*. Entourer. **-osed** Enclos, ose. Ci-inclus [letters]. **-osure** (jer) Clôture *f.* Enceinte *f* [place]. Pièce jointe *f* [paper].
encore Bis. *v* Bisser.
encounter (ìnkaounter) Rencontre. *v* Se rencontrer.
encourage (inkœridj) Encourager (ankûràjé). **-ment** Encouragement.
encumber (œm) Encombrer.
encumbrance Embarras *m* (anbàrà). Hypothèque (ìpòtèk) *f* [law].
encyclopædia (sai-pî). Encyclopédie *f* (ansìklòpédî).
end (ènd) **Fin** *f* (fin), bout *m* (bû). *vt* Finir*.
endanger Mettre* en danger. *Fig.* Compromettre*.
endeavour (ìndèver) Effort *m* (òr) [strain]. Tentative *f.* *vi* Tâcher [*to :* de].
endemic Endémique.
ending (ìng) Fin *f* (fin).
endive (èn) Endive *f* (an).
endless Sans fin (sanfin).
endorse (indaurs) Endosser (andôssé). *Fig.* Sanctionner. **-orsee** Bénéficiaire. **-orsement** Endos *m* (andô). Visa *m* [passeport]. Sanction *f.*
endow (ìndaou) Doter.
endurance (ìndyourens) Endurance *f* (andüranss).
endure (youer) Supporter (sü). *vi* Durer (dü). **-uring** Durable (dü). Patient, te.
enemy (ènimi) Ennemi, ie.
energetic (dj) Énergique (j).
energy (dji) Énergie *f* (jî).
enervate (véit) Énerver.
enfilade (éid) Enfilade *f.*

enforce (ìnf*au*ʳs) F*a*ire* va-l*oi*r* [right]. Contr*ai*ndre* [to force]. Assur*er*.
enforcement Contrainte (*ī*ⁿt).
engage (*gé*ⁱdj) Engager (j*é*). Louer (lû*é*) [hire]. *vi* S'engag*er*.
eng*a*gement Engagement *m*. Occupati*o*n *f* (k*ù*). Fian-ç*ai*lles *fpl* [betrothal].
eng*a*ging Engage*a*nt, *a*nte.
eng*e*nder (ìndj) Engendr*er*.
engine (èndjìn) Machine *f* (màshìn). Locomot*i*ve *f* Moteur *m* (œr) [motor].
engineer (*i*ᵉʳ) Ingén*ieu*r. Mé-canic*ie*n *m* [driver]. Offi-c*ie*r, sold*a*t du gén*ie*. **-ring** Art [*m*] de l'ingén*ieu*r.
England (ìng-glᵉnd) Angle-terre *f* (aⁿgleᵗèr).
English (îng-glish) Anglais, se (aⁿglè).
***E*nglishman, -w*o*man** An-gl*ai*s, se.
engrave (*é*ⁱv) Graver (v*é*).
engr*a*ver Graveur *m* (œr).
engr*a*ving Gravure *f* (*ü*r).
engr*o*ss Accapar*er*.
engulf (ìngœlf) Englout*i*r.
enhance (ènh*â*ns) Rehauss*er*.
enigma (in*i*gmᵉ) Énigme *f*.
enigm*a*tic Énigmat*i*que.
enjoin (ìndj*o*ⁱn) Enj*oi*ndre*.
enjoy (dj*o*ⁱ) Jouir de (jwîr), goût*er*. S'amus*er*.
enj*o*yment Joie *f* (jwà).
enl*a*rge Agrand*i*r. Elarg*i*r [prisoner]. *vi* Grand*i*r.
enl*a*rgement Agrandissement *m*. Élargissement *m*.
enl*i*ghten (ìnl*a*ⁱ) Éclair*er*.
enl*i*st Enrôl*er*. S'enrôl*er*.
enliven (ènl*a*ⁱvᵉn) Anim*er*.
ennoble (ìn*o*ᵒub'l) Anobl*i*r. *Fig*. Ennobl*i*r (*a*ⁿ).
enormity (in*au*ʳ) Énormit*é* *f*.
enormous (in*au*rmᵉs) Énorme.
enough (inœf) Assez (àssè).
enr*a*ge (*é*ⁱdj) Faire enrag*er*.
enr*i*ch Enrichir (aⁿrìshîr).
enrol (*o*ᵒul) Enrôl*er* (aⁿ).
ensign (èⁿsaⁱn) Ens*ei*gne *f* (sèñ) [flag], *m* [officer].
ensue (ìnsy*ou*) S'ens*ui*vre*.
ensure (ìnsh*ou*ᵉʳ) Assur*er*.
entail (ìnt*é*ⁱl) Substitut*io*n *f*. *vt* Substitu*er*. Entraîn*er* [consequence].
ent*a*ngle Enchevêtr*er*. **-ment** Enchevêtrement *m*.
enter (èntᵉʳ) Entr*er* [dans].
ente*ri*tis (*a*ⁱ) Entér*i*te *f*.
***e*nterprise** (praⁱz) Entreprise *f* (aⁿtʳᵉpriz).
***e*nterprising** Entrepren*a*nt, te.
entertain (*é*ⁱn) Recevoir (resvwàr) [guest]. Divert*i*r [amuse]. Caresser (kàrèss*é*) [hope]. **-t*a*ining** Amus*a*nt, te. **-t*a*inment** Accueil *m* (àkœʸ) [welcome]. Fête *f*.
enthusiasm (**th**y*ou*) Enthou-siasme *m* (touzʸàsm). **-siast, -*a*stic** Enthous*i*aste.
entice (*a*ⁱs) Attirer, séduire* (*u*îr). **-cement** Appât *m* (à-p*â*); séduct*io*n *f*. **-cer** Sé-ducteur, trice.
entire (ìnt*a*ⁱᵉʳ) Ent*ie*r, ère. Bière *f* (bʸèr).
ent*i*rety Totalit*é* *f*.
entitle (*a*ⁱt'l) Intitul*er* [call]. Donn*er* droit.
***e*ntity** Entit*é* *f* (aⁿtit*é*).
entrails (èntr*é*ⁱlz) Entrailles *fpl* (aⁿtr*â*ʸ).
***e*ntrance** Entrée *f* (aⁿtr*é*). *vt* (*â*ns) Etasier (zʸ*é*).
entreat (intrît') Suppl*ie*r.

entreaty Supplication *f*.
entrench Retrancher.
entrenchment Retranchement.
entrust (ìntrœst) Confier.
entry Entrée *f*. Écriture.
entwine (twa[i]n) Entrelacer.
enumerate (nyou) Énumérer.
enumeration Énumération *f*.
enunciate Énoncer.
enunciation Énonciation *f*.
envelop (ìnvè) Envelopper.
envelope (èn) Enveloppe *f*.
envenom (èn[e]m) Envenimer.
enviable Enviable.
envious Envieux (v[y]ë), euse.
environ (ìnva[i][e]r[e]n) Environner (a[n]vìròné).
environs Environs *mpl*.
envoy (o[i]) Envoyé (vwà[y]é).
envy Envie *f* (î). *v* Envier.
epaulet (èp[e]lit) Épaulette.
epergne (ipë[r]n) Surtout *m*.
ephemera (ifè) Éphémère *m*.
epic Épique. *n* Épopée *f*.
epicure (èpik[y]ou[e]r) Gourmet (mè), épicurien, enne.
epidemic Épidémique. *n* Épidémie *f*.
epidermis Épiderme *m*.
epigram Épigramme *f*.
epigraph Épigraphe *f*.
epilepsy Épilepsie *f*.
epileptic Épileptique.
epilogue Épilogue *m*.
Epiphany Épiphanie *f*.
episcopacy Episcopat *m*.
episcopal Épiscopal, ale.
episode (s) Épisode (z) *m*.
epistle (ipis'l) Épître *f*.
epitaph Épitaphe *f*.
epithet (thèt) Épithète *f*.
epitome Abrégé *m* (àbréjé).
epoch (îpòk) Époque *f* (é).
equable, equal (îkw[e]l) Égal, ale. *vt* Égaler.

equality (îkwò) Égalité *f*.
equanimity Égalité d'âme.
equation (é[i]) Équation *f*.
equator Équateur *m* (kwà).
equilibrist (îkwì) Équilibriste.
equilibrium (librì[e]m) Équilibre *m* (ékilibr).
equinox (ikwi) Équinoxe *m*.
equip (îkwîp) Équiper (kì).
equipage, equipment Équipement *m*.
equitable (èkwi) Équitable.
equitation Equitation *f*.
equity (kwi) Équité *f* (kì).
equivalence Équivalence *f*.
equivalent Équivalent, te.
equivocal Équivoque (kì).
equivocation Équivoque *f*.
era (i[e]r[e]) Ère *f* (èr).
eradicate Déraciner.
erase (iré[i]z) Effacer (sé).
eraser Grattoir *m* (twàr).
erasure (iré[i]j[e]r) Rature *f*.
ere (è[e]r) Avant, avant que.
erect (irèkt) Droit, oite (drwà, àt). *v* Ériger (jé).
erection Érection *f*.
ermine (ë[r]mìn) Hermine *f*.
erode (iro[ou]d) Ronger (j).
erosion (o[ou]j[e]n) Érosion *f*.
err (ë[r]) Errer (èré).
errand (èr[e]nd) Commission *f* (s[y]o[n]). Message *m* (àj).
erroneous (o[ou]ny[e]s) Erroné.
error (èr[e]r) Erreur *f* (œ).
erudition Érudition *f*.
eruption (irœpsh) Éruption.
erysipelas Érésipèle *m*.
escalade (é[i]d) Escalade *f*. *v* Escalader.
escalator Escalier roulant.
escape (iské[i]p) S'échapper (shà). *n* Évasion *f* (évàz[y]o[n]). Fuite [gas].
escort (èskau[r]t) Escorte *f*

(èskòrt). *vt* (kau^rt) Escorter.
especial (ispèsh^el) Spécial.
espousal Mariage (màiyàj, *m*. *pl* Accordailles *fpl* (ây).
espouse (ispa^ouz) Épouser.
espy (ispa^i) Apercevoir* [see]. Épier [watch].
esquire (iskwa^ier) Écuyer *m* (éküyé) : *John Brown, Esq.*, Monsieur Jean Brun.
essay (èssé^i) Essai *m* (è). *vt* (sé^i) Essayer (èyé).
essence Essence *f* (a^ns).
essential Essentiel, elle.
establish Établir. Fonder.
-ishment Établissement *m*.
estate (é^it). État *m* (étà). Propriété *f* [land]. Actif *m* [bankrupt]. Succession *f* [dead person.].
esteem (îm) Estime *f* (îm). *vt* Estimer (imé).
estimate (it') Estimation *f*; devis *m* (d^evî).
estimate (é^it) Évaluer.
estimation Estimation *f*.
estrange (é^i) Aliéner.
estuary Estuaire *m* (^uèr).
etch Graver [eau-forte].
etcher *m* Aquafortiste (àkwà).
etching Eau-forte *f* (ôfòrt').
eternal (itë^r) Éternel, elle.
eternity Éternité *f* (ìté).
eternize (a^iz) Éterniser.
ether (îth^er). Éther *m* (èr).
ethics *pl* Morale *f* (ràl).
ethnic (èth) Ethnique (èt).
etiolate (îty^elé^it) Étioler (étyòlé), s'étioler.
étiquette Étiquette *f*.
etymology Étymologie *f*.
eucharist Eucharistie *f*.
Eugène (youdjìn) Eugène.
euphemism Euphémisme *m*.
euphonious Euphonique.
euphony (youf^e) Euphonie *f*.
euphuism Préciosité *f*.
Europe (you) Europe *f* (ë).
european Européen, enne.
evacuate Évacuer.
evacuation Évacuation *f*.
evade (ivé^id) Éviter (évìté). *vi* S'évader.
evaluate Évaluer (^ué).
evaluation Évaluation *f*.
evanescent Fugitif, ive.
evangelical Évangélique.
evangelist Évangéliste.
evangelize Évangéliser.
evaporate Évaporer.
evaporation Évaporation.
evasion (ivé^ij^en) Faux-fuyant *m* (fôfüya^n).
evasive (ivé^isiv) Évasif, ive.
eve (îv) Veille *f* (vèy).
even (îv'n) Soir *m* (swàr).
even (îv'n) Égal, ale. Uni, ie (ü) [smooth]. Pair (pèr) [number]. *Even with*, au niveau de. *ad* Même; *even now*, à l'instant. *vt* Égaliser.
evening (îvnìng) Soir *m* (swàr), soirée *f* : *the - before*, la veille au soir.
evenly (iv^enli) Également.
evenness (îv^ennis) Égalité *f*. Impartialité *f*.
event Événement *m* (évènma^n). Issue *f* (ü) [end].
eventual Éventuel, elle.
ever (èv^er) Toujours (tûjûr); *not... ever*, ne... jamais; *ever so little*, si peu que ce soit; *for ever*, à jamais.
everlasting Éternel, elle.
evermore Éternellement.
every Chaque (shâk); tout, toute; *every one*, chacun, une (shàku^n, ün).
everybody Tout le monde.

everything Tout (tû).
everywhere (wè^{er}) Partout.
evidence Évidence *f*, preuve *f* (prëv). *vt* Prouver.
evident (d^{e}nt) Évident, te.
evil (îv'l) Mauvais, se (mô-vê, èz). *n* Mal, malheur *m* (œr). *ad* Mal.
evocation Évocation *f*.
evoke (ivo^{ou}k) Évoquer (ké).
evolution Évolution *f*.
ewe *f* (^{y}ou) Brebis *f* (^{e}bî).
exact (àkt) Exact, acte (zà, àkt). *vt* Exiger (ekzìjé).
exacting Exigeant, ante.
exaction Exaction *f*.
exactness Exactitude *f*.
exaggerate (àdj) Exagérer.
exaggeration Exagération *f*.
exalt (igzault) Exalter (à).
exaltation Exaltation *f*.
examination Examen *m* (egza-mi^{n}). Inspection *f*.
examine Examiner. Visiter [customs]. Interroger.
examinee (nî) Candidat, e.
example (àmp'l) Exemple *m*.
exanimate Inanimé, ée.
exasperate Exaspérer.
exasperation Exaspération *f*.
excavate (é^{i}t) Creuser (ë).
excavator (vé^{i}) Terrassier. Excavateur *m* [machine].
exceed (iksîd) Dépasser.
exceeding Extrême (èm).
excel (iksèl) Surpasser (sür-pàsé). *vi* Exceller.
excellence Excellence *f*.
excellent Excellent, te.
except Excepter. Faire* opposition. *prep* Excepté. *conj* A moins que.
exception Exception.
exceptional Exceptionnel.
excess Excès *m* (èksè).
exchange (tshé^{i}ndj) Échange *m* (sha^{n}j). Change *m* [money]. Bourse *f* (bûrs) [place]. *vt* Échanger.
exchequer (ikstshèk^{er}) Trésor *m* : *Chancellor of the -*, ministre des Finances.
excise (a^{i}z) Contributions indirectes *fpl*.
excitable (sa^{i}) Excitable.
excite (a^{i}t) Exciter. Émouvoir.
excitement Excitation *f*. Émotion *f* (émôs^{y}o^{n}).
exciting Excitant, ante (a^{n}, a^{n}t). Émouvant, ante.
exclaim (é^{i}m) S'écrier (é). Se récrier [to protest].
exclamation Exclamation.
exclude (ou) Exclure* (ü).
excluding Non compris.
exclusion (j^{e}n) Exclusion *f*.
exclusive Exclusif, ive. **-veness** Exclusivité *f*.
excommunication (é^{i}sh^{e}n) Excommunication *f*.
excoriation Excoriation.
excrement Excrément *m*.
exculpate (œl) Disculper.
excursion (ikskë^{r}sh^{e}n) Excursion *f* (kürs^{y}o^{n}).
excusable Excusable (kü).
excuse (kyous') Excuse *f* (üz). *vt* (kyouz) Excuser (üzé). Dispenser de.
execrable (eksikr^{e}b'l) Exécrable (zé). **-crate** Exécrer.
execute (yout') Exécuter.
execution Exécution *f*.
executioner Bourreau (burô).
exemplar (igzempl^{er}) Exemplaire *m* (ègza^{n}plèr).
exemplary Exemplaire.
exempt (igzèmpt) Exempt, te (ègza^{n}). *vt* Exempter.
exequies Obsèques *fpl*.

exercise (ègz^{er}sa^{i}z) Exercer. *n* Exercice *m* (ìs).
exert Déployer [effort].
exhalation Exhalaison *f*.
exhaust Épuiser (ép^{u}ìzé). *n* Échappement *m* (shàp).
exhaustion Épuisement *m*.
exhaustive Complet, ète.
exhibit (it') Montrer (o^{n}).
exhibition Exposition *f*.
exhibitor Exposant *m* (a^{n}).
exhilarate Égayer (gè^{y}é).
exhort (igzau^{r}t) Exhorter.
exhortation Exhortation *f*.
exhume (youm) Exhumer.
exigency (dj) Exigence *f*.
exigent (ègzi) Exigent, te.
exiguous Exigu, uë.
exile (èksa^{i}l) Exil. Exilé, ée [person]. *vt* Exiler.
exist Exister.
existence Existence *f*.
existent Existant, ante.
exit (ègzit') Sortie *f* (sòrtì).
exonerate Exonérer. Disculper.
exorbitant Exorbitant.
exorcism Exorcisme *m*.
exotic (òtik) Exotique.
expand (ikspànd) Étendre (éta^{n}dr). Dilater. *vi* Se dilater.
expansion (ànsh^{e}n) Expansion *f*. Dilatation *f* (tàs^{y}o^{n}).
expansive Expansif, ive.
expatriate Expatrier.
expect Attendre (a^{n}dr).
expectance, -ancy Attente *f*.
expectant Qui attend.
expectation (é^{i}sh^{e}n) Attente *f* (àta^{n}t). Espérance *f* (a^{n}s) [hope]. Expectative *f*.
expectorate Expectorer.
expedient (pì) Opportun, une (ü^{n}, ün). *n* Expédient *m*. Moyen *m* (mwà^{y}i^{n}) [mean].
expedition Expédition *f*. Diligence *f* (ja^{n}s) [haste].
expeditious Expeditif, ive.
expel Expulser (ülsé).
expend (ikspè^{n}d) Dépenser.
expenditure (tsh) Dépense *f*.
expense (èns) Dépense *f*. Frais *mpl* (frè) [cost]. Dépens (pa^{n}) *mpl* [law].
expensive Coûteux, se. Dépensier, ère [extravagant].
experience (pi^{e}) Expérience *f*.
-rienced Expérimenté, ée.
experiment Expérience *f* (ér^{y}a^{n}s). *v* Expérimenter.
expert (pë^{r}t) Expert, erte.
expertness Habileté *f*.
expiate Expier (èskp^{y}é).
expiation Expiation *f*.
expiration Expiration *f*.
expire (a^{ier}) Expirer.
explain (é^{i}n) Expliquer.
explanation Explication *f*.
-anatory Explicatif, ive.
explode (o^{ou}d) Exploser.
exploit (o^{i}t) Exploit *m* (wà). *vt* (o^{i}t) Exploiter.
exploitation Exploitation *f*.
exploiter Exploiteur, euse.
exploration Exploration *f*.
explore (iksplau^{er}) Explorer.
-orer Explorateur, trice.
explosion (j^{e}n) Explosion *f*.
explosive Explosif, ive.
exponent Représentant, ante. Exposant [math.].
export (au) Exportation *f*. *vt* (ikspau^{r}t) Exporter.
exportation Exportation *f*.
exporter Exportateur *m*.
expose (ikspo^{ou}z) Exposer. Démasquer [guilt].
exposition (zish^{e}n) Exposition *f* [show]. Exposé *m*.

exposure Exposition *f*.
express Exprès, esse (è, ès). Formel, elle [formal]. Exprès [prè] [man]. Express *m* [train]. *vt* Exprimer. Expédier [send].
expression Expression *f*.
expressive Expressif, ive.
expropriate Exproprier.
expulsion (pœlshen) Expulsion *f* (pülsyon).
exquisite (kwizit') Exquis, ise (kì, îz). Atroce [pain].
extant Existant.
extemporize Improviser.
extend Étendre. Prolonger [time]. *vi* S'étendre.
extension Extension *f*. Poste *m* [tel.]. **-sive** Étendu, ue.
extent Étendue *f* (dü) : *to such an -*, à tel point.
extenuate Atténuer.
exterior (tie) Extérieur.
exterminate Exterminer. **-nation** Extermination *f*.
external Extérieur, eure.
extinct Éteint, e (étin) Extinction *f*. **-inguish** Éteindre* (étindr).
extirpate Extirper.
extra Supplémentaire.
extract Extrait *m*. Concentré *m* [meat]. *vt* Extraire*.
extraction Extraction *f*.
extraneous Étranger, ère.
extraordinary (traur) Extraordinaire (tràòrdînèr).
extravagance (ave) Extravagance *f*. Prodigalité *f*.
extravagant Extravagant.
extreme (îm) Extrême *m*.
extremity Extrémité *f*.
exuberance Exubérance *f*.
exuberant Exubérant, te.
exult (igzœlt) Exulter (zül).
eye (ai) Œil *m* (œy) [*pl* **yeux** (yë)]. Œillet *m* (œyé) [cloth]. Chas *m* (shâ) [needle]. *vt* Examiner. Toiser (twàzé) [scornfully].
eye-ball Prunelle *f*.
eye-brow Sourcil *m* (sûrsî).
eye-glass Lorgnon *m* (ñon).
eye-lash Cil *m* (sìl).
eyeless Aveugle.
eyelet (it') Œillet *m* (œyé).
eye-lid Paupière *f* (pôpyèr).
eye-sight (ait) Vue *f* (vü).

F

f (èf) F (èf). Fa [mus.].
fable (féib'l) Fable (fâbl).
fabric Construction *f*. Ouvrage *m* (ûvràj). Tissu *m* (sü).
fabricate Fabriquer (ké).
fabrication Invention *f*.
fabulist (fàbyou) Fabuliste.
fabulous Fabuleux, se (ülë).
face (féis) Visage *m* (zàj). Face *f* (fàs) [surface]. Aspect *m* (pè). Façade *f* [building]. Cadran *m* [dial]. Facette *f* [diamond]. *vt* Affronter. Donner sur [house]. *vi* Faire* face [mil].
facet (fàsit') Facette *f*.
facetious (sishes) Facétieux.
facile (ail) Facile (ìl).
facilitate Faciliter.
facility Facilité *f*.

facing (fé^{i}) Revers *m* (èr) [coat]. Parement *m*.
fac-simile (lì) Fac-similé.
fact Fait *m* (fè).
faction Faction *f*.
factious (sh^{e}s) Factieux.
factitious (shes) Factice.
factor Agent (àja^{n}).
factory Usine *f* (üzìn), fabrique *f* (ìk). Comptoir *m* [colony]
factotum Factotum *m*.
faculty Faculté *f*.
fad Marotte *f*.
fade (fé^{i}d) Faner. Se flétrir. *Fig.* S'évanouir.
fag Peiner (pèné). *vt* Fatiguer. *n* Souffre-douleur *m*.
faggot (fàgit) Fagot *m* (ô).
fail (fé^{i}l) Échouer. Faiblir (fèblîr) [to get weak]. Faire* faillite (fà^{y}ît) [com.]. Manquer à. *n* Manque *m*, faute *f* (fôt).
failing Défaut *m* (défô). Faiblesse *f* (fè) [weakness]. Faillite *f* (^{y}ît) [com.]. *prep* A défaut de.
failure (fé^{i}l^{yer}) Manque *m* (ma^{n}k), défaut *m* (ô). Insuccès *m*. Faillite *f* [com.].
fain (fé^{i}n) Content, ente (ko^{n}ta^{n}, t). Désireux, euse (zìrë, ëz). Obligé, ée (òblìjé). *ad* Volontiers (vòlo^{n}t^{y}é).
faint (fé^{i}nt) Épuisé. Timide [weak]. *v* Défaillir*.
fainting Défaillance *f*.
faintly Faiblement.
faintness Faiblesse *f*.
fair (fé^{er}) Beau, belle (bô, èl). Bon, bonne (bo^{n}, òn) [wind]. Clair, aire (klèr) [complexion]. Blond, de [hair]. Juste. Assez bon : *fair price*, prix honnête; *fair play*, franc jeu. *ad* Bien. *n* Belle *f* [woman]. Foire *f* (fwàr) [market].
fair-dealing Honnêteté *f*.
fairly *ad* Bien (b^{y}i^{n}).
fairness (fè^{e}^{r}nis) Beauté *f* (bô). Équité *f* (kì).
fairy (fè^{e}r^{i}) Fée *f* (fé). *a* Féerique (ìk).
faith (fé^{i}th) Foi *f* (fwà).
faithful (foul) Fidèle.
faithfulness Fidélité *f*.
faithless Infidèle, perfide.
fake (fé^{i}k) Truquer (üké).
falcon (au) Faucon *m* (o^{n}).
fall* (faul) Tomber (to^{n}bé). Descendre (déssa^{n}dr). Baisser (bèssé) [lower]. *To fall in*, s'écrouler; s'aligner [mil.], se mettre* d'accord; *to fall off*, diminuer; *to fall out*, se brouiller; *to fall to*, se mettre* à. *n* Chute *f*. Tombée *f* [night]; *fall out*, retombées radioactives. Baisse *f* [price]. Cascade *f*. Automne *m* [**fell, fallen*].
fallacious Trompeur, euse.
***fallen**. V. FALL*.
falling Chute *f* (shüt). Baisse *f* (bès) [lowering].
false (fauls') Faux, ausse.
falsehood, -ness Fausseté *f*.
falsification Falsification *f*.
falsify (faulsifa^{i}) Falsifier. Fausser [to strain].
falter (faul) Bégayer (gè^{y}é) [stammer]. Hésiter.
fame (fé^{i}m) Renommée *f*.
familiar Familier, ère.
familiarity Familiarité *f*.
familiarize Familiariser.
family Famille *f* (famî^{y}).
famine (fàmìn) Famine *f*.

famous (féi) Célèbre.
fan Éventail *m* (évaⁿtày). Ventilateur *m* (vaⁿ-œr). Van *m* (vaⁿ) [winnowing]. *vt* Éventer (aⁿ). Attiser [fire]. Vanner [grain].
fanatic Fanatique (ìk).
fanaticism Fanatisme *m*.
fanciful Capricieux, se.
fancy Fantaisie *f* (faⁿtèzî). Imagination *f*. Caprice *m* [desire]. *vt* S'imaginer. Aimer (èmé) [fond of].
fancy-goods Nouveautés *fpl*, articles de fantaisie.
fang (fàng) Croc *m* (krô).
fantastic Fantastique. Fantasque [whimsical].
far Lointain, aine (lwiⁿtiⁿ, èn). *ad* Loin. Beaucoup [much]; *by far*, de beaucoup. *Far-fetched*, recherché, ée; affecté, ée. *Far-sighted*, clairvoyant, ante.
farce (fârs) Farce (à) *f*.
farcical Burlesque (bür).
fard (fârd') Fard *m* (fàr). *vt* Farder.
fare (fèer) Aller* (âlé) [go]. Se porter [health]. Vivre*, manger [to eat]. Prix *m* (prì) [cab, etc.]. Nourriture *f*, chère *f* : *bill of fare*, menu *m*, carte *f*.
farewell Adieu *m* (àdyë).
farm Ferme *f* (fèrm). Affermer [rent]. Faire* valoir*.
farmer Fermier *m* (fèrmyé).
farming Agriculture *f* (ü).
farrier Maréchal-ferrant.
farrow *n* Portée *f*.
fart Pet *m* (pè). *vi* Péter.
farther, farthest (fârzh) Plus loin, le plus loin.
farthing (fârzhing) Liard *m*.
fascism (àsh) Fascisme *m*.
fascicle Fascicule *m* (ül).
fascinate Fasciner.
fascination Fascination *f*.
fascine (fe) Fascine *f* (fà).
fashion (shen) Façon *f* (soⁿ). Style *f*. Mode [usage]. *vt* Façonner.
fashionable Élégant, ante.
fast Jeûne *m* (jën). *vi* Jeûner (jëné). Ferme, solide. Profond (oⁿ) [deep]. Serré [tie]. Fidèle [friend]. Rapide. Viveur [jolly]. *To be fast*, avancer [watch]. *ad* Ferme. Vite (î) [quick]. Profondément [sleep].
fasten (fâs'n) Attacher (shé). Fermer [door].
fastener, -ening Attache *f*.
fastidious Difficile (ìl).
fastness Fermeté *f*.
fat (fat') Gras (grà), asse. *n* Graisse *f* (grès'), gras *m*. *vt* Engraisser.
fatal (féit'l) Fatal, *e* (fà).
fatalism Fatalisme *m*.
fatalist Fataliste.
fatality Fatalité *f*.
fate (féit) Destin *m* (iⁿ).
father (fâzher) Père (pèr) : *father-in-law*, beau-père; *step-father*, beau-père [mari de la mère].
fatherhood Paternité *f*.
fatherly Paternel, elle. *ad* Paternellement (maⁿ).
fathom (fazhem) Brasse *f*. *vt* Sonder. **-less** Insondable.
fatigue (fetîg) Fatigue *f* (fàtìg). *v* Fatiguer (gé).
fatness Graisse *f*. Embonpoint *m* [person]. Fertilité *f* [land].
fatten (fàten) Engraisser.
fatty Graisseux, euse (grè).

fatuous (you^es^) Vain, ne.
faucet Robinet *m* (è).
fault (fault) Faute *f* (fôt); défaut *m* (défô).
faulty Fautif, ive (fôtìf).
faun (faun) Faune *m* (fôn).
favour (féiver) Faveur *f* (fàvœr). Honorée *f* [letter]. *vt* Favoriser. Honorer [com.].
favourable Favorable.
favoured Favorisé, ée.
favourite Favori, ite.
fawn (faun) Faon *m* (fan). *vt* Flatter bassement, aduler
fawning Flatterie *f*.
fealty (fielti) Loyauté *f*.
fear (fier) Crainte (int) *f*. *vt* Craindre* (krindr).
fearful Terrible. Timide.
fearless Intrépide.
feasible (fîzib'l) Faisable.
feast (fîst) Festin *m* (in) [meal]. Fête *f* (fèt). Fêter (fè). Régaler [treat].
feat (fît) Exploit *m* (wà).
feather (fèzher) Plume *f*.
feature (fîtsher) Trait *m*.
february Février *m* (ié).
fecula (kyou) Fécule *f* (kül).
fecundate (ken) Féconder.
fed. V. FEED.
federal Fédéral, ale.
federation Fédération *f*.
fee (fî) Honoraires *mpl*. Droit *m* (drwà) [legal]. *vt* Payer.
feeble (fî) Faible (fèbl).
feed* (fîd) Nourrir (nûrîr), alimenter (anté). *Faire** paître [cattle]. *vi* Se nourrir. *n* Nourriture *f*. Pâturage *f* [cattle]. [**fed*].
feeder (fîder) Nourrisseur.
feeding-bottle Biberon *m*.
feel* (fîl) Sentir* (santir). Tâter. *vi* Se sentir [**felt*].
feeler (fîler) Antenne *f*.
feeling Toucher *m* (tûshé). Sentiment *m* [moral]. Sensation *f* [physical]. *a* Sensible (sansìbl).
feet (fît'). V. FOOT.
feign (féin) Feindre* (in).
feint (féint) Feinte *f*.
felicitate (fili) Féliciter.
felicitation Félicitation *f*.
feline (filain) Félin, ine.
fell Peau *f*. *a* Féroce. *vt* Abattre* [tree]. V. FALL.
felloe (fèloou) Jante *f* (j).
fellow (fèloou) Camarade, compagnon (konpàñon). *Fam.* Individu (dü). Membre (manbr) [society]. Agrégé (jé) [univ.]. Pendant *m* [thing]. *Good* -, bon garçon. *Fellow-citizen*, concitoyen. *Fellow-countryman*, compatriote; *fellow-creature*, semblable.
fellowship Association *f*.
felon (fèlen) Criminel, elle.
felony Crime *m* (krìm).
felt Feutre *m* (fëtr).
***felt.** V. FELL.
female (fîméil) Féminin, ine (in, ìn) [persons]. Femelle (femèl) [animal]: *female cousin*, cousine; - *friend*, amie. *n* Femme (fàm) [person]. Femelle *f*.
feminine Féminin, e (in, ìn).
fen (fèn) Marécage *m* (àj).
fence (fèns) Clôture *f* (ür) [barrier]. Escrime *f* (ìm) [art]. *vt* Clore*.
fencer Escrimeur.
fencing Escrime *f*. Clôture *f*.
ferment (fërment) Ferment *m* (an). *vi* (mènt) Fermenter.
fermentation Fermentation *f*.

fern (fërn) Fougère *f* (fûjèr).
ferocious (shes) Féroce (òs).
ferocity Férocité *f*.
ferret Furet *m*. Fureter.
ferry-boat (booout) Bac *m*.
fertile (fërtail) Fertile (ìl).
fertility Fertilité *f*.
fervent Fervent (van), ente.
fervour Ferveur *f* (vœr).
fester Abcès *m* (àbsè).
festival Fête *f* (fèt).
festive Joyeux, euse.
festivity Fête *f* (fèt).
festoon (oun) Feston *m* (on). *vt* Festonner.
fetch Chercher (shèrshé).
fetid (fètid) Fétide (fétìd).
fetidity Fétidité *f*.
fetish Fétiche *m* (ish).
fetter Entraves *fpl* (antràv). Fers *mpl* [irons]. *vt* Entraver. Enchaîner [prisoner].
fettle Arranger, préparer.
feud (fyoud) Fief *m* (fyef).
feudal (fyoud'l) Féodal, ale.
fever (fîver) Fièvre *f*.
feverish Fiévreux (vrë), se.
few (fyou) Peu de (pëde). Quelques [some]. *pron* Peu. Peu de gens [people].
fewer (fyouer) Moins de.
fib Mensonge *m*. *vi* Mentir*.
fibber Menteur, se.
fibre (faiber) Fibre *f* (fìbr).
fickle Volage (àj).
fiction Fiction *f*.
fictitious Fictif, ive.
fiddle Violon *m* (vyolon).
fiddle-stick Archet *m*.
fidelity (fai) Fidélité *f*.
fidget S'agiter (àjìté). *n* Agitation *f*. **-ty** Remuant, te. Tourmenté, ée.
fiducial, fiduciary Fiduciaire.
fie! (fai) Fi donc!

field (fìld) Champ *m* (an). Champ de bataille. *To take* the field*, se mettre* en campagne.
fiend (fînd) Démon *m*.
fierce (fiers) Féroce (òss), farouche (fàrûsh).
fierceness Férocité *f*.
fiery (faieri) Enflammé, ée. *fig*. Ardent, te.
fife (faif) Fifre *m* (fìfr).
fifteen (în) Quinze (kinz).
fifteenth (th) Quinzième.
fifth (th) Cinquième (sinkyèm).
fiftieth (th) Cinquantième.
fifty Cinquante (sinkant).
fig Figue *f* (fig).
fight* (fait) Combattre*. *n* Bataille *f* (ày). Lutte *f* (lüt) [struggle]. [**fought*].
fighter Combattant *m*.
fighting Combat *m*.
figure (figer) Forme *f*. Silhouette *f* [person]. Dessin *m* [cloth]. Chiffre *n* [math.]. *vt* Figurer (ré).
filament Filament *m* (an).
filbert (filbërt) Noisette *f*.
filch Voler, escamoter.
filcher Filou *m* (fìlû).
file (fail) Lime *f* (lîm) [tool]. Filou *m* (fìlû) [thief]. Classeur *m* [papers]. File *f* (fìl) [mil.]. *vt* Limer. Classer [papers].
filial Filial, le.
filibuster Flibustier.
filigree Filigrane *m*.
filing (fai) *mpl* Limaille (ày). Classement *m* [papers]. Défilé *m* [mil.].
fill Remplir (ran). Rassasier (ràssàzyé) [food]. *vi* Se remplir. *n* Soûl *m* (sû).

fillet Bandeau *m*. Filet *m* (filè) [meat].
fillip Chiquenaude *f*.
film Pellicule *f* (ül). Film *m* [cinéma]. *v* Filmer.
filter Filtre *m*. *v* Filtrer.
filth (**th**) Saleté *f* (sàlté):
filthy (fil**thi**) Sale (sàl).
fin (in') Nageoire *f* (jwàr).
final (fa^{i}n'l) Final, e (fl).
finance (àns) Finance *f*.
financial Financier, ère.
financier Financier (s^{y}é).
finch Pinson *m* (pi^{n}so^{n}).
find* (fa^{i}nd) Trouver (trûvé). Découvrir* [discover]. S'apercevoir [see]. *To find out*, découvrir. *n* Trouvaille. [**found*].
fine (fa^{i}n) Amende *f* (ma^{n}d). *vt* Mettre* à l'amende. *a* Fin, fine (fi^{n}, ìn) [minute]. Délicat, ate. Beau, belle (bô, bèl) [beautiful]. *fam.* Joli, ie (jòlî). *Fine-arts*, beaux-arts *mpl.*
fineness Finesse *f*, beauté, *f*.
finger (**fing**-g^{er}) Doigt *m* (dwà). *vt* Manier (^{y}é). *Finger-post*, poteau indicateur *m*.
finical Affecté, ée.
finish Finir. *n* Fini *m*.
finishing Dernier, ère.
finite (fa^{i}na^{i}t) Fini, e.
Finland Finlande *f*.
fir (fë^{r}) Sapin *m* (i^{n}).
fire (fa^{ier}) Feu *m* (fë). Incendie *m* (i^{n}sa^{n}dî) [large fire] : *on fire*, en feu; *to miss fire*, rater. *vt* Mettre le feu. Tirer [gun] [*at* : sur].
fire-alarm Avertisseur [*m*] d'incendie. *Fire-box*, foyer *m* (fwà^{y}é). *Firebrand*, tison *m*. *fig.* Brandon *m*. *Fire-dog*, chenêt *m*. *Fire-engine*, pompe [*f*] à incendie. *Fire-escape*, échelle [*f*] de sauvetage. *Fireman*, pompier (po^{n}p^{y}é). *Fire-place*, foyer *m*. *Fire-side*, coin [*m*] du feu. *Fire-wood*, bois [*m*] de chauffage. *Fire-works*, feu [*m*] d'artifice.
firing (fa^{ie}**ring**) Incendie *m* (i^{n}sa^{n}dî) Chauffage *m* (shôfàj) [heating]. Tir *m* [mil.], fusillade *f*.
firm (fë^{r}m) Ferme (fèrm). Firme *f* [comm.]
firmament Firmament *m*.
firmness Fermeté *f*.
first (fë^{r}st) Premier, ère (pre-m^{y}é, èr) : *twenty-first*, vingt et unième. *ad* Premièrement: *at first*, d'abord.
first-rate De premier ordre.
first-fruits Prémices *fpl.*
firth (fë^{r}**th**) Estuaire *m*.
fisc Fisc *m*.
fiscal Fiscal, ale.
fish Poisson *m* (pwàsso^{n}). Pêcher (shé) ; *to fish for*, rechercher.
fishbone Arête *f* (rèt).
fisherman Pêcheur.
fishing Pêche *f*.
fissure (sh^{er}) Fissure *f* (ür).
fit (fit') Accès *m* (àksè), attaque *f* (àk). *a* Propre, convenable. Capable. *vt* Adapter, ajuster. Convenir*, aller* ; *this coat fits you well*, ce veston vous va bien.
fitful Capricieux, euse.
fitly Justement, à propos.
fitness Convenance *f*.
fitting Convenable. *n* Garniture *f* (ür), fournitures *fpl.* Installation *f*.

five (fa^{i}v) Cinq (si^{n}k) [si^{n}, before a consonant].
fix Fixer; arrêter. *vi* Se fixer. *n* Difficulté *f*.
fixation Fixation.
fixed (fikst) Fixe (fìks).
fixedness Fixité *f*.
fizz (fiz) Siffler (flé).
flabbergast Épater [*fam*.].
flabby, flaccid Flasque.
flag Drapeau *m* (pô). Pavillon *m* (y*o*^{n}) [mar.]. Glaïeul *m* (yœl) [flower]. Dalle *f* [stone]. *vi* Pendre [hang]. Languir [person]. *vt* Pavoiser [colours]. Daller (dàlé) [stones]. *Flag-ship*, vaisseau amiral *m*.
flagitious Scélérat, ate.
flagon (flàg^{en}) Bouteille *f* (bûtèy). Flacon *m* [small].
flagrant Énorme. Odieux.
flail Fléau *m* (fléô).
flake (é^{i}k) Flocon *m* (k*o*^{n}) [snow]. Écaille *f* (ékây) [scale]. Séchoir *m*.
flaky Floconneux, euse.
flam Sornette *f* (èt).
flame (é^{i}m) Flamme *f* (àm). *vi* Flamber (fla^{n}bé).
flaming Flamboyant, ante.
flamingo Flamant *m* (*a*^{n}).
Flanders Flandres *fpl*.
flank (àngk) Flanc *m* (a^{n}). *vt* Flanquer.
flannel Flanelle *f*.
flap *vt* Battre*, agiter (jì). *n* Clapet *m* (pè) [valve]. Battant *m* (*a*^{n}) [door]. Bord *m* [hat]. Pan *m* (pa^{n}) [coat]. Coup *m*.
flapper Clapet *m*. Fillette *f*.
flare (è^{er}) Flamber (a^{n}). *n* Flamme.
flash Éclair *m*. Trait *m* [wit]. *vi* Jaillir. *a* Faux, ausse. *Flash back*, retour [*m*] en arrière [cin.].
flashy Clinquant.
flask Bouteille *f*. Flacon *m*.
flat (flat') Plat, ate. Uni, ie (ünî) [smooth]. Épaté [nose]. *fig*. Insipide. *n* Plaine *f* (èn). Appartement *m* [suite of rooms]. Bémol *m* [mus.].
flatness Aplatissement *m*.
flatten Aplatir. Laminer (làminé) [metal].
flatter Flatter.
flatterer, -ring Flatteur, euse.
flatulent Flatulent, ente. *fig*. Vain, aine.
flaunt (au) Étalage *m* (àj). *vi* Se pavaner.
flavour (é^{i}v^{er}) Saveur *f* (vœr) [taste]. Arôme *m* [smell]. Bouquet *m* [wine]. *vt* Assaisonner (àssèzòné).
flavourless Insipide.
flaw (au) Défaut *m* (fô). Souffle *m* [wind].
flax Lin *m* (li^{n}).
flay (flé^{i}) Écorcher (ché).
flea (flî) Puce *f* (püs).
fleck Tache *f* (tàsh).
flee* (flî) S'enfuir* [**fled*].
fleece (flîs') Toison *f* (twàz*o*^{n}). *vt* Tondre (*o*^{n}).
fleet (flît') Flotte *f* (flòt). *a* Rapide.
fleeting Fugitif, ive (füjì).
flemish Flamand, de.
flesh Chair *f* (shèr). Viande *f* (vy*a*^{n}d) [meat]. *vt* Assouvir. Acharner [dogs].
fleshless Décharné, ée.
fleshy Charnu, ue (nü).
***flew**. V. FLY.
flexible Flexible.
flexion (flèksh^{e}n) Flexion *f*.

flicker Vaciller (yé) [light].
flicks [slang] Ciné *m.*
flight (ait) Vol *m* [flying]. Volée *f* (volé) [volley]. Essor *m* [strain]. Fuite *f* [fleeing]. *Flight of stairs,* escalier.
flighty Étourdi, *ie.*
flimsy Mince (mins) [thin]. Léger, ère (jé) [light]. Frivole (òl).
flinch (intsh) Reculer (kü). Broncher [to wince].
fling* (fling) Jeter* (jeté), lancer (lansé). *vi* Ruer (rüé) [kick]. *n* Coup *m* (kû). *fig.* Pointe *f* (pwint) [**flung*].
flint (flìnt) Silex *m.*
flip Chiquenaude *f* (shìk).
flippancy Bavardage *m.*
flirt (flërt) Agiter (àjìté) (flap]. *vi* Flirter (flœrté). *n.* Coquette *f;* flirteur, se.
flirtation Flirt *m* (œrt).
flit (flit') Voltiger (ìjé).
flitting Fugitif, ive (füjìtìf). *n* Flirt *m* (flœrt).
float (floout) Flotter. *vt* Faire* flotter. Lancer [ship]. *n* Flotteur *m* (tœr). Train *m* (in) [de bois].
floating Flottant, ante.
flock Troupeau *m* (trûpô) [cattle]. Troupe *f,* bande *f.* Flocon *m* [wool].
flog Fouetter (fwèté).
flood (flœd) Déluge *m* (üj). Inondation *f* (yon). Marée *f* [tide]. *vt* Inonder.
flooding (flœ) Inondation *f.*
floor (flauer) Plancher *m* (planshé) ; parquet *m* (pàrkè). Étage *m* (étàj) [story]. *vt* Parqueter. Jeter à terre.
florin (rìn) Florin *m* (rin).
florist (flo) Fleuriste (ist).
floss Bourre *f* (bûr).
flounce (flaouns) Volant *m.*
flounder (aounder) Se débattre*. *fam.* Bafouiller (bàfûyé) [stammer].
flour (flaouer). Farine *f.*
flourish (flœrish) Prospérité *f.* Parafe *m* [pen]. Moulinet *m* (mûlìnè) [sword]. Fanfare *f* (an) [mus.]. *vt* Fleurir. Brandir [sword]. *Fig.* Prospérer.
flourishing Florissant, e.
flow Couler (kû). Monter (monté) [tide]. *n* Écoulement *m.* Flux *m* (flü) [tide].
flower (flaouer) Fleur *f.* *v* Fleurir*.
flower-bed Parterre *m* (tèr), platebande *f.*
flown. V. FLY. *High- -,* ampoulé, ée (anpûlé).
fluctuate (œktyou) Balloter.
flue (flou) Tuyau (tuiyô) [chimney]. Duvet [down].
fluency (flou) Facilité *f.*
fluent (flouent) Courant, e.
fluently Couramment.
fluid (flouid) Fluide *m* (ü).
fluke (ouk) Coup de veine.
***flung.** V. FLING.
flunkey (flœngki) Laquais *m* (kè) ; larbin (bin).
fluorescent, e Fluorescent.
flurry (œri) Agitation *f.* *vt* Agiter. Étourdir.
flush (œ) Rougeur (rûjœr) *f.* Impulsion *f.* *v* Faire* rougir [face]. Exciter (sì). Laver à grande eau. *vi* Rougir. *a* Frais, aîche (è, èsh). A fleur [*with :* de].
fluster Agitation *f.* Agiter.
flute (flout') Flûte *f* (üt).

Cannelure *f* (*ür*) [groove].
flutist Flûtiste.
flutter (œt^{er}) Battement *m* [wings]. Palpitation. *vi* Battre* des ailes. Palpiter. *vt* Agiter.
fluvial (flouvy^{e}l) Fluvial, e.
flux (œks) Flux *m* (flü).
fluxion (ksh^{e}n) Fluxion *f*.
fly (fla^{i}) Mouche *f* (mûsh).
fly* Voler. Fuir (f^{u}ir) [flee]. *To fly at*, s'élancer sur; *to fly off, away*, s'envoler (a^{n}-vòlé). [**flew, flown*].
flying-corps (kau^{er}) Aviation militaire *f*.
fly-wheel Volant *m* (a^{n}).
foal (fo^{o}ul) Poulain *m* (pûli^{n}); pouliche *f*.
foam (fo^{o}um) Écume *f* (*üm*). *vi* Écumer (ü).
fob Gousset *m* (sè). *vt* Duper.
F. O. B. Franco à bord.
focus (fo^{o}uk^{e}s) Foyer *m* (^{y}é). *vt* Mettre* au point.
fodder Fourrage *m*.
foe (fo^{o}u) Ennemi, ie.
fog Brouillard *m* (brû^{y}àr). Voile *m* [phot.].
foggy (gi) Brumeux, euse.
fogy (fo^{o}ugi) Ganache *f*.
foible (fo^{i}b'l) Faible *m*.
foil Feuille *f* (fœ^{y}) [métal]. Défaite *f*. Fleuret *m* [sword]. *vt* Déjouer.
fold (fo^{o}uld) Pli *m*. Battant *m* [door]. Bergerie *f* [sheep]. *vt* Plier.
folding Pliant.
foliage (fo^{o}uliidj) Feuillage *m* (fœ^{y}àj).
folk (fo^{o}uk) Gens *pl* (ja^{n}).
follow (folo^{o}u) Suivre* (s^{u}ivr). Exercer [profession]. *vi* Suivre.
follower Suivant, te. Compagnon *m*. Partisan.
folly Folie *f* (lî).
fond (fònd) Aimant, te (èma^{n}, a^{n}t) Tendre (ta^{n}dr) [tender]. Faible (fèbl). *To be* fond of*, aimer.
fondness Tendresse *f*.
food (foud) Nourriture *f*.
fool (foul) Sot, sotte (sô, sòt). Fou (fû) [jester]. *vt* Duper (dü). *vi* Faire* le fou.
foolery Sottise *f*.
foolish Sot, sotte.
foolishness Sottise *f*.
foot (fout') [*pl* **feet** (fît')]. Pied *m* (p^{y}é). [mesure : 0^{m},304]. Patte *f* (pàt) [animal]. *On foot*, à pied. *vi* Aller* à pied. Fouler [ground].
football (baul) Football.
foot-board Marchepied *m*.
foot-bridge Passerelle *f*.
footing Pied *m*. Point [*m*] d'appui. Base *f* (bâz).
footman Valet de pied.
foot-path (**th**) Sentier *m* (t^{y}é). Bas-côté *m* [sidewalk). Trottoir [pavement].
foot-print Empreinte *f*.
foot-race (ré^{i}s) Course [*f*] à pied.
foot-step Pas *m* (pâ).
foot-stool (oul) Tabouret *m*
foot-warmer Chaufferette *f*.
fop Fat *m* (fat').
foppery Fatuité (t^{u}ité) *f*.
foppish Fat *m*, prétentieux.
for *prep* (fau^{er}) Pour (pûr) : *to leave* for London*, partir pour Londres. De (d^{e}) : *to care for*, se soucier de; *answer for*, répondre de. Par : *for pity's sake*, par pitié. A : *to shout for help*, crier au

secours; *as for me,* quant à moi; *to look for,* chercher; *to go* for,* aller* chercher; *to send* for,* envoyer chercher; *to wait for,* attendre. *conj* Car (kàr) [because].
forage (idj) Fourrage *m.*
forasmuch *adv* D'autant.
forbade. V. FORBID.
forbear* (f^{er}bè^{er}) Cesser (sé). Supporter [bear]. [**forbore, forborne*].
forbearance Patience *f.*
forbearing Patient, te.
forbid* Défendre (défa^{n}dr). [**forbade, forbidden*].
forbidding Repoussant, e.
force (fau^{er}s) Force *f* (fòrs). *vt* Forcer.
forcemeat (mît) Farce *f.*
forcible Fort, te. Énergique. Par force [law].
forcing-house Serre-chaude.
ford (fau^{er}d) Gué *m* (gé).
fore (fau^{er}) Antérieur, re (^{y}œr). *ad* D'avance.
forearm Avant-bras *m.*
forebode *vt* Pressentir*.
foreboding Pressentiment *m.*
forecast Prévision *f.*
forefather Ancêtre *m* (ètr).
forefinger Index *m* (i^{n}).
forego* (fau^{er}go^{ou}) Précéder [*V. GO].
foregoing Précédent, te.
foregone Préconçu (sü).
foreground Premier plan *m.*
forehead Front *m* (fro^{n}).
foreign (fòrìn) Étranger, ère (a^{n}jé, èr); - *trade,* commerce extérieur; - *Office,* Affaires Étrangères.
foreigner Étranger, ère.
foreknowledge Prescience *f.*
foreland Promontoire *m.*
foreman Contremaître *m.*
foremast Mât de misaine.
foremost Premier, ère (m^{y}é).
forenoon Matinée *f.*
foresee* Prévoir* (prévwàr) [*V. SEE].
foreshadow Présager (àjé).
foresight Prévoyance *f.*
forest (ist) Forêt *f* (è).
forestall (fau^{er}staul) Anticiper. Accaparer [comm.].
forester Garde-forestier.
foretaste Avant-goût *m.*
foretell* Prédire [*V. TELL].
forethought Prévoyance *f.*
forewarn (wau^{r}n) Prévenir*.
foreword Avant-propos *m.*
forfeit (fau^{er}fît') Forfaire* à [honour]. *n* Perte *f* [légale]; confiscation *f.* Amende *f* (àma^{n}d) [fine]. Gage *m* (àj) [game].
forfeiture (fau^{r}fitsh^{er}) Perte *f* (pèrt); confiscation *f.* Déchéance *f* [right].
forge (fau^{er}dj) Forge *f* (fòrj). *vt* Forger (jé). Contrefaire* [signature].
forger (dj) Faussaire (èr).
forgery Faux *m* (fô) [crime]. Contrefaçon *f* (so^{n}).
forget* (f^{er}gèt') Oublier. [**forgot, forgotten*].
forgetful Oublieux, euse.
forgive* (giv) Pardonner (né). [**forgave, forgiven*].
forgiveness Pardon *m* (do^{n}).
forgiving Indulgent, te.
***forgot, gotten.** V. FORGET.
fork (fau^{er}k) Fourche *f.* Fourchette *f* (èt) [to eat]. *v* Bifurquer.
forked (fau^{r}kid) Fourchu, e.
forlorn Abandonné, ée. Désespéré, ée.

form (fauᵉʳm) Forme *f*. Banc *m* (baⁿ) [seat]. Classe *f*. Formulaire *m* [paper]. *v* Former. Se former.
formal Formel, elle.
formality Formalité *f*.
formally Formellement.
formation Formation *f*.
former (fauᵉʳ) Premier, ère (preᵐʸé, èr). Précédent, te. Ancien, enne (aⁿsʸiⁿ, èn).
formerly Autrefois, jadis.
formidable Formidable.
formula Formule *f* (ül).
formulate (éit) Formuler.
forsake* (éik) Abandonner. [*forsook, forsaken*].
forsooth (outh) Vraiment.
fort (faurt) Fort *m* (fòr).
forth (faurth) En avant. Au dehors (ôdeôr) [out].
forthcoming Prochain, aine.
forthwith Sur-le-champ.
fortification Fortification.
fortify (fai) Fortifier.
fortnight (faurtnait) Quinzaine *f* (kiⁿzèn).
fortnightly Bi-mensuel.
fortress Forteresse *f*.
fortuitous (tyou) Fortuit, ite.
fortunate Fortuné, ée.
fortune (tshen) Fortune *f*.
fortune-teller Diseur, euse de bonne aventure.
forty (faur) Quarante (kà).
forward (faurwerd) Avancé, ée (àvaⁿ). Empressé, ée (aⁿ) [eager]. Précoce [fruit]. *n* Avant *m* [football]. *ad* En avant (aⁿnàvaⁿ) : *from this day forward*, dorénavant. *vt* Avancer. Expédier [to send].
forwarding Expédition *f*.
forwardness Empressement *m* (aⁿprèsmaⁿ). Précocité *f*. Hardiesse *f*.
foster Nourrir (nûrîr). Élever [children]. Encourager.
fostering Nourriture *f*. *Fig.* Encouragement *m*.
foul (faoul) Sale (sàl). Mauvais, e (mòvè, èz) [weather]. Malhonnête [behaviour].
foulness Saleté *f*. *Fig.* Noirceur *f*. Turpitude *f*.
***found.** V. FIND.
found (faound) Fonder (foⁿ). Fondre (foⁿdr) [metal].
foundation Fondation *f*.
founder Fondateur, trice (œr, trìss). Fondeur (foⁿdœr) [metal]. *vt* Harasser. *vi* Couler, sombrer [ship].
foundered Fourbu, ue (fûrbü) [horse]. Coulé [ship].
foundling Enfant trouvé.
fount (faount) Fontaine *f*.
fountain (faountìn) Fontaine *f*. Source *f* (sûrss) [spring]. - *-pen*, stylo *m*.
four (faur) Quatre (kàtr).
four-fold Quadruple (kwà). *--footed* Quadrupède (kwà).
fourteen (tìn) Quatorze (kà).
fourteenth (th) Quatorzième.
fourth (th) Quatrième (kàtrièm). *n* Quart *m* (kàr). Quarte *f* (kàrt) [mus.].
fourthly Quatrièmement.
fowl (faoul) Volaille *f*.
fox Renard *m* (renàr).
foxed Tacheté, ée.
fraction (shen) Fraction *f*.
fracture Fracture (ür). *vt* Casser. *vi* Se rompre.
fragile (djai) Fragile (jìl).
fragility Fragilité *f*.
fragment Fragment *m* (aⁿ).
fragrant (ent) Parfumé, ée.

frail (éil) Fragile (jìl). *Fig.* Frêle (frèl). **frailty** *f* Faiblesse *f* [weakness].
frame (fréim) Charpente *f* (shàrpant). Cadre *m* (kâdr) [picture]. Fuselage *m* (füzlàj) [airplane]. Membrure *f* (manbrür) [ship]. État *m* [mind]. *vt* Construire*. Encadrer [picture].
frame-work Charpente *f*.
France (àns) France *f* (ans).
franchise (aiz) Franchise *f*.
frank Franc, che (an, ansh).
frankness Franchise *f*.
frantic Frénétique.
fraternal Fraternel, *elle*.
fraternity Fraternité *f*.
fraud (aud') Fraude *f* (ôd).
fraudulent Frauduleux, *euse*.
fray (fréi) Érailler (àyé).
freak (frîk) Boutade *f* (bûtàd), caprice *m*.
freckle Tache de rousseur.
free (frî) Libre. Gratuit, *ite* (ui, it). Aisé, *ée* [easy]. *Free on board,* franco à bord [fob]; *free on rail,* franco en gare départ; *delivered free,* franco à domicile; *free trade,* libre échange; *free will,* libre arbitre. *vt* Délivrer, affranchir [from bond]. Exempter (an) [from taxes]. *ad* Gratis. Franco [sending].
freebooter Maraudeur [thief]; flibustier *m* (üstyé) [mar.].
freedom Liberté *f*.
freemason Franc-maçon.
freethinker Libre penseur.
freeze* (frîz) Geler. [**froze, frozen*]. Bloquer [wages].
freezing Glacial, *ale*.
freight (éit) Cargaison *f*, fret *m* (frè). *vt* Fréter, charger.
freighter Avion-cargo *m*.
French (ènsh) Français, *aise* (fransè, èz).
Frenchman Français.
Frenchwoman Française.
frenzy Frénésie *f*.
frequence (frîkwens), **frequency** Fréquence *f* (kans).
frequent (kwent) Fréquent, te (an, ant). *vt* (frikwènt) Fréquenter. **-tation** Fréquentation *f*.
frequenter (kwèn) Habitué.
fresco (koou) Fresque *f*.
fresh (èsh) Frais, *aîche* (frè, èsh) Nouveau, *elle*.
freshen Rafraîchir (ràfrèshîr), se rafraîchir.
freshness Fraîcheur *f*.
fret (frèt) Agitation *f* (tà). Grecque *f* [ornam.]. *vt* User (üzé). Ronger [gnaw]. *vi* S'user. *Fig.* S'irriter.
friar (aier) Moine (mwàn).
friction (ikshen) Friction *f*.
friday (fraidi) Vendredi *m*: *Good* -, Vendredi saint.
friend (frènd) Ami, *ie*.
friendly Amical, *ale*.
friendship Amitié *f* (tyé).
frieze (frîz) Frise *f*.
frigate (git') Frégate *f* (àt).
fright (ait) Effroi *m* (èfrwà). *vt* Effrayer (èyé).
frighten (frait'n) Effrayer.
frightful Épouvantable.
fringe (ìndj) Frange *f* (j).
frippery Friperie *f*.
frisk *vi* Gambader.
fritter Beignet *m* (bèñè).
frivolity Frivolité *f*.
frivolous (veles) Frivole (vòl).
fro (to and) *To move to and fro,* aller* et venir*.

frock Robe *f*. Blouse *f* (ûz) [countryman].

frog Grenouille *f*; - *-man*, homme-grenouille.

frolic Ébats *mpl*. *vi* Folâtrer.

from De : *to prevent from*, empêcher de; *far from*, loin de. A : *to borrow from*, emprunter à. Par : *from spite*, par dépit. D'après : *from what you say*, d'après ce que vous dites. Dès: *from childhood*, dès l'enfance.

front (œnt) Devant *m* (d^{e}-va^{n}). Façade *f* [house]. Front *m* (o^{n}) [cheek, mil.]. *In front of*, en face de; *shop-front*, devanture *f*. *vt* Faire* face à.

frontier Frontière *f*.

frost Gelée *f* (j^{e}). Geler. *Frost-bitten*, gelé.

frosty Glacé, ée.

froth (**auth**) Écume *f* (üm). *vi* Écumer.

frown Froncement [sourcil].

frozen Gelé, ée.

fructify (frœk) Fructifier.

frugal Frugal, ale.

frugality Frugalité *f*.

fruit (out') Fruit *m* (u^{i}).

fruitful Fertile.

fruition (ouish^{e}n) Jouissance *f* (jûìsa^{n}s).

fruitless Infructueux.

fruit-tree Arbre fruitier.

frustrate Frustrer (üstré).

fry (fra^{i}) *v* Frire*. *Frying-pan*, poêle à frire.

fuel (fyou^{e}l) Combustible *m*.

fuel-oil Gas-oil *m*.

fugue (fyoug) Fugue *f* (üg).

fulfil Accomplir. Combler.

fulfilment Accomplissement.

fulgent Resplendissant.

full (foul) Plein, eine (i^{n}, èn). Entier, ère (a^{n}t^{y}é, èr) [whole]. Complet, ète (ko^{n}-plè, èt). Repu, ue (r^{e}pü) [satiated]. *ad*. Tout à fait. *n* Plein *m*.

fullness Plénitude *f* (üd).

fully Entièrement (t^{y}è).

fulminate Fulminate *m*.

fulsome Répugnant (üña^{n}).

fume (fyoum) Fumée *f* (fü-mé). *vt, vi* Fumer.

fumigation Fumigation *f*.

fun (fœn) Amusement *m* (à-müzma^{n}). Drôlerie *f*.

function (fœngksh^{e}n) Fonction *f* (fo^{n}k). Cérémonie *f*.

fund (fœnd) Fonds *m* (fo^{n}). Caisse. Consolider [debt].

fundamental Fondamental.

fundholder (**h**) Rentier.

funeral (fyou) Funèbre (fü). *n* Funérailles *fpl*.

fungus Champignon *m* (ño^{n}).

funk (fœngk) Peur *f* (pœr).

funnel (fœn'l) Entonnoir *m* (wàr). Cheminée *f* [mar.].

funny (fœni) Drôle.

fur (fë^{r}) Fourrure *f* (fûrür). Dépôt *m* (ô) [coating]. *vt* Fourrer. *vi* S'encrasser.

furbish (ë^{r}) Fourbir (fûr).

furious (fyou) Furieux, se.

furlong (fë^{r}long) 200 m.

furlough (fë^{r}lo^{ou}) Congé *m*.

furnace (fë^{r}nis') Foyer *m*.

furnish (ë^{r}) Fournir (ûr).

furnisher Fournisseur, se.

furniture Ameublement *m*.

furrier (fë) Fourreur, se.

furrow (fœ) Sillon *m* (y^{o}n).

further (fë^{r}zh) Ultérieur. Autre [other]. *ad* Plus loin. *vt* Favoriser (ìzé).

furtherance Appui *m* (àpu^{î}).

furthermore *ad* De plus.
furthest Le plus éloigné.
furtive (fë^r^) Furt*i*f, *i*ve.
fury (fy*ou*) Fur*ie* *f* (fü).
furze (ë^r^z) Ajonc *m* (**jo**^n^).
fuse (^y^oûz) Fondre (o^n^dr). *n* Fusée *f* (füz*é*).
fusee (zî) Tison *m* [match].
fuselage (fy*ou*) Fusel*a*ge *m*.
fusion (fy*ou*j^e^n) Fus*i*on *f* (fü).
fuss (fœs') Vac*a*rme *m* [bruit]. Embarr*a*s.
fussy Fais*eu*r d'embarr*a*s.
fustian (fœstsh^e^n) Fut*ai*ne *f*. *Fig.* Galimat*i*as *m*.
futile (fy*ou*ta^i^l) Fut*i*le.
futility Futilit*é* *f*.
future (fy*ou*tsh^e^^r^) Futur, ure (füt*ü*r). *n* Aven*i*r *m*. Fut*u*r *m* [gramm.].

G

g (dj) G (**j**). Sol [mus.].
gab Faconde *f* (fàk**o**^n^d).
gabble Bab*i*l *m*. Babiller.
gabion (g*é*^i^) Gab*i*on *m*.
gable (g*é*^i^) Pignon *m* (ñ).
gaby (g*é*) Nigaud *m* (g*ô*).
gadfly (fla^i^) Taon *m* (ta^n^).
gaff G*a*ffe *f*.
gaffer Compère *m* (ko^n^pèr).
gag Bâillon (bâ^y^**o**^n^). *vt* Bâillonner (^y^òn*é*).
gage (gé^i^dj) Gage *m* (gà**j**). *vt* Gager (gà**j***é*).
gaiety (gé^e^) Gaieté *f* (gè).
gaily *ad* Gaiement (gèm**a**^n^).
gain (gé^i^n) Gain *m* (gi^n^), profit *m* (fî). *vt* Gagner; *vi* Gagner. Avancer [watch].
gainer Gagn*a*nt (ñ**a**^n^), te.
gainful (foul) Profit*a*ble.
gainsay (gé^i^n) Contred*i*re*.
gait Dém*a*rche *f*, all*u*re *f*.
gaiter Guêtre *f* (gètr).
gala (g*é*^i^l^e^) Gal*a* *m* (gà).
galalith (**th**) Galal*i*the *f*.
gale (g*é*^i^l) Tempête *f*. Coup [*m*] de vent.
gall (gaul) Fiel *m* (fyèl). Écorchure *f* (*ü*r) [sore].
Rancune *f* (ra^n^k*ü*n) [spite].
gallant Vaillant, te (^y^**a**^n^, **a**^n^t) Galant *m* (**a**^n^). **-antry** Galanter*ie* *f*.
gallery (gal^e^ri) Galer*ie* *f*. Musée *m* (müz*é*).
galley (g*a*li) Galère *f*.
gallic Gaul*oi*s, se (wà). Gal*l*ique [chim.].
gallicism Gallic*i*sme *m*.
gallon (l^e^n) 4 litres 5.
galloon (g^e^l*ou*n) Gal*o*n *m*.
gallop Gal*o*p *m*. Galoper.
gallows (gàlo^ou^z) Potence *f*.
galore (**au**^r^) A profusi*o*n.
galosh Caoutch*ou*cs *mpl*.
gambado (*é*^i^d^ou^) Gamb*a*de *f*.
gambler Jou*eu*r, se (jûœr).
gambling Jeu *m* (jë).
gambol (gàmb'l) Gamb*a*de *f*. *vi* Gambad*e*r.
game (gé^i^m) Jeu *m* (jë). Gibier *m* (jìb^y^*é*) [animals].
gamesome Enjoué (a^n^jû*é*).
gammon Trictr*a*c *m* [game]. Bl*a*gue *f* [humbug].
gamut (m^e^t) G*a*mme *f*.
gang (à**ng**) Bande *f* (a^n^d). Équipe *f* (*é*kìp) [workmen].

gangrene (în) Gangrène *f*.
gangway (wéi) Passage *m*. Passerelle *f* [ship].
gaol (djéil) Prison *f*.
gap Brèche *f* (bresh).
gape (géip) Bailler (yé).
gaping Béant. Bâillement *m*.
garage (ge) Garage *m* (gà).
garb Costume *m* (üm).
garden (gârd'n) Jardin *m* (jàrdin). *vi* Jardiner.
gardener Jardinier, ère.
gargle Gargarisme *m*. *vi* Se gargariser (izé).
gargoyle Gargouille *f* (ûy).
garish (gee) Criard, arde.
garland Guirlande *f* (gir).
garlic (gârlik). Ail *m* (ày).
garment Vêtement *m*.
garnet Grenat *m*.
garnish Garnir.
garnishment Garniture *f*.
garret Mansarde *f* (ansard).
garrison Garnison *f* (zon).
garter Jarretière *f* (jàr).
gas (gas') Gaz *m* (gâz) [Amér.]. Essence *f*.
gas-burner Bec [*m*] de gaz.
gaseous (géissies) Gazeux.
gasfitter Plombier.
gash Balafre *f*. Balafrer.
gaslamp Réverbère *m*.
gasoline Essence *f*.
gasp Haleter ('àlté).
gastralgia Gastralgie *f*.
gastronomy *f* Gastronomie *f*.
gate (géit) Porte *f*. Grille *f* (grìy) [iron].
gate-keeper Garde-barrière.
gateway Portail *m*.
gather (gàzher) Amasser. Cueillir* (kœyîr) [fruit] Froncer (on) [pucker]. Apprendre* [learn].
gathering (zh) Assemblée *f* [peuple] Récolte *f* [crop].
gaudy Voyant, te.
gauge (géidj) Jauge (jôj) *f*. *vt* Jauger.
gaunt (au) Maigre (mègr).
gauntlet Gantelet *m*.
gauze (gauz) Gaze *f*.
gave. V. GIVE.
gay (géi) Gai, gaie (gè).
gaze (géiz) Regard *m* (regàr). *vi* Regarder.
gazelle (ge) Gazelle *f* (gà).
gazette (gezèt') Gazette *f*.
gear (gier) Accoutrement *m* [dress]. Harnais *m*. Appareil *m* (rèy). Engrenage *m* (angrendj) [mec.]. *Gearbox*, boîte de vitesses; *gearcase*, carter *m*.
geese. V. GOOSE.
gelatine (dj) Gélatine *f* (jé).
geld (gèld) Châtrer (shâ).
gem (djèm) Gemme *f*. Bourgeon *m* (bûrjon) [bud].
gender (djèn) Gendre *m* (jan).
genealogy Généalogie *f*.
general (djè) Général, ale (jénéràl) : *general servant*, bonne à tout faire. *n* Général *m* [officer]. Public *m* (püblìk).
generality Généralité *f*.
generalize Généraliser.
generation Génération *f*. Production *f*.
generic (dji) Générique (jé).
generosity Générosité *f*.
generous (djèneres) Généreux, euse (ë, ëz).
genesis (djè) Genèse *f* (je).
genial (djî) Bienfaisant. Sympathique (sinpàtìk). Généreux, euse.
genius (djî) Génie *m* (jénî).
genteel (djèntîl) Distingué,

ée (i^n^*gé*) ; élégant, *ante*.
gentian (djèn) Gent*i*ane *f*.
gentile (djènta^i^l) Gentil *m* (ja^n^tî).
gentility Distinct*i*on *f*.
gentle (djènt'l) Aim*a*ble; gent*i*l, *i*lle (ja^n^tî, ti^y^). Doux, ce [voice]. Noble.
gentleman [pl. **men**] (djènt'lm'n) Monsieur (m^e^ss^y^ë) [pl. Mess*ieurs* (mèss^y^ë)].
gentleness Douc*eur* *f*.
gently Doucement (dûsm*a*^n^).
gentry Pet*i*te noblesse *f*.
genuine (djènyouìn) Vérit*a*ble, authent*i*que (a^n^).
genuineness Authenticit*é* *f*.
geography Géograph*i*e *f*.
geology (djiò-djì) Géolog*ie* *f*.
geometer Géomètre *m*.
geometry Géométr*i*e *f*.
geranium (dj) Géran*ium* *m*.
germ (djë^r^m) Germe *m* (j).
german (djë^r^m^e^n) Allemand, de (alm*a*^n^, *a*^n^d).
Germany Allemagne *f* (àñ).
gesticulate Gesticuler.
gesture (djèstsh^er^) Geste *m*.
get* (gèt) Obten*i*r*, recev*oi*r. *vi* Deven*i*r*, arriver. *To get in*, entrer; *to get out*, sort*i*r; *to get up*, monter; *to get down*, descendre; *to get off*, se sauver; *to get across*, traverser; *to get over*, franch*i*r, surmonter; *to get a cold*, prendre* froid; *to get married*, se mar*i*er [**got*].
gewgaw (g^y^oûgau) Bab*i*ole *f*.
geyser (gé) Geyser *m* (jè). Chauffe-bain *m* (shôfb*i*^n^).
gherkin (gë^r^) Cornichon *m*.
ghost (go^ou^st) Âme *f* (âm) [soul]. Spectre *m*. *The Holy Ghost*, le Saint-Espr*i*t.
ghostly Spirit*u*el, elle. Spectr*a*l, *a*le.
giant (dj*a*^ie^nt) Géant *m*.
gibberish (*gi*) Barag*ou*in *m*.
gibbous (*gi*) Gibb*eux*, *euse*.
gibe (dja^i^b) Sarc*a*sme *m*. *vt* Se moquer de.
giblets (dji) Abatt*i*s *m*.
giddiness (*gi*) Vert*i*ge *m*. Étourder*i*e *f* [thoughtl.].
giddy Étourd*i* (étûrdì).
gift (g) Don *m* (o^n^), cadeau *m* (dô). *vt* Douer, doter.
gig (g) Cabriolet *m* (òlè). Yole *f* [boat].
gigantic (dja^i^) Gig*a*ntesque.
giggle (gìg'l) Ricaner.
gild* (gìld) Dorer [**gilt*, *gilded*].
gilding Dorure *f* (dòrür).
gill (g) Ouïe *f* (wî) [fish]. Jabot *m* (jàbó) [bird].
gillyflower (dj) Girofl*ée* *f*.
gilt Doré, *ée*. *n* Dorure *f*.
gimlet (gìmlit') Vr*i*lle *f*.
gin (djìn) Grue *f* (grü) [winch]. Piège *m* (p^y^èj) [trap]. Eau-de-vie. Gin *m*.
ginger (dj) Gingembre *m*.
gingerbread Pain d'ép*i*ce.
gipsy (dj) Bohém*ien*, enne.
giraffe (dj) Gir*a*fe *f* (j).
gird* (gë^r^d) Ceindre* [**girt*, *girded*].
girdle Ceinture (si^n^t*ü*r).
girl (gë^r^l) Fille *f* (fî^y^).
give* (giv). Donner. Pousser (pû) [cry]. *vi* Céder. Prêter [stuff]. Plier [bend] [**gave*, *given*].
giver (giv^er^) Donat*eur* *m*.
giving Don *m* (do^n^).
glacier Glac*ier* *m* (s^y^*é*).
glad Heureux, se (œr*ë*, *ë*z).
gladden Réjouir (j*ûî*r).

glade (éid) Clairière *f*.
gladly (gladli) Avec joie.
glamorous Fascinant.
glance (àns) Coup [*m*] d'œil.
gland (ànd) Glande *f* (and).
glare (glèer) Éclat *m* (klà). Regard perçant *m* [look]. *vi* Brilier, éblouir.
glaring Éclatant Choquant.
glass Verre *m* (vèr) : *glass case*, vitrine.
glassy Vitreux, se (ë, ëz).
glaucous (glaukes) Glauque.
glaze Vernir. Glacer [pastry].
glazier (gléizyer) Vitrier.
gleam (glîm) Rayon *m*. *vi* Luire*.
glean (glîn) Glaner (glàné).
gleaning Glanure *f* (nür).
glee (glî) Joie *f* (jwà).
gleet (glit') Écoulement.
glen (èn) Vallon *m* (vàlon).
glib Délié, ée; agile.
glibness Agilité *f*.
glide Glisser; **-der** Planeur.
glimmer Luire*. Lueur *f*.
glimpse (glìmps') Coup d'œil *m* (kûdœy). Aperçu *m* (sü).
glisten (isen) Étinceler.
glitter Briller. Éclat *m*.
globe (oou) Globe *m* (ôb).
gloom (oum) Obscurité *f*. Ombre *f*. Tristesse *f* (èss).
gloomy Sombre (sonbr).
glorify *vt* (fai) Glorifier.
glorious Glorieux, euse.
glory Gloire *f* (wàr). *vi* Se glorifier.
gloss Lustre *m* (ü) [sheen]. Glose *f* [commentary].
glove (glœv) Gant *m* (an). *vt* Ganter.
glow Briller (yé). *n* Éclat *m*.
glue (glou) Colle *f* (kòl). *v* Coller (lé).
glum (glœm) Maussade.
gluten (ou) Gluten *m* (ü).
glutton (ten) Glouton, onne.
gluttony Gloutonnerie *f*.
glycerine Glycérine *f*.
gnarled (nârld) Noueux.
gnash (nàsh) Grincer.
gnat (àt') Cousin *m* (kûzin).
gneiss (nais) Gneiss *m* (g-n).
go* (goou) Aller*. S'en aller (sannàlé) [to leave]. Devenir* [to become]. *n* Affaire *f* (èr). Mode *f* [fashion]. Mouvement *m*; *go slow policy*, grève [*f*] perlée. [**went, gone*].
goad (gooud) Aiguillon *m* (èguiyon). *vt* Stimuler.
goal (gooul) But m (bü).
goat (goout) Chèvre *f* (sh) : *he-goat*, bouc (bûk) *m*; *she-goat*, chèvre *f*.
goatee (tî) Bouc *m* [barbe].
gobble (gòb'l) Gober.
goblet (it'). Gobelet *m*.
goblin Lutin *m* (lütin).
God (gòd) Dieu (dyë).
godchild Filleul, eule.
goddess Déesse *f* (dées).
god-father Parrain (in).
godless Athée (àté).
godliness Piété *f* (pyété).
godly Pieux, se (pyë, ëz).
god-mother Marraine (rèn).
godsend Aubaine *f* (ôbèn).
godship Divinité *f*.
godson Filleul *m* (fìyœl).
goer *n* Allant (an) [qui va].
goffer Gaufrer (fré).
goitre (goiter) Goitre *m*.
gold (goould) Or *m*.
golden D'or. Doré, ée.
goldfinch Chardonneret *m*.
goldsmith *m* Orfèvre (èvr).
golf Golf *m*.

***gone.** V. GO*. Parti, *ie.* Disparu, *ue.* Passé, *ée.*
gong (òng) Gong *m* (o^n^g).
good (goud) Bon, bonne (bo^n^, òn). Bien *m* (by^in^). *pl* Marchandises [trade]. *ad* Bien.
good-bye (*a*^i^) Adieu (yë).
goodly Beau, belle; bon, ne.
goodness Bonté *f.*
goodwill Bienveillance *f.*
goose (ous') [*pl* **geese**]. Oie *f.*
gooseberry Groseille *f.*
goose-step Pas [*m*] de l'oie. Pas de clerc [blunder].
gorge (au^r^) Gorge *f* (gòrj). *vt* Gorger. Se gorger.
gorgeous (dj) Magnifique.
gorgeousness Magnificence *f.*
gormandize (^e^nda^i^z) Bâfrer.
-dizer Goinfre (gwi^n^fr).
gospel Évangile (éva^n^jìl).
gossip Commère *f* (èr). Bavard, de. Commérage *m* (àj) [talk]. *vi* Bavarder.
***got.** V. GET.
gothic (th) Gothique (tìk).
gourd (gou^er^d) Gourde *f.*
gout (a^out^) Goutte *f* (gût).
govern (gœ) Gouverner (gû).
governess Gouvernante *f.*
government Gouvernement *m.*
governor (gœv^er^n^er^) Gouverneur *m.* Patron (o^n^) (boss).
gown (ga^ou^n) Robe *f* (ròb): *morning-*, robe de chambre; *dressing-*, peignoir *m.*
grace (é^i^s) Grâce *f* (âs').
graceful Gracieux, *euse.*
gracefulness Grâce *f.*
gracious (é^i^sh^e^s) Généreux, se (jénérë). Clément, te. Gracieux, se [graceful]. *Good gracious!* Bonté divine!
graciousness Générosité *f.*
gradation Gradation *f.*
grade (é^i^d) Grade *m* (àd).
gradient (gré^i^) Rampe *f.*
gradual Graduel, elle.
graduate Graduer (^ué^).
graft Greffer. *n* Greffe *f* (èf). Tripotage *m* (àj).
grain (é^i^n) Grain *m* (i^n^).
grammar Grammaire *f* (èr).
grammarschool Collège *m.*
granary Grenier *m* (nyé).
grand (and') Grandiose.
grand-daughter Petite-fille.
grandee Grand seigneur.
grandfather Grand-père.
grandmother Grand-mère.
grandson Petit-fils.
grange Ferme *f* (fèrm).
granite Granit *m.*
granny Grand-maman.
grant Accorder; céder.
grantee Concessionnaire.
granulate Granuler.
grape (é^i^p) Grain *m* [raisin]. *pl* Raisin (rèzi^n^): *bunch of grapes*, grappe.
grape-fruit Pamplemousse *f.*
graphic Graphique.
graphite (a^i^t) Graphite.
grapnel Grappin *m* (i^n^).
grapple Grappin *m.* Lutte *f* [struggle]. *vt* Accrocher.
grasp (âsp) Prise *f*, étreinte *f.* *vt* Empoigner (a^n^pwàñé).
grass (grâs') Herbe *f* (èrb).
grate (é^i^t) Grille *f* (ìy). *vt* Râper. *vi* Grincer.
grateful Reconnaissant, te.
gratefulness Gratitude *f.*
grater (é^i^) Râpe *f* (râp).
gratification Satisfaction *f*, plaisir *m* (plèzìr).
gratify (fa^i^) Faire* plaisir.
grating (é^i^) Grille *f* (ìy) [grate]. Grillage *m.* Grincement *m* [sound].

gratis (gré^{i}) Gratis (à).
gratitude Gratitude *f* (ü).
gratuitous (tyouit^{e}s) Gratuit, ite (t^{u}î, ìt).
gratuity (youiti) Présent *m*.
grave Tombe *f*. Fosse *f* [hole]. *a* Grave (àv). *vt* Graver.
gravel (àv'l) Gravier *m*. Gravelle *f* [med.].
gravity Gravité *f* (té).
gravy (é^{i}vi) Jus *m* (jü).
graze (é^{i}z) *vi* Brouter (brû). *vt* Faire* paître [cattle]. Effleurer (èflœré) [to brush]. Écorcher (shé) [skin].
grease (îss) Graisse *f* (grès). *vt* Graisser.
greasy (grîssi) Graisseux.
great (é^{i}t) Grand (a^{n}), de.
greatness (iss) Grandeur *f*.
grecian, greek Grec, ecque.
Greece (îs') Grèce *f* (ès).
greedy (grîdi) Avide.
Greek. V. GRECIAN.
green (în) Vert, te (vèr, vèrt). Novice [simple]. *pl* Salade cuite *f*. Choux *mpl* (shû) [cabbages].
greenback Dollar papier *m*.
greenery Verdure *f* (ür).
greengage Reine-claude *f*.
greenish Verdâtre (âtr).
greenness Verdure *f* (ür). Inexpérience *f*.
greet (ît') Saluer (^{u}é).
greeting Salutation *f*.
grenade (é^{i}) Grenade *f*.
grenadier Grenadier (dyé).
***grew.** V. GROW.
grey (é^{i}) Gris (grî), ise.
greyhound Lévrier *m*.
grid, griddle, gridiron (a^{i} e^{r}n) Gril *m* (grî).
grief (grîf) Chagrin *m* (shàgri^{n}), douleur *f*. Peine *f*.
grievance Grief *m* (ièf).
grieve Chagriner, peiner (pèné). S'affliger (jé).
grievous Pénible (ìbl). Atroce.
griffin Griffon *m* (fo^{n}).
griffon (ife^{n}) Griffon *m*.
grill (gril) Griller (yé).
grime (a^{i}m) Saleté *f* (l^{e}).
grimy Sale (sàl).
grin Rire grimaçant *m*. *vi* Ricaner. Grimacer.
grind* (gra^{i}nd) Moudre* [grain]. Aiguiser (èg^{u}ìzé) [knife] [**ground*].
grinder Rémouleur (mûlœr).
grinding Broyage *m* (brwàyàj). Mouture *f* [grain]. Repassage *m* [knife].
grindstone Meule *m* (ël).
grip Prise *f*. Étreinte *f* [pinch]. Poignée *f* [handle].
gripe (gra^{i}p) Saisir (sèzîr). *n* Étreinte *f* (i^{n}t). Saisie *f* [law]. *pl* Colique *f*.
griping Étreinte *f*.
gristle (gris'l) Cartilage *m*.
grit (grit') Gruau *m* (üô).
grizzle Gris *m* (grî).
groan (gro^{ou}n) Gémissement *m*. *vi* Gémir (jémîr).
groat (o^{ou}t) 4 pence.
grocer (gro^{ouser}) Épicier *m*.
grocery Épicerie *f*.
grog Grog *m*.
groggy Gris, ise [tipsy]. Chancelant, ante.
groin (gro^{i}n) Aine *f* (èn).
groom (oum) Garçon d'écurie. *vt* Panser.
grooming Pansement *m*.
groove (ouv) Rainure *f*.
grope (o^{ou}p) Tâtonner.
gross (o^{ou}s') Gros, osse (grô, ôs). Grossier, ère [rough]. Énorme. Brut, ute (üt)

[com.]. *n* Gros *m*. Grosse *f* [144].
grossness Grossièreté *f*. Énormité *f*.
grotesque Grotesque.
grotto (otoou) Grotte *f*.
***ground**. V. GRIND.
ground (aound) Sol *m*. Terrain *m* (tèrin). Fond *m* (fon) [background]. Motif *m*, raison *f* (rèzon). *vt* Fonder, baser. *vi* S'échouer [ship].
- **-floor** Rez-de-chaussée.
groundless Sans fondement.
grounds Lie *f*. Marc [café].
group (oûp) Groupe *m* (ûp). *vt* Grouper.
grouse (aous) Coq [*m*] de bruyère. *vi* Rouspéter.
grove (oouv) Bosquet *m*.
grow* (oou) Pousser (*sé*), croître* (wàtr). Augmenter [increase]. Devenir* (devnîr) [become]. *vt* Faire* pousser, faire* croître [**grew, grown*].
grower (oouer) Producteur.
growl (aoul) Grogner (ñé). *n* Grogmement *m* (an).
***grown**. V. GROW : *full-grown*, adulte; *grown-ups*, grandes personnes.
growth (oouth) Croissance *f* (wàssans) Produit *m* (uî).
grub (œb) Ver *m*. *Fam.* Mangeaille *f*.
grudge (œdj) Rancune *f* (rankün). Haine *f* ('èn) [hatred]. *vt* Donner à contrecœur.
gruel (ouel) Gruau *m* (üô).
gruesome (oûsem) Macabre.
gruff (œf) Bourru, ue (*ü*).
gruffness Brusquerie *f* (üs).
grumble (œmb'l) Grogner.
grumbler Grognon *mf* (ñ).
grumbling Grognement *m*.
grunt (œnt) Grogner (ñé). *n* Grognement *m* (gròñman).
guarantee, -ty (garen). Caution *f* (kôssyon), garantie *f* (antî). *vt* Garantir.
guarantor Garant, ante.
guard (gârd) Garde *f*. Garde *m* [man]. Chef de train [rail]. *On guard*, de garde. *vt* Garder. *vi* Se garder.
guardian (gâr) Gardien, ienne. Tuteur, trice [of minors].
guardsman Garde.
gudgeon (gœdjen) Goujon *m*. Tourillon m (iyon) [mec].
guelder-rose Boule-de-neige.
guess Deviner (de). *n* Conjecture *f*; - *-work*, empirisme *m*.
guest (gèst) Invité, *ée*; hôte.
guidance (gai) Conduite *f*.
guide (gaid) Guide (gìd). *vt* Guider (gìdé). *Guided missile*, projectile téléguidé [*m*].
guide-book Guide *m* (gìd).
guild (gild) Corporation *f*.
guildhall Hôtel de ville.
guile (gail) Ruse *f* (rüz).
guileful Rusé, ée (rüzé).
guileless Naïf, ïve; innocent, e.
guilloche (gìlooush) Guillochis *m*. *v* Guillocher.
guilt (gilt') Culpabilité *f* (ü). Faute *f*. Crime *m* (ìm).
guiltless Innocent, ente.
guilty Coupable (kû).
guinea (gini) Guinée *f* (gìné) [country, coin].
guinea-fowl Pintade *f*.
guinea-pig Cobaye *m*.
guise (gaiz) Guise *f* (gî). Costume *m* (üm) [dress].
guitar (gitâr) Guitare *f*.

gulf (gœlf) Golfe *f* (gòlf). Gouffre *m* [abyss].
gull (œl) Mouette *f* (wèt). Dupe *f* (üp). *vt* Duper (*ü*).
gullet (gœlit') Gos*ier* *m*.
gullible Crédule (krédül).
gulp (œ) Avaler. Gorgé*e* *f*.
gum (œm) Gomme *f*. Genc*ive* *f* (jaⁿsîv) [flesh].
gummy (gœ) Gomm*eux*, *euse*.
gumption (gœm) Sagacit*é* *f*.
gun (œn) Arme à feu. Fusil *m* (füzî) [rifle]. Canon *m* (*o*ⁿ). Revolv*er* *m* [Am.]. *Machine-gun*, mitraill*euse* *f* (àʸëz).
gun-boat Canonn*ière* *f*.
gun-carriage Aff*ût* *m*.
gun-cotton Coton-p*ou*dre *m*.
gunner Artilleur *m* (ʸœr).
gunnery Artillerie (ìʸrî).
gun-powder P*ou*dre à can*on*.
gun-room S*ain*te-Barbe *f*.
gunshot Coup de feu.
gunsmith Armurier.

gurgle (ër) Gargouiller (uʸ*é*). *n*. Glou-gl*ou* *m*.
gush (gœsh) Jaillir (jàʸîr). *n* Jaillissement *m*.
gust (œst) Coup de vent. Goût *m* [taste].
gustation Dégustat*ion* *f*.
gusto Goût *m*, sav*eur* *f*.
gusty Orag*eux*, *euse*.
gut (gœt') Boyau *m* (bwàʸ*ô*).
gutta (gœte) Goutte *f* (gût).
gutta-percha (gœtᵉ-pëʳtshà) Gutta-percha *f* (gü-pèrkà).
gutter (gœtᵉʳ) Goutt*ière* *f* (gûtʸèr) [roof]. Ruisseau *m* (rᵘìssô) [road]. *vt* Sillonner (sìʸòn*é*). *vi* Couler (kûl*é*).
guy (gaⁱ) Corde *f* [mar.]. Épouvant*ail* *m* [pers.].
guzzle (gœz'l) Ingurgit*er*.
gymnasium (djimnéⁱzyᵉm). Gymnase *m* (jìmn*â*z).
gymnast Gymn*a*ste.
gymnastics Gymnast*i*que.

H

h (éitsh) H (àsh).
haberdasher Merc*ier*.
haberdashery Merc*erie* *f*.
habiliment Habillement *m*.
habit (h*a*) Habitude *f* (àbìtüd). Vêtement *m* (m*a*ⁿ).
habitation Habitat*ion* *f*.
habitual Habit*uel*, *elle*.
habituate Habituer (ᵘ*é*).
habitude (youd) Habit*u*de *f*.
hack Hacher (sh*é*). *n* Chev*al* de lou*a*ge. Rosse *f* [jade].
hackle Filasse *f* (fìlàss).
hackney (ni) Cheval [*m*] de lou*a*ge.

hackneyed Ban*al*, rebatt*u*.
haddock Merl*u*che *f* (*ü*sh).
haemorrhage (**h**èmᵉridj) Hémorragie *f* (òràjî).
haft Manche *m* (aⁿsh).
hag Sorc*ière* *f*. Fondr*ière* *f*.
haggard Hagard (*à*r), *a*rde.
haggle Marchander.
hail (**h**éⁱl) Grêle *f*. Salut *m* (*ü*). Appel *m*. *vi* Grêl*er*. Ven*ir** de. *vt* Hél*er* [ship].
hailstone Grêl*on* *m*.
hair (**h**èᵉʳ) Cheveu *m* (shᵉvë) [single]. Chevelure *f*. Poil *m* [body, animals]. Crin

m [horse]. - -*cutting,* coupe [*f*] de cheveux; - -*dresser,* coiffeur; - -*do,* coiffure *f,* mise en pli *f.*
hairless Chauve (shôv) [skull]. Glabre [face].
hair-pin Épingle à cheveux.
hairy (hèeri) Velu, ue (velü), poilu, ue (pwàlü). Chevelu, ue (shevlü) [head].
halberd Hallebarde *f.*
hale (héil) Robuste (ü), vigoureux, se. *vt* Haler.
half (hâf) [*pl* **halves** (hâvz)]. Moitié *f* (mwà) : *by halves,* à moitié. *a* Demi, ie (demî) : *half an hour,* une demi-heure.
half-breed (îd) Métis, isse.
half-brother Demi-frère.
halfpenny (héi) Sou (sû).
half-sister Demi-sœur.
half-time (ai) Mi-temps *f.*
half-way A mi-chemin.
half-year Semestre *m.*
hall (haul) Salle *f* (sâl). Vestibule *m.* Château *m* [manor]. Hôtel de ville.
hallelujah Alléluia *m.*
hallo (hàloou), **-loo** (lou) Huée *f* [hoot]. Clameur *f.* *vi* Huer. *int* Holà!
hallucinate Halluciner.
halo (héi) Halo *m.*
halt (hault) Halte *f* ('àlt) [stop]. *a* Boiteux, euse. *vi* Faire* halte. Boiter.
halve (hâv) Couper en deux.
ham (à) Jambon *m* (janbon).
hamlet (it') Hameau *m.*
hammer Marteau *m* (tô). Chien *m* [gun]. *vt* Marteler.
hammock Hamac *m.*
hamper Panier *m* (yé). *vt* Gêner (jé).
hamstring Jarret.
hand (hànd) Main *f* (min). Signature *f* (sìñàtür). Aiguille *f* (guîy) [watch]. Ouvrier, homme. Palme [measure]. Côté *m* [side]. *At hand,* sous la main [near]; en magasin [in stock]; *by hand,* à la main; *off-hand,* sur-le-champ; *on hand,* en main, en train [work]; *on all hands,* de tous côtés; *to hand,* en main; *to shake* hands with,* serrer la main à. *vt* Donner, remettre* : *to hand down,* transmettre*; *to hand over,* céder, livrer.
hand-bill Affiche *f* [poster]; prospectus *m* [loose sheet].
hand-book Manuel *m* (uèl).
handcuff (œf) Menottes *pl.*
handful Poignée *f* (pwàñé).
handicap Handicap *m.*
handicraft Métier *m* (tyé).
handiwork (hàndiwërk) Ouvrage *m* (ûvràj).
handkerchief (hàngkertshif) Mouchoir *m* (mûshwàr).
handle *vt* (hànd'l) Manier (nyé). *n* Manche *m* (ansh) [knife, etc.]. Poignée *f* (pwàñé) [sword, etc.]. Anse *f* (ans) [basket, jar]. Bouton *m.* (bûton) [door]. Manivelle [crank].
handle-bar Guidon *m* (gì).
handmade Fait à la main.
hand-maid Servante.
hand-rail (réil) Rampe *f.*
handsel (hànsel) Étrenne *f.*
handsome (hànsem) Beau, belle. Généreux, se. Élégant, e.
handy Adroit, te (wà, àt). Commode [convenient].
hang* (hàng) Pendre (pan). Pencher (panshé) [lean].

Tendre (ta^{n}dr) [to cover]. *vi* Pendre. *fig.* Hésiter [**hung* (*hanged*)].
hanger-on Parasite *m* (zìt).
hanging Pendaison. Tapisserie *f*. *a* Suspendu, *ue*.
hanker Désirer ardemment.
hansom (hàns^{e}m) Cab *m*.
hap (hàp) Hasard *m* (zàr).
hap-hazard (z^{e}^{r}d) Hasard *m*.
hapless Infortuné, *ée*.
haply Par hasard.
happen Arriver, advenir*. Se trouver [chance]: *he happened to see*, il vit par hasard.
happily Heureusement.
happiness Bonheur *m* (nœr).
happy Heureux, *euse*.
harangue (àng) Haranguer.
harass (hàr^{e}s) Harasser.
harbour (hâr) Port *m* (pòr). Héberger (ébèrjé).
hard (hâ^{r}d) Dur, dure (ü); difficile; pénible: *hard labour*, travaux forcés.
harden Durcir (ür), endurcir. Tremper (a^{n}) [steel]. Durcissement *m*. Trempe *f*.
hard-hearted Insensible.
hardly A peine, presque.
hardness Dureté *f*.
hardware Quincaillerie *f*.
hard-working Laborieux, se.
hardy Robuste (ròbüst).
hare (hèe^{r}) Lièvre *m* (lyè).
harebrained Ecervelé, *ée*.
harem (he^{e}) Harem *m* ('à).
hark Ecouter (ékûté).
harl Filasse *f* (às).
harlot (hâ^{r}l^{e}t) Courtisane *f*.
harm (hâ^{r}m) Tort *m* (tòr). [wrong]; mal *m*. *vt* Nuire à.
harmful Nuisible (nüîzìbl).
harmless Innocent, te.
harmonious Harmonieux, se.
harmonium Harmonium *m*.
harmonize Harmoniser.
harmony Harmonie (àrmònî).
harness Harnais. Harnacher.
harp (hâ^{r}p) Harpe *f*. *vi* Rabâcher [to repeat].
harper, -ist Harpiste.
harpoon (hâ^{r}poun) Harpon *m* ('àrpo^{n}). *vt* Harponner.
harpy Harpie *f* (pî).
harsh (hâ^{r}sh) Âpre (âpr); rude (rüd).
hart (hâ^{r}t) Cerf *m* (sèrf).
harum-scarum Étourdi, *ie*.
harvest Moisson *f* (wàsso^{n}). *v* Moissonner.
harvester Moissonneur, se.
***has.** V. HAVE.
hash Hachis *m* (shî). Hacher.
hassock Coussin *m* (kûssi^{n}).
haste (hé^{i}st) Hâte *f* ('ât): *to make* haste*, se hâter. *v* Hâter. Se hâter.
hasten (hé^{i}s'n). V. HASTE.
hastily *ad* A la hâte.
hastiness Précipitation *f*.
hastings Primeurs *fpl*.
hasty (hé^{i}sti) Précipité, *ée*.
hat (hat') Chapeau *m* (pô).
hatch Éclosion *f* (ôzyo^{n}) [eggs]. Couvée *f* (kûvé) [chickens]. *vt* Faire* éclore [eggs]. Hacher [drawing]. *vi* Eclore*.
hatchet Hache *f* ('ash).
hatching Éclosion [eggs]. Hachure *f* (ür) [drawing].
hate (hé^{i}t) Haine *f* ('èn). *vt* Haïr* ('àîr).
hateful Odieux, *euse*.
hatmaker (hàtmé^{i}k^{e}^{r}) Chapelier *m* (shàp^{e}lyé).
hatred (hé^{i}t) Haine *f*.
haughtiness Hauteur *f* ('ô).
haughty Hautain, *aine*.

haul (**hau**l) Traction *f*; tirage *m*. Transport *m* [rail]. *vt* Tirer. Transporter.
haunch (**hau**ntsh) Hanche *f*. Quartier *m* [venison].
haunt (**haunt**) Retraite *f* (re). *v* Hanter (an) [ghost]. Fréquenter (kan).
hautboy (ooubo i) Hautbois.
*__have__ (**hàv**) Avoir* (àvwàr). Contenir* [contain]. Prendre* [take]. Être [with intrans. verb] : *I have come*, je suis venu; *to have in*, faire* entrer; *to have on*, porter [habit] [**has*; *had*].
haven (**héi**ven) Havre *m*.
haversack Havresac *m*.
having (**having**) Avoir *m*.
havoc Ravage *m* (ràvàj).
hawk (**hauk**) Faucon *m* (fôkon). *vi* Colporter.
hawker Colporteur *m*.
hawthorn Aubépine *f*.
hay (**héi**) Foin *m* (fwin).
hazard (**haz**erd) Hasard *m* ('àzàr). Danger *m*.
hazardous Hasardeux, *euse*. Dangereux, *euse*.
haze (**héi**z) Brume *f* (üm).
hazel (**héi**z'l) Noisetier *m*.
hazelnut Noisette (zèt) *f*.
hazy (**héi**zi) Brumeux, *euse*.
he *pron* (**hî**). Il. Lui (luî) : *it's he*, c'est lui.
head (**hèd**) Tête *f* (tèt). Chef *m* (shèf) [chief]. Source *f* (sûrss) [spring]. Proue *f* [ship]. Chapître *m* [chapter]. *Heads or tails*, pile ou face. *vt* Conduire*. *a* Principal : *head office*, bureau central.
headache (éik) Mal de tête.
heading (**hèding**) Titre *m*.
headland Promontoire *m*.
head-master Directeur.
head-quarters (kwaurterz) Quartier général *m*.
headstrong Entêté, *ée*.
heady (**hè**) Capiteux, *euse*.
heal (**hîl**) Guérir (**gé**).
healer Guérisseur, *euse*.
healing Guérison *f*. *a* Curatif, *ive* (kü).
health (**th**) Santé *f* (santé).
healthul *f* Salubre, sain.
healthy (**hèlthi**) Bien portant, *ante* [person]. Salubre; sain, *aine*.
heap (**hîp**) Tas *m* (tâ). *vt* Entasser.
hear* (**hier**) Entendre (antandr) Apprendre* [learn]. *vi* Entendre parler [*of* : de]. *int* Bravo! Très bien! [**heard*].
hearer Auditeur *m* (ôditœr).
hearing Ouïe *f* (wî). Audience *f* [law].
hearsay (**hier**séi) Ouï-dire.
hearse (**hër**s) Corbillard *m*.
heart (**hârt**) Cœur *m* (kœr).
heart-breaking Déchirant.
hearth (**hârth**) Foyer *m*.
heartilly De bon cœur.
heartiness Cordialité *f*.
heartless Sans cœur.
hearty Cordial, *ale* Vigoureux, *se*. Abondant.
heat (**hît'**) Chaleur *f* (shàlœr). Colère *f* [anger]. *vt* Chauffer (shôfé). *Fig.* Échauffer.
heath (**hîth**) Bruyère *f* (üyèr) [plant]. Lande *f*.
heathen (**hîzh**en) Païen, ne.
heating Chauffage *m* (àj).
heave* (**hîv**) Effort *m* (èfòr). *vt* Lever (levé). Pousser

[sigh]. Hisser [to hoist]. *vi* Se soulever. Palpiter [**hove* (*heaved*)].
heaven (hèv'n) Ciel *m.*
heavenly Céleste.
heaver (hîv^er) Porteur *m.*
heavily (hèvili) Lourdement. Tristement [sadly].
heaviness Lourdeur *f.* *Fig.* Accablement *m.*
heavy Lourd, de. Accablé.
hebrew (hîbrou) Hébreu *m* (ébrë). Hébraïque *a.*
heckle (hèk'l) Harceler de questions.
heckler Interrupteur *m.*
hecto... Hecto...
hector Matamore *m.*
hedge (hèdj) Haie *f* ('è).
heed (hîd) Attention *f.* *vt* Faire* attention à.
heedful Attentif, ive.
heedless Étourdi, ie.
heel (hîl) Talon *m* (o^n). *vi* Tourner.
hegemony Hégémonie *f* (jé).
height (ha^it) Hauteur *f* ('ô-tœr). Stature *f.*
heighten Rehausser (r^eôssé).
heinous (hé^i) Atroce (ôs).
heir (è^er) Héritier (érìt^yé).
heiress (è^eris) Héritière *f.*
***held.** V. HOLD.
hell Enfer *m* (a^nfèr).
hellene (hèlîn) Hellène.
hellish Infernal, ale (i^n).
helm (hèlm) Gouvernail *m* (gûvèrnà^y).
helmet (hèlmit) Casque *m.*
helmsman Timonier.
help (hèlp) Secourir* (s^ekû), aider (èdé). Servir* [meal]. Empêcher [prevent]. Éviter [avoid]. *n* Aide *f.*
helpful Secourable; utile (îl).
helpless Impuissant, ante.
helplessness Impuissance *f.*
helpmate Compagnon, gne.
helter-skelter Pêle-mêle.
hem Ourlet *m* (lè). *vt* Ourler.
hemisphere Hémisphère *m.*
hemp (hèmp) Chanvre *m* (sh).
hemstitch Ourlet à jour.
hen (hèn) Poule *f* (pûl). Femelle *f* [d'oiseau].
henbane Jusquiame *f.*
hence (hèns) D'ici; de là.
henceforth **-forward** Dorénavant.
henna (hèn^e) Henné *m.*
her (hë^r) Elle (èl). La : *I saw her,* je la vis. Lui : *speak to her,* parlez-lui. *a* Son, sa, ses [poss.].
herald Héraut *m.* Annoncer.
heraldry Blason *m.*
herb (hë^rb) Herbe *f* (èrb).
herborist Herboriste.
herbous (b^es) Herbeux, se.
herd (hë^rd) Troupeau *m.*
herdsman Berger *m.*
here (hi^er) Ici (ìssî) : *here and there,* çà et là.
hereafter Désormais (mè). *n* La vie future.
hereby (ba^i) Par là. Par la présente [com.].
hereditary Héréditaire.
heredity Hérédité *f.*
heresy (hèrisi) Hérésie *f.*
heretic, -etical Hérétique.
hereto (hi^ertou) Jusqu'ici.
hereupon Là-dessus.
herewith Ci-joint (jwi^n).
heritage (idj) Héritage *m.*
hermetic Hermétique.
hermit (hë^rmit') Ermite.
hermitage Ermitage *m.*
hernia Hernie *f* ('èrnî).
hero (hi) Héros *m* ('érô).

heroic (hiroouik) Héroïque.
heroin (hèroin) Héroïne.
heroism Héroïsme *m.*
heron Héron *m.*
herring (hèring) Hareng *m.*
hers Le sien, la sienne, les siens, les siennes. A elle : *this book is hers,* ce livre est à elle.
herself (hërsèlf) Elle-même. Se : *she saw herself,* elle se vit. *By herself,* toute seule [pl. *themselves*].
hesitate (hésitéit) Hésiter.
hesitation Hésitation *f.*
hew* (hyou) Tailler (tayé) [**hewed, hewn*].
hexagon Hexagone *m.*
hiccough (hikep) [**hiccup**] Hoquet *m* ('òkè).
hidden Caché, ée.
hide* (haid) Cacher (shé), se cacher. *n* Peau *f* (pô) [**hid, hid (hidden)*].
hideous (hi) Hideux, euse.
hierarchy (hai-ki) Hiérarchie (yèràrshî).
high (hai) Haut, haute; *- jump,* saut [*m*] en hauteur; *high Mass,* grand-messe; *high road,* grand-route. *ad* Haut. Fortement [strongly].
highlander Montagnard.
high-minded Magnanime.
highness Hauteur *f* ('ôtœr). Altesse *f* [title].
high-spirited Fougueux.
highway Grand chemin *m.*
hilarity Hilarité *f.*
hill (hil) Colline *f* (în). Mont *m* (mon) [mount].
hillock (lek) Monticule *m.*
hilly Accidenté, ée.
hilt Poignée *f* (pwàñé).
him (him) Le (le) : *I see him,* je le vois. Lui (luì) : *I speak to him,* je lui parle. Celui (seluì) : *to him who speaks,* à celui qui parle.
himself (himsèlf) Lui-même. Se : *he finds himself,* il se trouve. *By himself,* seul [pl. *themselves*].
hind (haind) Garçon de ferme. Rustre *m* [lout]. Biche *f* [deer]. *a* Postérieur, eure.
hinder (hìn) Empêcher (an), gêner (jè). *a* De derrière.
hindrance Empêchement *m.*
hindu (hìndou) Hindou.
hinge (hìndj) Gond *m* (on).
hint (hìnt) Suggestion *f.* *vt* Insinuer (ué).
hip (hip) Hanche *f* ('ansh).
hippodrome Hippodrome *m.*
hire (haier) Louage *m* (lûàj). Gages *mpl* [wages]. *vt* Louer. Soudoyer [to bribe].
hirer Loueur.
hiring Louage *m.*
his (hiz) Son, sa, ses. *pron* Le sien, la sienne, les siens, les siennes. A lui : *it is his,* c'est à lui.
hiss Siffler. *n* Sifflement *m.*
historian Historien.
historic, -ical Historique.
history Histoire *f* (wàr).
hit* (hit'). Frapper [blow]. Atteindre* [a mark]. *vi* Heurter [**hit*]. *n* Coup *m* (kû). Succès *m* (süksè).
hitch S'accrocher. *n* Secousse *f* [jerk]. Entrave *f* [catch].
hitch-hiking Auto-stop *m.*
hither (hìzher) Ici (ìssî).
hitherto (hìzh) Jusqu'ici.
hive (haiv) Ruche *f* (ü).
hoar-frost Gelée blanche.
hoard Tas *m* Magot *m* [money]. *vt* Amasser.

hoarse (hau^{er}s) Enroué.
hoarseness Enrouement.
hoax (ho^{ou}ks) Farce *f*; mystification *f*. *vt* Mystifier.
hob Rustre *m* (ü) [clown].
hobble Entraver. Entrave *f*.
hobby (hobi) Dada *m*.
hock Jarret *m*. Vin du Rhin.
hockey (ki) Hockey *m* (kè).
hocus (ho^{ou}k^{e}s) Filouter.
hocus-pocus Prestidigitateur *m*. Tour [trick].
hodge-podge Salmigondis *m*.
hog Cochon *m* (kòsho^{n}).
hoist (ho^{i}st) Hisser (sé).
hold* (ho^{ou}ld) Tenir* (t^{e}nîr). Contenir* [to contain]. Arrêter [to detain]. Regarder [to consider]. *vi* Tenir*. Endurer (a^{n}düré). Demeurer [to stay]. *n* Prise *f* (îz). Appui *m* (^{u}i) [support]. Garde *f* [custody]. Place forte *f* [fortress]. Cale *f* (kàl) [mar.] : *to take* hold of*, saisir, s'emparer de [**held*].
holder Détenteur (a^{n}tœr). Locataire *m* (tèr) Porteur *m* [com.]. Manche *m* [handle].
holding Possession *f*.
hole (ho^{ou}l) Trou *m* (trû). *vt* Trouer.
holiday Fête *f*, congé *m*.
holiness Sainteté *f* (si^{n}).
Holland (òl^{e}nd) Hollande *f*.
hollow (holo^{ou}) Creux, euse. *n* Creux *m*. Vallon *m* [valley]. *vt* Creuser (ëzé).
hollowness Creux *m*. *Fig.* Fausseté *f* (fôsté).
holly (hòli) Houx *m* ('û).
holocaust (h) Holocauste *m*.
holy (ho^{ou}li) Saint, te (si^{n}, i^{n}t), sacré. Bénite [water].
home (ho^{ou}m) Le chez soi; foyer *m* (fwà^{y}é). Maison *f* (mèzo^{n}) [house]. Patrie *f*. *At home*, chez soi.
homely (ho^{ou}mli) Simple (si^{n}pl). Rustique (rüstìk).
homesickness Nostalgie *f*.
homicide (a^{i}d) Homicide.
homœopathy (ho^{ou}myòp^{e}thi) Homéopathie *f* (àtî).
homogeneous Homogène.
homologous Homologue.
homonym Homonyme *m*.
honest (ist) Honnête (nèt).
honesty (ònisti) Honnêteté *f*.
honey (hœni) Miel *m* (m^{y}èl).
honey-bee Mouche à miel.
honeysuckle Chèvrefeuille.
honorary (on^{e}) Honoraire.
honour (on^{er}) Honneur *m* (ònœr). *vt* Honorer (ònòré).
honourable Honorable. **-bleness** Honorabilité *f*.
hood (houd) Capuchon *m* (kàpüsho^{n}). Capote *f* [carriage].
hoof (houf) Sabot *m*.
hook (houk) Crochet *m* (shè). Hameçon *m* (àmso^{n}) [fishing]. Faucille *f* (fôsî^{y}). [reaping]. Agrafe [clasp]. *vt* Accrocher.
hooked Crochu, ue (shü).
hooligan (houli) Apache *m*.
hoop (houp) Cerceau *m* (sô). Jante *f* (ja^{n}t) [wheel]. *vt* Cercler.
hoot (hout') Huer ('üé). *n* Huée f. **-ter** (hout^{er}) Sirène *f*. Corne *f* [motor].
hop Houblon *m* ('ûblo^{n}). Saut *m* (sô) [jump]. *vi* Sautiller (î^{y}é).
hope (ho^{ou}p) Espoir *m* (pwàr). *vt* Espérer.

hopeless Désespéré, *ée*.
hopper Sauteur, *euse*.
horde (**hau**^erd) Horde *f*.
horizon (*a*^i) Horizon *m* (rì).
horizontal Horizontal, *ale*.
horn (**hau**^ern) Corne *f*. Bois *m* [stag]. Cor *m* [mus.].
hornet Frelon *m* (fr^elo^n).
hornpipe (a^ip) Cornemuse *f*.
horoscope Horoscope *m*.
horrible (**h**orib'l), **-id** (**ho**-rid) Horrible (ìbl).
horribleness, horridness, horror Horreur *f* (orœr).
horse (**hau**^rs) Cheval *m* (sh^e-vàl) [*pl* **-aux**]. Cavalerie *f*.
horse-back Dos de cheval: *on horseback*, à cheval.
horse-chestnut (tchesn^et) Marron d'*I*nde (màro^ndi^nd).
horse-doctor Vétérinaire.
horse-fly (a^i) Taon *m* (ta^n).
horse-hair Crin *m* (i^n).
horseman Cavalier (l^yé).
horsemanship Equitation *f*.
horse-power (paou^er) Cheval-vapeur *m*.
horse-shoe Fer à cheval.
horse-whip Cravache *f* (vàsh). *vt* Cravacher.
horticulture Horticulture *f*.
hose (**h**o^ouz) Bas *m* (bâ) [stocking]. Caleçon *m* (so^n). Tuyau *m* [pipe].
hosier (**h**o^ouj^er) Bonnetier.
hosiery Bonneterie *f*.
hospitable Hospitalier, *ère*.
hospital Hôpital *m*; infirmerie *f*.
hospitality Hospitalité *f*.
host (**h**o^oust) Hôte *m* (ôt). Hostie *f* (òstî) [wafer].
hostel, hostelry Hôtel *m*, hôtellerie *f*.
hostess (**h**o^ous) Hôtesse *f*.
hostility Hostilité *f*.
hot (**h**ot') Chaud, aude (shô, ôd). *Fig*. Ardent, te (àrda^n, a^nt). Vif, vive. Violent, ente. *I am hot*, j'ai très chaud; *it is hot*, il fait très chaud.
hothouse (**ha**^ous) Serre *f*.
hotel (**h**o^outèl) Hôtel *m*.
hotel-keeper Hôtelier, *ère*.
hound Chien de chasse.
hour (*a*^ouer) Heure *f*.
house (**ha**^ous) Maison *f* (mèzo^n). Salle *f* (sâl) [theat.]: *public house*, cabaret *m*; *House of Commons*, Chambre des Communes; *House of Lords*, Chambre des Pairs. *vt* (**ha**^ouz) Héberger, loger.
housebreaker Cambrioleur.
household (**h**o^ould) - Ménage *m* (àj). Maisonnée *f* [family]. *a* Domestique.
housekeeper Gouvernante *f*.
housekeeping Ménage *m* (àj).
housemaid (é^id) Bonne (òn).
houseporter Concierge.
house-rent Loyer *m* (lwà^yé).
housewife (wa^if) Ménagère.
hovel (**hò**v'l) Taudis *m* (tôdî).
hover (**h**œv^er) Voltiger.
how (**ha**^ou) Comment (ma^n); *How much* [sing.], *how many* [pl.], combien (ko^nb^yi^n).
however Cependant.
howitzer (**h**a^ou) Obusier *m*.
howl (**ha**^oul) Hurlement *m*. *v* Hurler ('ürlé).
howler Énormité *f*.
howsoever Cependant.
hubbub Tintamarre *m*.
hue (**h**you) Couleur *f* (kûlœr). Teinte *f* (ti^nt) [shade]. Huée *f* ('üé), clameur *f*.
huff (**h**œf) Accès de colère. *vt*

Enfer. Brusquer. Souffler [draughts].
hug Étreindre*. *n* Étreinte *f*.
huge (hyoudj) Énorme.
hugeness Énormité *f*.
hulk (hœlk) Carcasse *f*. Ponton *m* [prison]. Pataud *m* [man].
hull (hœl) Coque *f* [ship]. Cosse *f* [husk]. *vt* Écosser.
hum (hœm) Bourdonnement *m*. *vt* Bourdonner.
human (hyoumᵉn) Humain, aine (ümiⁿ, èn).
humanist Humaniste.
humanitarian Humanitaire.
humanity Humanité *f*.
humanize Humaniser.
humble (hœmb'l) Humble. *vt* Humilier (ümìlʸé).
humble-bee Bourdon *m*.
humbleness Humilité *f*.
humbug (hœmbœg) Blague *f* (àg). Blagueur, euse. Fumiste. *vt* Embobiner.
humid (hyou) Humide (ü).
humidity Humidité *f*.
humiliate (hyoumilyéit) Humilier (ümìlʸé).
humiliation Humiliation *f*.
humility Humilité *f*.
humming Bourdonnement *m*.
hummock (hœ) Monticule *m*.
humorist Humoriste.
humorous Humoristique.
humour (hyoumᵉʳ) Humeur *f* (ümœr) [moisture, mind]. Caprice *m*. Humour *m* (ümûr) [fun]. *vt* Flatter.
hump (hœmp) Bosse *f* (òs).
humpback, -backed Bossu.
hunch Chanteau *m* [pain].
hunchback. V. HUMPBACK.
hundred (hœn) Cent (saⁿ).
hundredfold Centuple (ü).
hundredth (th) Centième.
hundred-weight Quintal *m*.
***hung.** V. HANG.
hungarian Hongrois, se.
hunger (hœng-gᵉʳ) Faim *f* (fiⁿ). *vi* Être affamé, ée.
hungry Affamé, ée.
hunt (hœnt) Chasser. *n* Chasse *f*. Meute *f* (mët) [pack].
hunter Chasseur *m*. **-ting** Chasse *f*; poursuite *f*.
huntsman Chasseur *m*. Piqueur *m* [servant].
hurdle (hœr) Haie *f* ('è).
hurl (hëʳl) Jeter, lancer.
hurly-burly Tohu-bohu *m*.
hurrah (hourâ) Hourra *n* ('ûrâ). *v* Acclamer.
hurricane (hœ) Ouragan *m*.
hurried (hœrid) Précipité.
hurry (hœri) Hâte *f* : *in a hurry*, pressé. *vt* Hâter. *vi* Se hâter.
hurt* (hœʳt) Faire* mal, blesser. *n* Mal *m*, blessure *f*. Tort *m* (tòr) [wrong] [**hurt*].
hurtful Nuisible (nᵘìzìbl).
husband (hœzbᵉnd) Mari *m* (mà). *vt* Économiser. Marier.
husbandman Laboureur.
husbandry Agriculture (ültür) *f*. Économie *f*.
hush (hœsh) Chut (shüt). *vi* Se taire*. *vt* Faire* taire.
husk (hœsk) Gousse *f*, cosse *f*. *vt* Écosser.
husky Enroué, ée.
hussar (houzaʳ) Hussard.
hustings (hœs) Estrade *f*.
hustle (hœs'l) Bousculer.
hut (hœt') Hutte *f* ('üt). Baraquement *m* [mil.].
hyacinth (haiᵉsìnth) Jacinthe *f* (jàssiⁿt).
hybrid (hai) Hybride (ì).

hydrant (ha[i]) Prise d'eau.
hydraulic (ha[i]) Hydraulique.
hydrogen (ha[i]-dj) Hydrogène.
hydropic (ha[i]) Hydropique.
hydrotherapy Hydrotherapie.
hyena (ha[i]î) Hyène *f* (yèn).
hygien (ha[i]djiîn) Hygiène *f* (ìjyèn).
hygienic Hygiénique.
hymen (ha[i]men) Hymen *m*.
hymeneal Nuptial, e (syàl).
hymn (hìm) Hymne *f* (ìmn).
hyperbola (ha[i]për), **-bole** [gram.]. Hyperbole *f*.
hypertrophy Hypertrophie *f*.
hyphen (ha[i]) Trait d'union.
hypnotism Hypnotisme *m*.
hypnotize (a[i]z) Hypnotiser.
hypocrisy Hypocrisie *f*.
hypocrite -critical Hypocrite.
hypotenuse Hypoténuse *f*.
hypothesis (thi) Hypothèse *f*.
hypothetic Hypothétique.
hysteria (hìstierye) Hystérie *f* (ìstérî).
hysterical Hystérique.

I

I (a[i]) I (ì) [letter]. *pron* Je (je) ; moi (mwà).
ibis (a[i]bis) Ibis *m* (ìbîs).
ice (a[i]s) Glace *f* (àss). *vt* Glacer. Frapper [wine].
ice-box Glacière *f* (yèr).
ice-cream (krîm) Glace *f*.
ice-floe (oou) Banquise *f*.
icicle (a[i]ssik'l) Glaçon *m*.
icy (a[i]ssi) Glacé, *ée* [frozen]. Glacial [freezing].
idea (a[i]dîe) Idée *f* (ìdé).
ideal (a[i]dîel) Idéal, ale.
idealize (îela[i]z) Idéaliser.
identical (a[i]) Identique.
identity (a[i]dèn) Identité *f*.
ideology (a[i]) Idéologie *f*.
idiocy (idyessi) Idiotie *f*.
idiom Idiome [language]. Idiotisme *m* [construct.].
idiot (idyet), **-tic** (otik) Idiot, ote (dyô, òt').
idle (a[i]d'l) Oisif, ive (wàzìf). *vt* Gaspiller (ìyé).
idleness Paresse *f* (ès).
idler Fainéant *m* (fènéan).
idol (a[i]d'l) Idole *f* (ìdòl).
idolater Idolâtre.
idyl (a[i]dil) Idylle *f* (ìl).
if *conj* Si (sì).
ignition Allumage *m* (ümàj).
ignoble (ig-nooub'l) Ignoble (ñ) [base].
ignominious (ig-neminyes) Ignominieux, euse (ìñò).
ignominy Ignominie *f*.
ignoramus Ignorant, ante.
ignorance Ignorance *f* (ñ).
ignorant Ignorant, ante.
ignore (ig-nauer) Ne pas reconnaître*. Dédaigner.
ill (il) Mauvais, aise (mòvè, èz). Malade (màlàd) [sick]. *ad* Mal.
ill-bred Mal élevé, *ée*.
illegal (ilîgel) Illégal.
illegality Illégalité *f*.
illegitimate Illégitime.
illiterate Illettré, *ée*.
illness Maladie *f* (màlàdî).
illogical Illogique.
illuminate (ilyou) Éclairer;

illuminer. Enluminer (lu).
Illumination *f* Illumination.
Illumine Illuminer.
Illusion (jen) Illusion *f*. Illusoire (zwàr).
Illustrate (ilestréit) Illustrer (ü). Expliquer [explain]. Embellir (an).
Illustration Illustration *f*.
Illustrious (œ) Illustre (ü).
Image (imidj) Image *f* (ìmàj). *vt* Représenter.
Imagery Images *fpl*.
Imaginable Imaginable.
Imaginary Imaginaire.
Imagination Imagination *f*.
Imagine (djìn) Imaginer.
Imbécile (ail) Imbécile.
Imbecility Imbécillité *f*.
Imbibe (ìmbaib) Absorber.
Imbroglio (oou) Imbroglio *m*.
Imitate (imitéit) Imiter.
Imitation Imitation *f*.
Imitative Imitatif, ive.
Imitator Imitateur, trice.
Immaculate (kyou) Immaculé.
Immaterial Immatériel.
Immature Prématuré, ée.
Immediate Immédiat, ate.
Immemorial Immémorial, ale.
Immense (iméns) Immense.
Immensity Immensité *f*.
Immerse (imërss) Immerger.
Immersion Immersion *f*.
Immigration Immigration *f*.
Imminent (nent) Imminent.
Immobility Immobilité *f*.
Immoderate Immodéré, ée.
Immodest Immodeste.
Immolate Immoler.
Immolation Immolation *f*.
Immoral (imaurel) Immoral.
Immorality Immoralité *f*.
Immortal (imaur) Immortel.
Immortality Immortalité *f*.
Immovable Immobile.
Immunity (you) Immunité *f*.
Immure (imyouer) Murer.
Immutable (imyou) Immuable.
Imp Diablotin; lutin *m*.
Impact Effet *m*. Influence *f*.
Impair (ìmpèer) Détériorer.
Impalpable Impalpable.
Impart Donner. Faire* part.
Impartial (sh) Impartial, ale.
Impartiality Impartialité *f*.
Impassable Infranchissable. Impraticable [road].
Impassibility Impassibilité *f*.
Impassible Impassible.
Impatience Impatience *f*.
Impatient (péish) Impatient.
Impeach (impîtsh) Mettre* en accusation.
Impeachment Blâme *m* [accusation].
Impecunious Besogneux, se.
Impede (ìmpîd) Gêner (jèné); empêcher (anpéshé).
Impediment Empêchement *m*.
Impel Pousser (pûssé).
Impend Menacer.
Impendent, -ing Imminent.
Impenetrable Impénétrable.
Impenitent Impénitent, te.
Imperative Impératif, ive.
Imperceptible Imperceptible.
Imperfect Imparfait, aite.
Imperfection Imperfection *f*.
Imperial (pie) Impérial, e
Imperialism Impérialisme *m*.
Imperil Mettre* en danger.
Imperious (pie) Impérieux.
Imperishable Impérissable.
Impersonal Impersonnel, elle.
Impertinence Impertinence *f*.
Impertinent Déplacé, ée. Impertinent, ente [saucy].
Imperturbable (ìmpertërbeb'l) Imperturbable (ür).

impervious Impénétrable.
impetuosity Impétuosité *f*.
impetuous Impétueux, *euse*.
impetus (itᵉs) Impulsion *f*.
impiety (aˡeti) Impiété *f*.
impious (ìmpyᵉs) Impie.
implacable Implacable.
implant Implanter.
implement Outil *m* (ûtî).
implicate Impliquer.
implied (ìmplaˡd) Implicite.
implore (*au*ᵉʳ) Implorer.
impolite (aˡt) Impoli, *ie*.
imponderable Impondérable.
import (ìmp*au*ʳt) Portée *f*, sens *m* (saⁿs). Importation.
import *v* (ìmp*au*ʳt) Importer. Signifier (sìñìfʸ*é*).
importance Importance *f*.
important Important, te.
importation Importation *f*.
importer (*au*ʳ) Importateur.
importunate (tyounit') Importun, une (iⁿpòrtuⁿ, *ün*).
importune Importuner.
importunity Importunité *f*.
impose (oᵒᵘz) Imposer. *vi* En imposer [*upon:* **à**].
imposing Imposant, *ante*.
imposition Imposition *f*. Pensum *m* [task].
impossibility Impossibilité *f*.
impossible Impossible.
impostor Imposteur *m*.
imposture Imposture *f* (*ür*).
impotence Impotence *f*.
impotent Impotent, *ente*.
impoverish Appauvrir.
impracticable Impraticable.
imprecation Imprécation *f*.
impregnable Imprenable.
impregnate Imprégner.
impress Imprimer. Impressionner [affect]. *n* (ìm) Empreinte *f* (aⁿprint).
impression Impression *f*.
impressive Impressionnant.
imprint (ìnt) Imprimer.
imprison Emprisonner.
imprisonment (ìmprizᵉnmᵉnt) Emprisonnement *m*.
improbable Improbable.
improper Inconvenant (iⁿkoⁿvn*a*ⁿ), impropre (impròpr).
impropriety Inconvenance *f*.
improve (*ouv*) Améliorer; perfectionner [process]. Embellir. Faire* valoir [land]. *vi* Se perfectionner. Monter [prices].
improvement Progrès *m*.
improvident Imprévoyant, e.
improvise Improviser.
imprudence Imprudence *f* (ü).
imprudent Imprudent, *ente*.
impudence Impudence *f* (pü).
impudent (pyou) Impudent.
impugn (pyoûn) Attaquer.
impulse (œls), **-sion** (shᵉn) Impulsion *f* (iⁿpülsʸ*o*ⁿ).
impulsive Impulsif, *ive*.
impunity (pyoû) Impunité *f*.
impure (pyouᵉʳ) Impur (*ür*).
impurity Impureté *f*.
impute (pyoût') Imputer.
in *prep* (ìn) Dans (daⁿ) : *in this case*, dans ce cas. En (aⁿ) : *in summer*, en été. A : *in spring*, au printemps; *in Paris*, à Paris. De (dᵉ) : *in this way*, de cette façon. *ad* Dedans : *come in*, entrez.
inability Incapacité *f*.
inaccessible Inaccessible.
inaccuracy (kyourᵉsi) Inexactitude *f* (t*ü*d).
inaccurate Inexact, *acte*.
inaction Inaction *f*.
inactive Inactif, *ive*.
inadequate Insuffisant, e.

inadmissible Inadmissible.
inadvertence Inadvertance.
inalterable Inaltérable.
inanimate Inanimé, ée.
inapplicable Inapplicable.
inasmuch D'autant plus..
inattention Inattention *f*.
inattentive Inattentif, ve.
inaudible Imperceptible.
inaugurate (gyou) Inaugurer.
inauguration Inauguration.
inbred, -born Inné.
incandescence Incandescence *f*. **-descent** Incandescent, te.
incapable (kéipe) Incapable.
incapacitate Rendre incapable (inkàpàbl).
incapacity (pà) Incapacité *f*.
incarcerate *vt* Incarcérer.
incarnadine Incarnat.
incarnate (éit) Incarné, ée. *vt* Incarner.
incarnation Incarnation *f*.
incautious Imprudent, e.
incendiary Incendiaire.
incense Encens m (ansan). *vt* (éns) Encenser. Irriter.
incentive Stimulant *m* (mü).
incessant Incessant, ante.
incest Inceste *m*.
inch (ìntsh) Pouce *m* (pûs).
incident (dent) Naturel, elle; consécutif, ive. *n* Incident *m*. Événement *m* (an) [happening].
incidental Accidentel.
incinerate Incinérer.
incipient Naissant, ante; débutant, ante.
incise (aiz) Inciser (sì).
incision (ìnsijen) Incision *f*.
incisive (ai) Incisif, ive.
incisor (aizer) Incisive *f*.
incite (sait) Inciter (sì).
incitement Encouragement *m*.
inclemency Rigueur *f* (gœr).
inclination Inclinaison *f* [slope]. Inclination *f* [bending, tendency].
incline (ain) Pente *f*. *v* (ain) Incliner (ìné).
include (oûd) Comprendre*.
included Compris, ise.
including Y compris.
incognito Incognito.
incoherence Incohérence *f*.
incoherent Incohérent, te.
income Revenu *m* (revnü).
income-tax Impôt sur le revenu.
incoming Entrant, nouveau.
incommensurate (shou) Incommensurable (sü).
incommode Incommoder.
incommodious (moududyes) Gênant, ante (jènan, ant).
incomparable Incomparable.
incompatible Incompatible.
incomplete (plît') Incomplet, ète (plè. èt).
incomprehensible (pri) Incompréhensible (préansibl).
inconceivable Inconcevable.
incongruity Inconvenance *f*.
incongruous Inconvenant, ante; incongru, ue.
inconsiderate Irréfléchi.
inconsistent Incompatible, contradictoire (wàr).
inconsolable Inconsolable.
inconspicuous Banal, ale.
inconstancy Inconstance *f*.
inconstant Inconstant, e.
incontinently Incontinent.
inconvenience Inconvénient *m*. *vt* Déranger, gêner.
inconvenient Incommode.
incorporate Incorporer. S'incorporer. **-ration** (réishen) Incorporation *f* (ràsyon).

incorrect (ink^{e}rèkt) Inexact, acte (*à, à*kt). Incorrect, ecte [behaviour].
incorrection Inexactitude *f*. Incorrection *f*.
incorruptible (rœptib'l) Incorruptible (rüp).
increase (îs') Augmentation *f*. *v* (îs') Augmenter (ôgma^{n}té).
incredible Incroyable (wà).
incredulity Incrédulité *f*.
incredulous Incrédule (dül).
increment Augmentation *f*.
incriminate Incriminer.
incubate (kyou) Couver.
incubation Incubation *f*.
incubator Couveuse *f* (ëz).
inculcate (ìnkœl) Inculquer.
inculpate Inculper.
inculpation Inculpation *f*.
incumbency Charge *f*.
incumbent Reposant [*on* : sur]. *n* Titulaire (tìtülèr).
incur (ìnkë^{r}). Encourir*. Contracter [debts].
incurable Incurable.
incursion (ë^{r}) Incursion *f*.
indebted Endetté, *ée*. Redevable [*for* : de].
indecency Indécence *f*.
indecent (s^{e}nt) Indécent, ente.
indecision Indécision *f*.
indecorous Inconvenant, ante.
indeed (îd) Vraiment.
indefatigable Infatigable.
indefinite *a* Indéfini, *ie*.
indelible Ineffaçable.
indelicacy Indélicatesse *f*.
indelicate Indélicat, ate.
indemnify Dédommager.
indemnity Indemnité *f*.
indent Denteler (da^{n}tlé). *n* Échancrure *f*. Commande *f;* contrat *m* [comm.].
indentation Échancrure *f*.
indenture Contrat *m*.
independence Indépendance.
independent Indépendant, te.
indescribable (kra^{i}) Indescriptible.
indestructible Indestructible.
indeterminate Indéterminé.
indetermination Indétermination *f*.
index Indice *m* [sign]. Index *m* [table, finger].
India (în) Inde *f* (i^{n}d).
indian Indien (d^{y}i^{n}), enne.
indicate (ké^{i}t) Indiquer (ké).
indication Indication *f*.
indicative Indicatif, ive.
indicator Indicateur.
indict (ìnda^{i}t') Accuser.
indictement Accusation *f*.
Indies Indes *fpl; West Indies*, Indes Occidentales.
indifference Indifférence *f*.
indifferent Indifférent, ente. Passable, médiocre (d^{y}òkr).
indigence (dj) Indigence.
indigent (dj) Indigent, e.
indigestible Indigeste.
indigestion Indigestion *f*.
indignant (g-n) Indigné, *ée*.
indignation Indignation *f*.
indignity Indignité *f* (ñi).
indigo Indigo *m*.
indirect Indirect (èkt'), te.
indiscreet Indiscret, ète.
indiscretion Indiscrétion *f*.
indispensable Indispensable.
indispose Indisposer.
indissoluble Indissoluble.
indistinct (tingkt) Indistinct. incte (i^{n}, i^{n}kt).
individual Individuel, elle. *n* Individu *m* (ü).
indolence Indolence *f*.
indolent Indolent, ente.
indomitable Indomptable.

indoor (ìndauer) Intérieur, eure. **indoors** A la maison.
indubitable Indubitable.
induce (dyous') Amener (àmné). Induire [electric].
inducement Attrait *m* (trè).
induct (œkt) Installer.
induction Installation *f*. Induction *f* [techn.].
indulge (œldj) Céder à. Contenter, satisfaire*. *vi* Se permettre [*in* : de].
indulgence Faiblesse *f*. Complaisance *f* [kindness].
indulgent Complaisant, ante. Faible [weak].
induration (éisheN) Durcissement *m*.
industrial (œstryel) Industriel, elle (indüstrièl, èl).
industrious (ìndœs) Diligent, te. Industrieux, euse.
industry (ìndestri) Diligence *f* (jans) ; activité *f*. Industrie *f* (ü) [trade].
inebriate (inî) Enivrer (anni).
inefficacious, -icient Inefficace. Incapable.
inefficacy, -iciency Inefficacité *f*. Incapacité *f* [pers.]. Insuffisance *f*.
inert Inerte.
inertia (she) Inertie *f* (èrsî).
inestimable Inestimable.
inevitable Inévitable.
inexact Inexact, e (gzà, akt).
inexcusable Inexcusable.
inexhaustible Inépuisable.
inexorable Inexorable.
inexpedient Inopportun, une.
inexplicable Inexplicable.
inexpressible Inexprimable.
infallible Infaillible (àyibl).
infamous (femes) Infâme.
infamy (ìnfemi) Infamie *f*.
infancy Bas âge *m* (bâzàj).
infant Enfant.
infantile Infantile.
infantry Infanterie *f* : *infantry man*, fantassin.
infatuation Engouement *m*.
infection Contagion *f*.
infectious Infectieux, se.
infer Déduire* (déduir).
inferior Inférieur, eure.
inferiority Infériorité *f*.
infernal Infernal, ale.
infest Infester.
infidel Infidèle.
infidelity Infidélité *f*.
infinite Infini, ie.
infinitive Infinitif *m*.
infinity Infinité *f*.
infirm (ërm) Infirme (fir).
infirmary Infirmerie *f*.
infirmity Infirmité *f*. Faiblesse *f* [weakness].
inflame (ìnfléim) Enflammer.
inflammation Inflammation.
inflate Enfler (anflé).
inflation (éisheN) Enflure *f*. Inflation *f*.
inflexible Inflexible.
influence (flou) Influence *f* (ü). *vt* Influencer.
influential Influent, ente.
influx (œks) Affluence *f*.
inform (ìnfaurm) Informer.
infraction Infraction *f*.
infringe (ìndj) Enfreindre.
infuse (youz) Infuser.
infusion Infusion *f*. Inspiration *f* [fig.].
ingenious (djî) Ingénieux.
ingeniousness, nuity Ingéniosité *f*, habileté *f*.
ingenuous Ingénu, ue *f*.
ingot Lingot *m* (ingô).
ingratitude Ingratitude *f*.
ingredient Ingrédient *m*.

ingress Entrée *f* (a^{n}tré).
inhabit (hà) Habiter (àbìté).
inhabitant Habitant, ante.
inherit (ìnhérit') Hériter.
inheritance Héritage (tàj).
inhospitable Inhospitalier.
inhuman (hyou) Inhumain.
inhumation Inhumation *f*.
inimitable Inimitable.
iniquitous (kwite^{s}) Inique.
iniquity Iniquité *f* (ki).
initial Initial, ale. *n* Initiale *f*. *vt* Parafer.
initiate (shyé^{i}t) Initier (syé).
initiation Initiation *f*.
initiative Initiative *f*.
inject (dj) Injecter (jekté).
injection Injection *f*.
injunction Injonction *f*.
injure (dje^{r}) Nuire*. Endommager [goods]. Blesser [wound].
injurious (ìndjoue^{e}) Nuisible.
injury Tort *m* [wrong]. Dommage *m* (àj) [damage].
injustice (dj) Injustice *f*.
ink (ìngk) Encre *f* (a^{n}kr). *vt* Encrer.
inkling Idée *f*.
ink-stand Encrier *m*.
inky D'encre. Taché d'encre.
inlaid (ìnlé^{i}d). V. INLAY.
inland Intérieur *m*.
inlay* Incruster (i^{n}krüsté). Marqueter [wood].
inlet (èt') Entrée *f* (a^{n}tré).
inmate Habitant, ante.
inmost [Le] plus profond.
inn Auberge *f* (ôbèrj).
innate (é^{i}t) Inné, ée.
inner (ine^{r}) Intérieur, eure.
innkeeper (kipe^{r}) Aubergiste.
innocence Innocence *f*.
innocent Innocent, ente.
innocuous (kyoue^{s}) Inoffensif.
innovate (vé^{i}t) Innover.
innovation Innovation.
innumerable Innombrable.
inoculate Inoculer.
inoculation Inoculation *f*.
inoffensive Inoffensif, ve.
inopportune Inopportun, une.
inordinate Désordonné.
inquest (kw) Enquête *f*.
inquire (kwa$^{ie r}$) Demander; se renseigner.
inquiring Curieux, euse.
inquiry Demande *f* (dema^{n}d).
inquisition Enquête *f*.
inquisitive Curieux, euse.
inroad (ìnro^{ou}d) Incursion *f*.
insane (é^{i}n) Fou, folle.
insanity Démence *f*.
inscribe (a^{i}b) Inscrire*.
inscription Inscription *f*.
insect Insecte *m*.
insecure (kyoue^{r}) Dangereux.
insecurity Insécurité *f*.
insensate (sèn) *a* Insensé, ée.
insensibility Insensibilité *f*.
insensible Insensible.
inseparable Inséparable.
insert (ìnsë^{r}t) Insérer (i^{n}).
insertion Insertion *f*.
inset Carton. *v* (sèt') Insérer.
inside (a^{i}d) Intérieur, re. *n* Intérieur *m*. *ad* En dedans. *prep* En dedans de.
insignificant Insignifiant.
insincere (sie^{r}) Menteur, se.
insinuate Insinuer (^{u}é).
insinuation Insinuation *f*.
insipid Insipide.
insist Insister.
insolence Insolence *f*.
insolent Insolent, ente.
insomnia Insomnie *f* (nî).
inspect Inspecter (té).
inspection Inspection *f*.
inspector Inspecteur, trice.

inspiration Inspiration *f*.
inspire (aier) Inspirer.
instability Instabilité *f*.
install (**aul**) Installer.
installation Installation *f*.
instalment (**au**) Livraison partielle *f*. Acompte *m* (**o**nt).
instance Demande *f*. Exemple *m*. Circonstance *f*.
instant Instant, ante [pressing]. Immédiat, ate. Courant (kûran) [month]. *n* Instant *m*.
instantaneous Instantané, *ée*.
instead (èd) A la place.
instigation Instigation *f*.
instiller Compte-gouttes *m*.
instinct (ìnstingkt) Instinct *m* (instin).
instinctive Instinctif, ve (ink).
institute (yout') Institut *m* (tü). Principe *m*. *vt* Instituer. Intenter [suit].
institution Institution *f*.
institutor Fondateur, trice.
instruct (œ) Instruire* (üir).
instruction Instruction *f*.
instructive Instructif.
instructor Instructeur *m*.
instrument Instrument *m*.
insubordinate (**au**) Insubordonné, *ée*.
insufferable Intolérable (àbl).
insufficient (fish) Insuffisant, ante (zan).
insular (ìnsyouler) Insulaire (insülèr).
insularity Insularité *f*.
insulate Isoler.
insult (œlt) Insulte *f* (ült). (ìnsœlt) *vt* Insulter.
insuperable Insurmontable.
insurance (sh) Assurance *f*.
insure (shouer) Assurer.
insurer Assureur (àsürœr).
insurgent (ërdj) Insurgé.
insurrection Insurrection *f*.
integer (idjer) Nombre entier.
integral Intégral, ale. *n*. Totalité *f*.
integrate Compléter.
integrity Intégrité *f*.
intellect Intelligence *f*.
intellectual Intellectuel.
intelligence (dj) Intelligence *f*. Renseignement *m*.
intelligent (dj) Intelligent, ente (jan).
intelligible Intelligible.
intemperance Intempérance *f*.
intemperate *a* Immodéré, *ée*.
intend Avoir* l'intention [*to:* de]. Destiner [*for:* à].
intendant Intendant *m*.
intended Projeté. Futur, ure.
intense (èn) Intense (tans).
intenseness Intensité.
intensify (sifai) Intensifier.
intensive Intensif, ive.
intent (ènt) Appliqué, ée. *n* Intention *f*.
intention Intention *f*.
intentional Voulu, ue (lü).
intently Attentivement.
intentness Application.
inter (ìntër) Enterrer (an).
intercede (îd) Intercéder.
interceder Intercesseur.
interceding Intercession *f*.
intercept Intercepter.
intercession Intercession *f*.
intercessor Intercesseur.
interchange Échange *m* (échanj). *vt* (tshéindj). Échanger.
intercourse Commerce *m*.
interdict Interdire*.
interdiction (ikshen) Interdiction *f*.
interest Intérêt *m* (intérè).

vt Intéresser (iⁿtéressé).
interesting Intéressant.
interfere Intervenir*.
interference Intervention *f*
interior (tiᵉ) Intérieur.
interjection Interjection *f*.
interlace Entrelacer (là).
interline Interligner (liñé)
interlocutor Interlocuteur.
interlude Intermède *m*.
intermediate (îdyit') Intermédiaire (dʸèr).
interminable Interminable.
intermingle Entremêler.
intermission Entracte.
internal Interne.
international International.
interpellate (éⁱt) Interpeller.
-ation Interpellation *f*.
interpose Interposer.
interposition Intervention.
interpret Interpréter.
interpretation Interprétation.
interpreter Interprète *m*.
interrogate (géⁱt) Interroger.
interrogation Interrogation.
interrogative Interrogateur, trice (iⁿtèrrògàtœr, trìs). Interrogatif, ive [gram.].
interrogatory (ogᵉtᵉri) Interrogatoire *m*.
interrupt (œ) Interrompre.
interruption Interruption *f*.
intersection Intersection *f*.
interstice Interstice *m*.
intertwine (aⁱn) Entrelacer.
interval Intervalle (àl) *m*. Entracte *m* [théât.].
intervene (vìn) Intervenir*. Survenir* [event].
intervention Intervention *f*.
interview Interview *f*. *vt* Interviewer.
intestinal Intestinal, ale.
intestine Intestin, ine.
intimacy Intimité *f*.
intimate (it') Intime (iⁿtìm). *vt* (éⁱt). Intimer.
intimidate Intimider.
intimidation Intimidation *f*.
into *prep* Dans (daⁿ). En [followed by a noun].
intolerable Intolérable.
intonation Intonation *f*.
intoxicate Enivrer (aⁿnì). Intoxiquer [med.].
intoxication Intoxication *f*.
intractable Intraitable.
intrepid Intrépide.
intrepidity Intrépidité *f*.
intricate Embrouillé.
intrigue (îg) Intrigue *f*. *vt* Intriguer (gé).
introduce (you) Introduire.
introduction Introduction *f*.
intruder Intrus, use.
intuition Intuition *f*.
inundate Inonder.
inundation Inondation *f*.
inure (youᵉʳ) Endurcir.
invade (éⁱd) Envahir (aⁿvàîr).
invader Envahisseur *m*.
invalid Nul, nulle (ü) [not valid]. (ìnvᵉlid) Invalide; infirme.
invalidity Invalidité *f*. Nullité *f* [law].
invaluable Inestimable.
invariable (vè) Invariable.
invasion (véⁱjᵉn) Invasion *f*.
invective Invective *f*.
inveigh (véⁱ) Invectiver.
inveigle (ìnvîg'l) Séduire*.
invent Inventer.
invention Invention *f*.
inventive Inventif, ive.
inventor Inventeur, trice.
inventory Inventaire *m*. *vt* Inventorier.
inverse Inverse.

Inversion (ërsh) Inversion *f*.
Invert Invertir; renverser.
Invest Vêtir* [to dress]. Placer, investir (in) [money].
Investigate Rechercher.
Investigation Investigation *f*.
Investment Placement *m*.
Investor Déposant, ante.
Invidious (dyes) Odieux, euse.
Invigorate Fortifier.
Invincible Invincible.
Inviolable (ìnvaie) Inviolable.
Invisible Invisible.
Invitation Invitation *f*.
Invite (ìnvait) Inviter (vì).
Inviter Hôte, esse.
Inviting Attrayant, ante.
Invocation Invocation *f*.
Invoice Facture *f*. *vt* Facturer.
Invoke (oouk) Invoquer (òké).
Involuntary Involontaire.
Involve Envelopper. Entraîner (antrèné) [consequence].
Involvement Embarras *m*.
Invulnerable Invulnérable.
Inward Intérieur, eure.
Irascible Irascible.
Ire (aier) Colère *f* (èr).
Ireful Courroucé (kûrû).
Ireland (aier) Irlande *f*.
Iris (aie) Iris *m* (ìrìs).
Irish (aierish) Irlandais, se.
Irishman -woman (aier) Irlandais, daise.
Irksome (ërksem) Pénible.
Iron (aiern) Fer *m* (fèr). *vt* Mettre* aux fers (fetters]. Repasser [linen].
Ironclad Cuirassé *m* (kuì).
Ironing Repassage *m* (sàj).
Ironical (ai) Ironique.
Ironmonger (mœnger) Quincaillier *m* (kinkàyé).
Ironwire (waier) Fil de fer.
Ironworks (ërks) Forges.
Irony (aiereni) Ironie *f*.
Irradiate (réi) Irradier.
Irradiation Irradiation *f*.
Irrational Irrationnel. Irraisonnable [foolish].
Irrefutable (fyou) Irréfutable.
Irregular (gyou) Irrégulier, ère (ü).
Irregularity Irrégularité *f*.
Irrelevant Inopportun, une.
Irreligion Irréligion *f*.
Irreligious Irréligieux.
Irremediable Irrémédiable.
-movable (ou) Inébranlable.
-pressible Irrésistible (tìbl)
-proachable Irréprochable.
Irresistible Irrésistible.
Irresolute Irrésolu, lue.
Irresolution (zelou) Irrésolution *f*.
Irrespective (iv) Sans égard.
-ponsible Irresponsable.
Irreverence Irrévérence *f*.
Irreversible Irrévocable.
Irrigate Irriguer (gé).
Irrigation Irrigation *f*.
Irritable Irritable.
Irritate (iritéit) Irriter.
Irritation Irritation *f*.
Irruption (œ) Irruption *f*.
***Is.** V. BE.
Isinglass (aizingglâss) Colle [*f*] de poisson.
Island (ai) Île *f* (îl).
Isle (ail) Île *f* (îl).
Islet Îlot *m* (ìlô).
Isolate (ai) Isoler (ì).
Isolation Isolement *m*.
Israelite (ait) Israélite.
Issue (syou) Issue *f* (ü). Écoulement *m* [liquid]. Emission [money]. Numéro *m* [newspaper]. Evénement *m* [event]. *vt* Expédier. Publier [books]. Émettre*

[shares, notes]. *vi* Sortir*; jaillir (jàyîr).
isthmus Isthme *m*.
it (it') Il, elle [subject]. Le, la [whith tr. verbs]. Lui [with intr. verbs]. *Is it you?* est-ce vous? *it is said*, on dit.
Italian Italien, enne.
italic Italique *f* (ik).
itch Démangeaison *f* (zon) *v* Démanger (manjé).
item (aitem) Article *m* (ìkl). *adv* Item (ìtèm).
itinerant (aitìnerent) Ambulant (anbülan), te.
its *pr* Son (son), sa, ses.
itself Lui-même, elle-même. Se [with refl. verbs].
ivory (ai) Ivoire *m* (wàr).
ivy (ai) Lierre *m* (lyèr).

J

J (djé) J (jî).
jabber (djaber) Jaboter.
jacinth (jàsìnth) Jacinthe *f*.
jack (djak) Tournebroche *m* [kitchen]. Pavillon *m* (pàvìyon) [flag]. Marin *m* (màrin) [sailor]. Cric *m* [lifting-jack]. *npr*. Jeannot.
jacket Veste *f* (vèst) [coat]. Jaquette *f* (jàkèt) [cut away coat]. Dolman *m*, tunique *f* [mil.]. Vareuse *f* [mar.].
jack-tar Loup de mer.
jade (djéid) Rosse *f* (ròs) [horse]. Friponne [woman]. Jade *m* (jàd) [stone]. *vt* Surmener.
jag (dj) Dentelure *f*. *vt* Denteler (dantlé).
jail (djéil) Geôle *f* (jôl).
jailer Geôlier.
jam (djam) Confiture *f*. *Traffic-jam*, encombrement *m*. [street]. *vt* Serrer.
janitor (dja) Concierge.
january (dja) Janvier *m*.
Japan (dj) Japon (j). Laque *f*. *vt* Laquer (ké), vernir.
japanese Japonais, se.
jar (djâr) Jarre *f* (jàr), cruche *f* (üsh). Bocal *m* [glass]. Discordance *f* [sound]. Discorde *f*. Entrebâillement *m* [door]. *vi* Être discordant, ante [sound]. Jurer [colours]. Se quereller.
jargon (djârgen) Jargon *m*.
jasmine (djas) Jasmin *m*.
jasper Jaspe *m*.
jaundice (dj) Jaunisse *f* (j).
jaunt (djaunt) Excursion *f*.
jaunting-car Char à bancs.
jaunty Léger, ère. Voyant, ante [showy].
javeline (djà) Javelot *m* (jà).
jaw (djau) Mâchoire *f* (mâshwàr). [vulg.] Gueule *f* (gœl). *vi* Gueuler (gëlé).
jay (djéi) Geai *m* (jè).
jealous (djè) Jaloux, ouse.
jealousy (sî) Jalousie *f* (zî).
jeer (djier) Raillerie *f* (râyrî). *v* Railler (râyé).
jelly (djè) Gelée *f* (jelé).
jelly-fish Méduse *f*.
jeopardy (djèper) Danger *m* (danjé).
jeremiad (ai) Jérémiade *f*.

jerk (dj) Secousse *f* (kûs).
jersey (djë) Jersey *m* (j).
jessamine (djè) Jasmin *m.*
jest (dj) Plaisanterie *f* (plèzantrî). Plaisanter.
jester Railleur.
jesuit (djèzyouit') Jésuite *m* (jézuit).
jet (djet') Jet *m* [spring]. Jais *m* [stone]. Avion [*m*] à réaction.
jetty Jetée *f* (jeté) [pier].
jew, jewess (djyou, is') Juif, ive (juif îv).
jewel (djou) Joyau *m* (jwàyô).
jeweller Joailler *m* (jwàyé).
jewellery Joaillerie *f.*
jewish (djyouish) Juif, ive.
jib (dj) Foc *m.*
jig (dj) Gigue *f* (jìg). *vi* Danser.
jigger Crible *m* [sieve]. Grue *f* (ü) [crane].
jilt (dj) Coquette *f* (kèt). *vt* Faire* la coquette avec. [vulg] Lâcher.
jingle (dj) Tinter.
jingo (djìn) Chauvin (shôvin). **-ism** Chauvinisme *m.*
job (dj) Besogne *f* [work]. Affaire *f.* Situation *f* [business]. *vi* Travailler à la tâche. Spéculer.
jockey (djoki) Jockey *m* (jòkè). *vt* Duper (düpé).
jocose (djo), **jocular** Plaisant, e.
jocund (djô) Joyeux, euse.
Joe (djoou) Joseph.
John (djòn) Jean (jan).
join (dj) Joindre* (jwindr); se joindre.
joiner (ner) Menuisier *m.*
joinery Menuiserie *f.*
joint (dj) Solidaire. *n* Jointure *f* (jwintür). Pièce *f* [meat]. Jonction *f* [rail]. Gond *m* [hinge].
jointed Articulé, ée.
jointly Conjointement.
joint-stock Fonds commun *m,* capital *m. Joint-stock company,* société anonyme.
joist (dj) Solive *f.*
joke (djoou) Plaisanterie *f. vi* Plaisanter.
joker Plaisant *m* (plèzan).
jollification Noce *f,* rigolade *f* [vulg.].
jolly Gai, aie (gè).
jolt (djooult) Cahot *m* (kàô). Cahoter.
jonquil (djònkwil) Jonquille *f* (jonkìy).
Joseph (djoou) Joseph (jò).
Joséphine Joséphine.
jostle (djos'l) Coudoyer (wàyé).
journal (djër) Journal *m.*
journalism Journalisme *m.*
journalist Journaliste.
journey (djër) Voyage *m* (vwayàj). *vi* Voyager.
journeyman Journalier *m.*
Jove (dj) Jupiter *m* (jü).
jovial (dj) Jovial (j).
joviality Jovialité *f.*
joy (djoi) Joie *f* (jwà). *vi* Se réjouir.
joyful Joyeux (àyë), euse.
joyfulness Joie.
jubilant (djoû) Joyeux, se.
jubilation Jubilation *f.*
jubilee (djoubilî) Jubilé *m* (jübilé).
judaism (djou) Judaïsme *m.*
judge (djœdj) Juge *m* (jüj). *v* Juger (jüjé).
judgment Jugement *m.*
judicature (djou) Justice *f.*
judicial, -ciary Judiciaire.

judicious Judicieux, *euse*.
jug (djœg) Broc *m* (brô).
juggle (djœg'l) Faire * des tours de passe-passe; jongler. *n* Jonglerie *f*.
juggler Jongleur, *euse*.
jugular (djœ) Jugulaire *f*.
juice (djous') Jus *m* (jü). Suc *m* (sük) [plant]. Sève *f* (sèv) [sap].
juicy Juteux (jütë), *euse*.
juke-box Juke-box *m*.
julep (djoû) Julep *m* (jü).
Julius (djou) Jules (jül).
July (djoula^{i}) Juillet *m*.
jumble (djœmb'l) Pêle-mêle *m*. *vt* Brouiller (brû^{y}é).
jump (djœmp) Saut *m* (sô). *vi* Sauter (sôté).
jumper Sauteur, *euse*. Camisole *f*. Blouse *f* (blûz).
junction (djœngsh^{e}n) Jonction *f* (jonks^{y}o^{n}).
June (djou) Juin *m* (j^{u}i^{n}).
jungle (djœn) Jungle *f* (ju^{n}).
junior (djoû) Jeune (jœn), cadet (kàdè).
juniper (djoû) Genièvre *m*.
juniper-tree Genévrier *m*.
junket (djœn) Caillé *m*. Pique-nique *m* (pìknìk).
jurisconsult Jurisconsulte. **-diction** Juridiction *f*. **-prudence** Jurisprudence *f*.
jurist (djourist) Juriste *m*.
juror (djou) Juré *m* (jü).
jury (djou^{e}) Jury *m* (jürî).
just (djœst) Juste (jüst). *ad* Juste, justement: *I have just seen*, je viens de voir; *just now*, à l'instant.
justice (djœs) Justice *f*. Juge *m* (jüj) [judge].
justification Justification *f*.
justify (fa^{i}) Justifier.
justly Justement.
justness Justesse *f* (èss).
jute (djoût') Jute *m* (jüt).
juvenile (djoû) Juvénile.
juxtaposition Juxtaposition.

K

k (kéi) K (kâ).
kale (ké^{i}l) Chou *m* (shû)
kangaroo *m* Kangourou.
kaolin (ké^{ie}) Kaolin *m*.
Katherine (th) Catherine.
keel (kîl) Quille *f* (kì^{y}). Chavirer (shà).
keelson Carlingue *f* (li^{n}g).
keen (kîn) Aigu, *uë* (ègü). Perçant, *ante* [noise]. Vif, vive [wind, cold, etc.].
keenness Finesse *f* [edge]. Âpreté *f*. Ardeur *f*.
keep* (kîp) Garder. Tenir* [to hold]. Maintenir*. Entretenir* [to support]. Retenir* [to hold back]. Protéger (éjé) [to protect]. Continuer (ko^{n}tìn^{u}é). *vi* Se tenir*, rester. Continuer. Se garder [to abstain]. *n* Entretien *m* (a^{n}tre^{t}y^{in}) [food]. [**kept*].
keeper Garde *m* (gàrd).
keeping Garde *f*.
keepsake Souvenir *m* (sûv).
keg Baril *m* (bàrîl).
kennel (kèn^{e}l) Chenil *m* (sh).

***kept.** V. KEEP.
kerb (ë) Bordure *f* (*ür*) Margelle *f* [well].
kerchief (kër) Fichu *m*.
kernel Grain *m* (in). Noyau (nwàyô) [peach, etc.]. Pépin *m* (in) [pear].
kettle Bouilloire *f* (bûywàr). Marmite *f*.
kettledrum Timbale *f*.
key (kî) Clé *f*. Touche *f* [piano]. **-board** (bauerd) Clavier. **-stone** Clé de voûte.
khaki (kâki) Kaki *m*.
kick Coup [*m*] de pied. Recul *m* (rekül) [recoil]. *vt* Donner des coups de pied. *vi* Ruer (rué) [animals]. Reculer [to recoil].
kid Chevreau *m* (shevrô). *Fam.* Gosse (goss) [child].
kidnap Enlever.
kidnapper Ravisseur.
kidney (kid) Rein *m* (rin). Rognon *m* (ròñon) [meat].
kidneybean Haricot *m* ('à).
kill Tuer (tué).
killer Tueur (tuœr), euse.
kiln (kiln) Four *m* (fûr).
kilogramme Kilogramme *m*.
kilometre Kilomètre *m*.
kin (kìn) Parenté *f* (pàran).
kind (aind) Bon, bonne (on, òn). *n* Genre *m* (janr).
kindle Allumer (àlümé).
kindliness (ain) Bonté *f*.
kindly (kaindli) Bon, bonne (bon, bòn). *ad* Avec bonté.
kindness (kain) Bonté *f*.
kindred (kìn) Parenté *f*.
king (kìng) Roi *m* (rwà). Dame *f* [draughts].
kingdom Royaume *m* (rwàyôm) Règne *m* (rèñ) [histoire naturelle].
kingly Royal, ale (rwàyàl).
kinsfolk Parents *mpl*.
kinsman Parent *m*.
kinswoman Parente *f*.
kiosk Kiosque *m* (kyòsk).
kirk (kërk) Église *f* (églîz).
kiss Baiser *m* (bèzé). *vt* Baiser [thing]; embrasser (anbràssé) [person].
kissing Baisers *mpl*.
kit (kit') Équipement *m*, effets *mpl*. Outils *mpl* [tools]. Chaton *m* [cat].
kitchen Cuisine *f* (kuìzìn).
kitchener Cuisinière *f*.
kite (kait') Cerf-volant *m*
kitten Minet *m*.
knack Adresse *f*; talent *m*. Babiole [toy] *f*.
knave (éiv) Coquin (kòkin). Valet *m* [cards].
knavery Friponnerie *f*.
knavish Fripon (on), onne.
knead (nîd') Pétrir.
knee (nî) Genou *m* (jenû). Coude *m* (kûd) [techn.].
kneel* (nîl) S'agenouiller [**knelt, kneeled*].
knell (nèl) Glas *m* (glâ)
***knew.** V. KNOW.
knickerbocker Culotte *f*.
knick-knack Babiole *f* [trifle]. Bibelot *m*.
knife (naif) Couteau (kûtô) *m*: *paper- -*, coupe-papier *m*.
knight (nait) Chevalier *m*. Cavalier *m* [chess].
knighthood Chevalerie *f*.
knit* (nit') Tricoter [wool]. Froncer (fronsé) [brow]. [**knit* ou *knitted*].
knob (nob) Nœud *m* (në). Bouton [door]. Bosse *f* [swelling].
knock (nok) Frapper (pé):

knock out, mettre* hors de combat. Éreinter [to tire out]. *vi* Frapper. *n* Coup *m.*
knocker Marteau *m* [door].
knoll (nol) Tertre *m.*
knot (not') Nœud *m* (në). Groupe *m.* *v* Nouer (nûé)
knotted, -ty Noueux, *euse.*
know* (nô) Savoir*, connaître* (nè). Reconnaître* [recognise]. [**knew, known*].
knowledge (nolidj) Connaissance *f* (kònèssa^{n}s).
knuckle (nœk'l) Jointure *f.*

L

l (èl) L (èl).
label (lé^{i}) Étiquette *f* (étìkèt). *vt* Étiqueter.
laboratory Laboratoire *m.*
laborious (bau) Laborieux.
labour (é^{i}) Travail *m* (à^{y}). Main-d'œuvre *f*: *hard labour,* travaux forcés. *vt* Travailler (à^{y}é). *Labour-party* Parti travailliste.
labourer Travailleur *m* (œr).
labyrinth (th) Labyrinthe *m.*
lac Laque *f* (làk).
lace (lé^{i}s) Dentelle *f* (da^{n}tèl). Galon *m* [stripe] Ruban *m* (rüba^{n}) [ribbon]. Lacet *m* [string]. *vt* Lacer (sé) [fasten]. Galonner. *Lace-maker,* dentellière.
lacerate Lacérer.
lack Manque *m* (a^{n}k). *vt* Manquer de.
lackadaisical Sentimental.
lackey (ki) Laquais *m.*
laconic Laconique.
lad Garçon *m* (gàrso^{n}).
ladder Échelle *f* (éshèl).
lade* (lé^{i}d) Charger (shàrjé) [**laded, laden*].
ladle (lé^{i}d'l) Louche *f.*
lady (lé^{i}) Dame *f* (dàm) : *young lady,* demoiselle; jeune dame [married]. Madame, Mademoiselle (màdmwàzèl). *Ladybird, -bug,* coccinelle *f.* *Ladyday,* Annonciation *f.* *Ladyship,* seigneurie *f.*
lag Traîner (trèné).
laggard, -ger Traînard.
lagoon Lagune *f* (ün).
laic (lé^{i}ik) Laïc, ïque [masc. also *laïque*].
***laid.** V. LAY.
lair (lè^{er}) Tanière *f.*
lake (lé^{i}k) Lac *m.*
lamb Agneau *m* (àñô).
lame (lé^{i}m) Boiteux, euse (bwàtë, ëz). Défectueux, *euse.* *vt* Estropier.
lament Se lamenter. *vt* Déplorer. *n* Lamentation.
lamentable Lamentable.
lamentation Lamentation *f.*
laminate Laminer.
lamp (làmp) Lampe *f.* *Lamp-post,* reverbère *m.* *Lampshade,* abat-jour *m.*
lance (làns) Lance *f* (a^{n}). *vt* Percer (sé).
lancer Lancier m (la^{n}s^{y}é).
lancet Lancette *f* (la^{n}sèt).
land (lànd) Terre *f* (tèr). *v* Débarquer, atterrir.
landed Foncier, ière (o^{n}).

land-holder (hooul) Propriétaire foncier.
landing Débarquement *m*. *Landing-place*, débarcadère.
landlady Propriétaire. Aubergiste *f* (jìst) [inn].
landlord Propriétaire. Aubergiste *m* [inn].
landmark Borne *f*.
landscape (lànskéip) Paysage *m* (péìzàj).
land-tax Impôt foncier *m*.
lane (léin) Chemin *m* (shemin). Ruelle *f* (ruèl).
language (widj) Langage *m*.
languid (wid) Languissant.
languish Languir (langîr).
languor (ger) Langueur *f*.
lantern (làn) Lanterne *f*.
lap Giron *m* (jìron), sein *m* (sin). *vt* Envelopper.
lapel Revers *m* (revèr).
lapidary Lapidaire.
lappet Pan *m* (pan).
lapse Laps *m*. *vi* S'écouler.
larboard (aurd) Bâbord *m*.
larceny Larcin *m* (sin).
larch (lârtsh) Mélèze *m*.
lard (lârd) Saindoux *m*.
large (lârdj) Grand (gran).
largeness Grandeur *f*.
largess (dj) Largesse *f* (jès).
lark (lârk) Alouette *f* (àlwèt). Partie [*f*] de plaisir.
larva Larve *f* (làrv).
larynx Larynx *m*.
lascivious Lascif, ive.
lash Mèche *f* (sh) [whip]. Coup de fouet. *vt* Fouetter (fwèté). Attacher.
lassitude Lassitude *f*.
last Dernier, ère (nyé) : *last but one*, avant-dernier, ère; *last night*, hier soir. *n* Bout *m* (bû). *ad* Dernièrement. *vi* Durer (düré).
lasting Durable (düràbl).
lastly En dernier lieu.
latch Loquet *m* (kè).
latchet Cordon *m*.
latch-key Passe-partout *m*.
late (léit) Tardif, ive [plant]. Récent, ente: *he is late*, il est en retard. *ad* Tard (tàr) : *of late*, récemment; *at latest*, au plus tard.
lately Récemment.
lateness Retard *m* (retar).
lateral Latéral, ale.
lath (lâth) Latte *f* (làt).
latin (latìn) Latin, ine.
latitude (tycud) Latitude *f*.
latter (ter) Dernier, ère.
lattice Treillis *m* (trèyi).
laud (laud) Louange *f* (lwanj). *vt* Louer (lûé).
laudanum Laudanum *m*.
laugh (lâf) Rire*: *to laugh at*, se moquer de. *n* Rire *m*.
laughable Risible (rìzìbl).
laugher Rieur (rìœr), euse.
laughter (lâfter) Rire *m*.
launch Lancer, se lancer. *n*. Lancement *m*. Chaloupe *f* (shàlûp) [boat].
laundress Blanchisseuse.
laundry Buanderie *f* (buan).
laureate (rieit) Lauréat, ate.
laurel Laurier *m* (loryé).
lava Lave *f* (làv).
lavatory (làvetri) Cabinet [*m*] de toilette, lavabo *m*.
lave (léiv) Laver (vé).
lavender Lavande *f*.
lavish Prodigue (pròdìg).
law (lau) Droit *m* (drwà); loi *f* (lwà); *Law Courts*, Palais [*m*] de justice.
lawful Légitime (jìtìm).
lawless Indiscipliné, ée.

lawn (laun) Pelouse *f* (pelûz) [grass]. Linon *m* (lìnon).
lawsuit (syout') Procès *m*.
lawyer (yer) Avocat *m* (kà) [consultant]. Avoué *m* [solicitor]. Homme de loi.
lax Lâche (lâsh). *fig.* Relâché, *ée*.
laxative Laxatif *m*.
lay* (léi). V. LIE*. *vt* Coucher (kûshé). Étendre [to spread]. Pondre* [eggs]. *vi* Pondre. *n* Lai *m* (lè); laïc [secular] Chanson *f* (shanson). *Lay-figure*, mannequin [**laid*].
layer (léier) Couche *f*.
laying Pose *f*. Ponte *f* [eggs].
laziness (léi) Paresse *f*.
lazy Paresseux (së), *euse*.
lazybones Fainéant (fènéan).
lead (lèd) Plomb *m* (plon).
lead* (lîd) Conduire* (kondüîr). Amener [to bring]. *n* Conduite *f* (kondüît) [**led*].
leaden (lèden) Plombé, *ée*.
leader (lîder) Chef *m* (shèf). Article [*m*] de fond.
leadership Conduite *f* (üit).
leading Premier, *ère*.
leaf* (lîf) Feuille *f* (fœy). Feuillet *m* (fœyé) [book]. Battant *m* (an) [door]. Rallonge *f* (onj) [table].
leafless Sans feuilles.
leaflet Feuillet *m*.
leafy Touffu, ue (tûfü).
league (lîg) Ligue *f* (lîg). Lieue *f* (lyë) [measure]. *vi* Se liguer.
leak (lîk) Fuite *f* (füît). *vi* Faire* eau [ship].
leakage Fuite *f* [gas]. Coulage *m* [waste].
lean (lîn) Maigre (mègr). *vi* S'appuyer (apüiyé) [to rest]. *vt* Appuyer [**leant* (*leaned*)].
leaning Penchant *m* (shan).
leanness Maigreur *f* (œr).
leap (lîp) Saut *m* (sô). *v* Sauter. *Leap-frog*, saute-mouton *m*. *Leap-year*, année bissextile *f* [**leapt* (*leaped*)].
learn* (lërn) Apprendre [**learnt*].
learned Savant (an), *ante*.
learning Savoir *m* (sàvwàr).
lease (lîss) Bail *m* (bày).
leash (îsh) Laisse *f* (lès).
least (lîst) Le moindre (win). *adv* Le moins (mwin). *At least*, au moins.
leather (lèzher) Cuir *m*.
leave* (lîv) Laisser (lèssé), quitter (kìté). Cesser [cease]. Rester [to be left]. *vi* Partir *n*. Permission *f*: *on leave*, en congé [**left*].
leaven (lèv'n) Levain *m*.
lecture (tsher) Conférence *f* (konféranѕ). Semonce *f* [scolding]. *vi* Faire* des conférences.
lecturer Conférencier *m*.
***led.** V. LEAD.
ledge Rebord *m* (rebòr). Banc *m* (ban) [rocks].
ledger Grand-livre *m*.
leech Sangsue *f* (sansü).
leek (lîk) Poireau *m*.
leer (lier) Œillade *f* (œyàd), regard sournois. *vi* Lorgner.
lees (lîz) Lie *f* (lî).
***left.** V. LEAVE. *a* Gauche.
leg Jambe *f* (janb). Patte *f* [animal]. Pied *m* [furnit.].
legacy (lègessi) Legs *m*.
legal (lîg'l) Légal, *ale*.
legality Légalité *f*.
legalize Légaliser (ìzé).

legatee (tî) Légataire.
legation Légation *f*.
legend (dj) Légende *f* (**j**).
legendary Légendaire.
legerdemain Tour [*m*] de passe-passe, prestidigitation.
legged A pattes, à pieds: *two-legged*, bipède.
legible (lèdj) Lisible.
legion (lî) Légion *f* (**lé**).
legislate (dj) Légiférer.
legislation Législation *f*.
legist (lîdjist) Légiste.
legitimate (ledjitimit) Légitime. *v* (méit) Légitimer.
leisure (lèjer) Loisir *m*.
lemon Citron *m* (sìtron). *Lemon-squash*, citron pressé *m*.
lemontree Citronnier *m*.
lemonade Limonade *f*.
lend* *vt* (lènd) Prêter.
lender Prêteur, euse.
length (lè**ngth**) Longueur *f* (lon): *at length*, enfin.
lengthen (**th**en) Allonger (**o**n**jé**); prolonger [time].
lengthening Allongement *m*.
lenient Indulgent (**ülja**n), e.
lens Lentille *f* (lantìy).
***lent.** V. LEND. *n* Carême *m*: *Mid-lent*, mi-carême *f*.
lentil (lèntil) Lentille *f*.
Leo (lioou) Léon (**léo**n).
leonine (nain) Léonin, ine.
leopard (lèperd) Léopard *m*.
leper Lépreux (**léprë**), se.
leprosy (pressi) Lèpre *f*.
leprous Lépreux, euse.
lesion (lîjen) Lésion *f*.
less Moindre (mwindr). *ad* Moins (mwin).
lessee (lèssî) Locataire.
lessen Diminuer (ué).
lesson Leçon *f* (leson).
lessor Bailleur (bayœr).
lest De peur que.
let* Laisser (léssé). Louer (lûé) [house]. Aux. de l'impératif; *let us go!* allons! *To let alone*, laisser tranquille; *to let out*, laisser sortir.
lethargy (lè**th**erdji) Léthargie *f* (tàrjî)
letter Lettre *f* (lètr).
letter-box Boîte aux lettres.
letting Location *f*.
lettuce (letiss) Laitue (**ü**).
Levant (livànt) Levant *m*.
level (lèv'l) De niveau. *n* Niveau *m* (nìvô). *vt* Niveler. Pointer [gun].
levelling Nivellement *m*.
lever (li) Levier *m* (levyé).
levite (livait) Lévite (lévit).
levity Légèreté *f* (**léjerté**).
levy Levée *f*. *vt* Lever.
lewd (lyoud) Lascif, ive.
lewdness Lasciveté *f*.
lexicon Lexique *m*.
liability Responsabilité *f*.
liable (laie) Sujet, ette (**sü**jè, èt); exposé, ée.
liar (laier) Menteur, euse.
libel (laib'l) Libelle *m*.
libellous Diffamatoire.
liberal Libéral, ale (**éràl**). Prodigue (îg).
liberalism Libéralisme *m*.
liberality Libéralité *f*.
liberate Libérer. Relâcher [prisoner].
liberation Délivrance *f* (**a**ns).
liberator Libérateur.
libertine (ain) Libertin, ine (tin, ìn).
liberty Liberté *f*.
libidinous Libidineux, se.
librarian Bibliothécaire.
library (lai) Bibliothèque *f*.
licence (lai) Licence *f* (lì).

Permis *m*. Patente *f* [com.].
license Autoriser.
licentiate Licencié, ée.
licentious Licencieux, se.
licentiousness Licence *f*.
lichen (laiken) Lichen *m* (lì).
licit Licite (sìt).
lick Lécher (shé). Rosser (sé) [to thrash].
licking Râclée *f*.
lid Couvercle *m* (kûverkl).
lie (lai) Mensonge *m* (mansonj). *vt* Mentir*.
lie* (lai) Être couché (kûshé), se coucher, s'étendre : *here lies*, ci-gît. Gisement *m* (jîzman) [*lay, lain].
lien (lîen) Nantissement *m*.
lieutenant (leftènent) [Am. loutènent] Lieutenant *m* (lyëtnan) ; *second* -, sous-lieutenant.
life (laif) Vie *f* (vî) : *from life*, d'après nature ; *high life*, le grand monde. *Life-belt*, ceinture de sauvetage. *Life-boat* (boout), bateau de sauvetage. *Life-guard* (gârd), garde du corps. *Life-insurance* (shou) Assurance sur la vie. *Life-size* (aiz), grandeur naturelle.
lifeless Sans vie.
lift Lever (levé). *n* Lever. Ascenseur *m* (àssansœr). Charge *f*, poids *m* [weight].
ligament Ligament *m*.
light (lait) Lumière *f* (lü). Jour *m* (jûr) [day]. Clair *m* (er) [moon]. Éclairage *m* [lighting]. *a* Clair, re [colour]. Léger, ère (léjé, èr) [weight]. Blond, onde [hair]. *It is light*, il fait clair. *vi* Allumer. *vi* S'éclairer [*lit (lighted)].
lighten Éclairer (éklèré). Faire* des éclairs [lightning]. Alléger [weight].
lighter Allumeur, euse. Briquet *m* (kè) [igniter].
light-house Phare *m* (fàr).
lightness Légèreté *f*.
lightning Éclairs *mpl*. *Lightning-rod*, paratonnerre *m*.
lights (laits) Mou *m* (mû), poumons *mpl* [meat].
lightsome Clair, aire. Gai, gaie (gè).
lignite (lig-nait) Lignite *m* (lìñìt).
like (laik) Ressemblant, te; pareil, eille. *prep* Comme (kòm) : *to look like*, ressembler. *n* Pareil, lle (parèy). *vt* Aimer : *as you like*, comme il vous plaira.
likelihood Probabilité *f*.
likely Probable (àbl). *ad* Probablement.
likeness Ressemblance *f*.
likewise (waiz) De même.
liking Goût *m* (gû), penchant.
lilac (lai) Lilas *m* (lilâ).
lily Lis *m* (lîs) : *lily of the valley*, muguet (mügè) *m*.
limb (lìm) Membre *m* (anbr).
lime (laim) Chaux *m* (shô). Tilleul *m* (tìyœl) [linden]. Glu *f* (glü) [glue]. *vt* Engluer. Chauler [manure].
limit Limite *f* Limiter.
limitation Limitation *f*.
limited Limité, ée.
limp Boiter (bwâté).
limpingly Clopin-clopant.
limpid Limpide.
limpidness Limpidité *f*.
linden Tilleul *m* (tìyœl).
line (lain) Ligne *f* (lìñ).

Trait *m* (trè) [dash]. Lignée *f* [family]. *vt* Doubler [garment]. Border [bank]. Revêtir* [wall].
lineal Linéaire (èr).
linen Toile *f* (twàl). Linge *m* (liⁿj) [underwear].
linen-draper (éi) Marchand de nouveautés. - **-drapery** Nouveautés *fpl.*
liner (aⁱ) Transatlantique *m.*
linger (gᵉr) Traîner (trèné).
liniment Liniment *m.*
lining (laⁱ) Doublure *f* (ür).
link (lingk) Chaînon *m,* anneau *m* (ànô).
linnet Linotte *f.*
linoleum Linoléum *m* (om).
linseed (sîd) Graine de lin.
lint Charpie *f* (shàrpî).
lintel Linteau *m* (liⁿtô).
lion (laⁱen) Lion *m* (lyoⁿ).
lioness Lionne *f* (lyòn).
lip Lèvre *f.* ***Lipstick,*** rouge à lèvres.
liquefaction Liquéfaction.
liquefy (likwifaⁱ). Liquéfier.
liquid (likwid) Liquide (lìkîd).
liquidate (likwi) Liquider.
liquidation Liquidation *f.*
liquor (likᵉr) Boisson [*f*] alcoolique. Solution *f.*
liquorice Réglisse *f.*
lisp Zézayer.
lisping Zézaiement *m.*
list Liste *f* (lìst). Lisière *f* (zyèr) [cloth]. *vt* Enrôler.
listen (lisᵉn) Écouter.
listener Auditeur, trice. Écouteur, euse [pej.].
listening-post Poste d'écoute.
listless Insouciant, ante.
lit*. V. LIGHT.
litany Litanie *f.*
literal Littéral, ale.
literary Littéraire.
literature Littérature *f.*
lithograph Lithographie *f* (tò). *vt* Lithographier (fyé).
litigant Plaideur, euse.
litigation Litige *m* (ìj). Procès *m* (pròsè).
litigious Litigieux, euse.
litter Portée *f* (té) [animals]. Litière *f* [straw]. Fouillis *m* (fûyì) [mess]. *v* Joncher [strew].
little (lit'l) Petit, ite (pᵉtì, ìt). *ad* Peu (pë), peu de: *a little,* un peu.
littoral Littoral *m.*
liturgy (dji) Liturgie *f* (jî).
live (liv) Vivre*. Habiter [to dwell]. *a* (laⁱv) En vie, vivant, te. En direct [radio].
livelihood (laⁱ) Vie *f* (vî). Gagne-pain *m* [fam.].
liveliness Vivacité *f.*
lively (laⁱvli) Vif, vive.
liver (li) Foie *m* (fwà) [gland]. Vivant, ante [person].
livery (livri) Livrée *f* (vré).
livid Livide.
living Vivant, te. *n* Vie *f.*
lizard (li) Lézard *m* (zàr).
lo (loᵒᵘ) Voici (vwàssi).
load (loᵒᵘd) Charge *f* (j). *vt* Charger (jé).
loading Chargement *m.*
load-stone Aimant *m.*
loaf (loᵒᵘf) Pain *m* (piⁿ).
loafer Fainéant, ante.
loan (loᵒᵘn) Emprunt *m* (aⁿpruⁿ). Prêt *m* (prè) [lend.].
loath (th) Qui répugne à.
loathe (oᵒᵘzh) Abominer.
loathing Aversion *f.*
loathsome Répugnant, ante.
lobby Couloir *m* (kulwàr).
lobe (loᵒᵘb) Lobe *m.*

lobster Homard *m* ('òmàr) : *rock lobster*, langouste *f*.
local (looukel) Local, ale.
locality Localité *f*.
locate (kéit) Situer (sìtué).
location Position *f*.
lock Serrure *f* (ür) [door]. Écluse *f* (üz) [river]. Mèche *f* (mèsh) [hair]. Flocon *m* (kon) [wool]. *vt* Fermer à clé.
locket Médaillon *m* (yon).
lock-out (aout) Lock-out *m*.
locksmith (th) Serrurier.
locomotion Locomotion *f*.
locomotive Locomotive *f*.
locust Sauterelle *f* (rèl).
lode (looud) Filon *m* (on).
lodge (dj) Loge *f* (lòj). *vi* Se loger (lòjé).
lodger Locataire (lòcàtèr).
lodging Logement *m* (an).
loft Grenier *m* (grenyé).
loftiness Hauteur *f* ('ôtœr).
lofty Haut, haute ('ô, 'ôt). Altier, ère; noble.
log Bûche *f* (büsh).
logic (dj) Logique (j).
loin (oin) Reins *mpl* (in). Longe *f*, aloyau *m* [meat].
loiter Flâner (né).
loiterer Flâneur, euse.
loll Se prélasser.
lone (looun), **lonely, lonesome** Isolé, ée.
loneliness Solitude *f* (tüd).
long (ng) Soupirer (supìré). *a* Long, longue (lon, ong) : *a long time*, longtemps. *ad* Longtemps: *long ago*, il y a longtemps.
longboat Chaloupe *f*.
longing Désir ardent *m*.
long-sighted (sai) Presbyte.
long-suffering Patient.
look (louk) Regarder (re). Sembler. Donner [to face]. *To - after*, s'occuper de; *to - for*, chercher; *to - on*, considérer; *to - at*, regarder. *n* Regard *m*. Air *m* (èr) : *good looks*, bonne mine, beauté *f*.
looking Paraissant.
looking-glass Miroir *m*.
look-out (aout) Guet *m* (gè). Vigie *f* (vìjî) [mar.].
loon (loûn) Maraud (màrô).
loop Boucle *f* (bûkl).
loose (lous') Lâche (lâsh). Desserré, ée (screw], relâché, ée [morals]. *vt* Lâcher. Déchaîner (fig.].
loosen (loûs'n) Lâcher, relâcher. Desserrer [screw]. *vi* Se détacher.
looseness Relâchement *m*. Jeu (jë) [screw].
loquacious Loquace (wàs).
lord (laurd) Seigneur (sèñœr). Maître. Lord (lòr) [title]. *Lord's prayer*, oraison dominicale. *vi* Dominer.
lordship Seigneurie *f*.
lore (lauer) Savoir *m*.
lorgnette Face à main *m*.
lorry Camion *m* (myon).
lose* (loûz) Perdre (pèrdr). Retarder [clock] [**lost*].
loser (loûzer) Perdant, ante.
loss Perte *f* (pèrt).
lot (lot') Lot *m* (lô). Sort *m* (sòr) [fate]. Tas *m* (tâ) [heap].
lotion (loou) Lotion *f*.
lottery Loterie *f*.
loud (laoud) Bruyant, te; *in a loud voice*, à haute voix.
loudly A haute voix.
loudness Bruit *m* (ui). Force *f* [voice].
loud-speaker Haut-parleur.
lounge (laoundj) Flâner. *n*

[walk]. Divan *m*. Flânerie *f*.
lounge suit (syout') Complet veston *m*.
louse (laous) [pl **lice** (lais)] Pou *m* (pû).
love (lœv) Amour *m* (àmûr). Tendresse *f* [tenderness]. Affection *f*. Amitié *f* [friendship]. *To make* love to*, faire* la cour à. *vt* Aimer.
lovely (lœv) Charmant, ante.
lover Amoureux, euse.
loving Aimant, ante.
low (loou) Bas, asse (bâ, âss). *In low spirits*, abattu, ue; *to bring* low*, abattre. *ad* Bas. A bas prix [price].
low-bred Mal élevé, ée.
lower (loouer) Inférieur, eure. *vt* Abaisser.
loyal (loyel) Loyal (lwà).
loyalty Fidélité *f*.
lozenge (indj) Pastille *f* (ìy) [sweet]. Losange *m* (lòzanj) [geom].
lubricate Lubrifier.
lubricator Graisseur *m*.
lubricity Lubricité *f*.
lucid (loû) Lucide (lü).
lucidity Lucidité *f*.
lucifer (loû) Lucifer *m* (lü). Allumette *f* (ümèt) [match].
luck (œ) Chance *f* (shans).
lucky Heureux, se (ërë, ëz).
lucrative (loû) Lucratif.
lucre (loûker) Lucre *m* (ükr).
ludicrous (loû) Risible.
lug (œ) Traîner (trènè). *n* Anse *f* (ans), oreille *f*.
luggage (lœgidj) Bagage *m*.
lugubrious Lugubre (ü).
lukewarm (loûk) Tiède.
lull (lœl) Bercer (sé).
lullaby (bai) Berceuse *f*.
lumbago (béi) Lumbago *m*.
lumber (lœm) Rebut *m* (rebü). Bois scié *m* [wood]. *vt* Entasser. *vi* Se traîner.
lumbering Pesant, ante.
luminary (loû) Luminaire *m*.
luminous Lumineux, euse.
lump (lœmp) Masse *f*. Morceau *m* (sô) [piece].
lunacy (lôu) Folie *f* (lî).
lunar Lunaire (lünèr).
lunatic (lou) Aliéné, ée.
lunch (lœntsh), **luncheon** Déjeuner *m* (déjëné).
lung (lœng) Poumon *m* (pû).
lunge (lœndj) Botte *f*.
lurch (lërtsh) Embardée *f*.
lure (lyouer) Leurre *m* (lœr). Attrait *m* (àtrè). *vt* Attirer.
lurk (lërk) Se tapir.
lurking-place Cachette *f*.
luscious (shes) Succulent.
lust (lœst) Convoitise *f*.
lustily Vigoureusement.
lustre (lœster) Lustre *m* (ü).
lustring Lustrine *f* (lüs)
lustrous Brillant, ante.
lusty (lœs) Vigoureux, euse.
lute (lout') Luth *m* (lüt). Lut *m* [techn.]. *vt* Luter.
luxation (lœk) Luxation *f*.
luxuriant (you) Luxuriant.
luxuriate (lœgzyou) Vivre* dans l'abondance, jouir.
luxurious Luxueux, euse.
luxury Luxe *m* (lüks).
lyceum (lai) Lycée *m* (li).
lying (laiing) Mensonge *m*. *a* Menteur, euse (mantœr, ëz). *part pr*. V. LIE.
lymphatic Lymphatique.
lynch (lìntsh) Lyncher (shé).
lynx (ìn') Lynx *m* (in).
Lyons (laienz) Lyon (lyon).
lyre (laier) Lyre *f* (lîr).
lyric, -ical (li) Lyrique.

M

m (èm) M (èm).
macadam Macadam *m.*
macaroni Macaroni *m.*
macaroon (*oûn*) Macaron *m.*
mace (méis) Masse *f* (mas).
macerate (réit) Macérer.
machinate (ki) Machiner (sh).
machination Machination *f.*
machine (meshîn) Machine *f* (mà). *Machine-gun,* mitrailleuse *f. Machine-tool,* machine-outil *f.*
machinery Mécanisme *m.* Machines *fpl.*
mackerel Maquereau *m.*
maculate (mà) Tacheter.
mad Fou, folle. Furieux, se.
madam (dem) Madame *f* (àm).
madcap Écervelé, *ée.*
madden Rendre fou.
***made.** V. MAKE; *self-made man,* fils de ses œuvres.
madness Folie *f.*
magazine Magasin *m* (zin). Magazine *m* (zìn) [book].
maggot Ver *m.*
magic (dj) Magie *f* (jî).
magic, magical Magique.
magician (djishen) Magicien.
magisterial Magistral.
magistrate Magistrat *m.*
magnanimity (g-ne) Magnanimité *f* (g-na).
magnanimous Magnanime.
magnate (g-n) Magnat (g-n).
magnesia Magnésie *f* (ñ).
magnesium Magnésium *m.*
magnet (g-nit') Aimant *m.*
magnetic Magnétique.
magnetism Magnétisme *m.*
magnetize Aimanter (émanté). Magnétiser.
magneto (g n) Magnéto *f.*
magnificence (g-ni) Magnificence *f* (ñì).
magnificent Magnifique.
magnify Grossir. Magnifier. *Magnifying-glass,* loupe *f.*
magnitude (g-n) Grandeur *f.*
magpie (pai) Pie *f* (pì).
mahogany Acajou *m* (jû).
maid (méid) Fille *f* (fîy). Vierge (vyèrj) [virgin]. Servante (ant): *kitchen-maid,* fille de cuisine.
maiden Virginal, ale. *Maiden name,* nom de jeune fille. *n* Demoiselle [unmarried]; jeune fille.
mail Courrier *m* (kûryé) [letters]. Mettre* à la poste.
mail-coach Malle-poste.
maim (méim) Mutiler (ü).
main (éin) Principal, ale.
mainland Continent *m.*
mainly *ad* Surtout (sürtû).
maintain (méintéin) Maintenir* (mintnîr). Conserver [preserve]. Entretenir* [food]
maintainance Soutien *m.*
maize (éiz) Maïs *m* (àis').
majestic (dj) Majestueux, se.
majesty (dj) Majesté *f* (j).
major (éidj) Majeur, eure (jœr); plus grand. *n* Commandant (kòmandan). Chef de bataillon [inf.]. Chef d'escadrons [cav.]. *Major-*

general, général de brigade.
majority (m^e^djò) Majorité *f.*
make* (éik) Faire*. Rendre [happy, mad, etc.]. *To make up,* compléter. *vi* Se diriger [*for* : vers]. *n* Façon *f*; forme *f*. *Make-up,* maquillage *m.*
maker Auteur *m* (ôtœr).
makeshift Pis-aller *m* (zàlé).
making Création *f*. Façon *f*.
malady Maladie *f*.
malcontent Mécontent, te.
male (méil) Mâle (mâl).
malediction Malédiction *f*.
malefactor Malfaiteur.
maleficent Malfaisant, te.
malevolent Malveillant (èy).
malice Méchanceté *f* (shan). Rancune *f* [grudge].
malicious Méchant, ante.
malignant Mauvais, aise.
maligner Diffamateur.
malignity Malignité *f* (ñì).
mall (maul) Maillet *m* (màyè) [hammer]. Mail *m* (may) [walk].
malleable Malléable.
mallet (màlit) Maillet *m.*
mallow Mauve *f* (môv).
malt (mault) Malt *m.*
maltreat (trît') Maltraiter.
maltreatment Mauvais traitement.
malversation Malversation.
mamma Maman *f* (màman).
mammalia or **mammals** Mammifères *mpl.*
man (àn) [*pl* **men** (èn)]. Homme (òm). Pièce *f* [chess]. Pion *m* [draughts]. *Man-of-war,* vaisseau de guerre.
manage (idj) Diriger (**j**); gouverner. Administrer.
manageable (djeb'l) Traitable, docile. **-gement** Conduite *f*. Direction *f* (syon).
manager Directeur, trice. Administrateur. Gérant. Régisseur (jì) [théat.].
mandarin Mandarin.
mandate (éit) Mandat *m.*
mandible Mandibule *f.*
mandolin Mandoline *f.*
mane (méin) Crinière *f.*
manganese Manganèse *m.*
mange (méindj) Gale *f* (à).
manger (méindjer) Crèche *f*, mangeoire *f* (jwàr).
mangle Déchiqueter (shìk) [tear]. *n* Calandre *f.*
manhood (**h**oud) Virilité *f.*
mania Folie *f*; manie *f.*
maniac (méi) Maniaque.
manifest Manifester. *a* Manifeste (fest). *v* Manifester (fèsté).
manifestation Manifestation.
manifesto Manifeste *m.*
manifold Multiple (**ü**).
manipulate Manipuler.
manipulation Manipulation.
mankind (aind) Genre humain.
manlike Viril, ile (vìrìl).
manna Manne *f* (màn).
manner Manière *f*; façon *f.*
mannerly Poli, ie (pòlì).
manoeuvre (you) Manœuvre *f* (manëvr).
manometer Manomètre *m.*
manor Manoir *m* (wàr).
mansion Château *m* (shâtô). Hôtel *m* [in town].
manslaughter Homicide *m.*
mantelpiece Cheminée *f*, manteau [*m*] de cheminée.
mantilla Mantille *f.*
mantle Manteau *m* (mantô). Manchon *m* (shon) [gas]. *v.* Couvrir*.
manual (manyouel) Manuel,

elle (èl). *n* Manuel *m*.
manufactory Manufacture *f*.
manufacture (mànyoufàkt-sh^{er}) Industrie *f*. *vt* Manufacturer.
manure (m^{e}nyou^{er}) Fumier *m* (fümy*é*), engrais *m* (angrè). *vt* Fumer.
manuscript Manuscrit, *ite*.
many (mèni) Beaucoup, beaucoup de. *How many?* combien? *as many as*, autant que; *too many*, trop.
map Carte *f* (kàrt).
maple (mé^{i}p'l) Érable *m*.
mar (mâ^{r}) Gâter; troubler.
marabou Marabout *m*.
maraud (m^{e}raud) Marauder.
marauder Maraudeur.
marble Marbre *m* [stone]. Bille *f* [toy]. *vt* Marbrer.
march (tsh) Marche *f* (sh). Mars *m* (màrs) [month]. Frontière (màrsh). *vi* Marcher. [*with*] Être contigu [à]. *vt* Faire* marcher.
marchioness Marquise *f*.
marchpane Massepain *m*.
mare (mè^{e}) Jument (jüma^{n}).
margarine (dj) Margarine *f*.
margin (dj) Marge *f* (àrj).
marigold Souci *m* (sûssì).
marine (m^{e}rîn) Marin, *ine*.
mariner (marin^{er}) Marin *m*.
maritime (a^{i}m) Maritime.
mark Marque *f* (màrk). Cible *f* [target]. *vt* Marquer (ké). Remarquer [notice].
market Marché *m* (shé).
market-gardener Maraîcher.
market-house Halle *f* ('àl).
market-place Marché *m*.
market-town Bourg *m* (bûr).
marl (mâ^{r}l) Marne *f* (màrn).
marmalade Marmelade *f*.
maroon (roun) Marron (o^{n}).
marquee Tente *f* (ta^{n}t).
marquetry Marqueterie *f*.
marriage (idj) Mariage *m*.
married (marid) Marié, *ée*.
marrow (maro^{ou}) Moelle *f*.
marry Marier (ry*é*) [to unite]. Épouser (épûzé) [to take]. *vi* Se marier.
Marseilles (é^{i}lz) Marseille.
marsh (mâ^{r}sh) Marais *m*.
marshal Maréchal.
marten Martre *f*.
martial Martial, *ale*.
martinet (et') Chef sévère.
martyr Martyr, *yre* (tîr).
martyrdom Martyre *m*.
marvel Merveille *f* (vèy). *vi* S'émerveiller.
marvellous Merveilleux, *se*.
mascot Mascotte *f*.
masculine Masculin, *ine*.
mash *vt* Mélanger. Brasser [beer]. *Mashed potatoes*, purée de pommes de terre.
mask Masque *m*. *vt* Masquer.
mason (mé^{i}) Maçon *m* (so^{n}).
masonry Maçonnerie *f*.
masquerade Mascarade *f*.
mass Masse *f* (màss). Messe (mèss) [church].
massacre (màs^{e}k^{er}) Massacre *m* (sàkr). *vt* Massacrer.
massage (m^{e}sâj) Massage *m* (màsàj). *vt* Masser (sé).
massive Massif, *ive*.
mast Mât *m* (mâ) [pole]. Gland *m* (a^{n}) [oak]. *vt* Mâter. Capitaine [ship].
master *n* (mâst^{er}) Maître *m* (mètr). *Master of Arts*, licencié ès lettres. *vt* Maîtriser. Savoir* à fond.
masterful Impérieux, *euse*.
masterly Magistral, *ale*.

masterpiece Chef-d'œuvre *m*. Coup [*m*] de maître.
mastery Pouvoir *m* (pûvwàr).
mastic Mastic *m*.
masticate Mâcher (shé).
mastiff Mâtin *m* (*i*ⁿ).
mat (mat') Natte *f* (nàt).
match Allumette *f* (àlümèt) [lucifer]. Mèche *f* (mèsh) [rope]. Pareil, eille (parèʸ) [equal]. Mariage *m*. Match [contest]. *vt* Assortir*.
mate (éⁱt) Camarade. Mat *m* [chess]. *vt* Égaler. Épouser [to marry].
material (tiᵉ) Matériel, elle. *n* Matière *f*. Tissu *m* [fabric]. Matériel *m* (rʸèl). *Raw* -, matières premières.
materialism Matérialisme *m*.
maternal Maternel, elle.
mathematic (thᵉ) *a, n* Mathématique (tématik) *a, f*.
matins (inz) Matines *fpl*.
matriculate Immatriculer.
matrimony Mariage *m* (yàj).
matron (meⁱtrⁿ) Matrone *f*; mère de famille. Directrice *f* [hospital].
matter (màtᵉʳ) Matière *f* (yèr). Sujet *m* (jè). Importance *f*. Pus *m* (pü) [med.]. *It's no* -, peu importe; *no* - *how*, n'importe comment; *what is the* -? qu'est-ce qu'il y a. *vi* Importer. - -*of*- -*course*, tout naturel.
mattock Pioche *f*.
mattress Matelas *m* (tlà).
maturate (youréⁱt) Mûrir.
mature Mûr, ûre (ür). Mûrir. Venir* à échéance.
maturity Maturité *f* (ü). Échéance *f* (éshéaⁿs).
mauve (mooᵘv) Mauve (môv).
maw (mau) Panse *f*. Jabot *m* (jàbô) [birds].
maxim Maxime *f*.
maximum Maximum *m*.
***may** (méⁱ) *v. aux*. Pouvoir* (pûvwàr) [**might*] *n*. Mail *m* (mè).
may-blossom, -flower Aubépine *f*.
mayor (mèᵉʳ) Maire *m* (èr).
mayoralty Mairie *f* (mèrî).
mayoress Mairesse *f* (èss).
maze (méⁱᶻ) Labyrinthe *m*.
mazurka (zëʳ) Mazurka *f*.
me *pron* (mî) Me (mᵉ). Moi (mwà) [with a prep.].
meadow (mèdoᵒᵘ) Pré *m*.
meagre (mîgᵉʳ) Maigre.
meal (mîl) Farine *f* (fàrin) [flour]. Repas *m* (rᵉpâ).
mealy Farineux, euse.
mean (mîn) Moyen, enne (mwâʸ*i*ⁿ, èn) [middle]. Médiocre (yòkr). Bas, basse [low]; vil, ile Avare (àvàr). *n* Milieu *m* (yë). *pl* Moyen *m* (mwàʸ*i*ⁿ); *by this means*, par ce moyen. *vt* Signifier. Destiner.
meaning (mî) Intentionné, ée. *n* Sens *m* (saⁿs). Intention *f*; pensée *f* (paⁿ).
meanly (mînlì) Bassement.
meantime Intervalle *m*.
meanwhile Entre temps.
measles (mîz'l) Rougeole *f*.
measurable (èj) Mesurable.
measure (mèjᵉʳ) Mesure *f* (zür): *to measure*, sur mesure. *vt* Mesurer (üré). Prendre* mesure à.
measurement Mesure *f*.
measurer Mesureur *m*.
meat (mît') Viande *f* (aⁿd), chair (shèr) [flesh]. Nour-

riture *f* (nûrìtür) [food].
mechanic, -ical (ka) Mécanique; machinal. *n* Artisan.
mechanician Mécanicien *m*.
mechanics Mécanique *f*.
medal Médaille *f* (médày).
medallion Médaillon *m* (on).
meddle (mèd'l) Se mêler.
mediate (mi) S'entremettre*.
mediation Médiation *f*.
medical Médical, ale.
medicament Médicament *m*.
medication Médication *f*.
medicinal Médicinal, ale.
medicine Médecine *f*.
mediocre (mî) Médiocre.
mediocrity Médiocrité *f*.
meditate Méditer.
meditation Méditation *f*.
Mediterranean Méditerranée.
medium (mîdyem) Moyen *m* (mwayin). Milieu *m* (lyë). Médium *m* [spirit.].
meed (îd) Récompense *f*.
meek (mîk) Doux, ouce (dû, dûss) ; docile.
meekness Douceur *f* (sœr).
meerschaum Écume de mer.
meet* (mît') Rencontrer. Faire* face à [to face]. *vi* Se rencontrer. Se réunir. *a* Convenable. *n* Réunion *f*.
meeting (mitìng) Rencontre *f*; réunion *f*.
meetness Convenance.
megrim Migraine *f* (mìgrèn).
melancholic Mélancolique.
melancholy (mèlenkeli) Mélancolique. *n* Mélancolie *f*.
mellow (mèloou) Bien mûr [fruit]. Moelleux, euse (mwàlë, ëz) [sound, colour, etc.]. Gris, ise [tipsy].
melodious Mélodieux, euse.
melodrama Mélodrame *m*.
melody (mèledi) Mélodie *f*.
melon Melon *m* (lon).
melt Fondre (fondr).
melting Fondant, ante. Attendrissant, ante [fig.]. *n* Fusion *f* (füzyon).
member Membre (anbr).
membrane (éin) Membrane *f*.
memoir (mémwàr) Mémoire *m*.
memorial (mau) Souvenir *m* (sûvnîr). Requête *f*.
memory Mémoire *f* (wàr).
men. V. MAN.
menace (mènis') Menace *f* (menàss). *vt* Menacer.
menagerie (dj) Ménagerie *f*.
mend Raccommoder, réparer. Améliorer [to improve].
mendacious (déish) Menteur, euse (mantœr, ëz).
mendacity Mensonge *m* (onj).
mendicant Mendiant, ante.
meningitis Méningite *f*.
mental Mental, ale.
mention Mention *f*. Dire*; *don't mention it*, il n'y a pas de quoi, n'en dites rien.
mentor Mentor *m*.
mercantile (tail) Mercantile. Marchand, ande.
mercenary (mër) Mercenaire.
mercer (mërser) Marchand de nouveauté. Mercier.
mercery Mercerie *f*. Magasin [*m*] de nouveautés.
merchant (mërtshent) Commerçant, te; négociant, te. *-ship, -man*, navire de commerce, vaisseau marchand *m*.
merciful Miséricordieux, euse.
merciless Impitoyable.
mercury (kyou) Mercure *m*.
mercy (mër) Miséricorde *f*.
mere (mier) Pur, pure (pür).
merely Simplement.

meridian Méridien *m.*
merino Mérinos *m.*
merit Mérite *m. vt* Mériter.
meritorious Méritoire.
merrily Gaiement.
merriment Gaieté *f* (gèté).
merry Gai, gaie (gè); joyeux, euse. *Merry-go-round,* chevaux de bois. *Merry-making,* réjouissances *fpl.*
mess Gâchis *m* (shî). Mess *m* [eating-place]. Plat *m* [dish]. *vi* Manger. vt Nourrir (nûrir). Salir [dirt].
message (idj). Message *m.*
messenger Messager, ère.
messiah (aie) Messie (sî).
met. V. MEET.
metal Métal *m.* Empierrement *m* [road]. Rail *m* (râʸ). *vt* Empierrer.
metallic Métallique.
metallurgy Métallurgie *f.*
metamorphose Métamorphoser. **-phosis** Métamorphose.
metaphysics Métaphysique *f.*
mete (mìt') Mesure *f. vt* Mesurer (mezüré).
meteor (mîtier) Météore *m.*
meter (mîter) Compteur *m.*
methinks (**th**) Il me semble.
method (**th**) Méthode *f* (tòd).
methodic Méthodique.
methodist Méthodiste.
metre (mîter) Mètre *m.*
metrical Métrique.
metropolis Métropole *f.*
metropolitan Métropolitain.
mettle Courage *m* (kûràj). Fougue *f*; **-some** Fougueux.
mew (myou) Mouette *f* (mwèt) [bird]. Cage *f* (kaj). Miaulement *m. pl* Étables *fpl. vi* Miauler (mʸôlé) [cats].
mezzanine Entresol *m* (an).
miasma (màiàz) Miasme *m.*
mica (mai) Mica *m* (mì).
mice. V. MOUSE.
microbe (mai) Microbe *m.*
microscope Microscope *m.*
mid Milieu *m* (mìlʸë).
mid-day Midi *m.*
midland Intérieur *m* [d'un pays]; centre *m.*
midden Fumier *m* (fümʸé).
middle Milieu *m,* centre *m.*
middle-sized Moyen, enne.
middling Moyen, enne.
midnight (nait) Minuit *m.*
midship, midshipman Aspirant [*m*] de marine.
midst Milieu *m* (mìlʸë).
midway A mi-chemin.
midwife (aif) Sage-femme *f.*
mien (mîn) Mine *f* (mìn).
might (mait). V. MAY. *n* Force (fòrs), puissance *f.*
mighty Fort; puissant. Grand.
mignonette Réséda *m* (rézé).
migrate Émigrer.
migration Migration *f.*
mild (maild) Doux, ouce.
mildew Rouille *f* (rûʸ) [corn]. Mildew *m* [vine].
mildness (mail) Douceur *f.*
mile (mail) Mille *m.*
militant Militant, ante.
militarism Militarisme *m.*
military Militaire.
militate Militer.
militia (milishe) Milice *f.*
milk Lait *m* (lè). *vt* Traire* (trèr). Soutirer [money].
milkmaid [or **-woman**]. Laitière *f* (lètʸèr).
milkman Laitier *m.*
milksop Poule mouillée *f.*
milky Laiteux, euse.
mill Moulin *m* (mûlin). Usine *f* (üzìn). *vt* Moudre*.

Fouler (fûlé) [to full].
miller Meunier.
millet (it') Millet *m* (yè).
milliard Milliard *m*.
milligramme Milligramme.
millimetre Millimètre.
milliner Modiste *f*.
millinery Modes *fpl*.
million (milyen) Million *m*.
millionaire Millionnaire.
mill-stone Meule *f*.
mime (aim) Mime *m* (îm).
mimic Mimique.
mimosa Mimosa *m*.
mince (mìns) Hacher menu [meat]. Manger [words]. *vi* Faire* des manières.
mince-meat (mit') Émincé *m*.
mince-pie (pai) Petit pâté.
mind (maind) Esprit *m* [intellect]. Âme *f* (âm) [soul]. Pensée *f* [thought]. Envie *f* [wish]. *vt* Faire* attention à. Surveiller [to watch]. *Mind!* Attention!
mindful Attentif, ive.
mine (main) Le mien, la mienne; *a friend of mine*, un ami à moi. *n* Mine *f* (mìn). *v* Miner.
miner Mineur (mìnœr).
mineral (mi) Minéral, ale.
mineralogy Minéralogie *f*.
mingle Mélanger, mêler.
miniature Miniature *f*.
minim Blanche *f* [mus.].
minimum Minimum *m*.
mining (mai) Minier, ère. *n* Travail des mines.
minion Mignon (ñon), onne.
minister Ministre. *vi* Servir*.
ministry Ministère *m*.
minium Minium *m*.
mink (mingk) Vison *m*.
minor (mai) Mineur, eure; moindre (mwindr).
minority (mai) Minorité *f*.
minster Cathédrale *f* (tédràl).
minstrel Ménestrel.
mint (mìnt) Menthe *f* (mant) [plant]. Hôtel [*m*] des Monnaies. *vt* Frapper.
minuet Menuet *m*.
minus (mai) Moins (mwin).
minute (mainyout') Menu, ue; minutieux, euse. *n* (minit') Minute *f* (minüt).
minutely Minutieusement.
minx Friponne *f*.
miracle (rek'l) Miracle *m*.
miraculous Miraculeux, se.
mirage (âj) Mirage *m*.
mire (maier) Boue *f* (bû).
mirror Miroir *m* (mìrwàr).
mirth (mërth) Gaieté *f*.
mirthful Gai, aie (gè).
misadventure Mésaventure *f*.
misanthrope (mizenthrooup) Misanthrope (zantrop).
misapply Mal appliquer.
misapprehend Mal comprendre*. **-behaviour** (bihéivyer) Mauvaise conduite *f*.
miscarriage Échec *m*. Fausse couche [birth]. **-carry** Faire* une fausse couche.
miscellaneous Varié, ée.
miscellany Mélange *m*.
mischance (tsh) Malheur *m*.
mischief (tshif) Mal *m*; dégât *m* (gà) [damage].
mischievous Méchant, te.
misconception Idée fausse.
misconduct (miskòndœkt) Mauvaise conduite *f*.
misdeal Maldonne *f* (òn).
misdeed (dîd) Méfait *m*.
misdemeanour Délit *m*.
miser (mai) Avare (àvàr).
miserable (mìzereb'l) Misé-

rable, malheureux, euse.
miserly (mai) Avare.
misery (mi) Misère f (mìsèr).
misfire Raté d'allumage.
misfit Inadapté.
misfortune Malheur m (œr).
misgiving Crainte f, soupçon m.
misguide (gaid) Égarer.
mishap (hap) Malheur m.
mislay* Égarer (égàré) [*mislaid].
mislead* Égarer [*misled].
misrepresent Dénaturer.
misrule Désordre m.
miss Mademoiselle (màdmwàzèl) [lady]. n Manque m [missing]. Perte f [loss]. vt Manquer, regretter.
missal Missel m.
misshapen (shéi) Difforme.
missing Manquant, te (kan).
mission (mishen) Mission f.
missionary Missionnaire.
missive Missive f.
misspell* Mal orthographier.
mist Brume f (üm).
mistake* (eik) Se tromper. Erreur f (èrœr). Faute (fôt) [*mistook, mistaken].
mister Monsieur (messyë).
mistletoe (s'ltoou) Gui m.
mistress Maîtresse f (mè).
mistrust Méfiance f. vt Se méfier. **-ful** Méfiant, te.
misty Brumeux, euse.
misuse (missyouss) Abus m. Mauvais traitement m. vt Maltraiter.
mite (mait) Mite f (mît). Obole f [money].
mitigate Mitiger (jé).
mitre (maiter) Mitre f (ìtr) [bishop]. Onglet m.
mitten Mitaine f (tèn).
mix Mélanger (anjé).
mixture (tsher) Mélange m.
mizzle Bruine f. Bruiner.
moan (mooun) Gémissement m. vi Gémir (jémîr).
moat (moout) Fossé m.
mob Populace f; foule f.
mobile (bail) Mobile (ìl) f
mobility Mobilité f.
mobilisation Mobilisation f.
mobilise (laiz) Mobiliser.
mock Se moquer.
mocker Moqueur, euse
mockery Moquerie f.
modality Modalité f.
mode Mode f. Façon f [manner]. Mode m [mus., gram.].
model Modèle m. Modeler.
moderate Modéré. Modérer.
moderation Modération f.
modern Moderne.
modernism Modernisme m.
modernize (aiz) Moderniser.
modest Modeste.
modesty Modestie f (èstî).
modification Modification f.
modify (mòdifai) Modifier.
modish (moou) A la mode.
modulate Moduler.
modulation Modulation.
mohammedan Mahométan.
moiety (moiti) Moitié f.
moil (moil) Trimer (mé).
moisten Humecter.
moisture Humidité f.
molar (mooùler) Molaire f.
molasses Mélasse f.
mole (mooul) Taupe f (tôp) [animal]. Tache f [spot]. Môle m [pier].
molecule Molécule f.
moleskin Molesquine, f.
molest Molester.
mollify (fai) Amollir.
mollusc Mollusque m.
moment (moooument) Moment

m (mòman). Importance *f*.
momentary Momentané, ée.
momentous Important, ante.
monachal Monacal, ale.
monarch Monarque *m*.
monarchic Monarchique.
monarchist Monarchiste.
monarchy (monerki) Monarchie *f* (mònàrshî).
monastery Monastère *m*.
monastic Monastique.
monday (mœndi) Lundi *m*.
monetary Monétaire.
money (mœni) Argent *m* (jan); monnaie *f* (mònè). *Money-changer*, changeur. *Money-order*, mandat-poste.
mongrel Métis, isse.
monitor Moniteur *m* (tœr). Monitor *m* [warship].
monk (œngk) Moine (wàn).
monkey (mœngki) Singe *m* (sinj); guenon *f* (genon).
monogram Monogramme *m*.
monograph Monographie *f*.
monologue Monologue *m*.
monomania Monomanie *f*.
monoplane Monoplan *m*.
monopolist Accapareur *m*.
monopolize Monopoliser (zé).
monopoly Monopole *m*.
monotonous Monotone.
monotony Monotonie.
monster Monstre *m* (monstr).
monstrance Ostensoir *m*.
monstrous Monstrueux, se.
month (mœnth) Mois *m* (mwà). **-thly** Mensuel, elle.
monument Monument *m*.
monumental Monumental, ale.
mood Humeur *f* (ümœr).
moodiness Mauvaise humeur.
moody Maussade (môssàd).
moon Lune *f*. Rêvasser.
moonlight Clair de lune.
moonshine Baliverne *f*.
moor (mouer) Maure (mòr) [people]. Lande *f* (land). *vt* Amarrer.
moor-fowl Coq de bruyère.
moor-hen Poule d'eau.
mooring Amarrage *m*.
mop Balai *m* (lè).
moped (moouped). Cyclomoteur *m*.
moral Moral, ale. *n* Morale *f*. Mœurs *fpl* (mœrs).
morality Moralité *f*.
moralize (aiz) Moraliser.
morbid Morbide (îd).
mordant Mordant, ante.
more (mauer) Plus (plu); plus de, encore; *more than one*, plus d'un; *once more*, encore une fois; *never more*, jamais plus.
moreover (oouver) De plus.
morning Matin *m* (tin): *good morning*, bonjour; *morning coat*, jaquette.
Morocco Maroc *m*. Maroquin *m* (kin) [leather].
morose (meroous) Morose.
morphia Morphine *f*.
morrow Lendemain *m*.
morsel Morceau *m* (ô).
mortal Mortel, elle.
mortality Mortalité *f*.
mortar Mortier *m*.
mortgage (maurgidj) Hypothèque. *vt* Hypothéquer.
mortify (fai) Mortifier.
mortuary Mortuaire.
mosaic (zéi) Mosaïque *f*.
mosquito Moustique *m* (mûs).
mosquito-net Moustiquaire *f*.
moss Mousse *f* (mûss).
mossy Moussu, ue.
most (mooust) Le plus grand. Le plus : *most people*, la

pluport des gens.
mostly Principalement.
moth(moth) Mitef. Papillonm.
mother (mœzher) Mère f (mèr). vt Adopter. *Mother-of-pearl,* nacre f (nàkr).
motherhood Maternité f.
motherly Maternel, elle.
motion (mooushen) Mouvement m (mûvman). Signe m (sìñ) [signal]. Proposition f (syon). Selle f (sèl) [med.]. Faire* signe.
motionless Immobile.
motive Motif m.
motley (motli) Bigarré.
motor (mooutr) Moteur m (tœr) Auto f [car].
motorbus Autobus m.
motorcar Automobile f.
motorcycle Motocyclette f.
motoring Automobilisme m.
motorway Autoroute f.
motto (motoou) Devise f.
mould (moould) Terreau m [earth]. Moisissure f [fungus]. Moule m [cast]. vt Mouler. vi Moisir.
mouldiness Moisissure f.
moulding Moulure f (ür).
moult (mooult) Muer (mué).
moulting Mue f (mü).
mound (maound) Tertre m.
mount (maount) Mont m (mon). Monture f (montür) [horse]. v Monter (monté).
mountain (tìn) Montagne f.
mountaineer Montagnard.
mountainous Montagneux.
mounting Montage m (àj) [getting up]. Monture f.
mourn (maurn) Pleurer.
mournful Lugubre (lügübr).
mourning Deuil m (dœy).
mouse (maous) [*pl* **mice** (mais)] Souris f (sûrî).
moustache Moustache f.
mouth (maouth) Bouche f. Gueule f (gœl) [beast].
mouthful (foul) Bouchée f.
movable Mobile. Meuble (mœbl) [law]. n Meuble m.
move (mouv) Remuer (remué). Transporter [goods]. Émouvoir* [to touch]. vi Se mouvoir*. Déménager [furniture]. *Move on,* circulez. n Mouvement m. Coup m (kû) [game].
movement Mouvement m.
mover Moteur m (mòtœr).
movies (moouviz) Cinéma m.
moving Mouvant, ante. Émouvant. n Mouvement m.
mow* (moou) Faucher (fô) [**mowed, mown*].
mower Faucheur m (fôshœr). Faucheuse f [machine].
mowing-machine Faucheuse.
much (mœtsh) Beaucoup.
muck (œk) Fumier m (fümyé) [dung]. Saleté f [dirt]. vt Fumer [manure]. Salir.
mucky (œ) Sale (sàl), crotté.
mucous (myoukes) Muqueux.
mucus Mucosité f (zìté).
mud (mœd) Boue f (bû). Fange f (fanj) [slush]. vt Embourber. Troubler [water].
muddle Troubler. vi Barboter. n Confusion f.
muddy Boueux, euse (bûë, ëz). Crotté, ée [splashed].
muff (mœf) Manchon m (manshon). Imbécile.
muffin (mœ) Brioche f.
mufti [in] En civil.
mug (mœg) Gobelet m (blè).
muggy Humide, moite.
mulatto Mulâtre, mulâtresse.
mulberry Mûre f (mür).

mulct Amende *f* (àmaⁿd). *vt* Infliger une amende à.
mule (myoul) Mule *f* (mül), mulet *m* (mülè).
mull (mœl) Gâchis *m*. Four *m* [failure]. *vt* Gâcher.
mullet (mœlit') Rouget *m*.
multicolour Multicolore.
multiple (œ) Multiple (ü).
multiplication (kéi) Multiplication *f* (mül-kàsyoⁿ).
multiply Multiplier (ié).
multitude Multitude *f*.
mum (mœm) Muet, ette (mᵘè, èt). *int* Chut! (shüt).
mumble (mœmb'l) Marmotter.
mummer Masque *m*.
mummery Mascarade *f*.
mummy Momie *f*.
mump (mœmp) Marmotter. Grignoter (ñòté) [to nibble]. Bouder (bûdé) [to sulk]. Mendier (maⁿdʸé) [to beg].
mumps Oreillons *mpl* [med.]. Bouderie *f* (bûdrî).
munch (œntsh) Croquer (ké).
mundane (déin) Mondain. ne.
municipal (myou) Municipal.
municipality Municipalité *f*.
munificence Munificence *f*.
muniments *pl* Archives *fpl*.
munition Munition *f* (mü).
mural (myou) Mural, ale.
murder (mëʳ) Meurtre *m* (mœrtr). *vt* Assassiner.
murderer Assassin *m* (iⁿ).
murderous Meurtrier, ère.
murky Sombre (soⁿbr).
murmur (mëʳmᵉʳ) Murmure *m* (mürmür). *v* Murmurer.
muscatel Muscat *m* (müskà).
muscle (œs'l) Muscle *m* (ü).
muscular (mœs) Musculaire.
muse (myouz) Muse *f* (üz). Rêverie *f*. *vi* Rêver.
museum Musée *m* (müzé).
mush (œ) Bouillie *f* (bûʸî).
mushroom Champignon *m* (ñ).
music (myouzik) Musique *f*.
musical Musical, ale (müzi).
music-hall Music-hall *m*.
musician Musicien, enne.
musing (myouzing) Rêverie *f*.
musk Musc *m* (ü). *v* Musquer.
musket Mousquet *m* (mûskè).
musketeer Mousquetaire *m*.
musketoon Mousqueton *m*.
musketry Mousqueterie *f*.
musky (mœski) Musqué, ée.
muslin (mœzlìn) Mousseline *f* (mûslìn).
mussel Moule *f* (ûl).
mussulman Musulman, ane.
must* (mœst) Devoir*. falloir*. *I must say*, il faut que je dise.
must Moût *m* (mû).
mustard Moutarde *f*.
muster (mœs) Appel *m*; revue *f* (rᵉvü). Rassemblement *m* [gathering]. Rassembler [to gather].
mustiness Moisi *m* (mwàzî).
musty (œs) Moisi, ie (mwà).
mutable (tᵉb'l) Changeant, te (shaⁿjaⁿ, aⁿt).
mutation Changement *m*.
mute (myout') Muet, ette.
mutilate (myou) Mutiler.
mutilation Mutilation *f*.
mutineer (myou) Mutin *m*.
mutiny (myou) Mutinerie *f*. *vi* Se mutiner (mütiné).
mutter Marmotter.
muttering Murmure *m*.
mutton (mœtᵉn) Mouton *m* (mûtoⁿ): *leg of -*, gigot *m*; *- -chop*, côtelette *f*.
mutual (myou) Mutuel (ü).
muzzle (mœz'l) Museau *m*

(müzô) [animal]. Gueule *f* (gœl) [cannon]. Muselière *f* [strap]. *vt* Museler (müz).
my (maⁱ) Mon, ma, mes.
myope (maⁱ) Myope (mʸòp).
myopia (maⁱoᵒᵘ) Myopie *f*.
myosotis (aⁱᵉ) Myosotis *m*.
myself Moi-même; moi.
mysterious Mystérieux, se.
mystery Mystère *m*.
mystic Mystique.
mystification Mystification *f*.
mystify (faⁱ) Mystifier (fʸé); embarrasser.
myth (**th**) Mythe *m* (ît).
mythology (**th**) Mythologie *f*.

N

nabob (néⁱ) Nabab *m* (nà).
nag Bidet *m* (bìdè).
naiad Naïade *f*.
nail (néⁱl) Ongle *m* (oⁿgl). Clou *m* (klû) [metal]. *vt* Clouer. [*fam.*] Épater.
naïve (néⁱv) Naïf, ïve.
naked (nékid) Nu, nue (**ü**).
nakedness Nudité *f*.
name (néⁱm) Nom *m* (noⁿ); *Christian name*, nom de baptême; *nick-name*, sobriquet *m*. *vt* Nommer.
nameless Anonyme (ìm).
namely A savoir.
namesake (éⁱk) Homonyme *m*.
nap Poil (pwàl) [pile]. Duvet *m* [down]. Somme *m* [sleep]. *vi* Sommeiller.
nape (néⁱp) Nuque *f* (nük).
napery Linge de table.
naphtha (**th**ᵉ) Naphte *m*.
napkin (ìn) Serviette *f*.
narcotic Narcotique.
narrate Narrer, raconter.
narration Narration *f*.
narrative Récit *m* (réssî).
narrator Narrateur.
narrow Étroit. *v* Rétrécir.
narrowing Rétrécissement.
narrowness Étroitesse *f*.
nasal (néⁱzᵉl) Nasal, ale.
nastiness Malpropreté *f*.
nasty Sale (sàl) [filthy]. Insupportable.
natation Natation *f*.
nation (néⁱshᵉn) Nation *f*.
national (nà) National, ale.
nationality Nationalité.
native (néⁱtiv) Natif, ive, indigène (iⁿdìjèn).
nativity Nativité *f*.
natty Pimpant, ante.
natural (atshᵉ) Naturel, elle.
naturalist Naturaliste.
nature (néⁱtshᵉʳ) Nature *f* (nàtür). Naturel *m* [disposition].
naught (naut') Rien *m* (rʸiⁿ). Zéro *m* [math.] *ad* Nullement.
naughty (*au*) Méchant, ante.
nausea (naussiᵉ) Nausée *f* (nôzé).
nauseous Nauséabond, onde.
nautical Nautique.
naval (néⁱvᵉl) Naval, ale.
nave (néⁱv) Nef *f* [church]. Moyeu *m* (mwàʸë) [wheel].
navel Nombril *m* (noⁿbrî).
navigable Navigable.
navigate Naviguer (gé).
navigation Navigation *f*.

navigator Navigateur.
navvy (na) Terrassier.
navy (néi) Marine *f* (rîn).
nay (néi) Non; bien plus.
near (nier) Proche (pròsh). Avare. *ad* Près. *prep* Près de : *near the house,* près de la maison. *v* Approcher [de].
nearly Presque [almost]. De près. Chichement [stingily].
nearness Proximité *f.* Intimité *f.* Proche parenté *f.* Parcimonie f.
neat (nit') Propre. Elégant. Pur [drink].
neatness *n* Propreté *f.*
nebulous Nebuleux, euse.
necessaries Le nécessaire.
necessary Nécessaire.
necessitate Necessiter.
necessitous Nécessiteux.
necessity Nécessité *f.*
neck Cou *m* (kû) Goulot *m* (gûlô) [bottle].
necklace Collier *m* (lyé).
necktie (nèktai) Cravate *f.*
neckerchief Fichu *m* (shü).
necrology Nécrologie *f.*
nectar Nectar *m.*
need (nîd) Besoin *m* (bezwin). Avoir* besoin de.
needful Nécessaire.
needle (nîd'l) Aiguille *f* (èguiy). *Needlework,* travaux d'aiguille.
needless Inutile.
needs Nécessairement.
negation Négation *f.*
negative Négatif, ive.
neglect (ni) Négligence *f* (négliјans). *vt* Négliger.
neglectful Négligent, te.
negligence Négligence *f.*
negligent Négligent, ente.
negotiate (goush) Négocier.
negress (nîgriss) Négresse.
negro (oou) Nègre *m* (nègr).
neigh (néi) Hennissement *m.* *vi* Hennir ('ènîr).
neighbour (néi) Voisin, ine.
neighbourhood Voisinage *m.*
neither (naizher) [Am. (nîzher)].. Ni (nî) ; ni... non plus. *pron* Ni l'un ni l'autre.
nenuphar Nénuphar *m.*
neologism Néologisme *m.*
neon (nîen) Néon *m* (néon).
neophyte (fait) Néophyte.
nephew (nèvyou) Neveu.
nerve (nërv) Nerf *m* (nèr). Nervure *f* (vür) [arch.].
nervous Nerveux, euse (vë).
nervousness Inquiétude *f.*
nest Nid *m* (nì) Nichée *f* (shé) [brood]. *vi* Nicher.
nestle Nicher (shé). *vt* Choyer.
net (nèt') Filet *m* (fìlè). *a* Net, nette (nèt).
netting Réseau *m* (rézô).
nether (nèzher) Bas, basse (bâ, bâss) ; inférieur, eure.
nethermost Le plus bas.
nettle (nèt'l) Ortie *f* (òrtî). *vt* Piquer (pìké).
net-work Réseau *m* (rézô).
neuralgia (nyou) Névralgie *f.*
neurasthenia Neurasthénie *f.*
neutral (nyoutrel) Neutre (nëtr). *n* Point mort *m.*
neutrality Neutralité *f.*
neutralize Neutraliser.
neutre (nyouter) Neutre (ë).
never (nèver) Jamais (jàmè); ne... jamais.
never-ending Interminable.
nevermore Jamais plus.
nevertheless Néanmoins.
new (nyou) Nouveau, elle (nûvô, èl) ; neuf, euve (nœf, œv) [newly made]. Récent,

ente; frais, aîche (frè, èsh).
newcomer Nouveau venu.
Newfoundland Terre-Neuve *f*.
newly Nouvellement.
newness Nouveauté *f*.
news (nyouz) Nouvelles *fpl*.
newsboy Vendeur de journaux.
newspaper (nyouzpéiper) Journal *m* (jûrnàl).
next Le plus proche. Suivant, ante (suivan, ant) [following]. Prochain, aine (pròshin, èn) [week, month]. *ad* Ensuite (ansuit); *next to*, à côté de.
nib Pointe *f* (pwint).
nibble (nib'l) Mordiller.
nice (aiss) Agréable. Bon. Bien. Joli. Sympathique.
niceness Charme *m*. Délicatesse *f*.
nicety (naisti) Délicatesse *f*. Minutie *f* (mìnüsì) [care].
niche (tsh) Niche *f* (sh).
nick Entaille *f*. Entailler.
nickel Nickel *m*. Nickeler.
nick-name (éim) Sobriquet *m*.
nicotine (ke) Nicotine *f*.
niece (nîss) Nièce (nyès).
niggard (nigerd) Ladre.
night (nait') Nuit *f* (nuî). Soir *m* [evening]. *It is night*, il fait nuit.
nightingale Rossignol *m*.
nightly (naitli) Nocturne (ürn). *ad* Pendant la nuit.
nightmare Cauchemar *m*.
nimble (nìmb'l) Agìle (àjîl).
nimbleness Agilité *f*.
nimbus Nimbe *m*.
nine (nain) Neuf (nœf).
nineteen Dix-neuf (dìznœf).
ninety Quatre-vingt-dix.
ninny Niais, aise (nyè, èz).
ninth (nainth) Neuvième.
nip Pincement *m* (pinsman). Morsure *f* [bite]. Brûlure *f* [burn]. *vt* Pincer (pinsé). Couper [cut]. Mordre*.
nipper Pinces *fpl*.
nipple Mamelon *m*.
nitrate (nai) Nitrate *m*.
nitrogen Azote *m* (àzòt).
no (noou) Pas de; ne... pas de : *I have no money*, je n'ai pas d'argent; *no doubt*, sans doute. *ad* Non (non).
nob Caboche *f* (kàbòsh).
nobility Noblesse *f*.
noble (ooub'l) Noble (òbl).
nobleman Gentilhomme.
nobleness Noblesse *f*.
nobody (noou) Personne.
noctambulist Noctambule.
nod Signe [*m*] de tête. *vi* Faire* un signe de tête. S'assoupir [sleep].
node (nooud) Nœud *m* (në).
noise (noiz) Bruit *m* (bruì).
noiseless Silencieux, euse.
noisily Bruyamment.
noisiness Tapage *m*.
noisome (noissem) Malsain.
noisy Bruyant, ante.
nomad, -adic Nomade (àd).
nomenclature Nomenclature.
nominal Nominal, ale.
nominate Désigner.
nomination Nomination *f*.
nonage (idj) Minorité *f*.
non-com Sous-off (sûzòf).
non-commissioned Non breveté; *non-commissioned officer*, sous-officier.
none (nœn) Aucun, aucune; nul, nulle (nül).
nonesuch (nœnsœtsh) Nonpareil, eille.
nonplus (nònplœss) Embarras *m*. *vt* Embarrasser.

nonsense (nònsens) Non-sens *m* (nonsans), bêtise *f* (ìz).
nonsensical Absurde (*ü*rd).
nonsuit (syout') Désistement *m*. Non-lieu *m*.
noodle (noud'l) Nig*a*ud *m*.
nook Recoin *m* (rekwin).
noon (noun) Mid*i* *m* (mìdî).
nor (naur) Ni (ni).
normal Norm*a*l, *a*le.
Norman (naurmen) Normand, ande (*a*n, *a*nd).
Normandy Normandie *f*.
north (aurth) Nord *m* (nòr).
northerly Septentrion*a*l. *ad* Au nord.
northern Septentrion*a*l, e.
Norway (nauRwéi) Norvège.
Norwegian (wîdjen) Norvé*g*ien, enne.
nose (noouz) Nez *m* (né).
nosegay Bouquet *m* (bûkè).
nostril Narine *f* (ìn). Naseau *m* (nàzò) [horse].
not Ne... pas, non : *not at all*, pas du tout.
notability Notabilit*é* *f*.
notable Notable (nòt*à*bl).
notary (noou) Notaire *m* (èr).
notation (eishen) Notati*o*n *f*.
notch Entaille *f* (antày). *vt* Entailler.
note (noout) Note *f* (nòt). Lettre *f* [letter]. Ton *m* (ton) [tone]. *vt* Noter.
note-book Carnet *m* (kàrnè).
note-case Portef*eu*ille *m*.
note-paper Papier à lettres.
note-worthy (wërzhi) Remarquable (àrkàbl).
nothing (nœthing) Rien *m* (ryin). *ad* Nullement.
notice (nooutiss) Observa*tion* *f*. Informati*o*n *f*; avis *m*. *vt* Remarquer.
noticeable Remarqu*a*ble (k).
notification Avis *m*. **-tify** (nooutifai) Informer.
notion (nooushen) Noti*o*n *f*.
notoriety (raieti) Notoriété *f*.
notorious Noto*i*re (nòtwàr).
notwithstanding Malgré.
nought. V. NAUGHT.
noun (naoun) Nom *m*.
nourish (nœrish) Nourr*i*r.
novel (nov'l) Nouv*eau*, elle (nûvô, èl). *n* Roman *m*.
novelette Nouvelle *f*.
novelist Romanc*i*er *m*.
novelty Nouveauté *f*.
November Novembre *m*.
novice (noviss) Nov*i*ce.
now (naou) Maintenant (mintnan). Or (òr) [argument].
nowadays Aujourd'h*ui*.
nowhere (wèer) Nulle part.
nowise (waiz) Nullem*e*nt.
noxious (nòkshes) Nuis*i*ble.
nozzle Nez *m* (né) ; bec *m*. Bout *m* (bû) [end].
nucleus (ny*ou*) Noy*a*u *m*.
nude (nyoud') Nu, nue (nü).
nudge Coup [*m*] de coude.
nudity (ny*ou*) Nudité *f*.
nugget (nœgit') Pépite *f*.
nuisance (ny*ou*ssens) Désagrément *m* (éman), ennui *m* (annuì). Fléau *m* [plague]. Tap*a*ge *m* [noise].
null (nœl) Nul, nulle (nül).
nullify Annuler (ànülé).
nullity Nullité *f* (nüllté).
numb (nœm) Engourdi, ie (angûrdî) Engourd*i*r.
number (nœmber) Nombre *m* (nonbr). Numéro *m* (nüméro [street, phone, newspaper]. Livrais*o*n *f* [installment]. *vt* Numéroter. Compter [to count].

numberer Numéroteur *m*.
numbering Calcul *m* (*ü*).
numberless Innombrable.
numbness Engourdissement.
numeral (nyou) Numéral, e (nü). *n* Chiffre *m* (shîfr).
numeration Numeration *f*.
numerator Numérateur *m*.
numerical Numérique.
numerous Nombreux, euse.
numismatics Numismatique.
numskull Benêt *m*.
nun (nœn) Nonne *f* (nòn).
nunciature Nonciature *f*.
nuncio (shio^{ou}) Nonce *m*.
nunnery Couvent *m*.
nuptial (nœp) Nuptial, *e*.
nuptials Noce *f* (nòs).
nurse (në^{r}s) Nourrice *f* (nûrîss) [wet nurse]. Bonne [*f*] d'enfant [dry nurse]. Garde-malade *f*. *vt* Nourrir. Soigner (swàñé) [care].
nurse-maid Bonne d'enfant.
nursery Chambre des enfants. Pépinière *f* [hort.].
nursing (në^{r}) Soins *mpl*.
nursling Nourrisson *m*.
nut (nœt') Noix *f* (nwà). Noisette *f* (zèt) [little]. Écrou *m* (ékrû) [screw].
nutmeg Muscade *f* (müskàd).
nutriment (you) Nourriture *f*.
nutritive Nutritif, ive.
nuzzle *vt* Toucher du nez.
nymph (ìm) Nymphe *f* (i^{n}).

O

o (o^{ou}) O (ô). *int* ô. Zéro *m*.
oaf (o^{ou}f) Avorton *m* (to^{n}); imbécile (i^{n}béssil).
oafish Imbécile.
oak (o^{ou}k) Chêne *m* (shèn).
oaken De chêne.
oakum Étoupe *f* (étûp).
oar (au^{er}) Rame *f* (ràm), aviron *m* (ro^{n}). *vi* Ramer.
oasis (o^{ou}é^{i}) Oasis *f*.
oath (o^{ou}**th**) Serment *m* (a^{n}). Juron (jüro^{n}) [profane].
oats (o^{ou}ts) Avoine *f* (wàn).
obdurate Endurci, *ie*.
obedience (î) Obéissance *f*.
obedient Obéissant, ante.
obeisance Révérence *f*.
obelisk (obi) Obélisque *m*.
obese (o^{ou}bîs) Obèse (òbèz).
obey (obé^{i}) Obéir.
obit Mort *f* (mòr).
object (obdjekt) Objet *m* (òbjè). But *m* (bü) [end]. *vi* (obdjèkt) S'opposer à.
objection Objection *f*.
objective Objectif, ive.
objectivity Objectivité *f*.
objurgation Objurgation *f*.
oblation Oblation *f*.
obligation Obligation *f*.
obligatory Obligatoire.
oblige (a^{i}dj) Obliger (ijé).
obligee (djî) Obligataire.
obliging Obligeant, te.
oblique (^{e}blîk) Oblique.
obliqueness Obliquité *f*.
obliquity Obliquité (k^{u}ité) *f*. Perversité *f*.
obliterate Oblitérer.
oblivious Oublieux, euse.
oblong Oblong gue.
obloquy (obl^{e}kwi) Blâme *m*.

Déshonneur *m* (dézònœr).
obnoxious Désagréable.
oboe (o^{ou}bo^{i}) Hautbois *m.*
obscene Obscène.
obscenity Obscénité *f.*
obscure (you^{er}) Obscur, ure (*ür*). *vt* Obscurcir.
obscureness Obscurité *f.*
obsecrate Supplier.
obsequies (obsikwiz) Obsèques *fpl* (sèk).
obsequious (ikwi^{e}s) Obséquieux, se (k^{y}*ë*, *ëz*).
observable Observable.
observance Observance *f.*
observation Observation *f.*
observatory Observatoire *m.*
observe (obzë^{r}v) Observer.
observer Observateur, trice.
obsession Obsession *f.*
obsolete Vieilli, ie (èyî).
obstacle Obstacle *m.*
obstinacy Obstination *f.*
obstinate Obstiné, *ée.*
obstreperous Tapageur, euse.
obstruct Empêcher (shé). Obstruer (*üé*) [stop up].
obstruction Obstruction *f.*
obtain (^{e}btè^{i}n) Obtenir*.
obtainable Trouvable.
obtuse Obtus, use (*tü*, *üz*).
obvious Évident, e.
occasion (*é*^{i}j^{e}n) Occasion *f.* Cause *f* (kôz), raison *f.* Besoin *m* (b^{e}zw*i*^{n}) [need]. *vt* Occasionner, causer.
occident Occident *m.*
occidental Occidental, e.
occult (œlt) Occulte (*ült*).
occupation Occupation *f.*
occupier Occupant, ante.
occupy (okyoupa^{i}) Occuper.
occur (^{e}kë^{r}) Arriver.
occurrence Événement *m.*
ocean (o^{ou}sh^{e}n) Océan *m.*
octave (iv) Octave *f* (àv).
October Octobre *m* (òbr).
oculist (kyou) Oculiste.
odd Impair (i^{n}pèr) [number]. Dépareillé, *ée* [not paired]. Étrange, bizarre.
oddity Bizarrerie *f.*
oddness Singularité *f.*
ode (o^{ou}d) Ode *f* (òd).
odious (o^{ou}dy^{e}s) Odieux.
odiousness Odieux *m.*
odorous Odorant, ante.
odour (o^{ou}d^{er}) Odeur *f* (œ).
odourless Inodore (dòr).
œsophagus Œsophage *m.*
of (ov) De (d^{e}). À : *to beware of*, prendre* garde à.
off Au loin (ôlw*i*^{n}). Parti [gone]. Enlevé, arraché, chassé [taken off]. *To put* off*, différer; *to take off*, enlever; *to be well off*, être* à l'aise; *off time*, temps libre. *pr* De; au large de; *off Dover*, au large de Douvres.
offal Abats *mpl* (àbà).
offence (ofèns) Offense *f* (òfa^{n}s). Délit *m* (délî).
offend Offenser. Enfreindre* (*i*^{n}dr) [law]. Choquer.
offender (ofènd^{er}) Offenseur (òfa^{n}sœr) *m.* Coupable.
offensive Offensant, ante. Offensif, ive [mil.]. *n* Offensive *f.*
offer Offrir. *vi* S'offrir. *n* Offre *f* (òfr).
offering Offrande *f* (ofra^{n}d).
offertory Offertoire *m* (wàr).
offhand Improvisé, *ée. ad* Sur-le-champ. **-handedness** Sans gêne *m.*
office (ofiss) Fonction *f;* emploi *m.* Bureau *m;* agence *f.*
officer (òfis^{er}) Officier *m*

(s^y^*é*) [mil.]. Fonctionnaire *m*. Agent [police].
official (efishel) Officiel, elle. *n* Fonctionnaire *m*.
officiate Officier.
officinal Officinal, ale.
officious Officieux, euse.
offing Large *m* (làrj).
offset Compensation *f* [com.]. Rejeton *m*, scion *m* [shoot]. Offset [typo.].
offspring Progéniture *f*.
oft or **often** (of'n, oft'n) Souvent (sûva^n^).
ogive (djaiv) Ogive *f* (jiv).
ogle (o^ou^l) Lorgner (ñé). *n* Œillade *f* (œyàd).
ogre (o^ou^ger) Ogre *m* (ògr).
oh *int* (o^ou^) Oh (ô).
oil Huile *f*. Pétrole *m*. Huiler.
oil-can Burette *f* (bürèt) [small]; bidon *m* [large].
oil-cloth Toile cirée *f*.
oiler Graisseur *m* (sœr). Pétrolier *m* (yé) [ship].
oil-painting (oilpéinting) Peinture [*f*] à l'huile.
oil-skin Toile cirée *f*.
oily Huileux, euse.
ointment Onguent *m* (ga^n^).
old (oould) Vieux, vieille (vyë, vyèy) ; *an old man*, un vieillard; *he is six years old*, il y a six ans.
olive Olive *f*. *Olive-oil*, huile [*f*] d'olives.
olivetree Olivier *m*.
omelet (it') Omelette *f*.
omen (o^ou^men) Augure *m*.
omission Omission *f*.
omit (omit') Omettre*.
omittance Omission *f*.
omnibus (bes) Omnibus (ü).
omnipotent Omnipotent, e.
on (òn) *prep* Sur (sür) : *to rely on*, compter sur. A : *on horse back*, à cheval. En : *on fire*, en feu. De : *to depend on*, dépendre de. Contre : *on the wall*, contre le mur. Pour : *on this account*, pour cette raison. *ad* Dessus (dessü), sur soi. Sans arrêt: *and so on*, et ainsi de suite.
once (wœns) Une fois. Jadis (jàdis) [formerly]. *At once*, sur-le-champ, ensemble.
one (wœn) Un, une (u^n^, ün) : *some one*, quelqu'un; *any one*, n'importe qui; *every one*, chacun, tout le monde; *a little one*, un petit; *the little ones*, les petits.
one-armed Manchot (ma^n^shô).
one-eyed (aid) Borgne.
one-price A prix unique.
onerous Onéreux, euse.
oneself (wœn) Soi, soi-même.
onesided A un côté.
one-way A sens unique.
onion Oignon *m* (òño^n^).
only (o^ou^nli) Seul, eule (sœl). *ad* Seulement.
onset Assaut *m* (àssô).
onslaught (aut') Attaque *f*.
onward (ònwerd). En avant.
oof [argot] Galette *f* [money].
ooze (ouz) Limon *m* (mo^n^). *vi* Suinter (sui^n^). *Fig*. Transpirer [news].
opacity Opacité *f*.
opal (o^ou^p'l) Opale *f* (òpàl).
opaque (éik) Opaque (àk).
opaqueness Opacité *f*.
open (o^ou^) Ouvrir* (ûvrîr). S'ouvrir. *a* Ouvert, erte (ûvèr, èrt) : *half-open*, entrouvert; - *air*, plein air.
opener Ouvreur *m*, euse *f*.
open-eyed (aid) Vigilant, e.

open-hearted Franc, anche.
opening Ouverture *f* (tür).
openly Ouvertement.
openness Franchise *f*.
opera Opéra *m* (rà).
opera-glass Jumelle *f* (jümèl).
operate (opeéreit) Opérer.
operation Opération *f*.
operative Efficace (àss).
operator Standardiste *f* [tel.]. Radio *m* [ship].
ophthalmia Ophtalmie *f*.
opine (opain) Opiner (iné).
opinion Opinion *f*; avis *m*.
opinionated Entêté, *ée*.
opium (ooupyem) Opium *m*.
opponent Opposant, *ante*.
opportune (youn) Opportun, tune (un, ün).
opportunely A propos (pò).
opportunity Occasion *f*.
oppose (epoouz) S'opposer.
opposite Opposé, *ée*; vis-à-vis (avî). *n* Opposé *m*.
opposition Opposition *f*. Concurrence *f* (konküràns).
oppress Opprimer. Oppresser [med.].
oppression Oppression *f*.
oppressive Accablant, *ante*.
opprobrium Opprobre *m*.
optic, optical Optique (tik).
optician Opticien *m*.
optimist Optimiste.
option Option *f*; choix *m*.
opulence (you) Opulence *f*.
opulent Opulent, *ente*.
or (aur) Ou (û), ou bien.
oracle (aurek'l) Oracle *m*.
oral (aurel) Oral, *ale*.
orange (indj) Orange *f* (anj).
- -tree Oranger *m*.
orator (aureter) Orateur *m*.
oratory Oratoire *m*.
orb (aurb) Globe *m*; orbe *m*.
orchestra (aurkister) Orchestre *m* (kèstr).
orchid (aurkid) Orchidée *f*.
ordain (aurdéin) Ordonner.
order (aur) Ordre *m* (òrdr). Ordonnance *f*, arrêté *m*. Mandat *m* (mandà) [money]. Commande *f* (and) [goods]. *In order to*, afin de; *in order that*, afin que; *to order*, sur commande, à ordre [chèque]; *postal order*, mandat-poste. *vt* Ordonner. Arranger. Commander.
ordering Arrangement *m*.
orderly Ordonné, *ée*. *n* Ordonnance *f* [soldier].
ordinal (aur) Ordinal.
ordinarily Ordinairement.
ordinary (aur) Ordinaire.
ordinate Régulier, *ère*.
ordnance (aurdnens) Artillerie *f*, canons *mpl*; *ordnance map*, carte d'état-major.
ore (auer) Minerai *m*.
organ (aurgen) Organe *m*. Orgue *m* (òrg) [mus.].
organic Organique.
organism Organisme *m*.
organist Organiste.
organization (naizéi) Organization *f* (ìzà).
organize (naiz) Organiser.
orgy (dji) Orgie *f* (jî).
Orient (aurient) Orient *m* (òryan). *a* Oriental, *ale*.
orientation Orientation *f*.
orifice (fis) Orifice *m*.
origin (oridjìn) Origine *f*.
original (idjinel) Original, *ale* (jìnàl).
originality Originalité *f*.
originally A l'origine.
originate (idjinéit) Faire* naître. Tirer son origine.

orison (auriz^{e}n) Oraison *f*.
ornament Ornement *m*. *vt* (ènt) Décorer. **-mental** Ornemental. **-mentation** Ornementation *f*.
ornate Orné, ée.
orphan (f^{e}n) Orphelin, ine.
ort Débris *m* (brî).
orthodox (th^{e}) Orthodoxe.
orthography (au^{r}thògr^{e}fi) Orthographe (òrtògrâf).
oscillate Osciller.
oscillation Oscillation *f*.
osseous (ossi^{e}s) Osseux.
ossuary Ossuaire *m*.
ostentation Ostentation *f*.
ostrich Autruche *f* (üsh).
other (œzh^{er}) Autre (ôtr).
otherwise (wa^{i}z) Autrement.
otter Loutre *f* (lûtr).
ottoman Ottoman (a^{n}), ane.
ought *vi* (aut') Devoir*.
ounce (a^{ou}ns) Once *f* (o^{n}s).
our (a^{ouer}) Notre, nos.
ours (a^{ouerz}) Le nôtre, la nôtre, les nôtres.
ourselves Nous-mêmes, nous.
oust (a^{ou}st) Évincer, chasser.
out (a^{out}) Dehors (d^{e}òr), sorti, ie. Découvert, te. *Just out*, vient de paraître. *Out of*, hors de, loin de.
outbreak Éruption *f* (érüps^{y}o^{n}) ; soulèvement *m*.
outcome Résultat *m* (ültà).
outcry (kra^{i}) Clameur *f*.
outdo* Surpasser.
outdoor, -doors En plein air.
outer Extérieur, eure.
outermost Extrême.
outfit (a^{ou}t) Équipement *m*.
outfitter Marchand de confections.
outgoing Sortant, ante. *pl* Débours *mpl* (ûr).
outgrow* Dépasser.
outing Excursion *f*, sortie *f*.
outlaw (lau) Proscrit, e.
outlay Débours *mpl*.
outlet Issue *f* (issü).
outline (la^{i}n) Contour *m*.
outlive (liv) Survivre* à.
outlook Perspective *f*.
outlying (a^{i}ing) Détaché.
out-of-date Dépassé, démodé.
outpouring Effusion *f*.
output (pout') Rendement.
outrage (a^{ou}tridj) Outrage *m* (ûtràj). *vt* Outrager.
outrageous Outrageux, se.
outright (ra^{i}t) Sur-le-champ. Carrément [bluntly]. Absolument. *a* Sans gêne.
outset Début *m* (bü).
outshine* (a^{i}n) Éclipser.
outside (a^{i}d) Extérieur, eure. *ad* Dehors (d^{e}òr). *n* Extérieur *m*.
outsider (sa^{i}d^{er}) Étranger, ère. Outsider *m* [racing].
outskirts (skë^{r}ts) Lisière *f*.
outspoken Franc, anche.
outspread* Étendre.
outwork Ouvrage avancé *m*.
outward Extérieur, eure.
outwards A l'extérieur.
oval (o^{ou}) Ovale. *n* Ovale *m*.
ovation Ovation *f*.
oven (œv'n) Four *m* (fûr).
over (o^{ouver}) Sur (sür). Plus de (plüd^{e}) [more]. *ad* De l'autre côté.
overact Exagérer.
overbear* (bè^{er}) Accabler.
overbearing Arrogant, te.
overboard Par-dessus bord.
overburden (be^{r}) Surcharger.
overcast* (kâst) Assombrir [sky]. Forcer [sum].
overcharge *vt* (tshâ^{r}dj) Sur-

· charger. Majorer [price].
overcoat (koout) Pardessus *m* (pardessü).
overcome* Surmonter (sürmonté). Accabler.
overdo* Exagérer. Faire* trop cuire* [cook].
overdraw* (drau) Dépasser.
overdue (dyou) Périmé, ée.
overflow (flouu) Déborder. Inondation *f*.
overfond Trop épris, ise.
overhand Dessus *m* (dessü).
overhang* Surplomber.
overhaul Rattraper [to overtake]. Examiner, vérifier.
overlap Chevaucher.
overload (looud) Surcharger. *n* Surcharge *f*.
overlook Donner sur [to face], dominer. Surveiller (yé) [watch]. Négliger.
overlooker Surveillant, e.
overmuch (œtsh) Par trop.
overnight (nait) Hier soir, la veille au soir.
overpay* Payer trop cher.
overpower (paouer) Terrasser. *Fig.* Subjuguer.
overproduction (dœkshen) Surproduction *f* (düksyon).
overreach Jouer, duper.
overrun* (rœn) Envahir.
oversea (sî) D'outre-mer.
overseer Surveillant, te.
overset* Renverser.
overshoot* Dépasser.
oversight Négligence *f*.
overstate Exagérer.
overstrain (oouverstréin) Surmener. *n* Surmenage *m*.
overt (oouvert) Ouvert, erte (ûvèr, èrt).
overtake (téik) Rattraper.
overtax Surtaxer.
overthrow* Renverser.
overture (youer) Ouverture *f*.
overvalue Surestimer.
overweight (oouverwéit) Excédent *m* [de poids].
overwhelm Accabler.
overwork Surmener. *n* Surmenage *m* (sürmenàj).
ovine (oouvain) Ovine (ìn).
ovule (youl) Ovule *f* (ül).
owe (oou) Devoir* (devwàr).
owing Dû, due (dü).
owl (aoul) Chouette (wèt) *f*. Hibou *m* [long eared].
own (ooun) Propre (pròpr). *vt* Posséder (sédé). Réclamer [to claim]. Avouer.
owner Propriétaire *m*.
ownership Propriété *f*.
ox Bœuf *m* (bœf) [pl. *oxen* : bœufs (bë)].
oxidation Oxydation *f*.
oxide (aid) Oxyde *m* (îd).
oxidize (aiz) Oxyder.
oxygen (dj) Oxygène *m* (j).
oxygenate, -ize Oxygéner.
oyer (oier) Audition *f*. *Oyez* (oouyès), Écoutez!
oyster (ois) Huître *f* (uîtr).

P

p (pî) P (pé).
pace (péis) Pas *m* (pâ). Allure *f* (ür) [horse]. *vi* Marcher. *Pace-maker*, entraîneur (antrènœr).
pachyderm (kidèrm) Pachy-

derme *m* (shìdë^{r}m).
pacific Pacifique.
pacification Pacification *f*.
pacifier (fa^{ier}) Pacificateur.
pacifist Pacifiste.
pacify (fa^{i}) Pacifier.
pack Paquet *m* (kè) [small]; ballot *m* [large]. Jeu *m* [cards]. Meute *f* (mët) [hounds]. *vt* Empaqueter. Emballer. Tasser [heap].
package (kidj) Colis *m* (kòlì).
packet Paquet *m*. Paquebot *m* (pàkbô) [ship].
packing Emballage *m* (làj).
pack-thread (thrèd) Ficelle *f*.
pact Pacte *m*.
pad Tampon *m* (ta^{n}po^{n}) Bourrelet *m* [cushion]. Plastron *m* [fencing]. *Writing-pad,* sous-main *m*. *v* Ouater (wà), rembourrer. *vi* Aller* à pied.
paddle (pad'l) Pagaie *f*.
paddock Enclos *m*.
padlock Cadenas *m*.
pagan (pé^{i}g^{e}n) Païen, enne (pà^{y}i^{n}, èn).
paganism Paganisme *m*.
page (pé^{i}dj) Page *f* (pàj) [paper]. *m* Page [hist.]. Groom, chasseur [hotel boy].
pageant (dj) Parade *f*.
pageantry Pompe *f*, parade *f*.
paid (pé^{i}d) Payé, ée (pè^{y}é).
pail Seau *m* (sô).
pain (pé^{i}n) Souffrance *f* (sûfra^{n}s), douleur *f* (dûlœr). *vt* Faire* souffrir. Peiner [to grieve].
painful Pénible.
painstaking Laborieux, se.
paint (pé^{i}nt) Couleur *f* (kûlœr); peinture *f* (pi^{n}tür). *v* Peindre* (pi^{n}dr).
painter (pé^{i}) Peintre (pi^{n}tr).
painting Peinture *f*.
pair (pè^{er}) Paire *f* (pèr). Couple *m* (kûpl) [persons]. *vt* Accoupler.
pairing Accouplement *m*.
pal Copain *m* (kòpi^{n}).
palace (iss) Palais *m* (lè).
palate (palit') Palais *m* (lè).
pale (pé^{i}l) Pâle (pâl). *n* Palissade *f*. *vt* Pâlir.
paleness Pâleur *f* (lœr).
pall *vt* (paul) Envelopper. Affadir [vapid].
palliate Pallier (^{y}é).
pallid Blême (blèm).
palm (pâm) Paume *f* (pôm) [hand]. Palme *f* [branch]. Palmier *m* [tree]. *vt* Escamoter. *Palm-Sunday,* dimanche des Rameaux.
palmiped Palmipède.
palmy (pâmi) Glorieux, euse.
palpable Palpable.
palpitate Palpiter.
palpitation Palpitation *f*.
palsied (paul) Paralysé, ée.
palsy Paralysie *f* (lìzî).
palter (au) Tergiverser.
paltry (au) Mesquin, ine (ki^{n}, ìn) [mean]. Misérable.
pamper Choyer (shwà^{y}é).
pamphlet (pàmflit') Brochure (shür), plaquette *f*.
pan (pàn') Casserole *f* (kàsròl). *Frying-pan,* poêle *f*.
panacea (sî^{e}) Panacée *f*.
pancake (ké^{i}k) Crêpe *f*.
pane (pé^{i}n) Carreau *m* (ô).
panegyric Panégyrique *m*.
panel Panneau *m* (nô) [wood]. Liste *f* (list).
pang (pàng) Angoisse *f*.
panic Panique *f* (ìk).
pannier Panier *m* (n^{y}é).
panoply Panoplie *f*.

panorama Panorama *m.*
pansy (zi) Pensée *f* (paⁿsé).
pant Haleter ('àlté).
pantaloons *pl* (lounz) Pantalon *m* (oⁿ).
pantheon (thî) Panthéon *m.*
panther (th) Panthère *f.*
pantomime (maim) Pantomime *f* (mìm).
pantry Office *m.*
pants *pl* Caleçon (kàlsoⁿ).
pap Sein *m* (siⁿ) [breast]. Bouillie *f* (bûyî) [food].
papa (pepâ) Papa *m* (pàpà).
paper (péiper) Papier *m* (pyé). Journal *m* (jûr) [newspaper]. Article *m,* étude *f.* *Note-paper,* papier à lettres; *tissue-paper,* papier de soie; *in paper covers,* broché, ée. *vt* Tapisser. *Paper-hangings,* papier peint. *Paper-knife* (naif), coupepapier *m.*
papist Papiste.
papyrus (ai) Papyrus *m* (pì).
par Pair *m* (pèr).
parable, -abola Parabole *f.*
parachute (shout') Parachute *m. vt* Parachuter.
parachutist *n* Parachutiste *mf.*
parade (éid) Parade *f* (àd). Parader.
paradise Paradis *m* (dî).
paradox Paradoxe *m.*
paraffin Paraffine *f.* Pétrole *m.*
paragraph Paragraphe *m*
parakeet (kît') Perruche *f* (üsh).
parallel Parallèle. *n* Parallèle *f* [line]: **-lelism** Parallélisme *m.*
paralysis Paralysie *f.*
paralytic Paralytique.
paralyze (aiz) Paralyser.
paramount (pâremaount) Souverain, e (sûvriⁿ, èn).
parapet (pit') Parapet *m.*
paraphrase Paraphrase *f.*
parasite (sait) Parasite *m.*
parasol Parasol *m.*
parcel (pârs'l) Colis *m* (lî), paquet *m* (pàkè). Lot *m* (lô) [share]. *vt* Partager. *Parcel-post,* colis postal *m.*
parch (pârtsh) Brûler (brülé), dessécher.
parchment Parchemin *m.*
pard (pârd') Léopard *m* (àr).
pardon (pârd'n) Pardon *m* (oⁿ). Grâce *f* (âs') [law]. *vt* Pardonner. Gracier.
pare (pèer) Peler (pelé) [fruit]. Couper, rogner.
parent (pèerent) Père, mère. *pl* Parents *mpl* (pàraⁿ).
parentage Famille *f* (mîy).
parenthesis (ènthissis') Parenthèse *f* (aⁿtèz).
parget Crépi *m. vt* Crépir.
pariah (pèerye) Paria *m.*
paring Pelure *f* (ür) [fruit]. Épluchure *f* [vegetable]. Rognure *f* (ñür) [clipping].
parish Paroisse *f* (wàss) [rel.]; commune *f* (ün).
parishioner Paroissien, enne. Habitant, ante.
parisian (perijen) Parisien.
parity Parité *f.*
park (pârk) Parc *m* (pàrk). *vt* Enclore*. Parquer [artil.]. *No parking,* défense de stationner.
parlance (pârlens) Langage *m.* Conversation *f.*
parley (pâr) Pourparlers *mpl.*
parliament Parlement *m.* **-mentary** Parlementaire.
parlour (ler) Petit salon.

parochial (peroouky el) Paroissial, ale. Communal, ale.
parody Parodie *f*. Parodier.
parole (rooul) Parole *f* (òl).
paroxysm Paroxysme *m*.
parrot (pà) Perroquet *m* (kè).
parry Parade *f* (àd). *vt* Parer.
parse (pârz) Analyser.
parsimony Parcimonie. **-monious** Parcimonieux, euse.
parsley (li) Persil *m* (sî).
parson (sen) Curé *m* (küré).
parsonage Cure *f* (kür).
part (pârt) Part *f* (pàr), partie *f*. Pièce *f*. Parti *m* [side]. Région *f*. Rôle *m* (rôl) [theat.]. *pl* Dons *mpl* (don), talents *mpl*. *v* Partager (jé); séparer.
partake* (téik) Partager.
parterre Parterre *m*.
partial (pârsh'l) Partial, e.
partiality Partialité *f*.
participate Participer. **-pation** Participation *f*.
participle Participe *m*.
particle (pârtikel) Parcelle *f*.
particular (kyou) Particulier, ère (kü). *n* Détail *m* (détày).
-larity Particularité *f*.
parting Séparation *f*. Raie *f* (rè) [hair].
partisan (àn) Partisan *m*.
partition Partage *m* (tàj) [dividing]. Cloison *f* (klwàzon) [wall]. *vt* Diviser (izé).
partitive Partitif, ive.
partly (pârtli). En partie.
partner Associé, ée (syé) [com.]. Compagnon, *m*, compagne *f*. Partenaire (pàrtenèr) [game]. Cavalier, ère [ball]. *Sleeping-partner*, commanditaire.
partnership Association *f*.
partridge Perdrix *f* (drî).
party Parti *m*. Partie de plaisir. *Evening party*, soirée *f*. *Labour party*, parti travailliste.
paschal (pâsk'l) Pascal, e.
pass Passer. Voter [bill]. Approuver [account]. Recevoir [candidate]. *n* Passage *m* (àj) Passe *f* (pâss) [defile]; col *m*. Laissez-passer *m*.
passable Passable.
passage Passage *m* (àj). Corridor *m* [room to room]. Traversée *f* [ship].
passenger *n* Passant (an), ante [passer-by]. Voyageur, euse (vwàyàjœr, ëz) [land]. Passager, ère (àjé, èr) [sea].
passer-by Passant, te.
passing Passager, ère.
passion (shen) Passion *f*.
passionate (it') Emporté, ée; passionné, ée.
passion-week (wîk) Semaine sainte *f*.
passive Passif, ive.
passiveness Passivité *f*.
passover Pâques *f* (pâk).
passport (aurt) Passeport *m*.
past Passé, ée. *n* Passé *m*. *prep* Au-delà de; *ten past six*, six heures dix.
paste (péist) Pâte *f* (pât). Colle *f* (kòl) [sticking]. *Past-board*, carton *m*.
pastel Pastel *m*.
pastime Passe-temps *m*.
pastor Pasteur *m* (pàstœr).
pastoral Pastoral, ale.
pastry (péis) Pâtisserie *f*.
pastrycook Pâtissier *m*.
pasture (pâstsher) Pâturage *m* (üràj). *v* Paître* (pètr).
pat Tape *f*. Rondelle *f* [but-

ter]. *ad* A point. *vt* Tapoter, caresser.
patch Pièce *f* (pyès). *vt* Rapiécer; *to - up,* rafistoler.
patcher Ravaudeur, euse.
pate (péit) Caboche *f*.
paten Patène *f*.
patent (peitent) Breveté, ée. *n* Brevet *m* (brevè).
patented, -tee Breveté, ée.
paternal Paternel, elle.
paternity Paternité *f*.
path (th) Sentier *m* (santyé).
pathetic Pathétique (té).
pathology (th) Pathologie *f*.
patience (péishens) Patience *f* (syans). **-tient** (péishent) Patient, ente.
patina Patine *f*.
patriarch (péitriark) Patriarche (pàtriàrsh).
patriarchal (k'l) Patriarcal.
patrimony Patrimoine *m*.
patriot Patriote (pàtriòt).
patriotic Patriotique
patriotism Patriotisme *m*.
patrol (ooul) Patrouille *f* (ûy). *v* Patrouiller.
patron (péi) Client *m*.
patronage Patronage *m*.
patroness Patronne *f*.
patronize Patronner.
patter Tapoter.
pattern Modèle *m*. Patron *m*.
paunch (pauntsh) Panse *f*.
pauper Indigent, ente.
pause (pauz) Pause *f* (pôz). *vi* S'arrêter.
pave (péiv) Paver (pàvé).
pavement Dallage *m* (làj) [flagstones]. Carreau *m* [tiles]. Trottoir *m* (tròtwàr) [sidewalk].
paver (péiver) Paveur *m*.
pavilion Pavillon *m* (yon).
paving (péi) Pavage *m* (àj). *Paving-stone,* pavé *m*. *Paving-tile* (tail), carreau *m*.
paw (pau) Patte *f* (pàt). *vt* Griffer [to scratch].
pawn (paun) Gage *m* (gàj). Pion *m* (pyon) [chess]. *vt* Mettre* en gage. **-broker** Prêteur sur gage.
pawnee (pauni) Prêteur *m*.
pawner Emprunteur *m*.
pay (péi) Paye *f* (pè). Salaire *m* (salèr). Gages *mpl* (gàj) [servant's]. Solde *f* (sòld) [mil.]. Payer (péyé). Faire* [visit, compliment]. Rapporter [to bring in]. *vi* Rapporter [**paid*].
payable (péiebl) Payable.
payee Bénéficiaire (syèr).
payment Paiement *m* (pèman).
pea (pî) Pois *m* (pwà).
peace (pîss) Paix *f* (pè).
peaceable, peaceful Paisible.
peach (pîtsh) Pêche *f*. *Peach-stone,* noyau de pêche. *Peach-tree,* pêcher *m*.
peacock Paon *m* (pan).
peak (pîk) Pic *m*.
peal (pîl) Carillon *m*. Coup *m* [thunder, cannon]. Éclat *m* [laughter]. *vi* Retentir, résonner.
pear (pèer) Poire *f* (pwàr).
pearl (përl) Perle *f* (pèrl). *Mother-of-pearl,* nacre *f*.
pearled, pearly Perlé, ée.
pear-tree Poirier *m*.
peasant (pèzent) Paysan, anne (pèizan).
peasantry Paysannerie *f*.
peat Tourbe *f* (tûrb).
pebble Caillou *m* (yû).
peck Mesure de 2 gallons. Coup de bec. *vt* Becqueter.

pectoral Pectoral, ale.
peculiar Particulier, ère.
peculiarity Particularité *f.*
pedagogue Pédagogue.
pedagogy (gogi) Pédagogie *f.*
pedal Pédale *f. vi* Pédaler.
pedant Pédant, ante.
pedantry Pédanterie *f.*
peddle Colporter.
peddling Colportage *m.*
pedestal Piédestal *m.*
pedestrian Pédestre. *n* Piéton.
pedigree (igrî) Généalogie *f.* Pedigree *m* [animals].
pediment Fronton *m.*
pedlar Colporteur *m.*
peel (pîl) Pelure *f.* Écorce *f* [lemon].
peep (pîp) Coup [*m*] d'œil. Point *m* [of day]. *vi* Jeter un coup d'œil. Pointer [day].
peer (pîer) Scruter. Pointer. *n* Pair (pèr).
peerage Pairie *f* (pèrî).
peeress Pairesse *f.*
peerless Sans pareil, eille.
peevish (pîvish) Maussade.
peg Cheville *f* (shevìy) Patère *f* (tèr) [for hats].
pelican Pélican *m.*
pellet Boulette *f* (bûlèt).
pellicle Pellicule *f* (likül).
pell-mell Pêle-mêle.
pelt Battre. *n* Peau *f* (pô).
peltry Pelleterie *f* (pèltrî).
pelvis Bassin *m* (in).
pen Plume *f* (üm). Parc *m* [cattle]. Poulailler *m* [poultry]. *Fountain-pen,* stylo *m.* *vt* Rédiger [**pent*]. Parquer (ké) [cattle].
penal Pénal, ale.
penalize (aiz) Pénaliser.
penalty Peine *f;* pénalité *f.*
penance Pénitence *f.*
pence *pl.* V. PENNY.
pencil Crayon *m* (krèyon). Pinceau *m* (pinsô) [brush]. *Pencil-case,* porte-mine *m.*
pendant (pèndent) Pendant *m* (pandan). Suspension *f* [lamp]. Flamme *f* [flag].
pending (pèndìng) Pendant, te. *prep* Pendant (pandan).
pendulum (dyou) Pendule *m.*
penetrate Pénétrer.
penetration Pénétration *f.*
penguin (gwìn) Pingouin *m.*
penholder Porte-plume *m.*
penicillin Pénicilline *f.*
peninsula (pininsyoule) Péninsule *f;* presqu'île *f* (kil).
penitent Repentant, ante. *n* Pénitent, ente.
penitentiary Pénitentiaire. *n* Pénitencier *m.*
penniless Sans le sou.
penny, *pl* **pence** (pèns) [valeur] et **pennies** (iz') [pièces] Monnaie de deux sous.
pennyweight Poids de 24 grains (1g, 555).
pension (sh) Pension *f,* retraite *f* (retrèt). *vt* Pensionner.
pensioner Retraité, ée.
pensive (èn) Pensif, ive (an)
pensiveness Rêverie *f.*
pent Enfermé, ée (an).
pentecost Pentecôte *f.*
penthouse Appentis *m.*
penult (œlt) Pénultième.
penumbra Pénombre *f.*
peony (pîeni) Pivoine *f.*
people (pîp'l) Peuple *m.* Gens *mpl* (jan) [*fpl* after adj] : *bad people,* gens mauvais, mauvaises gens.
pepper (pèper) Poivre *m* (pwàvr). *vt* Poivrer. *Pepper-box,* poivrière *f.*

peppermint Menthe poivrée.
per Par : *per cent,* pour cent.
perceive (sîv) Percevoir*.
percentage Pourcentage *m.*
perceptible Perceptible.
perception Perception *f.*
perch (ër) Perchoir *m* (wàr) [rod]. Perche *f* (sh) [fish]. *vt* Percher. *vi* Se percher.
perchance (tshâns) Peut-être.
percolator Filtre *m.*
percussion Percussion *f*
perdition Ruine *f* (ruìn).
peregrination Pérégrination.
perennial Durable. Vivace.
perfect Parfait, aite (fè, èt). *n* Parfait *m.* *vt* (èkt) Perfectionner. Achever [finish].
perfection, -tness Perfection.
perfidious Perfide.
perfidy (përfidi) Perfidie *f.*
perforate (për) Perforer.
perform Accomplir. Jouer [théât.]. Remplir [task].
performance Accomplissement *m.* Exécution *f.* Représentation *f* [théât.]. Performance *f* [sport].
performer Exécutant, ante.
perfume (përfyoum) Parfumer. *n* Parfum *m* (fun).
perfumer Parfumeur, euse.
perfumery Parfumerie *f.*
perhaps Peut-être (pëtètr).
peril (pèrel) Péril *m.*
perilous Périlleux (yë).
period (pieryed) Période *f.*
periodic Périodique.
periodical Périodique *m.*
periphrasis Périphrase *f.*
periscope Périscope *m.*
perish (pèrish) Périr.
peritonitis Péritonite *f.*
periwig Perruque *f* (ük).
periwinkle Pervenche *f.*
perjure (djer) Parjurer (jü).
perjurer Parjure (jür).
permanence Permanence *f.*
permanent Permanent, te.
permeable Perméable.
permission Permission *f.*
permit Permettre* (ètr). *n* (për) Permis *m* (mî). Congé *m* [excise].
permute (yout') Permuter.
pernicious (shes) Pernicieux (syë), cieuse.
perpendicular (kyouler) Perpendiculaire (pandikülèr).
perpetrate Perpétrer.
perpetual Perpétuel, elle.
perpetuity Perpétuité *f.*
perplex Embarrasser (an).
perplexed Perplexe.
perplexity Perplexité *f.*
perquisition (kwi) Perquisition *f* (kì).
persecute (kyou) Persécuter.
persecution Persécution *f.*
persecutor Persécuteur.
perseverance Persévérance *f.*
persevere (ier) Persévérer.
persevering Persévérant, ante.
Persia (përshe) Perse *f.*
persian (yen) Persan, ane (an, àn). Perse [antiq.]. *Persian morocco,* chagrin *m.*
persist Persister.
persistent Persistant, ante.
person (ër) Personne *f* (èr).
personage Personnage *m.*
personal Personnel, elle.
personality Personnalité *f.*
personify Personnifier.
perspective Perspective *f.*
perspicacious Perspicace.
perspicacity Perspicacité *f.*
persuade (swéid) Persuader.
persuasion Persuasion *f.*
pert (përt) Effronté, ée.

pertain (éin) Appartenir*.
pertinacious (éi) Entêté, ée.
pertinent A propos.
perturbation Perturbation *f*.
Peru (pᵉrou) Pérou *m*.
peruke (ouk) Perruque *f*.
perusal (ouz'l) Lecture *f*.
peruse (pᵉrouz') Lire* avec soin (swiⁿ), scruter (skrü).
pervade (véid) Traverser, se répandre. Régner dans.
perverse Pervers (vèr), se.
perversity Perversité *f*.
perversion Perversion *f*.
pervert (pᵉrvërt) Pervertir.
perverter Corrupteur, trice.
pervious Perméable.
pessimism Pessimisme *m*.
pessimist Pessimiste.
pest Peste *f*.
pestilent, -ilential Pestilentiel, elle. Pernicieux, euse.
pestle (pès'l) Pilon *m*.
pet (pèt') Favori, ite. Chéri, ie [dear]. *vt* Dorloter.
petal Pétale *m*.
petard (pitârd) Pétard *m*.
petition Pétition *f*. *vt* Demander.
petrify (fai) Pétrifier.
petrol (pètrᵉl) Essence *f*.
petroleum (oou) Pétrole *m*.
pettifogger Chicaneur.
pettifoggery Chicane *f*.
pettiness Mesquinerie *f* (ki).
pettishness Mauvaise humeur.
petty Mesquin (kiⁿ), ine; petit, ite; léger, ère [offence].
petulance Irritabilité *f*.
petulant Grincheux, euse.
pew (pyou) Banc *m* (baⁿ).
pewit (pîwit') Vanneau *m*.
pewter (pyou) Étain (étiⁿ).
phalanx Phalange *f*.
phantasm, -om Fantôme *m*.
pharaoh (fèᵉroou) Pharaon.
pharmacy Pharmacie *f*.
pharynx Pharynx *m*.
phase (féiz) or **phasis** (féissis'). Phase *f* (fâz).
pheasant (fèzᵉnt) Faisan *m*.
phenomenal Phénoménal.
phenomenon Phénomène *m*.
phial (faiᵉl) Fiole *f* (fyòl).
philanthropist Philanthrope.
philanthropy Philanthropie.
philosopher Philosophe. **-sophical** Philosophique. De précision [instrument].
philosophy Philosophie *f*.
philter Philtre *m*.
phiz Frimousse *f*.
phlebitis (bai) Phlébite.
phlegm (flèm) Flegme *m*. Mucosité *f* (mükòsìté).
phlegmatic Flegmatique.
phlegmon (mᵉn) Phlegmon *m*.
phoca Phoque *m* (fòk).
phœnix (fî) Phénix *m*.
phone (foᵒun) Téléphone *m* (òn). *vn* Téléphoner.
phonograph Phonographe *m*.
phosphate (it') Phosphate *m*.
phosphorus Phosphore *m*.
photograph (foᵒu) Photographie *f*. *v* Photographier.
photographer Photographe.
photographic Photographique.
photography Photographie *f*.
phrase (éiz) Phrase *f* (âz). *vt* Exprimer.
phthisis (thai) Phtisie *f*.
physic Médecine *f* (médsîn).
physical Physique. Médical.
physician Médecin (médsiⁿ).
physicist Physicien.
physics Physique *f*.
physiology Physiologie *f*.
pianist (pya) Pianiste.
piano (pyà) Piano *m* (pyànô).

pibroch (pîbròh) Air [m] de cornemuse.
pick Pic m, pioche f (pyòsh). Morceau [m] de choix. vt Piquer (pìké) [to prick]. Cueillir* (kœyîr) [gather]. Choisir (shwàzir) [choose]. Éplucher [clean]. *To pick up*, ramasser.
pickaback Sur le dos.
pickaxe Pioche f.
picked (pikt) Choisi, ie.
picker Cueilleur, euse. Chercheur, euse.
picket Piquet m. Poster.
pickle Conserve [f] au vinaigre. Mettre* en conserve.
pickpocket Pickpocket (kè).
picnic Pique-nique m.
pictorial Illustré, ée.
picture (piktsher). Tableau m (tàblô). Image m (àj) [engraving]. pl Cinéma m. vt Peindre* (pindr).
picturesque Pittoresque.
piddle Niaiser. Grignoter [eat]. Faire* pipi [water].
pidgin Jargon anglo-chinois.
pie (pai) Pâté m.
piece (pîs') Pièce f (pyès); morceau m (mòrsô).
piecemeal Par morceaux.
pier (pier) Jetée f (jeté). Pile f (pîl) [bridge].
pierce (piers) Percer.
piety (paiti) Piété f (pyé).
pig Cochon m (shon). Gueuse f (gëz) [iron].
pigeon (djen) Pigeon m (jon) : *carrier-pigeon*, pigeon voyageur m.
pigment Pigment m.
pike (paik) Pique f (pìk) [weapon]. Fourche f (fûrsh) [fork]. Pic m [peak]. Brochet m (bròshè) [fish].
pilaster Pilastre m.
pilchard (tsherd) Sardine f.
pile (pail) Pile f (pìl) [élec.]. Tas m (tâ) [heap]. Faisceau m [arms]. Pieu m (pyë) [stake]. vt Entasser.
piles (ai) Hémorroïdes fpl.
pilfer (pilfer) Voler; chiper.
pilgrim Pèlerin m (pèlrin).
pilgrimage Pèlerinage m.
pill Pilule f (pìlül).
pillage (pilidj) Piller (pìyé). n Pillage m (àj).
pillar (piler) Pilier m. *Pillar-box*, boîte aux lettres.
pillion Coussin m (kûssin).
pillory Pilori m.
pillow (loou) Oreiller m.
pilot (pailet') Pilote m (pìlòt). vt Piloter.
pilule (youl) Pilule f (ül).
pimple (pìmp'l) Bouton m.
pin Épingle f (épingl). Cheville f (shevîy) [wood]. Clavette f [peg].
pinafore (fau) Tablier m.
pincers Pinces fpl (pins).
pinch (pìntsh) Pincer (pinsé). n Pincement m (pinsman). Pincée f (sé) [quantity]. *Fig.* Difficulté f.
pine (pain) Pin m (pin). vi Languir (langîr).
pineapple (painà) Ananas m.
pinion Aile f (èl). Aileron m (èlron) [tip]. Pignon m (ñon) [wheel].
pink (pìngk) Œillet m (œyè) [flower]. a Rose (rôz). vt Percer.
pinnacle Faîte m (fèt) [summit]. *Fig.* Pinacle m.
pint (paint) Pinte f (pint).
pioneer (paie) Pionnier.

plous (pa[i]es) Pieux, *euse*.
pip Pépin *m* (pépi[n]) [seed]. Pépie *f* [roup]. Pépier.
pipe (pa[i]p) Tuyau *m* (t[u]ìyô). Pipe *f* (pîp) [tobacco]. *vt vi* Siffler.
pipe-line (pa[i]pla[i]n) Pipe-line *f* (pìplìn)
piquant Piquant, *ante*.
pique (pîk) Brouille *f* (ûy). *vt* Offenser (òfa[n]sé).
piracy (pa[i]e) Piraterie *f*.
pirate (pa[i]erit') Pirate *m* (pìràt). *vt* Piller (pîyé).
piscina (a[i]) Piscine *f* (în).
piss Pisser (pìssé).
pistachio (sh) Pistache *f*
pistil Pistil *m*.
pistol Pistolet *m* (òlè).
piston (t[e]n) Piston *m* (o[n]).
pit *m* (pit') Fosse *f* (fôs'). Creux *m* (krë). Puits *m* (p[u]ì) [mining]. Parterre *m* (pàrtèr) [théât.]. *Arm-pit*, aisselle. Creuser (krëzé).
pitch Degré *m*. Hauteur *f* ('ôtœr). Ton *m* (to[n]) [mus.]. Poix *f* (pwà) [tar]. *vt* Jeter. Fixer. Dresser [tent]. *vi* Plonger.
pitchcoal Jais *m* (jè).
pitcher Cruche *f* (üsh).
pitchpine (a[i]n) Pitchpin *m*.
piteous Piteux, *euse*.
pitfall (faul) Trappe *f*.
pith (th) Moelle *f* (mwàl). *Fig.* Vigueur *f* (gœr).
pitiable Pitoyable (twà)
pitiful Compatissant, *te*
pitiless Sans pitié.
pitman Mineur *m* (œr)
pittance (pit[e]ns) Pitance *f*.
pity Pitié *f* (tyé). *vt* Plaindre* (pli[n]dr).
pitying Compatissant, *ante*.
pivot Pivot *m* (vô). Pivoter.
pix Ciboire *m* (sìbwàr).
placard Affiche *f* (àfìsh). *vt* Placarder.
place (plé[i]s) Place *f* (às'). Place *f*, endroit *m* (wâ) [part]. Demeure *f* (œr) [dwelling]. Placer.
placid Calme (kàlm).
plague (plé[i]g) Peste *f*. *Fig.* Fléau *m*. *vt* Tourmenter.
plaid (plàd) Plaid *m*.
plain (plé[i]n) Plat, ate (plà, àt) [flat]. Uni, ie (ünì) [even]. Facile (fàssil). Ordinaire. Évident, *ente*. Franc, *anche*. *In plain clothes*, en civil. *n* Plaine *f* (èn).
plainness Simplicité *f*.
plaintiff (é[i]) Plaignant, te (plèña[n]).
plaintive Plaintif, *ive*.
plait (plàt') Pli *m* [fold]. Natte *f* (nàt), tresse *f* [braid]. *vt* Plisser [fold]. Tresser. Natter [hair, straw].
plaiting (ating) Plissage *m*; tressage *m*.
plan (àn) Plan *m* (a[n]). *vt* Projeter (j[e]té).
plane (é[i]n) Plan, ane (a[n], à[n]). *n* Plan *m*. Rabot *m* [tool]. Platane *m* (àn) [tree]. *vt* Aplanir.
planet (plànit') Planète *f*.
plank (àngk) Planche *f*.
plant (ànt') Plante *f*. Installation industrielle *f*. Usine *f*. Tour *m* [deceit]. *vt* Planter. Établir. Planquer [slang].
plantain (plàntìn) Banane *f* (àn). Platane *m* [plane].
plantation Plantation *f*.
planter Planteur *m* (œr).
plash Flaque *f* (àk).

plaster Plâtre *m*. Emplâtre *m* [méd.].
plastic Plastique.
platan (plàtᵉn) Platane *m*.
plate (éⁱt) Assiette *f* (sʸèt). Plaque *f* (plàk). Cliché *m* (shé) [imp.]. Planche *f* [engrav.]. *vt* Plaquer. Laminer.
plateau (oᵒᵘ) Plateau *m*.
platform Plateforme *f* (àt). Quai *m* (kè) [rail]. Tablier *m* [bridge].
platinum Platine *m*.
platitude Platitude *f*.
platoon (oun) Peloton *m*.
platter Gamelle *f*.
plaudit Applaudissement *m*.
play (éⁱ) Jeu *m* (jë). *Fair play*, franc jeu; *foul play*, tricherie. *vi* Jouer (jûé). *vt* Jouer : *to play tennis*, jouer au tennis.
player (èᵉʳ) Joueur, euse.
playful Enjoué, ée (aⁿjûé).
plea (plî) Défense *f* (aⁿs) [law]. Excuse *f* (üz). Procès *m* (sè) [suit].
plead (îd) Plaider (èdé).
pleader Avocat *m* (kà).
pleasant (èzᵉnt) Agréable.
pleasantry Agrément *m* (maⁿ).
please (plîz) Contenter (koⁿtanté); plaire* à. *vi* Plaire* (plèr) : *if you please*, s'il vous plaît.
pleasing (plîz), **pleasurable** (plèjᵉ) Agréable (àgréàbl).
pleasure (plèjᵉʳ) Plaisir *m* (plèzîr).
pleat Plissé *m*. Plisser.
plebeian (ibîᵉn) Plébéien.
plebiscite Plébiscite *m*.
pledge (èdj) Gage *m* (gàj). Vœu *m* (vë) [promise]. Toast *m* (tôst), santé *f*. *vt* Engager. Garantir. Boire* à la santé de [drink].
plenary (plî) Plein, eine (pliⁿ, èn). Plénière [indulgence].
plenipotentiary (pᵉtènshᵉri) Plénipotentiaire.
plenteous (èntyᵉs), **-iful** Abondant, te (àboⁿdaⁿ, aⁿt).
plenty Abondance *f*.
pleurisy (ou) Pleurésie *f*.
pliable (aⁱeb'l) Flexible.
pliant (plaⁱᵉnt) Pliant, te.
plight (aⁱt') État *m*. Gage *m* [pledge]. *vt* Engager. Tresser.
plinth (th) Plinthe *f* (iⁿt).
plot (òt') Complot *m* (koⁿplô). Intrigue *f* [story]. Terrain *m* [land]. *vi* Comploter. *vi* Tramer [scheme].
plough (plaᵒᵘ) Charrue *f* (rü). Labourer (làbûré).
ploughman Laboureur *m*.
pluck (œ) Arracher. Cueillir* (kœʸîr) [fruit, flowers]. Plumer (ü) [fowl].
plug (œ) Bouchon *m* [stopper]. Cheville *f* [peg]. Robinet *m* [tap]. Prise de courant [elect.]. *vt* Boucher.
plum (œ) Prune *f* (ün). Raisin sec. *Plum-tree*, prunier.
plumage Plumage *m* (ümàj).
plumb (œm) Plomb *m* (oⁿ). *vt* Plomber. *ad* D'aplomb.
plumber (œmᵉʳ) Plombier.
plume (oum) Panache *m*, plume *f*. *vt* Empanacher.
plummet (œmit') Plomb *m*.
plump (œmp) Dodu, ue (dü). *ad*. Tout droit. *n* Chute *f*.
plunder (œ) Pillage *m* (pìʸàj). Butin *m* (bütiⁿ) [booty]. *vt* Piller (piʸé).
plunderer (plœn) Pillard *m*.
plunge (plœndj) Plongeon *m*

(o^{n}jo^{n}). *vt* Plonger (jé).
plural (plou) Pluriel, elle (ürуèl) [gram.].
plus (plœss) Plus (üss).
plush (œ) Peluche *f* (üsh).
ply (pla^{i}) Exercer [trade]. Presser [urge].
pneumatic Pneumatique.
pneumonia Pneumonie *f*.
poach (po^{ou}tsh) Braconner.
poacher Braconnier *m*.
pocket Poche *f* (sh).
pocket-book Carnet *m* (nè).
pod Cosse *f* (kòss).
poem (po^{ou}em) Poème *m*.
poesy (po^{ou}issi) Poésie *f*.
poet (po^{ou}èt') Poète *m*.
poetic Poétique.
poetry Poésie *f*.
poignant (po^{i}n^{e}nt) Piquant, te. Poignant, te (pwàña^{n}, a^{n}t) [pain].
point (po^{i}nt') Point *m* (pwi^{n}) [spot]. Pointe *f* (pwi^{n}t) [end]. *vt* Aiguiser (ègüìzé) [sharpen]. Viser (vìzé) [to aim]. *vi* Indiquer.
pointed Pointu, ue (tü)
pointless Émoussé, ée.
poise Balancer. *n* Poids *m*.
poison (po^{i}z'n) Poison *m* (pwàzo^{n}). *vt* Empoisonner.
poisoner Empoisonneur, se.
poisoning Empoisonnement.
poisonous Empoisonné, ée. Vénéneux, euse [plant]. Venimeux, euse [animal].
poke (po^{ou}k) Fourrer. Piquer (pìké) [fire]. *n* Coup *m* (kû). Poche *f* [bag].
poker (po^{ou}ker) Tisonnier *m* [rod]. Poker *m* [game].
Poland Pologne *f*.
polar Polaire (pòlèr).
pole (po^{ou}l) Perche *f* [rod]. Échalas *m* (là) [vines]. Mât *m* (mâ) [flag-pole]. Pôle *m* (pôl) [geogr.].
polemic Polémique.
police Police *f*. Policier.
policeman (p^{e}lîsm^{e}n), **police-officer** Agent de police.
policy Politique *f*. Police *f* [assurance].
polish (po^{ou}) Polonais, aise.
polish Polir. Vernir. Cirer [furniture, shoes]. *vi* Se polir. *n* Poli *m*.
polisher Polisseur, euse.
polishing Polissage *m* (sàj). Cirage *m* [shoe].
polite (p^{e}la^{i}t') Poli, ie.
politely Poliment (a^{n}).
politeness Politesse *f*.
politic, -litical Politique.
politician Homme politique.
poll (po^{ou}l) Liste *f* [roll]. Scrutin *m* (üti^{n}) [election].
poltroon (oun) Poltron (o^{n}).
polygamy Polygamie *f*.
polyp, polypus Polype *m*.
pomatum (é^{i}) Pommade *f*.
pomegranate Grenade *f*.
pomp Pompe *f* (po^{n}p).
pompous Pompeux (ë), euse.
pond (pònd) Étang *m* (a^{n}).
ponder Réfléchir.
ponderation Pondération *f*.
poniard (ny^{e}rd) Poignard *m*.
pontiff Pontife.
pontifical Pontifical, e.
pontificate Pontificat *m*.
pontoon (toun) Ponton *m*.
pony (po^{ou}) Poney *m* (nè).
poodle Caniche *m* (kànîsh).
pool (poul) Étang *m* (éta^{n}), *vt* Mettre* en commun.
poop Poupe *f* (pûp).
poor (pou^{er}) Pauvre (pôvr).
poorly Souffrant, ante. *ad*

Pauvrement (pôvr^e^ma^n^).
pop Boisson gazeuse *f*. Éclater.
pope (po^ou^p) Pape *m* (pàp). Pope *m* (pôp) [Russian].
popery Papisme *m* (pàpìsm).
popish Papiste (pàpìst).
poplar (pòpl^er^) Peuplier *m*.
poplin Popeline *f*.
poppy Pavot *m* (pàvô).
populace (you) Populace *f*.
popular Populaire (ülèr).
popularity Popularité *f*.
popularize Populariser
populate Peupler (pœplé).
population Population *f*.
populous Populeux, se (ë).
porcelain (pau^r^slìn) Porcelaine *f* (pors^e^lèn).
porch (pau^r^tsh) Porche *m*.
porcupine (a^i^n) Porc-épic *m*.
pore (pau^er^) Pore *m* (pòr). *vi* Étudier [over].
pork (pau^r^k) Porc *m* (pòr).
pork-butcher (bou) Charcutier *m* (shàrküt^y^é).
porous (pau) Poreux, euse.
porphyry Porphyre *m*.
porridge Bouillie d'avoine.
porringer Écuelle *f* (^u^èl).
port (pau^r^t) Port *m* (pòr) [harbour, bearing]. Bâbord *m* [mar.]. Porto *m* [wine].
portable Portatif, ive.
portage Port *m*.
portal Portail *m* (à^y^).
portent Mauvais présage *m*.
porter Porteur *m* (œr) [carrier]. Portier *m* (t^y^é) [janitor]. Bière brune *f*.
porterage Factage *m*.
portfolio Portefeuille *m*.
porthole Hublot *m* (üblô).
portico Portique *m*.
portion (sh^e^n) Portion *f*, part *f* (pàr). Dot *f* [dowry]. *vt* Partager. Doter.
portmanteau Valise *f* [bag]. Portemanteau *m* [peg].
portrait (paurtrit') Portrait *m* (pòrtrè).
portray Peindre* (pi^n^dr).
pose (po^ou^z) Embarrasser. *vi* Poser. *n* Pose *f* (pôz).
position Position *f*. Situation *f*.
positive Positif, ive.
possess (p^e^zès') Posséder.
possession Possession *f*.
possessive Possessif, ive.
possessor Possesseur *m*.
possibility Possibilité *f*.
possible Possible.
possibly *adv* Peut-être.
post (o^ou^) Poste *m* (ò). Poste *f* [post-office]. Poteau *m* (tô) [stake]. *vt* Afficher [bill]. Mettre* à la poste [letter]. Poster [mil.].
postage Port *m* (pòr).
postal Postal, ale.
postcard Carte postale *f*.
poster Affiche *f* (ìsh).
posterior Postérieur, eure.
posterity Postérité *f*.
post-free Franco (fra^n^kò).
posthumous (tyou) Posthume.
postilion Postillon (^y^o^n^).
postman Facteur *m* (œr).
postmaster (po^ou^stmâst^er^) Receveur des postes.
post-office Bureau de poste.
post-paid (pé^i^d) Affranchi, ie. *ad* Franco.
postscript Post-scriptum.
postulant Postulant, te.
posture (sh^er^) Posture *f*.
posy (po^ou^zi) Bouquet *m*.
pot (pot') Pot *m* (pô).
potable (po^ou^) Potable.
potash Potasse *f*.
potato (p^e^té^i^to^ou^) Pomme

[*f*] de terre (pòmdetèr).
potency Puissance *f*.
potent (poou) Puissant, *ante*.
potentate Potentat (antà).
potential Potentiel, *elle*.
pother (pòzher) Tapage *m*. *vt* Intriguer [to puzzle].
potion (poousben) Potion *f*.
pottage (idj) Soupe *f* (sûp).
potter Potier (tyé).
pottery Poterie *f* (pôtrî).
pouch (paoutsh) Poche *f* (pòsh) [pocket]. Sac *m* [bag]. Blague *f* [tobacco]. Cartouchière *f* [mil.].
poult (oou) Jeune volaille *f*.
poulterer Marchand [*m*] de volailles.
poultice Cataplasme *m*.
poultry Volaille *f* (lay). *Poultry-yard*, basse-cour *f*.
pounce (paouns) Fondre; se jeter. *vt* Poudrer, poncer [powder]. *n* Serre *f* [claw].
pound (paound) Livre *f* Fourrière *f* [enclosure]. *vt* Broyer (wàyé).
pounder Pilon *m* (pilon).
pour (pauer) Verser (sé).
pouring Torrentiel, *elle*.
pout (paout) Moue *f* (mû). *vi* Faire* la moue.
poverty Pauvreté *f* (pôvr).
powder (paouder) Poudre *f* (pûdr). *vt* Pulvériser. Saupoudrer [sprinkle]. *Powder-puff*, houpette *f*.
powdery Poudreux, *euse*.
power (paouer) Pouvoir *m* (pûvwar); puissance *f* (puìssans). Autorité *f*.
powerful Puissant, *ante*.
powerless Impuissant, *ante*.
practical Pratique *f*.
practice (is') Pratique *f*, habitude *f* (àbìtüd).
practise (praktis') Pratiquer (ké). *vi* S'exercer.
practised Expérimenté, *ée*.
practitioner Praticien.
praise (préiz) Louange *f* (lwanj). *vt* Louer (lwé).
-worthy (wërzhi) Louable.
pram Bateau plat *m*. Voiture [*f*] d'enfant.
prank (àngk) Escapade *f*.
prankish Espiègle (èspyègl).
prate (éit) Jaser (jâzé). *vt* Débiter.
prater Bavard, *de* (bàvàr, àrd).
prattle (pràt'l) Babiller (iyé). *n* Babil *m* (bî).
prattler Babillard, *arde*.
prawn (aun) Crevette rose *f*.
pray (préi) Prier (prìé).
prayer (éer) Prière *f* (èr).
preach (ìtsh) Prêcher (shé).
preacher Prédicateur.
preamble (prî) Préambule *m*.
prebend Prébende *f* (and).
precaution Précaution *f* (pré).
precede (prissîd) Précéder.
precedence Préséance *f*.
precedent, -ding Précédent, *ente*. *n* (près) Précédent *m*.
precept (prî) Précepte *m*.
preceptor Précepteur *m*.
precinct Enceinte *f* (int).
precious (prèshes) Précieux (syë), *euse*. [irony]. Joli, *ie*.
precipice Rocher [*m*] à pic.
precipitancy Précipitation.
precipitate Précipité *m*. *vt* Précipiter. **-tation** (téishen) Précipitation *f*.
precise (îsais') Précis, *se*.
preciseness, -cision (ijen). Précision *f* (zyon).
preclude (oud) Exclure*.
precocious (shes) Précoce.

precursor (ikëʳ) Précurseur.
predestine Prédestiner.
predicament Catégorie *f*. État *m* (étà) [state].
predication Affirmation *f*.
predict Prédire* (prédîr).
prediction Prédiction *f*.
predispose (oᵒᵘ) Prédisposer. **-position** Prédisposition.
predominate Prédominer.
preface (is') Préface *f* (à).
prefect (prî) Préfet *m* (fè).
prefer *vt* (prifëʳ) Préférer. Avancer [to move up]. Offrir [offer]. Présenter [claim]. Déposer [charge].
preferable Préférable (àbl).
preference Préférence *f*.
preferential Privilégié.
préfix (prî) Préfixe *m*. *vt* (fiks). Mettre* en tête.
pregnancy (g-n) Grossesse *f*.
pregnant (prèg-nᵉnt) Enceinte *f* (aⁿsiⁿt). *fig*. Gros, osse.
prehistoric Préhistorique.
prejudge Préjuger (jüjé).
prejudice (djou) Préjugé *m* (jüjé). Préjudice *m* (jüdîss) [injury]. *vt* Prévenir*. Causer un préjudice.
prejudicial Préjudiciable.
prelate (prèlit') Prélat.
preliminary Préliminaire.
prelude (youd) Prélude *m*.
premature Prématuré. **-meditation** Préméditation *f*.
premier Premier ministre.
premiership Présidence [*f*] du conseil.
premises (èmissiz) Local *m*; immeuble *m* [building].
premium (prî) Prime *f* (im).
preoccupy (kyoupaⁱ) Préoccuper (küpé); prévenir*.
prepaid (peⁱd) Affranchi, ie (àfraⁿshî). *ad* Franco (fraⁿkô).
preparation Préparation *f*. Préparatifs *mpl*. Étude *f* (étüd) [school].
preparative, -ratory Préparatoire. *ad* Préalablement.
prepare (pripèᵉʳ) Préparer.
prepay* Payer d'avance.
preponderant Prépondérant.
preposition Préposition *f*.
prepossess (prîpᵉzès') Prévenir* [en faveur].
preposterous Absurde (ürd).
prerogative Prérogative *f*.
presage (prèsidj) Présage *m* (zàj). *vt* Présager (zàjé).
presbyter Prêtre *m* (ètr). Ancien *m* (aⁿsyiⁿ) [old].
presbyterian Presbytérien.
prescribe (iskraⁱb) Ordonner [med.]. *vi* Légiférer.
prescription Prescription *f*. Ordonnance *f* [med.].
presence (prèzᵉns) Présence *f* (zaⁿs). Maintien *m* (miⁿtyiⁿ) [bearing]. Assemblée *f* (asaⁿblé).
presentation Présentation.
presentiment Pressentiment.
presently (è) Tout à l'heure.
presentment Présentation *f*. Accusation *f*.
preserve (prizëʳv) Conserves *fpl* (koⁿsèrv). Confiture *f* (koⁿfìtür) [jam]. *vt* Conserver. Préserver.
preside (prizaⁱd) Présider.
presidency Présidence *f*.
president Président, te.
press Presser, serrer. Satiner [paper]. *vi* Presser. *n* Presse *f*. Pressoir *m* [fruit]. Armoire *f* [closet].
pressing Pressant, ante.
pression (shᵉn) Pression *f*.

pressure (sh^e^r) Pression *f*; - *-cooker*, autocuiseur *m*.
prestidigitator (*i*djité^i^t^e^r) Prestidigitat*eur* (jìtàtœr).
prestige (îj) Prest*ige* *m*.
presume (zy*ou*m) Présumer.
presuming Présomptu*eux*.
presumptuous Présomptu*eux*.
pretence (pritèns) Prétexte *m*. Prétent*ion* *f* [claim].
pretend Simuler. Prétendre.
pretender Prétend*ant*, *ante*.
pretension Prétent*ion* *f*.
pretentious Prétent*ieux*.
preternatural (tsh) Surnaturel, *elle* (tü).
pretext (prî) Prétexte *m*.
prettily (pr*i*tili) Joliment.
prettiness Charme *m* (shàrm); gentillesse *f* (ja^n^tìyèss).
pretty (pr*i*ti) Joli, ie (jòlî); gentil, ille (ja^n^tî, ìy). *ad* Assez (àss*é*); à peu près.
prevail (privé^i^l) Préval*oir**
prevailing Domin*ant*, *ante*.
prevalence Ascend*ant* *m*.
prevent Empêcher (a^n^péshé).
prevention Empêchement *m*.
preventive Prévent*if*, *ive*.
previous (prî) Antér*ieur*, e.
previousness Antériorité *f*.
prevision (v*i*j^e^n) Prévis*ion* *f*.
prey (pré^i^) Proie *f* (wà).
price (a^i^s) Prix *m* (prì). *vt* Coter.
priceless Inestim*able* (àbl).
price-list Tar*if* *m*.
prick Pointe *f* (pwi^n^t), piquant *m* (pìka^n^). Piqûre *f* (ür) [pricking]. *vt* Piquer (pìk*é*). Dresser [ears].
prickle Piquant *m* (a^n^).
prickly Épin*eux*, *euse*.
pride (a^i^d) Orgueil *m* (œy). *vt* S'enorgueill*ir* [*on*: de].
priest (îst) Prêtre *m* (ètr).
priesthood Prêtr*ise* *f*.
priestly Sacerdot*al*, le.
prig Pédant (a^n^); pos*eur*, *euse*. Filou, *vt* Chiper.
prim Affecté, *ée*.
primacy (pra^i^) Primauté *f* (ôt*é*). Primatie *f* (sì) [rel.].
primage (a^i^midj) Chapeau *m* (shàpô) [mar.].
primary (a^i^) Prim*aire* (prì).
prime (pra^i^m) Premier, ère (pr^e^my*é*, èr). *n* Aube *f* (ôb) [day]. *vt* Amorcer.
primely Prem*iè*rement [firstly]. Excellemment.
primeness Excellence *f*.
primitive Primit*if*, *ive*.
primness Affèter*ie* *f*.
prince (ìns) Prince *m* (i^n^s).
princess Princesse *f*.
principal Princip*al*, *ale*.
principle (ìn) Princ*ipe* *m*.
prink (ìngk) Attif*er*.
print (prìnt) Imprimer (i^n^). *n* Impress*ion* *f*. Empreinte *f* (i^n^t) [mark]. Imprimé *m* [printed matter]. Journal *m* (jûr). Indienne *f* (i^n^dyèn) *f* [calico]. Estampe *f* (a^n^p) *f*. Épr*euve* *f* [phot.]. *Out of* -, épuisé. Imprim*eur* *m*.
printing Impress*ion* *f*.
prior (a^i^e^r^) Antér*ieur*, *eure*. *ad* Antérieurement. *Prior to*, av*ant* de. *n* Prieur *m* (iœr).
priority (pra^i^ò) Priorité *f*.
prism Prisme *m*.
prison (pr*i*z'n) Prison *f*.
prisoner (*i*zn^e^r) Prisonn*ier*, *ère*. Préven*u*, *ue* [accused].
privacy (pra^i^v^e^si) Retraite *f* (r^e^trèt); intimité.
private Privé, *ée*; personnel, *elle*. Bourg*eois*, *oise*; civ*il*,

ile [dress]. *n* Simple soldat.
privately (pra^{i}vitli) En secret. En bourgeois [clothes]. A huis clos [law].
privation Privation *f*.
privilege (idj) Privilège *m* (èj). *vt* Privilégier.
privily En secret.
privy (privi) Privé, *ée;* secret, ète. *n* Garde-robe *f*.
prize (pra^{i}z) Prix *m* (prì). Prise *f* (îz), capture *f*. Prix *m* (prì) [reward]. *vt* Priser (zé), évaluer.
probability Probabilité *f*.
probable (òb^{e}b'l) Probable.
probation Épreuve *f*.
probe (o^{ou}) Sonde *f*. Sonder.
problem Problème *m*.
procedure (sîdj) Procédure *f*.
proceed (sîd) Procéder (édé). Continuer. *npl* Rapport *m*.
proceeding (îding) Procédé *mpl* Démarches *fpl*. Poursuites *fpl* (^{u}ìt).
process (o^{ou}) Procédé *m*. Cours *m* (kûr) [time, events]. Procès *m* (sè) [law].
procession Procession *f*.
proclaim Proclamer (àmé).
proclamation Proclamation.
proctor Procureur. Censeur.
procuration (kyou) Gérance (jéra^{n}s). Procuration *f*.
procurator Gérant *m* (a^{n}).
procure (kyou^{er}) Procurer.
prod Piquer (piké).
prodigal Prodigue.
prodigality Prodigalité *f*.
prodigious (didjy^{e}s) Prodigieux, euse (j^{y}ë, ëz).
prodigy Prodige *m* (pròdij).
produce Produire* (^{u}ìr).
producer (yous) Producteur.
product (pròdœkt) Produit *m*.
production Production *f*.
productive Productif, ive.
profanation Profanation *f*.
profane (é^{i}n) Profane. Impie (i^{n}pî). *vt* Profaner.
profess (pr^{e}fèss) Professer.
profession Profession *f*.
professional Professionnel.
professor Professeur *m*.
professorship Professorat *m*.
proffer Offre *f*. *v* Offrir*.
proficiency Progrès *mpl* (prògrè). Talent *m* (a^{n}).
proficient (sh^{e}nt) Avancé, ée (a^{n}sé). Fort, forte.
profile (o^{ou}fîl) Profil *m*.
profit (fit') Profit *m* (î). Bénéfice *m* (fìs'). *vi* Profiter [*by:* de].
profitable Avantageux, euse.
profound (^{e}fa^{ou}nd) Profond, onde (fo^{n}, o^{n}d).
profuse (yous') Abondant.
profusion Profusion *f*.
progeny (prodj^{e}ni) Progéniture *f* (jénìtür).
prognostic Pronostic *m*.
programme Programme *m*.
progress (o^{ou}) Progrès *m* (prògrè). Cours *m* (kûr) [of events]. Voyage *m* (vwà^{y}àj) [journey]. *vi* (ès) Avancer; progresser.
progression Progression *f*.
prohibit Défendre (a^{n}dr).
prohibition (hibish^{e}n) Interdiction *f*, prohibition *f*.
project (djèkt) Projet *m* (pròjè). *vt* (pròdjèkt) Projeter.
projectile (djèkta^{i}l) Projectile *m* (jèktìl).
projection Projection *f*.
projector Projecteur *m*.
proletarian Prolétaire.
prolix (o^{ou}) Prolixe

prolixity Prolixité *f.*
prologue (proou) Prologue *m.*
prolong (òng) Prolonger.
prolongation Prolongation.
promenade (âd) Promenade *f.*
prominent (ent) Proéminent, te. Éminent, te [pers.].
promiscuity Promiscuité *f.*
promise (miss) Promesse *f* (èss). *vt* Promettre*.
promissory note Billet [*m*] à ordre.
promontory Promontoire *m.*
promote Faire* avancer.
promotion Promotion *f.*
prompt (pròmt) Pousser. Souffler [theat.]. *a* Prompt, te (on, ont) ; sans délai.
prone (ooun) Penché, ée.
pronoun Pronom *m* (on).
prong (pròng) Dent *f* (dan).
pronounce (aouns) Prononcer. Déclarer. *vi* Se prononcer.
pronunciation (yéi) Prononciation *f* (syàsyon).
proof (ouf) Preuve *f* (œv). Épreuve *f* [impr.].
prop Étai *m* (été). Tuteur *m* [garden]. *vt* Étayer.
propaganda Propagande *f.*
propagate (éit) Propager.
propagation Propagation *f.*
propel Pousser.
propeller Propulseur *m.* Hélice *f* (élìs') [screw].
propense (èns) Enclin, ine.
proper (pròper) Propre.
property Propriété *f.*
properties Accessoires *mpl.*
prophecy Prophétie *f* (sì).
prophet (pròfit) Prophète *m.*
prophetic Prophétique (ìk).
propitious (shes) Propice.
proportion Proportion *f.* *vt* Proportionner.
proposal (poou) Proposition *f.*
propose (oouz) Proposer. *vi* Demander en mariage.
proposition Proposition *f.*
proprietary (aieteri) Propriétaire (ìétèr).
propriety (aii) Convenance *f.*
propulsion (œ) Propulsion *f.*
prorogation Prorogation *f.*
prosaic (zéik) Prosaïque.
proscribe (aib) Proscrire*.
prose (oou) Prose *f* (prôz).
prosecute (yout') Poursuivre*.
prosecution Poursuites *fpl.*
prose-writer Prosateur.
prospect Perspective *f* (îv). Avenir *m* (àvnîr).
prospectus Prospectus *m.*
prosper (pròsper) Prospérer.
prosperity Prospérité *f.*
prosperous Prospère.
prostrate (it') Prosterné, ée. Prostré, ée [dejected]. *vt* (éit) Abattre*.
protect Protéger (pròtéjé).
protection Protection *f.*
protecting Protecteur, trice.
protector Protecteur.
protectorate Protectorat.
protest (proou) Protestation *f.* *v* (èst) Protester. Déclarer.
protestant Protestant, te.
-tantism Protestantisme *m.*
protestation Protestation *f.*
proud (aoud) Fier, ère.
prove (ouv) Prouver (prûvé). *vi* Se montrer.
provide (prevaid) Pourvoir* (vwàr). Stipuler (ülé).
provided Pourvu que.
providence Providence *f.*
provident Prévoyant, ante.
providential Providentiel.
provider Furnisseur *m.*
province (ìns') Province *f*

(iⁿs). *fig* Ressort *m* (òr).
provincial Provincial, le.
provision (ijᵉn) Provision *f*. Fourniture *f* [supply]. Approvisionner.
provisional (vij) Provisoire.
provisory (aⁱzᵉ) Provisoire.
provocation Provocation *f*.
provoke (ôouk) Provoquer (vòké). Agacer [to offend].
provoking Provocant, te. Agaçant, ante.
provost Prévôt *m* (vô). Maire *m* (mèr) [mayor].
prow (aᵒᵘ) Proue *f*.
prowess (aᵒᵘis) Prouesse *f*.
prowl (praᵒᵘl) Rôder (dé).
proximate Proche (òsh).
prudence (oûdᵉ) Prudence *f*.
prudent Prudent, ente.
prudential De prudence.
prudery Pruderie *f*.
prudish (proû) Prude (üd).
prune (oun') Pruneau *m* (ünô). Élaguer (élàgé).
pruning (ouning). Élagage *m* (àj), taille *f* (tàʸ). *Pruning shears*, sécateur *m*.
prurience Prurit *m* (ü).
Prussia (œshᵉ) Prusse *f*.
Prussian (shᵉn) Prussien.
pry (aⁱ) Fouiller (fûʸé).
psalm (sâm) Psaume *m* (ôm).
pseudonym Pseudonyme *m*.
pshaw (pshau) Bah (bâ).
psychology Psychologie *f*.
pub (pœb) Cabaret *m* (rè).
puberty (you) Puberté *f* (ü).
public (pœ) Public, ique (ü).
publican (pœblikᵉn) Cabaretier *m* (àrtʸé). Publicain *m* (kiⁿ) [Bible].
publication Publication *f*.
public-house (haᵒᵘs) Cabaret *m* (kàbàrè).
publicist Publiciste.
publicity Publicité *f*.
publish (pœ) Publier (ü).
publisher Éditeur *m* (tœr).
pucker (œ) Plisser. Rider [to wrinkle]. *n* Fronce *f*.
pudding (pouding) Saucisse *f* (sossis) [sausage]. Pudding *m* [sweet]. *Black-pudding*, boudin *m*.
puddle (œ) Flaque *f* (àk).
puerile (youᵉraⁱl) Puéril.
puff (pœf) Souffle *m* (sûfl) [breath]. Bouffée *f* [smoke]. Houppe *f* ('ûp) [powder]. *vi* Souffler. Bouffer [cloth]. - *-paste* Pâte feuilletée *f*. - *-pie* (aⁱ) Vol-au-vent *m*.
puffiness Enflure *f* (ür).
puffy (pœfi) Bouffi, ie (bû).
pug (pœg) Singe *m* (siⁿj) [monkey]. Carlin *m* [dog].
puke (pyouk) Vomir.
pule (pyoul) Piauler (pyô).
pull (poul) Tirer (tìré), arracher. *vi* Tirer. Ramer [mar.]. *n* Coup *m* (kû); secousse *f* (sᵉkûss). Impression *f* [imp.].
pulley (ou) Poulie *f* (pûlî).
pullulate (pœlʸou) Pulluler.
pulp (pœlp) Pulpe *f* (ü). Pâte *f* [paper].
pulpit (oul) Chaire *f* (shèr).
pulsate (pœlséⁱt) Battre*.
pulsation Pulsation *f*.
pulse (œls) Pouls *m* (pû).
pulverize Pulvériser (ü).
pumice Pierre ponce *f* (oⁿ).
pump (pœmp) Pompe *f* (poⁿp). Escarpin *m* [shoe]. Pomper.
pumpkin Courge (kûrj).
pump-room Buvette *f* (büvèt).
pun (œ) Calembour *m* (aⁿbûr). Faire* des calembours.

punch (pœntsh) Poinçon *m*. Punch (po^{n}sh) [drink]. Coup [*m*] de poing [hit]. Poussah *m* [man]. Polichinelle *m* (shìnèl) [puppet]; *Punch and Judy show*, guignol *m*. *vt* Poinçonner. Frapper [du poing].
puncher, -cheon Poinçon *m*.
punctilious Pointilleux.
punctual (œn) Ponctuel, elle.
punctuality Ponctualité *f*.
punctuate *vt* Ponctuer.
punctuation Ponctuation *f*.
puncture (tsh^{er}) Piqûre *f* (*ür*). Crevaison *f* (kr^{e}vèzo^{n}) [tyre]. *vt* Piquer. Crever.
punish (pœ) Punir* (pünir).
punishment Punition *f*.
puny (pyou) Chétif, ive.
pupil (pyou) Élève (élèv). Pupille *f* (pil) [ward, eye].
puppet (pœ) Marionnette *f*.
purblind (ë^{r}bla^{i}nd) Myope.
purchase (ë^{r}tshis') Achat *m* (àshà). Prise *f* (îz) [hold]. *vt* Acheter (sh).
purchaser Acheteur, euse.
pure (pyou^{er}) Pur, ure (ür).
pureness Pureté *f* (pürté).
purgation Purgation *f* (gà).
purge (ë^{r}dj) Purge *f* (ürj). *vt* Purger (jé).
purification Purification *f*.
purify (pyou) Purifier (f^{y}é).
puritan Puritain (ti^{n}), aine.
puritanism Puritanisme *m*.
purity (pyou) Pureté *f* (pü).
purl (pë^{r}l) Murmurer (ü).
purple (ë^{r}) Pourpre (pûrpr).
purpose (ë^{r}) But *m* (bü), dessein *m* (dèssi^{n}). *vt* Se proposer.
purr (pë^{r}) Ronronner (ro^{n}rò).
purse (pë^{r}s) Bourse *f* (bûrs) [bag] Porte-monnaie *m*. *vt* Plisser; pincer (pi^{n}) [lips].
purser Commissaire *m* [mar.]. Trésorier *m*.
pursuance Poursuite (u^{i}t) *f*.
pursue (p^{er}syou) Poursuivre.
pursuit (syout') Poursuite *f*. Recherche [research].
pursy (përsi) Poussif, ive.
purulent (pyou) Purulent.
purvey (p^{er}vé^{i}) Pourvoir*.
purveyor Fournisseur *m*.
purview (vyou) Portée *f*.
pus (pœs') Pus *m* (pü).
push (poush) Pousser (pûsé). *Fig.* Presser. Lancer [goods] *n* Poussée *f*; effort *m*. Coup *m*, attaque *f*. Extrémité *f*.
pushing Entreprenant, te.
pusillanimous (pyou) Pusillanime (pü).
puss (pous') Minet, ette.
pustule (pœs) Pustule *f*.
put* (pout') Mettre*, poser (pôzé) : *to - by*, mettre de côté; *to - off*, enlever, renvoyer, retarder; *to - out*, sortir; *to - up*, monter. Aller*, se mettre*; *to - on*, mettre* (vêtements). *n* Coup *m*, mise *f* [**put*].
putrefaction Putréfaction, *f*.
putrefy (pyou) Putréfier (f^{y}é). *vi* Se putréfier.
putrid (pyou) Putride (ü).
puttee Bande molletière *f*.
putting Mise *f* (îz).
putty (œ) Mastic *m*.
puzzle (pœz'l) Énigme *f*. Casse-tête *m*. *vt* Intriguer (i^{n}trìgé).
pyjamas *pl* (djâ) Pyjama *m*.
pylon (pa^{i}lòn) Pylône *m*.
pyramid Pyramide *f*.
Pyrenees (îz) Pyrénées.
pyrites (pa^{i}ra^{i}tîz) Pyrite *f*.

pyrotechnics *pl*, **-otechny** (otekni) Pyrotechnie *f*.
python (paithen) Python *m* (piton). **-thoniss** (paithe-niss). Pythonisse *f*.
pyx Ciboire *m* (sibwàr).

Q

q (kyou) Q (kü).
quack (kw) Charlatan (an).
quackery Charlatanisme.
quadrangular (kwodrànggy-ouler) Quadrangulaire (kwà-drangülèr). **-ate** (kwodrit') Carré (karé). *vi* (éit) Ca-drer. **-ilateral** Quadrilatère.
quadrille (kwedril) Quadrille (kàdriy).
quadrumane (kwodroumein) Quadrumane (kwàdrümàn).
quadruped (kwodrouped) Qua-drupède (kwàdrüped).
quadruple (kwò) Quadruple (kwàdrüpl). *vt* Quadrupler.
quag (kwag) Fondrière *f*.
quail (kwéil) Caille *f* (ay). *vi* Trembler (tranblé).
quaint (kwéint) Bizarre, pit-toresque. **-ness** Bizarrerie *f*.
quake (kwéik) Trembler (an) **-er** Quaker, trembleur (œr). **-ering** Tremblement *m* (an).
qualification Qualification *f*. Aptitude *f*. Titres *mpl*. **-fy** (kwolifai) Qualifier (kàlì).
quality (kwò) Qualité *f* (kà).
qualm (kwâm) Nausée *f*.
quantity (kwòn) Quantité *f*.
quarantine (kworentìn) Qua-rantaine *f* (kàrantèn).
quarrel (kwor'l) Querelle *f* (kerel). *vi* Se quereller.
quarreller, -some (kwor'ler) Querelleur (kerelœr), *euse*.
quarry (kwory) Carrière *f* (kàryer) [pit]. Curée *f* (kü).
quart (kwaurt) Quart *m*.
quarter (kwaurter) Quart *m* (kàr). Quartier *m* (kàrtyé) [town, moon, meat]. Partie *f*, région *f*. Trimestre. *mpl* Logement *m* (lòjman). Quar-tier *m* [mil.] : *head quar-ters*, quartier général. *vt* Diviser en quartiers. Loger.
quarterly Trimestriel, elle.
quartermaster Quartier-maî-tre *m* (kartyé mètr) [mar.]. Officier de détail [mil.]. *Quartermaster sergeant*, ser-gent fourrier. *Quartermaster general*, intendant général.
quartern (kwaur) Quart de pinte. **-tet** Quatuor *m*.
quash (kwosh) Casser (kasé).
quaver (kwéiver) Tremble-ment *m*. Croche *f* (sh) [note]. Trille *m* (triy) [mus.]. *vi* Trembler.
quaver-rest Demi-soupir *m*.
quay (ki) Quai *m* (kè).
queen (kwîn) Reine (rèn). Dame *f* (dàm) [cards].
quench Étancher [thirst].
querulous Plaintif, ive.
query (kwieri) Question *f* (kèstyon). Interpellation *f*. Interroger (in-jé). Mettre* en doute.
questionable Douteux, *euse*.

questionless Incontestable. *ad* Sans doute (sandût).
quibble (kw) Faux-fuyant *m* (fôfuiyan). *v* Ergoter.
quick (kwik) Rapide. Vif, ve [alive]. Fin, ne [sharp]. *ad* Vite (vît).
quicken (kwiken) Animer.
quickening Vivifiant, te.
quickly Vite (vît).
quickset Haie vive.
quick-silver Vif-argent *m*. *vt* Étamer (étàmé).
quid (kwid) Quelque chose.
quiet (kwaiit') Tranquille (ankil). *n* Tranquillité *f*. *v* Tranquilliser (kìlì).
quietness Tranquillité *f*.
quietude (kwaietyoud) Quiétude *f* (kyétüd).
quill (kwil) Plume (üm).
quilt (kwilt) Piquer (piké).
quince (kw) Coing *m* (kwin).
quincunx (kwìnkœngks) Quinconce *m* (kinkons).
quinine (kw) Quinine *f* (kì).
quint (kw) Quinte *f* (kint).
quintessence Quintessence *f*.
quintuple (œ) Quintuple (ü). *vt* Quintupler (kintüplé).
quip (kw) Raillerie *f* (ràyrî). *vt* Railler (ràyé).
quit (kw) Quitter (kì). Acquitter. *a* Quitte (kit).
quite (kwait) Tout à fait.
quittance (kwitens) Quittance *f* (kìtans).
quiver (kwi) Tremblement *m*. Carquois *m* (kwà). Trembler.
quiz (kwiz) Loustic *m* [wag]. *vt* Persifler.
quondam (kwòn) Ci-devant.
quota (kwoou) Contingent *m*.
quotation Citation *f*. Cote *f*, cours *m* (kûr) [comm.].
quote (kwoou) Citer. Coter.
quotient (kwooushent) Quotient *m* (kòssyan).

R

r (âr) R (èr).
rabbit Lapin *m* (làpin).
rabble (rab'l) Racaille *f* (kày).
race (éi) Race *f* (às) [family]. Course *f* (kûrs) [racing]. *vi* Faire la course.
racer (réi) Coureur *m*. Cheval [bateau] de course.
racing (réissing) Courses *fpl*.
rachitis (kai) Rachitisme *m*.
rack Râtelier *m* [hay, arms]. Crémaillère *f* [techn.].
racket (it') Tapage *m* (àj). Raquette *f* (ket) [tennis].
racy (réi) Verveux, piquant.
radar Radar *m*.
radiance (éi) Rayonnement *m*.
radiant Rayonnant, radieux.
radiate (eit) Rayonner (rè).
radiation Rayonnement *m*.
radiator Radiateur *m*.
radical Radical, ale.
radio (éi) T. S. F. [f] (téessef), radio (ràdyô).
radiography Radiographie *f*.
radish Radis *m* (ràdî).
radium (réi) Radium *m* (rà).
radius (yes) Rayon *m* (rèyon).
raft (â) Radeau *m* (ràdô).
rafter (ter) Chevron *m* (she).

rag Chiffon *m* (shìfon). *vt* Brimer [to tease].
ragamuffin Gueux *m* (gĕ).
rage (réidj) Rage *f* (râj). *vi* Faire* rage.
ragged (gid) Deguenillé, ée.
raging (éidj) Furieux, se.
ragtime Rythme syncopé.
raid (réid) Incursion *f* (inkürsyon). Attaquer (ké).
rail (réil) Barre *f* (bàr). Rampe *f* (ranp) [stairs]. Balustrade *f*. Barrière *f* (ryer). Rail *m* (ray) [techn.]. *vi* Railler.
railing Railleur, se. Raillerie *f* (râyrî) [gibe]. Grille *f* (griy) [barrier]. Rampe *f*.
railroad, -way (wéi) Chemin [*m*] de fer (sheminde fèr).
raiment (réi) Vêtement *m*.
rain (réin) Pluie *f* (plui). *vi* Pleuvoir (plœvwàr).
rainbow (boou) Arc-en-ciel.
rainy (éi) Pluvieux, se (üvyë).
raise (réiz) Lever (levé). Monter (monté) [to lift].
raisin (réizìn) Raisin sec.
rake (éik) Râteau *m* (râtô). *vt* Ratisser [garden].
rally (ràli) Rallier (ràlyé). Railler (ràyé) [to scoff].
ram Bélier *m*. Éperon *m* (épron) [mar.]. *v* Éperonner.
ramble (ràmb'l) Randonnée *f*. Divagation *f*. *vi* Errer.
ramify Se ramifier (fyé).
rampant (àn) Violent, te.
rampart Rempart *m* (ran).
ramrod (àm) Baguette *f* (èt).
rancid (àn) Rance (rans).
rancour (ker) Rancune *f*.
random Hasard *m* ('azar).
***rang.** V. RING.
range (réindj) Rangée *f* (anjé) [row]. Étendue *f* (andü). *vt* Ranger (anjé). Aligner [in a row]. Parcourir*. *vi* Se ranger.
rank (ràngk) Dru, ue (ü). Rude (üd). *n* Rang *m* (ran).
ransom (rànsem) Rançon *f* (ranson). *vt* Racheter (rashté).
rant Déclamer. Divaguer.
rantilope Écervelé, ée.
rap Heurter ('œr). *n* Petit coup. *Fam.* Un rion *m*.
rapacious (éish) Rapace (à).
rape (réip) Rapt *m*. Colza *m*.
rapid Rapide (id).
rapidity Rapidité *f*.
rapine (ain) Rapine *f* (ìn).
rapper Frappeur *m* (pœr).
rapt Ravi, ie (ràvî).
rapture *f* (tsher) Ravissement *m* (ràvisman).
rare (rèer) Rare (ràr); précieux, euse. Mal cuit, ite; saignant, ante. [meat].
rarefy (rèeri) Raréfier (fyé).
rareness Rareté *f*.
rascal Gredin, ine (gredin).
rascally De fripon.
rash Téméraire (rèr).
rasp Râpe *f* (àp). *vt* Râper.
raspberry (râz) Framboise *f*.
rat (rat') Rat *m* (rà).
rate (éit) Cours *m* (kûr). Vitesse *f* [speed]. *vt* Évaluer (ué) [estimate]. Taxer.
rather (râzher) Plutôt (plütô). Assez (assè) [passably].
ratify (fai) Ratifier (yé).
rating (réiting) Estimation *f*. Répartition *f*. Grade [navy].
ratio (réishoou) Rapport *m*.
ration (ràshen) Ration *f* (syon). *vt* Rationner (òné).
rational Rationnel, elle.
rationalize Rationaliser.
ratsbane Mort-aux-rats *f*.

rattan (r^e^tàn) Rotin *m* (*i*^n^).
ratteen (ìn) Ratine *f* (ìn).
rattle F*aire** sonner. *n* Vacarme *m* (àrm). Cliquetis *m* (kliktî) [steel]. Crécelle *f* [toy]. Râle *m* [death]. *Rattle-snake*, serpent à sonnettes.
rattling Bruyant, e (**ü**^ly^**a**^n^). [slang] Épat*a*nt, e.
rave (ré^i^v) Délirer (lìr**é**).
ravel Embrouiller (u^y^**é**).
raven (é^i^) Corbeau *m* (bô).
ravine (ìn) Ravin *m* (*i*^n^).
ravish (rà) Rav*i*r (rà).
ravishing Raviss*a*nt, *a*nte.
raw (**rau**) Cru, ue (**ü**) [meat]. Brut, te (**ü**). Grège [silk].
rawness Crudité *f* (krü). Inexpérience *f* (r^y^**a**^n^s).
ray (ré^i^) Rayon *m* (**ré**^y^**o**^n^).
rayon Ray*o*nne *f*.
raze (é^i^z). Raser (ràz**é**). Effacer. **-zor** (z^e^r) Raso*i*r *m*.
reach (rîtsh) Atte*i*ndre*. Étendre [to stretch]. *n* Portée *f*. Bief *m* (b^y^ef) [canal].
react (riakt) Réagir (**réà***j**i*r).
reaction (sh^e^n) Réact*i*on *f*.
read* (rîd) Lire* [**read*].
reader Lecteur, tr*i*ce (œr).
readily (rè) Promptement (*o*^n^). Volont*i*ers [willing].
readiness Empressement m.
reading (rî) Lecture *f* (t*ü*r).
ready (rèdi) Prêt, ête. Vif, vive [sharp]. Compt*a*nt [money]. *Ready-made*, tout fait. *Ready-reckoner*, barême *m*.
real (ri^e^l) Réel, *e*lle.
realism Réal*i*sme *m*. **-ist, -istic** Réal*i*ste. **-ality** Réalité *f*. **-ize** (ri^e^la^i^z) Réaliser. Se rendre compte de.
really Réellement.
realm (rèlm) Roy*au*me *m*.
realty (ri^e^lti) Imme*u*bles.
ream (rîm) Rame *f* (ràm).
reap (rip) Moissonner (wà). *Fig*. Recueillir* (kœ*y**i*r).
reaper (rîp^e^r) Moissonne*u*r, se.
reappear (ri^e^p*i*^e^r) Repar*aî*tre.
-rance Réapparit*i*on *f*.
rear (ri^e^r) Arrière *m* (àr^y^er). *vt* Élever. *vi* Se cabrer, se dresser.
rear-admiral Contre-amir*a*l.
reason (rîz'n) Raison *f* (rèz**o**^n^). *vi* Raisonner.
reasonable Raisonn*a*ble.
reasoning Raisonnement, *m*.
reassure (sh*o*u^e^r) Rassur*e*r. Réassur*e*r [to insure again].
rebate, -tement (ribé^i^t) Rabais *m* (bè). Diminuer.
rebel (reb^e^l) Rebelle (r^e^bel). *vi* (ribèl) Se rebeller (el**é**).
rebellion Rébell*i*on *f*.
rebellious Rebelle.
rebound (rib*a*^o^und) Rebondissement *m*. Rebond*i*r (b**o**^n^).
rebuff (ribœf) Rebuff*a*de *f*.
rebus (r*i*b^e^s) Rébus *m* (*ü*s).
recall Rappel *m*. Rappeler.
recant (rikànt') Rĕtract*e*r.
recapitulation Récapitulat*i*on *f*. **-late** (pi) Récapitul*e*r.
receipt (rissît') Reç*u* *m* (s*ü*). Récept*i*on *f* [of goods]. *vt* Acquitter (àkìt**é**).
receive (rissiv) Recevo*i*r.
receiver Receve*u*r, se (r^e^s^e^vœr). Destinataire (tèr) [letter]. Récepteur *m* [phone].
recent Récent, te (s**a**^n^, **a**^n^t).
recently Récemment (àm**a**^n^).
receptacle Récept*a*cle *m*.
reception Récept*i*on *f*.
recess (ri) Enfoncement *m*. Alcôve *f*. Vacances *fpl*.
recipe (pi) Recette *f* (r^e^set).

recipient Récipient *m*.
reciprocal Réciproque.
reciprocate Répondre à.
reciprocity Réciprocité *f*.
recital (aït'l) Récit *m* (sî). Récitatif *m* [mus.].
recitation Récitation *f*.
recite (rissaït) Réciter. Raconter [to tell].
reck Se soucier; importer.
reckless Insouciant, te.
reckon Compter (konté).
reckoner Calculateur, trice.
reckoning Compte *m* (kont).
reclaim (rikléïm) Réformer. Défricher [land]. Réclamer [to claim back].
reclamation Réclamation *f*.
recline (aïn) Incliner (in). *vi* Se pencher (pan).
recluse (riklouss) Reclus, use (reklü, üs).
reclusion (jen) Réclusion *f*.
recognition Reconnaissance *f*.
recognize *vt* (rékeg-naïz) Reconnaître* (rekònètr).
recoil Recul *m* (kul). Reculer.
recollect Se rappeller (pelé).
recommence Recommencer.
recommend Recommander.
-dation Recommandation *f*.
recompense Dédommager. Récompenser [reward]. *n* Dédommagement. Récompense *f*.
reconcile (rèkensaïl) Concilier. Réconcilier [again]. Habituer (ué).
reconcilement or **-llation** Réconciliation *f*.
reconnoitre (rikenoïter) Reconnaître* (nètr).
reconstitute Reconstituer.
record (rèkaurd) Registre *m* (rejîstr), inscription *f*. Archives *fpl* (shîv). Record *m* (rekòr) [sport]. Disque *m* (disk) [gramoph.]. *vt* (rikaurd) Enregistrer.
recorder Archiviste *m*. Greffier *m* [clerk].
recount (rikaount) Raconter.
recourse (aurs) Recours *m*.
recover (kœ) Recouvrer; reprendre*. *vi* Se remettre*.
recovery (kœ) Recouvrement *m*. Guérison *f* [health].
recreate Récréer, divertir.
recreation Récréation *f*.
recruit (rikrout') Recrue *f* (rekrü). Recruter [mil.]. *vi* Se remettre*.
recruiting Recrutement *m*.
rectangle Rectangle *m*.
rectangular Rectangulaire.
rectification Rectification.
rectify (faï) Rectifier.
rectitude Rectitude *f*.
rector Recteur *m* (tœr). Curé *m* (küré) [parson].
rectorate Rectorat *m* (òrà).
recuperate (rikyou) Recouvrer.
red Rouge (rûj). Roux, rousse [hair]. *n* Rouge *m*. Rougir (jîr).
reddish Rougeâtre (jâtr).
redeem (ridîm) Racheter. S'acquitter de [promise]. Défricher [land].
redeemer Rédempteur, trice.
redeeming Qui rachète.
redemption (èmshen) Rédemption *f*. Rachat *m* (shà). Amortissement (man).
redness Rougeur *f* (jœr).
redolent Parfumé, ée.
redouble (œb'l) Redoubler.
redoubt (ridaout) Redoute *f*.
redoubtable Redoutable.
redress Réparation *f*, remède *m* (re). *vt* Redresser.

redskin Peau-rouge.
red-tape Paperasserie.
reduce (dyous') Réduire*.
reducer (dyou) Réducteur *m*.
reduction Réduction *f*.
redundance Redondance *f*.
redundant Redondant, ante.
re-echo Répéter. *vi* Retentir.
reed (rîd) Roseau *m* (ròzô). Anche *f* [mus.].
reef (rîf) Récif *m* [rock]. Ris *m* (rî) [sail].
reek (rîk) Fumée *f* (fü), vapeur *f*. *vi* Fumer.
reel (rîl) Bobine *f* (ìn). *vi* Chanceler.
re-elect Réélire*.
re-embark Rembarquer (ran).
re-enter Rentrer (rantré).
re-entrance Rentrée *f*.
reeve (rîv) Bailli *m* (bàyî).
refection Repas *m* (repâ).
refectory Réfectoire *m*.
refer (rifër) Renvoyer (ranvwàyé). *vi* Se rapporter. Faire* allusion à.
referee Arbitre *m* (arbitr).
reference Référence *f*.
reference-mark Renvoi *m*.
refine (rifain) Raffiner.
refinement Raffinage *m* (àj). *Fig*. Raffinement *m*.
refiner Raffineur.
refit (rifit') Réparer (répàré).
reflect Réfléchir.
reflector Réflecteur *m*.
reflex Réfléchi, *ie*. Réflexe [physiol.]. *n* Reflet *m* (reflè) [light]. Réflexe *m* [motion].
reflexion Réflexion *f*.
reform (rifaurm) Réforme *f* (ò). *vt* Reformer.
reformation Réforme *f* [rel.]. Amendement *m* [criminals].
reformer Réformateur.
refraction Réfraction *f*.
refractory Réfractaire.
refrain (rifréin) Se retenir*. *n* Refrain *m* (in).
refresh Restaurer; rafraîchir.
refreshment Collation *f*.
refrigerate Réfrigérer.
refuge (rèfyoudj) Refuge *m*.
refugee (djî) Réfugié, *ée*.
refusal (you) Refus *m* (ü).
refuse (rèfyous) Rebut *m*. *v* (rifyouz) Refuser.
refute (rifyout') Réfuter.
regain (géin) Regagner (ñ).
regal (rîg'l) Royal (rwâyal).
regale (rigéil) Régaler.
regard (rigârd) Égard *m* (égàr). *vt* Regarder.
regardless Sans égard.
regency (rîdj) Régence *f* (j).
regent (rîdj) Régent, te (j).
regimen (rèdj) Régime *m* (j).
regiment Régiment *m* (ji).
regimentals Uniforme *m*.
region (rîdjyen) Région *f*.
register (dj) Registre *m* (j). *vt* Enregistrer; inscrire. Recommander [post].
registrar (rèdjistrâr) Greffier (fyé) [law]. Archiviste.
-tration Enregistrement *m*.
registry Greffe *m* (grèf).
regress (rî) Retour *m* (retûr). *vi* (ès'). Revenir*.
regret (ri) Regret *m* (regré). *v* Regretter.
regular (you) Régulier, ère.
regularity Régularité *f*.
regularize Régulariser.
regulate (règyouléit) Régler.
reign (réin) Règne *m* (rèñ). *vi* Régner (réñé).
rein (réin) Rêne *f* (rèn).
reinforce (rîin) Renforcer.
reject (ridjèkt) Rejeter (j).

rejoice (ridjo[i]s) Réjouir (ré-jwîr). *vi* Se réjouir.
rejoicing Réjouissance *f*.
rejoin (ridjo[i]n') Rejoindre* (r[e]jwi[n]dr). *vi* Répliquer.
relate (rilé[i]t) Raconter [to tell]. Apparenter [to ally]. *vi* Se rapporter.
related Parent (a[n]), te.
relating Relatif, ive.
relation (é[i]sh[e]n) Rapport *m* (òr), relation *f*. Parent, te.
relationship Parenté *f*.
relative (rèl[e]tiv) Relatif, ive. *n* Parent, te.
relax (ril) Relâcher (sh). *vi* Se relâcher. Faiblir.
release (îss) Relâcher. Décharger [*from* : de]. *n* Libération *f*. Élargissement [prisoner]. Décharge *f*.
relegate (gé[i]t) Reléguer.
relent (rilènt) S'attendrir.
relevant (rèliv[e]nt) A propos.
reliability Sûreté *f* (sür[e]té).
reliable (la[ie]) Sûr, sûre.
reliance Confiance *f* (ya[n]s).
relic Relique *f* (r[e]lìk).
relict Veuve *f* (vëv).
relief (rilîf) Soulagement *m*. Secours *m* (kûr) [help]. Réparation *f* [law]. Relief *m* (r[e]lyèf) [art].
relieve (lîv) Soulager (**jé**). Mettre* en relief [art].
religion (dj) Religion *f* (**j**).
religious Religieux, euse.
reliquary Reliquaire *m* (kèr).
relish Saveur *f* (vœr). *vt* Savourer.
rely (rila[i]) Compter (**ko[n]té**).
remain (é[i]n) Rester (**té**).
remainder (rimé[i]n) Reste *m*.
remark (rimâ[r]k) Remarque *f*. *vt* Remarquer.
remarkable Remarquable.
remedy Remède *m* (èd). Recours *m* (r[e]kûr) [law].
remember (rimèmb[er]) Se souvenir. Se rappeler.
remembrance Souvenir *m*.
remind (rima[i]nd) Rappeler.
reminder Rappel *m*.
remission Rémission *f*.
remit Relâcher [to relax]. Pardonner. Envoyer [to send] *vi* Se calmer. Envoyer des fonds.
remittal (it'l) Remise *f* (îz).
remittance Remise *f*.
remittee Destinataire.
remitter Expéditeur, trice.
remnant Reste *m*. Coupon *m* (kûpo[n]) [stuff].
remorse Remords *m* (mòr).
remote Éloigné, ée (wàñé).
remotely (rimo[ou]) De loin.
remoteness Éloignement *m*.
remount (ma[ou]nt) Remonter.
removal (rimouv'l) Déplacement *m*. Déménagement *m*.
remove (mouv) Éloigner (él-wàñé). Déplacer. Déménager [furniture]. Destituer [mil.].
remuneration Rémunération *f*.
renascence Renaissance *f*.
rend* Déchirer [to tear]. Fendre (fa[n]dr) [to split]. *vi* Se déchirer.
render (rèn) Rendre (ra[n]dr).
rendering Traduction *f*.
rendez-vous Rendez-vous *m*.
renew (rinyou) Renouveler.
renewal Renouvellement *m*.
renounce (a[ou]ns) Renoncer.
renouncement Renonciation. Renoncement *m* [abnegation].
renovate (é[i]t) Rénover.
renown (na[ou]n) Renommée *f*.
***rent.** V. REND. Déchiré, ée

(shì). *n* Déchirure *f* (*ü*). Loyer *m* (lwàyé) [payment]. *v.* Louer.
renunciation Renoncement.
reopening Réouverture *f.*
repair (ripèer) Réparer. *vi* Se rendre. *n* Réparation *f.*
repartee (rè) Riposte *f.*
repay* (ripéi) Rembourser.
repayment Remboursement *m.*
repeal Abroger. Abrogation *f.*
repeat (ripît) Répéter.
repel (ripèl) Repousser.
repent (ri) Se repentir*.
repentance Repentir *m.*
repeople (îp'l) Repeupler.
repertory Répertoire *m.*
repetition Répétition *f.*
replete (riplît') Plein, eine.
reply (riplai) Répondre (ondr). *n* Réponse *f.*
report (ripaurt) Rapport *m.* Bulletin trimestriel *m.* Détonation *f.* *vt* Rapporter.
reporter Rapporteur *m.* Reporter *m* [journalist].
repose (ripoouz) Repos *m* (repô). *vt* Reposer (*zé*).
reprehend (pri) Reprendre*.
reprehension (shen) Blâme *m.*
represent (zènt) Représenter. **-tation** Représentation *f.*
repress (ri) Réprimer.
repression Repression *f.*
reprieve (riprîv) Sursis *m.*
reprint Réimpression *f.*
reprisal (aiz'l) Représailles *fpl* (zây).
reproach (ooutsh) Reproche *m* (repròsh). *vt* Blâmer.
reprobation Réprobation *f.*
reproduce (yous') Reproduire*.
reproduction Reproduction *f.*
reptile (tail) Reptile *m* (î).
republic (pœ) République *f.*
republican Républicain, e.
repugnance Répugnance *f.*
repugnant Répugnant, te.
repulsion (pœl) Répulsion *f.*
reputation Réputation *f.*
repute (yout') Réputer (ü).
request (rikwèst) Demande *f.* *vt* Demander, prier.
require (kwaier) Exiger (*jé*). Réclamer.
requirement Besoin *m* (zwin).
requisite (kwi) Requis, ise (rekì, ìz). *n* Condition *f.* Nécessité *f.* **-sition** Requête *f* (kèt). Réquisition *f* [mil.].
rescue (kyou) Délivrance *f* (lì). *vt* Délivrer.
research (ër) Recherche *f.*
resemblance (rizèm) Ressemblance *f* (resanblans).
resemble Ressembler à.
resent (rizènt) Ressentir* (risan). Prendre* mal.
resentment Ressentiment *m.* Rancune *f* (rankün).
reservation Réserve *f.*
reserve (zërv) Réserve *f* (**ré**zèrv). *vt* Réserver.
reside (rizaid) Résider (zì).
residence (rézi) Résidence *f.*
resident Résident, ente.
residue (dyou) Résidu *m* (ü).
resign (rizain) Résigner (**ré**zìñé). Démissionner.
resignation (g-néi) Démission *f.* Résignation *f.*
resin Résine *f* (ìn).
resinous Résineux (**në**), **se.**
resist (rizist) Résister.
resistance Résistance *f.*
resolute (zeloût') Résolu, *ue.*
resoluteness, -lution Résolution *f.*
resolve (ri) Résoudre* (zû).
resonance Résonance *f.*

resort (aurt) Recourir (kûrîr). Aller* [going]. n Ressource f. Rendez-vous m, villégiature f.
resound (rizaound) Retentir.
resource (au) Ressource f.
respect Respect m (pè). vt Respecter. Se rapporter à.
respectability Respectabilité f.
respectable Respectable.
respectful Respectueux, se.
respecting Touchant (shan).
respiration Respiration f.
respire (aier) Respirer.
respite (it') Répit m (pî).
resplendent Resplendissant.
respond Répondre (ondr).
respondent Répondant, te.
responsability Responsabilité.
responsible Responsable.
rest Repos m (repô). Appui m (àpuî) [bearing]. Reste m (rèst) [remainder]. vt Reposer. Appuyer (àpuìyé) [to lean]. vi Se reposer.
restaurant (teràn) Restaurant m (tòran).
restful Reposant, ante.
restitution Restitution f.
restless Inquiet, ète (kyé).
restore (tauer) Restaurer.
restorer Restaurateur.
restrain (éin) Retenir*.
restraint (éi) Contrainte f (int), restriction f.
restrict Restreindre (indr).
result (rizœlt) Résultat m (ültà). vi Résulter.
resume (zyoum) Reprendre*.
resurrection Résurrection f.
retail Détail m. Détailler.
retailer Détaillant (yan).
retain Retenir* (retnir).
retard (ritârd) Retarder
retching Nausée f (nôzé)
retention Garde f (gàrd). Rétention f [med].
retina Rétine f (ìn).
retinue (rétinyou) Suite f.
retire (ritaier) Retirer (re).
retirement Retraite f (trèt).
retiring Réservé, ée.
retort (ritaurt) Riposte f.
retreat (ritrît) Retraite f (trèt). vi Se retirer.
retrench (ritrènsh) Retrancher (an). Se retrancher.
retrenchment Retranchement
retribute Récompenser.
retribution Récompense. Rétribution f (üssyon).
retrieve (îv) Réparer. Recouvrer [to recover].
return (ritërn) Revenir* (revnîr). Retourner (retûrné) [go*, send back]. Répliquer (ké) [reply]. vt Rendre (randr) [give back]. Rembourser [repay]. Répondre [answer]. Élire* [Parl.]. n Retour m (ûr). Renvoi m (vwà) [sending back]. Restitution f. Profit m (fì). *Return journey*, retour m. [voyage de]. *Return-ticket*, billet d'aller et retour.
reunion (younyen) Réunion f.
reunite (riyounait) Réunir.
reveal (rivîl) Révéler.
reveille (vèli) Réveil m (ey).
revel Orgie f (jì). vi Faire* la fête.
revelation Révélation f.
revenge (rivèndj) Vengeance. vt Venger (vanjé).
revenger Vengeur m.
revenue (nyou) Revenu m.
revere (rivier) Révérer.
reverence (rèverens) Révérence f. vt Révérer (révéré).

reverend (rèverend) Révérend.
reverse (ërs) Contraire (kontrèr) *n* Revers *m* [medal, failure]. Verso *m* [leaf]. *vt* Renverser, reculer.
revert (rivërt) Retourner.
revictual (vit'l) Ravitailler.
review (vyou) Revue *f* (vü). Compte rendu *m* Revoir*.
revile (rivail) Insulter.
revisal (aiz'l) Révision *f*.
revise (rivaiz) Réviser.
revision Révision *f*.
revival (aiv'l) Renaissance *f* Reprise *f* (îz) [play].
revive (aiv) Ressusciter. Remettre* en vigueur [law]. *vi* Revivre*.
revoke (oouk) Révoquer.
revolt (ooult) Révolte *f* (òlt). *vi* Se révolter.
revolution (oushen) Révolution *f* (üssyon). **-tionary** Révolutionnaire.
revolve (rivòlv). Tourner.
revolver (rivo) Revolver *m*.
reward (waurd) Récompense *f* (onpans). *vt* Récompenser.
Rheims (îmz) Reims (rins).
rhetoric (rè) Rhétorique *f*.
rheum (roum) Rhume *m* (ü).
rheumatic (rou) Rhumatismal. **-tism** (rou) Rhumatisme *m*.
Rhine (rain) Rhin *m* (rin).
rhubarb (rou) Rhubarbe *f*.
rhyme (ai) Rime *f*. Rimer.
rhythm (**zh**'m) Rythme *m*.
rib Côte *f*. *pl* Membrure *f* [mar.]. *v* Côteler.
ribbon Ruban *m* (rüban).
rice (rais') Riz *m* (rì).
rich (ritsh) Riche (rish). Succulent, te (ülan) [food]. Généreux, euse [wine].
riches *pl* (iz). Richesse *f*.
rickets Rachitisme *m* (sh).
rid* Débarrasser.
riddance (ens) Débarras *m*.
riddle Énigme *m* (igm). Crible *m* [sieve]. *vt* Cribler.
ride (raid) Aller* à cheval [horse]. Aller* [à bicyclette, en auto]. Se promener. *vt* Monter. *n* Course *f* (kûrs), promenade *f* [à cheval, etc.]. Allée *f* (alé) [way].
rider (ai) Cavalier, ère (lyé, èr). Écuyer, ère (**ékuìyé,** èr) [professional].
ridge Dos *m* (dô). Crête *f*.
ridicule (youl) Ridicule *m* (ül). *vt* Ridiculiser.
ridiculous Ridicule.
riding (rai) Équitation *f*.
rife (raif) Abondant, te.
rifle (raif'l) Rayer (rèyé) [gun]. Piller (piyé) [plunder]. *n* Fusil *m* (üzî), carabine *f*. *pl*. Fusiliers.
rig Gréement, équipement *m*.
right (rait) Droit, te (wà, wàt). Direct, ecte. Bon, bonne (bon, bòn) [good]. Exact, acte (ègzà, àkt). En règle. *He is right,* il a raison. *Adv.* Droit. Comme il faut [properly]. Tout à fait [quite]. *All right,* très bien; *to do right,* agir bien. *n* Droit *m* [title]. Droite *f* [side]. Redresser.
righteous (tshes) Juste (jüst).
rightful Légitime.
rightfulness Équité *f* (ki).
rightly (raitli) A juste titre.
rigid (ridjid) Rigide (jid).
rigidity Rigidité *f*.
rigmarole Galimatias *m*.
rigor (riger) Rigidité *f*.
rigorous Rigoureux, se.

rigour (g^{er}). Rigueur *f*.
rim Bord *m* (òr). Jante *f* (ja^{n}t) [wheel].
rime (ra^{i}m) Givre *m* (jivr).
rind (a^{i}nd) Écorce *f* [bark]. Croûte *f* (ût) [cheese].
ring* (rìng) Sonner. Son *m* (so^{n}) [sound]. Sonnerie *f* (sònrî) [bell]. Anneau *m* (anô) [circle], cercle *m*. Bague *f* (bàg) [finger]. Bande *f* (ba^{n}d) [group]. Ring [boxe]. *Ring-dove* Ramier *m*.
ringlet Boucle *f* [hair].
rinse (rìns') Rincer (ri^{n}).
riot (ra^{i}et) Tumulte *m* (ü). Émeute *f* (émët) [sedition]. Orgie *f* (jî). *v* S'agiter.
ripe (ra^{i}p) Mûr, mûre (ü).
ripen (ra^{i}p^{e}n) Mûrir.
ripeness Maturité *f*.
ripple Ride *f*. *v* Rider.
rise* (ra^{i}z) Se lever, monter (mo^{n}). Augmenter. *n* Élévation *f*. Montée *f*. Crue *f* (ü) [river]. Hausse *f* ('ôs) [price]. Origine *f*.
risible (rizib'l) Risible.
rising (ra^{i}) Lever *m* (l^{e}vé).
risk Risque *m* (rìsk).
risky Risqué, ée (ké).
rite (ra^{i}t) Rite *m* (rît).
rival (ra^{i}v^{e}l) Rival, ale (rivàl). *vi* Rivaliser (ìzé).
rivalry (ra^{i}). Rivalité *f*.
rive* (ra^{i}v) Fendre (fa^{n}dr).
river (riv^{er}) Fleuve *m* (œv) [large]. Rivière *f* [small].
rivet Rivet *m*. *vt* River.
road (ro^{ou}d) Route *f* (rût). Rade *f* (ràd) [mar.]. *High road,* grand-route. *Road-way,* chaussée *f*.
roam (ro^{ou}m) Rôder.
roar (rau^{er}) Rugir (rüjîr) [lion]. Mugir [sea]. Gronder [thunder]. Éclater [laughter]. *n* Rugissement *m*. Grondement *m*. Éclats *mpl* (éklà) [laughter].
roast (ro^{ou}st) Rôtir. Torréfier [coffee]. *n* Rôti *m*.
roaster Rôtisseur *m* [cook]. Rôtissoire *f* (wàr) [oven].
rob Voler (vòlé)
robber Voleur, se (œr, öz)
robbery Vol *m* (vòl).
robe (ro^{ou}b) Robe *f* (rob).
robust (bœst) Robuste (ü).
rock Rocher *m* (shé). *v* Balancer (bàla^{n}sé) ; bercer.
rocket Fusée *f* (füzé).
rocking Balancement *m*.
rocky Rocheux, se (shœ, ëz).
rod Baguette *f* (gèt). Tige *f* [techn.]. Canne *f* [fishing].
***rode** V. RIDE*.
rodent (ro^{ou}) Rongeur *m*.
roe (ro^{ou}) Chevreuil *m* (vrœ^{y}). Biche *f* (bish) [female].
roebuck Chevreuil *m*.
rogue (ro^{ou}g) Fripon, onne (o^{n}, òn) [knave]. Espiègle [wag]. Vagabond [vagrant].
roguery Coquinerie *f*. Espièglerie, friponnerie *f*.
roguish Fripon, onne [knavish]. Espiègle [wag.].
roll (ro^{ou}l) Rouler (rû). Laminer [metal]. *n* Rouleau (rûlô). Roulement *m* (rûlma^{n}). Roulis *m* [mar.].
roller (ro^{ou}l^{er}) Rouleau *m*. *Roller-skate,* patin [*m*] à roulettes.
rolling (ro^{ou}) Roulement *m* (rûlma^{n}). Laminage *m* [metal]. Roulis *m* [mar.]. *Rolling-mill,* laminoir *m*.
roman Romain (i^{n}), ne.

romance Roman, ane. *n* (rò) Roman *m*. Romance *f* [mus.].
romanesque Romanesque. Roman (*a*ⁿ), ane [arch.].
rood Quart [*m*] d'arpent.
roof (rûf) Toit *m* (twà). Voûte *f* (vût). *vt* Couvrir*.
rook (rouk) Corneille *f* [bird]. Filou *m* (fìlû). *vt* Filouter.
room (roum) Salle *f* (sàl) [public]. Chambre *f* (shaⁿbr). Pièce *f* (pyès) [apartment]. Place *f* (àss) [space]. Motif *m*. Lieu *m* [ground].
roomy Spacieux, euse.
roost (roust') Perchoir *m*.
root (rout') Racine *f* (sìn). *v* Enraciner. *To root up*, déraciner.
rope (oᵒᵘ) Corde *f*. *vi* Filer.
rose (roᵒᵘz) Rose *f* (rôz).
***rose** V. RISE*.
rosin (ròzìn) Colophane *f*.
roster (roᵒᵘ) Liste *f*.
rot (rot') Pourrir (pûrîr). *n* Pourriture *f* (tür). Blague *f* (blàg) [bosh].
rotten Pourri, ie (pû).
rottenness Pourriture *f*.
rough (rœf) Rude (rüd). Brut, ute (üt). Âpre (âpr) [harsh]. Gros, osse [sea, weather]. Approximatif. *Rough copy*, brouillon *m*. *vt* Rendre rude *n* Voyou *m* (vwàyû).
roughcast Ébaucher.
roughen (rœfᵉn) Rendre rude. *vi* Devenir* rude.
round (raᵒᵘnd) Rond, onde (roⁿ, oⁿd). *adv.* En rond; autour (ôtûr). *prep* Autour de. *n* Rond *m* (roⁿ). Tour *m* [walk]. Ronde *f* [mil.]. Salve *f* [gun]. Barreau *m* (rô) [rundle]. *vt* Arrondir. Entourer [to surround]. *vi* S'arrondir.
roundabout (aᵒᵘt) Détourné, ée. *n* Rond-point *m* [road]. Chevaux de bois.
rouse (raᵒᵘz) Réveiller.
rout (raᵒᵘt') Déroute *f* (rût). Cohue *f* (kòü) [crowd]. Réunion *f* (réünyoⁿ). *vt* Mettre* en déroute.
routine (în) Routine *f*.
rove (roᵒᵘv) Rôder.
rover Rôdeur *m* (œr).
row (raᵒᵘ) Tapage *m* (àj) [noise]. Querelle *f* (kᵉrèl).
row (roᵒᵘ) Rangée *f* (raⁿjé); file *f* (fìl) [line]. *vi* Ramer.
rowdy (raᵒᵘ) Tapageur, se (jœr). *n* Voyou *m* (vwâyû).
rower Rameur, euse.
royal Royal, ale (rwâ).
royalist Royalist.
royalty Royauté *f* (rwàyôté) Redevance *f* [money].
rub (œb) Frotter. *To rub out*, effacer. *n* Frottement *m*. Difficulté *f* (külté).
rubber Frotteur, euse [person]. Frottoir *m* [thing]. Caoutchouc *m* (kàûtshû).
rubbing Frottement *m*.
rubbish (rœ) Décombres *mpl* (koⁿbr). Débris *mpl* (brî).
rubicund (rou) Rubicond, e.
rubric (ou) Rubrique *f* (ü).
ruby (ou) Rubis *m* (rübî).
ruck (rœk) Pli *m* [fold].
rudder (rœ) Gouvernail *m*.
ruddiness Rougeur *f* (rûjœr).
ruddy Vermeil, eille (èy).
rude (roud') Grossier, ère.
rudeness Rudesse *f* (rüdèss).
rue (rou) Regret *m* (rᵉgrè).
ruffian (rœ) Bandit *m* (dî).
ruffle (œ) Ennui *m* (aⁿnuî).

Manchette *f* [cuff]. *vt* Froisser (frwâ) [crumple]. Ébouriffer [hair].
rug (rœg) Tapis *m* (tàpì).
rugged (rœgid) Rude (rüd).
ruin (rouìn) Ruine *f* (ruìn). *vt* Ruiner.
ruinous Ruinoux, euse.
rule (*ou*) Règle *f* (règl). Gouvernement *m*. Empire *m* (anpîr) : *Home Rule,* autonomie *f*. *vt* Régler. Gouverner (guvèrné).
ruler Gouvernant *m* (an); souverain, aine (in, èn). Règle *f* [to draw* lines].
rum (rœm) Rhum *m* (rom).
rumble (rœ) Gronder (on).
rumbling Grondement *m*.
ruminant (*rou*) Ruminant.
rumour (*rou*) Rumeur *f* (ü).
rump (rœmp) Groupe *f* (ûp). Culotte *f* (külòt) [beef].
rumple (rœmp'l) Froisser.
run* (rœn) Courir* (kû). Se sauver [to flee]. Couler [to flow]. Devenir* [to become]. *To run away,* s'enfuir*. *n* Course *f* (running]. Suite *f* (suît) [series]. Voyage *m* (vwàyàj) [journey]. Vogue *f*.
runaway (rœ) Fugitif, ive (üj); fuyard *m* (fuiyàr). Emballé, ée [horse].
rundle, rung Barreau *m*.
***rung** V. RING*.
runner (rœner) Coureur, euse.
running Course *f* (kûrs). Écoulement *m* [flow]. Suppuration *f*. *a* Courant, te.
rupee (roupì). Roupie *f*.
rupture (rœptsher) Rupture *f* (ü) [break]. Hernie *f*.
rural (*ou*) Rural, ale (ü).
rush (œ) Jonc *m* (jon) [plant]. Élan *m* [dash]; ruée *f* (rüé). *vi* Se ruer. *vt* Précipiter. *Rush-light,* veilleuse *f*.
rusk (rœsk) Biscotte *f*.
russet (rœ) Roux, ousse.
Russia (rœshe) Russie *f*.
Russian Russe (rüs).
rust (œ) Rouille *f* (rûy). *v* Rouiller (rûyé).
rustic (rœstik) Rustique (rüstik). *n* Paysan, anne.
rusticity Rusticité *f*.
rustle (rœs'l) Bruire (uir). Bruissement *m*. Frou-frou *m*.
rusty (rœsti) Rouillé, ée.
rut (œ) Ornière *f* (yèr). Rut *m* (rüt) [heat].
ruthless (**th**) Impitoyable.
rye (ra1) Seigle *m* (sègl).

S

sabbath (**th**) Sabbat *m* (ba).
sable (é1) Zibeline *f* (zìblìn).
sabre (é1) Sabre *m* (sâbr).
saccharine Saccharine *f*.
sacerdotal Sacerdotal, le.
sack Sac *m* [bag]. Xérès *m* (kérès) [wine]. *vt* Piller.
sacrament Sacrement *m*.
sacred (é1) Sacré, ée.
sacrifice (a1s) Sacrifier (fyé). *n* Sacrifice *m* (îs).
sacristan Sacristain *m*.
sacristy Sacristie *f*.
sad Triste. Cruel, elle.

sadden (sadᵉn) Attrister.
saddle Selle *f* (sèl). *Pack-saddle*, bât *m. vt* Seller.
saddler Sellier.
saddlery Sellerie *f*.
sadly Tristement.
safe (éi) Sauf, auve (sòf, ôv). Sûr [reliable]. *n* Coffre-fort *m* [strong box]. Garde-manger *m* [meat]. *Safe-conduct*, sauf-conduit *m*. *Safe-guard* Sauvegarde *f*.
safely En sûreté.
safety (séi) Sûreté *f* (ü). Salut *m* (sàlü) [preservation]. *Safety-pin*, épingle [*f*] de nourrice.
saffron Safran *m*.
sag Ployer (wâyé), céder [to yield]. S'affaisser.
sagacious (géishᵉs) Sagace.
sagacity Sagacité *f*.
sage (séidj) Sage (àj). Sauge *f* (sôj) [plant].
sago (éi) Sagou *m* (sàgû).
said (sèd) Dit, dite. V. SAY*.
sail (séil) Voile *f* (vwàl). Aile *f* (èl) [mil.]. Promenade [*f*] à la voile [trip] *To set* sail*, mettre* à la voile. *vi Faire* voile*, naviguer (nàvìgé).
sailer Voilier *m* (vwàlyé).
sailing A voiles. *n* Navigation *f*. Départ *m* (dépàr).
sailor Marin *m* (màrin).
saint (séint) Saint (sin), te.
saintly Saintement.
sake (éi) Cause *f* (kòz); égard *m* (gar) [regard].
salad (sàlid) Salade *f* (àd).
salary (sàlᵉri) Traitement *m*, appointements *mpl*. Salaire *m* (èr) [labourer's].
sale (éi) Vente *f* (vant) : *for sale*, à vendre; *on sale*, en vente. *Salesman, -swoman* Vendeur, *euse f*.
salient (éi) Saillant (yan).
saline (ain) Salin, ine.
saliva (laivᵉ) Salive *f* (îv).
sally Sortie *f* [mil.]. Saillie *f* (sàyì) [outburst]. *vi* Faire* une sortie.
salmon (àm) Saumon *m* (on).
saloon (oun) Salon *m* (on). *Saloon-keeper*, cafetier *m*.
salsify Salsifis *m* (fî).
salt (sault) Sel *m*. *a* Salé, *ée*. *vt* Saler.
salting Salaison *f*.
saltish Saumâtre.
saltless Insipide.
saltpetre (îtᵉr) Salpêtre *m*.
salty (*au*) Salé, *ée*.
salubrious (*you*) Salubre.
salubrity Salubrité *f*.
salutary Salutaire.
salutation Salutation *f*.
salute (sᵉlyout') Salut *m* (sàlü). Salve *f* [firing]. *v* Saluer (sàlué).
salvage Sauvetage *m*. Sauver.
salvation (véi) Salut *m* (sàlü).
salve (sâv) Onguent *m* (ongan). *vt* Guérir.
salver (sàlvᵉr) Plateau *m*.
same (éi) Même. *n* Même chose (shôz).
sameness Identité.
sample Échantillon *m* (shantìyon). Échantillonner.
sanctify Sanctifier.
sanction (sàngkshᵉn) Sanction *f* (sanksyon). *vt* Sanctionner.
sanctify Sainteté *f*.
sanctuary Sanctuaire *m*.
sand (sànd) Sable *m* (sàbl).
sandstone (oou) Grès *m*.

sandal Sandale *f* (san).
sandwich Sandwich *m*.
sandy Sablonneux, *euse*.
sane (séin) Sain (sin), aine.
sanguinary Sanguinaire.
sanguine (ìn) Sanguin, ine (gin, ìn). Sanguinaire [bloodthirsty]. Confiant, ante.
sanguineness Pléthore (tòr) *f*. Optimisme *m*.
sanitary Sanitaire (tèr).
sanity Santé *f* (san). Bon sens *m* (bon sans).
***sank** V. SINK*.
sap Sève *f* [juice]. Aubier *m* [tree]. Sape *f* (sàp) [mil.]. *vt* Saper.
sapling Arbrisseau *m*.
sapphire (aier) Saphir *m*.
sappy Plein de sève.
saraband Sarabande *f*.
sarcasm Sarcasme *m*.
sarcastic Sarcastique.
sardine (sârdìn) Sardine *f*.
sardonic Sardonique.
sash Ceinture *f* (sintür). Chassis *m* (sî) [window]. *Sash-window*, fenêtre [*f*] à guillotine (giyotin).
Satan (séi) Satan *m* (an).
satchel Cartable *m* [schoolboy's]. Sacoche *f* (òsh).
sate (séit) Rassasier.
sateen (sàtîn) Satinette *f*.
satellite (ait) Satellite *m*.
satiate (shiéit) Rassasier.
satiety (tai) Satiété *f* (syé).
satin (sàtìn) Satin *m* (tin).
satire (aier) Satire *f* (ir).
satisfaction Satisfaction *f*.
satisfactory Satisfaisant.
satisfy (fai) Satisfaire*.
satrap (satrep) Satrape *m*.
saturate Saturer.
saturday (saterdi) Samedi *m*.
satyr (sàter) Satyre *m* (ir).
sauce (saus') Sauce *f*. (sôs). Insolence *f* (insòlans). *vt* Assaisonner. Insulter. *Sauce-boat*, saucière *f*. *Sauce-pan*, casserole (ròl) *f*.
saucer Soucoupe *f* (sûkûp).
sauciness Impertinence *f*.
saucy Impertinent.
sausage (idj) Saucisse *f*; saucisson *m* (on) [large].
savage (idj) Sauvage (àj).
-geness, -gery Sauvagerie *f*.
save (séiv) Sauver (sôvé) [to rescue]. Épargner (àrñé) [to spare]. Éviter [to avoid]. *vi* Économiser. *prep* Sauf (sòf).
saveloy (savloi) Cervelas *m*.
saver (éi) Sauveur *m* (sôvœr). Personne économe.
saving (éi) Économe (nòm). *n* Épargne *f* (àrñ) : *savings-bank*, caisse d'épargne.
saviour (séivyer) Sauveur *m*.
savour (séiver) Saveur *f* (sàvœr). *vt* Goûter.
savoury Savoureux, *euse*.
***saw** (sau) V. SEE*. Scier (syé). *n* Scie *f* (sî) [tool].
sawdust Sciure *f* (syür).
say* (séi) Dire* (dîr). Réciter (sìté) [lesson].
saying Dire *m*; dicton *m*.
scab Croûte *m* (ût). Gale *f* [of sheep].
scabbard Fourreau *m*.
scabrous *a* Rugueux, *euse*.
scaffold Échafaud *m* (fô).
scaffolding Échafaudage *m*.
scald (skauld) Brûlure *f* (ür). *vt* Échauder (shô).
scalding Bouillant, te.
scale (éil) Échelle *f* (èl) [ladder]. Plateau *m* (tô) [balance]. Écaille *f* (ày)

[fish]. *vt* Escalader [climb]. Écailler (yé) [peel]. Peser [weigh]. *vi* S'élever [rise].
scallop Feston *m* (on). Coquille [*f*] Saint-Jacques. *vt* Festonner.
scalpel Scalpel *m*.
scamp Chenapan *m*.
scan Scander (an).
scandal Calomnie *f*. Honte *f* ('ont) [shame]. Scandale *m* (an) [censure].
scandalise (aiz) Scandaliser (ìzé). Calomnier.
scandalous Scandaleux, euse.
scant Insuffisant. *vt* Borner.
scantling Échantillon *m*.
scanty Insuffisant, ante.
scar (skâr) Cicatrice *f* (trîs).
scarce (skèers) Rare (ràr), insuffisant. **-cely** A peine.
scare (èr) Panique *f* (pànìk). *vt* Épouvanter.
scarecrow Épouvantail (ày).
scarf (skârf) Écharpe *f*. Assemblage *m* [carp.]. *vt* Assembler.
scarify (fai) Scarifier.
scarlet Écarlate (àt). *Scarlet-fever*, scarlatine *f*.
scatter (skater) Disperser.
scene (sîn) Scène *f* (sèn).
scenery Scène *f*; décor *m*.
scent Odeur *m* (ôdœr). Odorat *m* (rà) [sense]. Flair *m* (èr) [dog]. Piste *f* [track]. *vt* Parfumer. Sentir* [to detect]. - *-spray*, vaporisateur *m*.
scentless Inodore.
sceptic (sk) Sceptique (sèp).
sceptre (sèpter) Sceptre *m*.
schedule (shèdyoul) Liste *f*.
scheme (skîm) Plan *m* (an); projet *m* (jè). *vt* Projeter. *vi* Intriguer (intrìgé).
scholar (skòler) Écolier, ère (ékòlyé). Savant, ante (van) [learned].
scholarly Érudit (érudî).
scholarship Érudition *f*.
school (skoul) École *f* (òl): *boarding-school*, pension *f*. *vt* Instruire* (instruîr). Faire* la leçon. *School-boy, -girl*, écolier, ière.
schooner (skou) Goélette *f*.
science (saiens) Science *f* (syans).
scientific Scientifique.
scissors (sizers) Ciseaux *mpl* (sìzô).
scoff Moquerie *f*. Railler.
scold (oould) Gronder (on).
scolding Gronderie *f*.
sconce (òns) Bobèche *f* (èsh)
scone (ooun) Brioche *f* (ìòsh).
scoop (oup) Écoper [mar.]. Vider [empty]. Creuser (krë) [to hollow out].
scope (sko) Visée *f*.
score (auer) Entaille *f* (tay) [notch]. Vingt (vin) [twenty]. Compte *m* (ont) [reckoning]. Raison *f* (rèzon) [ground]. Partition *f* [mus.]. *vt* Entailler (tàyé). Marquer (ké). Orchestrer [mus.].
scorn (aurn) Mépriser (ìzé). *n* Mépris *m* (prî).
scornful Méprisant, ante.
scorpion Scorpion *m* (pyon).
scot (skot') Écot *m* (ékô). Écossais, aise.
scotch Écossais, aise.
Scotland Écosse *f* (kòs').
Scotsman Écossais.
Scottish Ecossais, aise.
scoundrel (aoun) Coquin *m*.
scour (aouer) Récurer (üré) [clean]. Dégraisser (èssé).

scourge (ëʳdj) Fouet *m* (fwè). Fléau *m* (fléô) [fig.]. *vt* Châtier (shâtʸé).
scout (aᵒᵘt) Éclaireur *m*. Vedette *f* [ship].
scrag Bout *m* (bû).
scramble (àmb'l). Mêlée *f* (lé); ruée *f* (ü) [rush].
scrap Fragment *m*.
scrape (óⁱ) Gratter. Décrotter [boots]. *vi* Râcler.
scraper Grattoir *m* (twàr).
scratch Égratigner (ñé), gratter. Effacer (sé). *vi* Gratter. *n* Égratignure *f*. Épreuve *f* (ëv) [test].
scrawl (aul) Griffonnage *m*. *vt* Griffonner.
scream (îm) Cri *m*. *vi* Crier.
screen (rîn) Écran *m*. Crible *m* [sieve].
screw (skrou) Vis *f* (vis). Écrou *m* (ékrû) [nut]. Hélice *f* [propeller]. *Fig.* Opprimer. Pincer [lips]. Tordre [twist]. *Screw-driver,* tournevis *m*. *Screw-jack,* cric *m*. *Screw-nail,* vis *f*. *Screw--wrench,* clé anglaise *f*.
scribble (skrib'l) Griffonnage (grìfònàj). Griffonner.
scrimp V. SCANT.
scrip Écrit *m* [paper]. Titre *m* [certificate].
scripture (tshᵉʳ) Écriture Sainte *f*.
scrivener (skrivnᵉʳ) Écrivain public. Notaire *m* (tèr).
scrofula Scrofule *f* (ül).
scrub (œb) Broussailles *mpl* (ûssàʸ). Pauvre diable *m* [man]. *vt* Frotter dur, récurer. *vi* Trimer [to work].
scrubby Rabougri, *ie*.
scruff (œf) Nuque *f* (nük).
scruple (oup'l) Scrupule *m*.
scrupulous Scrupuleux, *euse*.
scrutinize (aⁱz) Scruter.
scrutiny Examen minutieux.
scud (œd) Courir* (kû). *n* Course rapide *f*.
scuffle (œf'l) Mêlée *f* (mèlé). *vi* Lutter (ü).
scull (œ) Rame *f*. *vi* Ramer.
scullery (skœlᵉri) Lavoir *m* (làwàr) [de cuisine].
sculptor (œ) Sculpteur *m*.
sculpture (tsh) Sculpture *f*.
scum (œm) Écume *f* (üm). *Fig.* Lie *f* (li). *vt* Écumer.
scurf (ë) Teigne *f* (tèñ).
scurvy (ëʳ) Scorbut *m* (üt). Vil, vile.
scuttle (œt'l) Panier *m* (nʸé). Seau *m* (sô) [à charbon]. Écoutille *f* (iʸ) [mar.]. *vt* Saborder.
scythe (saⁱzh) Faux *f* (fô).
sea (sî) Mer *f*. Lame *f* (làm) [wave]. *Sea-going,* au long cours. *Sea-plane,* hydroplane *m*. *Sea-side,* bord de mer. *Sea-sickness,* mal de mer. *Sea-weed,* algue *f*.
seaman (sî) Marin *m* (rīⁿ).
seal (sîl) Cachet *m* (shè). Sceau *m* (sô) [official]. Phoque (fòk) [animal]. *vt* Cacheter [letter]. Sceller [law]. Plomber [customs].
seam (sîm) Couture *f* (kûtür) [sewing]. Suture *f* [chir.]. *vt* Coudre* (kûdr).
sear (sieʳ) Flétri, *ie* [plant]. *vt* Dessécher.
search (sëʳtsh) Recherche *f* (shèrsh). Visite *f* (zît) [customs]. *vt* Fouiller (fûʸé). *Searching,* pénétrant. *Search-light,* projecteur *m*.

season (sîz'n) Saison *f* (sè-zo^{n}). *vt* Assaisonner [food]. Tempérer. Sécher [to dry]. *Season-ticket,* carte d'abonnement.
seasonable De saison. A propos [timely].
seasoning Assaisonnement *m*.
seat (sît') Siège *m* (s^{y}èj). Place *f* (às) [booked]. Demeure *f* [dwelling]. Château *m*. Emplacement *m*. *vt* Asseoir* (àswàr). Placer.
secession (èsh^{e}n) Sécession *f* (s^{y}o^{n}), scission.
seclude (sikloud') Séparer.
secluded (oudid) Retiré, ée.
seclusion (j^{e}n) Solitude *f*.
second (sèk^{e}nd) Deuxième (dëz^{y}èm), second, de (go^{n}). *n* Témoin, second *m*. Seconde *f* [measure]. *vt* Seconder. Appuyer [motion]. *Second-hand,* d'occasion.
secrecy (sî) Secret *m* (s^{e}krè).
secret (sîkrit') Secret, ète. *n* Secret *m* (s^{e}krè).
secretary (sèkr^{e}t^{e}ri) Secrétaire (étèr). *Home Secretary,* Ministre de l'Intérieur.
secrete (sikrît') Cacher (shé). Sécréter [produce].
secretly Secrètement.
sect Secte *f*.
section (seksh^{e}n) Section *f*.
sector Secteur *m* (tœr).
secular (kyou) Séculaire (ülèr) [of years]. Laïque (làïk). Temporel, elle.
secure (sikyou^{er}) En sûreté [sheltered]. Sûr, sûre (ü). *vt* Assurer. Retenir* [seat].
secureness (niss) Sécurité *f*. Garantie *f*. *pl* Valeurs *fpl*.
sedentary Sédentaire.
sedition Sédition.
seditious (sh^{e}s) Séditieux.
seduce (sidyous') Séduire*.
seducer Séducteur, trice.
seduction (œ) Séduction *f*.
see* (sî) Voir* (vwàr). Accompagner (ñé).
see (sî) Siège *m* (s^{y}èj).
seed (sîd) Semence *f*, graine *f*. *vt* Semer.
seek* (sîk) Chercher (shé).
seeker Chercheur, euse.
seem (sîm) Sembler (sa^{n}blé).
seeming Apparence *f* (àpàra^{n}s). Apparent, te.
seemingly Apparemment.
seemliness (is') Bienséance *f*.
seemly Bienséant, ante.
***seen** V. SEE.
seep S'infiltrer.
seer (si^{er}) Voyant (vwà^{y}a^{n}).
seesaw (sîs) Balançoire *f*.
segment Segment *m*.
seize (sîz) Saisir (sèzîr). Amarrer [mar.].
seizing Capture *f*. Saisie *f* [law]. Amarrage *m*. [mar.]
seizure (sîj^{er}) Saisie *f*. Attaque *f* (àk) [fit].
seldom (sèld^{e}m) Rarement.
select (si) Choisir (shwàzîr). *a* Choisi, ie.
selection (sileksh^{e}n) Choix *m* (shwà), sélection *f*.
self *pron* Même (mèm). *n* Le moi; égoïsme *m*.
self-acting Automatique.
self-conceit (k^{e}nsît') Suffisance *f* (süfîza^{n}s).
self-confidence Assurance.
self-conscious (sh^{e}s) Conscient, ente (ko^{n}s^{y}a^{n}, a^{n}t). Gêné, ée (jéné) [awkward].
self-control Maîtrise de soi.
self-defence Légitime defense.

self-denying Désintéressé.
self-government Autonomie.
selfish Égoïste (ìst).
selfishness Égoïsme *m*.
selfless Désintéressé, *ée*.
sell* Vendre (a^{n}dr). *vi* Se vendre. *n* [*fam.*] Attrape *f*.
seller Vendeur, *euse* (va^{n}).
selling Vente *f* (va^{n}t).
seltzer Eau [*f*] de Seltz.
selvage (idj) Lisière *f* (z^{y}èr).
semblance Ressemblance *f* [likeness]. Apparence *f*.
semi Demi (d^{e}mì).
semi-detached Jumelles [houses].
semolina Semoule *f*.
sempstress Couturière.
senate (it') Sénat *m* (nà).
senator Sénateur.
send* Envoyer (a^{n}vwà^{y}é): *to send back*, renvoyer; *to send for*, envoyer chercher.
sender Envoyeur (^{y}œr), *euse*.
senile (sîna^{i}l) Sénile (nìl).
senior (sîny^{er}) Aîné, *ée*.
seniority Ancienneté *f*.
sensation Sensation *f*.
sensational Sensationnel.
sense (sèns) Sens *m* (sa^{n}s), bon sens. Sentiment *m* (ma^{n}), opinion *f*; *common-sense*, le sens commun.
senseless Insensible. Insensé, *ée* [mad].
sensibility Sensibilité *f*.
sensible Sensé, ée (sa^{n}sé) [judicious]. Sensible (sa^{n}sìbl) [perceptible]. Au courant de (aware].
sensitive Impressionnable.
sensitiveness Sensibilité.
sensitized Sensible [paper].
sensual (you^{e}l) Sensuel.
***sent** V. SEND.
sentence (sènt^{e}ns) Sentence *f* (a^{n}s). Opinion *f* (^{y}o^{n}). Maxime *f*. Phrase *f* (âz) [gram.]. *vt* Juger (jüjé).
sententious Sentencieux.
sentient (sh^{e}nt) Sensible.
sentiment (sèntim^{e}nt) Sentiment *m* (sa^{n}tima^{n}).
sentimental Sentimental.
sentry, sentinel (sèn) Sentinelle *f*.
separate (é^{i}t) Séparer. *a* (it') Séparé, *ée*.
separation Séparation *f*.
sepia (sî) Sépia *f*. Seiche *f* (sèsh) [fish].
sept (sèpt) Clan *m* (a^{n}). Enclos *m* (a^{n}klô).
september Septembre *m* (a^{n}).
septet (et') Septuor *m*
septic Septique.
sepulchre (sèp^{e}lk^{er}) Sépulcre *m* (ülkr).
sepulture (tsh) Sépulture *f*.
sequel (sîkw^{e}l), **sequence** (sîkw^{e}ns) Suite *f* (s^{u}ìt).
sequester (kwès) Séquestrer.
sequestration Séquestration *f*. *Fig.* Isolement.
sequestrator Séquestre *m*.
seraph Séraphin *m* (ràfi^{n}).
seraphic Séraphique.
serbian (y^{e}n) Serbe.
sere (si^{er}) Desséché, *ée*.
serenade (é^{i}d) Sérénade *f*.
serene (sirîn) Serein, eine (s^{e}ri^{n}, èn).
serenity Sérénité *f*.
serf (së^{r}f) Serf, ve (sèrf).
serfdom Servage *m*.
serge (së^{r}dj) Serge *f* (sèrj).
sergeant (sâ^{r}dj^{e}nt) Sergent. *m* (sèrja^{n}) [infantry]. Maréchal des logis [cavalry].
sergeant-major Sergent-major

m. Company -, adjudant. Maréchal des logis-chef.
serial (si) En série (a^n^ sérî). *n* Périodique *m.*
series (si^e^rîz) Série *f.*
serious (si^e^) Sérieux, euse.
seriousness Sérieux *m* (r^y^ë).
sermon (^e^n) Sermon *m* (o^n^).
sermonize (a^i^z) Sermonner.
serosity (o^ou^) Sérosité *f.*
serpent (ë) Serpent *m* (a^n^).
serrate (è^i^t) Dentelé.
serum (si^e^) Sérum *m* (òm).
servant (v^e^nt) Serviteur *m* (œr), servante *f* (a^n^t). Domestique (tìk) : *general servant,* bonne à tout faire*.
serve (së^r^v) Servir* (sèr).
server Servant *m* (a^n^). Plateau *m* (plàtô) [tray].
service (ë) Service *m* (sèr). *Army Service Corps,* train [*m*] des équipages.
serviceable (s^e^b'l). Utile.
servile (va^i^l) Servile (vìl).
servitor Serviteur *m.*
servitude (youd) Servitude *f* (üd) : *penal servitude,* travaux forcés.
session (sèsh^e^n) Session *f.*
set* (sèt) Placer (sé). Désigner (ñé) [to appoint]. Régler [to fit]. Donner [exemple]. Établir [rule]. Repasser [knife]. Planter [to plant] ; *to set by,* mettre* de côté; *to set forth,* énoncer [rule]; louer [to praise]; *to set off, faire** ressortir, orner [to adorn] ; *to set on,* exciter; *to set out,* marquer; *to set up,* élever. *vi* Se placer. Se coucher [sun]. Se serrer [teeth]. Prendre* [liquid]. Se diriger [to go]. *To set about,* se mettre* à; *to set forth,* partir* ; *to set in,* commencer; *to set up,* s'établir. *a* Placé, ée; fixé, ée. Régulier, ère [regular]. *n* Assortiment *m,* collection *f.* Service *m* [for tea]. Garniture *f* [ornaments]. Partie *f* [game]. Classe *f.* Bande *f* (a^n^d) [gang]. *Set of furniture,* ameublement *m.*
set-back Échec *m*; recul *m.*
set-out Début *m.* Départ *m.*
settee (tî) Canapé *m.*
setter Chien courant *m.*
setting Pose *f* (pôz). Montage *m* (àj) [mach.]. Monture *f* (ür) [gem].
settle Établir. Décider. Régler [account]. Résoudre* (zûdr) [solve]. Organiser. Assigner (ñé) [property]. *vi* Se fixer, s'établir. Se marier [marriage]. Se calmer [sea]. Se poser [bird].
settlement Établissement *m.* Arrangement *m.* Rente *f* (ra^n^t) [annuity]. Solution *f.* Règlement *m* [account].
settler Colon *m* (o^n^).
seven (sèv'n) Sept (sèt).
seventeen (tîn) Dix-sept.
seventeenth (tînth) Dix-septième (^y^èm).
seventh (th) Septième (^y^èm).
seventy Soixante-dix.
sever (sèv^er^) Séparer.
several (sèv^e^r^e^l) Plusieurs plüz^y^œr). Respectivement.
severance Séparation.
severe (siv^ie^r) Sévère (èr). Violent, ente [pain].
severity Sévérité *f.*
sew* (so^ou^) Coudre* (kûdr). Brocher [books] [**sewn*].

sewer (so^{ouer}) Brocheur, euse. n (syou^{er}). Égout m.
sewing (so^{ou}) Couture f (kûtür). *Sewing-machine,* machine à coudre.
sex Sexe m.
sexton Sacristain (i^{n}). Fossoyeur [grave].
sextuple (you) Sextuple.
sexual Sexuel, elle.
shabby Râpé, ée [clothes]. Minable [look].
shackle (shak'l) Enchaîner.
shackles pl Fers mpl.
shade (é^{i}d) Ombre f (o^{n}br). Abat-jour m (àbàjûr) [lampshade]. Visière f (yèr) [cap]. Nuance f (nüa^{n}s) [colour]. vt Ombrager (jé). Abriter [shelter].
shadow (shàdo^{ou}) Ombre f (o^{n}br). vt Ombrager (àjé). Filer (filé) [to track].
shadowy Ombragé, ée.
shady (shé^{i}di) Ombreux, se.
shaft Flèche f. Fût m (fü) [column]. Manche m (a^{n}sh) [tool]. Puits m (^{u}î) [mine]. Arbre m [mec.].
shagreen (sh^{e}grîn) Chagrin.
shake* (é^{i}k) Secouer (sekûé). Remuer (r^{e}m^{u}é) [to move]. *To shake hands with,* serrer la main à. vi Trembler (tra^{n}blé). Chanceler (sha^{n}slé) [to totter]. Se tordre [laughter]. n Secousse f (s^{e}kûss) [jerk]. Poignée f (pwàñé) [de main]. [**shook, shaken*].
shaky Chancelant, te.
shall v. aux. servant à conj. le futur et le conditionnel [**should*].
shallot (sh^{e}lòt) Échalote f.
shallow (shalo^{ou}) Peu profond. *Fig.* Superficiel.
shallowness Légèreté f.
sham Feint, feinte (fi^{n}, i^{n}t); faux, fausse. n Feinte f. vt Feindre* (fi^{n}dr).
shame (shé^{i}m) Honte f ('o^{n}t). vt Déshonorer.
shameful Honteux, euse.
shameless Impudent, te.
shampoo (shàmpo^{u}) Masser (sé) [body]. Laver [hair].
shampooing Massage m (àj). Shampooing m (wi^{n}) [hair].
shamrock Trèfle m.
shape (é^{i}p) Forme f (fòrm). Tournure f [figure]. Façon f (so^{n}), coupe f [cut]. vt Former.
shapeless Informe (i^{n}form).
share (shè^{er}) Part f (pàr). Action f (syo^{n}) [com.]. v Partager (àjé). *Share-holder,* actionnaire.
sharer Participant, te.
sharing Partage m.
shark (â^{r}k) Requin m (r^{e}ki^{n}). Filou (lû) [sharper].
sharp Tranchant, te (a^{n}). Pointu, ue (pwi^{n}tü). Anguleux, euse [features]. Vif, ive [clever]. Acide. Dièse [mus.]. adv Exactement.
sharpen Aiguiser (ègùìzé) [knife]. Tailler (tâyé) [pencil]. Exciter.
sharper Filou m (fìlû).
sharpness Tranchant m [knife]. Âpreté f [taste]. Violence [pain]. Netteté f [clearness].
shatter Fracasser; détraquer. Délabrer [health].
shave (shé^{i}v) Raser (ràzé). vi Se raser. Effleurer.
shaver Barbier m (yé). Blanc-

bec [boy]. Pingre [miser].
shaving Action de raser. Copeau *m* [wood]. Rognure *f* [paper]. *Shaving-brush*, blaireau *m*.
shawl (**aul**) Châle *m*.
she (shî) Elle (èl) ; *a she-goat*, une chèvre.
shear* (shi^{er}) Tondre (**o**^{n}) [**shore, shorn*].
sheath (shî**th**) Fourreau *m*.
shed Hangar *m* (**a**^{n}gàr). Abri *m* [shelter]. *vt* Verser [tear].
sheep (îp) Mouton *m* (t**o**^{n}).
sheepish Niais, aise.
sheep-skin Basane *f* (zàn).
sheer (shi^{er}) Pur, re (**ü**) [pure]. Escarpé, ée [steep]. *n* Embardée *f*.
sheet (shît) Drap *m* (drà) [bed]. Feuille *f* (fœ^{y}) [paper, metal]. **-iron** Tôle *f*.
shelf Rayon *m* (rè^{y}**o**^{n}).
shell (shèl) Coquille *f* (kòki^{y}) [shellfish, egg, nut]. Cosse *f* (kòs) [pea]. Écaille *f* (ékà^{y}) [tortoise]. Obus *m* (bü) [artill.]. Cercueil *m* (œ^{y}) [coffin]. *vt* Écosser [peas]. Bombarder.
shell-fish Coquillage *m*.
shelling Bombardement *m*.
shelter Abri *m* (àbrî). Abriter. S'abriter.
shelve Mettre* de côté. *vi* Pencher (p**a**^{n}sh**é**).
shepherd (shèp^{e}rd) Berger.
shepherdess Bergère (jèr).
sherbet (bit') Sorbet *m*.
sherry Xérès (ké).
shew (sho^{ou}) V. SHOW.
shield (îld) Bouclier *m* (bûklì**é**). *vt* Protéger.
shift Changement *m* (sh**a**^{n}jm**a**^{n}). Faux-fuyant *m* [evasion]. Équipe *f* (ékìp) [gang]. Chemise *f*. *vt* Changer.
shifting Changeant, te (**ja**^{n}). Mouvant [sand].
shifty Retors, orse (tòr).
shilling (ì**ng**) Shilling *m*.
shin Tibia *m* (tìb^{y}à).
shine* (sha^{i}n) Briller (i^{y}**é**). Éclat *m* (éklà) [**shone*].
shingle (shìngg'l) Galet *m*.
shiny (sha^{i}) Luisant, ante.
ship *f* Vaisseau *m* (vèssô) ; navire *m* (nàvîr). *vt* Embarquer (**a**^{n}bàrk**é**). *Ship-broker*, courtier maritime. *Ship-load*, frêt *m* (frè). *Shipowner*, armateur *m*.
shipment Embarquement *m*.
shipper Expéditeur *m*.
shipping Embarquement *m*.
shipyard Chantier maritime.
shire (sha^{ier}) Comté *m*.
shirt (ërt) Chemise *f* (îz).
shiver (*i*) Fracasser. *vi* Se briser. Frissonner [tremble]. *n* Fragment *m*. Frisson *m*.
shoal (sho^{ou}l) Banc *m* (ba^{n}) [fish]. Bas-fond *m* (bâf**o**^{n}).
shock Choc *m*, commotion *f* (s^{y}**o**^{n}). *vt* Choquer (k**é**).
shocking Choquant (k**a**^{n}), te.
shod V. SHOE*.
shoe* (shou) Chausser (shô). Ferrer (fèr**é**) [horse]. *n* Soulier *m* (sûl^{y}**é**). Fer *m* (fèr) [horse-shoe] [**shod*].
shoe-black Décrotteur *m*.
shoe-maker Cordonnier *m*.
shone V. SHINE*.
shook V. SHAKE*.
shoot* (shout') Tirer (tir**é**), lancer (l**a**^{n}s**é**). Atteindre* (**i**^{n}dr) [hit]. *vi* Tirer [gun]. Pousser [plant]. *n* Pousse *f* (pûss) [plant]. Coup [*m*]

(kû) de fusil [gun]. Chute *f* (shüt) [water].
shooting Tir *m*. Chasse *f* (shàss) [of game]. Pousse *f* (pûss) [plant]. Chute *f* [water]. Fusillade *f* (ziyàd).
shop Magasin *m* (zin). Boutique *f* [shop]. Atelier *m* (lyé) [workshop].
shop-keeper Marchand, de (shan). Boutiquier, ère.
shore (shauer) Rivage *m* (àj). Étai *m* (été) [stay].
shorn V. SHEAR*.
short (shauert) Court, te (kûr, kûrt). Insuffisant, te. Cassant, ante [crisp]. Sec, sèche [curt]. *ad* Court. Brusquement.
shortcoming Insuffisance *f*.
shorten Raccourcir.
shorthand (shauert-hànd) Sténographie *f*. *Shorthand-typist* (tai), sténo-dactylo.
shortish Un peu court.
shortly Sous peu. Brièvement (briefly].
shortness Brieveté *f*. Petitesse *f* [stature].
short-sighted (sai) Myope.
shot V. SHOOT*.
shot Coup [*m*] (kû) de feu. Balle *f* (bàl) [bullet]. Boulet *m* (bûlè) [ball]. Écot *m* (ékô) [share]. *a* Changeant.
should (shoud) V. SHALL.
shoulder (shoou) Épaule *f*.
shout (aout) Cri *m*. Crier.
shove Pousser. *n* Coup *m*.
shovel (œv'l) Pelle *f* (èl).
show* (shoou) Montrer (mon). *vi* Se montrer. *n* Apparence *f*. Étalage *m*. Spectacle *m* (àkl). Exposition *f* [*shown].
show-bill Affiche *f* (îsh).
show-case Vitrine *f* (în).
shower (aouer) Averse *f*. Ondée *f* (ondé) [slight]. *vi* Pleuvoir* (vwàr). *vt* Inonder.
shower-bath (**th**) Douche *f*.
showiness (shoou) Ostentation *f*. Couleur voyante *f*.
showy Voyant, te [glaring].
shrank V. SHRINK*.
shrapnel Shrapnel *m*.
shred Lambeau *m* (lanbô).
shrew (shrou) Mégère *f* (**j**).
shrewd (oud) Rusé, ée (rü).
shrewdness Sagacité *f*.
shrewish (*ou*) Acariâtre.
shriek (îk) Cri *m*. Crier.
shrill Aigu, uë (égü).
shrimp Crevette *f*. Nain, naine *f* (nin, èn) [dwarf].
shrine (ain) Châsse *f*.
shrink* (shrìngk) Se rétrécir. *vt* Rétrécir [**shrank, shrunk*].
shrinking Rétrécissement *m*.
shrive* (shraiv) Se confesser [**shrove, shriven*].
shroud (aoud) Linceul *m* (linsœl). *vt* Ensevelir.
shrovetide Jours gras *mpl*. *Shrove Tuesday*, mardi gras.
shrub (œ) Arbuste *m* (ü).
shrug (œ) Hausser ('ôssé). Haussement [*m*] d'épaules.
shrunk V. SHRINK.
shudder (œ) Frisson *m* (on). *vi* Frissonner.
shuffle (œf'l) Mêler (mélé). *n* Confusion *f* (konfüzyon).
shuffler Fourbe; chicaneur.
shun (shœn) Éviter.
shunt (shœnt') Garer. *vi* Changer de voie.
shut* (shœt') Fermer. Se fermer (**shut, shut*].
shutter (shœter) Volet *m*

(vòlè). Obturateur *m* [phot.].
shy (a[i]) Timide (id). Sauvage (sôvàj) [animal]. Ombrageux [horse].
shyness Timidité *f*; sauvagerie *f*.
sick Malade (màlàd) : *sick headache*, migraine; *to feel* sick*, avoir* mal au cœur.
sicken Rendre malade, écœurer [to disgust]. *vi* Tomber malade.
sickly Maladif, ive.
sickness Maladie *f* : *sea-sickness*, mal de mer.
side (sa[i]d) Côté *m*; flanc *m* (a[n]). Bord *m* (bòr) [edge]. Parti *m*. Camp *m* (ka[n]) [games]. *Side-car*, side-car *m*.
sideboard (au[er]d) Buffet *m*.
sidewalk (sa[i]dwauk) Trottoir *m* (wàr) [street].
siege (sîdj) Siège *m* (s[y]èj).
sieve (siv) Tamis *m* (mî).
sift Tamiser (tàmìzé).
sigh (sa[i]) Soupir *m* (sûpìr). Soupirer.
sight (sa[i]t) Vue (ü), vision *f* (z[y]o[n]). Spectacle *m* (àkl). *vt* Apercevoir*. *vi* Viser.
sightless Aveugle (œgl).
sightly Beau, belle.
sign (sa[i]n) Signe *m* (ìñ). Enseigne *f* (a[n]sèñ) [signboard]. *vt* Signer (ñé). *-post*, poteau indicateur *m*.
signal (sig-n[e]l) Insigne (i[n]sîñ) *n* Signal *m* (ñ).
signature (g-n) Signature *f*.
signet Sceau *m* (sô).
significant Significatif.
signify (g-nifa[i]) Signifier.
silence (sa[i]l[e]ns) Silence *m* (sìla[n]s). *vt* Faire* taire.
silent (sa[i]) Silencieux, euse.
silex (sa[i]) Silice *f* (sì).
silk Soie *f* (swà).
silky Soyeux, se (yë, ëz).
sill Seuil *m* (sœ[y]) [door]. Rebord *m* (bòr) [window].
silliness Sottise *f* (ìz).
silly Sot, sotte.
silver Argent *m* (ja[n]). Argenterie *f* ([e]rî) [plate]. *a* D'argent. *vt* Argenter. Étamer [mirror]. **-smith** (th) Bijoutier, orfèvre.
silvery Argenté, ée [colour]. Argentin, ine [sound].
similar Semblable.
simile Comparaison *f* (rè).
simper Minauder.
simple (simp'l) Simple.
simpleness Simplicité *f*.
simpleton Niais, aise.
simplicity Simplicité *f*.
simplify (fa[i]) Simplifier.
simulate (you) Simuler (ü).
simultaneous Simultané.
sin Péché *m*. *vi* Pécher.
sinapism Sinapisme *m*.
since (sìns) Depuis (d[e]p[u]ì). Puisque (p[u]ìsk) [cause].
sincere (sìnsi[er]) Sincère.
sincerity Sincérité *f*.
sinew (nyou) Tendon *m* (ta[n]do[n]). Muscle *m* (ü).
sinful (sìnfoul) Coupable.
sing* (sìng) Chanter (a[n]) [**sang, sung*].
singe (sìndj) Flamber (fla[n]).
singer (sìng[er]) Chanteur, euse (sha[n]tœr, ëz).
singing Chant *m* (sha[n]).
single (singg'l) Seul, seule. Célibataire (àtèr) [unmarried]. *vt* Séparer, choisir.
single-hearted Sincère.
singly Individuellement.
singsong Chant monotone.

singular Singulier, ère.
singularity Singularité *f.*
sinister Sinistre (ìstr).
sink* (sìngk) Sombrer (soⁿ). Décliner (ìné). *vt* Enfoncer. Couler (kûlé) [ship]. Creuser (œzé) [hole]. *n* Égout *m* (égû) [sewer]. Évier *m* [kitchen] [**sank, sunk*].
sinking-fund (fœnd) Caisse [*f*] d'amortissement.
sinless Sans péché.
sinner Pécheur, pécheresse.
sip Siroter. *n* Petite gorgée.
siphon (aⁱ) Siphon *m* (si).
sir (sërʳ) Monsieur (mœsʸë).
sire (saⁱᵉʳ) Père *m.* Sire [king]. Mâle [animal].
siren (saⁱerin) Sirène *f.*
sirloin (sërloⁱn) Aloyau *m.*
sister Sœur *f* (sœr).
sister-in-law Belle-sœur *f.*
sisterly Fraternel, elle.
sit* (sit') Être* assis (àssì); s'asseoir* (àswàr). Siéger [assembly]. Poser [portrait]. Couver (kûvé) [to brood]. *To sit* down,* s'asseoir. *vt* Asseoir* [**sat*].
site (saⁱt) Emplacement *m.*
sitting Séance *f* (séaⁿs).
situate, -ated (sityou) Situé, ée (ᵘé).
situation Situation *f.*
six (siks) Six (sîss) [(sî) before a cons.].
sixteen (tîn) Seize (sèz).
sixty Soixante (swàssaⁿt).
size (saⁱz) Grandeur *f* (graⁿdœʳ). Format *m* [book]. Pointure *f* (pwiⁿtür) [shoe]. Colle *f* (kòl) [glue]. *vt* Mesurer. Coller [glue].
skate (éⁱt) Patin *m* (pàtiⁿ). Raie *f* (rè) [fish]. *vi* Patiner. V. ROLLER-SKATE.
skater Patineur (œr), euse.
skating Patinage *m.*
skein (éⁱn) Écheveau *m.*
skeleton Squelette *m* (skᵉ).
sketch Esquisse *f*; croquis *m* (kì). *vt* Esquisser.
sketching Dessin *m.*
skew (skyou) Oblique, en biais (bʸè). *n* Biais *m. vt* Mettre* en biais.
skiff Esquif *m.*
skilful Habile (ìl), adroit, te.
skilfulness Habileté *f.*
skill Adresse *f* (àdrèss).
skim Écumer (ü). Écrémer [milk]. *Fig.* Effleurer.
skimmer Écumoire *f.*
skin Peau *f* (pô). *vt* Écorcher. Peler [fruit].
skip Bond *m* (boⁿ). Bondir.
skirmish (ë) Escarmouche *f.*
skirt (ërt) Jupe *f* (jüp) [woman's]. Pan *m* (aⁿ) [of a coat]. Lisière *f* (ʸèr) [edge]. *vt* Border.
skittish Ombrageux, se.
skittle Quille *f* (kìʸ).
skulk (skœlk) Se tapir.
skull (œl) Crâne *m* (krân).
skull-cap Calotte *f* (òt).
sky (aⁱ) Ciel *m* (sʸèl).
sky-scraper (skréⁱpᵉʳ) Gratte-ciel *m* (sʸèl).
slab Dalle *f* (dàl) [stone].
slack Lâche (lâsh) [loose]. Mou, molle (mû, mòl) [weak]. V. SLACKEN.
slacken Relâcher (rᵉlâshé). Adoucir [mitigate]. Ralentir [slow down].
slackening Relâchement *m.*
slackness Relâchement *m.* Lenteur *f* [slowness]. Négligence *f.* Faiblesse *f* [weak-

ness]. Marasme *m* [trade].
slag Scorie *f* (skòrì).
slain V. SLAY.
slake (é[i]k) Étancher (**éta**ⁿ**-shé**) [thirst].
slam Faire* claquer [door].
slander Calomnie *f*. Diffamation *f* [law].
slanderer Calomniateur.
slang (àng) Argot *m* (gô).
slant Aller* en pente. *vt* Incliner (iⁿ). *n* Pente *f*.
slantwise (wa[i]z) En pente.
slap *n* Coup *m* (kû) [blow]. Claque *f* (àk), gifle *f* [on the face]. *vt* Souffleter.
slash Taillade *f* (ʸàd). *vt* Taillader.
slate (éʸt) Ardoise *f* (dwàz). Éreinter [carp].
slating (é[i]) Éreintement *m*.
slattern Souillon *f*.
slaughter Massacre (àkr). *vt* Massacrer, tuer [kill].
slaughterhouse Abattoir *m*.
slav Slave (slàv).
slave (é[i]v) Esclave (àv).
slaver Baver. Radoter [rave].
slavery Esclavage *m* (àj).
slay* Tuer (tᵘé) [**slew, slain*].
sledge Traîneau *m*.
sleek (slîk) Lisse.
sleep* (îp) Dormir*. Sommeil *m* (èʸ) [**slept*].
sleeper Dormeur, *euse*. Traverse *f* [rail.]. Wagon-lit *m*.
sleeping Endormi, *ie* : *sleeping partner*, commanditaire. *n*. Sommeil *m*.
sleeping-car Wagon-lit *m*.
sleeping-room Chambre [*f*] à coucher.
sleepless Sans sommeil.
sleeplessness Insomnie *f* (iⁿ).
sleepy (slîpi) Assoupi, *ie*.
sleet (ît) Grésil *m* (zì).
sleeve (îv) Manche *f* (aⁿsh).
sleigh (é[i]) Traîneau *m*.
sleight (a[i]t) Adresse *f*.
slender Mince (miⁿs).
slept V. SLEEP.
slew V. SLAY.
slice (a[i]s) Tranche *f* (aⁿsh).
slide* (sla[i]d) Glisser. *n* Glissement *m* (aⁿ). Glissade *f* (àd) [on the ice]. Coulisse *f* [groove]. Vue *f* [photo] [**slid, slid, slidden*].
slider (sla[i]dᵉʳ) Glisseur *m*. Curseur *m*; coulisse *f*.
sliding Mobile (ìl). *n* Glissement *m*.
slight (a[i]t) Léger, ère (*é, jèr*). *n* Mépris *m* (prì). *vt* Mépriser (ìzé).
slim (slìm) Mince (miⁿs).
slime (a[i]m) Vase *f* (âz).
slink* S'esquiver [**slunk*].
slip Glisser. Échapper [to escape]. *vt* Glisser. Lâcher [to let* go]. *n* Glissade *f* (àd). Méprise *f* [mistake]. Morceau *m* [piece]. Laisse *f* (lès) [leash]. Bouture *f* (bûtür) [plant].
slipper (pᵉʳ) Pantoufle *f*.
slippery Glissant, *ante*.
slit* Fendre (faⁿdr). *vi* Se fendre. *n* Fente *f* [**slit*].
sliver Fendre (faⁿdr). *vi* Se fendre. *n* Éclat *m* (éklà).
slobber Baver.
slogan (sloᵒᵘgᵉn) Cri [*m*] de guerre. Devise *f*, slogan *m*.
slop Mare *f* (màr) [spilled liquid]. Gâchis *m* (shì).
slope (oᵒᵘp) Pente *f* (paⁿt). *v* Pencher (paⁿ).
sloping Incliné, *ée*.

slop-pail Seau [*m*] à toilette.
slot (slòt') Rainure *f* (rènür). Fente *f* [slit].
sloth (slo^{ou}**th**) Paresse *f*.
sloucher Lourdaud, de.
sloven, -ly Négligent, ente.
slow (o^{ou}) Lent, ente (la^{n}, a^{n}t). Paresseux, euse (së, ëz) [lazy]. En retard (a^{n}r^{e}tàr) [watch]. *v* Ralentir.
slowness Lenteur *f* (la^{n}tœr). Paresse *f*.
slug Limace *f* (lìmàs').
sluggard, -gish Paresseux, se.
sluggishness Paresse *f*.
sluice (slous') Écluse *f*.
slumber (œ) Sommeil *m* (èy). *vi* Sommeiller (é^{y}é).
slump (œ) Baisse subite *f*.
slunk V. SLINK.
slur (ë^{r}) Tacher (tàshé) [to stain]. Glisser sur [to pass over]. *vi* Glisser. *n* Tache *f*.
sly (sla^{i}) Rusé, ée (rüzé).
slyness Ruse *f* (rüz).
smack Goût *m* (gû) [taste]. Claquement *m* [crack]. Claque *f* (ak) [slap]. *vt* Faire* claquer. Gifler [to slap].
small (**au**) Petit, ite (p^{e}tì).
smallness Petitesse *f*.
smart (â) Piquant, ante (ka^{n}, a^{n}t) Vigoureux, se (vìgûrë, ëz). Intelligent, ente (ja^{n}, a^{n}t). Spirituel, elle [witty]. Elégant, ante (a^{n}). *n* Douleur cuisante *f*. *vi* Cuire* (k^{u}îr) ; ressentir vivement.
smarten Attifer (àtìfé).
smarting Cuisant, ante.
smartness Vigueur *f* (œr). Elégance *f*. Vivacité *f*.
smash Fracas *m* (kà). Banqueroute *f*. *vt* Fracasser.
smear (i^{e}r) Enduire* ; salir.
smell* Sentir* (sa^{n}). *n* Odeur *f* (ôdœr) [**smelt, smelled*].
smelling Odorat *m* (rà).
smelt V. SMELL. *n* Éperlan *m* [fish]. *vt* Fondre (o^{n}dr).
smelting Fusion *f* : *smelting works*, fonderie.
smile (a^{i}l) Sourire *m* (sûrîr). *vi* Sourire*.
smirch (ë^{r}tsh) Salir.
smith (**th**) Forgeron *m* (j^{e}).
smock Blouse *f* (ûz).
smog Brouillard [*m*] chargé de fumée.
smoke (o^{ou}k) Fumée *f* (fümé). *v* Fumer.
smoker Fumeur, euse.
smokestack Cheminée *f*.
smoking-room Fumoir *m*; **-ky** Fumeux, enfumé.
smooth (ou**zh**) Uni, unie (ünì). Lisse [sleek]. *vt* Polir. Calmer [pain]. Aplanir [difficulty]. Lisser [hair].
smoothness Douceur.
smother (smœ**zh**^{e}r) Étouffer.
smug (œg) Pimpant, te.
smuggle (œg'l) Passer en contrebande. *vi* Frauder (frô).
smuggler Contrebandier.
smuggling Contrebande *f*.
smut (œt') Suie *f* [soot]. Saleté *f* (sàlté) [dirt].
smutty Sale (sàl).
snack Morceau *m* (sô).
snag Inconvénient *m*.
snail (é^{i}l) Escargot *m*.
snake (é^{i}k) Serpent *m* (a^{n}).
snap Briser (zé). Faire* claquer [whip]. Tancer [to scold]. *vi* Se casser [to break]. *n* Cassure *f* (ür) [break]. Claquement *m* (ma^{n}) [noise]. Fermoir *m* [clasp].
snapshot Instantané *m*.

snare (èer) Piège *m* (pyèj).
snarl Gronder (gron).
snatch Saisir (sèzîr). Morceau *m* [bit].
sneak (îk) Se glisser [furtivement]. Moucharder [to tell]. *n* Mouchard.
sneaking Servile. Sournois, oise [sly]. Lâche [coward].
sneer (ier) Ricaner.
sneeze (îz) Éternuer (nué). *n* Éternuement *m* (ümaп).
sniff Renifler.
snip Morceau *m*. *vt* Couper.
snob *n*, **snobbish** *a* Snob.
snooze Somme *m*. *vi* Dormir.
snore (auer) Ronflement *m* (ronfleman). *vi* Ronfler.
snort (aurt) Renâcler.
snot Morve *f*.
snotty *a* Morveux (vë), *euse*.
snout (aout) Museau *m* (müzô). Groin *m* (win) [pig].
snow (snoou) Neige *f* (nèj). *vi* Neiger. Neigeux, se.
snub (œb) Rebuffade *f* (rebüfàd). *vt* Rabrouer (ûé).
snuff (œf) Tabac *m* (bà) [à priser]. Rancune *f* (rankün) [spite]. Humer [to sniff].
snuffle (œ) Nasiller (zìyé).
snug (œg) Commode (òd) [handy]. Confortable.
so (soou) Ainsi (insi) ; *so much, so many*, tant. Donc, aussi. *conj* Pourvu que. *So-called*, soi-disant. *So-so*, comme-ci, comme-ça.
soak (soouk) Tremper (an).
soap (soouр) Savon *m* (on). *vt* Savonner. *Soap-ball*, savonnette *f*.
soapy Savonneux, *euse*.
soar (sauer) Essor *m*.
sob Sanglot *m*. *vi* Sangloter.
sober (soou) Sobre (sòbr). Tempéré, *ée*. Grave (àv) ; sensé, *ée* [sensible]. Calme *vt* Dégriser. *Fig* Calmer.
soberness, sobriety Sobriété. Modération *f*. Gravité.
sociable (sheb'l) Sociable.
social (soousheI) Social, *ale*.
socialism Socialisme *m*.
socialist Socialiste.
society (sesaiti) Société *f*.
sock Chaussette *f* (shô).
socket (it') Trou *m* (trû) [hole]. Orbite *m* [eye].
socle Socle *m*.
soda (sooude) Soude *f* (sûd). Soda *m* (sodâ) [drink].
sofa (soоufe) Canapé *m*.
soft Mou, molle (mû, môl). Tendre (tandr) [tender]. Faible (fèbl) [weak]. Doux, *douce*. *ad* Doucement.
soften (sòfen) Amollir (lîr). Ramollir [weaken]. *vi* S'amollir ; s'attendrir.
softening Attendrissement *m* [heart]. Ramollissement *m*.
softness Mollesse *f* (ès). Douceur *m* (dûssœr). Faiblesse *f*. Bêtise *f* [silliness].
soil (soil) Saleté *f* (sàlté) [dirt]. Fumier *m* (ü) [manure]. Sol *m* [ground]. *vt* Salir, souiller (sûyé).
sojourn (sòdjërn) Séjour *m* (jûr). *vi* Séjourner.
sold (soould) V. SELL.
solder Soudure *f* (sûdür). *vt* Souder (sûdé).
soldier (oouldjer) Soldat *m*.
sole (sooul) Seul, *seule* (œ). *n* Semelle *f* [shoe]. Plante *f* (plant) [foot]. Sole *f* [fish]. *vt* Ressemeler.
solely (soou) Uniquement.

solemn (lem) Solennel, elle.
solfeggio Solfège *m* (èj).
solicit Solliciter.
solicitation Sollicitation *f*.
solicitor Avoué *m* (vwé) [lawyer]; notaire. Solliciteur, euse [applicant].
solicitous Désireux, euse. Attentif, ive (an). Inquiet, ète (inkyè, èt) [anxious].
solicitude (youd') Sollicitude *f* (üd), souci *m*.
solid Massif [gold]. Solide. Unanime. Fidèle.
solidarity Solidarité *f*.
solitary (sòliteri) Solitaire.
solitude (youd) Solitude *f*.
solution (you) Solution *f* (ü).
solvability Solvabilité *f*.
solve Dissoudre* [to dissolve]. Résoudre* [explain].
solvent Dissolvant. Solvable (àbl) [com.].
some (œ) Quelques (kèlk). *pron* Quelques-uns [*f* unes] (kèlkezun, zün). **-body** Quelqu'un (un). **-how** (haou) D'une manière ou d'une autre. **-one** (wœn) Quelqu'un. **-thing** Quelque chose. **-time** (im) Autrefois. **-times** Quelquefois. **-what** Quelque peu. **-where** Quelque part.
somnolence Somnolence *f*.
son (sœn) Fils *m* (fis): *son-in-law*, gendre.
song (sòng) Chant *m* (shan).
sonorous (senaures) Sonore.
soon (soun) Bientôt (tô): *as - as*, aussitôt que.
sooner Plus tôt [earlier]. Plutôt [rather].
soot (sout') Suie *f* (sui).
sooth (south) Vérité *f*.
soothe (zh) Calmer. Flatter.
soothing Calmant. Flatteur.
soothsayer Devin *m* (devin).
sop Trempette *f*. *vt* Tremper.
sophist Sophiste.
sophisticate Frelater; blaser.
soporific Soporifique.
soppy Trempé (tranpé).
sorcerer, ess Sorcier, ère.
sorcery Sorcellerie *f* (rî).
sordid (aur) Sordide.
sore (sauer) Douloureux, se. Cruel, elle (üel) [loss]. Dur, ure (ür) [trial]. *n* Plaie *f* (plè); mal *m*.
sorrel (au) Oseille *f* (òzèy). *a* Alezan [horse].
sorrow (roou) Chagrin *m* (in). *vi* Avoir* du chagrin.
sorrowful Triste.
sorry Fâché, ée (fashé). Pauvre (pôvr) [poor].
sort (saurt) Genre *m* (janr), sorte *f* (sòrt). *vt* Assortir. Trier [letters]. *vi* S'accorder.
sortilege (idj) Sortilège *m*.
sorting Triage *m* (triàj).
sot (sot') Ivrogne *m* (òñ).
sottish Abruti, ie (àbrüti).
sough (saou) Soupirer.
sought (saut') V. SEEK.
soul (sooul) Âme *f* (âm). *All Souls' Day*, Toussaint (in).
sound (saound) Sain, aine. Solide (id). Profond, de [sleep]. *n* Son *m* [noise]. Détroit *m* [straight]. Sonde *f* (sond) [probe]. *vi* Sonner. Prononcer. Sonder [to fathom]. *- -proofing*, insonorisation *f*.
sounding Sonore (òr). *n* Sondage *m* (àj). Retentissement *m* (retan) [noise].
soundless *a* Muet. Insondable.
soundly Sainement. Solide-

ment. Profondément [sleep].
soup Potage *m* (tàj); soupe *f*. - *plate*, assiette creuse.
sour (saouer) Aigre (ègr). Aigrir (ègrîr).
source (sauers) Source *f*.
sourish Aigrelet, ette.
sourness Aigreur *f* (ègrœr).
South (saouth) Sud *m* (üd). Midi *m* [of a country].
southerly, -ern Méridional.
southward Vers le Sud.
sovereign (sòverìn) Souverain, aine (suvrin, èn).
sovereignty Souveraineté *f*.
sow (saou) Truie *f* (truì).
sow* (soou) Semer (semé) [**sowed, sown*].
sower Semeur, euse.
sowing Semailles *fpl* (ày).
spa Ville [*f*] d'eaux.
space (éis) Espace *m* (às); étendue *f*. *vt* Espacer.
spacious (éish) Spacieux, se.
spade (éid) Bêche *f* (esh). Pique *m* (pik) [cards].
Spain (éin) Espagne (àñ).
span Empan *m* (an) [mesure]. Envergure *f* (ür) [wings]. *vt* Mesurer (mezüré).
spangle Paillette *f* (yèt).
spaniard Espagnol, le (ñol).
spaniel Épagneul *m* (ñœl).
Spanish Espagnol, ole.
spanner Clef anglaise *f*.
spardeck Pont volant *m*.
spare (spèer). Épargner (ñé) [to save]. Ménager [economize]. Prêter [to lend]. *a* Disponible [available]; - *-time*, loisirs *mpl*. Maigre (mègr) [lean, poor].
sparing Économe (ékònòm).
spark (ârk) Étincelle *f* (insèl).
sparking Allumage *m*.
sparkle Étinceler. Pétiller (tiyé), mousser (mûssé)
sparkling Étincelant, ante. Mousseux, se [wine].
sparrow (oou) Moineau *m*.
spasm Spasme *m* (àsm).
spat V. SPIT.
spats *pl* Guêtres *fpl* (gètr).
spatter Éclabousser (bûsé).
speak* (îk) Parler. Dire* [word]; prononcer [speach] [**spoke, spoken*].
speaker Orateur. President [Chambre des Communes].
speaking Discours *m* (kûr).
spear (ier) Lance *f* (lans) [fighting]. Harpon *m* [arpon) [fishing].
special, e (esh'l) Spécial, ale Particulier, ère (kü) [letter].
specialist (ìshe) Spécialiste.
speciality Spécialité *f*.
specie (ishi) Espèces *fpl* (es).
species (iz) Espèce *f*.
specification Description *f*. Devis *m* [estimate].
specify (fai) Spécifier.
specimen Specimen *m* (èn).
speck Tache *f* (tàsh).
speckle Tacheter.
spectacle (tekl) Spectacle *m* (tàkl). *pl* Lunettes *fpl*.
spectator Spectateur, trice.
spectre (spekter) Spectre *m*.
spectrum Spectre *m* (èktr).
speculation (kyouléishen) Spéculation *f*. Réflexion *f*.
speculator Spéculateur.
sped. V. SPEED.
speech (itsh) Parole *f* (òl). Discours *m* (kûr). Plaidoirie *f* (wàrî) [barrister's].
speed* (îd) Expédier [send]. Hâter [hasten]. *n* Vitesse *f*. - *-boat*, hors-bord *m*.

speedily Promptement (ma^{n}).
speediness Hâte *f*, rapidité *f*.
speedy Prompt, ompte (o^{n}, o^{n}t), rapide.
spell* Épeler (ép^{e}lé). Orthographier (f^{y}é). Découvrir*. Signifier. Demander. *n* Charme *m*, sortilège *m*. Temps *m* (ta^{n}) [time]. Tour *m* (tûr) [turn]. **-ing** Orthographe *f* [**spelt* (*spelled*)].
spelter Zinc *m* (zi^{n}g).
spend* (ènd') Dépenser (a^{n}) [money]. Épuiser (épuizé) [exhaust]. Passer [time] [**spent*].
spendthrift (**th**) Prodigue.
spent. V. SPEND.
spew (you) Vomir.
sphere (sfi^{er}) Sphère *f* (èr).
sphinx Sphinx *m* (i^{n}ks).
spice (a^{i}s') Épice *f*. Épicer.
spicy (a^{i}si) Épicé, *ée*.
spider (a^{i}) Araignée *f* (ñé).
spike (a^{i}k) Pointe *f* (wi^{n}t). Clou *m* (klû) [nail]. Épi *m*. *vt* Clouer (klûé).
spill Renverser (ra^{n}). *n* Allumette *f* [for lighting].
spin* (ìn) Filer (fìlé). Débiter [story]. *vi* Tourner [**spun* (*span*), *spun*].
spinach (nidj) Épinards *mpl*.
spindle Fuseau *m* (füzô). Pivot *m* (pìvô). Essieu *m* [axle].
spinner Fileur, se (fìlœr, ëz). Filateur [mill-owner]. **-ing-mill** Filature *f* (ür).
spinster Fille *f* (fì^{y}).
spiral (spa^{i}r^{e}l) Spiral, *ale*. *n* Spirale *f*.
spire (spa^{ier}) Spire *f* (spìr). Flèche *f* (sh) [steeple]. Pointe *f* (pwi^{n}t).
spirit Esprit *m* (prì) [soul, mind]. Spiritueux *m* [liquor]. Ardeur *f* (àrdœr). Entrain *m* [high spirits]. Fougue *f* (fûg) [horse]. *High spirits*, belle humeur, entrain *m*; *spirits of wine*, esprit de vin; *in low* [*high*] *spirits*, déprimé, [exalté].
spirited Animé, *ée*. Fougueux (fugé), *euse* [horse].
spiritual (you^{e}l) Spirituel, elle (^{u}el). **-tualism** Spiritualisme *m* [phil.]. Spiritisme *m* [medium].
spirituous (tyou^{e}s) Spiritueux, euse (^{u}ë, ëz).
spit* (spit') Cracher (shé). *n* Crachat *m* (shà) [**spit*].
spit Broche *f* (bròsh).
spite (a^{i}t) Rancune *f* (ün).
spiteful Rancunier, ère.
spitting Crachement *m*.
spittle Crachat *m* (shà).
spittoon Crachoir *m* (wàr).
splash Éclabousser (ûssé). Éclaboussure *f* (ür). Clapotement *m* [noise].
splashing Éclaboussement *m*.
splay (é^{i}) Étendre (a^{n}dr).
spleen (splîn) Rate *f* (ràt) [gland]. Haine *f* ('èn) [spite]. Mélancolie *f*.
spleenish,-eeny Fielleux, *euse*.
splendid Resplendissant, te; splendide (a^{n}).
splendour Splendeur *f* (œr).
splenetic Mélancolique.
splint Éclat *m* (klà).
split* Fendre (fa^{n}dr), diviser [divide]. *vi* Se fendre. Éclater. *n* Fente *f* [**split*].
spoil (o^{i}l) Butin *m* (büti^{n}) [booty]. Pillage *m* (pi^{y}àj). *vt* Gâter [child, goods]. Abîmer [to waste].

spoke. V. SPEAK. *n* Rayon *m*.
sponge (œndj) Éponge *f* (o^{n}j). *vt* Éponger (*jé*).
spontaneous (é^{i}nye^{s}) Spontané, *ée*. **-neity** Spontanéité *f*.
spool Bobine *f* (bìn).
spoon (oun) Cuiller *f* (k^{u}iyèr). *Table spon,* cuiller à soupe; *tea-spoon,* cuiller à café. *vi* Roucouler.
spoonful Cuillerée *f*.
sponge-bath Tub *m* (tœb).
spoony Nigaud *m* (gô).
sport (au^{r}t) Jeu *m* (jë) [play]. Sport *m* (spòr) [racing]. Raillerie *f* (ra^{y}rî) [mocking]. *vi* Folâtrer amoureusement.
sporting Chasse *f*, sport *m* [racing]. *a* Sportif, *ive*.
sportive Enjoué, *ée*.
sportiveness Enjouement *m*.
sportsman Chasseur *m* (œr) [hunter]. Sportsman *m*.
spot (spòt') Tache *f* (àsh). Place *f* (plàs). *ad* Sur place. *vt* Tacheter. Tacher [stain].
spouse (a^{ou}z) Époux, *ouse*.
spout (a^{ou}t) Gouttière *f* [rain-water]. Jet *m* (*jè*). *vt* Lancer. *vi* Jaillir (jà^{y}ir) [to gush].
spouting Jaillissement *m*.
sprain (é^{i}n) Foulure *f* (fûlür) [wrist]; entorse *f* (a^{n}tòrs) [ankle]. *vt* Fouler (fûlé).
sprang. V. SPRING.
spray (spré^{i}) Branche *f*, brindille *f* (i^{y}) [twig]. Embrun *m* [sea]. Vaporisateur *m*. *vt* Vaporiser.
sprayer Vaporisateur.
spread* (sprèd) Étendre (éta^{n}dr) [stretch]. Répandre (a^{n}dr) [scatter]. *vi* S'étendre. *n* Étendue *f* (dü). Progrès *mpl* [**spread*].
sprightliness Vivacité *f*.
sprightly Vif, *vive*.
spring* (ìng) Bondir (o^{n}). Jaillir (jà^{y}ir) [gush]. Pousser [grow]. Venir* [to come]. *vt* Faire* jaillir. *n* Bond *m* (bo^{n}), élan *m* (a^{n}) [bound]. Ressort *m* (r^{e}sòr) [steel]. Source *f* (sûrs) [water]. Origine *f* (jìn). Printemps *m* (pri^{n}ta^{n}) [season] [**sprang, sprung*].
springlike (a^{i}k). Printanier.
springy (ng) Élastique (tik).
sprinkle (ìngk'l) Arroser (àròzé). Asperger (*jé*). Saupoudrer [powder].
sprinter Coureur de vitesse.
sprite (a^{i}t) Lutin *m* (i^{n}).
sprout (a^{ou}t) Pousse *f* (pûss). *vi* Pousser.
spruce (ous') Pimpant, e. *n* Sapin *m* (i^{n}). *vt* Attifer.
sprung. V. SPRING.
spume (youm) Écume *f* (üm).
spun. V. SPIN.
spur (ë) Éperon *m* (épro^{n}). Ergot *m* [cock]. Aiguillon *m* [sting]. *vt* Éperonner.
spurious Faux, *fausse* (fô, ôs).
spurt (ë) Jaillir (jà^{y}ir). *vt* Faire* jaillir. *n* Jaillissement *m*.
sputter (spœte^{r}) Cracher (shé). Bredouiller [stammer].
spy (spa^{i}) Espion, *onne* (y^{o}n, òn). *vt* Apercevoir [see]. Épier [watch]; espionner.
squabble (wòbl) Querelle *f* (k^{e}rèl). Se chamailler.
squad (òd) Escouade *f* (wàd).
squadron (skwò) Escadron *m* (o^{n}) [cavalry]. Escadre *f* (àdr). [mar.]. Escadrille *f* (i^{y}) [air force].

squall (waul) Cri *m* (krì) Grain *m* (grin) [storm]. *vi* Brailler (âyé).
squalling Criaillerie *f*. *a* Braillard (yar), arde.
squander (wòn) Gaspiller.
square (wèer) Carré, ée Réglé, ée [settled]. Équitable (ki) [fair]. *n* Carré *m*. Équerre *f* (ékèr) [instrum.]. Carreau *m* (rô) [glass]. Case *f* (kâz) [chess]. *vi* Cadrer.
squash (wosh) Écraser. *n* Écrasement *m*. Gourde *f* [pumpkin].
squat (wot') Accroupi, ie [sitting]. Trapu, ue (pü). *vi* S'accroupir.
squatter Colon *m*.
squeak (wik) Grincer (insé) [machine]. *n* Grincement *m*.
squeal (wîl) Cri *m*. Crier.
squeamish (wi) Dégoûté, ée.
squeeze (îz) Serrer. Extorquer [money]. *vi* Se serrer.
squint (wìnt') Loucher (lû).
squire (waier) Écuyer (éküyé) [esquire]. Châtelain [country squire].
squirm (wërm) Se tortiller.
squirrel (wi) Écureuil *m*.
squirt (skwërt) Lancer (lansé). *vi* Jaillir (jàyir).
stab Coup [*m*] de poignard. *vt* Poignarder (pwàñàrdé).
stability Stabilité *f*.
stabilize (aiz) Stabiliser.
stable *a* (éibl) Stable (àbl). *n* Écurie (ürì). *v* Loger.
stack Meule *f* (mœl) [hay]. Pile *f* (pil) [wood]. Faisceau *m* (fèssô) [arms]. *vt* Mettre* en meules. Empiler.
staff Bâton *m* (on) [stick]. Hampe *f* ('anp) [flag]. Soutien *m* (sûtyin) [support]. Mire *f* (mir) [survey]. Portée *f* [mus.]. État-major *m* [mil.]. Personnel *m* [com.].
stag Cerf *m* (sèr).
stage (éidj) Estrade *f* (àd). [platform]. Scène *f* (sèn) [theat.]. Étape *f* [journey]. Degré *m*.
stagger (stager) Chanceler.
stagnant (ag-nent) Stagnant.
stain (éin) Tache *f* (àsh). Souillure *f* (sûyür) [disgrace]. Couleur *f* (kûlœr) [paint]. *vt* Tacher [soil]. Teindre* (tindr) [paint].
stair (èer) Marche *f* (àrsh). *pl* Escalier *m*: *to come* downstairs*, descendre l'escalier.
staircase (éis) Escalier *m*.
stake (éik) Pieu *m* (pyé) [stick]. Poteau *m* (pòtô) [post]. Enjeu *m* (anjë) [wager]. *vt* Parier [to bet].
stale (éil) Rassis (sî) [bread]. Éventé, ée [liq.]. Périmé.
stalk (auk) Tige *f* (tij) [stem]. Démarche fière *f* *vi* Marcher fièrement.
stall (aul) Stalle *f* (àl) [church]. Étable *f* [cattle]. Écurie *f* (ü) [horse]. Boutique *f* [shop]. Étalage *m*. Étal *m* [meat].
stallion (stàlyen) Étalon *m*.
stammer Bégayer (bégèyé).
stammerer Bègue (bèg).
stamp Frapper du pied. Imprimer (in) [to impress]; marquer (ké). Poinçonner [to hall mark]. Timbrer [letters, documents]. Plomber [customs]. *n* Coup [*m*] de pied [with foot], trépignement *m*. Empreinte *f*

(a^{n}pri^{n}t) [mark]. Poinçon *m* (pwi^{n}so^n) [instrument]. Timbre *m* (i^n) [on documents]. Timbre, timbre-poste *m* [on letters]. Estampille *f* (pi^y) [com.]. *Fig.* Marque *f* (àrk) ; cachet *m*.

stamping Timbrage *m* (àj).

stanch (ànstsh), **staunch** (auntsh) Solide (ìd). Étanche [water-tight].

stand (stànd) Se tenir* debout (d^{e}bû) ; se tenir*. Se placer [situated]. Rester [remain]. Durer (düré) [to last]. Exister. Stationner (s^{y}òné) [cabs]. Faire* halte [mil.]. *To - back,* reculer; *to - by,* assister à ; *to - fast,* tenir* bon ; *to - for,* tenir* la place de, signifier ; *to - forth,* s'avancer; *to - up,* se lever. *vt* Mettre* debout. Endurer (a^{n}dü) [bear]. Résister [*stood] *n.* Station *f.* Arrêt *m* (rè) [stop]. Situation *f* (^{u}às^{y}o^n), place *f* (às). Estrade *f* (àd) [platform]. Stand *m* (a^{n}d) [exhibitions]. Étalage *m* (àj) [stall]. Support *m.* *Standpoint,* point [*m*] de vue. *Stand-still,* arrêt complet *m.*

standard (d^{e}rd) Étendard *m* [flag]. Étalon *m* [model]. Type *m* (tìp). Titre *m* [gold, silver]; *- of living,* niveau [*m*] de vie. *a* Réglementaire. Classique [book]. Définitive [edition].

standing (stàndìng) Debout. Régulier, ère [regular]. Établi, ie [established]. Courant [account]. Permanent, ente [army]. *n* Station debout *f.* Position *f.* Rang *m* [rank].

staple (é^{i}pl) Établi, ie [established]. Principal, ale [commodity]. *n* Produit principal *m.* Fond *m* (fo^n) [chief matter].

star Étoile *f* (wàl). *vt* Étoiler.

starboard (b^{e}rd) Tribord *m.*

starch (â^{r}tsh) Amidon *m* (o^n). Fécule *f* (ül) [food]. *vt* Amidonner, empeser (a^{n}p^e).

starchy Empesé, ée.

stare (è^{e}r) Écarquiller les yeux. *To - at,* dévisager. *n* Regard fixe *m.*

stark *ad* Complètement.

starling Étourneau *m.*

starred, starry Constellé.

star-spangled Étoilé, ée.

start Tressaillir* (à^{y}ir). Se mettre* en route [set out]. Commencer (a^{n}sé) [begin]. Sauter (sô) [jump]. Se détacher [come off]. *To start again,* recommencer; *to start up,* se dresser, sursauter. *vt* Faire* partir [let off]. Réveiller [rouse]. Mettre* en train [project]. Mettre* en marche [machine]. *n* Tressaillement *m* [motion]. Commencement *m.* Départ *m* (àr). Saut *m* (sô) [jump].

starter Promoteur *m.* Starter [race]. Démarreur *m* [mot.]

starting. V. START.

startle Faire* tressaillir.

startling Surprenant, te.

starvation (é^i) Faim *f* (fi^n).

starve (stâ^{r}v) Mourir* de faim. *vt* Affamer.

starving Affamé, ée.

state (é^{i}t) État *m* (étà). Apparat *m* (à) [pomp].

a D'état. *vt* Déclarer.
stateless Apatride.
stateliness Majesté *f*.
stately Majestueux (uë), se.
statement Exposé *m*.
statesman Homme d'État.
station (éishen) Station *f* (syon). Gare *f* (gàr) [rail]. Poste *m* (post) [signal]. *vt* Poster [mil.], placer.
stationary Stationnaire.
stationer Papetier, ère.
stationery Papeterie *f* (trî).
statuary (tyou) Statuaire.
statue (àtyou) Statue *f* (tü).
stature (sher) Stature *f*.
status (éites) Position *f*.
statute (stàtyout') Statut *m*.
staunch. V. STANCH.
stave (éiv) Douve *f* (dûv) [cask]. *vt* Défoncer.
stay* (éi) Rester. *vt* Arrêter [to stop]. Empêcher [to prevent]. Apaiser [hunger]. Étayer (étèyé). *n* Séjour *m* (jûr). Obstacle *m* (àkl). Appui *m* [support]. Étai *m* [prop]. *Stay-at-home,* casanier, ère. [**staid*].
stayer Soutien *m* (sûtyin). Coureur de fond.
stays Corset *m* (kòrsè).
stead (stèd) Place *f* (plàs).
steadfast Ferme.
steadily Fermement.
steadiness Fermeté *f*.
steady (è) Ferme (fèrm). Sérieux, euse [well-behaved]. Régulier, ère. *vt* Affermir. Assujettir [to fasten].
steak (éik) Tranche *f*; bifteck *m* [beefsteak].
steal* (îl) Voler [**stole, stolen*]. Se glisser.
stealer Voleur, euse.
stealth (èlth) Dérobée *f*.
stealthy Furtif, ive (ür).
steam (îm) Vapeur *f* (œr). *vi* Lancer de la vapeur. S'évaporer [to pass in steam]. *Steam-boat, steam-ship,* bateau [*m*] à vapeur. *Steam-engine,* machine à vapeur.
steamer (stimer) Vapeur *m*.
steed (îd) Coursier *m* (yé).
steel (stîl) Acier *m*. *Steel-wool,* éponge métallique *f*. *Steel-works,* aciérie *f* (ri).
steep (îp) Escarpé, ée. *n* Pente [*f*] raide.
steeple (îp'l) Clocher *m* (shé). *Steeple-chase,* course au clocher; steeple-chase *m*.
steer (ier) Diriger [ship].
steerage (idj) Avant *m* (an).
stem Tige *f* (tij). Étrave *f* [mar.]. Refouler.
stench Puanteur *f* (üantœr).
stencil Pochoir *m* (shwàr).
stenographer Sténographe.
step Pas *m* (pâ). Marche *f* (àrsh) [stair]. Degré *m*. Marchepied *m* [carriage]. *pl* Échelle *f* (shèl) [ladder]. Marchepied *m* [stepladder]. Perron *m* (on) [flight of steps]. *To take* a step,* faire* une démarche. *vi* Faire* un pas. *To step aside,* s'écarter; *to step back,* retourner; *to step in,* entrer.
stepbrother Beau-frère.
stepdaughter Belle-fille.
stepmother Belle-mère.
stepfather Beau-père.
stepson Beau-fils.
sterile (ail) Stérile (ìl).
sterility Stérilité *f*.
sterling (stër) Sterling (èr).
stern (ë) Sévère (èr). *n* Poupe

f (pûp), arrière *m*.
sternness Sévérité *f*.
stevedore (stîvidauer) Arrimeur *m* (œr) ; débardeur *m*.
stew (you) Ragoût *m* (gû). *vt* Cuire* à l'étouffée [meat]; sauter [slightly].
steward (styou). Intendant *m* (intandan). Maître d'hôtel. Économe *m* [college]. Commis aux vivres [ship]. Garçon *m* (son) [waiter]. **-wardess** Femme de chambre.
stick* Piquer (ké) [prick]. Percer (sé) [pierce]. Coller [glue]. *vi* Se fixer. *n* Bâton *m* (on). Canne *f* (kàn) [walking-stick]. Baguette *f* (gèt) [wand] [**stung*].
stickiness Viscosité *f*.
sticking-plaster Taffetas [*m*] d'Angleterre.
sticky Gluant, te (üan, ant).
stiff Raide (rèd). Ankylosé, ée [bone]. Fort, te [strong]. Entêté, ée [stubborn]. Guindé, ée (gindé) [affected].
stiffen Raidir. Durcir.
stiff-neck Torticolis *m* (kòlì).
stiffness Raideur *f* (œr).
stifle (aif'l) Étouffer (étûfé).
stiletto Stylet (ìlè) *m*.
still Silencieux, euse (sìlansyë, ëz) [silent]. Immobile (òbil) [motionless]. *n* Alambic *m* (àlan). *vt* Calmer. *ad* Encore (ankòr). Toujours [ever]. *Still-born*, mort-né.
stillness Calme *m*.
stilt Échasse *f* (às).
stimulate (myou) Stimuler.
sting (ìng) Piquer (pìké). *n* Dard *m* (dàr). Piqûre *f* [pricking]. Pointe *f* (pwint).
stinginess (dj) Avarice *f*.
stingy (dji) Ladre (làdr).
stink (ìngk) Puer (püé), empester. Puanteur *f* (tœr) [**stank, stunk*].
stint (int) Limiter. Lésiner sur. *n* Restriction *f*.
stipend (stai) Salaire *m*.
stipple Pointiller (pwintiyé).
stipulate (pyou) Stipuler.
stipulation Stipulation.
stir (stër) Remuer (remué). Exciter. Attiser [fire]. *n* Mouvement *m* (mûvman).
stirrup Étrier *m* (étrìé).
stitch Point *m* (pwin). Maille *f* (may) [knitting]. *vt* Piquer (ké) ; brocher [books].
stock Souche *f* (sûsh) [tree, family]. Bûche *f* (üsh) [log]. Manche *m* (ansh) [handle]. Giroflée *f* [flower]. Stock *m* [stores]. Rentes *fpl* (rant). Actions *fpl* [shares]. Chantier *m* (shantyé) [yard]. *Live stock*, bétail *m*. *vt* Approvisionner. *Stock-broker*, agent de change. *Stock-Exchange*, Bourse *f*.
stock-fish Morue salée *f*.
stocking Bas *m* (bâ).
stock-raising Élevage *m*.
stock-taking Inventaire *m*.
stoic, stoical Stoïque (ìk).
stoker (stooukеr) Chauffeur.
stole, stolen. V. STEAL.
stomach (œmek) Estomac *m* (mà). *vt* Digérer. *Stomach-ache*, colique *f*.
stone (ooun) Pierre *f* (pyèr). Grès *m* (grè) [sandstone]. Noyau *m* (nwàyô) [fruit]. Poids de 14 livres. *vt* Lapider. Empierrer [road]. *Stone-coal*, anthracite *m*.
stoneware (wèer) Grès *m*.

stonework Maçonnerie *f*.
stood. V. STAND.
stool (oul) Tabouret *m* (tàbûrè). *To go* to stool,* aller à la selle.
stoop (oup) Se pencher (aⁿ).
stop Arrêter (àrèté). Empêcher (aⁿpèshé) [prevent]. Plomber [teeth]. *Stop thief!* au voleur! *vi* S'arrêter. *n* Arrêt *m*. *Full stop,* un point.
stoppage Arrêt *m*. Retenue *f* [salary].
stopper Bouchon *m* (bûshoⁿ).
storage (au) Emmagasinage *m*. - *battery,* accumulateur *m*.
store (auᵉʳ) Provision *f*. Entrepôt *m* [warehouse]. Magasin *m* (àziⁿ) [shop]. - *house,* magasin *m*; dépôt *m*.
stork (auʳk) Cigogne *f* (òñ).
storm (auʳm) Orage *m* (òràj), tempête *f* (taⁿpèt). Assaut *m* (assô) [mil.]. *vt* Prendre* d'assaut. *vi* Tempêter.
stormy Orageux, euse (jë, z).
story (auri) Histoire *f* (wàr). Reportage *m*. Mensonge *m* [lie]. Étage *m* [floor]. *Story teller,* conteur, euse.
stout (aᵒᵘᵗ) Fort, te. Gros, osse [corpulent]. *n* Bière brune *f*.
stoutness Embonpoint *m* (pwiⁿ). *Fig.* Fermeté *f*.
stove. V. STAVE. *n* Poêle *m* (pwàl). Fourneau *m* (fûrnô).
stow (oᵒᵘ) Arranger (aⁿjé). Arrimer [mar.].
straggle Rôder.
straggling Écarté, ée.
straight (éⁱt) Droit, te (wà, àt). *ad* Droit, directement. Immédiatement.
straighten Redresser.
straightway Sur-le-champ.
strain (éⁱn) Tendre (taⁿdr) [stretch]. Forcer [to overtask]. Filtrer [liquid]. *n* Tension *f*; surmenage *m*.
strainer Passoire *f* (wàr).
strait (éⁱt) Étroit (wà), te. *n* Détroit *m* [pass]. Col *m* [mountains]. Gêne *f* (jèn) [distress].
straiten Rétrécir.
strand Grève *f* (èv). *vi* Échouer (éshûé).
strange (éⁱndj) Étrange (aⁿj) [queer] Étranger, ère (jé, èr) [unknown].
strangeness Étrangeté *f*.
stranger Étranger, ère.
strangle (ànggl) Étrangler.
strap Courroie *f* (kûrwà). *vt* Boucler (bûklé).
stratagem Stratagème *m* (j).
straw (au) Paille *f* (payʸ).
strawberry Fraise *f* (frèz).
stray (éⁱ) Égaré, ée. Épave *f* (àv). *vt* Égarer.
streak (ik). Raie *f* (rè). *vt* Rayer (rèʸé).
stream (im) Courant *m* (kûraⁿ) [current]. Cours [*m*] d'eau [river]; ruisseau *m* [brook]. *vi* Couler (kûlé). Flotter [flag].
street (ît') Rue *f* (rü).
strength (èngth) Force *f*.
strengthen (th) Fortifier.
strenuous Énergique (jik).
stress Force *f* (fòrs). Accent *m* (aksaⁿ). Violence *f* (vʸòlaⁿs) [weather]. *vt* Accentuer (tᵘé).
stretch Étendue *f* (aⁿdü) [space]. Tension *f* (taⁿsʸoⁿ). *vt* Tendre (taⁿdr). Étendre [to spread]. *vi* S'étendre.
stretcher Brancard *m* (àr).

strew (strou) Semer (s^e^mé) [*strewed, strewn].
stricken Frappé, ée.
strict Strict, icte.
stride* (aid) Enjamber. *n* Enjambée *f* (anjanbé) [*strode, stridden].
strife (aif) Lutte *f* (lüt).
strike* (aik) Frapper. Porter [blow]. Sonner [clock]. Saisir (sèzir) [to seize]. Frotter [a match]. Trouver (trû) [find]. Conclure (konklür) [bargain]. *vi* Frapper. Baisser pavillon [flag]. Faire* grève. Sonner [clock]. *n* Grève [*struck].
striker (ai) Gréviste. Percuteur *m* (kütœr) [instrument].
striking Frappant, ante.
string* (ing) Tendre (tandr) [stretch]. Enfiler (an) [beads]. *n* Corde *f* (kòrd), ficelle *f* (sèl). Fil *m* [thread]. Cordon *m*, lacet *m* [shoe]. Ruban *m* (ruban) [ribbon] [*strung].
strip Bande *f* (band). Lanière *f* [leather]. *vt* Dépouiller.
stripe (aip) Raie *f* (rè). Galon *m* (lon) [mil.]. *vt* Rayer.
strive (aiv) S'efforcer. Lutter [struggle] [*strove, striven].
stroke (oouk) Coup *m* (kû). Trait *m* (trè) [dash]. Brasse *f* [swimming]. Attaque *f* (àtàk) [fit]. *vt* Tapoter; caresser (kàrèsé).
stroll (ooul) Errer, se promener. *n* Promenade *f* (àd).
stroller Flâneur, euse.
strolling Ambulant, ante.
strong (òng) Fort, te (òr, òrt). *ad* Fort. Solide. *Strong-box*, coffre-fort *m*.
strop Cuir *m* (kuir) [à rasoir]. Repasser.
strove. V. STRIVE.
struck. V. STRIKE.
structure (œ) Structure *f*.
struggle (œg'l). Lutte *f*. Lutter (lüté).
strung. V. STRING.
strut (œt') Se pavaner.
stub (œb) Souche *f* (sûsh).
stubborn Têtu, ue (tétü).
stubbornness Opiniâtreté *f*.
stucco (stœ) Stuc *m* (ü).
stuck. V. STICK.
stud (œ) Bouton *m* (bûton) [button]. Clou *m* (klû) [knob]. Écurie *f* (éküri). *vt* Clouter. *Fig.* Semer.
student (you) Étudiant, te.
studio (styoudyoou) Atelier *m* (àtelyé).
studious (you) Studieux, euse (üdyë, ëz). Soigneux, euse (swàñë, ëz) [careful]. Empressé, ée (officious].
study (stœdi) Étude *f* (üd). Attention *f* (àtansyon). Soin *m* (swin) [care]. Cabinet de travail [room]. *vi* Étudier.
stuff (œf) Étoffe *f* (òf) [fabric]. Matière *f* (tyer) [material]. Drogue *f* (òg) [drug]. Camelote *f* [trash]. Bêtise *f* [nonsense]. *vt* Rembourrer (ranbûré). Bourrer [to cram]. Farcir [cook]. *vn* Se bourrer.
stuffer Empailleur (payœr).
stuffing Bourre *f* (bûr) [stuff]. Farce *f* (àrs) [cook].
stumble (œmb'l) Faux pas *m*. *vi* Trébucher; broncher.
stump (œ) Tronçon *m* [pillar]. Souche *f* (sûsh) [root]. Moignon *m* (mwàñon) [limb].
stun (stœn) Étourdir

stunning (stœ) Épatant, ante.
stung. V. STING.
stunk. V. STINK.
stupefaction Stupéfaction.
stupefy (you) Stupéfier.
stupendous Prodigieux, se.
stupid Stupide (stüpid).
stupidity Stupidité *f*.
stupor (youp[e]r) Stupeur *f*
sturdy (ë[r]) Vigoureux, se.
sturgeon (ë[r]dj) Esturgeon.
stutter (œ) Bégayer (gèyé).
stutterer Bègue (bèg).
stuttering Bégaiement (gè).
sty (sta[i]) Étable *f*. Orgelet *m* [eyelid].
style (a[i]l) Style *m* (stîl). Titre *m* (titr) [title].
stylish (sta[i]) Chic (shik).
subaltern Subalterne.
subdivide (sœbdiva[i]d) Subdiviser. *vi* Se subdiviser.
subdue (s[e]bdyou) Subjuguer.
subject Assujetti, ie (süjétî). Sujet, ette (süjè) [liable]. *n* Sujet, ette [of a king]. Question *f*. *vt* Assujettir.
subjection Sujétion *f*.
subjoin (dj) Joindre (jwi[n]dr).
subjugate (djou) Subjuguer.
subjunctive (sœbdjœnktiv) Subjonctif *m* (sübjo[n]ktif).
sublime (a[i]m) Sublime (ìm).
submarine ([e]rìn). Sous-marin *m* (sûmàri[n]); submersible.
submerge (ë[r]dj) Submerger.
submission (sh) Soumission.
submissive Soumis (ì), ise.
submit (it') Soumettre*. Se soumettre* (sûmètr).
subordinate (bau[r]) Subordonné. *vt* Subordonner.
suborn (aurn) Suborner.
subscribe (a[i]b) Souscrire*. S'abonner [paper].
subscriber (a[i]) Souscripteur. Abonné, ée [paper].
subscription Souscription *f*. Abonnement *m* [paper].
subserve Aider (èdé); servir*.
subside (a[i]d) S'affaisser [sink]. Se calmer [quiet].
subsidy (sœb) Subside *m* (id)
subsist Subsister.
subsistence Subsistance *f*.
subsoil Sous-sol *m* (sûsòl).
substance (œb) Substance *f* (sübsta[n]s). Avoir *m* (àvwàr), bien *m* [wealth].
substantial (sh'l) Substantiel, elle. Riche (rish). Matériel, elle [evidence].
substantive Substantif *m*.
substitute (yout') Substituer. *n* Substitut *m* (tü).
substitution Substitution.
subterfuge Subterfuge *m*.
subterranean, -neous (é[i]ny[e]n, é[i]ny[e]s) Souterrain, aine.
subtilize Raffiner.
subtility Subtilité *f*.
subtle, subtil (sœ) Subtil.
subtract Retrancher (a[n]shé). Soustraire* [math.].
subtraction Soustraction *f*.
suburb (ë[r]b) Faubourg *m* (fôbûr). Banlieue *f* (ba[n]lyë).
suburban Suburbain, aine.
subvention Subvention *f*.
subvert Renverser (ra[n]).
subway (sœbwé[i]) Souterrain *m*. Métro *m* [Am.].
succeed (s[e]ksîd) Succéder à (ü). Réussir (éü) [to be successful].
succeeding Suivant (ü[i]).
success Succès *m* (süksé).
successful Heureux, euse.
succession Succession *f*.
successive Consécutif, ive.

successor (sœk) Successeur.
succint (ingt) Succint, te.
succour (sœker) Secours *m* (sekûr). *vt* Secourir*.
succulent (kyou) Succulent.
succumb (sekœm) Succomber.
such (sœtsh) Tel, elle. Si; aussi. *Such as*, ceux qui.
suck (sœk) *va* Sucer (süsé). Têter [milk]. Aspirer. Absorber. Boire*. *vi* Sucer. Têter. Aspirer.
suckle Allaiter (àlèté).
suckling Allaitement *m*. Nourrisson *m* (nûrisson) [infant].
suction (sœksh) Succion *f*.
sudden (sœ) Soudain, aine.
suddenly Soudain (sûdin).
suds (sœdz) Eau de savon.
sue (syou) Poursuivre*.
suet (syout') Graisse *f* (ès) [beef]. Suif *m* [mutton].
suffer (sœ) Souffrir* (sûfrir). Subir (sü) [undergo]. Permettre*. *vi* Souffrir.
sufferable Tolérable.
sufferer Patient, ente (syan, ant). Victime *f*.
suffering Souffrance *f*. Souffrant, ante.
suffice (sefais) Suffire *à*.
sufficiency Suffisance *f*. Aisance *f* [competence].
sufficient Suffisant, ante.
suffocate (sœ) Étouffer.
suffocation Étouffement *m*.
suffragan Suffragant.
suffrage (sœ) Suffrage *m*.
sugar (shou) Sucre *m* (ü). *Castor sugar*, sucre en poudre. *Sugar basin, bowl*, sucrier *m*. *Sugar candy*, sucre candi. *Sugar-plum*, dragée *f*.
suggest (dj) Suggérer (sü).
suggestion (dj) Suggestion *f*.
suicide (syouissaid) Suicide *m* (suisìd). Suicidé, ée.
suit (syout') Assortiment *m*. Couleur *f* [cards]. Demande *f*. Procès (sè) *m* [law]. Cour *f* (kûr) [courtship]. *A suit of clothes*, un complet. *vt* Adapter. Assortir [match]; aller* avec [befit]. Plaire* à [please]. *vi* S'accorder.
suitable Convenable.
suitability Convenance *f*.
suite (swît') Suite *f* (suît): *suite of apartments*, appartement *m*.
suitor (syouter) Solliciteur, euse Plaideur, euse [law]. Prétendant [lover].
sulk (sœlk) Bouder (bûdé).
sulking Bouderie *f*.
sulky Boudeur, euse (bûdœr).
sullen (sœ) Maussade (môsad).
sullenness Maussaderie *f*.
sully (sœli) Tacher (shé).
sulphate (sœlfit') Sulfate *m*.
sulphide (aid) Sulfure *m*.
sulphur (sœlfer) Soufre *m* (sûfr). *vt* Soufrer.
sulphureous (you) Sulfureux.
sulphuric (you) Sulfurique.
sultan (sœl) Sultan (sültan).
sultana (tâne) Sultane. Raisins [*mpl*] de Smyrne.
sum (sœm) Somme *f* (sòm) [money, total]. Calcul *m* (kül) [reckoning]. Résumé *m* [summary]. Comble *m* (konbl) [height]. *vt* Additionner (syò). Résumer.
summary (sœ) Sommaire *m*.
summit (it') Sommet *m*.
summon (sœ) Appeler (apelé) [to call]. Convoquer (ké) [together]. Assigner (ñé) [witnesses]. Citer [en jus-

tice]. Poursuivre* (to sue]; *to summon up*, rassembler.
summons Appel *m* [call]. Convocation *f* (kàs^{y}o^{n}). Sommation *f* [surrender]. Assignation *f* [law].
sumptuous Somptueux, euse.
sun (sœn) Soleil *m* (lè^{y}).
sunburn (sœnbë^{r}n) Hâle *m*.
sunburnt (ë^{r}nt) Hâlé, ée.
sunday (dî) Dimanche *m*.
sunder (sœn) Séparer.
sundial Cadran solaire.
sundries (sœn) Articles divers. Frais divers [expenses].
sundry Divers, se (divèr, ers).
sunk. V. SINK.
sunken (sœn) Enfoncé, ée.
sunlight (la^{i}t') Lumière [*f*] du soleil.
sunny (sœ) Ensoleillé, ée.
sunrise Lever du soleil.
sunshade (é^{i}d) Ombrelle *f*.
sunshine Clarté du soleil.
sunstroke Coup de soleil.
sup (œ) Petit coup *m*, gorgée *f* (jé). *vi* Souper (sûpé).
super (syoupe^{r}) Figurant, te.
superb (syou) Superbe (sü).
supercilious Arrogant, ante.
superficial Superficiel, elle.
superfine Surfin, ine.
superfluity (flouiti) Superflu *m* (süpèrflü).
superfluous (syoupë^{r}floue^{s}) Superflu, ue.
superintend (syouprìntènd) Surveiller (vè^{y}é). **-tendence** Surveillance *f*. **-tendent** Directeur. Chef de gare [rail.]. Commissaire de police.
superior (syoupi) Supérieur, re. **-riority** Superiorité *f*.
supernatural Surnaturel, elle.
supernumerary (nyou) Surnuméraire. Figurant,ante (üra^{n}, a^{n}t) [theat.].
supersede (sîd) Supplanter. Surseoir* à [law].
superstition Superstition *f*.
superstitious Superstitieux.
supervise (syoupe^{r}va^{i}z) Surveiller (sürvè^{y}é), contrôler.
supervision Contrôle *m*.
supervisor (a^{i}ze^{r}) Contrôleur (ko^{n}trôlër).
supper Souper *m* (sûpé).
supplant Supplanter.
supple (sœp'l) Souple (sûpl).
supplement (sœp'l) Supplément *m*. *vt* Compléter.
suppleness (sœ) Souplesse *f*.
supplicate Supplier.
supplication Supplication *f*.
supply (s^{e}pla^{i}) Fourniture *f* (fûrnìtür). Provisions *fpl* [store]. Renfort *m* (ra^{n}fòr) [mil.]. *vt* Fournir. Remplacer.
support (au) Appui *m* (^{ui}) [stay]. Entretien *m* (a^{n}tre-t^{y}i^{n}) [keep]. *vt* Soutenir* [to keep up]. Entretenir* [to keep]. Appuyer [to back].
supporter Partisan (za^{n}). Adhérent, ente [group]. Abonné, ée [paper].
suppose (o^{ou}z) Supposer.
supposition Supposition *f*.
suppress (s^{e}près) Supprimer. Réprimer [to crush].
suppression Suppression *f*.
supremacy Suprématie *f*.
supreme (prîm) Suprême.
sure (shoue^{r}) Sûr, sûre (ü).
sureness Sûreté *f*.
surety Certitude *f* [certainty]. Sécurité *f* (kü) [safety].
surface (së^{r}fis') Surface *f*.
surge S'élever.
surgeon (dj^{e}n) Chirurgien.

surgery Chirurgie *f* (shi-jì).
surmise (*a*ⁱz) Soupçon *m* (sûp-s*o*ⁿ). Soupçonner *vt.*
surmount Surmonter.
surname Nom [*m*] de famille.
surpass Surpasser.
surpassing Éminent, ente.
surplus (sërplᵉs) Surplus *m.*
surprise (*a*ⁱz) Surprise *f. vt* Surprendre*. Étonner.
surrender Reddition *f* [mil.]. Abandon *m* (aⁿd*o*ⁿ) [claim]. *v* Rendre (aⁿ) [mil.]. Céder [to assign]. Se rendre.
surround (sᵉr*o*ᵒᵘnd) Environner (aⁿ). Cerner [mil.].
surroundings Environs *mpl.*
survey (sërʳ) Vue *f* (vü). Inspection *f.* Expertise *f* [valuation]. Arpentage *m* (àj) [land] (sᵉrvéⁱ). *vt* Contempler [to gaze on]. Examiner.
surveying Arpentage *m.*
surveyor (sᵉrveⁱᵉʳ) Surveillant (ʸ*a*ⁿ) [overseer]. Inspecteur. Arpenteur [land].
survival (*a*ⁱv'l) Survivance *f.*
survive (sᵉrv*a*ⁱv) Survivre*.
suspect Soupçonner (sûpsòné).
suspend (sᵉs) Suspendre (ü).
suspenders (dᵉrz) Bretelles *fpl* [braces]. Jarretelles *fpl* (jàrtèl) [for stockings].
suspense Suspens *m* (süsp*a*ⁿ). Suspension *f* [law].
suspension Suspension *f.*
suspicion Soupçon *m* (s*o*ⁿ).
suspicious (sᵉsp*i*shᵉs) Soupçonneux, se [suspecting]. Suspect, ecte [suspected].
sustain (éⁱn) Soutenir* (sût) [uphold.] Entretenir* [keep]. Supporter [bear]. Éprouver [losses].
sutler (sœt) Cantinier, ère.
swaddle (od'l) Emmailloter.
swaggering Fanfaronnade.
swallow (swoloᵒᵘ) Hirondelle *f* [bird]. Gosier *m* (zʸé) [throat]. *vt* Avaler. *Fig.* Engloutir (aⁿglûtir).
swam. V. SWIM.
swamp Marais *m* (màrè). *vt* Embourber [mud]. Faire* chavirer [ovserset].
swampy Marécageux, euse.
swan (swòn) Cygne *m* (siñ).
swanskin Molleton *m* (t*o*ⁿ).
swarm (auʳm) Essaim *m* (s*i*ⁿ). *Fig.* Nuée *f. vi* Essaimer. *Fig.* Grouiller (uʸé), pulluler (pülülé).
swarthy (*au*ʳzhi) Basané, ée.
swathe (éⁱzh). Maillot *m* (àʸô). Emmailloter.
sway (éⁱ) Balancement *m* [swing]. Puissance *f* [power]. *vt* Manier [handle]. Gouverner [rule].
swear* (swèᵉʳ) Jurer (jüré) [*swore, sworn].
sweat (swèt) Sueur *f* (sᵘœr), transpiration *f* (iràsʸ*o*ⁿ). *vi* Suer (sᵘé). *Fig.* Peiner. *vt* Exploiter [workers].
sweater (swè) Chandail *m.*
sweating Sueur *f.*
Swede, -dish Suédois, oise.
Sweden Suède *f* (sᵘed).
sweep* (îp) Balayer (èʸé). Ramoner [chimney]. Draguer [river]. Parcourir [to range over]. *vi* Passer rapidement. *n* Coup de balai. Course *f* [piston]. Portée *f* [reach]. Courbe *f* [curve]. Aviron *m* (*o*ⁿ) [oar] [**swept*].
sweeper Balayeur, euse.
sweeping Balayage *m* [room]. Ramonage *m* [chimney]. Dra-

gage *m* [river]. *pl* Balayures *fpl*. *a* Rapide.
sweepstakes *pl* (stéiks) Poule *f* (pûl) [enjeu].
sweet (swit) Doux, douce. Parfumé, ée. Suave (suàv). *n* Mets sucré, sucrerie *f* Chéri, ie (shérì) [dear]. pl Sucreries *fpl*. Entremets *m* (antremè) [sweet dish].
sweetbread Ris [*m*] de veau.
sweet-briar Églantier *m*.
sweeten Sucrer. *Fig*. Adoucir.
sweetheart (hârt) Amoureux.
sweetmeat (mît) Sucrerie *f*.
sweetness Douceur *f* (dûsœr).
swell* (swèl) Enfler (anflé). Croître* [to grow]. *n* Élévation *f* [ground] [**swelled, swollen*].
swelling Enflure *f* (anflür). Crue *f* (ü) [river]. Houle *f* ('ûl) [sea].
swept. V. SWEEP.
swerve (swërv) S'écarter.
swift Rapide (îd). *ad* Vite.
swiftness Vitesse *f*.
swill Avaler. Laver [wash].
swim* Nager (jé). *n* Nage *f* [**swam, swum*].
swimmer Nageur, se (nàjœr).
swimming Natation *f*, nage *f*.
swindle (ìnd'l) Escroquerie *f* (òkrî). *vt* Escroquer.
swindler Escroc *m* (krô).
swindling Escroquerie *f*.
swine (swain) Porc *m* (pòr).
swineherd (hërd) Porcher.
swing* (swìng) Se balancer (ansé). Pendre [to be hanging]. Brandir [sword]. *n* Balancement *m*. Balançoire *f* [swingingseat] [**swung*].
swirl (swërl) Remous *m*.
Swiss Suisse, esse (suìs').
switch Badine (ìn) [stick]. Aiguille *f* (èguîy) [rail.]. Commutateur *m* [elec.]. *vt* Cingler [beat]. Aiguiller [rail].
swollen. V. SWELL.
swoon (oun) S'évanouir (üir). *n* Évanouissement *m*.
swoop (oup) Fondre (fondr); s'abattre. *n* Ruée *f*.
swop Troc *m* (trok). *v* Troquer (ké).
sword (saurd) Épée *f* (épé); sabre *m* (sâbr).
swore, sworn V. SWEAR.
swum. V. SWIM.
swung. V. SWING.
sycamore Sycomore *m*.
syllable Syllabe *f* (silàb).
sylvan Sylvestre.
symbol Symbole *m* (sinbol).
symmetry Symétrie *f*.
sympathetic (thè) Sympathique (tik). Bienveillant, te.
sympathize (sìmpethaiz) Sympathiser (sinpàtìzé).
sympathy Sympathie *f* (tî).
symphony Symphonie *f*.
symptom (sim) Symptôme.
synagogue Synagogue *f*.
syncopate Syncoper (sinkòpé).
syncope (sìnkepi) Syncope *f*.
syndycate Syndicat *m*.
synonym, -nonimous Synonyme *m* (sìnònìm).
synoptic Synoptique.
syntax Syntaxe *f*.
synthesis (sìnthissis) Synthèse *f* (sintèz).
syphon (sai) Siphon *m* (on).
syringe (dj) Seringue *f* (ing).
syrup (sirep) Sirop *m* (sirô).
syrupy Sirupeux, se.
system (sistem) Système *m* Réseau *m* (zô) [rail.].

T

T (tî) T (té). *To a T,* parfaitement.
tab Patte *f* (pàt), languette *f* (langèt). Étiquette *f* (kèt).
tabernacle Tabernacle *m.*
table (téib'l) Table *f* (à). *Table-cloth,* nappe *f* [linen], tapis [*m*] de table. *Table d'hôte,* menu [*m*] à prix fixe. **-spoon** Cuiller à bouche.
tablet (it') Tablette *f.*
taciturn (ë) Taciturne (ü).
tack Petit clou *m.* Bordée *f* [mar.]. Nourriture *f* (nûrìtür). *vt* Clouer (ûé) [to nail]. Ajouter [to add]. Virer [mar.].
tackle Attirail *m* (àtìrày). Cordages (àj) *mpl.* Palan *m* (an) [pulley]. *vt* Accrocher.
tact Tact *m.*
tactics *pl* Tactique *f.*
tactless Sans tact.
tadpole (tadpoul) Têtard *m.*
tag Bout ferré *m.* Étiquette *f* [label]. Cliché *m* [phrase]. *vt* Ferrer.
tail (téil) Queue *f* (kë). Bout *m* (bû) [end]. Basque *f* (bàsk) [[skirt]. Arrière *m* [cart]. Pile *f* (pìl) [coin].
tail-coat Jaquette *f* (jàkèt).
tailings *pl* Résidus *mpl.*
tailor (éi) Tailleur *m.*
taint (téint) Gâter. *vi* Se gâter. *n* Corruption *f.*
take* (téik) Prendre* (andr) [seize]. Porter [to carry]. Emporter [to take away]. Conduire* (kondüîr) [lead]. Accepter. Amener [to bring]; emmener (anmené) [to go* away with]. Retrancher (shé) [to deduct]. Considérer. Saisir (sèzîr) [catch]. Contenir* [hold]. Faire* (fèr) [walk, drive]. *To take down,* descendre; *to take in,* faire* entrer; *to take off,* enlever; *to take on,* embaucher [workers]; conduire* [lead]; *to take out,* sortir*; *to take over,* se charger de; *to take to,* se mettre* à; *to take up,* ramasser [to pick up], soulever [to lift], relever [to raise], commencer [to begin]. *vi* Aller* [to go]. Se mettre* [to set]. Réussir (ü) [to succeed]. Prendre [fire, glue]; *to take to,* se mettre* à. *n* Prise *f* (prîz) [**took, taken*].
taker Preneur, *euse.*
taking Prise *f.* *Takings,* recette *f.* *a* Séduisant. Contagieux.
talc (tàlk) Talc *m.*
tale (téil) Conte *m* (kont).
talent Talent *m* (an).
talented Doué, ée (dûé).
talk (tauk) Parler. Bavarder [to chat]. *n* Conversation *f.* Bavardage *m* (àj) [chatter]. Bruit *m* (brüì) [rumour].
talkative Bavard, *arde.*
talker Parleur. Bavard, *arde* [chatterer]. Fanfaron *m* (on) [brag].
talking Conversation *f.* Bavardage *m* [chat]. *a* Éloquent, *ente* (élòkan, ant).
tall (au) Haut, *haute* (*ô, *ôt); grand, *de* (gran, and).

tallness Hauteur, grandeur *f*.
tallow Suif *m* (s^{u}if). **-candle** Chandelle *f* (sha^{n}dèl).
tally Taille *f* (tà^{y}) [stick]. Entaille *f* (a^{n}) [notch]. Étiquette *f* (kèt) [label]. *vi* S'accorder.
talon (tâl^{e}n) Serre *f* (sèr).
tambour (b^{er}) Tambour *m* (ta^{n}bûr). **-rine** Tambour de basque.
tame (é^{i}) Apprivoisé, *ée*. *Fig.* Plat, e (plà). *vt* Apprivoiser.
tamer Dompteur (do^{n}tœr).
tamper Se mêler [*with* : de]. Expérimenter. Suborner [witness]. Toucher.
tan (tàn) Tan *m* (ta^{n}). *vt* Tanner (tàné).
tandem En flèche.
tangent (dj^{e}nt) Tangent, te (ta^{n}ja^{n}). *n* Tangente *f*.
tangerine (dj) Mandarine *f*.
tangle Enchevêtrement *m*. Fourré *m* (fûré) [brake]. *vt* Enchevêtrer.
tank (tàngk) Citerne *f*, réservoir *m*. Char [*m*] d'assaut [mil.].
tanker Pétrolier *m*.
tanner Tanneur *m* (œr). Pièce [*f*] de six pence.
tannery Tannerie *f* (tànrì).
tannin (ìn) Tanin *m* (i^{n}).
tantamount Équivalent, te.
tap Tape *f* (tàp) [blow]. Coup *m* (kû) [knock]. Robinet *m* (inè) [cock]. Buvette *f* (büvèt) [drinking-room]. Taraud *m* (tàrô) [screw]. *vt* Taper (tàpé). Frapper [door]. Tirer [to draw]. Percer.
tape (té^{i}p) Ruban *m* (rüba^{n}).
taper (é^{i}) Bougie *m* (bûjì). Cierge *m* (s^{y}èrj) [rel.] *a* Effilé, *ée*. Conique [techn.].
tapestry Tapisserie *f* (ìsrî).
tapioca (yo^{ou}) Tapioca *m*.
tappet (tapit') Taquet *m*.
tapping Mise [*f*] en perce [cask]. Ponction *f* (po^{n}-ks^{y}o^{n}) [med.].
tar Goudron *m* (gûdro^{n}) Loup de mer [Jack tar]. *vt* Goudronner (gûdròné).
tardiness Lenteur *f* (la^{n}).
tardy Lent, te (la^{n}, a^{n}t).
tare (tè^{er}) Tare *f* (tàr) [weight]. Ivraie *f* (ìvrè) [weed]. Vesce *f* (vès) [fodder]. *vt* Tarer.
tariff Tarif *m*.
tarnish Ternir. Se ternir.
tarragon Estragon *m*.
tart Acide (asid). *n* Tarte *f*.
task Tâche *f* (âsh). **Pensum** *m*. *v* Imposer une tâche.
tassel Gland *m* (a^{n}).
taste (té^{i}st) Goût *m* (gû). *vt* Goûter (gûté). *vi* Avoir* le goût [*like* : de].
tasteful De bon goût.
tasteless Insipide (i^{n}).
tasty Savoureux, *euse*.
tatter Haillon *m* ('a^{y}o^{n}). Déguenillé, *ée*.
tatting Frivolité *f* [broderie].
tattle Bavardage *m* (àj). *vi* Bavarder.
tattler Bavard, arde.
tatoo (tou) Tatouage *m* (wàj). Retraite *f* (r^{e}trèt) [mil.]. *vt* Tatouer (tàtwé).
taught. V. TEACH.
taunt Insulte (i^{n}sült). *vt* Insulter; reprocher.
tavern Taverne *f*, cabaret *m* (rè). **-keeper** Cabaretier.
tawny (au) Fauve (fôv).
tax Impôt *m* (i^{m}pô), taxe *f*.

vt Imposer (i^n), taxer. Reprocher, accuser [*with* : de]. **-gatherer** (**zh**) Percepteur *m*.
tea (tî) Thé *m* (**té**). Infusion *f* : *beef-tea*, bouillon *m*. **-cosy** (o^{ou}) Couvre-théière. **-cup** (œ) Tasse [*f*] à thé. **-pot** Théière *f* (té^{y}èr). **-spoon** Petite cuiller *f*.
teach* (tîtsh) Enseigner (**ñé**) [**taught*].
teacher Maître, esse; instituteur, trice. Professeur.
teaching Enseignement *m*.
team (îm) Attelage *m* (**àtlàj**) [animals]. Équipe *f* (**ékîp**) [game]. *vt* Atteler.
tear (ti^{er}) Larme *f* (à).
tear* ($tè^{er}$) Déchirer (shì); arracher [to tear off]. *n* Déchirure *f* [**tore, torn*].
tearful Éploré, ée.
tease (tîz) Taquiner (**kìné**) [person]. Carder [wool]. *n* Taquin, ine (i^n, ìn).
teasel (tîz'l) Carde *f* (*à*).
teasing Taquinerie *f*. *a* Taquin, ine.
technical Technique (ìk).
technics *pl* Technique *f*.
tedious ($tîdy^e$s) Ennuyeux, euse ($a^n nu^ì y$ë. ëz).
teen-ager Adolescent, te.
teeth *pl* (tî**th**) Dents *fpl*.
teething Dentition *f*.
teetotaler ($tîto^{ou}tel^{er}$) Personne tempérante *f*; buveur [buveuse] d'eau.
telegram Télégramme *m*.
telegraph (tèligrâf) Télégraphe *m*. *v* Télégraphier.
telegraphist Télégraphiste.
telegraphy Télégraphie *f*.
telephone ($fo^{ou}n$) Téléphone *m* (fòn). Téléphoner.
telephonist Téléphoniste.
telescope ($o^{ou}p$) Télescope *m*. Longue-vue *f*. *vt* Télescoper.
tell* (tèl) Dire* (dîr). Raconter ($ràko^n$**té**) [narrate]. Montrer [show]. Distinguer (i^n**gé**) [*from:* de] [**told*].
teller ($tèl^{er}$) Diseur, euse *mf* (dìzœr, ëz). Receveur, euse.
telly Télévision.
temper ($tèmp^{er}$) Tempérament *m*. Humeur *f*. Sang-froid *m*. Trempe *f* (a^np) [techn.]. *vt* Tempérer. Détremper [colours]. Tremper [metals].
temperament Constitution *f*, tempérament *m*.
temperance Tempérance *f*.
temperate Sobre. Tempéré, ée (ta^n) [climate].
temperature Température *f*.
tempest Tempête *f* (ta^npèt).
tempestuous Orageux, euse.
temple *m* (èm) Temple *m* (a^n) [building]. Tempe *f* [head].
templet Gabarit *m*.
temporal Temporel, elle.
temporary Temporaire.
tempt Tenter (ta^n**té**).
temptation Tentation *f* (ta^ntass$y$**o^n**).
tempting Séduisant, ante.
ten (tèn) Dix (dîs).
tenacious ($é^ì sh^e$s) Tenace.
tenacity (tinà) Ténacité *f*.
tenancy Location *f*.
tenant ($tèn^e$nt) Locataire (lòkàtèr); fermier *m* [farm].
tend Veiller sur. *vi* Tendre (ta^ndr), se diriger.
tendency Tendence *f* (a^ns).
tender ($tènd^{er}$) Tendre (a^ndr). *n* Offre *f*. Soumission *f* [contract]. Tender *m* (ta^ndèr) [rail.]. *vt* Offrir*.

tenderness Tendresse *f*. Tendreté *f* [of food].
tendril Vrille *f*.
tenement (tè) Habitation *f*; appartement *m* (àpàrtemaⁿ).
tennis Tennis *m*.
tenor Ténor *m* [singer]. Alto *m* [instrument]. Teneur *f* (tenœr) [wording]. Portée *f* [bearing].
tense (tèns) Temps *m* (taⁿ). *a* Tendu, ue (taⁿdü).
tension (tènshen) Tension *f*.
tent (tènt) Tente *f* (taⁿt).
tentative (tènte) D'essai.
tenth (th) Dixième (zyèm). Dix (diss) [sovereigns, days]. *n* Dixième.
tenuous (tènyoues). Ténu.
tepid (tèpid) Tiède (tyèd).
term (tërm) Terme *m* (è). Trimestre *m* (estr) [school]. Prix *m* (prì) [price]. *vt* Appeler, nommer.
termagant (gent) Mégère *f*.
terminal (tër) Terminal, ale (tèrminal). *n* Borne *f* [elec.].
terminate (tërminéit) Terminer. *vi* Se terminer.
terminus Terminus *m* (üs).
terrace (is') Terrasse *f* (às).
terra-cotta Terre cuite *f*.
terrible Terrible.
terrier Terrier *m* (tèryé).
terrify (fai) Terrifier (fyé).
territorial Territorial.
territory Territoire *m*.
terror Terreur *f* (rœr).
test Épreuve *f*; - -*pilot* Pilote d'essai. *vt* Éprouver.
testament Testament *m* (aⁿ).
testify (fai) Témoigner (wàñé). *vi* Déposer [law].
testily Avec humeur.
testimonial Témoignage *m*.
testy Grincheux (griⁿshë).
tetanus (tètenes) Tétanos *m*.
tether (tèzher) Longe *f*.
tetter Dartre *f* (dàrtr).
teuton (tyou) Teuton, onne.
teutonic Teutonique.
text Texte *m*.
textbook Manuel *m* (uèl).
textile (ail) Textile (ìl).
texture (tèkstsher) Tissu *m* (sü). Contexture *f* (ür).
Thames (tèmz) Tamise *f* (îz).
than (zhàn) Que (ke).
thank (thàngk) Merci *m*. *vt* Remercier (remèrsyé).
thankful Reconnaissant, te.
thankfully Avec gratitude.
thankless Ingrat, e (iⁿgrà, àt).
thanksgiving Actions [*fpl*] de grâces.
that *a* (zhàt') [pl *those* (zhoouz)]. Ce, cet (sèt) [*m*]; cette (sèt) [*f*]; ces (sé) [*pl*] : *that man,* cet homme, cet homme-là. *pron* Cela (selà), ce (se). Qui (kì) [subject]; que (ke) [object]; ce que [after all] : *all that I know,* tout ce que je sais. *conj.* Que (ke).
thaw (thau) Dégel *m* (déjèl) Dégeler (déjlé).
the (zhe) [(zhî) devant une voyelle]. Le (le) [*m*]; la (là) [*f*]; les (lé) [*pl*] : *of the, from the,* du, de la, des; *to the,* au, à la, aux.
theatre (thieter) Théâtre *m* (téâtr). Amphithéâtre *m*.
thee (zhî) Te, toi (twâ).
theft (th) Larcin *m* (siⁿ).
their (zhèer) Leur (lœr) [*pl* leurs (lœr)].
theirs (zhèerz) Le leur, la leur, les leurs.

them (zhèm) Eux (ë) [*mpl*]; elles (èl) [*fpl*]; les (lè) : *take them,* prends-les; leur (lœr) [to them] : *tell them,* dis-leur; *for them,* pour eux.
theme (thî) Thème *m* (tèm).
themselves (zhèmsèlvz) Eux-mêmes [*mpl*]; elles-mêmes [*fpl*]; se (se); eux, elles.
then (zhèn) Alors (àlòr); puis (puî) [next]. Donc (donk) [therefore]. Dans ce cas (kâ).
thence (zh) De là; dès lors.
theology (thi) Théologie *f*.
theorem (thi) Théorème *m* (té). **-retic** Théorique.
theory (thieri) Théorie *f*.
therapeutic (thèrepyoutik) Thérapeutique (térapëtik).
there (zhèer) Là : *up there,* là-haut. *There is,* il y a.
thereabout (ebaout) Par là.
therefore (fauer) Donc.
thereof (ov) En (an). Son, sa, ses, leur, leurs.
thereupon Là-dessus.
therewith (wizh) Avec cela; ci-joint (sijwin).
thermometer (thermòmiter) Thermomètre *m* (ter).
these (zh) [pl de *this*] Ces (sé). Ceux-ci, celles-ci.
thesis (thî) Thèse *f* (èz).
thew (thyou) Nerf *m* (èr), muscle *m* (ü).
they (zhéi) Ils (il) [*m*]; elles (èl) [*f*].
thick Épais, aisse (épè, ès). Intime (intim) [intimate] *n* Épaisseur *f*. *ad* Épais.
thicken Épaissir (épèssîr).
thicket Fourré *m* (fûré).
thickness Épaisseur *f*.
thief (thîf) Voleur, euse.
thieve (thîv) Voler.
thigh (thai) Cuisse *f* (kuìs).
thimble (thìmb'l) Dé *m*.
thin (thìn') Mince (in). Maigre (ègr) [lean]. Clairsemé [clothing]. *vt* Amincir.
thine (zhain) Le tien, la tienne, les tiens, les tiennes.
thing (thing) Chose *f* (shôz), objet *m* (jè); affaire *f*. Créature *f* (ür) [being].
think* (thingk) Penser (pan); croire* [believe]. Trouver [find]. Imaginer [fancy]. Penser; - *of,* à [**thought*].
thinker Penseur (pansœr).
thinking Pensée *f* (pansé), avis *m* (vì). *a* Pensant, e.
thinness (th) Minceur *f* (min). Maigreur *f* (mègrœr). Rareté *f* (rârté).
third (thërd) Troisième (wazyèm). Trois (wà) [month, kings]. *n* Tiers *m* (tyèr). Tierce *f* (yèrs) [mus.].
thirst (thërst) Soif *f* (swâf).
thirsty Altéré, ée. *To be thirsty,* avoir soif.
thirteen (thërtîn) Treize.
thirteenth (înth) Treizième. Treize [months, kings].
thirtieth (thërtith) Trentième (trantyèm). Trente [month].
thirty (thërti) Trente (ant).
this (zhiss) Ce (se) *m,* cet (sèt), [before a vowel], cette (sèt), *f*; ce... -ci, cet... -ci, cette... -ci. *pron* Ceci (sessì).
thistle (this'l) Chardon *m*.
thither (zhizher) Là, y : *he went thither,* il y alla.
Thomas (tòmes) Thomas (â).
thong (thòng) Courroie *f*.
thorn (thauern) Épine *f* (ìn).

thorny Épineux, euse.
thorough (thœr^{e}) Entier, ère (a^{n}t^{y}é, èr) [whole]; complet, ète; parfait, aite.
thoroughfare (fè^{er}) Passage *m* (àj); artère *f* [town].
thoroughgoing Résolu, ue.
thoroughly Complètement.
those (zho^{ou}z) Ces (sé). *pron* Ceux-là (së) [*mpl*]; celles-là (sèl) [*fpl*].
though (zh) Quoique (kwàk).
thought (thaut). V. THINK*. *n* Pensée *f* (pa^{n}); idée *f*. Opinion. Inquiétude *f*.
thoughtful Pensif, ive (pa^{n}-sìf, ìv). Inquiet, ète (i^{n}k^{y}è, èt) [anxious].
thoughtless (lis') Étourdi, die. **-lessness** Étourderie *f*.
thousand (tha^{ou}z^{e}nd) Mille (mìl). *n* Millier *m* (^{y}é).
thrash (th) Battre* (àtr).
thrashing Battage *m* (àj) [corn]. Rossée *f* [hiding].
thread (thrèd) Fil *m*. Filet *m* (fìlè) [screw].
threadbare (bè^{er}) Usé, râpé. Rebattu, ue [trite].
threat (thrèt) Menace *f* (m^{e}-nass). *vt* Menacer.
three (thrî) Trois (trwà).
threefold (îfo^{ou}ld) Triple.
threshold (thrèsh) Seuil *m*.
thrift (th) Épargne *f*.
thriftless Dépensier, ère.
thrifty Économe, frugal (ü).
thrill (thril) Percer, pénétrer. *vi* Tressaillir*.
thrilling Frémissant, te.
thrive* (thra^{i}v) Prospérer [**throve, thriven*].
throat (thro^{ou}t) Gorge *f* (j). Gosier *m* [swallow].
throb (th) Battre*, palpiter. *n* Battement *m* (ma^{n}).
throe (thro^{ou}) Agonie *f* [death]. Travail *m* [birth].
throne (thro^{ou}n) Trône *m*.
throng (th) Foule *f* (fûl).
throttle (th) Étrangler. *vi* Étouffer. *n* Gosier.
through (throu) A travers (àtràvèr) Par [by means of]. *a* Direct, ecte. *ad* De part en part. Jusqu'au bout (jüs-kôbû) [to the end].
throughout (a^{ou}t) Dans tout [toute]; par tout [toute]. *ad* Partout [everywhere].
throve. V. THRIVE.
throw* (thro^{ou}) Jeter (j^{e}), lancer (la^{n}). Renverser [to throw down]. *vi* Jeter. *n* Jet *m* (jè) [**threw, thrown*].
thrush (thrœsh) Grive *f* (îv) Aphte *f* [med.].
thrust* (th) Enfoncer, pousser. *Fam* Fourrer. *vi* Porter. *n* Coup *m* (kû) [**thrust*].
thumb (thœm) Pouce *f* (pûss).
thump Cogner (kòñé).
thunder (thœnd^{er}); Tonnerre *m* (èr); foudre *f* (fûdr). *v* Tonner. *Fig.* Gronder. *Thunderbolt*, foudre *f*.
thundering Tonnant, te.
thundery Orageux, euse.
thursday (thë^{r}zdi) Jeudi *m* (jëdì).
thus (zhœs') Ainsi (i^{n}).
thwack (thwàk) Rosser.
thwart (thwau^{r}t) Contrarier. **-ting** Contrariant.
thy (zha^{i}) Ton [*m*] (to^{n}); ta [*f*]; tes [*pl*] (té).
thyself (zha^{i}sèlf) Toi-même. Toi [followed by verb]. Te [reflect.].
tiara (tiâr^{e}) Tiare *f* (t^{y}àr).

tick Coutil *m* (kûtì) [cloth]. Marque *f* (màrk). Tic-tac *m* [noise]. Crédit *m* : *on tick,* à crédit. *vt* Marquer.

ticket Billet *m* (bì^{y}è). Étiquette *f* [label]. *vt* Étiqueter.

ticking (tìkìng) Tic-tac *m*.

tickle Chatouiller (tû^{y}é).

ticklish Chatouilleux, se (ë, ëz). Critique [delicate]. Chancelant, ante [shaky].

tide (ta^{i}d) Marée *f* (ré). Courant *m* (kûra^{n}) [stream]. Saison *m* (sézo^{n}), temps *m* (ta^{n}) [time].

tidings (ta^{i}) Nouvelles *fpl*.

tidy (ta^{i}) Bien rangé; net, nette (nèt). Propre [clean]. *Fam.* Joli, ie [pretty]. *vt* Mettre* en ordre.

tie (ta^{i}) Attacher (shé). Nouer [knot]. *vi* Se lier. *n* Lien *m* (l^{y}i^{n}). Nœud *m* (në). Cravate *f* (àt). *Tie-bar, tie rod,* tirant *m*.

tiff Pique *f*, bisbille *f* (ì^{y}).

tiger (ta^{i}g^{er}) Tigre *m* (tì).

tight (ta^{i}t) Serré, ée. Raide (rèd). Étroit, te (wà, àt) [clothes]. Bien clos [closed]. Étanche (a^{n}sh) [water-tight]. Gris, se [tipsy].

tighten (a^{i}t'n) Serrer, tendre.

tightenness (ta^{i}) Raideur *f* (rèdœr). Étroitesse *f* (trwà).

tile (ta^{i}l) Tuile *f* (t^{u}il). Carreau *m* (rô) [floor]. *vt* Couvrir [roof]. Carreler.

till (til) Jusqu'à (jüskà). *n* Tiroir-caisse *m*. *vt* Cultiver (kül), labourer (labûré).

tillage Labourage *m* (ràj).

tiller (til^{e}r) Laboureur (làbûrër). Barre *f* (bàr) [nav.].

tilling Culture *f* (kültür).

tilt Bâche *f* (bâsh) [covering]. Auvent *m* (ôva^{n}) [awning]. Joute *f* (jût) [tournament]. *vt* Incliner. Vider [empty]. Marteler [hammer]. *vi* Pencher (pa^{n}shé) [incline].

timber (tìm) Bois *m* (bwà). *vt* Charpenter. *Timber work,* charpente *f* (sharpa^{n}t).

time (ta^{i}m) Temps *m*. Moment *m*. Saison *f* [of year]. Heure *f* (œr) [o'clock]. Fois *f*. Mesure *f* [mus.]. *At times,* parfois; *every time,* chaque fois; *from this time,* dorénavant; *in time,* à l'heure, en mesure [mus.]; *next time,* la prochaine fois; *to lose* time,* perdre du temps [pers.], retarder [clock]; *time-bomb,* bombe [*f*] à retardement. Régler [motor]. Ajuster, fixer.

timely Opportun, une (u^{n}, ün).

time-table Indicateur *m* (i^{n}).

timid (tìmid) Timide (îd).

timidity Timidité *f*.

timing (ta^{i}) Ajustement *m*.

tin (tìn) Étain *m* (éti^{n}). Fer-blanc *m* (a^{n}) [tin-plate]. Boîte *f* (bwàt) [box]. Bidon *m* (bìdo^{n}) [can]. Gamelle *f* [mil.]. Galette *f* (lèt) [money]. *vt* Étamer. *a* D'étain, de fer blanc.

tincture (tsh^{er}) Teinture *f*.

tinder Amadou *m* (àmàdû).

tingle (tìng'l) Tinter (ti^{n}).

tingling Tintement *m*.

tinker Étameur. *vt* Étamer.

tinkle (tìngk'l) Tinter.

tinsel Clinquant *m* (i^{n}ka^{n}).

tinsmith (mith) Ferblantier.

tint (tìnt) Teinte *f* (ti^{n}t). *vt* Teinter (ti^{n}té).

tiny (ta^{i}ni) Tout petit.
tip Bout *m* (bû). Pointe *f* (pwi^{n}t) [sharp]. Pourboire *m* (pûrbwàr) [gratuity]. Tuyau *m* (t^{u}i^{y}ô) [hint]. *vt* Garnir le bout de. Donner un pourboire à.
tippet Pèlerine *f* (pèlrìn).
tipple Boire* (bwàr).
tippler Buveur, *euse*; ivrogne.
tipsy Gris, ise (grî, ìz).
tip-toe Pointe [*f*] du pied.
tiptop Sommet *m* (sòmè).
tirade (é^{i}d) Tirade *f* (àd).
tire (ta^{ier}) Bandage *m* [de roue]. *vt* Lasser, se lasser.
tired (ta^{i}rd) Fatigué, ée (**gé**).
tiresome (ta^{i}) Fatigant, te.
tissue (syou) Tissu *m* (sü).
tit Bidet *m* (bìdè) [horse]. Mésange *f* (za^{n}j) [bird].
titbit Morceau de choix *m*.
titmouse (ma^{ou}s) Mésange *f*.
titan (ta^{i}) Titan *m* (tìta^{n}).
titanic (ta^{i}tanik) Titanique.
tithe (ta^{i}**zh**) Dîme *f* (dìm).
titillate Chatouiller (tûy**é**).
title (ta^{i}t'l) Titre *m* (titr). *vt* Titrer (tìtr**é**).
titter Ricaner.
tittle Point *m* (pwi^{n}). *Tittle--tattle*, bavardage *m*.
titular (you) Titulaire (**ü**).
to (tou) A (à) : *to look to*, veiller à. De (d^{e}) : *in order to*, afin de. Pour (pûr) [for] : *kind to me*, bon pour moi. Jusque (**jü**sk) [till] : *to the last*, jusqu'au bout.
toad (to^{ou}d) Crapaud *m* (pô).
toady (to^{ou}di) Flagorneur.
toast (to^{ou}st) Toast *m* (tost). *vt* Rôtir [bread]. Porter un toast à [health].
tobacco (t^{e}) Tabac *m* (bà).
tobacconist (t^{e}bàk^{e}nist) Marchand de tabac, buraliste.
to-day (t^{e}dé^{i}) Aujourd'hui (ôjûrd^{u}ì).
toddle (tod'l) Trottiner.
toddy Grog *m*.
toe (to^{ou}) Orteil *m* (òrté^{y}).
toffee (fì) Caramel *m*.
together (gè**zh**^{er}) Ensemble.
togs Frusques (**frü**sk) *fpl*.
toil Labeur *m* (œr). Peiner.
toiler Travailleur (tràvà^{y}œr).
toilet (tò^{i}) Toilette *f* (twà).
toiling Labeur *m* (bœr). *a* Laborieux, euse (r^{y}ë, ëz).
toilsome Pénible.
token Marque *f*. Jeton *m*.
told. V. TELL.
tolerance Tolérance *f* (a^{n}s).
tolerant Tolérant, te (ra^{n}).
tolerate (ré^{i}t) Tolérer.
toll (to^{ou}l) Péage *m* (péàj). Tintement *m* [bell]. Tinter.
tomato (t^{e}mâto^{ou}) Tomate *f*.
tomb (toum) Tombe *f* (to^{n}b). *Tombstone*, pierre tombale.
tomcat Matou *m* (màtû).
tome (to^{ou}m) Tome *m* (tòm).
to-morrow (t^{e}mòro^{ou}) Demain (d^{e}mi^{n}).
tomtit (it') Mésange *f* (a^{n}j).
ton (œn) Tonne *f* [weight]. Tonneau *m* (tònô) [register].
tone (to^{ou}n) Ton *m* (to^{n}). *vt* Donner du ton à. Accorder [to tune]. Virer [phot.].
tongs (tòngz) Pincettes *fpl*. Pinces *fpl* [techn.].
tongue (œ) Langue *f* (la^{n}g). Languette *f* (gèt) [techn.].
tonic (tònik) Tonique.
to-night (t^{e}na^{i}t) Cette nuit (set n^{u}i). Ce soir [Ang.].
tonnage (idj) Tonnage *m*.
tonsil Amygdale *f* (amìgdàl).

tonsure (sh) Tonsure *f* (to^n^-sür). Tonsurer.
too (tou) Trop (trò) : *too much* [sing], *too many* [pl.], trop. Aussi (ôssî) [also].
took (touk) V. TAKE.
tool (toul) Outil *m* (ûtî).
tooth (touth) [pl **teeth** (tîth)]. Dent *f* (a^n^). *Toothache,* mal de dents.
toothed Denté, ée. Dentelé.
toothless Édenté, ée (da^n^).
toothpick Cure-dent *m*.
toothsome Savoureux, euse.
top Sommet *m* (mè). Faîte *m* (fèt) [build.]. Couvercle *m* [lid]. Tête *f* (tèt) [head]. *Fig.* Comble *m*. Surface *f* (sürfàs) [of water]. Toupie *f* (tûpî) [toy]. Impériale *f* [bus]. *a* Extrême. *vt* Couronner. *Fig.* Dominer. *Top-hat,* chapeau haut de forme. *Topmast,* mât de hune.
topaz (to^ou^pàz) Topaze *f*.
topic Sujet *m* (süjè).
topmost Le plus haut.
topography Topographie *f*.
topping Excellent, te.
torch (tau^r^tsh) Torche *f*. Lampe [*f*] de poche.
torn. V. TEAR.
torment (tau^r^me^n^t) Tourment *m* (tûr). *vt* (ènt) Tourmenter.
torn V. TEAR.
torpedo (pî) Torpille *f* (piy). *Torpedo-boat,* torpilleur *m*.
torrefy (taurifa^i^) Torréfier.
torrent Torrent *m* (ra^n^).
torsion Torsion *f* (tòrs^y^o^n^).
tortoise (tau^r^t^e^s) Tortue *f*.
tortuous (you^e^s) Tortueux.
torture (sh^e^r) Torture *f* (tür). *vt* Torturer.
torturer Bourreau (bûrô).
tory (tauri) Conservateur.
toss Secousse *f* (s^e^kûs) [jerk]. Jet *m* (jè), coup (kû) [throwing]. *vt* Secouer [shake]. Sauter [cooking]. *vi* S'agiter.
total (to^ou^t'l) Total, ale (tòtàl). *n* Total *m*. *vt* Totaliser.
totality Totalité *f*.
totter Chanceler (sha^n^slé).
touch (tœtsh) Toucher. *n* Toucher *m* [sense]. Touche *f* [paint]. Trait *m* [feature].
touching Touchant, ante.
touchstone Pierre de touche.
touchwood (oud) Amadou *m*.
touchy Susceptible.
tough (tœf) Dur, dure (dür). *Fig.* Tenace (t^e^nàs). Difficile (sìl).
tour (tou^er^) Tour *m* (tûr).
touring Tourisme *m* (tûrism). **-rist** Touriste (tûrist).
tournament (tûrn^e^m^e^nt) Tournoi *m* (tûrnwà).
tow (to^ou^) Étoupe *f* (étûp) [hemp]. Remorque *f* (r^e^mòrk). *v* Remorquer (ké).
towage (idj) Remorque *f*.
toward, -wards (tau^e^rd) Vers (vèr). *a* Docile (dòssil).
tow-boat Remorqueur *m* (œr).
towel (ta^ou^el) Serviette *f* (serv^y^èt), essuie-mains *m*. *Towel-horse,* porte-serviette *m*.
tower (ta^ou^er) Tour *f* (tûr). *vi* S'élever (elvé).
towing (to^ou^ing) Halage *m*.
town (ta^ou^n) Ville *f* (vil). *Town-hall,* hôtel de ville. *Town Council,* conseil municipal. *Town dues,* octroi *m*.
townsman Citadin, ine (di^n^). Concitoyen, enne [fellow townsman]
toxic Toxique *m* (ik).

toy (to[i]) Jouet *m* (jûé). *vi* Jouer (jûé).
trace (é[i]s) Trace *f* (às). Tracé *m* (sé) [drawing]. Trait *m* (trè) [strap]. *vt* Tracer.
trachea (tràki[e]) Trachée-artère *f* (trashéàrtèr).
tracing (tré[i]) Calque *m*.
track Piste *f*. Voie *f* (vwà) [rail.]. *vt* Suivre à la piste. Remorquer, haler [tow].
tract Étendue *f* (étandü) [area]. Brochure *f* (shür) [booklet].
tractable Traitable (trètàbl).
traction Traction *f*.
tractor Tracteur *m* (tœr).
trade (é[i]d) Commerce *m* (èrs). Profession *f* [calling]. *Free trade*, libre-échange *m*. *vi* Faire* le commerce [*in* : de]. *Trade-mark*, marque de fabrique *f*.
trader (é[i]) Commerçant, te. Vaisseau marchand *m* [ship].
tradesman Commerçant, te.
tradition Tradition *f*.
traduce (yous') Diffamer.
traducer Diffamateur, trice.
traffic Trafic *m*. Circulation *f*.
trafficker Trafiquant (fikan).
tragedian (djîdy[e]n) Tragédien, enne (jé) [actor].
tragedy Tragédie *f* (jédî).
tragic (dj) Tragique (jìk).
trail (é[i]l) Traînée *f* (tréné). Trace *f* (às). *vi* Traîner. *vt* Suivre à la piste.
trailer Remorque *f* (mòrk).
train (é[i]n) Train *m* (i[n]) [rail.]. Suite *f* (s[u]it) [following]. Traîne *f* (èn) [tail]. Traînée *f* [powder, light]. Enchaînement *m* [thought]. *vt* Éduquer. Dresser (sé). Entraîner (antrèné) [sport].
trainer Entraîneur *m* (nœr) Dresseur *m* [animals].
training Éducation *f* (édüka-s[y]on). Entraînement *m* [sport]. Dressage *m* (àj) [animals].
traitor (é[i]) Traître *m* (trètr).
traitorous Traître (trètr).
trajectory (djekt[e]ri) Trajectoire *f* (jektwàr).
tram, tramcar Tramway *m*.
trammel Entrave *f* [clog]. *vt* Entraver (antravé).
tramp Marcher (shé). Rôder [roam]. *n* Chemineau *m* [vagrant]. Marche *f* [walk].
trample Piétiner (p[y]étìné).
trance (àns) Extase *f* (tâz).
tranquil (àngkwil) Tranquille (ankìl).
tranquillity Tranquillité *f*.
transact (àn) Traiter (trè).
transaction Transaction *f*. Compte rendu *m* (kontrandü).
transcendental (ènt'l) Transcendental (ansandan).
transcribe (a[i]b) Transcrire*.
-scription Transcription *f*.
transfer Transférer (an). *n* (ànsf[er]) Copie *f*. Transfert *m* [law]. Cession *f* (s[y]on).
transform Transformer (an)
-mation Transformation *f*.
transfusion Transfusion *f*.
transgress Transgresser.
tranship Transborder (ans).
transient (ànzy[e]nt) Fugitif, ve (üj), transitoire (wàr).
transit Passage *m* (sàj). Transit *m* (anzit') [com.].
transition Transition *f*.
transitive Transitoire (wàr).
translate (é[i]t) Traduire* ([u]ir). **-lation** Traduction.

translator Traducteur.
translucent Translucide.
transmission (trànzmishen) Transmission *f* (syon).
transmit (àns) Transmettre.
transparent Transparent, te.
transplant Transplanter.
transport (auert) Transport *m.* Forçat (sà) [convict]. *vt* (*au*) Transporter. Déporter [convict].
transportation Transport *m* (òr). Déportation *f* [law].
transposal (poou), **-sition** (ishen) Transposition *f.*
transversal Transversal.
trap Trappe *f* (àp). *Fig.* Piège *m* (pyèj). Carriole *f* [carriage]. *pl* Hardes *fpl* ('ard). *vt* Attraper.
trapeze (îz) Trapèze *m* (èz).
trapper (per) Trappeur (œr).
trash Rebut *m* (rebü) [refuse]. Camelote *f* (kamlòt) [goods]. Fadaises *fpl* (èz).
travel (àvel) Voyage *m* (vwàyàj). *vi* Voyager (**jé**).
traveller (veler) Voyageur.
travelling Voyage *m* (vwàyàj). *a* De voyage.
traverse Traverse *f.* *a* Oblique. *adv.* En travers (vèr). *vt* Traverser. Nier [deny].
travesty Travestissement *m.*
trawl (au) Chalut *m* (shàlü).
tray (éi) Plateau *m* (tô) [salver]. Baquet *m* (kè) [tub] Auge *f* (òj) [trough].
treacherous (tretsheres) Perfide (pèrfîd).
treachery Trahison *m* (zon).
treacle (trîkl) Mélasse *f.*
tread* *vt* (trèd) Fouler (fûlé) ; écraser [to crush]. *vi* Marcher, *n* Pas *m* (pâ), allure [**trod, trodden*].
treadle (èdl) Pédale *f* (àl).
treason (trîzen) Trahison *f.*
treasure (trèjer) Trésor *m* (zòr). Thésauriser (tézò).
treasury (trèjeri) Trésor *m.*
treat (trit') Traiter (trèté). *n* Régal *m.*
treatise (trîtis') Traité *m.*
treatment Traitement *m.*
treaty (trîti) Traité *m.*
treble (èbl) Triple (trìpl). *n* Triple *m.* Soprano. *vt* Tripler.
tree (trî) Arbre *m* (àrbr).
trefoil (trèfoil) Trèfle *m.*
trellis (trèlis') Treillis *m* (trèyî). *vt* Treillisser.
tremble (èm) Trembler (an).
trembling Tremblement *m.*
tremendous (tri) Terrible.
tremor (mer) Frémissement *m.*
tremulous (you) Frémissant.
trench Tranchée *f* (anshé). Fossé *m* [ditch]. *vt* Creuser [to dig].
trenchant Tranchant, ante.
trend Direction *f* (rèksyon).
trepidation Trépidation *f.*
trespass Délit *m* (lì). Péché *m* [sin]. *vt* Empiéter sur. Pécher [to sin].
trespasser Délinquant (kan).
tress Tresse *f.*
trestle (ès'l) Tréteau *m* (tô).
trial (trai) Épreuve *f* (éprëv), essai *m* (èssè). Jugement *m* (jüjman). ***On trial,*** *à l'essai.*
triangle (tràì) Triangle *m.* Équerre *f* (kèr) [set square].
triangular Triangulaire.
tribe (traib) Tribu *f* (bü).
tribulation Tribulation *f.*
tribunal (*you*) Tribunal *m.*

tribune (youn) Tribun (uⁿ).
tributary (you) Tributaire. *n* Affluent *m* (àflüaⁿ).
tribute (yout') Tribut *m* (ü).
trice (traⁱs) Instant *m* (iⁿstaⁿ). *vt* Hisser.
trichina (kaⁱ) Trichine *f* (sh).
trick Tour *m*. Manie *f*. Tic *m* [habit]. Pli *m* (plì) [card]. Manigance. *vt* Duper (dü). tricher (sh).
trickery Tricherie *f* (sh).
tricolour (traⁱ) Tricolore.
tricycle (traⁱsⁱk'l) Tricycle *m*.
trifle (traⁱf'l) Bagatelle *f* (tèl). *vt* Badiner.
trifling Insignifiant (ñìfʸaⁿ).
trigger (trigᵉʳ) Détente *f*.
trim *vt* Arranger (aⁿjé). Arrimer [to stow]. Orienter [sail]. **-imming** Garniture *f*.
trinity Trinité *f*.
trinket (ìng) Colifichet *m*.
trio (trioᵒᵘ) Trio *m* (trìò).
trip *vi* Trébucher (üshé). Se tromper [mistaken]. *n* Croc-en-jambe *m* (jaⁿ). Faux pas *m* [slip]. Méprise *f* (ìz). Tour *m* (tûr).
tripe (aⁱp) Tripes *fpl* (ìp).
triple Triple (îpl). *vt* Tripler. **-ing** Triplement *m*.
tripod (aⁱ) Trépied *m* (pʸé).
tripping Croc-en-jambe *m*. Faux pas *m* [slip]. Erreur *f* (rœr). *a* Leste, agile (jìl).
trite (aⁱt) Banal.
triton (aⁱ) Triton *m* (ìtoⁿ).
triturate (you) Triturer (ü).
triumph (aⁱemf) Triomphe *m* (ìoⁿf). *vi* Triompher (fé).
triumphal Triomphal, ale.
triumphant (traⁱemfᵉnt) Triomphant, te (ìoⁿfaⁿ).
triumpher (traⁱemfᵉr) Triomphateur, trice (tœr, trìs).
trivet (it') Trépied *m* (pʸé).
trivial Trivial, ale. Banal, ale. Frivole (frìvòl).
triviality Trivialité *f*.
trod, trodden. V. TREAD.
troll (oᵒᵘl) Tourner. Pêcher [to fish]. *m* Gnome *m* (gn).
trolley (li) Camion *m* (mʸoⁿ). Trolley *m* [electr.]. *Trolley-car*, tramway *m* (mwè).
trombone (oᵒᵘn) Trombone *m*.
troop (oup) Troupe *f* (ûp). Peloton *m* (plòtoⁿ) [cavalry]. *vi* S'attrouper (satrûpé).
trooper Cavalier *m* (lʸé).
trophy (oᵒᵘfi) Trophée *m*.
tropic (ò) Tropique *m* (pik).
tropical Tropical, ale.
trot (ot') Trot *m* (trô). *vi* Trotter.
troth (troᵒᵘth) Foi *f* (fwà).
trotter Trotteur (œr), euse.
trouble (œb'l) Trouble *m*. (ûbl) [disturbance]. Chagrin *m* (shàgriⁿ) [sorrow]. Peine *f* (pèn) [effort]. Ennui *m* (aⁿnᵘi) [annoyance]. *vt* Troubler. Déranger (aⁿjé) [disturb]. Inquiéter (iⁿkʸété) [anxiety]. Affliger (ìjé) [afflict].
troublesome Fâcheux, euse.
trough (of) Auge *f* (ôj). Pétrin *m* (iⁿ) [kneading]. Creuset *m* (krœzé) [metal].
trounce (aᵒᵘns) Rosser.
trousers (aᵒᵘzᵉʳz) Pantalon *m* (paⁿtàloⁿ).
trout (aᵒᵘt) Truite *f* (trᵘit).
trow (traᵒᵘ) Penser (paⁿsé).
trowel (aᵒᵘel) Truelle *f* (ü).
Troy-weight Poids pour les métaux précieux.
truant (trouᵉnt) Paresseux,

euse (së, ëz) : *to play -, faire** l'école buissonnière.
truce (ous') Trève *f*.
truck (œk) Charrette *f*. Wagon *m* (vagoⁿ), fourgon *m* (fûrgoⁿ) [rail]. Camion *m* (myoⁿ) [lorry]. Troc *m* [barter]. *vt* Troquer (ké).
truckle (trœk'l) Roulette *f*.
truculent (trœkyoulent) Féroce (òs) ; cruel, elle.
trudge (œdj) Se traîner.
true (trou) Vrai, aie (vrè). Exact, acte (egzà, àkt). Sincère (sinsèr). Droit, oite (drwà, àt) [straight]. Fidèle (fidèl) [faithful].
trueness (trou) Vérité *f*.
truffle (œf'l) Truffe *f*.
truism (ou) Truisme *m* (ü).
truly Vraiment (vrèmaⁿ).
trump (œmp) Trompe *f* (oⁿp). Atout *m* (àtû) [cards]. *Fam.* Brave type. *vt* Couper.
trumpery Friperie *f* [rags]. Blague *f* (àg) [humbug]. *a* Clinquant (kaⁿ).
trumpet Trompette (oⁿpèt) [*f* instrum.; *m* person].
truncate (œngkéit) Tronquer.
truncheon (trœnshen) Bâton *m*.
trunk (œngk) Tronc *m* [tree]. Trompe *f*. Inter *m* [tel.].
trunnion (trœ) Tourillon *m*.
truss (œs') Botte *f* (bòt). Balle *f* (bàl). Bandage *m* [med.] Ferme *f* (fèrm) [roof]. *vt* Lier (lyé).
trust (œst) Confiance *f* (koⁿfyaⁿs). Charge *f* (sh) [office]. Garde *f* [keeping]. Confidence *f* (koⁿfidaⁿs) [secret]. Trust *m*. *vt* Se fier à (fyé). Confier [commit]. Faire* crédit à. *vi* Avoir* confiance.
trusted De confiance.
trustee (tî) Dépositaire ; administrateur, atrice. Gérant, e. Syndic (sin) [bankruptcy].
trustiness Loyauté *f* (lwà).
trustless Déloyal, e (wàyàl).
trusty Sûr, sûre (sür).
truth (outh) Vérité *f*. Sincérité *f* (sinsérité).
truthful (foul) Sincère (èr).
truthless Déloyal, ale.
try (ai) Essayer (èyé). Juger (jüjé) [law].
trying Pénible ; dur (ür), re.
tryst (aist) Rendez-vous *m*.
tub (œ) Cuve *f* (üv).
tube (tyoub) Tube *m* (tüb). Conduit *m* (koⁿdüì). Métro.
tubercle (tyou) Tubercule *m* (ül). **-culosis** Tuberculose *f*.
tubing (tyou) Tuyautage *m*.
tubular Tubulaire.
tuck (œ) Pli *m*. Friandises *fpl* [pastry]. *vt* Retrousser.
tucker Chemisette, guimpe *f*.
tuesday (tyouzdi) Mardi *m*.
tuft (œ) Touffe *f* (tûf) [hair, grass]. Huppe *f* ('üp) Pompon *m* (poⁿpoⁿ).
tug (tœg) Tirer. Remorquer [tow]. *n* Tiraillement *m*. Remorqueur *m* (kœr) [boat].
tuition (tyouishen) Enseignement *m*, direction *f*.
tulip (tyou) Tulipe *f* (tü).
tumble (œ) Culbute *f* (külbüt). *vi* Tomber (toⁿbé). *vt* Tourner, retourner. Chiffonner (shì) [rumple].
tumbler Grand verre *m*. Saltimbanque *m* (inbaⁿk).
tumbril (œm) Tombereau *m*. Caisson *m* (kèsoⁿ) [artil.].

tumefy (tyoumifai) Tuméfier.
tumour (tyoumer) Tumeur *f*.
tumult (tyou) Tumulte *m* (ü).
tumultuous (œltyoues) Tumultueux, se (tümültüë).
tun (œn) Tonneau *m* (nô).
tune (tyoun') Air *m* (èr), ton *m* (ton). Accord *m* (òr). *vt* Accorder.
tunic (tyou) Tunique *f* (ü).
tuning (you) Accord *m* (òr).
Tunisia (tyou) Tunisie *f*.
tunnel (tœn'l) Tunnel *m* (ü). Tuyau *m* (tuiyô) [chimney]. Entonnoir *m* (wàr) [funnel].
tunny (tœni) Thon *m* (ton).
turban (tër) Turban *m* (ür).
turbine (ër) Turbine *f* (ür).
turbot (tërbet') Turbot *m*.
turbulent (you) Turbulent.
tureen (tyouerìn) Soupière *f* (sû). Saucière *f* (sô).
turf (tërf) Gazon *m* (zon). Tourbe *f* (tûrb) [peat]. *vt* Gazonner (zòné).
Turk (ë) Turc, que (türk).
Turkey (ki) Turquie *f* (kî). Dindon *m* (dindon), dinde *f*.
Turkish (ë) Turc, que (ü).
turmoil (ë) Tumulte *m* (tümült). Désordre *m* (zòrdr), trouble *m* (trûbl).
turn (ë) Tourner (tûr), faire* tourner. Retourner [inside out]. Changer. Faire* pencher [scale]. Traduire* (uir) [translate]. *To turn back,* renvoyer; *to turn off, out,* congédier [servant]; *to turn over,* retourner. *vi* Tourner, se tourner. Devenir*, se changer. Se diriger [to go]. *To turn about,* faire* demi-tour; *to turn back,* s'en retourner; *to turn in,* rentrer; *to turn on,* rouler sur [talk], dépendre de; *to turn out,* sortir*, arriver [to happen], *to turn over, round,* se retourner; *to turn up,* arriver, retourner [cards]. *n* Tour *m* [tûr], détour *m*. Tournant *m* (tûrnan) [winding]. Tournure *f* (ür) [disposition]. Changement *m* (shanjman). *By turns,* tour à tour.
turner (tërner) Tourneur.
turnip (ë) Navet *m* (nàvè).
turnout (tërnaout) Équipage *m* (ékìpàj). Grève *f* (èv) [strike].
turnover (tërnoouver) Chiffre d'affaires *m*. Chausson *m* (shôson) [pastry].
turnpike (paik) Barrière *f*.
turpentine (tërpentain) Térébenthine *f* (bantìn).
turquoise (tërkoiz) Turquoise *f* (türkwàz).
turret (tœrit') Tourelle *f*.
turtle (ërt'l) Tortue *f* (tü). *Turtle-dove,* tourterelle *f*.
tusk (œ) Défense *f* (défans).
tussle (œs'l) Lutte *f* (lüt). *vi* Lutter (lüté).
tut, tush (œ) Bah! (bâ).
tutelary (tyou) Tutélaire.
tutor (tyou) Tuteur (tütœr) [guardian]. Précepteur [private teacher]. Répétiteur [college]. *vt* Instruire*.
twaddle (twòd'l) Caquetage *m*.
twain (ein) Deux (dë).
twang (àng) Nasillement *m*. *vi* Nasiller (nàzìyé).
tweed (twid) Cheviot croisé.
tweezers (twî) Pince *f* (pins).
twelfth (th) Douzième (dûzyèm). **-elve** Douze (dûz).
twentieth (tith) Vingtième.

twenty (twènti) Vingt (viⁿ).
twice (twaⁱs) Deux fois.
twig Brindille *f* (brindiʸ).
twilight (*a*ⁱlaⁱt) Crépuscule *m* (üsk*ü*l).
twill Étoffe croisée *f*. *vt* Croiser (krwàz*é*).
twin Jumeau, elle (jümô).
twine (aⁱn) Enroulement *m*. Ficelle *f* (sèl) [packthread]. *vt* Enrouler (aⁿrûl*é*).
twinge (dj) Élancement *m* (aⁿsm*a*ⁿ). *vt* Pincer (piⁿs*é*).
twinkle (ìngk'l) Scintiller (siⁿtiʸ*é*). Clignoter (ñot*é*) [blink]. **-kling** Scintillement *m*; clin d'œil *m*.
twirl (ë) Tournoyer (wàʸ*é*).
twist Tordre (tòrdr). S'enrouler. *n* Cordon *m* (*o*ⁿ).
twit Reprocher (sh*é*).
twitch Tiraillement *m* (âʸ).
tw*i*tter Gazouiller (zûʸé).
twixt Entre (aⁿtr).
two (tou) Deux (dë).
twofold (*tou*fòld) Double (dû).
tympan (tìmpᵉn) Tympan *m* (tiⁿp*a*ⁿ).
type (t*a*ⁱp) Type *m* (tip). Caractère *m* [impr.]. *vt* Taper, dactylographi*er*. **-writer** (r*a*ⁱtᵉʳ) Dactylogr*a*phe. Mach*i*ne à écr*i*re *f*.
typhoid (t*a*ⁱ) Typhoïde (tìf).
typh*oo*n (taⁱ) Typhon (tì).
typhus (t*a*ⁱfᵉˢ) Typh*u*s *m*.
t*y*pical (t*i*pikᵉl) Typ*i*que.
typist (t*a*ⁱ) Dactylogr*a*phe.
typ*o*grapher (taⁱ) Typogr*a*phe (ti).
typ*o*graphy Typographi*e* *f*.
tyr*a*nnical Tyrann*i*que.
t*y*rannize (naⁱz) Tyranniser.
tyranny Tyranni*e* *f*.
tyrant (t*a*ⁱerᵉnt) Tyran (*a*ⁿ).
tyre. V. TIRE.
tyro (t*a*ⁱᵉ) Novice (ìss). Conscrit (koⁿskrî) [soldier].

U

u (you) U (ü).
udder (*œ*) Mamelle *f* (mèl).
ugliness (*œ*) Laideur *f* (lèdœr). **-gly** Laid, *a*ide (lè).
ulcer (œlsᵉʳ) Ulcère *m* (ül).
ultimate (œl) Derni*er*, ère.
ultramar*i*ne (œl) Outremer.
umbrage (œm) Ombr*a*ge *m*.
umbr*a*geous (*é*ⁱ) Ombreux, se.
umbr*e*lla Parapluie *m* (pluî).
***u*mpire** (paⁱᵉʳ) Arb*i*tre *m*.
unable (œn*é*ⁱb'l) Incap*a*ble.
unacceptable Inaccept*a*ble.
unaccountable Inexplic*a*ble.
unacc*u*stomed Inaccoutum*é*.
unacqu*a*inted Peu famili*er*.
unaff*e*cted S*i*mple, naturel. Insens*i*ble [untouched].
unalloyed (*o*ⁱd) Sans mél*a*nge.
un*a*nimous (youn*à*) Unan*i*me.
un*a*nswered Sans rép*o*nse.
un*a*rmed (œn) Desarm*é*, *ée*.
unass*i*sted Sans *ai*de.
unass*u*ming Sans prétent*ion*.
unatt*a*ched En disponibilit*é*.
unatt*e*nded Seul, le; sans escorte. Néglig*é*, *ée*.
unavailing (œnᵉv*é*ⁱ) Inut*i*le.
unav*o*idable Inévit*a*ble.
unaw*a*re (œnᵉw*è*ᵉʳ) Ignor*a*nt,

te. **-wares** A l'improviste.
unbearable (œnbèe^{r}ebl) Insupportable (i^{n}süpòrtàbl).
unbecoming (bikœ) Malséant.
unbelief (œnbilîf) Incrédulité *f* (dü). **-lievable** Incroyable (i^{n}krwàyàbl). **-liever** Incrédule (i^{n}krédül).
unbend* (œnbè^{n}d) Détendre (dèta^{n}dr). Débander (ba^{n}) [bow] [**unbent*].
unbidden (œn) Spontanément.
unbind* (a^{i}nd) Délier. Desserrer [unloose] [**unbound*].
unbleached (itsht) Écru, *ue*.
unblessed, -blest Infortuné.
unblushing (œsh) Éhonté, *ée*.
unborn (au^{er}n) Pas encore né.
unbosom (ouz^{e}m) Révéler.
unbound (a^{ou}nd) Delié, *ée*. Broché, *ée* [book].
unbounded Illimité, *ée*.
unbroken Ininterrompu, *ue*; Respecté, *ée* [law]. Intact, te. Non dressé [horse].
unbuckle (bœk'l) Déboucler.
unbutton (bœ) Déboutonner.
uncalled for (kauld fau^{er}). Inutile; déplacé, *ée*.
uncanny Étrange (a^{n}j).
unceremonious Sans façon.
uncertain (ë^{r}t^{e}n) Incertain.
uncertainty Incertitude *f*.
unchain (tshé^{i}n) Dechaîner.
unchallenged Incontesté, *ée*.
unchangeable (tshé^{i}ndj^{e}bl) Invariable. **-changed** Toujours pareil. **-changing** Invariable (i^{n}vàryàbl).
uncivil (œn) Impoli, *ie* (i^{n}).
unclad (œn) Nu, nue (nü).
unclasp (œn) Dégrafer.
uncle (œnk'l) Oncle (o^{n}kl).
unclean (œnklîn) Sale (àl).
uncleanness Malpropreté *f*.
unclose (œnklo^{ou}z) Ouvrir.
uncomely (kœ) Disgracieux.
uncomfortable Inconfortable, incommode. Gêné, *ée* (jé) [awkward]. Fâcheux, euse (fâshë, ëz) [unpleasant].
uncommon Extraordinaire.
unconcerned Indifférent.
unconditional (œnk^{e}ndish^{e}n'l). Sans conditions.
unconnected Sans relation.
unconquerable Invincible.
unconscious Inconscient.
uncontrolled Sans frein.
uncork (kau^{er}k) Déboucher.
uncouple (kœp'l) Débrayer.
uncourteous Discourtois, se.
uncouth (outh) Bizarre (zàr). Gauche (gôsh) [awkward]. Grossier, ère [coarse].
uncouthness Bizarrerie *f*. Rudesse *f*. Gaucherie *f*.
uncover (kœv^{er}) Découvrir*.
uncreasable Infroissable.
unction (œngksh^{e}n) Onction *f*.
unctuous (you^{es}) Onctueux.
uncultivated Inculte (i^{n}kült).
uncurl (kërl) Défriser.
uncut (œt') Non coupé.
undamaged (dà) Indemne.
undaunted (aun) Intrépide.
undeceive (issîv) Détromper.
undecided (sa^{i}) Non décidé; indécis, ise (i^{n}dessì, ìz).
undefiled (a^{i}ld) Pur (ür), e.
undefinable Indéfinissable.
under (œnd^{er}) Sous (sû); au-dessous de. Dans [within].
undercut (œt) Filet *m* (lè).
underdone (œn) Peu cuit, e. (k^{u}ì, ìt); saignant (sèña^{n}).
undergo* (go^{ou}) Subir [**underwent, -gone*].
underground (a^{ou}nd) Souterrain, aine. Clandestin, *ine*.

undergrowth (ooùth) Broussailles *fpl* (brûssay). **underhand** (hànd) Secret, ète (sekrè, èt). *ad* En secret. **underlet*** Sous-louer [**un-derlet, -let*]. **underlie*** (lai) Être dessous [**underlay, -lain*]. **underline** (ain) Souligner. **undermost** (mooust) Inférieur, eure. Le plus bas. **underneath** (îth) Dessous (dessû). *prep* Sous (sû). **underpay*** (péi) Mal payer [**underpaid*]. **underrate** Sous-estimer. **undersea** *a* (sî) Sous-marin, ine (sû-marin, în). **undersell*** Vendre meilleur marché que [**undersold*]. **undersigned** (saind) Soussigné, ée (ñé) : *I the undersigned*, je soussigné. **understand*** Comprendre* (konprandr). Apprendre* (àprandr) [to learn]. Sous-entendre [to imply] [**understood*]. **-standing** Entendement *m*. **undertake** (éi) Entreprendre* [**undertook, -taken*]. **-taker** Entrepreneur. **-taking** Entreprise *f* (prîz). **undervalue** (lyou) Déprécier. **underwear** Sous-vêtement *m*. **underwood** (woud) Taillis *m*. **underwrite*** (ai) Souscrire*. **-writer** Souscripteur [**underwrote, -written*]. **undeserved** (dìzërvd) Immérité, ée. **-serving** Indigne. **undesirable** (dizaireb'l) Indésirable (dézìràbl). **undo*** (œndou) Défaire* (fèr). Ruiner (ruiné) [**undid, done*]. **-done** (œn) Non fait. Délié, ée. Perdu, ue. **undoubted** Indubitable. **undress** (œndrès) Déshabiller (dézàbiyé). *n* Petite tenue. **undue** (dyou) Non dû, indu. Excessif, ive. **undulating** (œndyouléi) Ondoyant, te (wàyan). Accidenté, ée [land]. **-lation** (éishen) Ondulation *f*. **unduly** (œndyouli) Indûment. **unearned** (ërnd) Non mérité. **unearth** (ërth) Déterrer. **unearthly** Surnaturel, elle. **uneasiness** (œnîziniss) Malaise *m* (lèz), peine *f* (pèn). Inquiétude *f* (inkyétüd). **uneasy** (œnîzi) Inquiet, ète; gêné, ée. Difficile. **uneducated** (dyou) Sans éducation (dü), mal élevé. **unemployed** (oid) Sans travail. *n* Chômeur, euse. **-oyment** Chômage *m* (shômàj). **unending** (ènding) Sans fin. **unequal** (ikwel) Inégal, ale. **unequalled** (eld) Sans égal. **uneven** (œnîven) Inégal, ale. Raboteux, euse [road]. **unevenness** (îv) Inégalité *f*. **unexpected** Inattendu, ue. **-pectedly** A l'improviste. **unfading** (éi) Inaltérable. **unfailing** (féi) Inépuisable. Infaillible (fàyib'l). **unfair** (fèer) Injuste (jüst), de mauvaise foi. **-fairness** Déloyauté *f* (lwàyôté). **unfaithful** (éith) Infidèle (infidèl). **-faithfulness** Infidélité *f*. **unfashionable** (fasheneb'l) Démodé, ée. **unfasten** (œnfâssen) Déta-

cher (tàshé), desserrer.
unfavourable Défavorable.
unfeeling (fî) Insensible.
unfeigned (éind) Sincère (in).
unfit (œnfit') Impropre (inpròpr). *vt* Rendre impropre.
unfix (œnfix) Détacher (shé).
unfold (oould) Déplier, déployer (wàyé). Ouvrir* [open]. Développer. Révéler.
unforeseen (sìn) Imprévu, e.
unfortunate (tshenit') Malheureux, euse (lœrë, ëz).
unfounded Sans fondement.
unfrequent (frikwènt) Rare.
unfriendly (frènd) Inamical.
unfurl (fërl) Déployer (wà).
unfurnished (ër) Non meublé.
ungenial (djî) Rébarbatif.
ungenteel (djèntîl) Inélégant, mal élevé.
unglue (englou) Décoller.
ungodly (œn) Impie (inpî).
ungovernable Indocile (indòsil), irrésistible.
ungraceful (éis) Sans grâce.
ungrateful (éit) Ingrat, te.
-fulness Ingratitude *f* (ü).
unguarded (gâr) Sans défense.
unhandy (hàn) Gauche (gôsh). Incommode (in) [things].
unhang* (hàng) Dépendre [**unhung, -hanged*].
unhappiness (ha) Malheur *m* (lœr). **-happy** Malheureux.
unharmed (hârmd) Sain et sauf (sin è sôf).
unhealthy (hèlthi) Malsain, aine (sin, èn).
unheard (hërd) Inouï (ûî).
unhook (houk) Décrocher (shé). Dégrafer [dress].
unhoped for Inespéré, ée.
unhorse (hauers) Démonter.
unicorn (you) Licorne *f*.
uniform (you) Uniforme *m*.
unimportant Peu important.
uninhabitable Inhabitable.
-bited Inhabité, ée.
uninjured (djerd) Intact, te.
unintelligible (lidj) Inintelligible (lìjìbl).
unintentional Involontaire.
uninterrupted Ininterrompu.
union (younyen). Union *f* (ünyon). *Union Jack*, pavillon britannique. *Trade union* (éid), syndicat [*m*] ouvrier.
unique (younîk) Unique (ü).
unison (younizen) Unisson *m*.
unit (younit') Unité *f* (ü).
unite (younait) Unir, s'unir.
unity (youniti) Unité *f* (ü). Union *f* (ünyon).
universal (you) Universel.
universe (you) Univers *m* (èr).
university *f* Université *f* (ü).
unjust (œndjœst) Injuste.
unjustifiable Injustifiable.
unkempt Mal peigné (ñé).
unkind (aind) Méchant, te (an, ant), malveillant (vèyan).
unkindness Méchanceté *f* (méshansté).
unknit (œnnit') Défaire*.
unknowing (noouing) Ignorant, te (ìñoran, t). **-ingly** Sans savoir (san savwàr).
unknown (ooun) Ignoré, ée.
unlace (léis) Délacer (làsé).
unlade (œnléid) Décharger.
unlawful (aufoul) Illicite (lissit'), illégitime (jì).
unlearn (ërn) Désapprendre*.
unlearned Ignorant, te.
unless (œnlèss) A moins que.
unlettered (terd) Illettré.
unlike (laik) Dissemblable (àbl). *prep* Au contraire de.
unlikely Improbable.

unlimited Illimité, *ée*.
unload (o^ou^d) Décharger (**jé**).
unloose (*ous*) Délier (y*é*).
unlovely (lœ) Sans attr*ait*.
unluckiness (lœ) Malh*eur* *m*.
unlucky Malheur*eux*, *euse*.
unmake* (é^i^k) Défaire* (**dé**-fèr) [**unmade*].
unman (œnmàn) Efféminer. Désarmer [ship].
unmanageable (idj^e^b'l) Intraitable (i^n^trètàbl).
unmanly (œn) Indigne (dìñ).
unmannerly (œn) Malappr*is*.
unmarried (id) Célibat*aire*.
unmask (œn) Démasqu*er*.
unmatched (àtsht) Dépareillé, ée (**dé**pàrèy*é*).
unmeaning (mî) Insignif*iant*.
unmeasured (mej^e^rd) Illimit*é*, *ée*.
unmoor (mou^e^r) Démarr*er*.
unmoved (mouv'd) Immob*ile*.
unmuzzle (œz'l) Démuseler.
unnail (né^i^l) Déclouer.
unnamed (é^i^md) Non nommé.
unnatural (atsh^e^r^e^l) Dénaturé, ée (nàt**ür***é*).
unnecessary Inutile (**ü**tìl).
unnerve (ë^r^v) Énerver.
unnoticed (no^ou^ti) Inaperç*u*.
unnumbered Innombr*able*.
unobserved (œn) Inaperç*u*.
unpack Déf*aire**, déballer.
unpaid (é^i^d) Non payé. Non affranchi (**a**^n^shî) [letter].
unpardonable Impardonn*able*.
unperceived (sivd) Inaperç*u*.
unpitying Impitoy*able* (wà).
unplait (œnpl*at*') Déplisser.
unpleasant (èz^e^nt) Désagréable (**dé**zàgr**é**àbl). **-santness** Caractère [*m*] désagré*able*.
unpleasing (pl*i*) Déplais*ant*.
unpolished Non pol*i*, grossier, ère (s^y^*é*, *è*r).
unpopular (you) Impopul*aire*.
unpopularity Impopularité *f*.
unpractised (*a*ktist) Inexpérimenté, *ée* (ma^n^).
unpremeditated Non prémédité; improvisé.
unprepared Non préparé, *ée*.
unpretending Sans prétent*ion*.
unprofitable Sans prof*it*.
unproved (*ou*vd) Non prouvé.
unprovided (*a*^i^) Dépourv*u*, *e*.
unpublished (pœ) Inéd*it*, te.
unpunctual (**œng**) Inex*act*, te.
unquenchable (wèn) Inextinguible (ti^n^*g*ib'l).
unquestionable Incontest*able*.
unravel (œn) Débrouiller (ûy*é*), démêler (è**l***é*).
unreasonable (œnriz^e^n^e^bl) Déraisonnable (rèzònàbl).
unrecognizable (**g**n*à*^i^z^e^bl) Méconnaissable (nèsàbl).
unreliable (la^ie^) Peu sûr.
unremitting Incess*ant*, te.
unrest (œn) Trouble *m* (ûbl). Insomn*ie* *f* [sleepnessness].
unrestrained (é^i^nd) L*i*bre. **-tricted** Sans restrict*ion*.
unriddle (œn) Expliqu*er*.
unrighteous (a^i^ty^e^s) Injuste (i^n^j*ü*st), méch*ant*, te. **-teousness** Iniquité *f* (ki).
unrivalled (a^i^v^e^ld) Sans rival; inégal*é*, *ée*.
unroll (ro^ou^l) Dérouler.
unruly (*rou*) Indisciplin*é*.
unsafe (œnsé^i^**f**) Peu sûr.
unsaid (sèd) Non dit, d*i*te : *to leave unsaid, taire**.
unsaleable (sé^i^l^e^b'l) Invendable (i^n^va^n^dàbl).
unsay* Se déd*ire** [**unsaid*].
unscathed (œnské^i^**zh**d) Sain

et sauf (siⁿ é sôf) ; intact.
unscrew (krou) Dévisser.
unscrupulous Indélicat.
unseal (sîl) Décacheter.
unseasonable (sîz) Intempestif, ive. Indue [hour].
unseasoned Non assaisonné.
unseat (sît') Démonter. Désarçonner [horseman].
unsecured (yourd) Non garanti, ie; mal assujetti.
unseemly (sîm) Malséant, e.
unseen (sîn) Inaperçu, ue.
unselfish Désintéressé.
unsettle (sèt'l) Déranger. **-tled** Non réglé. Variable (vàryàbl) [weather].
unshaken (éi) Inébranlable.
unshapen (éipen) Informe.
unship Débarquer (bàrké).
unshod Déchaussé, ée (shô).
unsightly (sai) Laid, laide.
unskilful Maladroit, oite.
unskilled Inexpérimenté, ée.
unsold (oould) Invendu, ue.
unsought (aut) Non cherché.
unsound (aound) Malsain, ne (siⁿ, èn), mauvais, se (vè). **-ness** Mauvais état m. Fausseté f (fôsté) [doctrine].
unsparing (pèe) Prodigue (dig) [liberal]. Impitoyable.
unspotted Sans tache.
unstable (éibl) Inconstant.
unstained (éind) Non teint.
unstamped Non affranchi, ie [letter]. Libre [paper].
unsteady (œnstèdi) Chancelant, te (shanselan, t). Inconstant, te (iⁿkonstan, t).
unstitch (œn) Découdre*.
unstop (œn) Déboucher (ûshé).
unstring Détendre. Défaire*.
unstudied (stœ) Naturel, le.
unsubstantial (œbstànshel). Insubstantiel, elle (sübstansyel) ; vain, ne (viⁿ, èn).
unsuccessful (sœk) Infructueux, euse (iⁿfrüktüë, ëz).
unsuitable (syou) Impropre. Inopportun, une (uⁿ, ün).
unsuspicious Confiant, te.
untamable (téimebl) Indomptable (iⁿdoⁿtàbl).
unthankful (thangk) Ingrat, e.
unthinking Irréfléchi, ie.
untidiness (tai) Désordre m (dézòrdr). **-tidy** (tai) Mal tenu, ue; débraillé, ée.
untie (tai) Délier, dénouer.
until (œn) Jusqu'à (jüskà). conj. Jusqu'à ce que [subj.].
untimely (tai) Prematuré, ée. adv Prématurément.
untiring (tai) Infatigable.
untold (oould) Non dit. Indicible (iⁿ). Inouï, ïe (ìnwì) [unheard of].
untouched (œtsht) Intact, te. Insensible [pers.].
untoward (oouerd) Fâcheux.
untrained (éind) Non entraîné, ée. Non dressé [animal].
untranslatable Intraduisible.
untrue (trou) Faux, ausse.
untruth (outh) Mensonge m. **-uthful** Menteur, euse.
untwist (twist) Détordre.
unused (youzd) Inusité, ée.
unusual (youjouel) Rare.
unutterable Inexprimable.
unvaried (vèerid) **-varying** (ìing) Constant, ante.
unveil (œnvéil) Dévoiler.
unwarned (œnwaurnd) Non averti, ie.
unwary (èeri) Imprudent, e.
unwearied (wierid) Infatigable (àbl). Non fatigué.

unwelcome Mal venu, *ue*.
unwell (œn) Indisposé, *ée*.
unwholesome (hoou) Malsain.
unwilling Peu disposé, *ée*.
unwillingly A contrecœur.
unwillingness Répugnance *f*.
unwind* (aind) Dérouler.
unwisdom (wizdem) Folie *f*.
unwise (aiz) Malavisé, *ée*.
unwittingly Sans le savoir. A son [mon, etc.] insu.
unwomanly (wou) Malséant, e.
unwonted (œnwòntid) Inaccoutumé, ée (ìnakûtümé).
unworthily (wërzhili) Indignement. **-worthiness** Indignité *f* (indìñìté). **-worthy** Indigne (indìñ).
unwrap (œnràp) Défaire*.
unwritten (riten) Non écrit.
unwrought (raut) Brut, ute.
unyielding (yîl) Inflexible.
unyoke (yoouk) Dételer.
up (œp) En haut (an 'ô); *to hang* up*, suspendre; *to bring*up*, élever; *to pick up*, ramasser; *to fill up*, remplir; *up to*, jusqu'à. *prep* Au haut de; *to go upstairs*, monter l'escalier.
upbraid Faire des reproches.
uphill Montant, escarpé.
uphold (hoould) Soutenir*; maintenir [**upheld*].
upholder Soutien *m* (tyin).
upholsterer Tapissier. **-tery** Tapisserie *f*.
upkeep (œpkîp) Entretien *m*.
upland (œp) Haute terre *f*.
uplander Montagnard, arde.
uplift Lever (levé).
upon (œpòn) Sur. V. ON.
upper (œ) Supérieur, *eure*.
uppermost Le plus haut.
upraise (éiz) Soulever (sû).
upright (ait) Droit, e (wà).
uprightly Honnêtement.
uprightness Droiture *f* (ür).
uprising (ai) Soulèvement *m* (sûlèvman). Éminence *f* (ans).
uproar (auer) Tumulte *m* (ü); vacarme.
upset* (œp) Renverser (ran). Verser [carriage]. Faire* chavirer [boat]. *n* Bouleversement *m*. *Upset price*, mise à prix [**upset*].
upshot (œp) Fin *f* (fin).
upside down Sens dessus dessous (sandsüdsû).
upstart Parvenu, *ue*.
up-to-date (déit) Mis à jour. Moderne (èrn).
upward (ërd) Ascendant, te.
urchin (ër) Gamin *m* (min). Hérisson *m* (érìson) [animal]. *Sea-urchin*, oursin *m*.
urge (ërdj) Pousser (pûsé).
urgency Urgence *f* (jans).
urgent (ërdjent) Urgent.
urinal (you) Urinal *m* (ü). Urinoir *m* (ürìnwàr) [place].
urn (ërn) Urne *f* (ürn).
us (œss) Nous (nû).
usage (youssidj) Usage *m* (üzàj) [using]. Utilité *f* (ü). Habitude *f* [habit]. *Of no use*, inutile. *vt* (youz) Se servir* de. Traiter (trèté) [treat]. Accoutumer (àkûtümé) [accustum]. *vi* Avoir* coutume de.
used (youzd) Habitué, *ée*.
useful (yousfoul) Utile (ü).
usefulness Inutilité *f*.
usher (œsher) Répétiteur. Huissier [law]. *v* Introduire.
usual (youjouel) Usuel, *elle*.
usufruct (youssyoufrœkt) Usufruit *m* (üzüfruì).

usurer (youjerer) Usurier.
usurp (youzërp) Usurper (ü).
usurpation Usurpation *f*.
usurper Usurpateur, trice.
usury (youjoueri) Usure *f*.
utensil (youtèn) Ustensile *m* (üstansìl). Vase de nuit.
utilisation Utilisation *f*.
utility (you) Utilité *f* (ü).
utilize (youtilaiz) Utiliser (ütìlìzé).
utmost (œtmooust) Extrême. *n* L'extrême.
utopia (youtoou) Utopie *f*.
utopian Utopique (ütòpìk).
utter (œter) Complet, ète (kon). *vt* Prononcer. Pousser (pûssé) [cry].
utterable Exprimable.
utterly Totalement.
uttermost Extrême.
uvula (you) Luette *f* (luet).

V

v (vî) V (vé).
vacancy (vél) Vacance *f* (ans) [post]. Vide *m* (îd) [empty], lacune *f* (làkün) [gap]. Loisir *m* [leisure] Distraction *f*.
vacant (véi) Vacant, te (an) [place]. Vide [empty]. Distrait, te [absent-minded].
vacate (éit) Laisser vacant.
vacation Vacances *fpl* (ans).
vaccination Vaccination *f*.
vacillate (éit) Vaciller (lé). **-lation** Vacillation.
vacuum (vàkyouem) Vide *m* (îd) *Vacuum-cleaner*, aspirateur *m*. *Vacuum-flask*, bouteille isolante.
vagabond Vagabond, onde.
vagary (vegèeri) Boutade *f*.
vagrancy (éi) Vagabondage *m*.
vagrant Vagabond (vàgàbon).
vague (véig) Vague (vàg).
vagueness (véi) Vague *m*.
vain (véin) Vain, e (vin, èn). Vaniteux, se (të, ëz). *In vain*, en vain.
vainglorious Vaniteux, se.
vainglory Gloriole *f* (ryòl).
vale (véil) Vallée *f* (vàlé).
valerian Valeriane *f* (ryàn).
valet (it') Valet (lè).
valetudinarian Valétudinaire.
valiant (lyent) Vaillant, ante (vàyan, ant).
valid Valide (lîd). **-lidness, -lidity** Validité *f*.
valley (vàli) Vallée *f* (lé).
valorous (vàleres) Valeureux, euse (œrë, ëz).
valour (ler) Valeur *f* (lœr).
valuable (lyou) Précieux, se (syë, ëz).
valuation Estimation *f*.
value (vàlyou) Valeur *f* (œr). *vt* Estimer.
valueless Sans valeur.
valve Soupape *f* (sûpàp). Valve *f*. Clapet (pè) [clack].
vamp Empeigne *f* (anpèñ). Enjôleuse *f* (anjôlëz) [pers.].
vampire (aier) Vampire *m*.
van (vàn) Voiture *f* (wàtür). Fourgon *m* (fûrgon) [rail., mil.]. Van *m* (van) [winnow]. Avant-garde *f* [vanguard]. Front *m* [line].

vane (éⁱn) Girouette *f* (jìrûèt). Aile *f* (èl) [mot.].
vanguard (ârd) Avant-garde *f*.
vanilla (ile) Vanille *f* (nìy).
vanish S'évanouir (évànwir).
vanity Vanité *f*.
vanquish (kwish) Vaincre*.
vantage (tidj) Avantage *m*.
vapid Fade (fàd).
vaporize (véⁱperaⁱz) Vaporiser (vàpòrìzé). **-izer** Vaporisateur *m*.
vaporous (res) Vaporeux, se.
vapour (véⁱper) Vapeur *f*.
variable (vèe) Variable (và).
variance Désaccord *m* (kòr).
variation Variation *f*.
varied (vèerîd) Varié, ée.
variegate (géⁱt) Varier.
variety (veraⁱeti) Variété *f*.
variola (veraⁱele) Variole *f*.
various (vèe) Divers, erse.
varlet Valet *m*. Coquin *m*.
varnish Vernis *m*. *vt* Vernir.
vary (vèeri) Varier (vàryé).
vase (vâz) Vase *m* (vâz).
vassal Vassal, ale.
vast Vaste (vàst). **-ness** Immensité *f* (immansìté).
vat (vàt') Cuve *f* (küv).
vaudeville Music-hall (mü).
vault (vault) Voûte *f* (vût), cave *f* (kàv). Saut *m* (sô). *vi* Sauter (sôté).
vaulted Voûté, ée.
vaunt (vaunt') Vanterie *f* (vante). Vanter, se vanter.
vaunter (ter) Vantard, de.
veal (vîl) Veau *m* (vô).
veer (vîer) Virer.
vegetable (djeteb'l) Légume *m* (ü). Végétal, ale.
vegetate (éⁱt) Végéter (j).
vegetation Végétation *f*.
vehemence (vî) Véhémence *f*.
vehement Véhément, te (an).
vehicle (vîik'l) Véhicule *m*.
veil Voile *m* (vwàl).
vein (véⁱn) Veine *f* (vèn).
vellum Vélin *m* (lin).
velocity Vélocité *f*.
velvet (it') Velours *m* (ûr).
velveteen (tîn) Velours [*m*] de coton (velûr).
velvety Velouté, ée (lûté).
vend Vendre (andr).
venerable Vénérable (ràbl).
venerate Vénérer.
veneration Vénération *f*.
venereal Vénérien, enne.
vengeance (vèndjens) Vengeance *f* (vanjans).
venial Véniel, elle.
venison (vènzen) Venaison *f*.
Venitian (ish) Vénitien, enne.
venom (vènem) Venin *m* (in).
venomous (mes) Venimeux, se (më, ëz) [animal]. Vénéneux, euse [plant].
vent (vènt) Issue *f* (sü), passage *m*. Lumière *f* [gun]. Soupirail *m* [air-hole].
ventilate (éⁱt) Ventiler (van). **-lation** Ventilation *f*.
ventilator Ventilateur *m*.
ventriloquist Ventriloque.
venture (tsher) Risque *m* (risk). Pacotille *f* (tiy) [com.]. *vt* Risquer (ké).
venturesome Aventureux, se.
veracious (éⁱshes) Véridique.
veracity Véracité *f*.
verandah (ràn) Véranda *f*.
verb (ërb) Verbe *m* (èrb).
verbal (vërb'l) Verbal, ale.
verdant (ànt') Verdoyant, ante (vèrdwàyan, ant).
verdict (vërdikt) Verdict.
verdigris (iss) Vert-de-gris *m* (vèrdegrî).

verdure (yer) Verdure *f* (*ü*).
verge (vërdj) Bord *m* (bòr), lisière (zyer) *f* [skirt]. Verge (verj) *f* [rod]. *vi* Pencher (paⁿshé).
verger (dj) Bedeau *m* (dô).
veridical Véridique (dik).
verification Vérification *f*.
verifier (ai) Vérificateur.
verify (fai) Vérifier (fyé). Certifier (sèr).
verily En vérité.
veritable (teb'l) Véritable.
verity Vérité *f*.
vermicelli (sè) Vermicelle *m*.
vermifuge Vermifuge (*ü*j).
vermilion Vermillon *m* (yoⁿ).
vermin (vërmìn) Vermine *f*.
verse (ë) Vers *m* (vèr). Strophe *f* (òf) [poem]. Verset *m* (sè) [Bible].
versification Versification.
version (ërshen) Version *f*.
vertebra (vër) Vertèbre *f*.
vertical (vër) Vertical, e.
vertiginous Vertigineux.
vertigo Vertige *m* (tij).
very Vrai, aie (vrè); véritable (àbl). *ad* Très (trè).
vesicatory Vésicatoire *m*.
vespers *pl* Vêpres *fpl* (èpr).
vessel Vaisseau *m* (vèssô).
vest Gilet *m* (jìlè). *vt* Vêtir.
vestibule (youl) Vestibule *m* (bül). Porche *m* [church].
vestige (idj) Vestige *m* (ij).
vestry Sacristie *f* (tî).
vesture (tsher) Vêtements *mpl* (vètmaⁿ).
veteran (ren) Vétéran (aⁿ).
veterinary Vétérinaire.
vex Fâcher (shé), vexer.
vexation (éishen) Contrariété *f* (koⁿ), dépit *m* (pî).
viaduct (œkt) Viaduc *m* (*ü*k).
vial (vaiel) Fiole *f* (fyòl).
viand (vaiend) Viande *f* (vyaⁿd). Mets *m* (mè) [dish].
vibrate (vaibréit) Vibrer.
vibration Vibration *f*.
vicar (vìker) Vicaire (kèr). Curé *m* (kü) [parish]. Ministre *m* [protestant].
vicarage (idj) Cure *f* (ü).
vice (vais') Vice *m* (vìs) [fault]. Étau *m* (étô) [tool]. *pref* Vice: VICE*roy*, vice-roi.
vicinity Voisinage *m* (nàj).
vicious (vishes) Vicieux, se.
viciousness Vice *m* (vis').
vicissitude Vicissitude *f*.
victim Victime *f* (viktìm).
victor Vainqueur (viⁿkœr).
victorious Victorieux, se.
victory Victoire *f* (twàr).
victual (vit'l) Approvisionner. **-tualer** Fournisseur *m*. **-tualing** Ravitaillement *m*.
victuals (vit'lz) Victuailles *fpl* (viktuay), vivres *mpl*.
vie (vai) Lutter (lüté).
view (vyou) Vue *f* (vü). Coup d'œil [glance]. Point de vue. Regard *m* (regar) [look]. Examen *m* (miⁿ). Opinion *f*. *View-point*, point de vue.
vigil (dj) Veille *f* (vèi). Vigile *f* (jil) [rel.].
vigilance Vigilance *f* (laⁿs).
vigilant Vigilant (aⁿ), ante.
vignette (ñet') Vignette *f*.
vigorous (ge) Vigoureux, se.
vigour (viger) Vigueur *f*.
vile (vail) Vil, ile.
vileness (vailnis') Vilenie *f*.
vilify (vilifai) Vilipender.
villa (vile) Villa *f* (vìlà).
village (vilidj) Village *m* (vilàj). **-ager** Villageois, oise (vìlàjwà, wàs).

villain (ìn) Coquin *m* (*i*ⁿ).
villainous (lenes) Scélérat, ate (*à*, *à*t). **-llainy** Vilenie *f* (vìlnî).
vindicate (éit) Soutenir* (sût) [uphold]. Venger (vanjé) [avenge]. **-tive** Vindicatif, ive (kàtif, iv).
vinegar Vinaigre *m* (ègr).
vineyard (ìn) Vigne *f* (ìñ).
vintage (idj) Vendange *f* (aⁿj). Cru *m* (ü) [vineyard].
viol (vaiel) Viole *f* (vyòl).
violate (aielélt) Violer (yò).
violation Violation *f*.
violence (vaielens) Violence *f*.
violent (vaielent) Violent, te.
violet (vai) Violette *f* (yò).
violin (vaielìn) Violon *m* (vyòloⁿ). **-linist** Violoniste.
violoncello (vaielentshèloou) Violoncelle *m* (vyòloⁿsèl).
viper (vaiper) Vipère *f* (vì).
virgin (vërdjìn) Vierge *f* (vyèrj). **-nal** Virginal (ji).
virginia (verdjinye) Virginie (ji) *Virginia creeper*, vigne vierge *f*.
virginity Virginité *f* (jì).
virile (virail) Viril, le.
virility Virilité *f*.
virtue (vërtyou) Vertu *f*. Mérite *m* (it'). **-tuous** (tyou) Vertueux, euse (üë, ëz).
virulence Virulence *f* (ü).
visage (idj) Visage *m* (zàj).
viscount, tess (vaikaount') Vicomte (vìkoⁿt), tesse.
viscous (kes) Visqueux, se.
visé Visa *m*. *vt* Viser (zé).
visibility Visibilité *f*.
visible Visible (vìzib'l).
vision (vijen) Vision *f* (zyoⁿ).
visionary Visionnaire.
visit Visite *f* (ìt). *vt* Visiter. Châtier [to punish].
visitation Inspection *f*. Châtiment *m* (shàtimaⁿ).
visiting Visites *fpl*. *Visiting-card*, carte de visite.
visitor Visiteur, euse (œr).
vista Vue *f* (vü).
visual (jyouel) Visuel, lle.
vital (vai) Vital, le (vì).
vitality Vitalité *f*.
viciate (shyéit) Vicier (syé).
vitrify (fai) Vitrifier.
vitriol Vitriol *m*.
vituperate (vaityouperéit). Vilipender (paⁿdé).
vivacious (vivéishes) Vif, ve.
vivacity Vivacité *f*.
vivify (fai) Vivifier (fyé).
vixen Renarde *f* (renàrd). Mégère *f* (jèr) [woman].
viz [abrév. du lat. *videlicet*] (néimli) A savoir.
vocabulary (byou) Vocabulaire *m* (bülèr).
vocal (voou) Vocal, le (vò).
vocalize (laiz) Vocaliser.
vocation Vocation *f*.
vociferate (réit) Vociférer.
vociferation Vocifération *f*.
vogue (vooug) Vogue *f* (vòg).
voice (vois) Voix *f* (vwà). *vt* Exprimer. **-less** Muet.
void Vide. Nul, ulle. Vider.
volatile (tail) Volatile (tìl). *Fig.* Volage (àj). **-latilize** (laiz) Volatiliser.
volcanic Volcanique (nik).
volcano (kéinoou) Volcan *m*.
volley (li) Volée *f* (vòlé). Décharge *f* (shàrj) [gun].
volt Volt *m* (vòlt). Volte *f* [horse]. **-tage** (idj) Voltage *m* (vòltàj).
voltmeter Voltmètre *m*.
volubility Volubilité *f*.

voluble (youb'l) Délié, ée. [tongue]. Facile (sìl) [speach].
volume (vòlyoum) Volume *m* (vòlüm). **-luminous** Volumineux, se.
voluntary Volontaire (tèr).
volunteer (vòlentier) Volontaire *m* (vòlontèr).
volute (yout') Volute *f* (üt).
vomit (it') Vomir. *n* Vomissement *m* (man).
vomitory Vomitif *m.*
voracious (éishes) Vorace (às).
voraciousness Voracité *f.*
vote (voout) Vote *m* (vòt), voix *f* (vwà). *vi* Voter.
voter Votant *m* (tan).
vouch (vaoutsh) Attester, garantir (antir).
vouchee (tshî) Garant *m.*
voucher Garantie *f* (an). Pièce justificative *f*. Bon *m*. Reçu *m.*
vouchsafe (séif) Accorder.
vow (vaou) Vœu *m* (vë). *vi* Faire* un vœu. Jurer (jü).
vowel (vaouel) Voyelle *f.*
voyage (voiidj) Voyage *m* (vwàyàj), traversée *f* (sé). *v* Naviguer (gé).
voyager (djer) Passager (jé).
vulcanize (vœlkenaiz, Vulcaniser (vülkànìzé).
vulgar (vœlger) Vulgaire (vülgèr). Ordinaire [paction].
vulgarism Expression vulgaire *f.*
vulgarity Vulgarité *f.*
vulgarize (aiz) Vulgariser.
vulgarly Vulgairement.
vulnerable (vœl) Vulnérable.
vulnerary (vœl) Vulnéraire.
vulture (tsher) Vautour *m.*

W

w (dœb'l you) W (dûble vé).
wabble (wòb'l) Vaciller (lé).
wad (wod) Tampon *m* (tanpon). *vt* Bourrer (bû). Ouater (wà) [pad]. **-ding** Rembourrage *m* (ranbûràj).
waddle (wad'l) Se dandiner.
wade (wéid) Traverser à gué. **-ers** Échassiers *m* (syé).
wafer (wéi) Pain à cacheter [sealing]. Cachet *m* (shè) [med.]. Hostie *f* (tî) [host]. *Sugar wafer*, gaufrette *f.*
waffle (of'l) Gaufre *f* (ôfr). *Waffle-iron*, gaufrier *m.*
waft Souffle *m* (sûfl) [breath]. Flotteur *m.*
wag Farceur *m* (sœr). *v* Agiter (àjìté), s'agiter.
wage (wéidj) Salaire *m* (èr). *pl* Gages *npl* (àj). *vt* Faire*.
wager (dj) Gajeure *f* (jür), pari *m*. *vt* Parier (ryé).
wagerer (dj) Parieur (ryœr).
waggery (ge) Espièglerie *f.*
waggish (g) Farceur, euse.
waggishness Espièglerie *f.*
waggle Frétiller (tiyé).
wagon (gen) Chariot *m* (ryô), Charrette *f* (shàrèt). Wagon *m* (vàgon) [rail].
wagtail Bergeronnette *f.*
waif (wéif) Épave *f* [wreck]. Enfant abandonné.
wail (wéil) Pleurer (plœré).
wain Chariot *m* (shàryô).

wainscot Boiserie *f* (bwàzrî). *vt* Lambrisser (la^{n}brisé).
waist (wé^{i}st) Ceinture *f* (si^{n}tür), taille *f* (ta^{y}). *Waist-belt*, ceinturon *m*. *Waistcoat* (weskit'), gilet *m*.
wait (wé^{i}t) Attendre (a^{n}dr). *vi* Attendre. *n* Embûche *f*.
waiter Garçon (so^{n}) [d'hôtel]. Plateau *m* (tô) [tray].
waiting Attente *f* (àta^{n}t).
waitress Bonne, serveuse.
waive (wé^{i}v) Abandonner.
waiver Abandon *m* (àba^{n}do^{n}).
wake (wé^{i}k) Éveiller (è^{y}é). Veiller [a corpse]. *vi* S'éveiller. Veiller [watch]. *n* Veillée *f*. Sillage *m* [ship].
wakeful Éveillé; vigilant.
wakefulness Insomnie *f*.
wale (wé^{i}l) Marque *f* (àrk).
walk (wauk) Marcher, aller* à pied; aller* au pas. Se promener [to take a walk]. *To walk over*, traverser. *m* Marche *f*; promenade *f*. Allée *f* [garden]. *Walk of life*, carrière [profession].
walker Marcheur, euse (œr). Promeneur, se; piéton (o^{n}).
walking (wauking) Marche *f* (màrsh), promenade *f* (nàd). *a* Ambulant, te (a^{n}büla^{n}).
wall (waul) Mur *m* (mür), muraille *f* (rà^{y}). *Partition-wall*, cloison *f*. *vt* Entourer de murs; clore*.
wallet (waulit') Sac *m*.
wall-flower (fla^{ouer}) Giroflée *f* (jìròflé).
walling Muraille *f* (mürà^{y}). *Walling-paper*, papier peint.
wallop *m* Coup. Rosser.
wallow Se vautrer (vôtré).
walnut (waulnœt) Noix *f*. (nwà). Noyer *m* (nwà^{y}é). *Walnut-tree*, noyer *m*.
waltz (au) Valse *f* (àls). *vi* Valser. **-er** Valseur, se.
wan (wòn) Blême, pâle.
wand (ò) Baguette *f* (gèt).
wander (wònde^{r}) Errer. Divaguer (gé) [mind].
wanderer Vagabond, onde.
wandering Course errante *f*. Égarement *m* [mind]. Délire *m* (lìr) [raving]. *a* Vagabond (vàgàbo^{n}).
wane (wé^{i}n) Déclin *m* (i^{n}). *vi* Décroître (dékrwàtr).
wanness (wòn) Pâleur *f*.
want (waunt) Besoin *m* (b^{e}-zwi^{n}), manque *m* (a^{n}k). *vt* Avoir* besoin de, manquer.
wanton (wònte^{n}) Folâtre (lâtr) [playful]. Licencieux, se [unchaste]. Gratuit, te (t^{u}i). *n* Libertin *m*. *vi* Folâtrer.
war (wau^{r}) Guerre *f* (gèr). *vi* Faire* la guerre. *- office*, ministère de la Guerre.
warble (wau^{r}b'l) Gazouiller (zû^{y}é). **-bler** Chanteur, euse. Fauvette *f* (fôvèt) [bird]. **-ing** Gazouillement *m* (zû^{y}).
ward (wau^{r}d) Garde *f*. Tutelle *f* (ü) [guardianship]. Pupille *f* (püpil) [girl]. Salle *f* (sàl) [hospital]. Quartier *m* (kàrt^{y}é) [school, town]. *vi* Se garder.
warden Gardien *m* (d^{y}i^{n}).
warder Garde *m* (gàrd).
wardrobe (ro^{ou}b) Garde-robe *f*.
ware (wèe^{r}) Marchandise *f* (sha^{n}dîz): *chinaware*, porcelaine *f*; *earthenware*, faïence *f*.
warehouse (wèe^{r}ha^{ou}s) Entrepôt *m* (a^{n}tr^{e}pô), magasin *m*. *vt* Entreposer.

warfare (wau^{r}fèe^{r}) Guerre *f*.
warily (wèeri) Prudemment.
wariness Prudence *f* (üda^{n}s).
warlike (wau^{r}la^{i}k) Guerrier, ère (gér^{y}é, èr).
warm (wau^{r}m) Chaud, de (shô). To be* warm, avoir* chaud; it is warm, il fait chaud. *vt*. Chauffer (shôfé), s'échauffer.
warmth (wau^{r}mth) Chaleur *f*.
warn (wau^{r}n) Avertir*.
warning Avertissement *m*. Congé *m* (ko^{n}jé) [to quit].
warp (wau^{r}p) Ourdir (ûr) [weave]. *vi* Gauchir (gôsh). *n* Chaîne *f* (shèn) [weav.].
warrant (au) Autorisation *f*, garantie *f*. Warrant *m* [com.]. Mandat d'amener [law].
warrantee (tî) Garantie *f*.
warranter Garant (ra^{n}).
warren (au) Garenne *f* (èn).
warrior (waurye^{r}) Guerrier *m* (gér^{y}é). *Warrior-ship*, vaisseau de guerre *m*.
wart (wau^{r}t) Verrue *f* (rü).
wary (wèeri) Prudent, te.
was (wauz). V. BE.
wash (wosh) Lessive *f* (iv), blanchissage *m* (sàj). Lotion *f* (s^{y}o^{n}) [med.]. Lavis *m* (làvî) [colour]. *vt* Laver. Baigner (bèñé) [fig.]. *To wash up*, faire la vaisselle. *vi* Se laver. **-able** Lavable (àbl).
washer Laveur, euse (œr, ëz).
washing Lavage *m* (àj).
wash-stand Lavabo *m* (làvàbô).
washy Humide (ümìd).
wasp (wausp) Guêpe *f* (gèp).
wassail (wòs'l) Orgie *f*.
waste (wé^{i}st) Perte *f* (pèrt). Gaspillage *m* (^{y}àj). Dégât *m* (gâ) [damage]. *a* De rebut (bü) [useless]. Perdu (dü) [time]. *En friche* (ish) [land]. *vt* Gaspiller (^{y}é) [to lose]. Gâcher (shé) [to spoil]. Dévaster [to ruin]. *vi* Dépérir (îr) [to decrease]. **-ful** Prodigue (ig). **-fulness** Gaspillage *m* (^{y}àj).
waster (wé^{i}) Propre à rien *m*.
watch (wotsh) Garde *f* [guard]. Quart *m* (kàr). Montre *f* (mo^{n}tr) [timepiece]. *vi* Veiller (vè^{y}é).
watchful Vigilant, te (jila^{n}).
watchfulness Vigilance *f*.
watching Surveillance *f*.
watch-maker (é^{i}) Horloger.
watchman Garde *m*, veilleur *m* (vè^{y}œr).
water (waute^{r}) Eau *f* (ô). *High water*, marée haute. *vt* Arroser (zé). Abreuver (œvé) [drink]. Couper (kû) [wine]. *Water-bottle*, carafe *f*. *Water-closet*, cabinet d'aisances *m*. *Water-colour*, aquarelle *f*. *Water-course*, cours d'eau *m*.
watercress Cresson *m* (so^{n}).
watered Arrosé, ée.
waterfall Cascade *f* (kàd).
watering (au) Arrosage *m*. *Watering-place*, ville d'eaux, bains de mer *mpl* [seaside]. Abreuvoir *m* [animals]. *Watering-spot*, arrosoir *m*.
water-lily Nénuphar *m* (ü).
waterman Batelier *m* (l^{y}é).
waterplane Hydravion *m*.
waterproof Imperméable *m*.
water-tight (ta^{i}t) Étanche.
watery Aqueux euse.
wattle (wòt'l) Claie *f* (klè). Acacia *f* (àkàs^{y}à) [tree].
wave (wé^{i}v) Vague *f* (vàg).

Ondulation *f* [hair, fig.]. Onde *f* [phys.] *vt* Agiter. Onduler (oⁿdülé) [hair].
waver Hésiter (ézìté).
wavering Indécis, ise (iⁿ) *n* Indécision *f*.
wavy Ondulé, ée (oⁿdülé).
wax Cire *f* (sìr). Poix *f* (pwà) [shoemaker's]. Rage *f* (ràj) [fam.]. *vt* Cirer (sìré).
waxing Cirage *m*.
way (wéⁱ) Chemin *m* (shᵉmiⁿ) [road], route *f* (rût). Distance *f* (aⁿs). Direction *f* (sʸoⁿ). Manière *f* (ʸer). Moyen *m* (mwàʸiⁿ) [means].
wayward (wᵉrd) Capricieux.
waywardness Caprice *m* (ìs).
we (wî) Nous (nû).
weak (wîk) Faible (fèbl).
weaken Affaiblir (àfèblir).
weakly Faible (fèbl).
weakness Faiblesse *f* (blès).
weal (wîl) Bien *m* (bʸiⁿ), bien-être *m*. Marque *f*.
wealth (wèlth) Richesse *f* (shès). **-thy** (thi) Riche.
wean (wîn) Sevrer (sᵉvré).
weaning (wîning) Sevrage *m*.
weapon (wèpᵉn) Arme *f* (à).
wear* (wèᵉr) Porter (té), mettre* (mètr). User (üzé) [to wear out]. *vi* Faire* usage. *n* Usage *m* (üzàj). Usure *f* (üzür) [wear and tear] [**wore, worn*].
wearable Mettable.
wearied (wiᵉrîd) Fatigué, ée (gé). **-riness** Fatigue *f* (ig).
wearisome Ennuyeux, euse (aⁿnⁿìʸë, ëz), fatigant, te.
wearisomeness Ennui *m* (ᵘi).
weary (wiᵉ) Fatigué, ée (gé). Fatigant, te (aⁿ, aⁿt). *vt* Lasser (sé).
weasel (wîz'l) Belette *f*.
weather (wèzhᵉr) Temps *m* (taⁿ). *vt* Résister. *Weathercock*, girouette *f*.
weave* (wîv) Tisser (tisé) [**wove, woven*].
weaver Tisserand *m* (tisraⁿ).
web Tissu *m* (sü). Toile *f* (twàl) [spider's]. Enchaînement *m* [fig.]. Sangle *f* (saⁿgl) [girth]. Lame *f* (làm) [saw]. Taie *f* (tè) [eye]. - *-footed*, palmipède.
wed *vt* Épouser (épûzé) [to marry]. Marier (màrʸé) [to unite]. *vi* Se marier.
wedded Marié, ée.
wedding (wèding) Mariage *m* (màrʸàj), noce *f* (nòs). *Wedding-cake*, gâteau de noce. *Wedding-party*, noce *f*. *Wedding-ring*, alliance *f*.
wedge Coin *m* (kwiⁿ).
wedlock Mariage *m* (rʸàj).
wednesday (wènzdi) Mercredi *m* (mèrkrᵉdi).
wee (wî) Petit, tout petit.
weed (wîd) Herbe *f* (èrb). Tabac *m* (bà) [tobacco]. *vt* Sarcler, nettoyer (wà).
weeding Sarclage *m* (àj).
weeds Robe [*f*] de deuil.
week (wîk) Semaine *f* (sᵉmèn). *Week-day*, jour ouvrable. *Week-end*, fin de semaine.
ween (wîn) Penser (paⁿsé).
weep* (wîp) Pleurer (œré) [**wept*].
weeper Pleureur, euse.
weeping Pleurs (plœr) *mpl*.
weevil (wîvil) Charançon *m*.
weft Trame *f* (àm).
weigh (wéⁱ) Peser (pᵉzé).
weighing Pesage *m* (zàj).
weight (wéⁱt) Poids *m* (pwà),

pesanteur *f* (pezantœr). *vt* Charger (shàrjé).
weightiness Gravité *f*.
weighty Pesant, ante (zan).
weir (wier) Barrage *m* (àj).
weird (wierd) Étrange (anj).
welcome Bienvenu, ue (byinvenü). *n* Bienvenue *f* (nü), accueil *m* (àkœy). *vt* Accueillir (àkœyir).
weld Souder (sûdé).
welding Soudure *f* (sûdür).
welfare (wèlfèer). Bien-être *m* (byinnètr). Salut *m* (lü).
well Puits *m* (pui). Fontaine *f* (fontèn), source *f* (sûrs). *pl* Eaux *fpl* (ô) [minérales]. *vi* Jaillir (jàyir).
well Bien portant, ante. Heureux, se [happy]. Utile [useful]. *adv* Bien. *Well done!* bravo! *Well-being,* bien-être *m*. *Well informed,* averti, ie. *Well-meaning,* bien intentionné, ée. *Well-off,* aisé, ée. à l'aise.
Welsh Gallois, oise (gàlwà). *Welsh-rabbit,* rôtie au fromage, croque-monsieur.
Welshman, -woman Gallois, oise (gàlwà, wàz).
welt Bordure *f* (dür).
welter Se vautrer (vôtré).
wen Loupe *f* (lûp). Goitre *m* (wàtr) [on neck].
wench (tsh) Fille *f* (fiy).
wend Aller* (àlé).
went. V. GO.
wept. V. WEEP.
were. V. BE.
west Ouest *m* (west). *a* Occidental, le (an). *The West Indies,* les Antilles *fpl*.
westerly D'ouest.
western Occidental, ale.
westward Vers l'ouest.
wet Mouillé, ée (mûyé), humide (ümid). Pluvieux, se (üvyë, ëz) [weather]. *vt* Humecter (ü).
wether (zher) Mouton *m*.
wetness Humidité *f*.
wetting Trempage *m* (anpàj).
whale (wéil) Baleine *f* (èn).
wharf (wauerf) Quai *m* (ké). Entrepôt *m* (antrepô).
what (hwot') Ce qui [subj.], ce que [object]; *what I want,* ce que je veux; *what strikes me,* ce qui me frappe. *interr.* Quoi (kwà), que (ke), qu'est-ce que : *what is it?* qu'est-ce que c'est? *what do you think?* que pensez-vous? *what does he live upon?* de quoi vit-il? Combien (konbyin) [what price]. *a* Quel, quelle, quels, quelles : *what sort of...,* quelle sorte de...
whatever Quoi que ce soit. Tout ce qui, tout ce que. *adv* Quelque... que : *whatever rich he may be,* quelque riche qu'il soit.
whatnot (hwotnot') Étagère *f*.
wheat (wît) Blé *m*, froment *m* (man). - **-grass** Chiendent *m*.
wheedle (wîd'l) Cajoler (jô).
wheel (wîl) Roue *f* (rû). Tour *m* (tûr). cercle *m*. Bicyclette *f*, bécane *f* [bike]. *Fly wheel,* volant *m*. *vt* Rouler (rûlé). *vi* Tourner. Pédaler [cycle].
wheelbarrow (bàroou) Brouette *f* (brûèt).
wheelwork Rouage *m* (rûài).
wheelwright Charron *m* (on).
whelp Petit *m* (petî).
when Quand (kan), lorsque.

Et alors [and then]. Où.
whence D'où.
whenever Chaque fois que.
where (wèer) Où (û) : *anywhere*, n'importe où; *elsewhere*, ailleurs; *nowhere*, nulle part; *somewhere*, quelque part.
whereabouts (ebaouts) Où.
whereas Au lieu que (ôlyëke). Attendu que [law].
whereat De quoi.
whereby Par quoi, par où.
wherefore (fauer) Pourquoi.
wherein En quoi.
whereof Dont, de quoi.
whereon, -upon Sur quoi.
whereto A quoi.
wherever Partout où.
wherewith Avec quoi.
wherewithal (**zhaul**) Moyen *m* (mwàyin).
whet (**h**wèt) Aiguiser (ègìzé).
whether (**zh**er) Si.
whetstone (stooun) Pierre à aiguiser *f*.
whey (wéi) Petit-lait *m*.
which (witsh) Qui (ki). Que (ke) [accusative]. Lequel, laquelle, lesquels, lesquelles [of them]. Ce qui, ce que, [that which]. *adv* Quel, quels, quelles.
whichever Quelque... que.
whiff Bouffée *f* (bûfé).
while (wail) Temps *m* (tan), moment *m* (man). *vt* Passer. *conj* Pendant que.
whilst (wailst) Pendant que.
whim Boutade *f* (bûtad), caprice *m* (prìs).
whimper Pleurnicher.
whimsical Bizarre (bìzàr).
whip Fouet *m* (fwè). Cravache *f* (àsh) [riding]. *vt* Fouetter (fwèté). *vi* Courir*.
whirl (ërl) Tournoyer (tûrnwàyé). *vt* Faire* tournoyer. *n* Tournoiement *m*.
whirlwind (ìnd) Tourbillon *m*.
whisk Épousseter (épûsté). Battre* (bàtr) [eggs]. *vi* Filer, s'esquiver.
whisker Favori *m*. Moustache *f* (mûstàsh) [cat].
whisper Chuchoter (shüsh). Chuchotement *m* (òtman).
whistle (wis'l) Siffler. *n* Sifflet *m* (flè). Gosier *m* [throat].
whistler Siffleur *n* (siflœr).
whistling Sifflement *m*.
whit Brin *m* (in). Pentecôte *f* (pantkôt). *Whit Sunday*, dimanche de la Pentecôte.
white (wait) Blanc, blanche; *-coal*, houille blanche *f*.
whiten (wai) Blanchir (sh).
whiteness Blancheur *f* (œr).
whitethorn (**thau**ern) Aubépine *f* (ôbépìn).
whither (**zh**er) Où (û).
whitish (wai) Blanchâtre.
whitlow (loou) Panaris *m*.
whittle (wit'l) Amincir (min).
whiz Siffler. *n* Sifflement *m*.
who (**h**ou) Qui (kì).
whoever Quiconque (kikonk).
whole (**h**ooul) Entier, ère (antyé, èr). *n* Tout *m* (tû), totalité *f*.
wholeness Intégrité *f*.
wholesale (seil) Vente en gros *f*. Commerce de gros *m*. *a* En gros.
wholesome Sain, ne (sin, èn).
wholly (**h**oouli) Entièrement.
whom (**h**oum) Que, qui.
whomsoever (soou) Qui que ce soit.

whoop (houp) Crier (krìé). *n* Cri *m*.
wooping-cough (hoû - kœf) Coqueluche *f* (kòklüsh).
whopping (wò) Énorme.
whose (houz) Dont (don), de qui, duquel, de laquelle.
why (wai) Pourquoi (pûr-kwa). *interj.* Eh bien!
wicked Méchant, te (shan).
wickedness Méchanceté *f*.
wicker Osier *m* (òzyé).
wicket Guichet *m* (gìshè).
wide (waid) Large (làrj), vaste (vàst). *adv* Largement.
widely Largement.
widen (wai) Élargir (jir).
wideness Largeur *f* (jœr).
widow (widoou) Veuve *f* (vœv). *vt* Rendre veuf.
widowed (ooud) Veuf, veuve.
widower Veuf *m* (vœf).
widowhood (houd) Veuvage *m*.
width (waidth) Largeur *f*.
wife (waif) Épouse, femme.
wig Perruque *f* (pèrük).
wigging (ing) Savon *m* (on). Semonce *f* (semons).
wight (wait) Personnage *m*.
wild (waild) Sauvage *m* (sô-vàj). Insensé, ée (insansé) [mad]. Bizarre (zàr). *n* Désert *m* (zèr).
wilderness (wi) Désert *m*.
wildness (wai) Sauvagerie *f* (vàjrî). Désert *m* (zèr).
wile (wail) Ruse *f* (rüz).
wilful (foul) Entêté, ée (an) [obstinate]. Prémédité, ée; volontaire (lontèr).
wilfully Obstinément. Volontairement.
wilfulness Opiniâtreté *f*, entêtement *m*. Préméditation *f*.
will Vouloir* (vûlwàr) Avoir* l'habitude de [to be* wont]. [future]. *He will come*, il viendra. *n* Volonté *f* (lon).
willing Disposé, ée.
willingly Volontiers (tyé).
willingness Bonne volonté.
William Guillaume (gìyôm).
will-o'the wisp Feu follet.
willow (loou) Saule *m* (sol).
willy-nilly Bon gré, mal gré.
wily (wai) Rusé, ée (rüzé).
wimble Vilebrequin *m* (kin).
wimple Guimpe *f* (ginp).
win* (wìn) Gagner (gàñé) [*won].
winch Manivelle *f* (vèl). Treuil *m* (œy) [windlass].
wind (wìnd) Vent *m* (van). Souffle *m* (sûfl) [breath].
wind-tunnel Soufflerie *f*.
wind* (waind) Tourner (tûr-né). Enrouler (anrûlé) [to coil]. Dévider [silk]. Sonner [to blow]. *To wind* up*, remonter [clock], liquider (kìdé) [company] [*wound].
winded (wìn) Essoufflé, ée.
windfall (faul) Aubaine *f*.
winding (waindìng) Sinueux, se. *n* Détour *m*. *Winding-sheet*, linceul *m*. *Winding up*, liquidation *f* [com.]; dénouement *m*.
windlass (win) Treuil *m* (œy). Cabestan *m* (an) [mar.].
window (wìndoou) Fenêtre *f* (fenètr). Vitrail *m* (tràv) [church]. Glace *f* (glàs) [carriage]. Étalage *m* (àj). *Window-dresser*, étalagiste. *Window-fastening*, espagnolette *f*. *Window-pane*, carreau *m*, vitre *f*.
windward Au vent.
windy Venteux, euse (antë).

wine (waɪn) Vin *m* (vin). *Wine-glass,* verre à vin. *Wine-grower,* vigneron (vìñeron). *Wine-shop,* cabaret *m* (kàbàrè).
wing (wìng) Aile *f* (èl). Coulisse *f* (kûlìs) [theat.]. *vi* Voler [to fly].
wingy Ailé, *ée.*
wink (wìngk) Clin [*m*] d'œil. *vi* Cligner de l'œil.
winner Gagnant, ante (ñan).
winning Gagnant. *pl* Gains *mpl* (gin).
winnow (winoou) Vanner.
winter Hiver *m* (ìvèr). *a* D'hiver. *vi* Hiverner.
wintering Hivernage *m* (nàj).
winterly, wintry Hivernal.
wipe (waɪp) Essuyer (üyé).
wiper (waɪper) Torchon *m* (tòrshon).
wire (waɪer) Fil *m* [metal]. Dépêche *f* (èsh). *Barbed wire,* barbelé. *Wire-gauze,* Toile métallique. *Wire-mill,* tréfilerie *f.* *Wire-netting,* grillage *m.* *Wire-rope,* câble métallique. *Wire-work,* grillage *m.* Tréfilerie *f.*
wireless Sans fil (sanfil).
wiry (waɪe) En fil de fer. *Fig.* Nerveux, se (vë, ëz).
wisdom (iz) Sagesse *f* (sàjès).
wise (waɪz) Sage (sàj). *n* Manière *f.* *Wise-crack,* bon mot *m.*
wish Souhait *m,* désir *m.*
wishful Désireux, se (rë, ëz).
wish-wash Lavasse *f* (vàs).
wisp Poignée *f* (pwàñé).
wistaria Glycine *f* (glìsìn).
wit Esprit *m* (prì).
witch Sorcière *f* (syer).
witchcraft Sorcellerie *f* (sel).
witchery Fascination *f,* magie *f* (jì).
with (wizh, with) Avec. Par. Parmi, chez (shé) [among]. *To meet with,* rencontrer. De (de). En (an). Par: *to begin with,* commencer par. Parmi, chez (shè) [among].
withal (aul) Avec tout cela; en même temps.
withdraw* (wizhdrau) Se retirer. *vt* Retirer [**withdrew, withdrawn*].
withdrawal Retrait *m* (retrè) [money]. Retraite *f* [retirement].
wither (wizher) Faner, flétrir. Se faner.
withering Foudroyant, te.
withhold (hoould) Retenir*, arrêter.
within (wìthìn) A l'intérieur. *prep.* Dans (dan), en dedans de (andedande).
without A l'extérieur, au-dehors (ôdeôr). *prep.* En dehors de, sans (san).
withstand* (stànd) Résister. Supporter [**withstood*].
witless Sans esprit (prì), sot.
witness Témoin *m* (témwin) [pers.]. Témoignage *m* (ñàj) [evidence]. *v* Témoigner. Être témoin de, assister à.
witticism Trait d'esprit *m.*
wittingly Sciemment (syà).
witty Spirituel, elle (tuel).
wizard (wizerd) Sorcier (syé).
wobble (wòbl) Vaciller (lé). Se dandiner [duck]. *A wobbler,* un gigot bouilli [meat], une girouette [man].
woe (woou). Douleur *f* (dûlœr). Malheur *m* (lœr) :

woe to..., malheur à.
woeful Malheureux, euse.
wold (wo^{ou}ld) Campagne *f*.
wolf (woulf) Loup *m* (lû).
woman (woum^{e}n) [pl **women** (wimin)] Femme *f* (fàm).
womanish (woum^{e}nish) De femme; efféminé.
womankind (woum^{e}nka^{i}nd) Les femmes.
womanly De femme. *adv* En femme.
womb (woum) Sein *m* (si^{n}).
women. V. WOMAN.
won. V. WIN.
wonder (wœn) Étonnement *m* (ma^{n}), admiration *f* (s^{y}o^{n}). Merveille *f* (vè^{y}) [marvel]. *vi* S'étonner [to marvel]. Se demander [to ask oneself].
wonderful (wœnde^{r}), **wondrous** Merveilleux, euse.
won't. V. WILL NOT.
wont Coutume *f* (kûtüm). *a* [ou **wonted**] Accoutumé, ée.
woo (wou) Courtiser (kûr).
wood (woud) Bois *m* (bwà).
woodbine (woudba^{i}n) Chèvrefeuille *m* (shèvr^{e}fœ^{y}).
woodcock Bécasse *f* (kàs).
woodcut (kœt) Gravure sur bois *f*.
woodcutter (kœ) Bûcheron.
wooded Boisé, ée (bwàzé).
wooden De bois.
woodman Bûcheron *m* (büshro^{n}). Garde-forestier *m* [ranger].
wood-work (wë^{r}k) Boiserie *f* (bwàzrî). Charpente *f* (shàrpa^{n}t) [frame].
woody De bois.
wood-yard Chantier *m* (sha^{n}).
wooer (wou^{er}) Soupirant.
woof (wouf) Trame *f* (àm).
wooing Cour *f* (kûr).
wool (woul) Laine *f* (lèn). De laine. *Woollens*, lainages *mpl* (lènàj).
woolly Laineux, euse (në).
word (wë^{r}d) Mot *m* (mô), parole *f* (pàròl). *vt* Exprimer. *Word-book*, lexique *m*.
wordy Prolixe (liks).
wore V. WEAR.
work (wë^{r}k) Travailler (^{y}é). *vt* Faire* travailler. Produire* [to product]. Exploiter (wà) [mine]. Actionner (s^{y}ò) [machine]. Manœuvrer (nœvré) [ship]. Tirer [impr.]. Se frayer [way]. *n* Travail *m*.
work-a-day De tous les jours.
worker Travailleur, se. Ouvrier, ère (ûvrié, èr).
workhouse Hospice *m*.
working Travail *m* (àvà^{y}). Manœuvre *f* (nœvr) [mar.]. Tirage *m* (ràj) [impr.]. *a* Qui travaille (và^{y}) : *the working classes*, les classes laborieuses.
workman Ouvrier (ûvrié).
workmanship Main d'œuvre *f* (mi^{n}dœvr).
workroom, -shop Atelier *m* (àt^{e}l^{y}é).
works (wë^{r}ks) Usine *f* (üzìn) [factory]. Rouages *mpl* (rûàj) [wheels].
workwoman (wë^{r}kwoum^{e}n) Ouvrière.
world (wë^{r}ld) Monde *m* (o^{n}d).
worldling Mondain, aine (mo^{n}di^{n}, èn).
worldly De ce monde; mondain, aine [snobbish].
worldwide (wa^{i}d) Universel.

worm (ë) Ver *m.* *vt* Miner. *vi* S'insinuer (iⁿsìnᵘé). *Worm-eaten,* vermoulu, ue.
worn. V. WEAR.
worry (wœri) Tracas *m.* *vt* Tracasser, tirailler (àʸé).
worse (wëʳs) Pire (pìr), plus mauvais. *adv* Pis (pî), plus mal.
worsen Empirer (aⁿpìré).
worship (wëʳship) Culte *m* (külṭ), adoration *f* (àsʸoⁿ). *His Worship,* Son Honneur. *vt* Adorer.
worshipper Adorateur, trice.
-ping Adoration *f.*
worst (ë) Le pire (pir), le plus mauvais. *adv* Le plus mal, le pis. *n* Le pire.
worsted (wouʳstid) De laine.
wort (ë) Herbe *f* (èrb). Moût *m* (mû) [beer].
worth (wëʳth) Valeur *f* (œr). *a* Valant (aⁿ): *to be* worth,* valoir*.
worthily (zhi) Dignement.
worthiness (zhi) Mérite *m.*
worthless Sans valeur.
worthy (wëʳthi) Digne (ìñ). *n* Notable (àbl). Grand homme (graⁿtòm).
wot Savoir* [know]. Penser (paⁿsé) [think].
would (woud) [passé de WILL]. *He would come,* il viendrait [condit.]; il voulait venir*, il a voulu venir [emphat.]; il venait, il avait coutume de venir [habit].
wound (waᵒᵘnd). V. WIND.
wound (wound) Blessure *f* (blésür). *vt* Blesser (sé).
wove, woven. V. WEAVE.
wrack (ràk) Débris *m.* Varech *m* (rèk) [seaweed].
wrangle (ràng-g'l) Se quereller (kᵉrèlé). Dispute *f.*
wrangler Querelleur (œr).
wrap (ràp) Enrouler (aⁿrûlé), envelopper; *wrapping paper,* papier d'emballage. Ravir [to transport]. *n* Écharpe *f* (éshàrp).
wrapper Écharpe *f* (shàrp) [garment]. Robe de chambre *f* [gown]. Enveloppe *f* (aⁿvᵉlòp), bande *f* (baⁿd) [newspaper]. Couverture *f.* Liseuse *f* [book]. Toile d'emballage *f* [packing].
wrath (rauth) Courroux *m* (kûrû). **-ful** Courroucé, ée.
wreak (rîk) Assouvir.
wreath (rîth) Guirlande *f* (girlaⁿd).
wreathe (rizh) Tresser. Couronner [to crown].
wreck (rèk) Naufrage *m* (nôfràj) [shipwreck]. Épave *f* (épàv) [wrecked ship]. Ruine *f* (rᵘin).
wren Roitelet *m* (rwàtlè).
wrench (rènsh) Torsion *f* (sʸoⁿ). Foulure *f* (fûlür) [sprain]. Clef *f* (klè) [spanner]. *vt* Tordre [twist]. Arracher [tear]. Fouler [to sprain].
wrest (rèst) Arracher.
wrestle (rès'l) Lutter (lüté).
wrestler Lutteur (lütœr).
wrestling Lutte *f* (lüt).
wretched (rètshid) Misérable.
-ness Misère *f* (mìzèr).
wriggle (rig'l) Se tortiller.
wright (raⁱt) Ouvrier *m.*
wring* (rìng) Tordre (tòrdr) [twist]. Arracher (shé) [to tear]. Presser, serrer. Déchirer [heart] [**wrung*].

wrinkle (rìngk'l) Ride *f* (rîd) [skin]. Faux pli *m* (fôplî) [cloth]. Tuyau *m* (tuiyô) [hint]. *vt* Rider [skin]. Froisser [cloth].
wrist (rist) Poignet *m* (pwàñè). *Wrist-band*, poignet *m*.
writ (rit') Assignation *f*. Écriture *f* (ür) [Holy].
write* (rait) Écrire* (ékrir). [**wrote, written*].
writer (raiter) Écrivain.
writhe* (raith) Se tordre [**writhed, writhen*].
writing (raiting) Écriture *f* (tür). Écrit *m* (ékri) [thing written]. Ouvrage *m* (ûvràj) [work]. *Writing-book*, cahier *m*. *Writing-pad*, sous-main *m*. *Writing-paper*, papier à lettres. *Writting-materials*, de quoi écrire.
written (rit'n). V. WRITE.
wrong (ròng) Faux, fausse (fô, fôs) [false]. Mauvais, se (mòvè, èz) [bad]. *To be* wrong*, avoir* tort; *the wrong side*, l'envers. *adv* Mal, à tort. *n* Tort *m* (tòr). *vt* Faire* du tort.
wrongful (ròngfoul) Injuste (injüst); injustifié, ée. Nuisible (nuìzìbl) préjudiciable [harmful].
wrongheaded (hèdid) Pervers, erse; entêté, ée.
wrongly A tort.
wrote (roout) V. WRITE.
wroth (rauth) Fâché, ée.
wrought (raut') Travaillé, ée. Forgé (-jé) [iron].
wrung. V. WRING.
wry (rai) De travers (vèr).
wryneck Torticolis *m* (lì).

X Y Z

x (èks) X (iks).
Xmas (krismes) Noël *f*.

y (wai) Y (ìgrèk).
yacht (yot') Yacht *m* (yòt).
yap Glapir, aboyer (bwàyé).
yard (yârd) Cour *f* (kûr). Chantier *m* [work-yard]. Yard = 0 m 914.
yare (yèer) Prompt, prêt.
yarn Fil *m*. Histoire *f* [tale].
yaw (yau) Embardée *f*.
yawl (yaul) Yole *f* (yòl).
yawn (yaun) Bâillement *m* (man). *vi* Bâiller (bâyé). Être béant.
ye (yî) Vous (vû). Le, la, les. V. THE.
yea (yéi) Oui (wì).
yean (yîn) Mettre* bas.
year (yër, yier) An *m* (an), année *f* (àné) : *he is ten years*, il a dix ans. *Year-book*, annuaire *m*.
yearling D'un an.
yearly Annuel, elle. *Half-yearly*, semestriel, elle.
yearn (yërn) Désirer (zì).
yearning Aspiration *f*
yeast (yîst) Levure *f* (ür).
yell Hurlement *m* ('ürleman). *vi* Hurler ('ürlé).
yellow (yèloou) Jaune (jôn).

n Jaune *m*. **-wish** Jaunâtre.
yelp Japper (jàpé).
yeoman (yo^{ou}m^{e}n) [pl **yeomen**] Fermier propriétaire *m*; garde national à cheval. **-manry** Classe des yeomen. Garde nationale à cheval.
yes Oui (wi). Si [in answer to a negative].
yesterday (di) Hier (yèr). *The day before yesterday*, avant-hier.
yet Cependant (s^{e}pa^{n}da^{n}) : *as yet*, jusqu'ici; *not yet*, pas encore.
yew, yew-tree (you) If *m*.
yield (yîld) Produire* (d^{u}ir), rapporter. Livrer [to give up]. *vi* Céder (sédé). *n* Rendement *m* (ra^{n}dma^{n}). Accommodant, te. *n* Reddition *f*, soumission *f*.
yoke (yo^{ou}k) Joug *m* (jû). *vt* Atteler (àtlé).
yolk Jaune d'œuf *m*.
yon [or **yonder**] Là-bas. *a* Ce... là-bas.
yore (yau^{er}) Jadis (jàdìs).
you (you) Vous (vû).
young (yœng) Jeune (jœn). *npl* Les petits.
youngish Jeunet, ette.
youngster Jeune homme *m*.
your (yau^{er}) Votre (vòtr) [*sing*]; vos (vô) [*pl*].
yours Le, la vôtre, les vôtres.
yourself Vous-même; vous.
youth (youth) Jeunesse *f* (jœnès). Jeune homme [young man]. **-ful** Jeune (jœn).
youthfulness Jeunesse *f*.
Yule (youl) Noël *m*. *Yule-tide*. temps de Noël, la Noël.

z (zèd) Z (zèd).
zany (zé^{i}) Bouffon (bûfo^{n}).
zeal (zîl) Zèle *m* (zèl).
zealous (zîl^{e}s) Zélé, ée.
zebra (zîbr^{e}) Zèbre *m* (zèbr). - *-crossing*, passage [*m*] pour piétons.
zenith (ith) Zénith *m* (nit').
zephyr (zèf^{er}) Zéphir *m*.
zero (zi^{e}ro^{ou}) Zéro *m*.
zest Saveur *f*; piquant *m*.
zigzag Zigzag *m*. Zigzaguer.
zodiac Zodiaque *m*.
zone (zo^{ou}n) Zone *f* (zôn).
zoology Zoologie *f* (lòjî).
zounds (zao^{ou}ndz) Corbleu!

FRENCH IRREGULAR VERBS

Verbs in **cer** take **ç** before **a** and **o**; verbs in **ger** add **e** before **a** and **o**; verbs in **eler, eter** usually double the **l** or **t** before a mute **e.**

Absoudre *-olvant, -ous, te.* PI *Absous.* No PT. **Accroître** S. CROÎTRE. Accru. **Acquérir** *-quérant, -quis.* PI Acquiers..., -ièrent. PT Acquis. F Acquerrai. PS Acquière..., -ièrent. **Aller** PI Vais, vas, va..., vont. F Irai. Imp Va. PS Aille, ... -ent. **Assaillir** *-aillant* ①. **Asseoir** *-eyant, -is.* PI Assieds (-eois). PT Assis ②. F Assiérai (-eoirai). **Atteindre** S. PEINDRE. **Avoir** *Ayant, Eu.* PI Ai, as, a, avons, avez, ont, PT Eus, eus, eut, eûmes, eûtes, eurent. F Aurai. PS Aie, aies, ait, ayons, ayez, aient. Imp Aie, ayons. **Battre** PI Bats. **Boire** *Buvant, Bu.* PI Bois..., boivent. PT Bus ③. PS Boive..., -vent. **Bouillir** *-llant, -lli.* PI Bous. **Braire** PI Brait. Impf Brayait. No PP and PT. **Ceindre** S. PEINDRE. **Clore** Clos. No Impf, PT and S. **Conclure** *-cluant, -clu.* PT Conclus ③. **Conduire** S. CUIRE. **Confire** S. INTERDIRE. **Connaître** *-naissant, -nu.* PI Connais. PT Connus. **Conquérir** S. ACQUÉRIR. **Construire** S. CUIRE. **Contraindre** S. CRAINDRE. **Contredire** S. INTERDIRE. **Coudre** *Cousant, -su.* PT Cousis. **Courir** *-rant, -ru.* PI Cours. PT Courus ③. F. Courrai. **Couvrir** S. OUVRIR. **Craindre** *Craignant, Craint.* PI Crains. PT Craignis. **Croire** *Croyant, Cru.* PI Crois..., croient. PT Crus. **Croître** *Croissant, Crû.* PI Crois. PT Crûs. **Cueillir** *-llant.* PI Cueille ①. F Cueillerai. **Cuire** *Cuisant, Cuit.* PT Cuisis. **Déchoir** *Déchu.* PI Déchois..., -oyons, -oyez, -oient. PT Déchus. **Décroître** S. ACCROÎTRE. **Dédire** S. DIRE. PI 2 p pl Dédisez. **Déduire** S. CUIRE. **Défaillir** *-llant.* **Détruire** S. CUIRE. **Devoir** *Devant, Dû.* PI Dois..., doivent. PT Dus. F Devrai. PS Doive..., -vent. **Dire** *Disant, Dit.* PI 2 p pl Dites. **Dissoudre** S. ABSOUDRE. **Dormir** *-mant, -mi.* PI Dors. **Échoir** *Échéant, Échu.* PI Échoit. PT Échut. F Écherra. **Écrire** *Écrivant, Écrit.* PI Écris. PT Écrivis. **Enduire** S. CUIRE. **Enfreindre** S. PEINDRE. **Envoyer** PI and PS Envoie..., -oient. F Enverrai. **Éteindre** S. PEINDRE. **Être** *Étant, Été.* PI Suis, es, est, sommes, êtes, sont. PT Fus ③. F Serai. Imp Sois, soyons, soyez. PS Sois..., soyons, soyez, soient. **Étreindre** S. PEINDRE. **Exclure** S. CONCLURE. **Faillir** Only used in p. Part, PT and F, regular. **Faire** *Faisant Fait.* PI and Imp 2 p pl Faites PT Fis. F Ferai. PS Fasse. **Falloir** impers. *Fallu.* PI Faut. Impf Fallait PT Fallut. F Faudra. PS Faille. **Feindre** S. PEINDRE. **Frire** *Frit.* PI Fris. F Frirai. **Fuir**

Fuyant. PI Fuis..., fuient. PS Fuie..., fuient. **Geindre** S. PEINDRE. **Gésir** *Gisant.* PI 3 p Gît. No PT, F and Imp. **Haïr** PI Hais. **Induire, Instruire** S. CUIRE. **Maudire** S. DIRE, but *Maudissant.* **Médire** S. INTERDIRE. **Mentir** S. SORTIR. **Mettre** *Mis.* PI Mets. PT Mis. **Moudre,** *Moulant, -lu.* PT Moulus. **Mourir** *Mourant, Mort.* PI Meurs..., -rent. PT Mourus ③. PS Meure..., -rent. **Mouvoir** *Mû.* PI Meus... meuvent. PT Mus. F Mouvrai. PS Meuve..., -vent. **Naître** *Naissant, Né.* PI Nais, nais, naît. PT Naquis. **Nuire** *Nui.* S. CUIRE. **Offrir** S. OUVRIR. **Oindre** S. CRAINDRE. **Ouvrir** *Ouvrant, Ouvert.* PI Ouvre ①. **Paître** S. PARAÎTRE. No p part and PT. **Paraître** *Paraissant, Paru.* PI Parais, -ais, -ait. PT Parus ③. **Partir** *Partant.* PI Pars. **Peindre** *Peignant. Peint.* PI Peins. PT Peignis. **Plaindre** S. CRAINDRE. **Plaire** *Plaisant, Plu.* PI Plais. PT Plus ③. **Pleuvoir** impers *Plu.* PI Pleut. PT Plut. **Poindre** S. PEINDRE. Only used in PI 3 p sing. **Pourvoir** S. VOIR. PT Pourvus. F Pourvoirai. **Pouvoir** *Pouvant, Pu.* PI Puis or Peux, peux, peut..., peuvent. PT Pus. F. Pourrai. PS Puisse. **Prédire** S. INTERDIRE. **Prendre** *Prenant, Pris.* PI Prends..., prennent. PT Pris. PS Prenne..., -ennent. **Prescrire** S. ÉCRIRE. **Prévaloir** S. VALOIR. PS Prévale. **Prévoir** S. VOIR. F Prévoirai. **Produire, réduire** S. CUIRE. **Repaître** S. PARAÎTRE. **Repentir** S. SORTIR. **Requérir** S. ACQUÉRIR. **Résoudre** S. ABSOUDRE, but *Résolu.* PT Résolus. **Ressortir** [to come out again] S. SORTIR. [to be amenable] regular. **Restreindre** S. PEINDRE. **Rire** *Ri.* PI Ris. **Savoir** *Sachant, Su.* PI Sais..., savons. PT Sus. F Saurai. Imp Sache. **Séduire** S. CUIRE. **Sentir** S. PARTIR. **Seoir** *Seyant, Sis.* impers. PI Sied. Impf Séyait. F Siéra. No PT and S. **Servir, Sortir** S. *Partir.* **Souffrir** S. OUVRIR. **Souscrire** S. ÉCRIRE. **Suffire** *Suffisant, Suffi.* PT Suffis. **Suivre** *Suivi.* PI Suis. **Taire** S. PLAIRE. **Teindre** S. PEINDRE. **Tenir** *Tenant, Tenu.* PI Tiens..., tiennent. F. Tiendrai. PS Tienne..., -ent. **Traire** Trayant, Trait. PI Trais..., traient. No PT. PS Traie..., -ent. **Tressaillir** S. ASSAILLIR. **Vaincre** *Vainquant, Vaincu.* PT Vainquis. **Valoir** *Valant, Valu.* PI Vaux, vaux, vaut. PT Valus. F Vaudrai. No Imp. PS Vaille. **Venir** S TENIR. **Vêtir** *Vêtant. Vêtu* PI Vêts, vêts, vêt, vêtons, vêtez, vêtent. Imp, PS ①. **Vivre** *Vécu.* PI Vis. PT Vécus ③. **Voir** *Voyant, Vu.* PI Vois..., voient. PT Vis ②. F Verrai. PS Voie. **Vouloir** *Voulu.* PI Veux..., veulent. PT Voulus. F Voudrai. Imp Veuille. PS Veuille.

Numbers indicate whether the tense should be conjugated like the corresponding tense of the 1st, 2d or 3d conj.